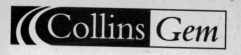

Collins Gem

italiano ▸ spagnolo
español ▸ italiano

MONDADORI

Grijalbo

Collins Gem
An Imprint of HarperCollinsPublishers

seconda edizione/segunda edición 2003

© William Collins Sons & Co. Ltd. 1984
© HarperCollins Publishers 2003

HarperCollins Publishers
Westerhill Road, Bishopbriggs, Glasgow G64 2QT
Great Britain

www.collinsdictionaries.com

Collins Gem® is a registered trademark of
HarperCollins Publishers Limited

Grupo Editorial Random House Mondadori, S.L.
Travessera de Gràcia, 47-49
Barcelona 08021

ISBN 84-253-3700-3
www.diccionarioscollins.com

Pubblicato in Italia dalla
Arnoldo Mondadori Editore, Milano

ISBN 88-04-37178-1
http://www.mondadori.com/libri

a cura di/dirección general
Michela Clari

coordinamento editoriale/coordinación editorial
Gabriella Bacchelli

redazione/redacción
José Francisco Medina Montero   Giuseppe Palumbo
José Martín Galera

segreteria di redazione/equipo editorial
Joyce Littlejohn   Helen Newstead   Val McNulty

fotocomposizione/fotocomposición
Thomas Callan   Mark Taylor

collana a cura di/colección dirigida por
Lorna Sinclair Knight

Stampato da/Impreso por Legoprint S.P.A.

INDICE

ÍNDICE

I marchi registrati
I termini che a nostro parere costituiscono un marchio registrato sono state designate come tali. In ogni caso, né la presenza né l'assenza di tale designazione implicano alcuna valutazione del loro reale stato giuridico.

Marcas registradas
Las marcas que creemos que constituyen marcas registradas las denominamos como tales. Sin embargo, no debe considerarse que la presencia o la ausencia de esta designación tenga que ver con la situación legal de ninguna marca.

Abbreviazioni		Abreviaturas
abbreviazione	ab(b)r	abreviatura
aggettivo	adj	adjetivo
amministrazione	ADMIN	administración
avverbio	adv	adverbio
aeronautica, astronautica	AER	aviación, astronáutica
aggettivo	agg	adjetivo
agricoltura	AGR	agricultura
qualcuno	algn	alguien
amministrazione	AMM	administración
anatomia	ANAT	anatomía
architettura	ARCHIT, ARQ	arquitectura
articolo	art	artículo
astrologia	ASTROL	astrología
astronomia	ASTRON	astronomía
ausiliare	aus	auxiliar
automobilismo	AUT(O)	automóvil
ausiliare	aux	auxiliar
avverbio	avv	adverbio
biologia	BIO(L)	biología
botanica	BOT	botánica
consonante	C	consonante
America centrale	CAm	Centroamérica
chimica	CHIM	química
cinematografia	CINE	cine
commercio	COM(M)	comercio
congiunzione	cong, conj	conjunción
edilizia	CONSTR	construcción
Cono Sud	CS	Cono Sur
cucina	CUC, CULIN	culinario, cocina
davanti a	dav	delante de
determinativo	def	definido
dimostrativo	demos	demostrativo
determinativo	det	determinante
diritto	DIR	jurídico
eccetera	ecc	etcétera

iv

economia	**ECON**	economía
edilizia	**EDIL**	construcción
elettricità, elettronica	**ELETTR, ELEC**	electricidad, electrónica
esclamazione	**escl**	exclamación
scuola, insegnamento	**ESCOL**	escuela, enseñanza
Spagna	**ESP**	España
specialmente	**esp**	especialmente
eccetera	**etc**	etcétera
esclamazione	**excl**	exclamación
femminile	**f**	femenino
familiare (volgare!)	**fam(!)**	lenguaje familiar (¡vulgar!)
ferrovia	**FERR(O)**	ferrocarril
figurato	**fig**	figurado
filosofia	**FILOS**	filosofía
finanza	**FIN**	finanzas
fisica	**FIS, FÍS**	física
fotografia	**FOT(O)**	fotografía
in generale	**gen**	generalmente
geografia	**GEO**	geografía
geometria	**GEOM**	geometría
indeterminativo	**indet, indef**	indefinido
informatica	**INFORM**	informática
invariabile	**inv**	invariable
diritto	**JUR**	jurídico
America latina	**LAm**	Latinoamérica
letteratura	**LETT**	literatura
linguistica, grammatica	**LING**	lingüística, gramática
letteratura	**LIT**	literatura
maschile	**m**	masculino
matematica	**MAT**	matemáticas
medicina	**MED**	medicina
meteorologia	**METEO(R)**	meteorología
Messico	**MÉX**	México
militare, esercito	**MIL**	militar, ejército
musica	**MUS, MÚS**	música
sostantivo	**n**	nombre, sustantivo

nautica, navigazione	**NAUT, NÁUT**	náutica, navegación
peggiorativo	**peg**	peyorativo
personale	**pers**	personal
peggiorativo	**pey**	peyorativo
plurale	**pl**	plural
politica	**POL**	política
participio passato	**pp**	participio de pasado
prefisso	**pref**	prefijo
preposizione	**prep**	preposición
pronome	**pron**	pronombre
psicologia	**PSIC(O)**	psicología
qualcosa	**qc**	algo
qualcuno	**qn**	alguien
chimica	**QUÍM**	química
religione	**REL**	religión
relativo	**rel**	relativo
Rio della Plata	**RPI**	Río de la Plata
sostantivo	**s**	sustantivo, nombre
scuola, insegnamento	**SCOL**	escuela, enseñanza
singolare	**sg**	singular
soggetto	**sogg, suj**	sujeto
tauromachia	**TAUR**	tauromaquia
anche	**tb**	también
tecnologia, tecnica	**TEC(N)**	tecnología, técnico
telecomunicazioni, telefono	**TEL(EC)**	telecomunicaciones, telefonía
tipografia	**TIP**	tipografía
televisione	**TV**	televisión
università	**UNIV**	universidad
vocale	**V**	vocal
verbo	**vb**	verbo
verbo intransitivo	**vi**	verbo intransitivo
verbo pronominale	**vpr**	verbo pronominal
verbo transitivo	**vt**	verbo transitivo
zoologia	**ZOOL**	zoología
marchio registrato	**®**	marca registrada
equivalenza culturale	**=**	equivalente cultural

vi

Trascrizione fonetica   Transcripción fonética

NB: La messa in equivalenza di certi suoni indica solo una rassomiglianza approssimativa/La equivalencia de algunos de los sonidos indica solamente una semejanza aproximada

Consonanti		Consonantes	Vocali		Vocales
padre	p	palabra	vino idea	i	pino
bambino	b	baile vía	stella edera	e	me
tutto	t	torre	epoca eccetto	ɛ	perro gente
dado	d	danés andar	mamma	a	pata
cane che	k	cana que	rosa occhio	ɔ	lo control
gola ghiro	g	gafas	mimo	o	por
sano	s	casa sesión	utile	u	lunes
svago esame	z	isla desde			
scena	ʃ				
pece lancio	tʃ	chiste chocolate			
gente gioco	dʒ				
afa faro	f	fino afán			
vero bravo	v				
	θ	tenaz cero cielo			
	ð	ciudad hablado			
letto bello	l	largo			
gli	ʎ	talle			
rete arco	r	quitar			
ramo madre	m	como muy			
no fumante	n	noche grande			
gnomo	ɲ	niño			
buio più	j	ya			
uomo guaio	w	huevo puente			
	x	jugar gente girar			
	ɣ	pagar			
	β	furtivo dividir			

Il segno ['] precede la sillaba accentata/El signo ['] precede la sílaba acentuada

La Pronunciación Italiana

c	antes de *e* o *i* se pronuncia como *ch* en *cheque*, *chico*
ch	se pronuncia como *c* en *caja*
d	se pronuncia como *d* en *conde*, *andar*
g	antes de *e* o *i* se pronuncia como en *generalitat* (catalán)
gh	se pronuncia como *g* en *grande*, *gol*
gl	antes de *e* o *i* se pronuncia normalmente como *ll* en *talle*, sólo en algunos casos como *gl* en *globo*
gn	se pronuncia como *ñ* en *cañón*
gu	antes de *a*, *e*, *i* se pronuncia como en *guapo*
l	se pronuncia siempre como en *legal*
qu	se pronuncia como *cu* en *cuatro*, *cuota*
sc	antes de *e* o *i* se pronuncia como *ch* francesa en *chambre*
v	se pronuncia como *f*, pero se retiran los dientes superiores vibrándolos contra el labio inferior
z	a veces se pronuncia como *ts* en *tsetse*. En otros casos se pronuncia como *d* + *s* sonora

NB: Todas las consonantes dobles en italiano se pronuncian dobles, ej: la *ss* en *bussola* se pronuncia como en las *señoras*

Vocales
Las vocales en italiano se pronuncian igual que las vocales en español.

Acento
El signo ['] en el diccionario indica la sílaba acentuada.

La Pronuncia Spagnola

ci, ce	la *c* si pronuncia come una *t* interdentale sorda, come *th* nell'inglese *thin*
ch	si pronuncia come *c* nell'italiano *cena*
d	all'inizio di una parola o dopo *l*, *n*, *d*, si pronuncia come in italiano. Altrimenti si pronuncia come una *t* interdentale sonora, come *th* nell'inglese *that*
g	davanti a *a*, *o*, *u*, all'inizio di parola e dopo *n* si pronuncia come in italiano. Altrimenti ha un suono più dolce, come di una *g* aspirata
gi, ge, j	si pronunciano con una *c* aspirata, come *ch* nel tedesco *ich*
gue, gui	si pronunciano rispettivamente *ghe*, *ghi* come nell'italiano *ghetto*, *ghiro*. Nel caso in cui compaia la dieresi sulla *u*, si pronunciano come nell'italiano *guida*, *guerra*
h	è sempre muta in spagnolo
ll	si pronuncia come il gruppo *gl* nell'italiano *giglio*
ñ	si pronuncia come il gruppo *gn* nell'italiano *gnomo*
qu	si pronuncia come il gruppo *ch* nell'italiano *chilo*, *che*
r	se doppia o all'inizio di parola si pronuncia con un suono molto vibrato
v, b	si pronunciano *b* come nell'italiano *botte*, se si trovano all'inizio di una parola o dopo *m*, *n*. Altrimenti vengono pronunciate con un suono tra *b* e *v*, dove le labbra non si toccano
z	si pronuncia come una *t* interdentale sorda, come *th* dell'inglese *thin*

NB: Le altre consonanti e le vocali in spagnolo si pronunciano come in italiano

Accento tonico

Regole per l'accentazione:

a) quando una parola termina in vocale o in *n* o *s*, di norma l'accento cade sulla penultima sillaba: pat*a*ta, pat*a*tas, perch*e*ro, c*o*men

b) quando una parola termina in consonante che non sia *n* o *s*, di norma l'accento cade sull'ultima sillaba: par*e*d, habl*a*r

c) tutte le altre parole si scrivono con l'accento acuto in spagnolo: h*ú*ngaro, humill*a*ción

Verbos italianos

1 Gerundio **2** Participio passato **3** Presente **4** Imperfetto **5** Passato remoto **6** Futuro **7** Condizionale **8** Congiuntivo presente **9** Congiuntivo passato **10** Imperativo

andare 3 vado, vai, va, andiamo, andate, vanno **6** andrò ecc. **8** vada **10** va'!, vada!, andate!, vadano!

apparire 2 apparso **3** appaio, appari o apparisci, appare o apparisce, appaiono o appariscono **5** apparvi o apparsi, apparisti, apparve o apparì o apparse, apparvero o apparirono o apparsero **8** appaia o apparisca

aprire 2 aperto **3** apro **5** aprii, apristi **8** apra

AVERE 3 ho, hai, ha, abbiamo, avete, hanno **5** ebbi, avesti, ebbe, avemmo, aveste, ebbero **6** avrò ecc. **8** abbia ecc. **10** abbi!, abbia!, abbiate!, abbiano!

bere 1 bevendo **2** bevuto **3** bevo ecc. **4** bevevo ecc. **5** bevvi o bevetti, bevesti **6** berrò ecc. **8** beva ecc. **9** bevessi ecc.

cadere 5 caddi, cadesti **6** cadrò ecc.

cogliere 2 colto **3** colgo, colgono **5** colsi, cogliesti **8** colga

correre 2 corso **5** corsi, corresti

cuocere 2 cotto **3** cuocio, cociamo, cuociono **5** cossi, cocesti

dare 3 do, dai, dà, diamo, date, danno **5** diedi o detti, desti **6** darò ecc. **8** dia ecc. **9** dessi ecc. **10** da'!, dai!, date!, diano!

dire 1 dicendo **2** detto **3** dico, dici, dice, diciamo, dite, dicono **4** dicevo ecc. **5** dissi, dicesti **6** dirò ecc. **8** dica, diciamo, diciate, dicano **9** dicessi ecc. **10** di'!, dica!, dite!, dicano!

dolere 3 dolgo, duoli, duole, dolgono **5** dolsi, dolesti **6** dorrò ecc. **8** dolga

dovere 3 devo o debbo, devi, deve, dobbiamo, dovete, devono o debbono **6** dovrò ecc. **8** debba, dobbiamo, dobbiate, devano o debbano

ESSERE 2 stato **3** sono, sei, è, siamo, siete, sono **4** ero, eri, era, eravamo, eravate, erano **5** fui, fosti, fu, fummo, foste, furono **6** sarò ecc. **8** sia ecc. **9** fossi, fossi, fosse, fossimo, foste, fossero **10** sii!, sia!, siate!, siano!

fare 1 facendo **2** fatto **3** faccio, fai, fa, facciamo, fate, fanno **4** facevo ecc. **5** feci, facesti **6** farò ecc. **8** faccia ecc. **9** facessi ecc. **10** fa'!, faccia!, fate!, facciano!

FINIRE 1 finendo 2 finito
3 finisco, finisci, finisce, finiamo,
finite, finiscono 4 finivo, finivi,
finiva, finivamo, finivate,
finivano 5 finii, finisti, finì,
finimmo, finiste, finirono
6 finirò, finirai, finirà, finiremo,
finirete, finiranno 7 finirei,
finiresti, finirebbe, finiremmo,
finireste, finirebbero 8 finisca,
finisca, finisca, finiamo, finiate,
finiscano 9 finissi, finissi, finisse,
finissimo, finiste, finissero
10 finisci!, finisca!, finite!,
finiscano!

giungere 2 giunto 5 giunsi,
giungesti

leggere 2 letto 5 lessi, leggesti

mettere 2 messo 5 misi,
mettesti

morire 2 morto 3 muoio, muori,
muore, moriamo, morite,
muoiono 6 morirò o morrò ecc.
8 muoia

muovere 2 mosso 5 mossi,
movesti

nascere 2 nato 5 nacqui,
nascesti

nuocere 2 nuociuto 3 nuoccio,
nuoci, nuoce, nociamo o
nuociamo, nuocete, nuocciono
4 nuocevo ecc. 5 nocqui,
nuocesti 6 nuocerò ecc.
7 nuoccia

offrire 2 offerto 3 offro 5 offersi
o offrii, offristi 8 offra

parere 2 parso 3 paio, paiamo,

paiono 5 parvi o parsi, paresti
6 parrò ecc. 8 paia, paiamo,
paiate, paiano

PARLARE 1 parlando 2 parlato
3 parlo, parli, parla, parliamo,
parlate, parlano 4 parlavo,
parlavi, parlava, parlavamo,
parlavate, parlavano 5 parlai,
parlasti, parlò, parlammo,
parlaste, parlarono 6 parlerò,
parlerai, parlerà, parleremo,
parlerete, parleranno 7 parlerei,
parleresti, parlerebbe,
parleremmo, parlereste,
parlerebbero 8 parli, parli, parli,
parliamo, parliate, parlino
9 parlassi, parlassi, parlasse,
parlassimo, parlaste, parlassero
10 parla!, parli!, parlate!,
parlino!

piacere 2 piaciuto 3 piaccio,
piacciamo, piacciono 5 piacqui,
piacesti 8 piacci ecc.

porre 1 ponendo 2 posto
3 pongo, poni, pone, poniamo,
ponete, pongono 4 ponevo
ecc. 5 posi, ponesti 6 porrò ecc.
8 ponga, poniamo, poniate,
pongano 9 ponessi ecc.

potere 3 posso, puoi, può,
possiamo, potete, possono
6 potrò ecc. 8 possa, possiamo,
possiate, possano

prendere 2 preso 5 presi,
prendesti

ridurre 1 riducendo 2 ridotto
3 riduco ecc. 4 riducevo ecc.
5 ridussi, riducesti 6 ridurrò ecc.
8 riduca ecc. 9 riducessi ecc.

riempire 1 riempiendo **3** riempio, riempi, riempie, riempiono

rimanere 2 rimasto **3** rimango, rimangono **5** rimasi, rimanesti **6** rimarrò ecc. **8** rimanga

rispondere 2 risposto **5** risposi, rispondesti

salire 3 salgo, sali, salgono **8** salga

sapere 3 so, sai, sa, sappiamo, sapete, sanno **5** seppi, sapesti **6** saprò ecc. **8** sappia ecc. **10** sappi!, sappia!, sappiate!, sappiano!

scrivere 2 scritto **5** scrissi, scrivesti

sedere 3 siedo, siedi, siede, siedono **8** sieda

spegnere 2 spento **3** spengo, spengono **5** spensi, spegnesti **8** spenga

stare 2 stato **3** sto, stai, sta, stiamo, state, stanno **5** stetti, stesti **6** starò ecc. **8** stia ecc. **9** stessi ecc. **10** sta'!, stia!, state!, stiano!

tacere 2 taciuto **3** taccio, tacciono **5** tacqui, tacesti **8** taccia

tenere 3 tengo, tieni, tiene, tengono **5** tenni, tenesti **6** terrò ecc. **8** tenga

trarre 1 traendo **2** tratto **3** traggo, trai, trae, traiamo, traete, traggono **4** traevo ecc. **5** trassi, traesti **6** trarrò ecc. **8** tragga **9** traessi ecc.

udire 3 odo, odi, ode, odono **8** oda

uscire 3 esco, esci, esce, escono **8** esca

valere 2 valso **3** valgo, valgono **5** valsi, valesti **6** varrò ecc. **8** valga

vedere 2 visto o veduto **5** vidi, vedesti **6** vedrò ecc.

VENDERE 1 vendendo **2** venduto **3** vendo, vendi, vende, vendiamo, vendete, vendono **4** vendevo, vendevi, vendeva, vendevamo, vendevate, vendevano **5** vendei o vendetti, vendesti, vendé o vendette, vendemmo, vendeste, venderono o vendettero **6** venderò, venderai, venderà, venderemo, venderete, venderanno **7** venderei, venderesti, venderebbe, venderemmo, vendereste, venderebbero **8** venda, venda, venda, vendiamo, vendiate, vendano **9** vendessi, vendessi, vendesse, vendessimo, vendeste, vendessero **10** vendi!, venda!, vendete!, vendano!

venire 2 venuto **3** vengo, vieni, viene, vengono **5** venni, venisti **6** verrò ecc. **8** venga

vivere 2 vissuto **5** vissi, vivesti

volere 3 voglio, vuoi, vuole, vogliamo, volete, vogliono **5** volli, volesti **6** vorrò ecc. **8** voglia ecc. **10** vogli!, voglia!, vogliate!, vogliano!

Verbi spagnoli

1 Gerundio **2** Imperativo **3** Presente **4** Pretérito **5** Futuro **6** Presente de subjuntivo **7** Imperfecto de subjuntivo **8** Participio de pasado **9** Imperfecto

Etc indica che la stessa radice irregolare viene usata per la coniugazione di tutte le altre persone del tempo verbale. Per esempio il verbo **oír** si coniuga come segue: oiga, oigas, oigamos, oigáis, oigan.

agradecer 3 agradezco
6 agradezca *etc*

aprobar 2 aprueba **3** apruebo, apruebas, aprueba, aprueban **6** apruebe, apruebes, apruebe, aprueben

atravesar 2 atraviesa **3** atravieso, atraviesas, atraviesa, atraviesan **6** atraviese, atravieses, atraviese, atraviesen

caber 3 quepo **4** cupe, cupiste, cupo, cupimos, cupisteis, cupieron **5** cabré *etc* **6** quepa *etc* **7** cupiera *etc*

caer 1 cayendo **3** caigo **4** cayó, cayeron **6** caiga *etc* **7** cayera *etc*

cerrar 2 cierra **3** cierro, cierras, cierra, cierran **6** cierre, cierres, cierre, cierren

COMER 1 comiendo **2** come, comed **3** como, comes, come, comemos, coméis, comen **4** comí, comiste, comió, comimos, comisteis, comieron **5** comeré, comerás, comerá, comeremos, comeréis, comerán **6** coma, comas, coma, comamos, comáis, coman **7** comiera, comieras, comiera, comiéramos, comierais, comieran **8** comido **9** comía, comías, comía, comíamos, comíais, comían

conocer 3 conozco **6** conozca *etc*

contar 2 cuenta **3** cuento, cuentas, cuenta, cuentan **6** cuente, cuentes, cuente, cuenten

dar 3 doy **4** di, diste, dio, dimos, disteis, dieron **7** diera *etc*

decir 3 digo **4** dije, dijiste, dijo, dijimos, dijisteis, dijeron **5** diré **6** diga *etc* **7** dijera *etc* **8** dicho

despertar 2 despierta **3** despierto, despiertas, despierta, despiertan **6** despierte, despiertes, despierte, despierten

divertir 1 divirtiendo **2** divierte **3** divierto, diviertes, divierte, divierten **4** divirtió, divirtieren **6** divierta, diviertas, divierta, divirtamos, divirtáis, diviertan **7** divirtiera *etc*

dormir 1 durmiendo **2** duerme **3** duermo, duermes, duerme, duermen **4** durmió, durmieron **6** duerma, duermas, duerma, durmamos, durmáis, duerman **7** durmiera *etc*

empezar 2 empieza **3** empiezo, empiezas, empieza, empiezan **4** empecé **6** empiece, empieces, empiece, empecemos, empecéis, empiecen

entender 2 entiende **3** entiendo, entiendes, entiende, entienden **6** entienda, entiendas, entienda, entiendan

ESTAR 2 está **3** estoy, estás, está, están **4** estuve, estuviste, estuvo, estuvimos, estuvisteis, estuvieron **6** esté, estés, esté, estén **7** estuviera *etc*

HABER 3 he, has, ha, hemos, han hube, hubiste, hubo, hubimos, hubisteis, hubieron **5** habré *etc* **6** haya *etc* **7** hubiera *etc*

HABLAR 1 hablando **2** habla, hablad **3** hablo, hablas, habla, hablamos, habláis, hablan **4** hablé, hablaste, habló, hablamos, hablasteis, hablaron **5** hablaré, hablarás, hablará, hablaremos, hablaréis, hablarán **6** hable, hables, hable, hablemos, habléis, hablen **7** hablara, hablaras, hablara, habláramos, hablarais, hablaran **8** hablado **9** hablaba, hablabas, hablaba, hablábamos, hablabais, hablaban

hacer 2 haz **3** hago **4** hice, hiciste, hizo, hicimos, hicisteis, hicieron **5** haré *etc* **6** haga *etc* **7** hiciera *etc* **8** hecho

instruir 1 instruyendo **2** instruye **3** instruyo, instruyes, instruye, instruyen **4** instruyó, instruyeron **6** instruya *etc* **7** instruyera *etc*

ir 1 yendo **2** ve **3** voy, vas, va, vamos, vais, van **4** fui, fuiste, fue, fuimos, fuisteis, fueron **6** vaya, vayas, vayamos, vayáis, vayan **7** fuera *etc* **9** iba, ibas, iba, íbamos, ibais, iban

jugar 2 juega **3** juego, juegas, juega, juegan **4** jugué **6** juegue *etc*

leer 1 leyendo **4** leyó, leyeron **7** leyera *etc*

morir 1 muriendo **2** muere **3** muero, mueres, muere, mueren **4** murió, murieron **6** muera, mueras, muera, muramos, muráis, mueran **7** muriera *etc* **8** muerto

mover 2 mueve **3** muevo, mueves, mueve, mueven **6** mueva, muevas, mueva, muevan

negar 2 niega **3** niego, niegas, niega, niegan **4** negué **6** niegue, niegues, niegue, neguemos, neguéis, nieguen

ofrecer 3 ofrezco **6** ofrezca *etc*

oír 1 oyendo **2** oye **3** oigo, oyes, oye, oyen **4** oyó, oyeron **6** oiga *etc* **7** oyera *etc*

oler 2 huele **3** huelo, hueles, huele, huelen **6** huela, huelas, huela, huelan

parecer 3 parezco **6** parezca *etc*

pedir 1 pidiendo **2** pide **3** pido, pides, pide, piden **4** pidió, pidieron **6** pida *etc* **7** pidiera *etc*

pensar 2 piensa **3** pienso, piensas, piensa, piensan **6** piense, pienses, piense, piensen

perder 2 pierde **3** pierdo, pierdes, pierde, pierden **6** pierda, pierdas, pierda, pierdan

poder 1 pudiendo **2** puede **3** puedo, puedes, puede, pueden **4** pude, pudiste, pudo, pudimos, pudisteis, pudieron **5** podré *etc* **6** pueda, puedas, pueda, puedan **7** pudiera *etc*

poner 2 pon **3** pongo **4** puse, pusiste, puso, pusimos, pusisteis, pusieron **5** pondré *etc* **6** ponga *etc* **7** pusiera *etc* **8** puesto

preferir 1 prefiriendo **2** prefiere **3** prefiero, prefieres, prefiere,

prefieren 4 prefirió, prefirieron
6 prefiera, prefieras, prefiera,
prefiramos, prefiráis, prefieran
7 prefiriera *etc*

querer 2 quiere **3** quiero, quieres,
quiere, quieren **4** quise, quisiste,
quiso, quisimos, quisisteis,
quisieron **5** querré *etc* **6** quiera,
quieras, quiera, quieran
7 quisiera *etc*

reír 2 ríe **3** río, ríes, ríe, ríen **4** reí,
rieron **6** ría, rías, ría, riamos, riáis,
rían **7** riera *etc*

repetir 1 repitiendo **2** repite
3 repito, repites, repite, repiten
4 repitió, repitieron **6** repita *etc*
7 repitiera *etc*

rogar 2 ruega **3** ruego, ruegas,
ruega, ruegan **4** rogué
6 ruegue, ruegues, ruegue,
roguemos, roguéis, rueguen

saber 3 sé **4** supe, supiste, supo,
supimos, supisteis, supieron
5 sabré *etc* **6** sepa *etc* **7** supiera
etc

salir 2 sal **3** salgo **5** saldré *etc*
6 salga *etc*

seguir 1 siguiendo **2** sigue
3 sigo, sigues, sigue, siguen
4 siguió, siguieron **6** siga *etc*
7 siguiera *etc*

sentar 2 sienta **3** siento, sientas,
sienta, sientan **6** siente, sientes,
siente, sienten

sentir 1 sintiendo **2** siente
3 siento, sientes, siente, sienten
4 sintió, sintieron **6** sienta,
sientas, sienta, sintamos, sintáis,
sientan **7** sintiera *etc*

SER 2 sé **3** soy, eres, es, somos,
sois, son **4** fui, fuiste, fue, fuimos,
fuisteis, fueron **6** sea *etc* **7** fuera
etc **9** era, eras, era, éramos, erais,
eran

servir 1 sirviendo **2** sirve **3** sirvo,

sirves, sirve, sirven **4** sirvió,
sirvieron **6** sirva *etc* **7** sirviera *etc*

soñar 2 sueña **3** sueño, sueñas,
sueña, sueñan **6** sueñe, sueñes,
sueñe, sueñen

tener 2 ten **3** tengo, tienes, tiene,
tienen **4** tuve, tuviste, tuvo,
tuvimos, tuvisteis, tuvieron
5 tendré *etc* **6** tenga *etc*
7 tuviera *etc*

traer 1 trayendo **3** traigo **4** traje,
trajiste, trajo, trajimos, trajisteis,
trajeron **6** traiga *etc* **7** trajera *etc*

valer 2 val **3** valgo **5** valdré *etc*
6 valga *etc*

venir 2 ven **3** vengo, vienes,
viene, vienen **4** vine, viniste,
vino, vinimos, vinisteis, vinieron
5 vendré *etc* **6** venga *etc*
7 viniera *etc*

ver 3 veo **6** vea **8** visto **9** veía
etc

vestir 1 vistiendo **2** viste **3** visto,
vistes, viste, visten **4** vistió,
vistieron **6** vista *etc* **7** vistiera *etc*

VIVIR 1 viviendo **2** vive, vivid
3 vivo, vives, vive, vivimos, vivís,
viven **4** viví, viviste, vivió,
vivimos, vivisteis, vivieron
5 viviré, vivirá, vivirá, viviremos,
viviréis, vivirán **6** viva, vivas, viva,
vivamos, viváis, vivan **7** viviera,
vivieras, viviera, viviéramos,
vivierais, vivieran **8** vivido
9 vivía, vivías, vivía, vivíamos,
vivías, vivían

volver 2 vuelve **3** vuelvo,
vuelves, vuelve, vuelven
6 vuelva, vuelvas, vuelva,
vuelvan **8** vuelto

I numeri		Los números
uno	1	uno (un, una)
due	2	dos
tre	3	tres
quattro	4	cuatro
cinque	5	cinco
sei	6	seis
sette	7	siete
otto	8	ocho
nove	9	nueve
dieci	10	diez
undici	11	once
dodici	12	doce
tredici	13	trece
quattordici	14	catorce
quindici	15	quince
sedici	16	dieciséis
diciassette	17	diecisiete
diciotto	18	dieciocho
diciannove	19	diecinueve
venti	20	veinte
ventuno	21	veintiuno (-ún, -una)
ventidue	22	veintidós
ventitré	23	veintitrés
ventotto	28	veintiocho
trenta	30	treinta
quaranta	40	cuarenta
cinquanta	50	cincuenta
sessanta	60	sesenta
settanta	70	setenta
settantuno	71	setenta y uno (un, una)
settantadue	72	setenta y dos
ottanta	80	ochenta
ottantuno	81	ochenta y uno (un, una)
novanta	90	noventa
novantuno	91	noventa y uno (un, una)
cento	100	cien
centouno	101	ciento uno (un, una)
trecento	300	trescientos
trecentouno	301	trescientos uno (un, una)
mille	1.000	mil
cinquemila	5.000	cinco mil
un milione	1.000.000	un millón

ITALIANO - SPAGNOLO
ITALIANO - ESPAÑOL

Aa

A *abbr* (= *autostrada*) A *f*, autopista

a

PAROLA CHIAVE

[a] (*a + il* = **al**, *a + lo* = **allo**, *a + l'* = **all'**, *a + la* = **alla**, *a + i* = **ai**, *a + gli* = **agli**, *a + le* = **alle**) *prep*

1 (*stato in luogo*) en; **essere alla stazione** estar en la estación; **essere a casa/a scuola** estar en casa/en la escuela; **essere a Roma/al mare** estar en Roma/en el mar; **è a 10 km da qui** está a 10 km de aquí; **restare a cena** quedarse a cenar

2 (*moto a luogo*) a; **andare alla stazione** ir a la estación; **andare a casa/a scuola** ir a casa/a la escuela; **andare a Roma/al mare** ir a Roma/al mar

3 (*tempo*) a; **alle cinque** a las cinco; **a mezzanotte** a medianoche; **al mattino** por la mañana; **a primavera** en primavera; **a maggio** en mayo; **a Natale/Pasqua** en Navidad/Semana Santa; **a cinquant'anni** a los cincuenta años; **a domani!** ¡hasta mañana!; **a lunedì!** ¡hasta el lunes!; **a giorni** dentro de unos días

4 (*complemento di termine*) a; **dare qc a qn** dar algo a algn

5 (*mezzo, modo*) a; **a piedi/cavallo** a pie/caballo; **fatto a mano** hecho a mano; **motore/stufa a gas** motor/estufa de gas; **correre a 100**
km all'ora correr a 100 km por hora; **una barca a motore** una lancha motora; **alla radio/televisione** por la radio/televisión; **a uno a uno** uno a uno; **all'italiana** a la italiana; **a fatica** a duras penas

6 (*rapporto*) a; **due volte al giorno/alla settimana** dos veces al día/a la semana; **1 euro al litro** 1 euro el litro; **prendo 500 euro al mese** cobro 500 euros al mes; **pagato a ore/a giornata** pagado por horas/por día; **vendere qc a 5 euro il chilo** vender algo a 5 euros el kilo; **cinque a sei** (*punteggio*) cinco a seis

abbagliante [abbaʎˈʎante] *agg* deslumbrante; **abbaglianti** *smpl* (*AUT*) luces *fpl* largas o de carretera

abbagliare [abbaʎˈʎare] *vt* deslumbrar; (*fig*) encandilar

abbaiare [abbaˈjare] *vi* ladrar

abbandonare [abbandoˈnare] *vt* abandonar; (*speranza*) perder; (*lasciar cadere: capo, braccia*) apoyar, reclinar; **abbandonarsi** *vpr* (*lasciarsi andare*) dejarse caer o llevar; **~ la presa** soltar

abbassare [abbasˈsare] *vt* bajar; **abbassarsi** *vpr* (*chinarsi*) agacharse; (*livello, temperatura, pressione*) bajar; (*fig: umiliarsi*) rebajarse □ **abbasso** [abˈbasso] *escl*: **abbasso la Juve!** ¡fuera la Juve!; **abbasso la tirannia!** ¡abajo la tiranía!

abbastanza [abbas'tantsa] *avv* (*a sufficienza*) bastante; (*molto, alquanto*) bastante, muy; **non è ~ furbo** no es muy listo; **un vino ~ dolce** un vino bastante dulce; **averne ~ di qc/qn** estar hasta la coronilla de algo/algn

abbattere [ab'battere] *vt* (*muro, casa, aereo*) derribar; (*albero*) talar; (*cane, cavallo*) sacrificar; (*fig: regime*) derrocar; **abbattersi** *vpr* (*avvilirsi*) abatirse, desanimarse; (*sogg: maltempo*) caer □ **abbattuto, -a** [abbat'tuto] *agg* (*avvilito*) abatido(-a), alicaído(-a)

abbazia [abbat'tsia] *sf* abadía

abbiente [ab'bjente] *agg* acomodado(-a); **abbienti** *smpl* pudientes *mpl*

abbigliamento [abbiλλa'mento] *sm* ropa, vestuario

abbinare [abbi'nare] *vt* combinar

abboccare [abbok'kare] *vi* (*pesce*) picar; (*fig: persona*) morder el anzuelo

abbonamento [abbona'mento] *sm* (*a teatro, ferrovia*) abono; (*a giornale*) suscripción *f*; **fare l'~ (a)** abonarse a (a); (*giornale*) suscribirse (a)

abbonarsi [abbo'narsi] *vpr*: **~ (a)** (*a teatro*) abonarse (a); (*a giornale*) suscribirse (a); (*a ferrovia*) sacarse el bono (de)

abbondante [abbon'dante] *agg* (*pasto, raccolto ecc*) abundante; (*giacca*) ancho(-a)

abbondanza [abbon'dantsa] *sf* abundancia; **in ~** en abundancia, en cantidad

abbordabile [abbor'dabile] *agg* (*prezzo*) asequible; (*persona, argomento*) accesible

abbottonare [abbotto'nare] *vt* abrochar

abbracciare [abbrat'tʃare] *vt* (*anche fede*) abrazar; **abbracciarsi** *vpr* abrazarse □ **abbraccio** [ab'brattʃo] *sm* abrazo; **"un abbraccio"** (*in cartoline, lettere*) "un abrazo"

abbreviazione [abbrevjat'tsjone] *sf* abreviatura, abreviación *f*

abbronzante [abbron'dzante] *agg* bronceador(a) ♦ *sm* bronceador *m*

abbronzarsi [abbron'dzarsi] *vpr* broncearse □ **abbronzato, -a** [abbron'dzato] *agg* bronceado(-a), moreno(-a)

abbrustolire [abbrusto'lire] *vt* (*pane*) tostar; **abbrustolirsi** *vpr* (*anche persona*) tostarse

abbuffarsi [abbuf'farsi] *vpr* (*fam*): **~ (di qc)** atracarse (de algo)

abdicare [abdi'kare] *vi*: **~ (a favore di)** abdicar (en favor de)

abete [a'bete] *sm* abeto

abile ['abile] *agg* hábil □ **abilità** [abili'ta] *sf inv* (*bravura*) habilidad *f*; (*astuzia*) maña, astucia

abisso [a'bisso] *sm* abismo

abitante [abi'tante] *sm/f* habitante *m/f*

abitare [abi'tare] *vi* vivir; **~ in campagna/in città** vivir en el campo/en la ciudad; **dove abita?** ¿dónde vive? □ **abitazione** [abitat'tsjone] *sf* vivienda

abito ['abito] *sm* (*da uomo*) traje *m*; (*da donna*) vestido; **abiti** *smpl* (*vestiti*) ropa

abituale [abitu'ale] *agg* habitual

abitualmente [abitual'mente] *avv* habitualmente

abituare [abitu'are] *vt*: ~ **(a)** acostumbrar (a); **abituarsi** *vpr*: **abituarsi (a)** acostumbrarse (a) ❏ **abitudinario, -a** [abitudi'narjo] *agg, sm/f* rutinario(-a) ❏ **abitudine** [abi'tudine] *sf* costumbre *f*, hábito *m*; **avere l'abitudine di fare qc** tener la costumbre de hacer algo; **per abitudine** por costumbre

abolire [abo'lire] *vt* abolir

abortire [abor'tire] *vi* abortar ❏ **aborto** [a'bɔrto] *sm* aborto

ABS [abi'esse] *abbr m inv* (AUT) ABS *m inv*

abside ['abside] *sf* ábside *m*

abusare [abu'zare] *vi*: ~ **di** abusar de ❏ **abusivo, -a** [abu'zivo] *agg* sin licencia

a.C. *abbr avv* (= *avanti Cristo*) a.C.

acacia, -ce [a'katʃa] *sf* acacia

accademia [akka'dɛmja] *sf* academia

accadere [akka'dere] *vi*: ~ **(a)** suceder (a), ocurrir (a)

accaldato, -a [akkal'dato] *agg* acalorado(-a)

accalorarsi [akkalo'rarsi] *vpr* acalorarse

accampamento [akkampa'mento] *sm* campamento

accamparsi [akkam'parsi] *vpr* acampar

accanirsi [akka'nirsi] *vpr* (*infierire*): ~ **(contro)** ensañarse (con); ~ **(in)** (*ostinarsi*) cebarse (en); (*perseverare*) volcarse (en) ❏ **accanito, -a** [akka'nito] *agg* (*giocatore, fumatore*)

empedernido(-a); (*tifoso*) acérrimo(-a)

accanto [ak'kanto] *avv* cerca, al lado; ~ **a** cerca de, al lado de ❏ **accantonare** [akkanto'nare] *vt* (*progetto, denaro*) dejar de lado

accappatoio [akkappa'tojo] *sm* albornoz *m*

accarezzare [akkaret'tsare] *vt* (*anche fig: idea*) acariciar

accasarsi [akka'sarsi] *vpr* casarse

accasciarsi [akkaʃ'ʃarsi] *vpr* (*al suolo*) desplomarse; (*fig: avvilirsi*) desanimarse

accattone, -a [akkat'tone] *sm/f* mendigo(-a), pordiosero(-a)

accavallare [akkaval'lare] *vt* (*gambe*) cruzar

accecare [attʃe'kare] *vt* cegar

accelerare [attʃele'rare] *vt, vi* acelerar ❏ **acceleratore** [attʃelera'tore] *sm* acelerador *m*

accendere [at'tʃɛndere] *vt* encender; (*radio, televisione*) poner; (COMM: *conto*) abrir; **accendersi** *vpr* (*luce*) encenderse; ~ **il motore** (AUT) poner en marcha el motor; **hai da ~?** ¿tienes fuego?; **non riesco ad ~ il riscaldamento** no puedo encender la calefacción ❏ **accendino** [attʃen'dino] *sm* mechero

accennare [attʃen'nare] *vi*: ~ **a** (*alludere*) aludir a, referirse a; (*far atto di*) hacer ademán de ♦ *vt* (*sorriso*) esbozar ❏ **accenno** [at'tʃenno] *sm* (*allusione*) alusión *f*; (*cenno*) seña, esbozo

accensione [attʃen'sjone] *sf* (*di luce, motore*) encendido; (*di conto*) apertura

accento [at'tʃɛnto] sm (segno, inflessione) acento; **mettere l'~ su** (fig) poner especial énfasis en

accentuare [attʃentu'are] vt (evidenziare: differenza, aspetto) acentuar; (peggiorare: crisi, tensione) empeorar, agravar; **accentuarsi** vpr acentuarse

accerchiare [attʃer'kjare] vt cercar, rodear

accertamento [attʃerta'mento] sm (verifica) comprobación f; (: DIR) constatación f; **~ fiscale** estimación fiscal

accertare [attʃer'tare] vt (fatti, verità) constatar; (reddito) hacer una estimación; **accertarsi** vpr: **accertarsi (di/che)** (assicurarsi) cerciorarse (de/de que), asegurarse (de/de que)

acceso, -a [at'tʃeso] pp di **accendere ♦** agg encendido(-a); (radio, televisione) puesto(-a); (motore) puesto en marcha; (colore) fuerte

accessibile [attʃes'sibile] agg accesible

accesso [at'tʃesso] sm acceso; (MED: attacco) ataque m; (di rabbia, ira) arrebato

accessori [attʃes'sori] smpl (da bagno, AUT) accesorios mpl; (abbigliamento) complementos mpl

accetta [at'tʃetta] sf hacha

accettabile [attʃet'tabile] agg aceptable

accettare [attʃet'tare] vt aceptar; **~ di fare qc** aceptar hacer algo; **accettate carte di credito?** ¿aceptan tarjetas de crédito? ❑ **accettazione** [attʃettat'tsjone] sf (in hotel, in ospedale) recepción f

▶ **accettazione bagagli** (AER) facturación f de equipaje

acchiappare [akkjap'pare] vt coger, atrapar

acciaieria [attʃaje'ria] sf acería

acciaio [at'tʃajo] sm acero

accidentato, -a [attʃiden'tato] agg accidentado(-a)

accidenti [attʃi'denti] escl (fam) ¡caramba!, ¡caray!

accigliato, -a [attʃiʎ'ʎato] agg ceñudo(-a)

accingersi [at'tʃindʒersi] vpr: **~ a fare** disponerse a hacer, prepararse para hacer

acciuffare [attʃuf'fare] vt agarrar, atrapar

acciuga, -ghe [at'tʃuga] sf anchoa

accludere [ak'kludere] vt (lettera, copia): **~ (a)** adjuntar (a)

accoccolarsi [akkokko'larsi] vpr ponerse en cuclillas; (cane, gatto) echarse; (persona) acurrucarse

accogliente [akkoʎ'ʎɛnte] agg acogedor(a)

accogliere [ak'kɔʎʎere] vt (ospiti) acoger; (approvare: proposta, istanza) aceptar; (contenere: sogg: palazzo, stadio) admitir

accoltellare [akkoltel'lare] vt acuchillar

accomodamento [akkomoda'mento] sm arreglo, ajuste m

accomodarsi [akkomo'darsi] vpr (sedersi) ponerse cómodo(-a), sentarse; (entrare) pasar; **si accomodi** (si sieda!) ¡siéntese!; (venga avanti!) ¡pase!

accompagnamento
[akkompaɲɲa'mento] *sm* (MUS)
acompañamiento

accompagnare [akkompaɲ'ɲare]
vt (*persona*, MUS) acompañar; (*porta*,
cancello) cerrar suavemente
□ **accompagnatore, -trice**
[akkompaɲɲa'tore] *sm/f*
acompañante *m/f*;
accompagnatore turistico guía
turístico

acconciatura [akkontʃa'tura] *sf*
peinado

accondiscendente
[akkondiʃʃen'dente] *agg*
condescendiente

acconsentire [akkonsen'tire] *vi*: ~
(**a**) autorizar; **chi tace acconsente**
quien calla otorga

accontentare [akkonten'tare] *vt*
contentar, complacer;
accontentarsi *vpr*: **accontentarsi**
(**di**) contentarse (con)

acconto [ak'konto] *sm* anticipo,
adelanto

accorato, -a [akko'rato] *agg* (*tono*)
dolorido(-a); (*appello*)
desesperado(-a)

accorciare [akkor'tʃare] *vt* acortar;
accorciarsi *vpr* acortarse

accordare [akkor'dare] *vt* (*persone*)
poner de acuerdo a; (*tendenze*)
conciliar; (*colori*) combinar; (MUS:
strumento) afinar; **accordarsi** *vpr*
(*persone*): **accordarsi** (**su**) ponerse
de acuerdo (en) □ **accordo**
[ak'kordo] *sm* acuerdo; (MUS) acorde
m; (POL, DIR) pacto; **andare**
d'accordo (**con**) hacer buenas
migas (con); **essere d'accordo**
(**con**) estar de acuerdo (con);
d'accordo! ¡de acuerdo!, ¡vale!;

mettersi d'accordo (**con qn**)
ponerse de acuerdo (con algn);
prendere accordi con ponerse de
acuerdo con; **come d'accordo ...**
como se había hablado ...
▶ **accordo commerciale**
acuerdo comercial

accorgersi [ak'kordʒersi] *vpr*: ~ **di**
darse cuenta de, percatarse de

accorrere [ak'korrere] *vi* acudir

accorto, -a [ak'korto] *pp di*
accorgersi ♦ *agg* (*persona*)
sensato(-a); (*trattativa*) hábil

accostare [akkos'tare] *vt* (*mettere*
vicino) arrimar; (*socchiudere: porta,*
persiane, imposte) entornar ♦ *vi*
(NAUT) acostar; (AUT: *fermarsi*) parar
(*a un lado*); **accostarsi** *vpr*:
accostarsi (**a**) arrimarse (a); (*colori,*
stili) tender (a)

accreditare [akkredi'tare] *vt*
(COMM) abonar □ **accredito**
[ak'kredito] *sm* (COMM) abono

accucciarsi [akkut'tʃarsi] *vpr*
(*animale*) echarse; (*persona*)
acurrucarse

accudire [akku'dire] *vt* (*bambino*)
cuidar (de); (*infermo*) atender (a);
(*vecchio*) asistir (a)

⚠ **accudire** non si traduce mai
con la parola spagnola *acudir*.

accumulare [akkumu'lare] *vt*
acumular, amontonar; **accumularsi**
vpr acumularse, amontonarse

accurato, -a [akku'rato] *agg*
esmerado(-a), preciso(-a)

accusa [ak'kuza] *sf* acusación *f*; (DIR:
imputazione) inculpación *f*; **l'~, la**
pubblica ~ (DIR) la acusación

accusare [akku'zare] *vt*: ~ **(di)** acusar (de) □ **accusatore, -trice** [akkuza'tore] *agg, sm/f* acusador(a)

acerbo, -a [a'tʃerbo] *agg* (*frutto*) verde; (*fig: giovane*) inmaduro(-a)

acero ['atʃero] *sm* arce *m*

⚠ **acero** non si traduce mai con la parola spagnola *acero*.

acerrimo, -a [a'tʃerrimo] *agg* acérrimo(-a)

aceto [a'tʃeto] *sm* vinagre *m*

⚠ **aceto** non si traduce mai con la parola spagnola *aceite*.

acetone [atʃe'tone] *sm* acetona

A.C.I. ['atʃi] *sigla m* (= *Automobile Club d'Italia*) = RACE *m* (*ESP*)

acido, -a ['atʃido] *agg* (*anche persona*) agrio(-a), ácido(-a); (*CHIM*) ácido ♦ *sm* (*CHIM*) ácido

acino ['atʃino] *sm* grano de uva

acne ['akne] *sf* acné *m*

acqua ['akkwa] *sf* agua; **fare ~** (*anche fig*) hacer agua; ~ **in bocca!** ¡chitón! ► **acqua corrente** agua corriente ► **acqua dolce/salata** agua dulce/salada ► **acqua minerale/potabile** agua mineral/potable ► **acqua tonica** tónica ► **acque termali** aguas termales □ **acquaio** [ak'kwajo] *sm* fregadero □ **acquaragia** [akkwa'radʒa] *sf* aguarrás *m* □ **acquario** [ak'kwarjo] *sm* (*vasca, edificio*) acuario; (*ZODIACO*): **Acquario** Acuario; **essere dell'Acquario** ser Acuario □ **acquatico, -a, -ci, -che** [ak'kwatiko] *agg* acuático(-a) □ **acquavite** [akkwa'vite] *sf* aguardiente *m* □ **acquazzone**

[ak'kwat'tsone] *sm* aguacero, chaparrón *m* □ **acquedotto** [akkwe'dotto] *sm* acueducto □ **acquerello** [akkwe'rello] *sm* acuarela

acquirente [akkwi'rente] *sm/f* comprador(a), adquirente *m/f*

acquistare [akkwis'tare] *vt* adquirir ► **acquisto** [ak'kwisto] *sm* compra, adquisición *f*; **fare acquisti** hacer compras

acquolina [akkwo'lina] *sf*: **ho l'~ in bocca** se me hace la boca agua

acrobata, -i, -e [a'krɔbata] *sm/f* acróbata *m/f*

acuirsi [aku'irsi] *vpr* agudizarse

aculeo [a'kuleo] *sm* (*ZOOL*) aguijón *m*; (*BOT*) púa

acume [a'kume] *sm* agudeza

acustico, -a, -ci, -che [a'kustiko] *agg* acústico(-a)

acuto, -a [a'kuto] *agg* (*anche fig*) agudo(-a)

adagio [a'dadʒo] *avv* (*lentamente*) despacio, lentamente; (*con cura*) con cuidado

adattamento [adatta'mento] *sm* adaptación *f*; **avere spirito di ~** tener capacidad de adaptación

adattare [adat'tare] *vt* adaptar, habilitar; **adattarsi** *vpr*: ~ **(a)** (*adeguarsi*) adaptarse (a) □ **adatto, -a** [a'datto] *agg*: **adatto (a)** (*persona*) adecuado(-a) (para), apto(-a) (para); (*mezzo, luogo, momento*) idóneo(-a); **non è un film adatto ai bambini** no es una película para niños

addebitare [addebi'tare] *vt*: ~ **a** (*COMM*) adeudar a; ~ **una somma a qn** adeudar una cantidad a algn

❏ **addebito** [ad'debito] *sm* (COMM) adeudo

addentare [adden'tare] *vt* (*mela, panino*) hincar los dientes a

addentrarsi [adden'trarsi] *vpr*: ~ **in** (*in bosco*) adentrarse en; (*in edificio*) penetrar en; (*fig: in argomento*) profundizar

addestramento [addestra'mento] *sm* (*di animali*) adiestramiento; (*di recluta*) instrucción *f*

addestrare [addes'trare] *vt* (*animali*) adiestrar, amaestrar; (*persone*) preparar, formar

addetto, -a [ad'detto] *agg*: ~ **(a)** encargado(-a) (de) ♦ *sm/f* encargado(-a) (de); **gli addetti ai lavori** (*anche fig*) los entendidos

addio [ad'dio] *sm, escl* adiós *m inv*

addirittura [addirit'tura] *avv* (*perfino*) incluso, hasta; **~!** (*nientemeno*) ¡encima!

additare [addi'tare] *vt* (*persona, oggetto*) señalar

additivo [addi'tivo] *sm* (CHIM) aditivo

addizione [addit'tsjone] *sf* adición *f*, suma

addobbare [addob'bare] *vt* adornar ❏ **addobbo** [ad'dɔbbo] *sm* adorno

addolorare [addolo'rare] *vt* entristecer, afligir ❏ **addolorato, -a** [addolo'rato] *agg* triste, afligido(-a)

addome [ad'dɔme] *sm* abdomen *m*

addomesticare [addomesti'kare] *vt* domesticar, amansar

addominale [addomi'nale] *agg* abdominal

addormentare [addormen'tare] *vt* dormir; **addormentarsi** *vpr* dormirse

addosso [ad'dɔsso] *avv* (*su persona*) encima ♦ *prep*: ~ **a** (*sopra*) encima de; (*molto vicino*) al lado de, junto a; **avere ~** (*vestito, occhiali*) tener o llevar puesto; (*soldi*) llevar encima; **mettersi ~ il cappotto** abrigarse; **mettere le mani ~ a** (*picchiare*) poner la mano encima a; **mettere gli occhi ~ a** poner los ojos en

adeguarsi [ade'gwarsi] *vpr* (*adattarsi*): ~ **(a)** adaptarse (a) ❏ **adeguato, -a** [ade'gwato] *agg* adecuado(-a); (*stipendio*) proporcionado(-a)

adempiere [a'dempjere] *vi*: ~ **a** (*dovere, voto*) cumplir con; (*promessa*) mantener

aderente [ade'rente] *agg* (*superficie*) adherente; (*vestito*) ajustado(-a), ceñido(-a)

aderire [ade'rire] *vi*: ~ **(a)** adherir (a); (*fig: a partito*) afiliarse (a); (: *a proposta, richiesta*) aceptar ❏ **adesione** [ade'zjone] *sf* (*a partito*) afiliación *f*; (*causa*) adhesión *f*; (*richiesta*) aceptación *f* ❏ **adesivo, -a** [ade'zivo] *agg* (*prodotto, nastro*) adhesivo(-a) ♦ *sm* (*colla*) adhesivo, pegamento; (*etichetta*) pegatina

adesso [a'dɛsso] *avv* ahora; **per ~** por ahora; **da ~ in poi** de ahora en adelante; **il treno è partito proprio ~** el tren acaba de salir ahora mismo

adiacente [adja'tʃente] *agg*: ~ **(a)** adyacente (a)

adibire [adi'bire] *vt* (*destinare: locale*): ~ **a** destinar (a)

adolescente [adoleʃˈʃɛnte] *agg, sm/f* adolescente *m/f*

adoperare [adopeˈrare] *vt* utilizar, emplear

adorare [adoˈrare] *vt* adorar

adottare [adotˈtare] *vt* adoptar □ **adottivo, -a** [adotˈtivo] *agg* adoptivo(-a) □ **adozione** [adotˈtsjone] *sf* adopción *f*

adriatico, -a, -ci, -che [adriˈatiko] *agg* adriático(-a) ♦ *sm*: **l'A~, il mare A~** el (mar) Adriático

adulare [aduˈlare] *vt* adular

adultero, -a [aˈdultero] *agg, sm/f* adúltero(-a)

adulto, -a [aˈdulto] *agg, sm/f* adulto(-a)

aereo, -a [aˈɛreo] *agg* (*traffico*) aéreo(-a); (*posta*) por avión ♦ *sm* avión *m* □ **aerobica** [aeˈrɔbika] *sf* aerobic *m inv* □ **aeronautica** [aeroˈnautika] *sf* aeronáutica □ **aeroporto** [aeroˈpɔrto] *sm* aeropuerto; **all'aeroporto per favore** al aeropuerto por favor □ **aerosol** [aeroˈsɔl] *sm inv* aerosol *m*

afa [ˈafa] *sf* bochorno

affabile [afˈfabile] *agg* afable

affaccendato, -a [affattʃenˈdato] *agg* atareado(-a), ocupado(-a)

affacciarsi [affatˈtʃarsi] *vr* (*sporgersi, guardare*): **~ (a)** asomarse (a); (*sogg: finestra, balcone*): **~ su** dar a

affamato, -a [affaˈmato] *agg* hambriento(-a)

affannoso, -a [affanˈnoso] *agg* (*respiro*) jadeante; (*fig: ricerca*) desesperado(-a)

affare [afˈfare] *sm* (*cosa, faccenda*) asunto; (COMM) negocio; (: *occasione*) ganga; (*fam: aggeggio*) chisme *m*; **affari** *smpl* (COMM) negocios *mpl*; (*di famiglia*) asuntos *mpl*; **~ fatto!** ¡trato hecho!; **sono affari miei** es asunto mío; **bada agli affari tuoi** dedícate a lo tuyo; **ministro degli Affari Esteri** ministro de Asuntos Exteriores

affascinante [affaʃʃiˈnante] *agg* fascinante

affascinare [affaʃʃiˈnare] *vt* fascinar

affaticare [affatiˈkare] *vt* fatigar; **affaticarsi** *vpr* fatigarse; (*affannarsi*) afanarse □ **affaticato, -a** [affatiˈkato] *agg* fatigado(-a), cansado(-a)

affatto [afˈfatto] *avv* (*rafforzativo di negazione*): **non ci penso ~** no lo pienso en absoluto *o* de ninguna manera; **niente ~** en absoluto, de ninguna manera

affermare [afferˈmare] *vt* afirmar; **affermarsi** *vpr* (*imporsi*) imponerse □ **affermato, -a** [afferˈmato] *agg* de renombre, famoso(-a) □ **affermazione** [affermatˈtsjone] *sf* (*asserzione*) afirmación *f*; (*successo, vittoria*) éxito

afferrare [afferˈrare] *vt* (*persona, oggetto*) coger, agarrar; (*occasione*) aprovechar; (*concetto, idea*) comprender; **afferrarsi** *vpr*: **afferrarsi a** (*aggrapparsi*) aferrarse a, agarrarse a

affettare [affetˈtare] *vt* (*pane*) rebanar; (*prosciutto*) cortar en lonchas □ **affettatrice** [affettaˈtritʃe] *sf* cortadora de embutidos

affettivo, -a [affet'tivo] *agg*
afectivo(-a)

affetto, -a [af'fetto] *agg*: **essere ~
da** estar aquejado(-a) de ♦ *sm*
afecto, cariño; **con ~** (*in lettera*) con
cariño

affettuoso, -a [affettu'oso] *agg*
afectuoso(-a), cariñoso(-a); **un
saluto/abbraccio ~** (*in lettera,
cartolina*) un saludo/abrazo
cariñoso

affezionarsi [affettsjo'narsi] *vpr*: ~
a encariñarse con

affezionato, -a [affettsjo'nato]
agg: **~ a** apegado(-a) a,
encariñado(-a) con; (*cliente*)
habitual

⚠ **affezionato** non si traduce
mai con la parola spagnola
aficionado.

affiatato, -a [affja'tato] *agg*
(*squadra, coppia*) unido(-a)

affibbiare [affib'bjare] *vt* (*fig:
soprannome*) apodar; (*incarico*) dar

affidabile [affi'dabile] *agg* fiable

affidamento [affida'mento] *sm*
(DIR: *di bambino*) custodia; **fare ~ su**
(*fidarsi*) contar con; **non dà nessun
~** no inspira ninguna confianza

affidare [affi'dare] *vt*: ~ **qc a qn**
(*compito, incarico*) confiar algo a
algn; (*pacco*) entregar algo a algn;
affidarsi *vpr*: **affidarsi a** (*a persona,
cure*) depositar la confianza en;
(*medico*) encomendarse a

affilare [affi'lare] *vt* (*lama*) afilar
□ **affilato, -a** [affi'lato] *agg* (*lama,
naso*) afilado(-a); (*volto*)
demacrado(-a)

affinché [affin'ke] *cong* para que, a
fin de que

affittare [affit'tare] *vt* (*dare o
prendere in affitto*) alquilar, arrendar;
"affittasi" "se alquila" □ **affitto**
[af'fitto] *sm* (*di locale, prezzo*) alquiler
m; **dare in affitto** alquilar, arrendar;
prendere in affitto alquilar,
arrendar

affliggere [af'fliddʒere] *vt* afligir,
apenar; **affliggersi** *vpr*: **affliggersi
(per)** afligirse (por), apenarse (por)

afflosciarsi [affloʃ'farsi] *vpr* (*vela,
tenda*) soltarse, aflojarse;
(*palloncino*) desinflarse

affluente [afflu'ente] *sm* afluente
m

affogare [affo'gare] *vt* ahogar ♦ *vi*
ahogarse

affollare [affol'lare] *vt* abarrotar,
affollarsi *vpr* agolparse
□ **affollato, -a** [affol'lato] *agg*
abarrotado(-a)

affondare [affon'dare] *vt* hundir;
(*nel terreno: radici*) ahondar ♦ *vi*
hundirse

affrancare [affran'kare] *vt* (*lettera*)
franquear

affresco, -schi [af'fresko] *sm*
fresco

affrettarsi [affret'tarsi] *vpr*
apresurarse, darse prisa

affrettato [affret'tato] *agg* (*passo,
ritmo*) ligero(-a); (*frettoloso:
decisione*) precipitado(-a); (: *lavoro*)
hecho deprisa

affrontare [affron'tare] *vt* (*pericolo,
nemico*) afrontar; (*problema*)
encarar; (*esaminare: questione*)
examinar; **affrontarsi** *vpr* (*reciproco*)
enfrentarse

affumicato, -a [affumi'cato] *agg*
(*carne, pesce*) ahumado(-a)

affusolato, -a [affuso'lato] agg
ahusado(-a)

Afganistan [af'ganistan] sm
Afganistán m

afoso, -a [a'foso] agg
bochornoso(-a)

Africa ['afrika] sf África
❏ **africano, -a** [afri'kano] agg, sm/f
africano(-a)

agenda [a'dʒɛnda] sf agenda

agente [a'dʒɛnte] sm/f (di polizia)
agente m/f ▸ **agente segreto**
agente secreto ▸ **agenzia**
[adʒen'tsia] sf (impresa) agencia;
(succursale) sucursal f ▸ **agenzia di
collocamento** oficina de empleo
▸ **agenzia immobiliare** agencia
inmobiliaria ▸ **agenzia stampa**
agencia de prensa ▸ **agenzia
viaggi** agencia de viajes

agevolare [adʒevo'lare] vt
(compito) facilitar; (persona: aiutare)
ayudar; (: favorire) favorecer

agevolazione [adʒevolat'tsjone]
sf (facilitazione) facilitación f; (: di
pagamento) facilidad f

agevole [a'dʒevole] agg fácil

agganciare [aggan'tʃare] vt (unire
con gancio) enganchar; (TEL:
cornetta) colgar; (abbordare)
abordar

aggeggio [ad'dʒeddʒo] sm chisme
m

aggettivo [addʒet'tivo] sm
adjetivo

agghiacciante [aggjat'tʃante] agg
(fig) espantoso(-a), escalofriante

aggiornare [addʒor'nare] vt
(opera, manuale) actualizar;
(persona) poner al día; (seduta,
discussione) aplazar; **aggiornarsi** vpr
ponerse al día, modernizarse

❏ **aggiornato, -a** [addʒor'nato]
agg actualizado(-a); (persona) al día

aggirare [addʒi'rare] vt rodear; (fig:
ostacolo) sortear; **aggirarsi** vpr
(vagare) merodear; **aggirarsi su**
(costo, spesa) ascender a

aggiungere [ad'dʒundʒere] vt: ~
(a) añadir (a), agregar (a)

aggiustare [addʒus'tare] vt
(riparare) reparar; (vestito) arreglar;
(: mira, tiro) corregir; **aggiustarsi** vpr
(sistemarsi: cravatta, occhiali)
ajustarse

⚠ **aggiustare** non si traduce
mai con la parola spagnola
ajustar.

aggrapparsi [aggrap'parsi] vpr: ~ **a**
(afferrarsi) asirse a; (fig: a speranza,
illusione) aferrarse a

aggravare [aggra'vare] vt agravar;
aggravarsi vpr agravarse,
empeorar

aggredire [aggre'dire] vt agredir;
(verbalmente) insultar
❏ **aggressione** [aggres'sjone] sf
agresión f ❏ **aggressivo, -a**
[aggres'sivo] agg agresivo(-a)
❏ **aggressore** [aggres'sore] sm
agresor(a)

aggrottare [aggrot'tare] vt
(sopracciglia, fronte) fruncir

aggrovigliarsi [aggroviʎ'ʎarsi]
vpr (fune) enredarse; (situazione)
complicarse

agguantare [aggwan'tare] vt
agarrar, coger

⚠ **agguantare** non si traduce
mai con la parola spagnola
aguantar.

agguato [ag'gwato] *sm* emboscada; (*appostamento*) acecho; **tendere un ~ a** tender una emboscada a; **stare in ~** estar al acecho

agguerrito, -a [aggwer'rito] *agg* aguerrido(-a); (*concorrente*) combativo(-a)

agiato, -a [a'dʒato] *agg* (*persona*) acomodado(-a); (*vita*) cómodo(-a)

agile ['adʒile] *agg* ágil

agio ['adʒo] (*pl* **agi**) *sm* (*comodità*) comodidad *f*; **agi** *smpl* (*ricchezza*) holgura; **mettiti a tuo ~** ponte a tus anchas

agire [a'dʒire] *vi* (*fare*) actuar; (*comportarsi*) portarse; (*sogg: farmaco, veleno*) hacer efecto

agitare [adʒi'tare] *vt* agitar; (*sogg: cane: coda*) menear; **agitarsi** *vpr* (*turbarsi*) agitarse ◊ **agitato, -a** [adʒi'tato] *agg* (*mare, persona*) agitado(-a); (*discussione*) fuerte

aglio ['aʎʎo] *sm* ajo

agnello [aɲ'ɲɛllo] *sm* cordero

ago ['ago] (*pl* **aghi**) *sm* (*per cucire, di siringa*) aguja; (*di bilancia*) fiel *m*

agonistico, -a, -ci, -che [ago'nistiko] *agg* (*attività*) agonístico(-a); (*spirito*) batallador(a)

agopuntura [agopun'tura] *sf* acupuntura

agosto [a'gosto] *sm* agosto; *vedi anche* **luglio**

agrario, -a [a'grarjo] *agg* agrario(-a)

agricolo, -a [a'grikolo] *agg* agrícola □ **agricoltore** [agrikol'tore] *sm* agricultor(a) □ **agricoltura** [agrikol'tura] *sf* agricultura

agrifoglio [agri'fɔʎʎo] *sm* acebo

agriturismo [agritu'rizmo] *sm* (*attività*) turismo rural; (*azienda*) empresa que se dedica al turismo rural

agrodolce [agro'doltʃe] *agg* agridulce ◊ *sm* (*salsa*): **in ~** en salsa agridulce

agrumi [a'grumi] *smpl* cítricos *mpl*, agrios *mpl*

aguzzo, -a [a'guttso] *agg* agudo(-a)

ahi ['ai] *escl* ¡ay!

aids ['aids] *abbr m o f inv* sida *m inv*

airbag [er'bag] *sm inv* (AUT) airbag *m*

airone [ai'rone] *sm* garza

aiuola [a'jwɔla] *sf* parterre *m*

aiutante [aju'tante] *sm/f* ayudante *m/f*

aiutare [aju'tare] *vt* ayudar; (*agevolare*) favorecer; **aiutarsi** *vpr*: **aiutarsi (con)** valerse (de); **~ qn in qc/a fare qc** ayudar a algn en algo/ a hacer algo; **può aiutarmi?** ¿puede ayudarme? □ **aiuto** [a'juto] *sm* ayuda; (*aiutante*) ayudante *m/f*; **prestare/chiedere aiuto** proporcionar/pedir ayuda; **aiuto!** ¡socorro!

ala ['ala] (*pl* **ali**) *sf* (*di uccelli, di edificio*) ala ▸ **ala destra/sinistra** (SPORT) interior *m* derecho/izquierdo

alabastro [ala'bastro] *sm* alabastro

alano [a'lano] *sm* alano

alba ['alba] *sf* alba, amanecer *m*; **all'~** al amanecer

albanese [alba'nese] *agg, sm/f* albanés(-esa) ◊ *sm* (*lingua*) albanés *m*

Albania [alba'nia] *sf* Albania

alberato, -a [albe'rato] *agg* arbolado(-a)

albergo, -ghi [al'bergo] *sm* hotel *m*

> ⚠ **albergo** non sí traduce mai con la parola spagnola *albergue*.

ALBERGHI

Los **alberghi** en Italia están clasificados por estrellas y suelen ser de buen nivel. Sin embargo, son más bien caros, sobre todo en ciudades monumentales.

albero ['albero] *sm* árbol *m*; (NAUT) mástil *m*

albicocca, -che [albi'kɔkka] *sf* albaricoque *m*

album ['album] *sm inv* (anche musicale) álbum *m* ▶ **album da disegno** cuaderno de dibujo

albume [al'bume] *sm* clara de huevo

alce ['altʃe] *sm* alce *m*

alcol ['alkɔl] *sm inv* alcohol *m* ☐ **alcolico, -a, -ci, -che** [al'kɔliko] *agg* alcohólico(-a) ♦ *sm*: **gli alcolici** el alcohol ☐ **alcolizzato, -a** [alkolid'dzato] *agg, sm/f* alcohólico(-a), alcoholizado(-a)

alcuno, -a [al'kuno] *agg*: **alcuni/e** algunos(-as), unos(-as) ♦ *pron* (nessuno): **non ... ~** ninguno(-a); **alcuni/e** algunos(-as)

alfabetico, -a, -ci, -che [alfa'bɛtiko] *agg* alfabético(-a)

alfabeto [alfa'bɛto] *sm* alfabeto, abecedario

alga ['alga] *sf* alga

algebra ['aldʒebra] *sf* álgebra

Algeria [aldʒe'ria] *sf* Argelia ☐ **algerino, -a** [aldʒe'rino] *agg, sm/f* argelino(-a)

aliante [ali'ante] *sm* planeador *m*

alibi ['alibi] *sm inv* coartada

alice [a'litʃe] *sf* boquerón *m*

alieno, -a [a'ljeno] *sm/f* alienígena *m/f*

alimentare [alimen'tare] *agg* alimentario(-a); (commestibile) alimenticio(-a); **alimentari** *smpl* (cibi) comestibles *mpl*; **un negozio di alimentari** una tienda de ultramarinos ☐ **alimentazione** [alimentat'tsjone] *sf* (anche TECN) alimentación *f*

aliquota [a'likwota] *sf* (di tassa) tipo impositivo

aliscafo [alis'kafo] *sm* hidroplano

alito ['alito] *sm* (respiro) respiración *f*; (alito) aliento; **un ~ di vento** (fig) un soplo de viento

all. *abbr* (= allegato) anexo, adj.

allacciamento [allattʃa'mento] *sm* (di gas, acqua, luce) instalación *f*; (telefono) conexión *f*

allacciare [allat'tʃare] *vt* (scarpe) atar; (cintura, vestito) abrochar; (gas, luce) instalar; **"~ le cinture di sicurezza"** "abróchense los cinturones de seguridad" ☐ **allacciatura** [allattʃa'tura] *sf* (chiusura: di vestito) botonadura

allagare [alla'gare] *vt* inundar; **allagarsi** *vpr* inundarse

allargare [allar'gare] *vt* (strada, vestito) ensanchar; (gambe, braccia) abrir; (fig: conoscenze, ricerche) ampliar; **allargarsi** vpr ensancharse

⚠ **allargare** non si traduce mai con la parola spagnola *(a)largar*.

allarmare [allar'mare] vt alarmar

allarme [al'larme] sm alarma; **dare l'~** dar la alarma; **mettere in ~** (anche fig) sembrar la alarma; **falso ~** falsa alarma

allattare [allat'tare] vt amamantar, dar de mamar; (artificialmente) dar el biberón

alleanza [alle'antsa] sf alianza

allearsi [alle'arsi] vpr aliarse
  ❑ **alleato, -a** [alle'ato] agg, sm/f aliado(-a)

allegare [alle'gare] vt alegar, adjuntar ❑ **allegato, -a** [alle'gato] agg adjunto(-a) ♦ sm (di lettera) anexo; (di e-mail) archivo adjunto; **in allegato** adjunto

⚠ **allegato** non si traduce mai con la parola spagnola *allegado*.

alleggerire [alleddʒe'rire] vt (carico) aligerar; (fig: sofferenza, lavoro) aliviar

allegria [alle'gria] sf alegría

allegro, -a [al'legro] agg (anche brillo) alegre

allenamento [allena'mento] sm entrenamiento

allenare [alle'nare] vt entrenar; **allenarsi** vpr entrenarse
  ❑ **allenatore, -trice** [allena'tore] sm/f entrenador(a)

allentare [allen'tare] vt aflojar; (fig: tensione) rebajar; (disciplina) relajar; **allentarsi** vpr (fune, nodo ecc) aflojarse; (fig: legame) enfriarse

allergia [aller'dʒia] sf alergia
  ❑ **allergico, -a, -ci, -che** [al'lerdʒiko] agg: allergico (a) alérgico(-a) (a); **sono allergico alla penicillina** soy alérgico a la penicilina

allestire [alles'tire] vt (spettacolo, mostra) montar; (vetrina) preparar

allettante [allet'tante] agg atractivo(-a)

allevare [alle'vare] vt criar

alleviare [alle'vjare] vt aliviar

allibito, -a [alli'bito] agg pasmado(-a)

allievo, -a [al'ljevo] sm/f alumno(-a)

alligatore [alliga'tore] sm caimán m, aligátor m

allineare [alline'are] vt alinear; (TIP) justificar; **allinearsi** vpr alinearse

allodola [al'lɔdola] sf alondra

alloggiare [allod'dʒare] vi (aver dimora) alojarse, hospedarse ♦ vt (dare alloggio a) alojar, hospedar
  ❑ **alloggio, -gi** [al'lɔddʒo] sm (dimora, domicilio) vivienda; (abitazione provvisoria) alojamiento; (MIL) cuartel m; **prendere alloggio** alojarse

allontanare [allonta'nare] vt alejar; (cacciare) echar; **allontanarsi** vpr: **allontanarsi (da)** alejarse (de); (assentarsi) ausentarse de

allora [al'lora] avv (in quel momento) entonces; (a quel tempo) en aquel tiempo ♦ cong (in questo caso) en tal caso; (dunque) entonces; **di ~** de entonces, de aquellos tiempos; **da ~** desde entonces; **da ~ in poi** desde entonces

alloro [al'lɔro] *sm* laurel *m*

alluce ['allutʃe] *sm* dedo gordo (del pie)

allucinante [allutʃi'nante] *agg* alucinante

allucinazione [allutʃinat'tsjone] *sf* alucinación *f*

alludere [al'ludere] *vi*: **~ a** aludir a, referirse a

alluminio [allu'minjo] *sm* aluminio *m*

allungare [allun'gare] *vt* alargar; *(discorso)* prolongar; *(gambe, braccia)* estirar; *(vino, whisky)* aguar; **allungarsi** *vpr (persona: distendersi)* tenderse; *(distanza, giornata)* hacerse más largo; *(maglione)* alargarse; **~ la strada** seguir el camino más largo

allusione [allu'zjone] *sf* alusión *f*

alluvione [allu'vjone] *sf* aluvión *m*

almeno [al'meno] *avv (come minimo)* al menos ♦ *cong (se solo)*: **(se) ~ (si)** al menos, (si) por lo menos

alogeno, -a [a'lɔdʒeno] *agg* halógeno(-a); **lampada alogena** lámpara halógena

alone [a'lone] *sm (di macchia)* cerco

Alpi ['alpi] *sfpl* Alpes *mpl*
  ❏ **alpinismo** [alpi'nizmo] *sm* alpinismo ❏ **alpinista, -i, -e** [alpi'nista] *sm/f* alpinista *m/f* ❏ **alpino, -a** [al'pino] *agg (montano)* alpino(-a); *(delle Alpi)* de los Alpes; **alpini** *smpl (MIL)* tropas *fpl* alpinas italianas

alt [alt] *escl* ¡alto! ♦ *sm*: **dare l'~** dar el alto

altalena [alta'lena] *sf (a funi)* columpio; *(a bilico)* altibajos *mpl*

altare [al'tare] *sm* altar *m*

alternare [alter'nare] *vt* alternar; **alternarsi** *vpr* alternarse

alternativa [alterna'tiva] *sf* alternativa; **non abbiamo alternative** no tenemos alternativas

alternativo, -a [alterna'tivo] *agg* alternativo(-a)

alterno, -a [al'terno] *agg* alterno(-a); **a giorni alterni** a días alternos

altero, -a [al'tero] *agg* altivo(-a), altanero(-a)

altezza [al'tettsa] *sf (di montagna, edificio, di persona)* altura; *(di acque)* profundidad *f*; **essere all'~ di** *(anche fig)* estar a la altura de

alticcio, -a, -ci, -ce [al'tittʃo] *agg* achispado(-a)

altitudine [alti'tudine] *sf* altitud *f*, altura

alto, -a ['alto] *agg* alto(-a); *(acqua)* profundo(-a) ♦ *avv* alto; **in ~** hacia arriba; **il palazzo è ~ 20 metri** el edificio tiene una altura de 20 metros; **ad alta voce** en voz alta; **mani in ~!** ¡manos arriba!; **alti e bassi** *(fig)* altibajos ▸ **alta fedeltà** alta fidelidad ▸ **alta finanza** altas finanzas *fpl* ▸ **alta moda** alta costura ▸ **alta società** alta sociedad *f* ❏ **altoparlante** [altopar'lante] *sm* altavoz *m* ❏ **altopiano** [alto'pjano] *(pl* **altipiani)** *sm* altiplano ❏ **altrettanto, -a** [altret'tanto] *agg* otro(-a) tanto(-a), el(-la) mismo(-a) ♦ *pron* lo mismo ♦ *avv* igualmente; **tanti auguri! - grazie, ~!** ¡felicidades! - ¡gracias, igualmente!

altrimenti [altri'menti] *avv* (*in un altro modo*) de otra manera, de otro modo; (*in caso contrario*) si no, de lo contrario

altro, -a

PAROLA CHIAVE

['altro] *agg* (*diverso, supplementare*) otro(-a); **passami l'altra maglia** pásame el otro jersey; **prendi un altro cioccolatino** coge otro bombón; **l'altro giorno** el otro o pasado día; **l'altr'anno** el año pasado; **l'altro ieri** anteayer; **domani l'altro** pasado mañana; **d'altra parte** por otra parte

♦ *pron*: **un altro, un'altra** otro(-a); **lo farà un altro** lo hará otro; **prendine un altro/un'altra** coge otro/otra; **altri, altre** (*persone, cose*) otros, otras; **gli altri** (*la gente*) los otros, los demás; **aiutarsi l'un l'altro** ayudarse uno a otro; **da un giorno/momento all'altro** de un día/momento a otro; **non ho altro da dire** no tengo nada más que decir; **più che altro** sobre todo; **se non altro** por lo menos; **tra l'altro** entre otras cosas; **le dispiace? - tutt'altro!** ¿le molesta? - todo lo contrario; **ci mancherebbe altro!** ¡faltaría más!; **non faccio altro che lavorare** no hago más que trabajar; **contento? - altro che!** ¿contento? - ¡por supuesto! o ¡desde luego!; **hai altro da dirmi?** ¿tienes algo más que decirme?; *vedi anche* **senza, tutto**

altrove [al'trove] *avv* (*essere*) en otra parte; (*andare*) a otro lugar

altruista, -i, -e [altru'ista] *agg, sm/f* altruista *m/f*

alunno, -a [a'lunno] *sm/f* alumno(-a)

alveare [alve'are] *sm* colmena

alzare [al'tsare] *vt* levantar; (*bandiera*) izar; (*volume*) subir; **alzarsi** *vpr* (*da seduto, dal letto*) levantarse; (*aumentare: prezzi, livello febbre*) aumentar; ~ **le spalle** encogerse de hombros; **alzarsi in piedi** ponerse de pie

amaca, -che [a'maka] *sf* hamaca

amalgamare [amalga'mare] *vt* amalgamar; **amalgamarsi** *vpr* amalgamarse

amante [a'mante] *agg*: ~ **(di)** (*appassionato*) amante (de) ♦ *sm/f* amante *m/f*, querido(-a)

amare [a'mare] *vt* (*moglie, amante*) amar; (*amico, fratello*) querer; **amarsi** *vpr* (*reciproco*) amarse, quererse; **ti amo** te quiero; **amo la musica** me encanta la música

amareggiato, -a [amared'dʒato] *agg* amargado(-a)

amarena [ama'rena] *sf* (*frutto, gusto*) guinda

amarezza [ama'rettsa] *sf* amargura

amaro, -a [a'maro] *agg* (*anche fig*) amargo(-a) ♦ *sm* (*liquore*) amargo

amazzonico, -a, -ci, -che [amad'dzɔniko] *agg* amazónico(-a)

ambasciata [ambaʃ'ʃata] *sf* embajada

❏ **ambasciatore, -trice** [ambaʃʃa'tore] *sm/f* embajador(a)

ambedue [ambe'due] *agg inv, pron inv* ambos(-as), los(-as) dos; ~ **i ragazzi** ambos or los dos chicos

ambientalista, -i, -e [ambjenta'lista] *agg, sm/f* ecologista *m/f*

ambientare [ambjen'tare] *vt* (*film, romanzo*) ambientar; **ambientarsi** *vpr* (*in nuova città*) ambientarse; (*a clima*) adaptarse

ambiente [am'bjɛnte] *sm*
ambiente *m*; (*ecosistema*) medio
ambiente; (*stanza*) habitación *f*

ambiguo, -a [am'biguo] *agg*
ambiguo(-a)

ambizione [ambit'tsjone] *sf*
ambición *f*, afán *m* ♦
❏ **ambizioso, -a** [ambit'tsjoso]
sm/f ambicioso(-a)

ambo ['ambo] *agg inv* ambos(-as),
los(-as) dos ♦ *sm* (*LOTTO*) ambo; **~ le
parti** ambas o las dos partes

ambra ['ambra] *sf* (*pietra, colore*)
ámbar *m*

ambulante [ambu'lante] *agg*
ambulante ♦ *sm* vendedor(a)
ambulante

ambulanza [ambu'lantsa] *sf*
ambulancia; **chiamate un ~** llamen
a una ambulancia

ambulatorio [ambula'torjo] *sm*
ambulatorio

America [a'mɛrika] *sf* América; **l'~
latina** América Latina
❏ **americano, -a** [ameri'kano]
agg, sm/f americano(-a);
(*statunitense*) estadounidense *m/f*

amianto [a'mjanto] *sm* amianto

amichevole [ami'kevole] *agg*
amistoso(-a); **incontro ~** (*SPORT*)
partido amistoso

amicizia [ami't̠fittsja] *sf* amistad *f*;
amicizie *sfpl* (*amici, conoscenze*)
amistades; **fare ~ con qn** trabar
amistad con algn

amico, -a, -ci, -che [a'miko] *sm/f*
amigo(-a) ► **amico del cuore**
amigo del alma

amido ['amido] *sm* almidón *m*

ammaccare [ammak'kare] *vt* (*auto*)
abollar; (*ginocchio*) partir
❏ **ammaccatura** [ammakka'tura]

sf (*su auto*) abolladura; (*contusione*)
magulladura

ammaestrare [ammaes'trare] *vt*
amaestrar

ammainare [ammai'nare] *vt*
amainar

ammalarsi [amma'larsi] *vpr*
enfermar, ponerse enfermo(-a)
❏ **ammalato, -a** [amma'lato] *agg,
sm/f* enfermo(-a)

ammanettare [ammanet'tare] *vt*
esposar

ammassare [ammas'sare] *vt*
amontonar

ammattire [ammat'tire] *vi*
enloquecer; **far ~ qn** (*fig*) volver
loco a algn

ammazzare [ammat'tsare] *vt*
matar; **ammazzarsi** *vpr* matarse

ammettere [am'mettere] *vt*
admitir; (*a gara, esame*) aceptar;
(*riconoscere: responsabilità*) aceptar;
~ che (*suppore*) suponer que ...

amministratore, -trice
[amministra'tore] *sm/f* (*di beni,
condominio*) administrador(a); (*di
fondi*) gestor(a)
► **amministratore delegato**
gerente *m/f*

amministrazione
[amministrat'tsjone] *sf* (*governo,
gestione*) administración *f*;
(*complesso degli amministratori*)
gerencia

ammiraglio [ammi'raʎʎo] *sm*
almirante *m*

ammirare [ammi'rare] *vt* admirar
❏ **ammirazione** [ammirat'tsjone]
sf admiración *f*

⚠ **ammirare** non si traduce mai
con la parola spagnola *mirar*.

ammobiliato, -a [ammobi'ljato] agg amueblado(-a)

ammollo [am'mɔllo] sm remojo; **mettere in ~** poner en remojo

ammoniaca [ammo'niaka] sf amoníaco

ammonire [ammo'nire] vt (anche SPORT) amonestar; (avvertire) prevenir ❏ **ammonizione** [ammonit'tsjone] sf (rimprovero) reprimenda; (avvertimento) advertencia; (SPORT) amonestación f

ammontare [ammon'tare] vi: **~ a** ascender a

ammorbidente [ammorbi'dente] sm suavizante m

ammorbidire [ammorbi'dire] vt (pelle, tessuto, cuoio) suavizar; (impasto, creta) ablandar

ammortizzatore [ammortiddza'tore] sm (AUT) amortiguador m

ammucchiare [ammuk'kjare] vt amontonar

ammuffire [ammuf'fire] vi enmohecer; (fig) marchitarse

ammutolire [ammuto'lire] vi enmudecer

amnesia [amne'zia] sf amnesia

amo ['amo] sm anzuelo

> ⚠ **amo** non si traduce mai con la parola spagnola *amo*.

amore [a'more] sm amor m; **amori** smpl (storie d'amore) amores; **fare l'~ con qn** hacer el amor con algn; **per ~ o per forza** por las buenas o por las malas; **~ per l'arte** amor al arte ▸ **amor proprio** amor propio ❏ **amoroso, -a** [amo'roso] agg (sguardo, tono) cariñoso(-a); (relazione) amoroso(-a)

ampio, -a ['ampjo] agg amplio(-a); (strada, corridoio) ancho(-a)

amplesso [am'plesso] sm coito

ampliare [ampli'are] vt (aeroporto, discorso, conoscenze) ampliar; (strada) ensanchar

amplificatore [amplifika'tore] sm amplificador m

amputare [ampu'tare] vt amputar

AN sigla (= Alleanza Nazionale) Alianza Nacional

anabbaglianti [anabbaʎ'ʎanti] smpl luces fpl cortas o de cruce

anabolizzante [anabolid'dzante] agg, sm anabolizante (m)

analcolico, -a, -ci, -che [anal'koliko] agg sin alcohol ♦ sm bebida sin alcohol

analfabeta, -i, -e [analfa'beta] agg, sm/f analfabeto(-a)

analgesico, -a, -ci, -che [anal'dʒeziko] agg analgésico(-a) ♦ sm analgésico

analisi [a'nalizi] sf inv análisis m inv; **in ultima ~** a fin de cuentas ▸ **analisi del sangue** análisis de sangre ▸ **analisi grammaticale** análisis sintáctico ❏ **analizzare** [analid'dzare] vt analizar

analogo, -a, -ghi, -ghe [a'nalogo] agg análogo(-a)

ananas ['ananas] sm inv (frutto) piña

anarchia [anar'kia] sf (POL) anarquismo; (càos, disordine) anarquía ❏ **anarchico, -a, -ci, -che** [a'narkiko] agg anárquico(-a) ♦ sm/f anarquista m/f

A.N.A.S. ['anas] sigla f (= Azienda Nazionale Autonoma delle Strade)

amministrazione nazionale di carreteras italiana

anatomia [anato'mia] *sf* anatomía

anatra ['anatra] *sf* pato(-a)

anca, -che ['anka] *sf* cadera

anche ['anke] *cong* (*inoltre*) además; (*pure*) también; (*perfino*) incluso; **vengo anch'io** voy yo también; **~ se** aunque; (*malgrado*) a pesar de que

ancora¹ [an'kora] *avv* (*tuttora*) todavía, aún; (*di nuovo*) de nuevo, otra vez; (*di più*) más; **~ più bello** todavía más bonito o guapo; **~ meglio** todavía o aún mejor; **non ~** todavía no; **~ una volta** otra vez más; **~ un po'** un poco más

ancora² [aŋ'kora] *sf* (*NAUT*) ancla

Andalusia [andalu'zia] *sf* Andalucía

andare [an'dare] *vi* ir ♦ *sm*: **a lungo ~** a la larga; **~ a qn** (*essere adatto*) sentar(le) o caer(le) bien a algn; (*piacere*) gustar a algn; **non mi va** (*cibo*) no me gusta; **questa gonna non mi va più** (*è stretta ecc*) esta falda no me queda bien; **ti va di ~ al cinema?** ¿te apetece ir al cine?; **andarsene** irse, marcharse; **~ in aereo** ir en avión; **~ a cavallo/in macchina/a piedi** ir a caballo/en coche/a pie; **~ in montagna** ir a la montaña; **~ a fare qc** ir a hacer algo; **~ a sciare/pescare** ir a esquiar/pescar; **questa camicia va lavata** hay que lavar esta camisa; **va fatto entro oggi** hay que hacerlo hoy; **come va?** (*lavoro, progetto*) ¿cómo va?; **come va? - bene, grazie** ¿cómo está? - bien, gracias; **a male** echarse a perder □ **andata** [an'data] *sf* ida; **un biglietto di sola andata per ...** un billete de ida a ...;

biglietto di andata e ritorno billete de ida y vuelta

Ande ['ande] *sfpl* Andes *mpl*

Andorra [an'dɔrra] *sf* Andorra

aneddoto [a'nɛddoto] *sm* anécdota

anello [a'nello] *sm* (*al dito*) anillo, sortija; (*cerchio, oggetto circolare*) anilla; (*di catena*) eslabón *m*; **anelli** *smpl* (*GINNASTICA*) anillas *fpl*

anemico, -a, -ci, -che [a'nɛmiko] *agg* anémico(-a)

anestesia [aneste'zia] *sf* anestesia

anfora ['anfora] *sf* ánfora

angelo ['andʒelo] *sm* ángel *m*
  ▶ **angelo custode** (*REL, fig*) ángel de la guarda

anglicano, -a [angli'kano] *agg* anglicano(-a)

anglosassone [anglo'sassone] *agg* anglosajón(-ona) □ **angolo** ['angolo] *sm* (*MAT*) ángulo; (*di strada*) esquina; (*tra pareti, luogo appartato*) rincón *m*; **è dietro l'~** (*di strada*) está detrás de la esquina; **calcio d'~** saque de esquina; **con ~ cottura** con cocina

angoscia [an'gɔʃʃa] *sf* angustia, congoja

anguilla [aŋ'gwilla] *sf* anguila

anguria [an'gurja] *sf* sandía

anice ['anitʃe] *sm* anís *m*

anima ['anima] *sf* alma; **non c'era ~ viva** no había un alma ▶ **anima gemella** alma gemela

animale [ani'male] *sm* animal *m*

animatore, -trice [anima'tore] *sm/f* (*turistico*) animador(a)

annacquare [annak'kware] *vt* aguar; (*attenuare*) atenuar

annaffiare [annaf'fjare] *vt* regar

annaffiatoio [annaffja'tojo] *sm* regadera

annata [an'nata] *sf* (*arco di un anno*) año; **vino d'~** vino añejo

annegare [anne'gare] *vt* ahogar
♦ *vi* ahogarse

annerire [anne'rire] *vt* ennegrecer
♦ *vi* ennegrecerse

annientare [annjen'tare] *vt* aniquilar

anniversario [anniver'sarjo] *sm* aniversario ▶ **anniversario di matrimonio** aniversario de bodas

anno ['anno] *sm* año; **l'~ prossimo** el año que viene; **quanti anni hai?** ¿cuántos años tienes?; **gli anni '20** los años veinte

annodare [anno'dare] *vt* (*lacci, corde*) atar, anudar; (*cravatta*) hacer el nudo a

annoiare [anno'jare] *vt* aburrir; **annoiarsi** *vpr* aburrirse

annotare [anno'tare] *vt* anotar

annuale [annu'ale] *agg* anual

annuire [annu'ire] *vi* asentir

annullare [annul'lare] *vt* anular

annunciare [annun'tʃare] *vt* anunciar □ **annuncio** [an'nuntʃo] *sm* (*comunicato*) anuncio
▶ **annuncio pubblicitario** anuncio publicitario ▶ **annunci economici** anuncios por palabras
▶ **annunci mortuari** esquelas *fpl* mortuorias

annuo, -a ['annuo] *agg* anual

annusare [annu'sare] *vt* oler; (*tabacco*) aspirar

anomalo, -a [a'nɔmalo] *agg* anómalo(-a)

anonimo, -a [a'nɔnimo] *agg* anónimo(-a)

anoressia [anores'sia] *sf* anorexia

anoressico, -a, -ci, -che [ano'ressiko] *agg* anoréxico(-a)

anormale [anor'male] *agg* anormal

ANSA ['ansa] *sigla f* (= *Agenzia Nazionale Stampa Associata*) agencia nacional de prensa italiana

ansia ['ansja] *sf* ansia, ansiedad *f*; **stare in ~ (per)** estar preocupado (por)

ansimare [ansi'mare] *vi* jadear

ansioso, -a [an'sjoso] *agg* ansioso(-a); **~ di sapere** ansioso por saber

anta ['anta] *sf* (*di armadio*) puerta; (*di finestra*) hoja

Antartide [an'tartide] *sf*: **l'~** la Antártida

antenna [an'tenna] *sf* (RADIO, TV, ZOOL) antena

anteprima [ante'prima] *sf* (*di notizia*) avance *m*; (*spettacolo*) preestreno

anteriore [ante'rjore] *agg* (*nello spazio*) delantero(-a); (*nel tempo*) anterior

antibiotico, -a, -ci, -che [antibi'ɔtiko] *agg* antibiótico(-a)
♦ *sm* antibiótico

anticamera [anti'kamera] *sf* antecámara, antesala

anticipare [antitʃi'pare] *vt* anticipar, adelantar □ **anticipo** [an'titʃipo] *sm* (*di partenza, arrivo*) anticipación *f*, antelación *f*; (*somma*) anticipo; **in ~** con antelación; **occorre che prenoti in anticipo?** ¿debo hacer la reserva con antelación?

antico, -a, -chi, -che [an'tiko] *agg* antiguo(-a); **all'antica** a la antigua

anticoncezionale [antikontʃettsjo'nale] *agg* anticonceptivo(-a) ♦ *sm* anticonceptivo

anticonformista, -i, -e [antikonfor'mista] *agg, sm/f* inconformista *m/f*

anticorpo [anti'kɔrpo] *sm* anticuerpo

antidoping ['anti'doupiŋ] *sm inv* (*SPORT*) antidopaje *m inv*, antidoping *m inv*

antifona [an'tifona] *sf*: **capire l'~** (*fig*) coger la indirecta

antiforfora [anti'forfora] *agg inv* anticaspa

antifurto [anti'furto] *sm* (*anche*: **sistema ~**) (sistema *m*) antirrobo *m*

antigelo [anti'dʒelo] *sm inv* anticongelante *m*

antiglobal [anti'global] *agg inv* antiglobalizador(a)

antincendio [antin'tʃendjo] *agg inv* (*misure, dispositivo*) antiincendios *inv*

antinebbia [anti'nebbja] *sm inv* (*anche*: **faro ~**) faro antiniebla

antiorario [antio'rarjo] *agg*: **in senso ~** en sentido contrario a las agujas del reloj

antipasto [anti'pasto] *sm* entremés *m*

antipatia [antipa'tia] *sf* antipatía
□ **antipatico, -a, -ci, -che** [anti'patiko] *agg* antipático(-a), desagradable ♦ *sm/f* antipático(-a)
□ **antiquariato** [antikwa'rjato] *sm* comercio de antigüedades; **un pezzo d'~** una antigüedad; **mostra**

dell'antiquariato exposición de antigüedades

antiquario [anti'kwarjo] *sm* anticuario

antiquato, -a [anti'kwato] *agg* anticuado(-a)

antitraspirante [antitraspi'rante] *agg* (*deodorante*) antitranspirante

antivirus [anti'virus] *agg, sm inv* (*INFORM*) antivirus *m) inv*

antologia [antolo'dʒia] *sf* antología

anulare [anu'lare] *agg* anular ♦ *sm* (*dito*) anular *m*; **raccordo ~** circunvalación

anzi [an'tsi] *cong* (*al contrario*) más bien, al contrario; (*o meglio*) es más

anziano, -a [an'tsjano] *agg* anciano(-a); (*socio*) antiguo(-a) ♦ *sm/f* anciano(-a); **gli anziani** los ancianos

anziché [antsi'ke] *cong* en vez de

apatico, -a, -ci, -che [a'patiko] *agg* apático(-a)

ape ['ape] *sf* abeja

aperitivo [aperi'tivo] *sm* aperitivo

apertamente [aperta'mente] *avv* (*parlare, criticare*) abiertamente

aperto, -a [a'perto] *pp di* **aprire** ♦ *agg* abierto(-a); (*mentalità, idee*) liberal ♦ *sm*: **all'~** al aire m libre; **è ~ al pubblico?** ¿está abierto al público?; **a bocca aperta** con la boca abierta

apertura [aper'tura] *sf* (*fessura, varco*) abertura; (*di attività, mentale*) apertura

apnea [ap'nɛa] *sf*: **in ~** en apnea

apostrofo [a'pɔstrofo] *sm* apóstrofo

appalto [ap'palto] sm (COMM) concesión f, contrata; **dare/ prendere in** ➤ dar/coger la concesión ▶ **appalti pubblici** concesiones fpl públicas

appannare [appan'nare] vt (vetro, occhiali) empañar; (vista) nublar; **appannarsi** vpr (vetro) empañarse; (vista) nublarse

⚠ **appannare** non si traduce mai con la parola spagnola *apañar*.

apparato [appa'rato] sm (impianto, ANAT) aparato

apparecchiare [apparek'kjare] vt: ~ **(la tavola)** poner la mesa

apparecchio [appa'rekkjo] sm (strumento) aparato; (per i denti) corrector m (de dientes)
▶ **apparecchio acustico** audífono ▶ **apparecchio telefonico** teléfono
▶ **apparecchio televisivo** aparato de televisión

apparente [appa'rente] agg aparente

apparire [appa'rire] vi (presentarsi) aparecer; (spuntare: sole, luna) salir; (sembrare) parecer

appartamento [apparta'mento] sm apartamento, piso

appartarsi [appar'tarsi] vpr apartarse

appartenere [apparte'nere] vi: ~ **a** pertenecer a

appassionare [appassjo'nare] vt apasionar; **appassionarsi** vpr: **appassionarsi a** apasionarse por, aficionarse a ❑ **appassionato, -a** [appassjo'nato] agg apasionado
♦ sm/f aficionado(-a)

appassire [appas'sire] vi (fiore, bellezza) marchitarse; (pianta) secarse

appello [ap'pello] sm (SCOL) lista; (UNIV: di esame) convocatoria f; (DIR) apelación f; **fare l'~** (SCOL) pasar lista; **fare ~ a** hacer un llamamiento a

appena [ap'pena] avv (a fatica) apenas; (soltanto, non di più) sólo; (da poco) recién ♦ cong (subito dopo che) apenas, en cuanto; **(non) ~ furono arrivati ...** en cuanto llegaron ...; **lo vedo ~** casi no lo veo; **me ne serve ~ un chilo** sólo necesito un kilo; **è ~ nato** ha nacido hace poco; **ero ~ arrivato quando mi ha chiamato** en cuanto llegué me llamó

appendere [ap'pendere] vt: ~ **(a/ su)** (vestito, quadro) colgar

appendice [appen'ditʃe] sf (di libro, ANAT) apéndice m

appendicite [appendi'tʃite] sf apendicitis f inv

Appennini [appen'nini] smpl: **gli ~** los Apeninos mpl

appesantire [appesan'tire] vt (carico) recargar; (fig: atmosfera) cargar

appetito [appe'tito] sm apetito; **buon ~!** ¡buen provecho!, ¡que aproveche!

appianare [appja'nare] vt (divergenze) resolver

appiattire [appjat'tire] vt (rendere piatto) aplastar

appiccare [appik'kare] vt: ~ **il fuoco a** pegar fuego a

appiccicare [appittʃi'kare] vt (attaccare) pegar; (soprannome) poner; **appiccicarsi** vpr pegarse

appisolarsi [appizo'larsi] *vpr* adormilarse

applaudire [applau'dire] *vt* aplaudir □ **applauso** [ap'plauzo] *sm* aplauso

applicare [appli'kare] *vt* (*etichetta, francobollo, crema*) poner; (*regolamento*) aplicar; **applicarsi** *vpr* (*impegnarsi*) empeñarse

appoggiare [appod'dʒare] *vt* (*anche fig: sostenere*) apoyar ♦ *vi*: ~ **su** apoyarse en; **appoggiarsi** *vpr*: **appoggiarsi a** apoyarse en □ **appoggio, -gi** [ap'pɔddʒo] *sm* (*anche fig*) apoyo

appositamente [appozita'mente] *avv* (*apposta*) aposta

apposito, -a [ap'pɔzito] *agg* adecuado(-a), apropiado(-a)

apposta [ap'pɔsta] *avv* aposta, adrede

⚠ **apposta** non si traduce mai con la parola spagnola *apuesta*.

appostarsi [appos'tarsi] *vpr* (*cacciatore, poliziotto*) ponerse al acecho

apprendere [ap'prendere] *vt* (*imparare*) aprender; (*venire a sapere*) enterarse □ **apprendista, -i, -e** [appren'dista] *sm/f* aprendiz(a)

⚠ **apprendere** non si traduce mai con la parola spagnola *aprehender*.

apprensione [appren'sjone] *sf* aprensión f

apprezzare [appret'tsare] *vt* apreciar

approdare [appro'dare] *vi* (*NAUT*) arribar; **non ~ a nulla** (*fig*) no tener éxito

approfittare [approfit'tare] *vi*: ~ **di** (*di occasione, opportunità*) aprovechar; (*peg: di persona, situazione*) aprovecharse de

approfondire [approfon'dire] *vt* profundizar

appropriato, -a [appro'prjato] *agg* apropiado(-a), adecuado(-a)

approssimativo, -a [approssima'tivo] *agg* aproximado(-a)

approvare [appro'vare] *vt* aprobar

appuntamento [appunta'mento] *sm* cita; (*di lavoro*) entrevista; **dare (un) ~ a qn** dar (una) cita a algn; **darsi ~** citarse; **ho un ~ con ...** tengo hora con ...; **vorrei prendere un ~** quisiera pedir hora

appunto [ap'punto] *sm* (*annotazione*) apunte *m*; (*fig: rimprovero*) observación f, reproche *m* ♦ *avv* (*proprio*) justamente, precisamente; **~!** ¡claro!, ¡eso!

appurare [appu'rare] *vt* comprobar

⚠ **appurare** non si traduce mai con la parola spagnola *apurar*.

apribottiglie [apribot'tiʎʎe] *sm inv* abridor m

aprile [a'prile] *sm* abril m; **pesce d'~** inocentada; *vedi anche* **luglio**

aprire [a'prire] *vt* abrir; (*vestito, camicia*) desabrochar; (*gas*) encender; (*trattativa, inchiesta*) iniciar; **aprirsi** *vpr* abrirse; **a che ora aprite?** ¿a qué hora abren? □ **apriscatole** [apris'katole] *sm inv* abrelatas m inv

APT [api'ti] *sigla f* (= *Azienda di Promozione Turistica*) oficina de turismo italiana

aquila ['akwila] *sf* águila
❑ **aquilone** [akwi'lone] *sm* cometa

A/R *abbr* = *andata e ritorno*; (*biglietto*) I/V

Arabia Saudita [a'rabja sau'dita] *sf* Arabia Saudí

arabo, -a ['arabo] *agg, sm/f* árabe *m/f* ♦ *sm* (*lingua*) árabe *m*

arachide [a'rakide] *sf* cacahuete *m*

Aragona [ara'gona] *sf* Aragón *m*

aragosta [ara'gosta] *sf* langosta

arancia, -ce [a'rantʃa] *sf* naranja
❑ **aranciata** [aran'tʃata] *sf* naranjada ❑ **arancione** [aran'tʃone] *agg inv* anaranjado(-a) ♦ *sm* (*colore*) naranja *m*

aratro [a'ratro] *sm* arado

arazzo [a'rattso] *sm* tapiz *m*

arbitrare [arbi'trare] *vt* arbitrar

arbitrario, -a [arbi'trarjo] *agg* arbitrario(-a)

arbitro ['arbitro] *sm* árbitro

arbusto [ar'busto] *sm* arbusto

archeologia [arkeolo'dʒia] *sf* arqueología
❑ **archeologo, -a, -gi, -ghe** [arke'ɔlogo] *sm/f* arqueólogo(-a)

architettare [arkitet'tare] *vt* (*piano*) trazar

architetto [arki'tetto] *sm* arquitecto(-a) ❑ **architettura** [arkitet'tura] *sf* arquitectura

archivio [ar'kivjo] *sm* archivo

arco, -chi ['arko] *sm* arco; **nell'~ di tre settimane** en el curso de tres semanas ❑ **arcobaleno** [arkoba'leno] *sm* arco iris *m inv*

arcuato, -a [arku'ato] *agg* arqueado(-a)

ardesia [ar'dezja] *sf* (*pietra*) pizarra

area ['area] *sf* (*superficie, zona*) área ▶ **area di rigore** (SPORT) área de castigo, área ▶ **area di servizio** (AUT) área de servicio

arena [a'rena] *sf* (*spazio di teatro*) escenario; (*circo*) pista; (*anfiteatro*) anfiteatro; (*per corride*) arena, albero ❑ **arenarsi** [are'narsi] *vpr* (*imbarcazione*) encallar; (*fig*: *negoziato, trattative*) estancarse

argenteria [ardʒente'ria] *sf* platería, plata

Argentina [ardʒen'tina] *sf* Argentina ❑ **argentino, -a** [ardʒen'tino] *sm/f* argentino(-a)

argento [ar'dʒento] *sm* plata

argilla [ar'dʒilla] *sf* arcilla

argine ['ardʒine] *sm* (*di fiume*) dique *m*

argomento [argo'mento] *sm* (*tema, soggetto*) tema *m*, asunto; (*per sostenere tesi*) argumento; **cambiare ~** cambiar de tema

aria ['arja] *sf* (*anche espressione, aspetto*) aire *m*; **all'~ aperta** al aire libre; **manca l'~** falta el aire; **andare all'~** (*fig*) irse al suelo; **mandare all'~ qc** (*fig*) malograr algo; **darsi delle arie (da)** darse aires (de)

arido, -a [a'rido] *agg* árido(-a)

arieggiare [arjed'dʒare] *vt* airear

ariete [a'rjete] *sm* (ZOOL) carnero; (ZODIACO): **A~** Aries *m*; **essere dell'A~** ser Aries

aringa, -ghe [a'ringa] *sf* arenque *m*

aritmetica [arit'metika] *sf* aritmética

arma, -i ['arma] *sf* arma; **essere alle prime armi** dar los primeros pasos ▸ **arma da fuoco** arma de fuego ▸ **armi nucleari** armas nucleares

armadietto [arma'djetto] *sm* (*di medicinali*) botiquín *m*; (*in palestra ecc*) taquilla

armadio [ar'madjo] *sm* (*per abiti*) armario, ropero ▸ **armadio a muro** armario empotrado

armato, -a [ar'mato] *agg*: ~ (**di**) armado(-a) (de o con) □ **armatura** [arma'tura] *sf* (*di guerriero*) armadura; (EDIL) armazón *m*

armistizio [armis'tittsjo] *sm* armisticio

armonia [armo'nia] *sf* (*anche MUS*) armonía

arnese [ar'nese] *sm* (*strumento di lavoro*) utensilio; (*oggetto, cosa*) chisme *m*

arnia ['arnja] *sf* colmena

aroma, -i [a'rɔma] *sm* (*odore*) aroma *m*; **aromi** *smpl* (CUC) hierbas *fpl* aromáticas □ **aromaterapia** [aromatera'pia] *sf* aromaterapia

arpa ['arpa] *sf* arpa

arrabbiare [arrab'bjare] *vi*: **far ~ qn** hacer enfadar a algn; **arrabbiarsi** *vpr* enfadarse, enojarse □ **arrabbiato, -a** [arrab'bjato] *agg* (*persona*) enfadado(-a), enojado(-a); (*sguardo, tono*) de enfado

arrampicarsi [arrampi'karsi] *vpr* trepar; ~ **su** (*albero, palo*) trepar a; ~ **su per** (*sentiero, monte*) subir por

arrancare [arran'kare] *vi* (*avanzare a fatica*) ir cansado

⚠ **arrancare** non si traduce mai con la parola spagnola *arrancar*.

arrangiarsi [arran'dʒarsi] *vpr* arreglarse, apañarse

arredamento [arreda'mento] *sm* (*l'arredare*) decoración *f*; (*mobili*) mobiliario

arredare [arre'dare] *vt* amueblar

arrendersi [ar'rendersi] *vpr* rendirse

arrestare [arres'tare] *vt* (*fermare*) detener, parar; (*catturare*) arrestar; **arrestarsi** *vpr* (*fermarsi*) detenerse, pararse □ **arresto** [ar'rɛsto] *sm* (*cessazione, fermata*) interrupción *f*, parada; (*cattura*) detención *f*; **subire un arresto** (*fermarsi: attività, produzione ecc*) sufrir una interrupción; **mettere agli arresti** poner bajo arresto ▸ **arresti domiciliari** arresto domiciliario

arretrato, -a [arre'trato] *agg* (*paese*) retrasado(-a); (*mentalità*) obsoleto(-a); (*numero: di giornale, rivista*) atrasado(-a); **arretrati** *smpl* (*di stipendio*) atrasos *mpl*

arricchire [arrik'kire] *vt* enriquecer; **arricchirsi** *vpr* enriquecerse

arrivare [arri'vare] *vi* llegar; ~ **a casa/a Roma** llegar a casa/a Roma; **mi è arrivato un pacco** me ha llegado un paquete; **non ci arrivo** (*è troppo lontano ecc*) no puedo; (*non capisco*) no logro entender; **a che ora arriva il treno da Roma?** ¿a qué hora llega el tren de Roma?

arrivederci [arrive'dertʃi] *escl* ¡hasta la vista!, ¡hasta luego!

arrivista, -i, -e [arri'vista] *sm/f* arribista *m/f* □ **arrivo** [ar'rivo] *sm* llegada; **essere in ~** (*treno*) estar al llegar; **"arrivi"** (AER, FERR) llegadas; **nuovi arrivi** (*in negozio*) novedades

arrogante [arro'gante] *agg* arrogante

arrossire [arros'sire] *vi (per l'imbarazzo, di gioia)* ruborizarse, sonrojarse

arrostire [arros'tire] *vt (al forno, ai ferri)* asar ▸ **arrosto** [ar'rɔsto] *sm (CUC)* asado ♦ *agg inv (pollo, patate)* asado(-a)

arrotolare [arroto'lare] *vt (poster, foglio, tessuto)* enrollar; *(sigaretta)* liar

arrotondare [arroton'dare] *vt (oggetto, somma, stipendio)* redondear

arrugginito, -a [arruddʒi'nito] *agg (metallo)* oxidado(-a), herrumbroso(-a); *(persona)* torpe

arte [arte] *sf* arte *m*; **le arti** las artes *fpl*

arteria [ar'tɛrja] *sf (ANAT)* arteria ▸ **arteria stradale** arteria principal

artico, -a, -ci, -che ['artiko] *agg* ártico(-a)

articolazione [artikola'tsjone] *sf (ANAT)* articulación *f*

articolo [ar'tikolo] *sm (LING, STAMPA, COMM)* artículo

artificiale [artifi'tʃale] *agg* artificial

artigianato [artidʒa'nato] *sm* artesanía

artigiano, -a [arti'dʒano] *sm/f* artesano(-a)

artista, -i, -e [ar'tista] *sm/f* artista *m/f* ☐ **artistico, -a, -ci, -che** [ar'tistiko] *agg* artístico(-a)

artrite [ar'trite] *sf* artritis *f inv*

ascella [aʃ'ʃella] *sf* axila, sobaco

ascendente [aʃʃen'dente] *sm (influenza)* influencia; *(ASTROL)* ascendente *m*

ascensore [aʃʃen'sore] *sm* ascensor *m*

ascesso [aʃ'ʃesso] *sm* absceso

asciugacapelli [aʃʃugaka'pelli] *sm inv* secador *m* de pelo

asciugamano [aʃʃuga'mano] *sm* toalla

asciugare [aʃʃu'gare] *vt* secar; **asciugarsi** *vpr* secarse; **asciugarsi i capelli** secarse el pelo ☐ **asciutto, -a** [aʃ'ʃutto] *agg* seco(-a); *(fig: magro, snello)* seco(-a), flaco(-a)

ascoltare [askol'tare] *vt* escuchar, oír

Asia ['azja] *sf* Asia ☐ **asiatico, -a, -ci, -che** [a'zjatiko] *agg, sm/f* asiático(-a)

asfalto [as'falto] *sm* asfalto

asilo [a'zilo] *sm* asilo ▸ **asilo nido** guardería infantil ▸ **asilo político** asilo político

asino ['asino] *sm* asno; *(fig: persona)* burro(-a)

ASL [azl] *sigla f* (= *Azienda Sanitaria Locale*) centro regional de salud pública italiano

asma ['azma] *sf* asma

asparago, -gi [as'parago] *sm* espárrago

aspettare [aspet'tare] *vt (persona, risposta, lettera)* esperar; *(treno, autobús)* estar esperando; **~ qn** esperar a algn; **~ qc** esperar algo; **aspettarsi qc** esperarse algo; **fare ~ qn** hacer esperar a algn; **mi aspetti, per favore** espere, por favor; **~ un bambino** esperar un bebé

aspetto [as'petto] *sm (di persona)* aspecto, apariencia; *(di problema ecc)* aspecto; **di bell'~** de buen ver

aspirapolvere [aspira'polvere] *sm inv* aspiradora

aspirare [aspi'rare] *vt* (*inalare*) aspirar ♦ *vi*: ~ **a** aspirar a

aspiratore [aspira'tore] *sm* aspirador *m*

aspirina® [aspi'rina] *sf* aspirina®

aspro, -a ['aspro] *agg* (*sapore*) agrio(-a), áspero(-a); (*odore*) acre; (*rimprovero*) duro(-a)

assaggiare [assad'dʒare] *vt* probar, catar; **potrei assaggiarlo?** ¿puedo probarlo? ► **assaggini** [assad'dʒini] *smpl* (*CUC*) selección *f* de entrantes

assai [as'sai] *avv* (*molto*) mucho; (: + *agg*) muy ♦ *agg inv* (+ *sostantivo*) mucho(-a)

assalire [assa'lire] *vt* asaltar

assaltare [assal'tare] *vt* (*MIL*) atacar; (*treno, diligenza*) asaltar; (*banca*) atracar ► **assalto** [as'salto] *sm* asalto; (*fig*: *a negozi*) atraco

assassinare [assassi'nare] *vt* asesinar ► **assassino, -a** [assas'sino] *sm/f* asesino(-a)

asse ['asse] *sm* (*TECN, MAT*) eje *m* ♦ *sf* (*tavola di legno*) tabla ► **asse da stiro** tabla de planchar

assediare [asse'djare] *vt* asediar, sitiar

assegnare [assen'nare] *vt* (*premio, borsa di studio*) conceder; (*casa, somme, lavoro*) asignar; (*persona: a reparto, ufficio*) destinar

assegno [as'senno] *sm* (*bancario*) cheque *m*; (*di assistenza*) asignación *f*; **posso pagare con un ~?** ¿puedo pagar con un cheque? ► **assegno circolare** cheque certificado ► **assegno di malattia** paga por

enfermedad ► **assegno di invalidità** pensión *f* de invalidez

assemblea [assem'blea] *sf* asamblea

assente [as'sente] *agg* (*anche fig*) ausente □ **assenza** [as'sentsa] *sf* ausencia

assetato, -a [asse'tato] *agg* (*anche fig*) sediento(-a)

assicurare [assiku'rare] *vt* asegurar; **assicurarsi** *vpr* (*accertarsi*): **assicurarsi (di)** asegurarse (de), cerciorarse (de); **assicurarsi (contro)** asegurarse (contra); **te l'assicuro!** ¡te lo aseguro!; **assicurarsi qc** (*vittoria, posto*) asegurarse algo □ **assicurazione** [assikurat'tsjone] *sf* (*a parole*) garantía; (*contratto*) seguro

assieme [as'sjeme] *avv* juntos ♦ *prep*: ~ **a** junto a

assillare [assil'lare] *vt* (*sogg: dubbio, pensiero*) agobiar; (: *creditore*) acosar

assistente [assis'tente] *sm/f* (*collaboratore*) asistente *m/f* ► **assistente di volo** auxiliar de vuelo ► **assistente sociale** asistente social

⚠ **assistente** non si traduce mai con la parola spagnola *asistenta*.

assistenza [assis'tentsa] *sf* asistencia ► **assistenza sanitaria** asistencia sanitaria

assistere [assis'tere] *vt* (*curare*) tratar; (*aiutare*) asistir ♦ *vi*: ~ **(a)** (*essere presente*) asistir (a)

asso ['asso] *sm* (*carta*) as *m*; (*fig*: *persona*) as, campeón(-ona); **piantare qn in ~** dejar plantado a algn

associazione [assotʃat'tsjone] *sf* asociación f

assolutamente [assoluta'mente] *avv* (*completamente*) completamente; (*per niente*) en absoluto

assoluto, -a [asso'luto] *agg* absoluto(-a); **in ~** en absoluto

assoluzione [assolut'tsjone] *sf* (*DIR, REL*) absolución f

assolvere [as'sɔlvere] *vt* (*DIR, REL*) absolver; (*compito, dovere*) cumplir

assomigliare [assomiʎ'ʎare] *vi*: **~ a** parecerse a, asemejarse a; **assomigliarsi** *vpr* parecerse, asemejarse

assonnato, -a [asson'nato] *agg* (*persona*) adormecido(-a)

assopirsi [asso'pirsi] *vpr* adormilarse

assorbente [assor'bente] *agg* absorbente ♦ *sm* (*anche*: **~ igienico**) compresa

assorbire [assor'bire] *vt* absorber

assordare [assor'dare] *vt* ensordecer

assortimento [assorti'mento] *sm* surtido

assortito, -a [assor'tito] *agg* (*caramelle, cioccolatini*) surtido(-a); **ben ~** (*coppia*) hechos el uno para el otro

assuefazione [assuefazi'one] *sf* (*MED*) adicción f, dependencia

assumere [as'sumere] *vt* (*impiegato*) contratar; (*responsabilità*) asumir; (*contegno, espressione*) adoptar; (*sostanza, droga*) tomar

assurdità [assurdi'ta] *sf inv* (*di situazione ecc*) absurdidad f; (*controsenso*) disparate m

assurdo, -a [as'surdo] *agg* absurdo(-a) ♦ *sm* absurdo

asta ['asta] *sf* (*bastone*) asta, palo; (*metodo di vendita*) subasta

astemio, -a [as'tɛmjo] *agg* abstemio(-a)

astenersi [aste'nersi] *vpr* (*a votazione*) abstenerse; **~ da** abstenerse de

asterisco, -schi [aste'risko] *sm* asterisco

astice ['astitʃe] *sm* bogavante m

astigmatico, -a, -ci, -che [astig'matiko] *agg* astigmático(-a)
❏ **astinenza** [asti'nentsa] *sf* abstinencia; **crisi di ~** síndrome m de abstinencia

astratto, -a [as'tratto] *agg* abstracto(-a)

astrologia [astrolo'dʒia] *sf* astrología

astronauta, -i, -e [astro'nauta] *sm/f* astronauta m/f

astronave [astro'nave] *sf* astronave f

astronomia [astron'mia] *sf* astronomía
❏ **astronomico, -a, -ci, -che** [astro'nɔmiko] *agg* (*anche fig: prezzo*) astronómico(-a)

astuccio, -ci [as'tuttʃo] *sm* (*per penne, di collana*) estuche m; (*di occhiali, fucile*) funda

astuto, -a [as'tuto] *agg* astuto(-a)

Atene [a'tene] *sf* Atenas

ateo, -a ['ateo] *agg* ateo(-a)

atlante [a'tlante] *sm* (*libro*) atlas m

atlantico, -a, -ci, -che [atlantiko] agg atlántico(-a) ♦ sm: **l'(Oceano) A~** el (Océano) Atlántico

atleta, -i, -e [a'tleta] sm/f atleta m/f
□ **atletica** [a'tletika] sf atletismo
▶ **atletica leggera** pruebas fpl de atletismo ▶ **atletica pesante** halterofilia y lucha

atmosfera [atmos'fera] sf (METEOR) atmósfera; (fig) atmósfera, ambiente m

atomico, -a, -ci, -che [a'tɔmiko] agg atómico(-a)

atomo ['atomo] sm átomo

atrio ['atrjo] sm vestíbulo

atroce [a'trotʃe] agg atroz

attaccante [attak'kante] sm/f (SPORT) delantero

attaccapanni [attakka'panni] sm inv percha, perchero

attaccare [attak'kare] vt (unire, affiggere, contagiare) pegar; (appendere) colgar; (avversario, nemico) atacar ♦ vi (colla) pegar; **attaccarsi** vpr pegarse; **~ discorso con qn** pegar la hebra con algn; **attaccarsi (a)** (afferrarsi) agarrarse (a); (fig: affezionarsi) encariñarse (con) □ **attacco, -chi** [at'takko] sm ataque m; (SPORT) delantera; (ELETTR) enchufe m, toma; **attacchi** smpl (per sci) sujeciones fpl

atteggiamento [atteddʒa'mento] sm actitud f

attendere [at'tendere] vt aguardar; **attenda in linea, per favore** espere un momento, por favor

attendibile [atten'dibile] agg (notizia) fidedigno(-a); (fonte, testimone) fiable

attentato [atten'tato] sm atentado

attento, -a [at'tento] agg (ascoltatore, osservatore) atento(-a); (esame, analisi) minucioso(-a) ♦ escl ¡cuidado!; **stare ~** a estar atento a; **attenti!** (MIL) ¡firmes!; **"attenti al cane"** "cuidado con el perro" □ **attenzione** [atten'tsjone] sf atención f, cuidado ♦ escl ¡atención!, ¡cuidado!; **attenzioni** sfpl (premure) atenciones fpl

atterraggio, -gi [atter'raddʒo] sm aterrizaje m

atterrare [atter'rare] vi aterrizar ♦ vt (avversario) derribar

attesa [at'tesa] sf espera; **in ~ di** esperando, a la espera de

atteso, -a [at'teso] pp di **attendere**

attico, -ci [attiko] sm ático

attillato, -a [attil'lato] agg (abito) ceñido(-a), ajustado(-a)

attimo [attimo] sm instante m; **in un ~** en un instante

attirare [atti'rare] vt (trarre a sé) atraer; (attenzione) llamar; **l'idea mi attira** la idea me gusta

attitudine [atti'tudine] sf aptitud f

⚠ **attitudine** non si traduce mai con la parola spagnola *actitud*.

attività [attivi'ta] sf inv actividad f

attivo, -a [at'tivo] agg activo(-a) ♦ sm (COMM) activo; **in ~** en activo

atto ['atto] sm (azione) acto; **atti** smpl (di processo) autos mpl; (di congresso) actas fpl; **mettere in ~** llevar a la práctica ▶ **atto di morte** certificado de defunción ▶ **atto di nascita** partida de nacimiento

attore, -trice [at'tore] *sm/f* actor (actriz)

attorno [at'torno] *avv* alrededor
♦ *prep*: ~ **a** (*intorno a*) alrededor de, en torno a

attraccare [attrak'kare] *vi* atracar
□ **attracco, -chi** [at'trakko] *sm* atraque *m*

attraente [attra'ente] *agg* (*persona, prospettiva*) atractivo(-a)

attrarre [at'trarre] *vt* atraer

attraversare [attraver'sare] *vt* atravesar; (*strada, fiume*) cruzar

attraverso [attra'verso] *prep* (*campi, bosco ecc*) a través de; (*mediante*) a través de, por medio de

attrazione [attrat'tsjone] *sf* atracción *f*

attrezzo [at'trettso] *sm* (*utensile*) utensilio; **attrezzi** *smpl* (*SPORT*) aparatos *mpl* (*en gimnasia y halterofilia*)

attrice [at'tritʃe] *sf vedi* **attore**

attuale [attu'ale] *agg* actual
□ **attualità** [attuali'ta] *sf inv* actualidad *f*; **d'attualità** de actualidad □ **attualmente** [attual'mente] *avv* actualmente, en la actualidad

attuare [attu'are] *vt* (*programma, progetto*) realizar, llevar a cabo

attutire [attu'tire] *vt* (*colpo*) atenuar; (*suono*) amortiguar

audio ['audjo] *sm* sonido; (*volume*) volumen *m* □ **audiovisivo, -a** [audjovi'zivo] *agg* audiovisual ♦ *sm* medio audiovisual □ **audizione** [audit'tsjone] *sf* audición *f*

augurare [augu'rare] *vt*: ~ **a** desear a; **augurarsi** *vpr*: augurarsi qc/di fare qc esperar algo/hacer algo

⚠   **augurare** non si traduce mai con la parola spagnola *augurar*.

auguri [au'guri] *smpl* enhorabuena; **fare gli ~ a qn** felicitar a algn, dar la enhorabuena a algn; **tanti ~!** (*di riuscita, felicità*) ¡muchas felicidades!; (*per compleanno*) ¡felicidades!

aula ['aula] *sf* (*di scuola*) aula; (*di tribunale*) sala

aumentare [aumen'tare] *vt, vi* aumentar, subir; ~ **di peso** (*persona*) aumentar de peso □ **aumento** [au'mento] *sm* (*di prezzo, stipendio, numero*) aumento, subida; (*FIN*) alza

aurora [au'rɔra] *sf* aurora

ausiliare [auzi'ljare] *agg*: (**verbo**) ~ (*verbo*) auxiliar

Australia [aus'tralja] *sf* Australia
□ **australiano, -a** [austra'ljano] *agg, sm/f* australiano(-a)

Austria ['austria] *sf* Austria
□ **austriaco, -a, -ci, -che** [aus'triako] *agg, sm/f* austríaco(-a)

autentico, -a, -ci, -che [au'tentiko] *agg* auténtico(-a)

autista, -i [au'tista] *sm* conductor(a)

auto ['auto] *sf inv* coche *m*

autoabbronzante [autoabbron'dzante] *agg* autobronceador ♦ *sm* autobronceador *m*

autoadesivo, -a [autoade'zivo] *agg* autoadhesivo(-a) ♦ *sm* (*etichetta*) pegatina

autobiografico, -a, -ci, -che
[autobio'grafiko] agg
autobiográfico(-a)

autobus ['autobus] sm inv autobús
m; **a che ora parte l'~?** ¿a qué hora
sale el autobús?

autocarro [auto'karro] sm camión
m

autocertificazione
[autotʃertifikat'tsjone] sf
declaración f jurada

autodistruttivo, -a
[autodistrut'tivo] agg
autodestructivo(-a)

autogol [auto'gɔl] sm inv gol m en
propia meta

autografo [au'tɔgrafo] sm (firma)
autógrafo

autogrill® [auto'gril] sm inv bar o
restaurante en una zona de servicios de
una autopista

automatico, -a, -ci, -che
[auto'matiko] agg automático(-a)

automobile [auto'mɔbile] sf
automóvil m

automobilista, -i, -e
[automobi'lista] sm/f automovilista
m/f

autonoleggio [autono'leddʒo] sm
alquiler m de coches; (ditta)
empresa de alquiler de coches

autonomia [autono'mia] sf
(indipendenza) autonomía

autonomo, -a [au'tɔnomo] agg
autónomo(-a)

autopsia [autop'sia] sf autopsia

autoradio [auto'radjo] sf inv
(apparecchio) radio f (del coche)

autore, -trice [au'tore] sm/f
autor(a)

autoreverse [autore'vers] agg
autorreversible

autorevole [auto'revole] agg
(personaggio) acreditado(-a),
importante; (giudizio, opinione,
fonte) competente

autorimessa [autori'messa] sf
garaje m

autorità [autori'ta] sf inv autoridad
f; **le ~** las autoridades

autorizzare [autorid'dzare] vt
autorizar

autoscontro [autos'kontro] sm
coche m de choque

autoscuola [autos'kwɔla] sf
autoescuela

autostima [autos'tima] sf
autoestima

autostop [autos'tɔp] sm autostop
m inv; **fare l'~** hacer autostop o
dedo ◻ **autostoppista, -i, -e**
[autostop'pista] sm/f autostopista
m/f

autostrada [autos'trada] sf
autopista

AUTOSTRADE

Las **autostrade** en Italia son de
pago y vienen identificadas por
señales de tráfico de color verde
con la letra A seguida de un
número. Es posible evitar las colas
en los puestos de pago
comprando una tarjeta de
prepago. El límite de velocidad en
las autopistas italianas es de 130
km/h.

autovelox [auto'veloks] sm inv
radar m (de carretera)

autovettura [autovet'tura] sf
automóvil m

autunno [au'tunno] *sm* otoño; **d'~ o in ~** de otoño *o* en otoño

avambraccio [avam'brattʃo] (*pl(f)* **avambraccia**) *sm* antebrazo

avanguardia [avan'gwardja] *sf* (MIL, ARTE) vanguardia

avanti [a'vanti] *avv* (*stato in luogo*) delante; (*moto: andare, venire*) adelante; (*tempo: prima*) antes ♦ *prep* (*luogo*): **~ a** delante de; (*tempo*): **~ Cristo** antes de Cristo ♦ *escl* (*entrate!*) ¡adelante!; (*coraggio!*) ¡vamos!; **andare ~** (*continuare*) ir adelante; (*orologio*) adelantar; **andate ~, vi raggiungo** id hacia adelante que yo os alcanzo; **essere ~ negli studi** ir adelantado en los estudios; **~ e indietro** de un sitio para otro, de aquí para allá; **~ il prossimo!** ¡el siguiente!

avanzare [avan'tsare] *vi* (*andare avanti*) avanzar; (*essere d'avanzo*) sobrar ♦ *vt* (*fig: richiesta*) presentar; **avanzo 10 euro da te** (*essere creditore*) me debes 10 euros

avaria [ava'ria] *sf* avería; **motore in ~** motor averiado

avaro, -a [a'varo] *agg, sm/f* avaro(-a)

---

avere

PAROLA CHIAVE

[a'vere] *vt*

1 (*possedere*) tener; **ha una bella casa** tiene una casa bonita; **ha due bambini** tiene dos niños; **non ho da mangiare/bere** no tengo nada de comer/beber; **avere pazienza** tener paciencia

2 (*indossare, portare*) llevar; **aveva una maglietta rossa** llevaba una camiseta roja; **ha gli occhiali** lleva

gafas; **ha i baffi** tiene bigote; **ha i capelli lunghi** tiene el pelo largo

3 (*ricevere*) recibir; **hai avuto l'assegno?** ¿has recibido el cheque?

4 (*età, dimensione*) tener; **ha 9 anni** tiene 9 años

5 (*tempo*): **quanti ne abbiamo oggi?** ¿a cuántos estamos hoy?; **ne hai per molto?** ¿te falta mucho todavía?

6 (*fraseologia*): **avercela con qn** tener a algn entre ceja y ceja; **cos'hai?** ¿qué te pasa?; **non ha niente a che vedere con me** no tiene nada que ver conmigo

♦ *vb aus*

1 haber; **ho bevuto/mangiato** he bebido/comido; **ci ha creduto?** ¿se lo ha creído?

2 (+ *da* + *infinito*): **avere da fare qc** tener que hacer algo; **non ho niente da dire** no tengo nada que decir; **non hai che da chiederlo** no tienes nada más que pedirlo

♦ *sm* (COMM) haber *m*; **gli averi** (*ricchezze*) haberes

---

aviazione [avjat'tsjone] *sf* aviación *f*

avido, -a ['avido] *agg*: **~ (di)** ávido(-a) (de)

avocado [avo'kado] *sm* (*frutto*) aguacate *m*

avorio [a'vɔrjo] *sm* (*materiale, colore*) marfil *m*

Avv. *abbr* (= *avvocato*) abogado

avvantaggiare [avvantad'dʒare] *vt* favorecer; **avvantaggiarsi** (*approfittare*): **avvantaggiarsi di** aprovecharse de; **avvantaggiarsi nel lavoro** adelantar en el trabajo

avvelenare [avvele'nare] *vt* envenenar

avvenimento [avveni'mento] *sm* acontecimiento, suceso

avvenire [avve'nire] *vi* (*fatto, episodio, disgrazia*) ocurrir; (*incidente*) producirse ♦ *sm* porvenir *m inv*, futuro *m*; **in ~** de aquí en adelante

avventato, -a [avven'tato] *agg* (*persona, decisione, giudizio*) precipitado(-a)

avventura [avven'tura] *sf* (*anche amorosa*) aventura ☐ **avventurarsi** [avventu'rarsi] *vpr* aventurarse ☐ **avventuroso, -a** [avventu'roso] *agg* (*persona*) arriesgado(-a), atrevido(-a); (*viaggio*) aventurero(-a)

avverarsi [avve'rarsi] *vpr* cumplirse, realizarse

avverbio [av'verbjo] *sm* adverbio

avversario, -a [avver'sarjo] *agg, sm/f* adversario(-a), contrincante *m/f*

avvertenza [avver'tentsa] *sf* (*ammonimento*) advertencia; (*consiglio*) consejo; **avvertenze** *sfpl* (*su medicinali*) instrucciones *fpl* de uso

avvertimento [avverti'mento] *sm* advertencia; (*intimidazione*) intimidación *f*

avvertire [avver'tire] *vt* (*persona, rumore*) advertir; (*stanchezza*) notar

avviare [avvi'are] *vt* comenzar; (*motore*) poner en marcha; (*fig: indirizzare*) encaminar, dirigir; **avviarsi** *vpr* (*mettersi in cammino*) encaminarse; **avviarsi alla conclusione** (*conferenza, incontro*) llegar al final o a la conclusión

avvicinare [avvit∫i'nare] *vt* acercar, arrimar; **avvicinarsi** *vpr* (*essere imminente*) avecinarse; (*somigliare*) parecerse; (*per parlare ecc*) acercarse a algn; **avvicinarsi a** (*a meta, persona*) acercarse a

avvilito, -a [avvi'lito] *agg* abatido(-a)

avvincente [avvin't∫ente] *agg* (*film, racconto*) apasionante

avvisare [avvi'zare] *vt*: **~ (di)** (*informare*) avisar (de), informar (de); (*mettere in guardia*) advertir (de) ☐ **avviso** [av'vizo] *sm* aviso; (*inserzione pubblicitaria*) anuncio; **a mio avviso** en mi opinión ▸ **avviso di chiamata** (*TEL*) aviso

avvistare [avvis'tare] *vt* avistar, divisar

avvitare [avvi'tare] *vt* (*fermare con viti*) atornillar; (*lampadina*) enroscar

avvocato [avvo'kato] *sm* abogado(-a)

avvolgere [av'vɔldʒere] *vt* (*fune*) enrollar; (*in carta, coperta*) envolver; **avvolgersi** *vpr* (*in coperta, mantello*) envolverse ☐ **avvolgibile** [avvol'dʒibile] *sm* persiana

avvoltoio [avvol'tojo] *sm* (*anche fig*) buitre *m*

azalea [add3a'lɛa] *sf* azalea

azienda [ad'dzjenda] *sf* empresa ▸ **azienda agricola** empresa agrícola

azione [at'tsjone] *sf* (*anche ECON, SPORT*) acción *f*; **mettere in ~** poner en acción

azoto [ad'dzɔto] *sm* nitrógeno

⚠️ **azoto** non si traduce mai con la parola spagnola *azote*.

azzardare [addzar'dare] vt
(domanda) arriesgar; (ipotesi) lanzar;
azzardarsi vpr: **azzardarsi (a)**
atreverse (a) □ **azzardo**
[ad'dzardo] sm riesgo; **gioco
d'azzardo** juego de azar

azzeccare [attsek'kare] vt (risposta,
pronostico) acertar

azzuffarsi [attsuf'farsi] vpr
pelear(se)

azzurro, -a [ad'dzurro] agg azul
♦ sm azul m; (SPORT): **gli azzurri** la
selección italiana; **il principe ~** el
príncipe azul

Bb

babbo [babbo] sm papá m
▶ **Babbo Natale** Papá Noel

baby-sitter ['beibi 'sita] sf inv
canguro m/f (fam)

bacca, -che ['bakka] sf baya

baccalà [bakka'la] sm inv bacalao

bacchetta [bak'ketta] sf varilla; (di
direttore d'orchestra) batuta
▶ **bacchetta magica** varita
mágica

bacheca, -che [ba'keka] sf (per
mostra) urna; (per messaggi) tablón
m de anuncios

baciare [ba'tfare] vt besar; **baciarsi**
vpr besarse

bacinella [batfi'nella] sf barreño

bacino [ba'tfino] sm (ANAT) pelvis f
inv; (NAUT) dique m; (GEO) cuenca

bacio ['batfo] sm beso; **dare un ~ a
qn** dar un beso a algn

baco, -chi ['bako] sm gusano;
(INFORM: di programma) error m
▶ **baco da seta** gusano de seda

badare [ba'dare] vi: **~ a** (occuparsi di)
ocuparse de; (fare attenzione a)
tener cuidado con; (dare ascolto a)
hacer caso a; **non ~ a spese!** ¡no
mires el dinero!

baffi ['baffi] smpl bigote msg;
leccarsi i ~ (fig) chuparse los dedos;
ridere sotto i ~ reírse entre dientes

bagagliaio [bagaʎ'ʎajo] sm (AUT)
maletero

bagaglio [ba'gaʎʎo] sm equipaje
m; **fare/disfare i bagagli** hacer/
deshacer el equipaje; **i nostri
bagagli non sono arrivati** nuestro
equipaje no ha llegado; **potrebbe
mandare qualcuno a prendere i
nostri bagagli?** ¿podría enviar a
alguien a recoger nuestro
equipaje? ▶ **bagaglio a mano**
equipaje de mano

bagliore [baʎ'ʎore] sm resplandor
m

bagnante [baɲ'ɲante] sm/f bañista
m/f

bagnare [baɲ'ɲare] vt mojar;
(piante) regar; (sogg: fiume, mare)
bañar; **bagnarsi** vpr (di pioggia,
acqua) mojarse □ **bagnato, -a**
[baɲ'ɲato] agg mojado(-a)

bagnino, -a [baɲ'ɲino] sm/f
socorrista m/f

bagno ['baɲɲo] sm baño; (stanza)
servicio; **bagni** smpl (stabilimento)
baños mpl; **dov'è il ~?** ¿dónde está
el servicio?; **fare il ~** (in vasca, nel
mare) bañarse; **fare il ~ a qn** bañar a
algn; **mettere a ~** (bucato, legumi)
poner a remojo □ **bagnomaria**
[baɲɲoma'ria] sm: **cuocere a
bagnomaria** cocer a baño María
□ **bagnoschiuma** [baɲɲos'kjuma]
sm inv gel m de baño

baia ['baja] sf bahía

balbettare [balbet'tare] vi balbucear

balcanico, -a, -ci, -che [bal'kaniko] agg balcánico(-a)

balcone [bal'kone] sm balcón m; **avete una camera con ~?** ¿tienen una habitación con balcón?

baldoria [bal'dɔrja] sf: **fare ~** irse de picos pardos

balena [ba'lena] sf ballena

baleno [ba'leno] sm: **in un ~** en un abrir y cerrar de ojos

ballare [bal'lare] vi, vt bailar; **andare a ~** ir a bailar □ **ballerina** [balle'rina] sf (danzatrice, scarpa) bailarina □ **ballerino** [balle'rino] sm bailarín(-ina) □ **su** **balletto** [bal'letto] sm ballet m □ **ballo** ['ballo] sm (danza, festa) baile m; **essere in ballo** (fig) estar en juego; **tirare in ballo** nombrar

balneare [balne'are] agg balneario(-a)

balsamo ['balsamo] sm bálsamo

balzare [bal'tsare] vi brincar, saltar; (lanciarsi) saltar; (treno) saltar o tirarse de □ **balzo** ['baltso] sm brinco; **fare un balzo** dar un brinco

bambina [bam'bina] sf niña □ **bambino** [bam'bino] sm niño

bambola [bambola] sf muñeca

bambù [bam'bu] sm inv bambú m

banale [ba'nale] agg banal; (poco importante) insignificante

banana [ba'nana] sf plátano

banca, -che ['baŋka] sf banco m
  ▶ **banca dati** banco de datos

bancarella [banka'rella] sf tenderete m

bancarotta [banka'rotta] sf (DIR) bancarrota; **fare ~** quebrar

banchetto [ban'ketto] sm banquete m

banchiere [ban'kjere] sm banquero(-a)

banchina [ban'kina] sf (di porto) embarcadero; (di stazione, strada) andén m

banco, -chi ['banko] sm (di scuola, chiesa) banco; (di negozio, al mercato) mostrador m; **sotto ~** (fig) ilegalmente ▶ **banco dei pegni** casa de empeño ▶ **banco di nebbia** banco de niebla

Bancomat® ['bankomat] sm inv (distributore) cajero automático; (tessera) tarjeta de débito)

banconota [banko'nɔta] sf billete m

banda ['banda] sf (MUS) banda

bandiera [ban'djera] sf bandera

bandito [ban'dito] sm bandido(-a)

bando ['bando] sm (concorso) convocatoria; **mettere al ~ qc** (fig) prohibir algo; **~ alle chiacchiere!** ¡basta ya de charlas! ▶ **bando di concorso** convocatoria

bar [bar] sm inv bar m

bara ['bara] sf ataúd m

baracca, -che [ba'rakka] sf barraca

barare [ba'rare] vi hacer trampas; ~ **al gioco** hacer trampas en el juego

baratro ['baratro] sm abismo

baratto [ba'ratto] sm trueque m

barattolo [ba'rattolo] sm (di latta) lata; (di vetro) frasco; **in ~** (bibita) de lata

barba ['barba] sf barba; **farsi la ~** afeitarse; **che ~!** ¡qué rollo!

barbabietola [barba'bjetola] sf remolacha ▶ **barbabietola da zucchero** remolacha azucarera

barbiere [bar'bjere] sm barbero

barbone [bar'bone] sm (persona) vagabundo(-a); (cane) caniche m

barca, -che ['barka] sf (NAUT) barca; **una ~ di** (fig) un montón de
▶ **barca a motore** lancha motora
▶ **barca a remi** barca de remos
▶ **barca a vela** barco de vela

Barcellona [bartʃel'lona] sf Barcelona

barcollare [barkol'lare] vi tambalearse

barella [ba'rella] sf camilla

barile [ba'rile] sm barril m

barista, -i, -e [ba'rista] sm/f barman m

barlume [bar'lume] sm claror m; (di speranza) hilo, rayo

barocco, -a, -chi, -che [ba'rɔkko] agg (architettura, palazzo) barroco(-a) ♦ sm (stile) barroco

barometro [ba'rɔmetro] sm barómetro

barone [ba'rone] sm barón m
❑ **baronessa** [baro'nessa] sf baronesa

barra ['barra] sf (asta, NAUT, TIP) barra
❑ **barrare** [bar'rare] vt (casella) tachar

barricarsi [barri'karsi] vpr atrincherarse

barriera [bar'rjera] sf barrera; (fig) obstáculo ▶ **barriera corallina** arrecife m de coral

baruffa [ba'ruffa] sf bronca; **fare ~ (con)** tener una bronca (con)

barzelletta [barzel'letta] sf chiste m

basare [ba'zare] vt (teoria, ipotesi) basar; **basarsi** vpr: **basarsi su** basarse en

basco, -a, -schi, -sche ['basko] agg vasco(-a) ♦ sm (copricapo) boina

base ['baze] sf base f; **di ~** básico; **in ~ a** según; **a ~ di** (latte ecc) a base de

baseball [beisbɔːl] sm béisbol m inv

basetta [ba'zetta] sf patilla

basilica, -che [ba'zilika] sf basílica

basilico [ba'ziliko] sm albahaca

basket ['basket] sm baloncesto

bassista, -i, -e [bas'sista] sm/f bajista m/f

basso, -a ['basso] agg bajo(-a); (acqua) de poca profundidad ♦ sm (anche MUS) bajo; **a occhi bassi** sin levantar la cabeza; **a ~ prezzo** barato(-a) ❑ **bassorilievo** [bassori'ljevo] sm bajorrelieve m ❑ **bassotto** [bas'sɔtto] sm perro salchicha

basta ['basta] escl ¡basta ya!

bastardo, -a [bas'tardo] agg (persona) bastardo(-a) ♦ sm/f bastardo(-a); **un cane ~** un chucho; **~!** ¡hijo de puta! (fam!)

bastare [bas'tare] vi: ~ **(a qn)** (essere sufficiente) ser suficiente (a algn)

bastonare

♦ *vb impers* bastar con; **~ a fare qc** ser suficiente para hacer algo; **basta chiedere a un vigile** basta con preguntárselo a un guardia; **le bastano 10 euro?** ¿tiene bastante con 10 euros?; **basta così, grazie** es suficiente, gracias

bastonare [basto'nare] *vt* apalear

bastoncino [baston'tʃino] *sm* palito; (*SCI*) bastón *m* de esquí ▶ **bastoncini di pesce** palitos de pescado

bastone [bas'tone] *sm* palo; (*da passeggio*) bastón *m*

battaglia [bat'taʎʎa] *sf* batalla

battello [bat'tɛllo] *sm* barco

battente [bat'tɛnte] *sm* (*di porta, finestra*) batiente *m*; (*per bussare*) aldaba; **chiudere i battenti** (*azienda*) cesar una actividad

battere ['battere] *vt* percutir; (*avversario, record*) batir; (*tappeto*) sacudir ♦ *vi* (*pioggia*) caer con fuerza; (*sole*) pegar; (*cuore*) latir; (*bussare*) golpear; (*urtare*): **~ (contro)** chocar (contra); (*TENNIS*) servir; **battersi** *vpr* luchar; **~ i denti** (*dal freddo, per la paura*) castañetear los dientes; **~ a macchina** mecanografiar; **~ le mani** aplaudir; **~ (il marciapiede)** (*fig*) hacer la calle; **~ un rigore** (*CALCIO*) tirar un penalti; **battersela** salir pitando

batteria [batte'ria] *sf* (*di pila, MUS*) batería ▶ **batteria da cucina** batería de cocina

batterio [bat'tɛrjo] *sm* bacteria

batterista, -i, -e [batte'rista] *sm/f* baterista *m/f*

battesimo [bat'tezimo] *sm* bautismo ◻ **battezzare** [batted'dzare] *vt* bautizar

battipanni [batti'panni] *sm inv* sacudidor *m*

battistrada [battis'trada] *sm inv* (*di pneumatico*) dibujo

battito ['battito] *sm* (*di pioggia*) repiqueteo; (*di orologio*) tic-tac *m* ▶ **battito cardiaco** latido

battuta [bat'tuta] *sf* (*TIP*) pulsación *f*; (*MUS*) compás *m*; (*TEATRO*) frase *f*; (*frase spiritosa*) salida, ocurrencia; (*TENNIS*) saque *m*; **fare una ~** (*di spirito*) tener una ocurrencia

batuffolo [ba'tuffolo] *sm* (*di cotone, lana*) copo

baule [ba'ule] *sm* (*cassa*) baúl *m*; (*AUT*) maletero

bava ['bava] *sf* baba

bavaglino [bavaʎ'ʎino] *sm* babero

bavaglio [ba'vaʎʎo] *sm* mordaza

bavero ['bavero] *sm* solapa

bazar [bad'dzar] *sm inv* bazar *m*

B.C.E. [bitʃi'e] *sigla f* (= *Banca Centrale Europea*) BCE *f*

beato, -a [be'ato] *agg* (*felice*) dichoso(-a); **~ te!** ¡qué suerte tienes!

⚠️ **beato** non si traduce mai con la parola spagnola *beato*.

beccare [bek'kare] *vt* (*con il becco*) picotear; (: *ladro*) pillar; **beccarsi** *vpr* (*fig*: *bisticciare*) pelearse; **si è beccato l'influenza** ha cogido la gripe

becco, -chi ['bekko] *sm* (*di uccello*) pico

Befana [be'fana] *sf* (*Epifania*) día de los Reyes Magos; **la ~** personaje fantástico con aspecto de vieja que les *trae regalos a los niños la noche de la Epifanía*

BEFANA

El 6 de enero, día de la Epifanía, se celebra la **Befana**. Según la leyenda, la **Befana** es una vieja bruja buena que monta en una escoba, desciende por la chimenea y trae regalos a los niños buenos y carbón a los que han sido malos.

beffardo, -a [bef'fardo] *agg* (*persona, sorriso*) socarrón(-ona)

begli ['beʎʎi] *agg vedi* **bello**

bei ['bɛi] *agg vedi* **bello**

beige [bɛʒ] *agg inv, sm inv* beige (*m*)

bel [bɛl] *agg vedi* **bello**

belare [be'lare] *vi* balar

belga, -gi, -ghe ['bɛlga] *agg, sm/f* belga *m/f*

Belgio ['bɛldʒo] *sm* Bélgica

bella ['bella] *sf* (*innamorata*) prometida; (SPORT, CARTE) desempate *m*; (*anche*: ~ **copia**) (copia en) limpio

bellezza [bel'lettsa] *sf* belleza; **che ~!** ¡qué bonito!

bello, -a

PAROLA CHIAVE

['bello] (*dav sm* **bel** + C, **bell'** + V, **bello** + *s impura, gn, pn, ps, x, z; pl* **bei** + C, **begli** + *s impura ecc o V*) *agg*

1 (*oggetto, paesaggio, tempo*) bonito(-a); (*donna, uomo*) guapo(-a); **le belle arti** las bellas artes; **fare la bella vita** darse la gran vida; **questa è bella!** ¡ésta es buena!, ¡pero qué dices!

2 (*quantità*): **una bella cifra** una buena cantidad; **un bel niente** nada de nada

3 (*rafforzativo*): **è una truffa bella e buona!** ¡es una estafa hecha y derecha!; **è bell'e finito** ya está terminado

♦ *sm* belleza; **adesso viene il bello** ahora viene lo mejor; **sul più bello** en lo mejor; **che fai di bello stasera?** ¿haces algo esta tarde?

♦ *avv*: **fa bello** hace buen tiempo; **alla bell'e meglio** a la buena de Dios

belva ['belva] *sf* fiera

belvedere [belve'dere] *sm inv* mirador *m*

benché [ben'ke] *cong* si bien, aunque

benda ['bɛnda] *sf* venda
□ **bendare** [ben'dare] *vt* (*ferita*) vendar; (*persona*) vendar los ojos a

bene ['bɛne] *avv* bien; (*molto*): **è ben più lungo/caro** es mucho más largo/caro ♦ *agg inv*: **gente ~** gente f bien *inv* ♦ **ben** *smpl* (*averi*) bienes *mpl*; **io sto ~** estoy bien; **io sto poco ~** no me siento bien; **va ~** está bien; **fare ~** (*alimento*) sentar bien; **fare del ~ a qn** hacer el bien a algn; **voler ~ a qn** querer a algn; **un uomo per ~** un hombre de bien ▶ **beni di consumo** bienes de consumo

benedetto, -a [bene'detto] *pp di* **benedire** ♦ *agg* bendito(-a)

benedire [bene'dire] *vt* bendecir; **mandare qn a farsi ~** mandar a algn a la porra

beneducato, -a [benedu'kato] *agg* bien educado(-a)

beneficenza [benefi'tʃɛntsa] *sf* beneficencia

beneficio [bene'fitʃo] *sm* beneficio

benessere [be'nɛssere] *sm* bienestar *m inv*; **la società del ~** la sociedad del bienestar

benestante [benes'tante] *agg* acomodado(-a)

benigno, -a [be'niɲɲo] *agg* (*benevolo, MED*) benigno(-a)

benvenuto, -a [benve'nuto] *agg* bienvenido(-a) ♦ *sm* bienvenida; **dare il ~ a qn** dar la bienvenida a algn

benzina [ben'dzina] *sf* gasolina; **fare ~** echar gasolina; **sono rimasto senza ~** me he quedado sin gasolina ▸ **benzina verde** gasolina sin plomo □ **benzinaio, -a** [bendzi'najo] *sm/f* empleado(-a) de una gasolinera; (*stazione di servizio*) gasolinera

bere ['bere] *vt* beber; **vuoi bere qualcosa?** ¿toma algo?; **vuoi qualcosa da ~?** ¿quieres algo de beber?; **questa volta non me la dai a ~!** ¡esta vez no me la dan con queso!

berlina [ber'lina] *sf* (*AUT*) berlina

Berlino [ber'lino] *sf* Berlín

bermuda [ber'muda] *smpl* (*calzoncini*) bermudas *fpl*

bernoccolo [ber'nɔkkolo] *sm* chichón *m*; **avere il ~ per qc** (*fig*) tener predisposición para algo

berretto [ber'retto] *sm* gorro

bersaglio [ber'saʎʎo] *sm* (*anche fig*) blanco

besciamella [beʃʃa'mɛlla] *sf* besamel *f*

bestemmia [bes'temmja] *sf* blasfemia □ **bestemmiare** [bestem'mjare] *vi* blasfemar

bestia ['bɛstja] *sf* animal *m*; **andare in ~** (*fig*) ponerse negro □ **bestiale** [bes'tjale] *agg* (*disumano*) brutal; (*fam: freddo*) bestial; (*: fame*) feroz □ **bestiame** [bes'tjame] *sm* ganado

betulla [be'tulla] *sf* abedul *m*

bevanda [be'vanda] *sf* bebida

bevuto, -a [be'vuto] *pp di* **bere**

biancheria [bjanke'ria] *sf* ropa de casa ▸ **biancheria femminile** lencería ▸ **biancheria intima** ropa interior

bianco, -a, -chi, -che ['bjanko] *agg, sm/f* blanco(-a) ♦ *sm* (*colore*) blanco; **in ~** (*foglio, assegno, notte*) en blanco; **in ~ e nero** (*TV, FOT*) en blanco y negro; **mangiare in ~** comer algo sin condimentos; **votare scheda bianca** votar en blanco ▸ **bianco dell'uovo** clara (de huevo)

biasimare [bjazi'mare] *vt* reprobar

Bibbia ['bibbja] *sf*: **la ~** la Biblia

biberon [bibe'rɔn] *sm inv* biberón *m*

bibita ['bibita] *sf* bebida

biblioteca, -che [bibljo'tɛka] *sf* biblioteca

bicarbonato [bikarbo'nato] *sm*: ~ **(di sodio)** bicarbonato (sódico)

bicchiere [bik'kjɛre] *sm* vaso

bicicletta [bitʃi'kletta] *sf* bicicleta; **andare in ~** ir en bicicleta

bidè [bi'dɛ] *sm inv* bidé *m*

bidello, -a [bi'dɛllo] *sm/f* (*SCOL, UNIV*) bedel *m/f*

bidone [bi'done] *sm* bidón *m*; (*anche: ~ dell'immondizia*) cubo de la basura; **dare un ~ a qn** (*fam:*

mancare a un appuntamento) dar un plantón a algn; (*imbrogliare*) timar a algn

biforcarsi [bifor'karsi] *vpr* bifurcarse

bigiotteria [bidʒotte'ria] *sf* bisutería

bigliettaio, -a [biʎʎet'tajo] *sm/f* (*in stazione, al cinema ecc*) taquillero(-a); (*controllore: in treno, autobus*) revisor(a)

biglietteria [biʎʎette'ria] *sf* taquilla

biglietto [biʎ'ʎetto] *sm* (*di spettacoli*) entrada; (*di treno, aereo, ecc*) billete *m*; (*cartoncino*) cartulina; **un ~ di sola andata per ...** un billete de ida a ... ▸ **biglietto di banca** billete ▸ **biglietto da visita** tarjeta de visita ▸ **biglietto d'andata e ritorno** billete de ida y vuelta ▸ **biglietto d'auguri** tarjeta de felicitación

---

BIGLIETTI

Los **biglietti** del autobús, del tranvía y del metro se compran en los estancos y quioscos de prensa, y se pican en el tranvía o autobús o a la entrada del metro. No obstante, los billetes del tren se compran en las taquillas de las estaciones y en las principales agencias de viajes, y se pican en la estación antes de la salida en las máquinas especiales de color amarillo.

---

bignè [biɲ'ɲɛ] *sm inv* petisú *m*

bigodino [bigo'dino] *sm* bigudí *m*

bigotto, -a [bi'gɔtto] *agg, sm/f* beato(-a)

bikini [bi'kini] *sm inv* biquini *m*

---

bilancia, -ce [bi'lantʃa] *sf* (*per cose*) balanza; (*per persone*) peso; (*ZODIACO*): **B~** Libra; **essere della B~** ser Libra

bilancio, -ci [bi'lantʃo] *sm* balance *m*; **fare il ~ di** (*fig*) hacer el balance de

biliardo [bi'ljardo] *sm* billar *m*

bilingue [bi'lingwe] *agg* bilingüe

binario, -a [bi'narjo] *sm* (*rotaia*) vía; (*piattaforma*) andén *m*; **da che ~ parte il treno per Madrid?** ¿desde qué andén o vía sale el tren a Madrid? ▸ **binario morto** vía muerta

binocolo [bi'nɔkolo] *sm* binóculo *m*

biodegradabile [biodegra'dabile] *agg* biodegradable

biodinamico, -a, -ci, -che [biodi'namiko] *agg* biodinámico(-a)

biografia [biogra'fia] *sf* biografía

biologia [biolo'dʒia] *sf* biología ❑ **biologico, -a, -ci, -che** [bio'lɔdʒiko] *agg* (*anche agricoltura, prodotto*) biológico(-a)

biondo, -a [ˈbjondo] *agg, sm/f* rubio(-a) ♦ *sm* (*colore*) rubio; **~ cenere** rubio ceniza

biotecnologia [bioteknolo'dʒia] *sf* biotecnología

bioterrorismo [bioterro'rizmo] *sm* bioterrorismo

birichino, -a [biri'kino] *agg* (*bambino*) travieso(-a); (*sorriso*) pícaro(-a)

birillo [bi'rillo] *sm* bolo *m*

biro® [ˈbiro] *sf inv* bolígrafo *m*

birra [ˈbirra] *sf* cerveza; **a tutta ~** (*fig*) a todo gas ▸ **birra chiara** cerveza (*rubia*) ▸ **birra scura** cerveza negra ❑ **birreria** [birre'ria] *sf* (*locale*) cervecería; (*fabbrica*) fábrica de cerveza

bis [bis] *escl* ¡bis!. ♦ *sm inv* bis *m*

bisbetico, -a, -ci, -che [biz'betiko] *agg* lunático(-a)

bisbigliare [bizbiʎ'ʎare] *vi, vt* bisbisear

bisca, -sche ['biska] *sf* garito

biscia, -sce ['biʃʃa] *sf* culebra

biscottato, -a [biskot'tato] *agg* (*fetta, pane*) bizcochado(-a)

biscotto [bis'kɔtto] *sm* galleta

bisessuale [bisessu'ale] *agg* bisexual

bisestile [bizes'tile] *agg*: **anno ~** año bisiesto

bisnonno, -a [biz'nɔnno] *sm/f* bisabuelo(-a)

bisognare [bizoɲ'ɲare] *vb impers*: **bisogna partire** hay que irse; **bisogna che tu parta/lo faccia** es necesario que te marches/lo hagas; **non bisogna dirglielo** no hace falta decírselo

bisogno [bi'zoɲɲo] *sm* necesidad *f*; **avere ~ di qc/di fare qc** necesitar algo/hacer algo; **in caso di ~** en caso de necesidad; **ha ~ di qualcosa?** ¿necesita algo?; **fare i propri bisogni** hacer las necesidades

bisognoso, -a [bizoɲ'ɲoso] *agg* (*povero*) necesitado(-a); **~ di** (*di affetto, cure ecc*) necesitado de

bistecca, -che [bis'tekka] *sf* bisté *m*

bisticciare [bistit'tʃare] *vi* reñir

bisturi ['bisturi] *sm inv* (*MED*) bisturí *m*

bivio ['bivjo] *sm* (*di strada*) cruce *m*; (*fig*) punto crucial, encrucijada

bizzarro, -a [bid'dzarro] *agg* excéntrico(-a)

blando, -a ['blando] *agg* (*punizione*) leve; (*sapore*) delicado(-a)

blaterare [blate'rare] *vi* cascar

blindato, -a [blin'dato] *agg* (*porta, auto*) blindado(-a)

bloccare [blok'kare] *vt* (*avversario, nemico, corteo*) detener; (*strada*) cortar; (*prezzi*) congelar; (*meccanismo, motore*) bloquear; **bloccarsi** *vpr* bloquearse

blocchetto [blok'ketto] *sm* (*per appunti*) bloc *m* (de notas); (*di biglietti*) ≈ bonobús *m*

blocco, -chi ['blɔkko] *sm* bloqueo; (*prezzi*) congelación *f*; (*quadernetto*) cuadernillo; **in ~** en bloque
  ▸ **blocco cardiaco** paro cardiaco
  ▸ **blocco mentale** bloqueo mental ▸ **blocco stradale** (*di protesta*) corte *m* de carretera

blu [blu] *agg inv, sm inv* azul (*m*)

blusa ['bluza] *sf* blusa

boa ['bɔa] *sm inv* boa ♦ *sf* (*galleggiante*) boya

boato [bo'ato] *sm* estruendo

bob [bɔb] *sm inv* bob *m*

bocca, -che ['bokka] *sf* boca; (*apertura*) abertura; **metter ~ in qc** meter la cuchara (en algo); **in ~ al lupo!** ¡buena suerte! ❑ **boccaccia** [bok'kattʃa] *sf* (*persona: malalingua*) bocazas *m/f inv*; **fare le boccacce** (*smorfia*) hacer muecas ❑ **boccaglio** [bok'kaʎʎo] *sm* tubo de respiración ❑ **boccale** [bok'kale] *sm* (*per birra*) jarra

boccetta [bot'ʃetta] *sf* (*bottiglietta*) frasquito

boccia [bot'ʃa] *sf* (*recipiente*) garrafa; **bocce** *sfpl* (*gioco*) bochas *fpl* ❑ **bocciare** [bot'ʃare] *vt* (*proposta, progetto*) rechazar; (*SCOL*) suspender; **essere bocciato ad un esame** suspender en un examen

bocciolo [bot'ʃɔlo] *sm* capullo

boccone [bok'kone] *sm* bocado; **mangiare un ~** comer un bocado

boicottare [boikot'tare] *vt* boicotear

Bolivia [bo'livja] *sf* Bolivia

bolla ['bolla] *sf* (*di sapone*) pompa de jabón; (*d'aria*) borbolla; (*MED*) ampolla; (*COMM*) recibo

bollente [bol'lɛnte] *agg* (*acqua, olio*) hirviendo *inv*

bolletta [bol'letta] *sf* recibo; **essere in ~** estar sin blanca

bollettino [bollet'tino] *sm* boletín *m*; (*COMM: di spedizione ecc*) comprobante *m*

bollire [bol'lire] *vi, vt* hervir ❑ **bollitore** [bolli'tore] *sm* (*CUC*) hervidor *m*

bollo ['bollo] *sm* (*marchio*) sello, timbre *m* ▸ **bollo postale** matasellos *m inv*

⚠ **bollo** non si traduce mai con la parola spagnola **bollo**.

bomba ['bomba] *sf* bomba ▸ **bomba a mano** granada de mano ▸ **bomba ad orologeria** bomba de relojería ▸ **bomba atomica** bomba atómica

bombardamento [bombardaˈmento] *sm* bombardeo

bombardare [bombar'dare] *vt* bombardear

bombola ['bombola] *sf* (*del gas, per sub*) bombona ❑ **bomboletta** [bombo'letta] *sf* aerosol *m*

bomboniera [bombo'njɛra] *sf* bombonera

bonifico, -ci [bo'nifiko] *sm* (*BANCA*) transferencia

bontà [bon'ta] *sf inv* (*di persona*) bondad *f*; (*di prodotto*) calidad *f*; (*di pietanza*) exquisitez *f*; **aver la ~ di fare qc** (*fig*) tener la amabilidad de hacer algo

borbottare [borbot'tare] *vi* murmurar, farfullar; (*stomaco*) gorgotear ♦ *vt* (*parole*) murmurar

borchia ['bɔrkja] *sf* (*per chiusure*) bollón *m*, tachón *m*

bordeaux [bɔr'do] *agg inv, sm inv* burdeos (*m*) *inv*

bordo ['bordo] *sm* (*margine*) borde *m*, orilla; **a ~ (di)** (*di nave, aereo*) a bordo (de); **sul ~ della strada** en el borde de la carretera

borghese [bor'gese] *agg, sm/f* burgués(-esa); **poliziotto in ~** policía de paisano

borgo, -ghi ['borgo] *sm* (*paesino*) pueblecito, aldea; (*sobborgo, quartiere*) arrabal *m*

borotalco, -chi [boro'talko] *sm* talco

borraccia, -ce [bor'rattʃa] *sf* cantimplora

borsa ['borsa] *sf* bolsa; (*ECON*): **la B~** (*valori*) la Bolsa (de valores) ▸ **borsa della spesa** cesta de la compra ▸ **borsa dell'acqua calda** bolsa de agua caliente ▸ **borsa di studio** beca (de estudios) ❑ **borsellino** [borsel'lino] *sm* (*portamonete*) monedero ❑ **borsetta** [bor'setta] sf bolso

bosco, -schi ['bɔsko] sm bosque m

bosniaco, -a, -ci, -che [bo'zniako] agg, sm/f bosnio(-a)

Bosnia Erzegovina ['bɔznja erdʒe'govina] sf Bosnia-Herzegovina

Bot [bɔt] sigla m inv (= buono ordinario del Tesoro) bono del Tesoro a corto plazo

botanica [bo'tanika] sf botánica ❑ **botanico, -a, -ci, -che** [bo'taniko] agg, sm botánico(-a)

botola ['bɔtola] sf trampilla

botta ['bɔtta] sf (colpo) golpe m; (fig: rumore) porrazo; **fare a botte** pegarse

botte ['bɔtte] sf barril m

⚠ **botte** non si traduce mai con la parola spagnola *bote*.

bottega, -ghe [bot'tega] sf (negozio) tienda; (di artigiano) taller m

bottiglia [bot'tiʎʎa] sf botella ❑ **bottiglieria** [bottiʎʎe'ria] sf licorería

bottino [bot'tino] sm botín m

botto ['bɔtto] sm estallido; **di ~ de** golpe, de repente

bottone [bot'tone] sm botón m; **attaccare ~ a qn** (fig) dar la lata a algn

bovino, -a [bo'vino] agg bovino(-a) ♦ sm bovino, vacuno; **bovini** smpl bovinos mpl

box [bɔks] sm inv (per macchina) garaje m; (per macchina da corsa) box m; (per bambini) parque m; (per cavalli) cuadra

boxe [bɔks] sf boxeo

boxer ['bɔkser] sm inv (cane) bóxer m ♦ smpl (mutande): **(un paio di) ~** (un par de) calzoncillos mpl

BR [bi'erre] sigla fpl (= Brigate Rosse) Brigadas fpl Rojas

braccetto [brat'tʃetto] sm: **a ~ del** brazo

braccialetto [brattʃa'letto] sm brazalete m, pulsera

bracciata [brat'tʃata] sf (nel nuoto) brazada

braccio ['brattʃo] (pl/f **braccia**, pl(m) **bracci**) sm (ANAT) brazo; (di gru) aguilón m; (fiume) brazo; (di edificio) ala; **portare sotto ~ llevar debajo** del brazo; **è il suo ~ destro es su** brazo derecho; **~ di ferro** (anche fig) pulso ❑ **bracciolo** [brat'tʃɔlo] sm brazo; (per nuotare) flotador m

bracco, -chi ['brakko] sm braco, perro perdiguero

brace ['bratʃe] sf brasa, ascua; **alla ~** (CUC) a la brasa

braciola [bra'tʃɔla] sf (CUC) chuleta

branca, -che ['branka] sf (settore) ramo

branchia ['brankja] sf branquia, agalla

branco, -chi ['branko] sm (di cani, lupi) manada; (peg: di persone) montón m

brandina [bran'dina] sf catre m

brano ['brano] sm (di scritto, musica) fragmento; (canzone) canción f

Brasile [bra'zile] sm Brasil m ❑ **brasiliano, -a** [brazi'ljano] agg, sm/f brasileño(-a)

bravo, -a ['bravo] agg (abile) bueno(-a); (bambino: beneducato) bueno(-a), educado(-a); **~ in** (in materia *ecc*) aplicado o bueno en; **~!** ¡muy bien! ☐ **bravura** [bra'vura] *sf* habilidad *f*

Bretagna [bre'taɲɲa] *sf* Bretaña; **Gran ~** Gran Bretaña

bretelle [bre'tɛlle] *sfpl* (*per pantaloni*) tirantes *mpl*

breve ['breve] *agg* breve; (*strada*) corto(-a); **in ~** en resumen

brevettare [brevet'tare] *vt* patentar ☐ **brevetto** [bre'vetto] *sm* patente *f*

bricco, -chi ['brikko] *sm* (*del latte*) lechera; (*del caffè*) cafetera

briciola ['britʃola] *sf* miga; (*fig*) migaja ☐ **briciolo** ['britʃolo] *sm* (*fig*) pizca; **non ha un briciolo di cervello** no tiene ni un poco de cerebro

briga, -ghe ['briga] *sf*: **prendersi la ~ di fare qc** tomarse la molestia de hacer algo

briglie ['briʎʎe] *sfpl* riendas *fpl*

brillante [bril'lante] *agg* (*anche persona*) brillante ♦ *sm* (*pietra*) brillante *m*

brillare [bril'lare] *vi* (*anche fig*) brillar ☐ **brillo, -a** ['brillo] *agg* achispado(-a)

brina ['brina] *sf* escarcha

brindare [brin'dare] *vi*: **~ a qc/qn** brindar por algo/algn ☐ **brindisi** ['brindizi] *sm inv* brindis *m inv*

brioche [bri'ɔʃ] *sf inv* cruasán *m*

britannico, -a, -ci, -che [bri'tanniko] *agg* británico(-a)

brivido ['brivido] *sm* escalofrío; **racconti del ~** historias de terror, cuentos de miedo

brizzolato, -a [brittso'lato] *agg* (*persona, capelli, barba*) canoso(-a)

brocca, -che ['brɔkka] *sf* jarra

broccoli ['brɔkkoli] *smpl* brécol *m*

brodo ['brɔdo] *sm* (*di carne, verdure*) caldo

bronchite [bron'kite] *sf* bronquitis *f inv*

brontolare [bronto'lare] *vi* gruñir

bronzo ['brondzo] *sm* bronce *m*

browser [brauzer] *sm inv* (*INFORM*) navegador *m*

bruciapelo [brutʃa'pelo]: **a ~** *avv* (*sparare, domandare*) a bocajarro o quemarropa

bruciare [bru'tʃare] *vt* quemar; (*causare bruciore: disinfettante, ferita*) escocer; (: *sole*) abrasar ♦ *vi* (*essere in fiamme: legna, carta*) quemarse; (: *casa, bosco*) arder; **bruciarsi** *vpr* quemarse

bruciatura [brutʃa'tura] *sf* (*scottatura, segno*) quemadura

bruciore [bru'tʃore] *sm* (*infiammazione, irritazione*) ardor *m*, escozor *m*

bruco, -chi ['bruko] *sm* oruga

brufolo ['brufolo] *sm* grano, espinilla

brullo, -a ['brullo] *agg* árido(-a)

bruno, -a ['bruno] *agg* moreno(-a), pardo(-a)

brusco, -a, -schi, -sche ['brusko] *agg* brusco(-a)

brusio, -ii [bru'zio] *sm* (*di persone*) murmullo; (*d'insetti*) zumbido

brutale [bru'tale] *agg* brutal

brutto, -a ['brutto] *agg* (*persona, aspetto*) feo(-a); (*situazione, strada, malattia, sogno, tempo*) malo(-a) ♦ *sm/f* feo(-a); (*brutto tempo*) mal tiempo; **il ~ è che ...** lo malo es que ...

Bruxelles [bry'sɛl] *sf* Bruselas

BSE [bi'esse'e] *sigla f* (= encefalopatia spongiforme bovina) EEB *f*

buca, **-che** ['buka] *sf* (*buco*) hoyo, foso; (*di strada*) bache *m* ▸ **buca delle lettere** buzón *m*

bucaneve [buka'neve] *sm inv* campanilla de invierno

bucare [bu'kare] *vt* (*superficie, palloncino, biglietto*) agujerear; (*vestiti*) hacer un agujero en; **bucarsi** *vpr* pincharse; (*fam: drogato*) pincharse, picarse; ~ **(una gomma)** pinchar (un neumático)

bucato [bu'kato] *sm* (*panni*) colada; **fare il ~** hacer la colada

buccia, **-ce** ['buttʃa] *sf* (*di mela, pesca*) piel *f*; (*di patata, banana, limone, arancia*) cáscara

buco, **-chi** ['buko] *sm* agujero

buddista [bud'dista] *agg*, *sm/f* budista *m/f*

budino [bu'dino] *sm* flan *m*; **~ di cioccolata** flan de chocolate

bue ['bue] (*pl* **buoi**) *sm* buey *m*

bufera [bu'fera] *sf* tormenta, vendaval *m*

buffo, **-a** ['buffo] *agg* ridículo(-a)

bugia [bu'dʒia] *sf* mentira ❑ **bugiardo**, **-a** [bu'dʒardo] *agg*, *sm/f* mentiroso(-a)

buio, **-a** ['bujo] *agg* oscuro(-a) ♦ *sm* oscuridad *f*; **è ~ pesto** es noche cerrada

bulbo ['bulbo] *sm* (BOT) bulbo ▸ **bulbo oculare** bulbo ocular

Bulgaria [bulga'ria] *sf* Bulgaria ❑ **bulgaro**, **-a** [bul'garo] *agg*, *sm/f* búlgaro(-a) ♦ *sm* (*lingua*) búlgaro

bulimia [buli'mia] *sf* bulimia ❑ **bulimico**, **-a**, **-ci**, **-che** [bu'limiko] *agg* bulímico(-a)

bullone [bul'lone] *sm* perno

buonanotte [bwona'nɔtte] *escl* ¡buenas noches! ♦ *sf*: **dare la ~ a** dar las buenas noches a algn

buonasera [bwona'sera] *escl* ¡buenas tardes!

buongiorno [bwon'dʒorno] *escl* ¡buenos días!

buongustaio, **-a** [bwongus'tajo] *sm/f* gastrónomo(-a)

buono, -a

PAROLA CHIAVE

['bwɔno] (*dav sm:* **buon** + C o V, **buono** + s impura, gn, pn, ps, x, z; *dav sf:* **buon** + V) *agg* bueno(-a); **essere buono con qn** ser bueno con algn; **stai buono!** ¡quédate tranquilo!; **di buon cuore** de buen corazón; **di buon grado** con mucho gusto; **di buon occhio** con buenos ojos; **che buono!** ¡qué bueno!; **la buona società** la clase alta; **le buone maniere** los buenos modales; **alla buona** a la pata llana; **un buon allievo** un buen alumno; **buono a nulla** inútil; **in buone mani** en buenas manos; **in buone condizioni** en buenas condiciones; **avere buon senso** tener sentido común; **un buon cambio** un buen cambio; **al momento buono** en el momento indicado; **buona parte dei soldi** buena parte del dinero; **di buon mattino o di buon'ora** temprano; **di buon passo** a buen paso; **buon compleanno!** ¡feliz cumpleaños!; **buon divertimento!** ¡diviértete! (*o* ¡diviértase! *etc*); **buon riposo!** ¡que descanses! (*o* ¡que descanse! *etc*); **buona fortuna!** ¡buena suerte!; **buon viaggio!** ¡buen viaje!

♦ *sm/f (persona)*: **essere un buono/una buona** ser un buen hombre/una buena; **i buoni e i cattivi** los buenos y los malos; **con le buone o con le cattive** por las buenas o por las malas

♦ *sm inv (ciò che è buono)* bueno, bondad *f*; **un poco di buono** un tipejo; **una poco di buono** una poco recomendable; **buon per me** mejor para mí

♦ *sm (COMM)* bono; **buono del Tesoro** bono del Tesoro

burattino [burat'tino] *sm* títere *m*

burbero, -a ['burbero] *agg* arisco(-a), huraño(-a)

burocratico, -a, -ci, -che [buro'kratiko] *agg* burocrático(-a)

burocrazia [burokrat'tsia] *sf* burocracia

burrasca, -sche [bur'raska] *sf* borrasca

burro ['burro] *sm* mantequilla

> ⚠ **burro** non si traduce mai con la parola spagnola **burro**.

burrone [bur'rone] *sm* barranco

bussare [bus'sare] *vi* llamar

bussola ['bussola] *sf* brújula

busta ['busta] *sf (da lettera)* sobre *m*; *(astuccio)* estuche *m*; **in ~ chiusa/aperta** en sobre cerrado/abierto
▶ **busta paga** nómina
□ **bustarella** [busta'rella] *sf (fig)* soborno ▶ **bustina** [bus'tina] *sf (di cibi o farmaci)* sobre *m*; *(MIL)* gorra militar ▶ **bustina di tè** sobrecillo de té

busto ['busto] *sm (ANAT, scultura)* busto; *(corsetto)* corsé *m*; **a mezzo ~** *(ritratto, fotografia)* de medio cuerpo

buttare [but'tare] *vt* echar, arrojar; *(sprecare: tempo)* desperdiciar; *(: denaro, energia)* tirar; **~ giù** *(scritto, cibo, boccone)* tumbarse; *(edificio)* tirar; **~ fuori qn** poner a algn de patitas en la calle; **~ la qc** tirar a la basura algo; **buttarsi** *vpr (avvilirsi)* desanimarse, abatirse; **buttarsi giù** tirarse; **buttarsi dalla finestra** tirarse por la ventana; **buttarsi in acqua** tirarse al agua

byte [bait] *sm inv* byte *m*

Cc

cabina [ka'bina] *sf* cabina; *(da spiaggia)* caseta; *(di seggio elettorale)* cabina electoral ▶ **cabina telefonica** cabina telefónica

cacao [ka'kao] *sm (CUC)* cacao

caccia [kat'tʃa] *sf caza* ♦ *sm inv (AER)* caza *m*; **andare a ~** ir de caza; **dare la ~ a qn** dar caza a algn

cacciare [kat'tʃare] *vt* cazar; *(mandar via)* echar; *(ficcare)* meter ♦ *vi* ir de caza; **cacciarsi** *vpr (fam: mettersi)* meterse; **~ qn** echar fuera a algn; **~ un urlo** pegar un grito; **dove s'è cacciato?** ¿dónde se ha metido?; **cacciarsi nei guai** meterse en líos
□ **cacciatore, -trice** [kattʃa'tore] *sm* cazador(a) ▶ **cacciatore di frodo** cazador furtivo
□ **cacciavite** [kattʃa'vite] *sm inv* destornillador *m*

cactus ['kaktus] *sm inv* cactus *m inv*

cadavere [ka'davere] *sm* cadáver *m*

cadenza [ka'dɛntsa] sf (MUS) cadencia; (dialettale, linguistica) acento

cadere [ka'dere] vi (neve, pioggia, foglie) caer; (persona, denti, capelli, albero) caerse; (tetto) derrumbarse; **~ di venerdì/in luglio** caer en viernes/en julio; **lasciar ~ qc** dejar caer algo; **lasciar ~ il discorso** eludir la respuesta; **~ dal sonno** caerse de sueño; **~ dalle nuvole** (fig) quedarse de piedra ▫ **caduta** [ka'duta] sf caída

caffè [kaf'fɛ] sm inv (bevanda, locale) café m ► **caffè corretto** carajillo ► **caffè decaffeinato** café descafeinado ► **caffè macchiato** cortado ► **caffè d'orzo** café de malta ► **caffè solubile** café soluble ► **caffellatte** [kaffel'latte] sm café m con leche ► **caffettiera** [kaffet'tjera] sf cafetera

cagna [ˈkaɲɲa] sf perra

CAI [ˈkai] sigla m (= Club Alpino Italiano) club alpino italiano

calabrone [kala'brone] sm abejorro

calamaro [kala'maro] sm calamar m

calamita [kala'mita] sf imán m

calamità [kalami'ta] sf inv calamidad f

calare [ka'lare] vt bajar ♦ vi (abbassarsi) bajar; (sole, notte) caer; (rumore) disminuir; **~ di peso** adelgazar

calcagno [kal'kaɲɲo] sm calcañar m

calce [ˈkaltʃe] sf cal f

calciare [kal'tʃare] vi (animale) dar coces; (persona) dar patadas ♦ vt (pallone) chutar

▫ **calciatore, -trice** [kaltʃa'tore] sm/f futbolista m/f

calcio, -ci [ˈkaltʃo] sm (di persona) patada; (di animale) coz f; (SPORT) fútbol m inv; (di pistola, fucile) culata; (CHIM) calcio ► **calcio d'angolo** saque m de esquina ► **calcio di punizione** falta ► **calcio di rigore** penalti m

calcolare [kalko'lare] vt calcular; (considerare: persona) incluir; (: rischi, vantaggi) evaluar ▫ **calcolatore** [kalkola'tore] sm: **calcolatore elettronico** ordenador m ▫ **calcolatrice** [kalkola'tritʃe] sf calculadora ► **calcolatrice tascabile** calculadora de bolsillo ▫ **calcolo** [ˈkalkolo] sm (MAT, MED) cálculo; **fare il calcolo di** hacer el cálculo de; **fare i miei (o tuoi ecc) calcoli** (fig) hacer mis (o tus etc) cuentas; **agire per calcolo** actuar por interés

caldaia [kal'daja] sf caldera

caldo, -a [ˈkaldo] agg (acqua, caffè) caliente; (clima) cálido(-a), caluroso(-a); (voce) cálido(-a); (notizia) de última hora ♦ sm calor m; **aver ~** tener calor; **ho ~** tengo calor; **fa ~** hace calor

> ⚠ **caldo** non si traduce mai con la parola spagnola **caldo**.

caleidoscopio [kaleidos'kɔpjo] sm calidoscopio

calendario [kalen'darjo] sm calendario; (programma: di teatro, cinema) programación f

calibro [ˈkalibro] sm calibre m

calice [ˈkalitʃe] sm copa

californiano, -a [kalifor'njano] agg, sm/f californiano(-a)

calligrafia [kalligra'fia] *sf* caligrafía

callo ['kallo] *sm* callo

calma ['kalma] *sf* calma
❑ **calmante** [kal'mante] *agg, sm* calmante *(m)* ❑ **calmare** [kal'mare] *vt (persona)* calmar; *(dolore)* aliviar; **calmarsi** *vpr (persona, vento, onde)* calmarse; *(dolore)* aliviarse
❑ **calmo, -a** ['kalmo] *agg (persona)* tranquilo(-a); *(mare)* calmo(-a)

calo ['kalo] *sm (di prezzi, vendite)* caída; *(di volume, peso)* pérdida; *(di vista, udito)* debilitamiento

calore [ka'lore] *sm* calor *m*; **essere in ~** *(ZOOL)* estar en celo ❑ **caloria** [kalo'ria] *sf* caloría ❑ **calorifero** [kalo'rifero] *sm* radiador *m* ❑ **caloroso, -a** [kalo'roso] *agg* caluroso(-a)

calpestare [kalpes'tare] *vt* pisar; *(fig: diritti, sentimenti)* pisotear; **"vietato ~ l'erba"** "prohibido pisar el césped"

calunnia [ka'lunnja] *sf* calumnia

calvizie [kal'vittsje] *sf inv* calvicie *f inv.*

calvo, -a ['kalvo] *agg* calvo(-a)

calza ['kaltsa] *sf (da donna)* media; *(da uomo)* calcetín *m*; **fare la ~** hacer punto ▶ **calze di nailon** medias de nylon ❑ **calzamaglia** [kaltsa'maʎʎa] *sf* leotardos *mpl; (per danza, ginnastica)* malla ❑ **calzettone** [kaltset'tone] *sm* calcetín *m* de montaña ❑ **calzino** [kal'tsino] *sm* calcetín *m*

calzolaio [kaltso'lajo] *sm* zapatero(-a)

calzoncini [kaltson'tʃini] *smpl* pantalones *mpl* cortos
▶ **calzoncini da bagno** bañador *msg (de hombre)*

calzone [kalt'sone] *sm (CUC)* (pizza) calzone *f, pizza en forma de empanada;* **calzoni** *smpl (pantaloni)* pantalones *mpl*

camaleonte [kamale'onte] *sm* camaleón *m*

cambiamento [kambja'mento] *sm* cambio

cambiare [kam'bjare] *vt* cambiar; *(barattare):* **~ qc con qc** cambiar (algo por algo) ♦ *vi (mutare)* cambiar; **cambiarsi** *vpr:* **cambiarsi (d'abito)** cambiarse; **~ qc con qn** cambiar algo con alguien; **dove posso ~ dei soldi?** ¿dónde puedo cambiar dinero?; **ha da ~?** ¿tiene cambio?; **posso cambiarlo, per favore?** ¿podría cambiar esto, por favor?; **cambiarsi la camicia** mudarse de camisa, cambiarse la camisa; **mi cambia 10 euro?** *(in spiccioli)* ¿me cambia 10 euros en monedas? ❑ **cambiavalute** [kambjava'lute] *sm inv (ufficio)* oficina de cambio ❑ **cambio** ['kambjo] *sm (anche COMM, AUT)* cambio; **in cambio di** a cambio de; **dare il cambio a qn** relevar a algn

camera ['kamera] *sf (locale)* cámara; *(anche: ~ da letto)* habitación *f*; **vorrei una ~ matrimoniale** quisiera una habitación de matrimonio ▶ **camera a gas** cámara de gas ▶ **camera a un letto/due letti** habitación individual/doble ▶ **camera d'aria** cámara ▶ **Camera dei Deputati** Congreso de los Diputados ▶ **Camera di commercio** Cámara (Oficial) de Comercio ▶ **camera matrimoniale** habitación de matrimonio ▶ **camera oscura** *(FOT)* cámara oscura ❑ **camerata**

cameriera

cameriera [kame'rata] *sf* (*dormitorio*) dormitorio

CAMERA DEI DEPUTATI

La **Camera dei Deputati** es la cámara baja del parlamento italiano y está presidida por el "Presidente della Camera" que es elegido por los "deputati". Las elecciones a la Cámara suelen celebrarse cada cinco años. Desde la reforma electoral de 1993 los miembros son votados mediante un sistema que combina mayoría relativa y representación proporcional; *ver tb* **Parlamento**.

cameriera [kame'rjera] *sf* camarera ❏ **cameriere** [kame'rjere] *sm* camarero

camerino [kame'rino] *sm* (*TEATRO*) camerino

camice ['kamitʃe] *sm* bata

camicetta [kami'tʃetta] *sf* blusa

⚠ **camicetta** non si traduce mai con la parola spagnola *camiseta*.

camicia, -cie [ka'mitʃa] *sf* (*da uomo*) camisa; (*da donna*) blusa
▶ **camicia da notte** camisón *m*

caminetto [kami'netto] *sm* chimenea

camino [ka'mino] *sm* chimenea

camion ['kamjon] *sm inv* camión *m* ❏ **camionista, -i, e** [kamjo'nista] *sm/f* camionero(-a)

cammello [kam'mello] *sm* (*ZOOL*) camello; (*tessuto*) pelo de camello

camminare [kammi'nare] *vi* caminar ❏ **cammino** [kam'mino] *sm* camino; **mettersi in cammino**

campo

ponerse en marcha; **lungo il cammino** a lo largo del camino

camomilla [kamo'milla] *sf* manzanilla

camoscio [ka'mɔʃʃo] *sm* (*ZOOL*) gamuza; (*pelle*) ante *m inv*

campagna [kam'paɲɲa] *sf* campo; (*MIL, POL, COMM*) campaña; **in ~** en el campo ▶ **campagna pubblicitaria** campaña (publicitaria)

campana [kam'pana] *sf* campana ❏ **campanello** [kampa'nello] *sm* timbre *m* ❏ **campanile** [kampa'nile] *sm* campanario

campeggio, -gi [kam'peddʒo] *sm* (*luogo*) campamento, camping *m*; **andare in ~** ir de acampada

camper ['kamper] *sm inv* caravana

campionario, -a [kampjo'narjo] *agg*: **fiera campionaria** feria de muestras ♦ *sm* (*di prodotti*) muestrario

campionato [kampjo'nato] *sm* campeonato

campione, -essa [kam'pjone] *sm/f* (*SPORT*) campeón(-ona) ♦ *sm* (*saggio*) muestra ♦ *agg inv*: **squadra ~** equipo campeón; **indagine ~** sondeo tipo

campo ['kampo] *sm* campo; (*MIL, accampamento*) campamento; **i campi** (*la campagna*) el campo ▶ **campo da golf** campo de golf ▶ **campo da tennis** pista de tenis ▶ **campo di battaglia** (*MIL, fig*) campo de batalla ▶ **campo di concentramento** campo de concentración ▶ **campo profughi** campo de refugiados ▶ **campo sportivo** campo de fútbol ▸ **campo visivo** campo visual

Canada [kana'da] sm Canadá m □ **canadese** [kana'dese] agg, sm/f canadiense m/f

canaglia [ka'naʎʎa] sf (peg) canalla m/f

canale [ka'nale] sm (artificiale, stretto di mare) canal m; (condotto) conducto; (TV, RADIO) cadena; (fig: via, mezzo) vía

canapa ['kanapa] sf cáñamo ▸ **canapa indiana** cáñamo índico

Canarie [ka'narje] sfpl: **le ~** las Canarias

canarino [kana'rino] sm canario

cancellare [kantʃel'lare] vt borrar; (volo) cancelar; (appuntamento) anular

cancelleria [kantʃelle'ria] sf (AMM) registro; (materiale per scrivere) artículos mpl de papelería

cancello [kan'tʃello] sm cancela, verja

cancro ['kankro] sm cáncer m; (ZODIACO): **C~** Cáncer m; **essere del C~** ser Cáncer

candeggina [kanded'dʒina] sf lejía

candela [kan'dela] sf vela; (AUT) bujía; **a lume di ~** a la luz de las velas □ **candelabro** [kande'labro] sm candelabro □ **candeliere** [kande'ljere] sm candelero

candidato, -a [kandi'dato] sm/f candidato(-a)

candido, -a ['kandido] agg cándido(-a)

candito, -a [kan'dito] agg (zucchero, frutta) confitado(-a) ♦ sm confitura

cane ['kane] sm perro; **fa un freddo ~** hace un frío que pela; **non c'era un ~** (fig) no había ni un alma ▸ **cane da caccia/da guardia** perro de caza/guardián ▸ **cane lupo** perro lobo ▸ **cane pastore** perro pastor

canestro [ka'nestro] sm (cesto) cesta; (SPORT) canasta; **fare un ~** (SPORT) encestar

canguro [kan'guro] sm canguro

canile [ka'nile] sm residencia canina; (allevamento) criadero de perros; (casotto) perrera ▸ **canile municipale** perrera municipal

canna ['kanna] sf (pianta) caña; (bastone, tubo) bastón m; (di fucile) cañón m; (fam: spinello) porro, canuto ▸ **canna da pesca** caña de pescar ▸ **canna da zucchero** caña de azúcar ▸ **canna fumaria** humero

cannelloni [kannel'loni] smpl (CUC) canelones mpl

cannocchiale [kannok'kjale] sm catalejo

cannone [kan'none] sm (MIL) cañón m

cannuccia, -ce [kan'nuttʃa] sf pajita

canoa [ka'nɔa] sf canoa

canone ['kanone] sm (criterio, di televisione) canon m; (di affitto) alquiler m

canottaggio [kanot'taddʒo] sm piragüismo

canottiera [kanot'tjera] sf camiseta de tirantes

canotto [ka'nɔtto] sm bote m

cantante [kan'tante] sm/f cantante m/f

cantare [kan'tare] *vi, vt* cantar
❑ **cantautore, -trice**
[kantau'tore] *sm/f* cantautor(a)

cantiere [kan'tjere] *sm* (*anche*: ~
edile) obra; (*anche*: ~ **navale**)
astillero

cantina [kan'tina] *sf* (*di casa*)
sótano; (*per vino*) bodega; (*bottega*)
taberna ▸ **cantina sociale**
bodega cooperativa, cooperativa
vinícola

canto ['kanto] *sm* canto; **d'altro ~**
por otro lado

canzonare [kantso'nare] *vt*
burlarse de

canzone [kan'tsone] *sf* (*MUS*)
canción *f*; (*POESIA*) cantar *m*

caos ['kaos] *sm inv* caos *m inv*
❑ **caotico, -a, -ci, -che** [ka'ɔtiko]
agg caótico(-a)

CAP [kap] *sigla m* (= *codice di
avviamento postale*) C.P. *m*

capace [ka'patʃe] *agg* (*spazioso*)
amplio(-a); (*abile*) capaz; **essere ~ di
fare qc** ser capaz de hacer algo

capacità [kapatʃi'ta] *sf* capacidad *f*

capanna [ka'panna] *sf* cabaña

capannone [kapan'none] *sm*
(*industriale*) nave *f*; (*agrario*)
cobertizo

caparbio, -a [ka'parbjo] *agg*
terco(-a), testarudo(-a)

caparra [ka'parra] *sf* fianza

capello [ka'pello] *sm* cabello;
capelli *smpl* pelo *sg*; **ho i capelli
grassi/secchi** tengo el pelo graso/
seco

capezzolo [ka'pettsolo] *sm* pezón
m

capire [ka'pire] *vt* comprender,
entender; **non capisco** no entiendo

capitale [kapi'tale] *agg* (*pena,
importanza*) capital ♦ *sf* (*città*) capital
f ♦ *sm* (*FIN, ECON*) capital *m*

capitano [kapi'tano] *sm* capitán *m*

capitare [kapi'tare] *vi* (*giungere
casualmente*) caer; (*presentarsi per
caso*) presentarse ♦ *vb impers*
(*accadere*) pasar; **mi è capitato un
guaio** he tenido un problema; **se
capita l'occasione** si llega la
ocasión

capitello [kapi'tello] *sm* (*ARCHIT*)
capitel *m*

capitolo [ka'pitolo] *sm* (*di libro*)
capítulo

capitombolo [kapi'tombolo] *sm*
voltereta

capo ['kapo] *sm* (*ANAT*) cabeza;
(*persona: di ufficio*) jefe(-a); (: *di
partito*) líder *m/f*; (*estremità: di tavolo,
filo*) punta; (*di abbigliamento,
biancheria*) prenda; (*GEO*) cabo;
andare a ~ poner punto y aparte;
da ~ desde el principio

Capodanno [kapo'danno] *sm* (1
gennaio) Año Nuevo; (*S.Silvestro*)
Noche *f* Vieja

capogiro [kapo'dʒiro] *sm* mareo;
da ~ (*fig: prezzo*) astronómico(-a)

capolavoro [kapola'voro] *sm* obra
maestra

capolinea [kapo'linea] (*pl*
capilinea) *sm* (*di autobus,
metropolitana: ultima fermata*) final
m de trayecto; (: *punto di partenza*)
salida

caposquadra [kapos'kwadra]
(*pl(m)* **capisquadra**, *pl(f)* ~) *sm/f* (*di
operai*) capataz *m*; (*SPORT*) capitán *m*;
(*MIL*) caporal *m*, jefe *m* o cabo de
escuadra

capostazione [kapostat'tsjone] (pl **capistazione**) sm jefe de estación

capotavola [kapo'tavola] (pl **capitavola**, pl(f) inv) sm/f: **sedere a ~** presidir la mesa

capovolgere [kapo'vɔldʒere] vt (barca) volcar; (bicchiere, immagine) dar la vuelta a; (fig: situazione) invertir; **capovolgersi** vpr (barca, macchina) volcar; (fig: situazione) invertirse

cappa ['kappa] sf (mantello) capa; (del camino) campana

cappella [kap'pella] sf (ARCHIT) capilla

cappello [kap'pello] sm sombrero

cappero ['kappero] sm alcaparra

cappone [kap'pone] sm capón m

cappotto [kap'pɔtto] sm abrigo

cappuccino [kapput'tʃino] sm (frate, bevanda) capuchino

cappuccio [kap'puttʃo] sm (copricapo) capucha; (della biro) capuchón m

capra ['kapra] sf cabra

capriccio, -ci [ka'prittʃo] sm capricho; **fare i capricci** coger un berrinche □ **capriccioso, -a** [kaprit'tʃoso] agg (persona) caprichoso(-a), antojadizo(-a)

Capricorno [kapri'kɔrno] sm (ZODIACO) Capricornio; **essere del ~** ser Capricornio

capriola [kapri'ɔla] sf cabriola

capriolo [kapri'ɔlo] sm corzo

capro ['kapro] sm: **~ espiatorio** chivo expiatorio, cabeza de turco

caprone [ka'prone] sm cabrón m

capsula ['kapsula] sf (di medicinali, spaziale) cápsula; (di denti) revestimiento

captare [kap'tare] vt (RADIO, TV) sintonizar; (fig: intuire) notar, intuir

carabiniere [karabi'njere] sm carabiniere m

CARABINIERI

En Italia el orden público corre a cargo de los **Carabinieri** y de la **Polizia**. Los **Carabinieri** son las fuerzas y cuerpos de seguridad del Estado que llevan a cabo tareas civiles y militares. En caso de necesidad, para contactar los **Carabinieri** puede llamar al 112.

---

caraffa [ka'raffa] sf garrafa

Caraibi [kara'ibi] smpl Caribe m inv; **il mar dei ~** el (mar) Caribe

caramella [kara'mella] sf caramelo

carattere [ka'rattere] sm (dell'alfabeto, di persona) carácter m; (caratteristica) característica; **avere un buon ~** tener un buen carácter; **di ~ tecnico** de tipo técnico

caratteristica, -che [karatte'ristika] sf característica □ **caratteristico, -a, -ci, -che** [karatte'ristiko] agg característico(-a); (originale) original; (piatto) típico(-a)

carbone [kar'bone] sm carbón m

carburante [karbu'rante] sm carburante m

carburatore [karbura'tore] sm carburador m

carcerato, -a [kartʃe'rato] sm/f recluso(-a), preso(-a)

carcere ['kartʃere] sm cárcel f

carciofo [kar'tʃɔfo] sm alcachofa

cardellino [kardel'lino] sm jilguero

cardiaco, -a, -ci, -che [kar'diako] agg cardíaco(-a)

cardinale [kardi'nale] agg (numero, punto) cardinal ♦ sm (REL) cardenal m

cardine ['kardine] sm (di porta, finestra) bisagra, gozne m

cardo ['kardo] sm cardillo, cardo

carente [ka'rɛnte] agg carente; ~ di (di vitamine) carente de

carestia [kares'tia] sf carestía, escasez f

carezza [ka'rettsa] sf caricia

carica, -che ['karika] sf (mansione ufficiale) cargo; (MIL, ELETTR) carga

caricabatteria [karikabatte'ria] sm inv (per telefonino ecc) cargabatería m, cargador m (de baterías)

caricare [kari'kare] vt (merce, camion, MIL, INFORM) cargar; (orologio) dar cuerda a

carico, -a, -chi, -che ['kariko] agg (che porta un peso) cargado(-a); (funzionante: orologio) con cuerda; (intenso: colore) intenso(-a) ♦ sm (ciò che si carica) carga; **farsi ~ di** (problema, responsabilità) hacerse cargo de; **persona a ~** persona a cargo

carie ['karje] sf (di dente) caries f inv

carino, -a [ka'rino] agg (persona: piacevole, gentile) amable; (persona, cosa: bellino) bonito(-a), lindo(-a)

carità [kari'ta] sf caridad f; **per ~!** (neanche per sogno) ¡por el amor de Dios!, ¡por favor!

carnagione [karna'dʒone] sf cutis m inv

carne ['karne] sf carne f; **non mangio ~** no como carne ► **carne in scatola** carne en lata ► **carne macinata** carne picada

carnevale [karne'vale] sm carnaval m

CARNEVALE

El **Carnevale** es el período que va desde la Epifanía hasta el inicio de la Cuaresma y que se celebra especialmente el día anterior al Miércoles de Ceniza con fiestas, bailes de máscaras y desfiles. En Italia son famosos los "Carnevale di Viareggio", región de la Toscana, donde cada año se organiza un desfile de carros alegóricos, y los de Venecia, con espectáculos variados en plazas y calles.

---

caro, -a ['karo] agg (amato) querido(-a); (costoso) caro(-a); **Cara Sandra, ...** (in lettera) Querida Sandra: ...; **è troppo ~** es demasiado caro

carogna [ka'roɲɲa] sf carroña; (fig: peg) canalla m/f

carota [ka'rɔta] sf zanahoria

carovana [karo'vana] sf caravana

carponi [kar'poni] avv a gatas

carrabile [kar'rabile] agg: **passo ~** vado permanente

carreggiata [karred'dʒata] sf calzada

carrello [kar'rɛllo] sm (struttura con ruote) carretilla; (da supermercato) carrito; (AER) tren m de aterrizaje

carriera [kar'rjɛra] sf carrera; **fare ~** hacer carrera

carriola [karri'ɔla] sf carretilla

carro ['karro] sm (veicolo) carro ► **carro armato** (MIL) carro de combate, tanque m ► **carro attrezzi** (AUT) grúa

carrozza [kar'rɔttsa] sf (vettura) carroza; (FERR) coche m, vagón m

carrozzeria [karrottse'ria] sf carrocería

carrozzina [karrot'tsina] sf (per bambini) cochecito; (per invalidi) silla de ruedas

carta ['karta] sf (materiale) papel m; (anche: ~ geografica) mapa; (anche: ~ da gioco) carta, naipe m; **carte** sfpl (documenti) documentos mpl; **alla ~** (al ristorante) a la carta; **dare ~ bianca a qn** (fig) dar carte blanca a algn ▸ **carta d'identità** carné m de identidad ▸ **carta d'imbarco** (AER, NAUT) tarjeta de embarque ▸ **carta da lettere** papel para cartas ▸ **carta da pacchi** papel de estraza ▸ **carta da parati** papel pintado o de empapelar ▸ **carta di credito** tarjeta de crédito ▸ **carta igienica** papel higiénico ▸ **carta stradale** (AUT) mapa de carreteras ▸ **carta vetrata** papel de lija ❏ **cartaccia, -ce** [kar'tattʃa] sf papelucho ▸ **cartapesta** [karta'pesta] sf cartón m piedra

cartella [kar'tella] sf (custodia di cartone, INFORM) carpeta; (borsa: di scolaro) cartera; (: di impiegato) maletín m; (di tombola) cartón m ▸ **cartella clinica** (MED) historial m médico

cartellino [kartel'lino] sm (etichetta) etiqueta; **timbrare il ~** (in ufficio) fichar

cartello [kar'tello] sm (avviso) letrero; (in dimostrazioni) pancarta ▸ **cartello stradale** señal f de tráfico ❏ **cartellone** [kartel'lone] sm (TEATRO) cartelera; (manifesto) cartel m ▸ **cartellone pubblicitario** valla publicitaria

cartina [kar'tina] sf (per sigarette) papel m de fumar; (anche: ~ geografica) mapa; **può indicarmelo sulla ~?** ¿puede indicármelo en el mapa? ❏ **cartoccio, -ci** [kar'tɔttʃo] sm cucurucho, cartucho; **cuocere al ~** (CUC) cocer a la papillote

cartoleria [kartole'ria] sf papelería

cartolina [karto'lina] sf: ~ (illustrata) postal f ▸ **cartolina postale** tarjeta postal

⚠️ **cartolina** non si traduce mai con la parola spagnola **cartulina**.

cartone [kar'tone] sm (materiale) cartón m; (scatola: per latte, succo di frutta ecc) caja ▸ **cartoni animati** (CINE) dibujos mpl animados

cartuccia, -ce [kar'tuttʃa] sf cartucho

casa ['kasa] sf casa; **essere a o in ~** estar en casa; **vado a ~ mia/tua** voy a mi/tu casa ▸ **casa dello studente** residencia de estudiantes ▸ **casa di cura** clínica ▸ **casa editrice** editorial f ▸ **case popolari** ≈ viviendas fpl de protección oficial

casacca, -che [ka'zakka] sf casaca

casalinga, -ghe [kasa'linga] sf ama de casa ❏ **casalingo, -a, -ghi, -ghe** [kasa'lingo] agg casero(-a); **cucina casalinga** comida casera

cascare [kas'kare] vi (cadere) caer ❏ **cascata** [kas'kata] sf cascada

casco, -schi ['kasko] sm (MIL, da motociclista) casco; (di parrucchiere) secador m de pelo; (di banane) cacho ▸ **casco blu** (MIL) casco azul

caseificio [kazei'fitʃo] *sm* quesería

casella [ka'sella] *sf* (*quadretto*) casillero ▸ **casella postale** apartado de correos

casello [ka'sello] *sm* (*d'autostrada*) estación *f* de peaje

caserma [ka'serma] *sf* cuartel *m*

casino [ka'sino] *sm* (*fam: confusione*) jaleo, follón *m*; (*postribolo*) burdel *m*; **un ~ di** (*fam: molto*) un mogollón de

casinò [kazi'nɔ] *sm inv* casino

caso ['kazo] *sm* (*sorte, fatalità*) casualidad *f*; (*fatto, vicenda, MED, LING*) caso; **a ~** al azar; **per ~** por casualidad; **in ogni ~, in tutti i casi** en todo caso, de todas formas; **in nessun ~** en ningún caso, jamás; **nel ~ che** en el caso de que; **mai** (*nel caso che*) por si acaso; (*se necessario*) si hace falta; **far ~ a qc/ qn** prestar atención a algo/algn; **guarda ~** qué casualidad; **è il ~ che ce ne andiamo** tendríamos que irnos

casolare [kaso'lare] *sm* caserío

caspita ['kaspita] *escl* ¡caramba!

cassa ['kassa] *sf* (*contenitore, di orologio, negozio*) caja; (*mobile*) baúl *m*, arca; **~ (da morto)** (*bara*) ataúd *m* ▸ **cassa di risparmio** caja de ahorros ▸ **cassa integrazione**: **essere in cassa integrazione** ≈ recibir un subsidio de desempleo ▸ **cassa toracica** (*ANAT*) caja torácica ❏ **cassaforte** [kassa'fɔrte] (*pl* **casseforti**) *sf* caja fuerte; **lo potrebbe mettere nella cassaforte?** ¿podría guardarlo en la caja fuerte? ❏ **cassapanca** [kassa'panka] (*pl* **cassapanche**) *sf* arcón *m*

casseruola [kasse'rwɔla] *sf* cacerola ❏ **cassetta** [kas'setta] *sf* (*contenitore*) caja, cajón *m*; (*per registratore*) cinta; **pane in ~** pan de molde ▸ **cassetta delle lettere** buzón *m* ▸ **cassetta di sicurezza** caja de seguridad

cassetto [kas'setto] *sm* cajón *m*

cassiere, -a [kas'sjere] *sm/f* cajero(-a)

cassonetto [kasso'netto] *sm* contenedor *m*

castagna [kas'taɲɲa] *sf* castaña ❏ **castagno** [kas'taɲɲo] *sm* castaño

castano, -a [kas'tano] *agg* castaño(-a)

castello [kas'tello] *sm* castillo

castigare [kasti'gare] *vt* castigar

Castiglia [kas'tiʎʎa] *sf* Castilla

castigo, -ghi [kas'tigo] *sm* castigo

castoro [kas'tɔro] *sm* castor *m*

casuale [kazu'ale] *agg* casual

catalizzatore [kataliddza'tore] *sm* (*AUT*) catalizador *m*

Catalogna [kata'loɲɲa] *sf* Cataluña

catalogo, -ghi [ka'talogo] *sm* catálogo

catarifrangente [katarifran'dʒɛnte] *sm* (*AUT*) reflector *m*

catarro [ka'tarro] *sm* catarro

catastrofe [ka'tastrofe] *sf* catástrofe *f*

categoria [katego'ria] *sf* categoría

catena [ka'tena] *sf* cadena; (*di montagne*) cadena, cordillera ▸ **catene da neve** (*AUT*) cadenas de nieve ❏ **catenina** [kate'nina] *sf* cadena

cateratta [kate'ratta] sf (MED) catarata

catino [ka'tino] sm jofaina, palangana

catrame [ka'trame] sm alquitrán m

cattedra ['kattedra] sf (scrivania, UNIV) cátedra f; (SCOL) plaza

cattedrale [katte'drale] sf catedral f

cattiveria [katti'verja] sf maldad f

cattivo, -a [kat'tivo] agg (malvagio, scadente, negativo) malo(-a); (turbolento: bambino) revoltoso(-a), travieso(-a); (incapace: impiegato) incapaz; (sgradevole: odore, sapore) desagradable

cattolico, -a, -ci, -che [kat'tɔliko] agg, sm/f católico(-a)

catturare [kattu'rare] vt capturar

causa ['kauza] sf (motivo) causa; (DIR) causa, juicio; **a ~ di, per ~ di** a o por causa de; **fare ~ a** (DIR) llevar a juicio a; **per ~ sua** por su culpa ◻ **causare** [kau'zare] vt causar, provocar

cautela [kau'tɛla] sf cautela, prudencia

cauto, -a ['kauto] agg cauto(-a)

cauzione [kaut'tsjone] sf fianza

cava ['kava] sf (di marmo) cantera; (di gesso) yesar m; (di pietra) pedrera

cavalcare [kaval'kare] vt, vi cabalgar □ **cavalcata** [kaval'kata] sf cabalgata □ **cavalcavia** [kavalka'via] sm inv paso elevado

cavalcioni [kaval'tʃoni] prep a horcajadas

cavaliere [kava'ljere] sm (SPORT) jinete m; (STORIA, titolo) caballero

cavalletta [kaval'letta] sf saltamontes m inv

cavalletto [kaval'letto] sm (FOT) trípode m; (PITTURA) caballete m

cavallo, -a [ka'vallo] sm/f (maschio) caballo; (femmina) yegua ♦ sm (AUT: anche: ~ vapore) caballo de vapor; (di pantaloni) tiro, entrepierna; **a ~ a** caballo; **a ~ di** a caballo entre ▶ **cavallo a dondolo** caballo de balancín ▶ **cavallo da corsa** caballo de carreras ▶ **cavallo di battaglia** (fig) caballo de batalla

cavare [ka'vare] vt extraer; (fig: ottenere, ricavare) sacar; **cavarsela** apañárselas □ **cavatappi** [kava'tappi] sm inv sacacorchos m inv

caverna [ka'vɛrna] sf caverna, cueva

cavia ['kavja] sf (anche fig) cobaya

caviale [ka'vjale] sm caviar m inv

caviglia [ka'viʎʎa] sf tobillo

cavo, -a ['kavo] agg (vuoto) hueco(-a) ♦ sm (able m); **via ~** (collegamento, TV) por cable

cavoletto [kavo'letto] sm: ~ **di Bruxelles** col f de Bruselas

cavolfiore [kavol'fjore] sm coliflor f

cavolo ['kavolo] sm col f; **non m'importa un ~** (fam) me importa un bledo o comino

cazzo ['kattso] sm (pene: fam!) polla (fam!), pito (fam!); **~!** (fam!: fig) ¡coño! (fam!), ¡joder! (fam!)

CCD [tʃitʃi'di] sigla m (= Centro Cristiano Democratico) CCD m

CD [tʃi'di] sigla m inv (= compact disc) CD m

CD-Rom [tʃidi'rɔm] sigla m inv (= Compact Disc Read Only Memory) CD-Rom m

CDU [tʃidi'u] *sigla m* (= Cristiani Democratici Uniti) CDU *m*

ceci [tʃetʃi] *smpl* garbanzos *mpl*

ceco, -a, -chi, -che ['tʃɛko] *agg, sm/f* checo(-a) ♦ *sm* (*lingua*) checo

cedere ['tʃɛdere] *vt, vi* ceder; ~ **a** (*a insistenza*) ceder a; (*a passione*) caer ante

cedola ['tʃɛdola] *sf* (FIN) cupón *m*

CEE [tʃe'e] *sigla f* (= Comunità Economica Europea) CEE *f*

ceffo ['tʃeffo] *sm*: **brutto ~** individuo □ **ceffone** [tʃef'fone] *sm* bofetada, torta

celebrare [tʃele'brare] *vt* (*cerimonia, processo*) celebrar; (*messa*) oficiar

celebre ['tʃɛlebre] *agg* célebre

celeste [tʃe'lɛste] *agg, sm* (*azzurro*) (azul) celeste *m*)

celibe ['tʃɛlibe] *agg* célibe, soltero

cella ['tʃɛlla] *sf* (*di prigione, convento*) celda ▸ **cella frigorifera** cámara frigorífica

cellula ['tʃɛllula] *sf* (BIOL) célula ▸ **cellula fotoelettrica** célula fotoeléctrica □ **cellulare** [tʃellu'lare] *sm* (*telefono*) móvil *m*; (*anche*: **furgone cellulare**) coche *m* celular □ **cellulite** [tʃellu'lite] *sf* celulitis *f inv*

cemento [tʃe'mento] *sm* cemento ▸ **cemento armato** hormigón *m* o cemento armado

cena ['tʃena] *sf* cena □ **cenare** [tʃe'nare] *vi* cenar

cenere ['tʃenere] *sf* ceniza

cenno ['tʃenno] *sm* (*con capo, mano*) seña; **far ~ a** (*alludere a*) hacer mención a; **far ~ di sì/no** hacer señal de sí/no

censimento [tʃensi'mento] *sm* censo

censura [tʃen'sura] *sf* censura

centenario, -a [tʃente'narjo] *agg, sm/f* centenario(-a)

centesimo, -a [tʃen'tezimo] *agg* centésimo(-a) ♦ *sm* centésimo; (*di euro*) céntimo; (*di dollaro*) centavo

centigrado [tʃen'tigrado] *agg m*: **grado ~** grado centígrado

centimetro [tʃen'timetro] *sm* centímetro

centinaio [tʃenti'najo] (*pl(f)* **centinaia**) *sm* centenar *m*; **un ~ (di)** un centenar (de); **a centinaia** a cientos

cento ['tʃɛnto] *sm, agg* cien (*m*); **per ~** por ciento; **al ~ per ~** al cien por cien □ **centomila** [tʃɛnto'mila] *agg inv, sm inv* cien mil (*m*)

centrale [tʃen'trale] *agg* central, céntrico(-a) ♦ *sf* (*anche*: **sede ~**) central *f* □ **centralista** [tʃentral'ista] *sm/f* telefonista *m/f*, operador(a) □ **centralino** [tʃentra'lino] *sm* centralita □ **centralizzato, -a** [tʃentralid'dzato] *agg* (*chiusura*) centralizado(-a); (*riscaldamento*) central

centrare [tʃen'trare] *vt* (*bersaglio*) dar en; (*immagine*) centrar; (*fig*: *problema*) comprender

centrifuga [tʃen'trifuga] *sf* (*di lavatrice*) centrifugadora

centro ['tʃɛntro] *sm* centro; ~ **culturale** (*città*) centro cultural; ~ **industriale** (*città*) centro industrial ▸ **centro civico** centro administrativo ▸ **centro commerciale** (*per acquisti*) centro comercial

ceppo ['tʃeppo] sm (di pianta, stirpe) cepa; (da ardere) ceporro

cera ['tʃera] sf (per candele, d'api) cera; (da scarpe) betún m; (per mobili) cera, abrillantador m; (fig: aspetto) cara

ceramica, -che [tʃe'ramika] sf cerámica

cerbiatto [tʃer'bjatto] sm cervato

cercare [tʃer'kare] vt (oggetto, lavoro) buscar; (desiderare: gloria, ricchezza) perseguir ♦ vi: ~ **di fare qc** intentar hacer algo, tratar de hacer algo; **stiamo cercando un hotel/ ristorante** estamos buscando un hotel/restaurante

⚠ **cercare** non si traduce mai con la parola spagnola **acercar**.

cerchia ['tʃerkja] sf (di mura) muralla; (di amici) círculo

cerchietto [tʃer'kjetto] sm (per capelli) diadema f

cerchio, -chi ['tʃerkjo] sm círculo

cerchione [tʃer'kjone] sm (AUT) llanta

cereali [tʃere'ali] smpl cereales mpl

cerimonia [tʃeri'mɔnja] sf ceremonia

cerino [tʃe'rino] sm cerilla

cernia ['tʃernja] sf (ZOOL) mero

cerniera [tʃer'njera] sf bisagra ▶ **cerniera lampo** cremallera

cero ['tʃero] sm cirio

cerotto [tʃe'rɔtto] sm tirita

certamente [tʃerta'mente] avv seguramente; ~! ¡claro que sí!

certificato [tʃertifi'kato] sm certificado ▶ **certificato medico** certificado médico

certo, -a ['tʃerto] agg (sicuro) seguro(-a); (vittoria)

seguro(-a); (risultato, prova) inequívoco(-a) ♦ avv (certamente) claro; (senz'altro) por supuesto; **certi(e)** (alcuni) algunos(-as), ciertos(-as); **sono ~ di farcela** estoy seguro de conseguirlo; **un ~ signor Rossi** un tal señor Rossi; **certi amici miei** algunos amigos míos; **dopo un ~ tempo** después de algún tiempo; **di una certa importanza** de cierta importancia; **un uomo di una certa età** un hombre de una cierta edad; **di ~** seguro; **no di ~!** ¡por supuesto que no!; ~ **che no!** ¡claro que no!; **sì, ~!** ¡sí, claro!

cervello, -i [tʃer'vello] sm (anche pl(f) **cervella**) sm (ANAT) cerebro; (intelligenza) cabeza, cerebro ▶ **cervello elettronico** (INFORM) cerebro electrónico

cervo ['tʃervo] sm ciervo ▶ **cervo volante** ciervo volante

cespuglio [tʃes'puʎʎo] sm mata

cessare [tʃes'sare] vi cesar ♦ vt (attività, produzione) poner fin a; ~ **di fare qc** dejar de hacer algo

cestino [tʃes'tino] sm (piccolo cesto) cesta; (di fragole) cajita; (per carta straccia) papelera

cesto ['tʃesto] sm cesto, canasta

ceto ['tʃeto] sm clase f

cetriolino [tʃetrio'lino] sm pepinillo

cetriolo [tʃetri'ɔlo] sm pepino

Cfr. abbr (= confronta) Cfr.

CGIL [tʃidʒi'ɛlle] sigla f (= Confederazione Generale Italiana del Lavoro) sindicato de trabajadores italiano

chat line [tʃæt'laen] sf inv línea de chat

chattare [tʃat'tare] *vi* chatear

---
che

PAROLA CHIAVE

[ke] *pron*

1 (*relativo: sogg*) que, quien; (: *oggetto*) que, a quien; (: *con valore temporale*) que; **il ragazzo che è venuto** el chico que vino; **il libro che è sul tavolo** el libro que está en la mesa; **la sera che ti ho visto** la noche que te vi

2 (*interrogativo*) qué; **che fai?** ¿qué estás haciendo?; **non sa che fare** no sabe qué hacer; **ma che dici!** ¡pero qué dices!

♦ *agg* (*interrogativo, esclamativo*) qué; **che tipo di film preferisci?** ¿qué género de película prefieres?; **che buono!** ¡qué bueno!

♦ *cong*

1 (*con proposizioni subordinate*) que; **credo che verrà** creo que vendrá; **sono contento che tu sia venuto** estoy contento de que hayas venido

2 (*finale*) para que, que; **stai attento che non cada** ten cuidado de que no se caiga

3 (*temporale*): **arrivai che eri già partito** llegué cuando ya te habías ido; **sono anni che non lo vedo** hace años que no lo veo

4 (*in frasi imperative, concessive*): **che venga pure!** ¡que venga!; **che tu venga o no, partiamo lo stesso** vengas o no, de todas formas nos vamos

5 (*comparativo*) que; **più largo che lungo** más ancho que largo; **più bella che mai** más guapa que nunca; *vedi anche* **più, tanto, meno, prima, sia, così**

---

chemioterapia [kemjotera'pia] *sf* quimioterapia

cherosene [kero'zɛne] *sm* queroseno

---
chi

PAROLA CHIAVE

[ki] *pron*

1 (*interrogativo*) quién; **chi è?** ¿quién es?; **di chi è questo libro?** ¿de quién es este libro?; **a chi pensi?** ¿en quién estás pensando?; **non so chi l'abbia detto** no sé quién lo ha dicho

2 (*relativo*) quien, el (la) cual, el (la) que; (: *pl*) quienes, los (las) cuales, los (las) que; (: *dopo prep*) quien, el que; **chi non lavora non mangia** quien no trabaja no come; **portate chi volete** traed a quien queráis; **dillo a chi vuoi** díselo a quien quieras; **so io di chi parlo** yo sé de quién hablo

---

chiacchierare [kjakkje'rare] *vi* charlar, parlotear; (*far pettegolezzi*) chismorrear ☐ **chiacchiere** ['kjakkjere] *sfpl* (*pettegolezzi*) chismes *mpl*; **fare due** *o* **quattro chiacchiere** charlar un rato

chiamare [kja'mare] *vt* (*anche al telefono*) llamar; **chiamarsi** *vpr* llamarse; **mandare a ~ qn** mandar a llamar a algn; **~ aiuto** pedir ayuda; **come ti chiami?** ¿cómo te llamas?; **mi chiamo Paolo** me llamo Paolo ☐ **chiamata** [kja'mata] *sf* (*TEL*) llamada; **fare una chiamata interurbana** hacer una llamada interurbana

chiarezza [kja'rettsa] *sf* claridad *f*

chiarire [kja'rire] *vt* aclarar

chiaro, -a ['kjaro] *agg* claro(-a); **mettere le cose in ~** poner las cosas claras; **parliamoci ~** hablemos claro; **trasmissione in ~** (TV) retransmisión en abierto

chiasso ['kjasso] sm ruido, alboroto; **far ~** (fig: scalpore) dar que hablar

chiave ['kjave] sf llave f ♦ agg inv clave; **chiudere a ~** cerrar con llave; **mi dà la ~?** ¿puede darme la llave? ▶ **chiave d'accensione** (AUT) llave de contacto ▶ **chiave inglese** llave inglesa

chiazza ['kjattsa] sf (macchia) mancha, lamparón m; **una ~ di petrolio** una mancha de petróleo

chicco, -chi ['kikko] sm (di caffè) grano; (d'uva) uva

chiedere ['kjɛdere] vt (per sapere) preguntar; (per avere) pedir ♦ vi: **~ di qn** (al telefono, per informarsi) preguntar por algn; **chiedersi** vpr: **chiedersi (se)** preguntarse (si); **~ qc a qn** preguntar o pedir algo a algn

chiesa ['kjɛza] sf iglesia

chiglia ['kiʎʎa] sf quilla

chilo ['kilo] sm kilo ❑ **chilometro** [ki'lɔmetro] sm kilómetro

chimica ['kimika] sf química ❑ **chimico, -a, -ci, -che** ['kimiko] agg, sm químico(-a)

chinare [ki'nare] vt inclinar, agachar; **chinarsi** vpr inclinarse, agacharse

chiocciola ['kjɔttʃola] sf caracol m; (INFORM) arroba; **scala a ~** escalera de caracol

chiodo ['kjɔdo] sm clavo ▶ **chiodo di garofano** (CUC) clavo

chiosco, -schi ['kjɔsko] sm (del giornalaio) quiosco; (di bibite) chiringuito

chiostro ['kjɔstro] sm claustro

chiromante [kiro'mante] sm/f quiromántico(-a)

chirurgia [kirur'dʒia] sf cirugía ❑ **chirurgo, -ghi** [ki'rurgo] sm cirujano(-a)

chissà [kis'sa] avv: **~** quizás; **~, forse hai ragione** quién sabe, a lo mejor tienes razón

chitarra [ki'tarra] sf guitarra ❑ **chitarrista, -i, -e** [kitar'rista] sm/f guitarrista m/f

chiudere ['kjudere] vt cerrar; (luce, gas) apagar; (ciclo, incontro, rassegna) concluir ♦ vi cerrar; **chiudersi** vpr (meccanismo, ferita) cerrarse; (persona: ritirarsi) encerrarse; **a che ora chiudete?** ¿a qué hora cierran?; **chiudersi in casa** encerrarse en casa

chiunque [ki'unkwe] pron quienquiera, cualquiera; **~ sia non gli parlerò** sea quien sea no le hablaré

chiuso, -a ['kjuso] pp di **chiudere** ♦ agg (anche fig: carattere, persona) cerrado(-a); (luce) apagado(-a); (strada, passaggio) cortado(-a) ♦ sm: **al ~** cubierto ❑ **chiusura** [kju'sura] sf cierre m; (di dibattito) clausura; (di mente) cerrazón f ▶ **chiusura lampo®** cremallera

---

PAROLA CHIAVE

[tʃi] (dav lo, la, li, le, ne diventa **ce**) pron

1 (personale: noi) nos; (impersonale): **ci si veste** uno se viste; **ci ha visti** nos ha visto; **non ci ha dato niente** no nos ha dado nada; **ci vestiamo** nos vestimos; **ci siamo divertiti** nos hemos divertido; **ci aiutiamo a**

vicenda nos ayudamos mutuamente; **ci amiamo** nos amamos

2 (*dimostrativo: di ciò*) de esto; (: *a ciò, in ciò*) en esto; **non so cosa farci** no sé qué hacer; (: *puoi contare* puedes estar seguro de ello; **che c'entro io?** ¿qué tengo que ver yo en eso?; **non ci capisco nulla** no entiendo nada de esto

♦ *avv* (*qui*) aquí; (*lì: vicino a chi parla*) ahí; (: *lontano da chi parla*) allí; **ci passa sopra un ponte** por encima pasa un puente; **esserci** *vedi* **essere**

ciabatta [tʃa'batta] *sf* chancla, zapatilla

ciambella [tʃam'bella] *sf* (*CUC*) rosca, rosquilla; (*salvagente*) salvavidas *m inv*

ciao ['tʃao] *escl* (*incontrandosi*) ¡hola!; (*congedandosi*) ¡adiós!

ciascuno, -a [tʃas'kuno] (*dav sm:* **ciascun** + *C, V,* **ciascuno** + *s impura, gn, pn, ps, x, z; dav sf:* **ciascuna** + *C,* **ciascun'** + *V*) *agg* cada ♦ *pron* cada uno(-a); **ciascun bambino** cada niño; **~ di voi avrà la sua parte** cada uno de vosotros tendrá su parte; **due caramelle per ~** dos caramelos para cada uno

cibarie [tʃi'barje] *sfpl* comestibles *mpl*, alimentos *mpl*

cibo ['tʃibo] *sm* alimento, comida

cicala [tʃi'kala] *sf* cigarra

cicatrice [tʃika'tritʃe] *sf* cicatriz f

cicca, -che ['tʃikka] *sf* (*gomma da masticare*) chicle *m*; (*mozzicone*) colilla; (*fam: sigaretta*) pitillo (*fam*)

ciccia ['tʃittʃa] *sf* (*fam: grasso*) grasa
□ **ciccione, -a** [tʃit'tʃone] *sm/f* (*fam*) gordinflón(-ona)

ciclamino [tʃikla'mino] *sm* pamporcino

ciclismo [tʃi'klizmo] *sm* ciclismo
□ **ciclista, -i, -e** [tʃi'klista] *sm/f* ciclista *m/f*

ciclo ['tʃiklo] *sm* (*solare, di conferenze*) ciclo; (*di malattia*) curso
□ **ciclomotore** [tʃiklomo'tore] *sm* ciclomotor *m*

ciclone [tʃi'klone] *sm* ciclón *m*

cicogna [tʃi'koɲɲa] *sf* cigüeña

cieco, -a, -chi, -che ['tʃɛko] *agg, sm/f* (*persona*) ciego(-a)

cielo ['tʃɛlo] *sm* cielo

cifra ['tʃifra] *sf* cifra

ciglio ['tʃiʎʎo] *sm* (*di strada*) arcén *m*, orilla; (*ANAT: pl(f) ciglia*) pestaña; (: *sopracciglio*) ceja

cigno ['tʃiɲɲo] *sm* cisne *m*

cigolare [tʃigo'lare] *vi* chirriar

Cile ['tʃile] *sm* Chile *m* □ **cileno, -a** [tʃi'leno] *agg, sm/f* chileno(-a)

ciliegia, -gie o **ge** [tʃi'ljedʒa] *sf* cereza

ciliegio, -gi [tʃi'ljedʒo] *sm* (*albero, legno*) cerezo

cilindrata [tʃilin'drata] *sf* (*AUT*) cilindrada; **di grossa/piccola ~** (*macchina, moto*) de gran/pequeña cilindrada

cilindro [tʃi'lindro] *sm* (*GEOM, AUT, TECN*) cilindro; (*cappello*) sombrero de copa

cima ['tʃima] *sf* (*di campanile, monte*) cima; (*di albero*) copa; (*estremità: di asta, corda*) punta; (*NAUT: corda*) cabo; **in ~ a** encima de; sobre; **da ~ a fondo** de arriba a abajo, de punta a cabo

cimice ['tʃimitʃe] sf (ZOOL) chinche f o m; (trasmittente) micrófono (oculto)

ciminiera [tʃimi'njera] sf chimenea

cimitero [tʃimi'tɛro] sm cementerio

Cina ['tʃina] sf China

cincin [tʃin'tʃin] escl ¡chinchín!, ¡salud!

cinema ['tʃinema] sm inv cine m

cinese [tʃi'nese] agg, sm/f chino(-a) ♦ sm (lingua) chino

cinghia ['tʃingja] sf (stringa, cintura) cinturón m; correa; (TECN, AUT) correa

cinghiale [tʃin'gjale] sm jabalí m

cinguettare [tʃingwet'tare] vi gorjear

cinico, -a, -ci, -che ['tʃiniko] agg, sm/f cínico(-a)

cinquanta [tʃin'kwanta] agg inv, sm inv cincuenta (m); vedi anche **cinque** □ **cinquantesimo, -a** [tʃinkwan'tezimo] agg, sm/f quincuagésimo(-a); vedi **quinto** □ **cinquantina** [tʃinkwan'tina] sf: **una cinquantina di** unos(-as) cincuenta; **essere sulla cinquantina** (età) tener unos cincuenta años

cinque ['tʃinkwe] agg inv, sm inv cinco (m); **avere ~ anni** (età) tener cinco años; **il ~ dicembre 2002** el cinco de diciembre de 2002; **alle ~ (ora)** a las cinco; **siamo in ~** somos cinco □ **cinquecento** [tʃinkwe'tʃento] agg inv quinientos(-as) ♦ sm inv quinientos m ♦ sm: **il Cinquecento** el siglo XVI

cintura [tʃin'tura] sf cinturón m ▸ **cintura di sicurezza** (AUT, AER) cinturón de seguridad

□ **cinturino** [tʃintu'rino] sm (di orologio) pulsera

ciò [tʃɔ] pron (questa cosa) esto; (quella cosa) eso, aquello; **~ che** lo que; **~ nonostante** o **nondimeno** sin embargo

ciocca, -che ['tʃɔkka] sf (di capelli) mechón m

cioccolata [tʃokko'lata] sf (anche bevanda) chocolate m □ **cioccolatino** [tʃokkola'tino] sm chocolatina

cioè [tʃo'ɛ] avv es decir, esto es

ciotola ['tʃɔtola] sf escudilla

ciottolo ['tʃɔttolo] sm (di fiume, spiaggia) guijarro, peladilla; (di strada) grava

cipolla [tʃi'polla] sf cebolla

cipresso [tʃi'presso] sm ciprés m

cipria ['tʃiprja] sf polvos mpl (faciales)

Cipro ['tʃipro] sf Chipre m

circa ['tʃirka] avv aproximadamente ♦ prep sobre, acerca de; **a mezzogiorno ~** para mediodía, alrededor de mediodía; **eravamo ~ cento** éramos unos cien

circo, -chi ['tʃirko] sm circo

circolare [tʃirko'lare] vi circular ♦ sf (AMM, linea di autobus) circular f ♦ agg circular

circolo ['tʃirkolo] sm (cerchio, letterario ecc) círculo

circondare [tʃirkon'dare] vt rodear; **circondarsi** vpr: **circondarsi di** rodearse de

circonvallazione [tʃirkonvallat'tsjone] sf circunvalación f

circospetto, -a [tʃirkos'petto] *agg* (*persona*) circunspecto(-a); **con fare ~** de manera prudente

circostante [tʃirkos'tante] *agg* circunstante

circostanza [tʃirkos'tantsa] *sf* circunstancia

circuito [tʃir'kuito] *sm* circuito; **a ~ chiuso** (*televisione*) circuito cerrado de; **corto ~** cortocircuito

CISL [tʃizl] *sigla f* (= *Confederazione Italiana Sindacati Lavoratori*) sindicato de trabajadores italiano

cisterna [tʃis'tɛrna] *sf* cisterna

cisti ['tʃisti] *sf inv* quiste *m*

⚠ **cisti** non si traduce mai con la parola spagnola *chiste*.

cistite [tʃis'tite] *sf* cistitis *f inv*

citare [tʃi'tare] *vt* (*menzionare*) citar

citofono [tʃi'tɔfono] *sm* telefonillo

città [tʃit'ta] *sf inv* ciudad *f*; **vivere in ~** vivir en la ciudad; **andare in ~** ir a la ciudad □ **cittadinanza** [tʃittadi'nantsa] *sf* (*abitanti*) ciudadanía; (*DIR*) nacionalidad *f* □ **cittadino, -a** [tʃitta'dino] *agg* (*via, traffico*) urbano(-a); (*mura*) de la ciudad ♦ *sm/f* (*di stato*) ciudadano(-a); (*di città*) habitante *m/f*

ciuccio ['tʃuttʃo] *sm* (*fam*) chupete *m*

ciuffo ['tʃuffo] *sm* (*d'erba*) mata; (*di capelli, peli*) mechón *m*; (*di piume*) penacho

civetta [tʃi'vetta] *sf* (*ZOOL*) lechuza; (*fig: donna*) coqueta

civico, -a, -ci, -che ['tʃiviko] *agg* (*museo, banda*) municipal; (*numero*) de casa; **senso ~** sentido cívico

civile [tʃi'vile] *agg* (*non militare, istituzione*) civil; (*nazione, popolo*) civilizado(-a); (*cortese: persona*) educado(-a); (*cortese: modi*) cívico(-a) ♦ *sm/f* civil *m/f* □ **civiltà** [tʃivil'ta] *sf inv* (*greca, egizia ecc*) civilización *f*; (*fig: buona educazione*) urbanidad *f inv*

clacson ['klakson] *sm inv* (*AUT*) bocina, claxon *m*

clandestino, -a [klandes'tino] *agg* clandestino(-a) ♦ *sm/f* (*anche: passeggero ~*) polizón *m*; (*anche: immigrato ~*) clandestino(-a)

classe ['klasse] *sf* clase *f*; (*SCOL*) clase, curso; de (*fig*) de gran clase
  ► **classe operaia** clase obrera
  ► **classe turistica** (*AER*) clase turista

classico, -a, -ci, -che ['klassiko] *agg* clásico(-a)

classifica, -che [klas'sifika] *sf* clasificación *f* □ **classificare** [klassifi'kare] *vt* (*cataloguare*) clasificar; (*valutare*) evaluar, calificar; **classificarsi** *vpr* (*squadra, concorrente*) clasificarse

clausola ['klauzola] *sf* (*DIR*) cláusula

clavicembalo [klavi'tʃembalo] *sm* clavicémbalo

clavicola [kla'vikola] *sf* clavícula

clessidra [kles'sidra] *sf* (*a sabbia*) reloj *m* de arena; (*ad acqua*) reloj de agua

cliccare [klik'kare] *vi* (*INFORM*): **~ su** hacer clic en, clicar en

cliente [kli'ɛnte] *sm/f* cliente *m/f*

clima, -i ['klima] *sm* clima *m* □ **climatizzatore** [klimatiddzat'ore] *sm* climatizador *m*

clinica, -che ['klinika] *sf* clínica

clistere [klis'tɛre] *sm* lavativa

clonare [klo'nare] *vt* clonar
□ **clonazione** [klona'tsjone] *sf* clonación *f*

cloro ['klɔro] *sm* cloro

club [klub] *sm inv* club *m*

cm *abbr* (= centimetro) cm

c.m. *abbr* = **corrente mese**; (*nella corrispondenza*) del presente *or* corriente mes

coalizione [koalit'tsjone] *sf* coalición *f*

COBAS ['kɔbas] *sigla mpl* (= *Comitati di base*) COBAS *mpl, sindicato independiente italiano*

coca ['kɔka] *sf* (*bibita*) Coca-Cola®; (*droga*) coca

cocaina [koka'ina] *sf* cocaína

coccinella [kottʃi'nɛlla] *sf* mariquita

cocciuto, -a [kot'tʃuto] *agg* testarudo(-a), terco(-a)

cocco, -chi ['kɔkko] *sm* (*pianta*) cocotero; **noce di ~** (*frutto*) coco; **al ~** (*gelato, biscotto*) de coco

coccodrillo [kokko'drillo] *sm* cocodrilo

coccolare [kokko'lare] *vt* mimar

cocomero [ko'kɔmero] *sm* sandía

coda ['koda] *sf* (*di animale*) rabo, cola; (*di aereo, fila di persone*) cola; (*fila di auto*) caravana; **con la ~ dell'occhio** con el rabillo del ojo; **mettersi in ~** ponerse a la cola ► **coda di cavallo** (*acconciatura*) coleta

codardo, -a [ko'dardo] *agg, sm/f* cobarde *m/f*

codice ['kɔditʃe] *sm* código; (*libro antico*) códice *m* ► **codice a barre** código de barras ► **codice civile** (*DIR*) código civil ► **codice della strada** (*AUT*) código de circulación ► **codice di avviamento postale** código postal ► **codice fiscale** número de identificación fiscal ► **codice penale** (*DIR*) código penal ► **codice segreto** (*del Bancomat*) número secreto

coerente [koe'rɛnte] *agg* coherente

coetaneo, -a [koe'taneo] *agg, sm/f* coetáneo(-a)

cofano ['kɔfano] *sm* (*AUT*) capó *m*

cogliere ['kɔʎʎere] *vt* (*fiore, frutto*) coger, recoger; (*sorprendere, fig: momento opportuno*) coger; (*fig: significato*) captar; **~ l'occasione (per fare)** aprovechar la ocasión (para hacer)

cognato, -a [koɲ'ɲato] *sm/f* cuñado(-a)

cognome [koɲ'ɲome] *sm* apellido

COGNOME

En Italian todas las mujeres al casarse conservan su propio apellido pero a menudo se llaman por el apellido del marido.

coincidenza [kointʃi'dɛntsa] *sf* (*caso*) coincidencia; (*di treno, aereo ecc*) enlace *m*

coincidere [koin'tʃidere] *vi* coincidir

coinvolgere [koin'vɔldʒere] *vt*: **~ (in)** (*in lite, vicenda, scandalo*) implicar (en); (*in iniziativa*) hacer participar (en)

colapasta [kola'pasta] *sm inv* colador *m*

colare [ko'lare] *vt* (*liquido, pasta*) colar ♦ *vi* (*sudore*) gotear; (*contenitore*) escurrir; (*cera*) derretir; **~ a picco** (*sogg: nave*) irse a pique

colazione [kolat'tsjone] *sf* (*anche:* **prima ~**) desayuno; (*anche:* **seconda ~**) almuerzo; **fare ~** (*al mattino*) desayunar; **a che ora si può fare ~?** ¿a qué hora se sirve el desayuno?

colera [ko'lɛra] *sm* (*MED*) cólera *m*

colica, -che ['kɔlika] *sf* (*MED*) cólico; **~ renale** cólico nefrítico

colino [ko'lino] *sm* colador *m*

colla ['kɔlla] (= **con** + **la**) *prep* + *art* vedi **con** ♦ *sf* pegamento *m*; (*per metallo, legno*) cola

collaborare [kollabo'rare] *vi*: **~ (in)** colaborar (en)
  ❏ **collaboratore, -trice** [kollabora'tore] *sm/f* colaborador(a)
  ▶ **collaboratore esterno** colaborador externo
  ▶ **collaboratrice familiare** asistenta, empleada de hogar

collana [kol'lana] *sf* collar *m*; (*di libri*) colección *f*

collant [kɔ'lã] *sm inv* pantis *mpl*

collare [kol'lare] *sm* collar *m*

collasso [kol'lasso] *sm* (*cardiaco*) colapso; **~ nervoso** crisis *f inv* nerviosa

collaudare [kollau'dare] *vt* probar

collega, -ghi, -ghe [kol'lega] *sm/f* colega *m/f*, compañero(-a)

collegamento [kollega'mento] *sm* (*aereo, navale*) comunicación *f*; (*TEL, TV, a Internet*) conexión *f*; (*INFORM: link*) enlace *m*, vínculo

collegare [kolle'gare] *vt* conectar; (*città, linee*) comunicar; (*fig: fatti, idee, argomenti*) relacionar; **collegarsi** *vpr*: **collegarsi (con)** comunicarse (con); **collegarsi a Internet** conectarse a Internet

collegio [kol'lɛdʒo] *sm* (*SCOL*) colegio ▶ **collegio elettorale** colegio electoral

collera ['kɔllera] *sf* cólera; **andare in ~** montar en cólera
  ❏ **collerico, -a, -ci, -che** [kol'lɛriko] *agg* colérico(-a)

colletta [kol'letta] *sf* coleta

colletto [kol'letto] *sm* cuello

collezionare [kollettsjo'nare] *vt* coleccionar ❏ **collezione** [kollet'tsjone] *sf* (*anche: di moda*) colección *f*

collina [kol'lina] *sf* colina

collirio [kol'lirjo] *sm* colirio

collo ['kɔllo] (= **con** + **lo**) *prep* + *art* vedi **con** ♦ *sm* (*anche: di abito*) cuello; (*di bottiglia*) cuello; (*del piede*) empeine *m*; (*pacco*) bulto

collocamento [kolloka'mento] *sm*: **Ufficio di ~** Oficina de Empleo

collocare [kollo'kare] *vt* colocar ❏ **collocazione** [kollokat'tsjone] *sf* (*luogo*) colocación *f*; (*BIBLIOTECA*) signatura

colloquio [kol'lɔkwjo] *sm* (*privato, segreto*) coloquio; (*ufficiale, di lavoro*) entrevista

colmare [kol'mare] *vt*: **~ di** (*riempire*) llenar de; (*fig: di attenzioni*) colmar de; **~ il divario tra ...** (*fig*) acortar la(s) distancia(s) entre ...

Colombia [ko'lombja] *sf* Colombia

colombo, -a [ko'lombo] *sm/f* palomo(-a)

colonia [ko'lɔnja] *sf* colonia

colonna [ko'lonna] *sf* columna; (*di auto*) caravana; (*di dimostranti*) grupo ▶ **colonna sonora** (*CINE*) banda sonora ▶ **colonna vertebrale** columna vertebral

colonnello [kolon'nɛllo] *sm* coronel *m*

colorante [kolo'rante] *sm* colorante *m*

colorare [kolo'rare] *vt* colorear

colore [ko'lore] *sm* color *m*; **a colori** (TV, FOT) en color; **vorrei un ~ diverso** me gustaría un color diferente □ **colorito, -a** [kolo'rito] *agg* saludable; (*modo di parlare*) expresivo(-a) ♦ *sm* (*carnagione*) tez *f inv*

colpa ['kolpa] *sf* culpa; **per ~ di** por culpa de; **di chi è la ~?** ¿de quién es la culpa?; **è ~ sua** es culpa suya; **non è ~ mia** no es culpa mía; **senso di ~** remordimiento; **dare la ~ a qn di qc** echar la culpa a algn de algo □ **colpevole** [kol'pevole] *agg, sm/f* culpable *m/f*

colpire [kol'pire] *vt* (*bersaglio*) dar en; (*palla*) pegarle a; (*ferire*) golpear; (*con arma da fuoco*) herir; (*danneggiare*) afectar; (*fig: impressionare*) impresionar; **rimanere colpito da** quedar impresionado por

colpo ['kolpo] *sm* golpe *m*; (*di pistola*) disparo; (*rapina*) atraco; **di ~** de golpe o un plumazo; **tutto d'un ~** (*in una sola volta*) de un tirón, de una sola vez; **fare ~ su** causar sensación a algn; **morire sul ~** morir en el acto; **perdere colpi** (*macchina*) dar señales de deterioro; (*persona*) perder frescura; **mi ha fatto venire un ~** (*fig*) me ha venido un infarto; **a ~ sicuro** a tiro hecho ► **colpo basso** (PUGILATO, *fig*) golpe bajo
► **colpo d'aria** golpe de aire
► **colpo di fulmine** flechazo
► **colpo di grazia** golpe de gracia
► **colpo di scena** golpe de efecto

► **colpo di sole** (MED) insolación *f*
► **colpo di Stato** Golpe de Estado
► **colpo di telefono** telefonazo
► **colpo di testa** (CALCIO) cabezazo; (*fig*) locura ► **colpi di sole** (*sui capelli*) reflejos *mpl*

coltellata [koltel'lata] *sf* cuchillada

coltello [kol'tɛllo] *sm* cuchillo
► **coltello a serramanico** navaja

coltivare [kolti'vare] *vt* (*anche fig: amicizia*) cultivar □ **colto, -a** ['kolto] *pp di* **cogliere** ♦ *agg* culto(-a)

coma ['kɔma] *sm inv* coma *m*; **in ~** en coma

comandamento [komanda'mento] *sm* (REL) mandamiento

comandante [koman'dante] *sm* (NAUT, AER, MIL) comandante *m*

comandare [koman'dare] *vi* mandar; **~ a qn di fare qc** (*imporre*) mandar a algn que haga algo

combaciare [komba'tʃare] *vi* (*superfici ecc*) encajar; (*fig: opinioni*) coincidir

combattere [kom'battere] *vt* (*crimine, pregiudizi*) combatir ♦ *vi* combatir, luchar

combinare [kombi'nare] *vt* (*mettere insieme: sostanze, colori*) combinar; (*fam: fare*) hacer; **ne ha combinato una delle sue** ha hecho una de las suyas □ **combinazione** [kombinat'tsjone] *sf* (*di sostanze ecc, di cassaforte*) combinación *f*; (*caso fortuito*) casualidad *f*; **per combinazione** por casualidad

combustibile [kombus'tibile] *agg, sm* combustible (*m*)

come

PAROLA CHIAVE

['kome] avv

1 (alla maniera di) como; **ti comporti come lui** te portas como él; **bianco come la neve** blanco como la nieve

2 (in qualità di) como; **lavora come autista** trabaja como conductor

3 (interrogativo) cómo; **come ti chiami?** ¿cómo te llamas?; **come sta?** ¿cómo está?; **come?** ¿cómo?, ¿qué?; **come mai?** ¿por qué?; **come mai non ci hai avvertiti?** ¿cómo es que no nos has avisado?

4 (esclamativo): **come sei bravo!** ¡qué bueno eres!; **come mi dispiace!** ¡cuánto lo siento!

♦ cong

1 (in che modo) cómo; **mi ha spiegato come l'ha conosciuto** me ha explicado cómo lo ha conocido; **come sia successo** no sé cómo ha pasado

2 (quasi se) como; **è come se fosse ancora qui** es como si todavía estuviera aquí; **come (se) niente fosse** como si nada

3 (correlativo, con comparativi) como; **non è bravo come pensavo** no es tan bueno como pensaba; vedi anche **così, oggi, ora²**

comico, -a, -ci, -che ['kɔmiko] agg cómico(-a) ♦ sm cómico

cominciare [komin'tʃare] vt, vi empezar, comenzar; **~ a fare** empezar a hacer; **~ col fare** empezar a hacer; **a che ora comincia il film?** ¿a qué hora comienza la película?

comitato [komi'tato] sm comité m

comitiva [komi'tiva] sf comitiva

comizio [ko'mittsjo] sm (POL) mitin m

commedia [kom'mɛdja] sf comedia

commemorare [kommemo'rare] vt conmemorar

commentare [kommen'tare] vt comentar

commerciale [kommer'tʃale] agg (anche peg: libro, film) comercial

commercialista [kommertʃa'lista] sm/f asesor(a) fiscal

commerciante [kommer'tʃante] sm/f comerciante m/f

commerciare [kommer'tʃare] vi: **~ in** comerciar en

commercio [kom'mertʃo] sm comercio; **in ~** (prodotto) en venta ▶ **commercio al minuto/all'ingrosso** comercio al por menor/al por mayor

commesso, -a [kom'messo] pp di **commettere** ♦ sm/f (in negozio) dependiente(-a) ▶ **commesso viaggiatore** viajante m/f

commestibile [kommes'tibile] agg comestible

commettere [kom'mettere] vt (errore, reato) cometer

commissariato [kommissa'rjato] sm (di polizia) comisaría

commissario [kommis'sarjo] sm (di polizia, NAUT, SPORT) comisario(-a); (SCOL) miembro de un tribunal examinador

commissione [kommis'sjone] sf (incarico) encargo; (COMM: ordinazione) pedido; (COMM: percentuale, gruppo di persone) comisión f; **fare delle commissioni** (acquisti) hacer compras ▶ **commissione d'esame** tribunal *m* examinador

commosso, -a [kom'mɔsso] *pp di* **commuovere**

commovente [kommo'vɛnte] *agg* conmovedor(a)

commozione [kommot'tsjone] *sf* conmoción *f* ▶ **commozione cerebrale** (*MED*) conmoción cerebral

commuovere [kom'mwɔvere] *vt* conmover; **commuoversi** *vpr* conmoverse

comodino [komo'dino] *sm* mesilla de noche

⚠ **comodino** non si traduce mai con la parola spagnola *comodín*.

comodità [komodi'ta] *sf inv* comodidad *f*

comodo, -a ['kɔmodo] *agg (divano, vita, orario)* cómodo(-a); *(casa, treno)* confortable ♦ *sm* conveniencia; **con ~** con calma, sin prisa; **fare il proprio ~** hacer lo que a uno le conviene, ir a lo suyo; **far ~ (a qn)** venir bien (a algn)

compagnia [kompaɲ'nia] *sf* compañía; *(gruppo)* pandilla, panda; **fare ~** a hacer compañía a

compagno, -a [kom'paɲɲo] *sm/f* compañero(-a)

comparare [kompa'rare] *vt* comparar □ **comparativo, -a** [kompara'tivo] *agg* comparativo(-a)

comparire [kompa'rire] *vi* aparecer

compassione [kompas'sjone] *sf* compasión *f*, lástima; **avere ~ di** tener compasión de; **fare ~ (a)** dar lástima (a)

compasso [kom'passo] *sm* compás *m*

compatibile [kompa'tibile] *agg* compatible

compatire [kompa'tire] *vt (aver compassione di)* compadecer; *(tollerare)* tolerar

compatto, -a [kom'patto] *agg (roccia, strato, auto)* compacto(-a); *(fig: gruppo, partito)* unido(-a)

compensare [kompen'sare] *vt (rimunerare)* retribuir, pagar; *(equilibrare)* compensar □ **compenso** [kom'penso] *sm (pagamento)* retribución *f*; *(risarcimento)* indemnización *f*; *(fig)* recompensa; **in compenso** *(d'altra parte)* por otra parte, en cambio

comperare [kompe'rare] *vt* = **comprare**

compere ['kompere] *sfpl*: **andare a fare ~** ir de compras

competente [kompe'tɛnte] *agg* competente

competere [kom'pɛtere] *vi (essere in competizione)*: **~ (con)** competir (con); **~ a** *(rientrare nella competenza)* competer a □ **competizione** [kompetit'tsjone] *sf* competición *f*

compiangere [kom'pjandʒere] *vt* compadecer

compiere ['kompjere] *vt (il proprio dovere, anni)* cumplir; *(buona azione)* hacer

compilare [kompi'lare] *vt (modulo)* rellenar; *(elenco)* hacer; *(dizionario, grammatica)* compilar

compito ['kompito] *sm (incarico)* tarea, cometido; *(dovere)* deber; *(SCOL: in classe)* ejercicio; *(: a casa)* deberes *mpl*; **fare i compiti** hacer los deberes

compleanno [komple'anno] *sm* cumpleaños *m inv*

complessivo, -a [komples'sivo] *agg* (*cifra*) total; (*visione, giudizio*) global

complesso, -a [kom'plesso] *agg* complejo(-a) ♦ *sm* (MUS: *di musica classica*) conjunto, orquesta; (: *di musica pop*) grupo; (PSIC) complejo; **in o nel ~** en general ▸ **complesso alberghiero** complejo hotelero ▸ **complesso industriale** complejo industrial ▸ **complesso vitaminico** complejo vitamínico

completamente [kompleta'mente] *avv* completamente

completare [komple'tare] *vt* (*serie, collezione*) completar; (*opera*) acabar ◻ **completo, -a** [kom'pleto] *agg* completo(-a); (*fig: fiducia*) total ♦ *sm* (*abito: da uomo, donna*) conjunto; **essere al completo** (*albergo*) estar al completo ▸ **completo da sci** equipo de esquí

complicare [kompli'kare] *vt* complicar; **complicarsi** *vpr* complicarse

complice ['komplitʃe] *sm/f* cómplice *m/f* ◻ **complicità** [komplitʃi'ta] *sf inv* complicidad *f*

complimentarsi [komplimen'tarsi] *vpr*: **~ con** congratularse con ◻ **complimento** [kompli'mento] *sm* cumplido; **complimenti** *smpl* (*eccessiva formalità*) cumplidos *mpl*; (*ossequi*) felicitaciones *fpl*; **complimenti!** ¡enhorabuena!; **senza complimenti!** ¡sin formalidades!

complottare [komplot'tare] *vi* conspirar ◻ **complotto** [kom'plotto] *sm* complot *m*

componente [kompo'nɛnte] *sm/f* (*membro*) miembro, componente *m/f* ♦ *sm* (*anche* CHIM) componente *m* ♦ *sf* elemento

componimento [komponi'mento] *sm* (LETT) composición *f*; (SCOL) redacción *f*

comporre [kom'porre] *vt* (*musica, poesia*) componer; **comporsi** *vpr*: **comporsi di** componerse de

comportamento [komporta'mento] *sm* comportamiento

comportare [kompor'tare] *vt* (*implicare*) comportar; **comportarsi** *vpr* (*agire*) comportarse, portarse

compositore, -trice [kompozi'tore] *sm/f* (MUS) compositor(a)

composto, -a [kom'posto] *pp di* **comporre** ♦ *agg*: **stare seduto ~** sentarse como se debe ♦ *sm* (CHIM) compuesto

comprare [kom'prare] *vt* comprar; **dove posso ~ delle cartoline?** ¿dónde puedo ir a comprar unos sellos?

comprendere [kom'prendere] *vt* (*capire, includere*) comprender ◻ **comprensibile** [kompren'zibile] *agg* comprensible ◻ **comprensione** [kompren'sjone] *sf* (*capacità di intendere, indulgenza*) comprensión *f* ◻ **comprensivo, -a** [kompren'sivo] *agg* (*indulgente*) comprensivo(-a); **comprensivo di IVA** IVA incluido ◻ **compreso, -a** [kom'preso] *pp di* **comprendere**

♦ *agg* incluido(-a); **tutto compreso** todo incluido; **il servizio è compreso?** ¿está el servicio incluido?

compressa [kom'pressa] *sf* (MED: *pastiglia*) comprimido, gragea; (: *garza*) compresa

comprimere [kom'primere] *vt* comprimir

compromesso, -a [kompro'messo] *pp di* **compromettere ♦** *sm* compromiso

compromettere [kompro'mettere] *vt* (*persona*) comprometer; (*operazione*) poner en compromiso; **compromettersi** *vpr* comprometerse

computer [kəm'pjuːtər] *sm inv* ordenador *m*

comunale [komu'nale] *agg* municipal

comune [ko'mune] *agg* (*di più persone: casa, amico*) común; (*consueto: abitudine, uso*) habitual; (*di livello medio: ingegno, capacità*) medio(-a); (*ordinario: gente*) normal ♦ *sm* (AMM: *ente*) ayuntamiento, municipio; (: *sede*) ayuntamiento, casa consistorial; **fuori del ~** fuera de lo normal; **avere in ~** tener en común

---

COMUNE

El **Comune** es la entidad autónoma político-administrativa más pequeña. En ella se guardan los certificados de nacimiento, matrimonio y defunción y tiene autoridad para imponer impuestos y examinar propuestas para obras públicas y proyectos urbanos. Corre a cargo de una "Giunta

---

comunale" que es elegida por el "Consiglio comunale". Ambos están dirigidos por el "Sindaco" (alcalde).

comunicare [komuni'kare] *vt* comunicar; (REL) comulgar ♦ *vi* comunicarse □ **comunicato, -a** [komuni'kato] *sm* (*di guerra*) parte *m*; (*ufficiale*) comunicado
 ▸ **comunicato stampa** comunicado de prensa
 □ **comunicazione** [komunikat'tsjone] *sf* (*di notizie, TEL*) comunicación *f*; (*annuncio*) aviso

comunione [komu'njone] *sf* (REL) comunión *f*

comunismo [komu'nizmo] *sm* comunismo

comunità [komuni'ta] *sf inv* comunidad *f*

comunque [ko'munkwe] *cong* como quiera que ♦ *avv* (*in ogni modo*) de todas maneras; (*tuttavia*) en cualquier caso; **~ sia** como quiera que sea

con [kon] (*nei seguenti casi con può fondersi con l'art det:* con + il = **col**, con + lo = **collo**, con + l' = **coll'**, con + la = **colla**, con + i = **coi**, con + gli = **cogli**, con + le = **colle**) *prep* con; **villa ~ piscina** mansión con piscina; **vieni ~ me** ven conmigo; **portiamoli ~ noi** llevémoslos con nosotros; **~ pazienza/rabbia/amore** con paciencia/rabia/amor; **~ il treno/ l'aereo/la macchina/la bici** en tren/avión/coche/bici; **condito ~ olio** aliñado con aceite; **~ tutto ciò** a pesar de todo

concedere [kon'tʃedere] *vt* (*accordare*) conceder; **concedersi qc** permitirse algo

concentrarsi [kontʃen'trarsi] vpr concentrarse □ **concentrazione** [kontʃentrat'tsjone] sf concentración f

concepire [kontʃe'pire] vt (bambino, progetto) concebir; (capire) entender

concerto [kon'tʃerto] sm concierto

concetto [kon'tʃetto] sm concepto

concezione [kontʃet'tsjone] sf (complesso di idee) concepción f; (di piano) creación f

conchiglia [kon'kiʎʎa] sf concha

conciare [kon'tʃare] vt (pelli) curtir; (fig: ridurre in cattivo stato) estropear; **conciarsi** vpr (fam) ponerse

conciliare [kontʃi'ljare] vt (avversari, sonno, contravvenzione) conciliar; (studio, lavoro) compaginar

concime [kon'tʃime] sm abono

conciso, -a [kon'tʃizo] agg conciso(-a)

concittadino, -a [kontʃitta'dino] sm/f conciudadano(-a)

concludere [kon'kludere] vt (finire: opera, discorso, lavoro) concluir; (stringere: patto, alleanza, affare) llevar a cabo; (dedurre) deducir; **concludersi** vpr concluirse; **non nulla** no acabar nada

concordare [konkor'dare] vt (prezzo) convenir; (tregua) acordar ♦ vi (essere d'accordo, corrispondere) coincidir □ **concorde** [kon'korde] agg (d'accordo) concorde

concorrente [konkor'rɛnte] sm/f (SPORT, COMM) competidor(a); (a concorso) concursante m/f □ **concorrenza** [konkor'rɛntsa] sf (COMM) competencia □ **concorrenziale**

[konkorren'tsjale] agg competitivo(-a)

concorrere [kon'korrere] vi: ~ **(a)** (a torneo, gara) concursar o participar (en); (a posto, cattedra) opositar (a); (partecipare: a una spesa) contribuir (a) □ **concorso, -a** [kon'korso] pp di **concorrere** ♦ sm (per lavoro, scolastico) oposición f, concurso

concreto, -a [kon'kreto] agg concreto(-a)

condanna [kon'danna] sf condena □ **condannare** [kondan'nare] vt condenar

condensare [konden'sare] vt condensar

condimento [kondi'mento] sm aliño, condimento

condire [kon'dire] vt aliñar, condimentar

condividere [kondi'videre] vt compartir

condizionale [kondittsjo'nale] agg (DIR, LING) condicional ♦ sf (DIR) condena o suspensión f condicional ♦ sm (LING) condicional m

condizionare [kondittsjo'nare] vt (influire su) condicionar; (aria) acondicionar □ **condizionatore** [kondittsjona'tore] sm acondicionador m (de aire) □ **condizione** [kondit'tsjone] sf condición f; **a ~ che** a condición de que

condoglianze [kondoʎ'ʎantse] sfpl pésame msg

condominio [kondo'minjo] sm (gruppo di persone) comunidad f de vecinos; (edificio) bloque m

condotta [kon'dotta] sf conducta

conducente [kondu'tʃente] sm/f conductor(a)

condurre [kon'durre] vt condurir; (azienda) dirigir ♦ vi (SPORT: essere in testa) llevar la delantera; (strada, fig): **~ a** llevar a

conferenza [konfe'rentsa] sf conferencia ▸ **conferenza stampa** rueda de prensa

conferma [kon'ferma] sf confirmación f

confermare [konfer'mare] vt confirmar

confessare [konfes'sare] vt confesar; **confessarsi** vpr (REL) confesarse

confetto [kon'fetto] sm confite m, peladilla

confettura [konfet'tura] sf confitura

confezionare [konfettsjo'nare] vt (vestito) confeccionar; (pacchi) empaquetar □ **confezione** [konfet'tsjone] sf (incarto) paquete m; **mi può fare una confezione regalo?** ¿me lo puede envolver en papel de regalo?

conficcare [konfik'kare] vt: **~ qc** clavar o hincar algo en; **conficcarsi** vpr clavarse

confidare [konfi'dare] vi: **~ in qn/ qc** confiar en algn/algo ♦ vt (segreto) confiar; **confidarsi** vpr: **confidarsi con qn** abrirse a algn

configurare [konfigu'rare] vt (INFORM) configurar □ **configurazione** [konfigurat'tsjone] sf (INFORM) configuración f

confinare [konfi'nare] vi: **~ (con)** limitar con

Confindustria [konfin'dustrja] sigla f (= Confederazione Generale dell'Industria Italiana) patronal italiana. ≈ CEOE f (ESP)

confine [kon'fine] sm (di proprietà, territorio) límite m; (di paese) frontera

confiscare [konfis'kare] vt confiscar

conflitto [kon'flitto] sm (guerra, PSIC) conflicto; (scontro) enfrentamiento

confluenza [konflu'entsa] sf (di fiumi, strade) confluencia

confondere [kon'fondere] vt confundir; (imbarazzare) desconcertar; **confondersi** vpr (mescolarsi, turbarsi) confundirse; (sbagliare) equivocarse

confortare [konfor'tare] vt confortar

confrontare [konfron'tare] vt confrontar, comparar □ **confronto** [kon'fronto] sm (comparazione) comparación f; (DIR) careo; (POL, MIL) enfrentamiento; **in confronto (a)** en comparación (con); **si è comportato molto male nei miei/tuoi confronti** se ha portado muy mal conmigo/contigo

confusione [konfu'zjone] sf confusión f; (turbamento) turbación f; **far ~** (disordine) armar un desastre; (chiasso) armar jaleo; (confondere) confundirse

confuso, -a [kon'fuzo] pp di **confondere** ♦ agg confuso(-a)

C.O.N.I. ['kɔni] sigla m (= Comitato Olimpico Nazionale Italiano) ≈ COE m (ESP)

congedare [kondʒe'dare] vt despedir; (MIL) licenciar; **congedarsi** vpr: **congedarsi (da)** despedirse (de); (MIL) licenciarse (de)

congegno [kon'dʒeɲɲo] *sm*
mecanismo, dispositivo

congelare [kondʒe'lare] *vt (anche
ECON)* congelar; **congelarse □ congelatore**
[kondʒela'tore] *sm* congelador *m*

congestione [kondʒes'tjone] *sf
(MED)* congestión *f*

congettura [kondʒet'tura] *sf*
conjetura

congiungere [kon'dʒundʒere] *vt
(estremità, mani)* juntar;
congiungersi *vpr (unirsi: fiumi ecc)*
confluir

congiuntivite [kondʒunti'vite] *sf*
conjuntivitis *f inv*

congiuntivo [kondʒun'tivo] *sm
(LING)* subjuntivo

congiunto, -a [kon'dʒunto] *pp di*
congiungere ♦ *sm/f (parente)*
pariente *m/f*, familiar *m/f*

congiunzione [kondʒun'tsjone] *sf
(LING)* conjunción *f*

congiura [kon'dʒura] *sf*
conjuración *f*

congratularsi [kongratu'larsi] *vpr:*
~ con qn per qc congratularse con
algn por algo **□ congratulazioni**
[kongratulat'tsjoni] *sfpl*
felicitaciones *fpl*

congresso [kon'gresso] *sm*
congreso

coniare [ko'njare] *vt (anche fig)*
acuñar

coniglio [ko'niʎʎo] *sm* conejo

coniugare [konju'gare] *vt (anche
LING)* conjugar; **coniugarsi** *vpr
(sposarsi)* casarse

coniuge ['konjudʒe] *sm/f* cónyuge
m/f

connazionale [konnattsjo'nale]
sm/f compatriota *m/f*

connessione [konnes'sjone] *sf*
conexión *f*

connettere [kon'nettere] *vt
(collegare: fatti, avvenimenti)*
relacionar; *(ELETTR)* conectar ♦ *vi
(ragionare):* **non ~** no conseguir
concentrarse

cono ['kono] *sm* cono ▶ **cono
(gelato)** cucurucho

conoscente [konoʃʃente] *sm/f*
conocido(-a)

conoscenza [konoʃʃentsa] *sf*
conocimiento; *(persona conosciuta)*
conocido(-a); **perdere ~** *(svenire)*
perder el sentido

conoscere [ko'noʃʃere] *vt* conocer;
conoscersi *vpr* conocerse
□ conosciuto, -a [konoʃ'ʃuto] *pp
di* **conoscere ♦** *agg (noto)*
conocido(-a)

conquista [kon'kwista] *sf*
conquista

conquistare [konkwis'tare] *vt*
conquistar; *(amicizia)* ganar; *(far
innamorare)* enamorar

consapevole [konsa'pevole] *agg:*
~ di consciente de

conscio, -a, -sci, -sce ['kɔnʃo]
agg (consapevole) consciente; **a
livello ~** *(PSIC)* en el consciente

consecutivo, -a [konseku'tivo]
agg consecutivo(-a), seguido(-a);
(LING) consecutivo(-a)

consegna [kon'seɲɲa] *sf* entrega

consegnare [konseɲ'ɲare] *vt*
entregar

conseguenza [konse'gwentsa] *sf*
consecuencia; **di ~** como
consecuencia, por consiguiente

consenso [kon'sɛnso] *sm*
(*conformità di opinioni*) consenso;
(*assenso*) asentimiento ▶ **consenso
informato** autorización *f*

consentire [konsen'tire] *vi*
(*permettere*): ~ **a** acceder a ♦ *vt*
consentir, permitir

conserva [kon'sɛrva] *sf* conserva

conservare [konser'vare] *vt* (*generi
alimentari*) conservar; (*lettere,
oggetto, ricordo*) conservar, guardar;
(*innocenza, anonimato*) mantener
❏ **conservatore, -trice**
[konserva'tore] *agg, sm/f* (POL)
conservador(a) ❏ **conservatorio**
[konserva'tɔrjo] *sm* (MUS)
conservatorio ❏ **conservazione**
[konservat'tsjone] *sf*
mantenimiento; (*di generi
alimentari*) conservación *f*

considerare [konside'rare] *vt*
(*esaminare, reputare*) considerar;
considerarsi *vpr* considerarse

consigliare [konsiʎ'ʎare] *vt*
aconsejar; **mi può ~ un buon
ristorante?** ¿puede recomendarme
un buen restaurante? ❏ **consiglio**
[kon'siʎʎo] *sm* consejo

consistere [kon'sistere] *vi*: ~ **in**
consistir en

consolare [konso'lare] *vt* consolar;
consolarsi *vpr* consolarse

consolato [konso'lato] *sm*
consulado

consolazione [konsolat'tsjone] *sf*
consolación *f*, consuelo

console [kon'sɔle] *sm* cónsul *m/f*

consonante [konso'nante] *sf*
consonante *f*

consono, -a ['kɔnsono] *agg*: ~ **a**
conforme a

consorte [kon'sɔrte] *sm/f* consorte
m/f

constatare [konsta'tare] *vt*
constatar, verificar

consueto, -a [konsu'ɛto] *agg*
acostumbrado(-a), usual ♦ *sm*:
come di ~ como de costumbre

consulente [konsu'lɛnte] *sm/f*
asesor(a), consultor(a)

consultare [konsul'tare] *vt*
consultar; **consultarsi** *vpr*:
consultarsi con asesorarse con
❏ **consultorio** [konsul'tɔrjo] *sm*:
consultorio familiare consultorio
familiar

consumare [konsu'mare] *vt* (*usare*)
consumir; (*logorare*) gastar,
consumir; **consumarsi** *vpr*
(*logorarsi*) gastarse, consumirse

contabile [kon'tabile] *agg, sm/f*
contable *m/f*

contachilometri
[kontaki'lɔmetri] *sm inv*
cuentakilómetros *m inv*

contadino, -a [konta'dino] *sm/f*
campesino(-a), labrador(a)

contagiare [konta'dʒare] *vt*
contagiar ❏ **contagioso, -a**
[konta'dʒoso] *agg* contagioso(-a)

contagocce [konta'gottʃe] *sm inv*
cuentagotas *m inv*

contaminare [kontami'nare] *vt*
contaminar

contanti [ko'tanti] *smpl* dinero *sg* al
contado; **pagare in ~** pagar al
contado o en efectivo; **non ho ~** no
tengo dinero en efectivo

contare [kon'tare] *vt* (*enumerare*)
contar ♦ *vi* (*avere importanza*)
contar; (*fare affidamento*): ~ **su**
contar con; (*ripromettersi*): ~ **di fare**

qc tener intención de hacer algo, pensar hacer algo

contatore [konta'tore] *sm* contador *m*

contattare [kontat'tare] *vt* contactar ◻ **contatto** [kon'tatto] *sm* contacto; **mettersi in contatto con** ponerse en contacto con

conte ['konte] *sm* conde *m*

conteggiare [konted'dʒare] *vt* computar

contemporaneamente [kontemporanea'mente] *avv* al mismo tiempo

contemporaneo, -a [kontempo'raneo] *agg, sm/f* contemporáneo(-a)

contendente [konten'dɛnte] *sm/f* contendiente *m/f*, adversario(-a)

contenere [konte'nere] *vt* contener ◻ **contenitore** [konteni'tore] *sm* recipiente *m*, envase *m*

contento, -a [kon'tento] *agg* contento(-a)

contenuto, -a [konte'nuto] *agg* (*limitato*) contenido(-a) ◆ *sm* contenido

contessa [kon'tessa] *sf* condesa

contestare [kontes'tare] *vt* (*sottoporre a critica*) poner en duda, poner en tela de juicio; (*DIR: accusa, reato*) comunicar

contesto [kon'testo] *sm* (*di frase, parola*) contexto; (*situazione: familiare, sociale*) entorno

continentale [kontinen'tale] *agg* continental

continente [konti'nɛnte] *sm* continente *m*

contingente [kontin'dʒɛnte] *sm* (*MIL*) contingente *m*

continuamente [kontinua'mente] *avv* (*senza interruzione*) continuamente, sin parar; (*frequentemente, ripetutamente*) muy a menudo

continuare [kontinu'are] *vt* continuar, seguir ◆ *vi* continuar; ~ **a fare qc** seguir haciendo algo

continuo, -a [kon'tinuo] *agg* continuo(-a); **corrente continua** corriente continua; **di ~** continuamente

conto ['konto] *sm* (*calcolo*) cálculo, cuenta; (*di ristorante, albergo*) cuenta; **il ~, per favore** la cuenta, por favor; **lo metta sul mio ~** cárguelo en mi cuenta; **fare i conti con qn** ajustar las cuentas con algn; **rendersi ~ di qc/che** darse cuenta de algo/de que; **tener ~ di qc** tener en cuenta algo; **tenere qc da ~** tener mucho cuidado con algo; **per ~ di parte de; per ~ mio** (*secondo me*) según yo; (*da solo*) solo; **in fin dei conti** al fin y al cabo ▸ **conto alla rovescia** cuenta atrás ▸ **conto corrente** cuenta corriente

contorno [kon'torno] *sm* (*linea*) contorno; (*CUC*) guarnición *f*

contorto, -a [kon'tɔrto] *agg* torcido(-a); (*fig*) retorcido(-a)

contrabbandiere, -a [kontrabban'djere] *sm/f* contrabandista *m/f*

contrabbando [kontrab'bando] *sm* contrabando

contrabbasso [kontrab'basso] *sm* (*MUS*) contrabajo

contraccambiare
[kontrakkam'bjare] vt devolver,
corresponder; **per ~** para
corresponder

contraccettivo, -a
[kontratt∫et'tivo] agg
anticonceptivo(-a) ♦ sm
anticonceptivo

contraccolpo [kontrak'kolpo] sm
(di colpo, arma) rebote m; (fig)
repercusión f

contraddire [kontrad'dire] vt
contradecir; **contraddirsi** vpr
contradecirse

contraffare [kontraf'fare] vt (firma,
banconota) falsificar; (voce) simular

contrariamente
[kontrarja'mente] avv: **~ a** en contra
de

contrariare [kontra'rjare] vt
contrariar

contrario, -a [kon'trarjo] agg
contrario(-a) ♦ sm contrario; **essere
~ a** (sfavorevole) ser contrario a,
estar en contra de; **avere qualcosa
in ~** tener algo en contra; **in caso ~**
de lo contrario; **al ~** al contrario

contrarre [kon'trarre] vt (muscolo,
debito, malattia) contraer; (obbligo)
asumir

contrassegnare
[kontrassen'nare] vt marcar

contrastare [kontras'tare] vt
obstaculizar, oponerse a ♦ vi: **~
(con)** contrastar (con)

contrattacco [kontrat'takko] sm
contraataque m

contrattare [kontrat'tare] vt
contratar

contrattempo [kontrat'tempo]
sm contratiempo

contratto [kon'tratto] sm (DIR)
contrato

contravvenzione
[kontravven'tsjone] sf (multa)
multa; (violazione) infracción f

contrazione [kontrat'tsjone] sf
contracción f

contribuente [kontribu'ente] sm/f
contribuyente m/f

contribuire [kontribu'ire] vi: **~ a**
contribuir a

contro ['kontro] prep contra ♦ sm: **il
pro e il ~** los pros y los contras; **~ di
me/lui** contra mí/él; **pastiglie ~ la
tosse** pastillas contra la tos;
sbattere ~ il tavolo golpearse
contra la mesa □ **controfigura**
[kontrofi'gura] sf (CINE) doble m/f

controllare [kontrol'lare] vt
controlar; (sorvegliare) vigilar;
controllarsi vpr controlarse
□ **controllo** [kon'trɔllo] sm control
m; (sorveglianza) vigilancia; **sotto
controllo** bajo control; **visita di
controllo** revisión □ **controllore**
[kontrol'lore] sm (su treno)
revisor(a); (su autobus) inspector(a)

controluce [kontro'lut∫e] avv: **(in)
~** (essere, fotografare) a contraluz

contromano [kontro'mano] avv a
contramano

contropiede [kontro'pjede] sm
(SPORT) contragolpe m; **prendere
qn in ~** coger desprevenido a algn

controproducente
[kontroprodu't∫ente] agg
contraproducente

controsenso [kontro'senso] sm
contrasentido

controspionaggio
[kontrospio'nadd3o] sm
contraespionaje m

controversia [kontro'versja] *sf*
controversia

controverso, -a [kontro'verso]
agg controvertido(-a)

controvoglia [kontro'voʎʎa] *avv*
con desgana, de mala gana

contusione [kontu'zjone] *sf (MED)*
contusión *f*

convalescente [konvaleʃ'ʃente]
agg convaleciente

convalidare [konvali'dare] *vt*
(*documento*) convalidar; (*biglietto*)
timbrar, picar; (*fig: dubbio, sospetto*)
confirmar

convegno [kon'veɲɲo] *sm*
(*congresso*) congreso, simposio

⚠ **convegno** non si traduce mai
con la parola spagnola
convenio.

convenevoli [konve'nevoli] *smpl*
formalidades *fpl*

conveniente [konve'njɛnte] *agg*
conveniente, oportuno(-a);
(*economico*) barato(-a)

convenire [konve'nire] *vi (tornare
vantaggioso)*: ~ **a** convenir a;
(*concordare*): ~ **su** coincidir en ♦ *vb
impers* convenir; **conviene
andarsene** conviene irse

convento [kon'vento] *sm*
convento

convenzione [konven'tsjone] *sf*
convención *f*

conversare [konver'sare] *vi*
conversar ❏ **conversazione**
[konversat'tsjone] *sf* conversación *f*;
fare conversazione hablar

conversione [konver'sjone] *sf*
(*anche REL, INFORM*) conversión *f*; ~
ad U (*AUT*) cambio de sentido

convertire [konver'tire] *vt (anche
INFORM*) convertir; **convertirsi** *vpr*:
convertirsi (a) convertirse (a)

convesso, -a [kon'vɛsso] *agg*
convexo(-a)

convincente [konvin'tʃɛnte] *agg*
convincente

convincere [kon'vintʃere] *vt*
convencer; **convincersi** *vpr*:
convincersi (di qc) convencerse
(de algo); ~ **qn di qc** convencer a
algn de algo; ~ **qn a fare qc**
convencer a algn para que haga
algo

convivente [konvi'vente] *sm/f*
conviviente *m/f*

convivere [kon'vivere] *vi* convivir

convocare [konvo'kare] *vt*
convocar

convulsione [konvul'sjone] *sf*
(*MED*) convulsión *f*

cooperare [koope'rare] *vi*: ~ **(a/
con)** cooperar (en/con)
❏ **cooperativa** [koopera'tiva] *sf*
cooperativa

coordinare [koordi'nare] *vt*
coordinar

coperchio, -chi [ko'perkjo] *sm (di
scatola*) tapa; (*di pentola, barattolo*)
tapadera

coperta [ko'perta] *sf* manta; (*NAUT*)
cubierta

copertina [koper'tina] *sf (di
quaderno, libro*) portada

coperto, -a [ko'perto] *pp di
coprire* ♦ *agg* cubierto(-a) ♦ *sm (a
tavola*) cubierto; **al** ~ a cubierto

copertone [koper'tone] *sm (AUT)*
cubierta

copertura [koper'tura] *sf* cobertura

copia ['kɔpja] sf (di foto, documento, quadro) copia; (di giornale, libro) ejemplar m; (in sucio, borrador m; **bella ~** copia in limpio ❑ **copiare** [ko'pjare] vt copiar; (duplicare: dischetto, cassetta) grabar

copione [ko'pjone] sm (CINE, TEATRO) guión m

coppa ['kɔppa] sf (bicchiere, gelato, trofeo) copa; (per frutta) cuenco ▶ **coppa dell'olio** (AUT) cárter m

coppia ['kɔppja] sf (di sposi, animali) pareja; (di oggetti) par m

coprifuoco, -chi [kopri'fwɔko] sm toque m de queda

copriletto [kopri'letto] sm inv colcha

coprire [ko'prire] vt cubrir; (mobile, piatto) tapar; (con indumenti, coperta) tapar, abrigar; (parete) llenar; **coprirsi** vpr (persona: con indumenti, coperta) taparse, abrigarse; (cielo) cubrirse

coque [kɔk] sf: **uovo alla ~** huevo pasado por agua

coraggio [ko'raddʒo] sm valentía, coraje m; **~!** ¡ánimo!; **farsi ~** animarse; **hai un bel ~!** (sfacciataggine) ¡qué cara tienes!

corallo [ko'rallo] sm coral m

Corano [ko'rano] sm (REL) Corán m

corazza [ko'rattsa] sf (di guerriero) coraza; (di animali) caparazón m

corda ['kɔrda] sf cuerda ▶ **corda vocale** cuerda vocal

cordiale [kor'djale] agg cordial

cordless ['kɔrdles] agg inv, sm inv: **(telefono) ~** (teléfono) inalámbrico

cordone [kor'done] sm cordón m ▶ **cordone ombelicale** cordón umbilical

Cordova ['kɔrdova] sf Córdoba

coreografia [koreogra'fia] sf coreografía

coriandolo [ko'rjandolo] sm (spezia) cilantro; **coriandoli** smpl (per carnevale ecc) confetis mpl

cornacchia [kor'nakkja] sf corneja

cornamusa [korna'muza] sf cornamusa, gaita

cornetta [kor'netta] sf (TEL) auricular m

cornetto [kor'netto] sm (brioche) cruasán m; (gelato) cucurucho

cornice [kor'nitʃe] sf marco

cornicione [korni'tʃone] sm (ARCHIT) cornisa

corno ['kɔrno] sm (ZOOL: pl(f) corna) cuerno; (MUS) corno

Cornovaglia [korno'vaʎʎa] sf Cornualles m

cornuto, -a [kor'nuto] agg (anche fig) cornudo(-a)

coro ['kɔro] sm (MUS) coro

corona [ko'rona] sf corona

corpo ['kɔrpo] sm cuerpo ❑ **corporatura** [korpora'tura] sf complexión f

correggere [kor'reddʒere] vt corregir

corrente [kor'rɛnte] agg (acqua, prezzo) corriente; (moneta) en curso ♦ sm: **essere/mettere al ~ (di)** estar/poner al corriente (de) ♦ sf (di acqua, aria, ELETTR) corriente f; **contro ~** contra corriente; **ci sono forti correnti?** ¿hay fuertes corrientes? ▶ **corrente alternata/continua** corriente alterna/continua

❑ **correntemente**
[korrente'mente] *avv*
correntemente

correre ['korrere] *vt, vi* correr; ~ **dietro a qn** correr detrás de algn; **corre voce che ...** corre la voz de que ...

corretto, -a [kor'retto] *agg* (*risposta, comportamento*) correcto(-a); (*compito*) bueno(-a); (*persona, comportamento*) honrado(-a)

correzione [korret'tsjone] *sf* corrección f

corridoio [korri'dojo] *sm* pasillo, corredor m; **vorrei un posto sul ~** quisiera un asiento junto al pasillo

corridore [korri'dore] *sm* corredor(a)

corriera [kor'rjera] *sf* autobús m de línea

corriere [kor'rjere] *sm* (*per trasporto merci*) mensajero(-a); (*azienda*) mensajería

corrimano [korri'mano] *sm* (*di scala*) barandilla

corrispondente
[korrispon'dente] *agg*
correspondiente ◆ *sm/f* (*giornalista*) corresponsal *m/f*

corrispondenza
[korrispon'dentsa] *sf* (*relazione, scambio epistolare*) correspondencia

corrispondere [korris'pondere] *vt* (*equivalere*): ~ **a** corresponder a

corrodere [kor'rodere] *vt* corroer

corrompere [kor'rompere] *vt* corromper

corroso, -a [kor'roso] *pp di* **corrodere** ◆ *agg* corroído(-a)

corrotto, -a [kor'rotto] *pp di* **corrompere** ◆ *agg* corrupto(-a)

corrugare [korru'gare] *vt*: ~ **la fronte** fruncir el ceño

corruzione [korrut'tsjone] *sf* corrupción f

corsa ['korsa] *sf* carrera; (*di autobus, taxi*) viaje m, recorrido; **fare una ~** echar una carrera ▶ **corsa ad ostacoli** carrera de obstáculos

corsia [kor'sia] *sf* (AUT) carril m; (*di pista*) calle f; (*di ospedale*) crujía

corsivo, -a [kor'sivo] *agg* cursivo(-a) ◆ *sm* (TIP) cursiva

corso ['korso] *sm* (SCOL) curso; (*via*) avenida; **nel ~ di** durante; in curso; **"lavori in ~"** "en obras" ▶ **corso d'acqua** curso de agua

corte ['korte] *sf* (*reggia*) corte f; **fare la ~ a qn** cortejar a algn

corteccia, -ce [kor'tettʃa] *sf* corteza

corteggiare [korted'dʒare] *vt* cortejar

corteo [kor'tεo] *sm* cortejo, desfile m

cortese [kor'teze] *agg* cortés ❑ **cortesia** [korte'zia] *sf* cortesía; **per cortesia** por favor

cortile [kor'tile] *sm* patio; (*per animali*) corral m

corto, -a ['korto] *agg* corto(-a); **essere a ~ di qc** estar sin algo, estar escaso(-a) de algo; **la settimana corta** la semana laboral de cinco días ▶ **corto circuito** corto circuito

corvo ['korvo] *sm* cuervo

cosa ['kɔsa] *sf* (*oggetto*) cosa; (*faccenda*) cosa, asunto; (**che**) ~?

¿qué?; **(che) cos'è?** ¿qué es eso?; **a ~ pensi?** ¿en qué piensas?

coscia, -sce [kɔʃʃa] sf (ANAT, di pollo) muslo; (di maiale) jamón m

cosciente [koʃʃɛnte] agg consciente; **~ di** consciente de

così

PAROLA CHIAVE

[ko'si] avv

1 (in questo modo) así; **le cose stanno così** las cosas son así; **non ho detto così!** ¡no he dicho eso!; **come stai? - così così?** ¿cómo estás? - así así o más o menos; **e così via** y así por el estilo; **per così dire** por así decirlo

♦ cong

1 (perciò) entonces, por consiguiente; **e così ho deciso di lasciarlo** y entonces decidí dejarlo

2: **così ... come** tan ... como; **non è così intelligente come sembra** no es tan inteligente como parece; **così ... che** tan ... que; **ero così stanco che non riuscivo a lavorare** estaba tan cansado que no conseguía trabajar; **così sia** (amen) así sea

cosiddetto, -a [kosid'detto] agg así llamado(-a)

cosmetico, -a, -ci, -che [koz'metiko] agg cosmético(-a) ♦ sm cosmético

cospargere [kos'pardʒere] vt: **~ di** (di sale) esparcir; (di zucchero, farina) espolvorear

cospicuo, -a [kos'pikuo] agg (somma, patrimonio) considerable;

(intelligenza) conspicuo(-a), sobresaliente

cospirare [kospi'rare] vi conspirar

costa [kɔsta] sf (litorale) costa, litoral m; **la C~ Azzurra** la Costa Azul

costante [kos'tante] agg, sf constante (f)

costare [kos'tare] vi costar; **~ caro** costar caro; **quanto costa?** ¿cuánto cuesta?

costata [kos'tata] sf (CUC) chuleta

costeggiare [kosted'dʒare] vt costear

costiero, -a [kos'tjero] agg costero(-a)

costituire [kostitu'ire] vt (fondare: comitato, gruppo) constituir; (rappresentare) representar; **essere costituito da** (formato) estar formado por □ **costituzione** [kostitut'tsjone] sf constitución f

costo [kɔsto] sm costo, coste m; **a ~ di** a costa de; **ad ogni ~, a tutti i costi** a toda costa, cueste lo que cueste

costola [kɔstola] sf (ANAT) costilla

costoso, -a [kos'toso] agg costoso(-a)

costringere [kos'trindʒere] vt obligar; **~ qn a fare qc** obligar a algn a hacer algo

costruire [kostru'ire] vt construir □ **costruzione** [kostrut'tsjone] sf construcción f

costume [kos'tume] sm (abitudine, uso) costumbre f, hábito; (di Carnevale) disfraz m; (tradizionale) traje f; **i costumi** (di popolazione) las costumbres ▶ **costume (da bagno)** (da uomo, donna) bañador m

cotenna [ko'tenna] *sf* hoja o corteza de tocino

cotoletta [koto'letta] *sf (senza osso)* escalope *m; (con osso)* chuleta

cotone [ko'tone] *sm* algodón *m; (pianta)* algodonero *m;* **cotone idrofilo** algodón hidrófilo

cotta ['kɔtta] *sf (fam: innamoramento)* chifladura; **prendersi una ~ per qn** estar colado(-a) por algn

cottimo ['kɔttimo] *sm:* **a ~** *(lavorare, pagare)* a destajo

cotto, -a ['kɔtto] *pp di* **cuocere** ♦ *agg* cocido(-a); *(fam: innamorato)* chiflado(-a), colado(-a)

cottura [kot'tura] *sf* cocción *f*

covare [ko'vare] *vt (uova)* empollar, incubar; *(fig: odio, rancore)* guardar; *(: malattia)* incubar

covo ['kɔvo] *sm (di ladri ecc)* madriguera

covone [ko'vone] *sm* gavilla *f*

cozza ['kɔttsa] *sf* mejillón *m*

cozzare [kot'tsare] *vi:* **~ contro** chocar contra; *(fig: opporsi)* oponerse a

crampo ['krampo] *sm* calambre *m;* **ho un ~ alla gamba** tengo un calambre en la pierna

cranio ['kranjo] *sm* cráneo *m*

cratere [kra'tere] *sm* cráter *m*

cravatta [kra'vatta] *sf* corbata

creare [kre'are] *vt* crear

credente [kre'dɛnte] *sm/f (REL)* creyente *m/f*

credenza [kre'dɛntsa] *sf (fede)* creencia; *(convinzione)* convicción *f; (armadio)* aparador *m*

credere [ˈkrɛdere] *vi, vt* creer; **~ a qc/a qn** creer algo/a algn; **~ in** *(in Dio,*

amicizia, valori) creer en; **credo che ...** creo que ...; **ti credevo onesto** pensaba que eras honesto

credito [ˈkredito] *sm* crédito; **comprare a ~** comprar a crédito; **dare ~ a** dar crédito a

crema [ˈkrɛma] *sf* crema; *(da scarpe)* betún *m;* **alla ~** *(torta, gelato)* de crema; **vorrei una ~ solare con fattore di protezione 6** quisiera una crema con factor de protección 6 ► **crema solare** crema bronceadora

cremare [kre'mare] *vt* incinerar

crepa [ˈkrepa] *sf* grieta
❑ **crepaccio, -ci** [kre'pattʃo] *sm* hendidura, barranco; *(nel ghiaccio)* grieta

crepacuore [krepa'kwɔre] *sm:* **morire di ~** morir de pena

crepare [kre'pare] *vi* agrietarse; *(fam: morire)* morirse; **~ dalle risa** desternillarse de risa; **~ d'invidia** morirse de envidia

crêpe [krɛp] *sf inv* crepe *f*

crepuscolo [kre'puskolo] *sm* crepúsculo

crescere [ˈkreʃʃere] *vi* crecer; *(paura, prezzo ecc)* aumentar ♦ *vt (figli)* criar

cresima [ˈkrɛzima] *sf (REL)* confirmación *f*

crespo, -a [ˈkrespo] *agg* crespo(-a)

cresta [ˈkresta] *sf (di gallo, monte)* cresta

creta [ˈkreta] *sf* creta

cretinata [kreti'nata] *sf (fam):* **dire/ fare una ~** decir/hacer una tontería o chorrada

cretino, -a [kre'tino] *agg, sm/f* cretino(-a)

CRI [kri] *sigla f* (= *Croce Rossa Italiana*) ≈ CRE *f* (*ESP*)

cric [krik] *sm inv* (*AUT*) gato

criceto [kri'tʃeto] *sm* hámster *m/f*

criminale [krimi'nale] *agg, sm/f* criminal *m/f*

criminalità [kriminali'ta] *sf* criminalidad *f inv*

crimine ['krimine] *sm* (*DIR*) crimen *m*

criptare [krip'tare] *vt* (*TV*) codificar

crisantemo [krizan'temo] *sm* crisantemo

crisi ['krizi] *sf inv* crisis *f inv*

cristallo [kris'tallo] *sm* cristal *m*
  ▶ **cristalli liquidi** cristales líquidos

cristianesimo [kristja'nezimo] *sm* cristianismo

cristiano, -a [kris'tjano] *agg, sm/f* cristiano(-a)

Cristo ['kristo] *sm* Cristo

criterio [kri'tɛrjo] *sm* criterio

critica, -che ['kritika] *sf* (*giudizio negativo, esame*) crítica □ **criticare** [kriti'kare] *vt* criticar □ **critico, -a, -ci, -che** ['kritiko] *agg* crítico(-a) ♦ *sm* crítico

croato, -a [kro'ato] *agg, sm/f* croata *m/f*

Croazia [kro'attsja] *sf* Croacia

croccante [krok'kante] *agg* crujiente

croce ['krotʃe] *sf* cruz *f* ▶ **Croce Rossa** Cruz Roja

crociera [kro'tʃɛra] *sf* crucero

crocifisso [krotʃi'fisso] *sm* crucifijo

crollare [krol'lare] *vi* (*anche fig*) derrumbarse, desplomarse □ **crollo** ['krɔllo] *sm* (*anche fig, ECON*) desplome *m*

cromato, -a [kro'mato] *agg* cromado(-a)

cromo ['krɔmo] *sm* cromo

cronaca, -che ['krɔnaka] *sf* crónica; **fatto di ~** hecho de crónica ▶ **cronaca nera** crónica negra, sucesos *mpl*

cronico, -a, -ci, -che ['krɔniko] *agg* crónico(-a)

cronista, -i [kro'nista] *sf* (*STAMPA*) cronista *m/f*

cronometro [kro'nɔmetro] *sm* cronómetro

crosta ['krɔsta] *sf* (*di pane, formaggio*) corteza; (*di ferita*) postilla □ **crostacei** [kros'tatʃei] *smpl* crustáceos *mpl* □ **crostata** [kros'tata] *sf* (*CUC*) tarta □ **crostino** [kros'tino] *sm* (*CUC*) tostada

cruciale [kru'tʃale] *agg* crucial

cruciverba [krutʃi'vɛrba] *sm inv* crucigrama *m*

crudele [kru'dele] *agg* cruel

crudo, -a ['krudo] *agg* crudo(-a)

crumiro, -a [kru'miro] *sm/f* (*peg*) esquirol *m/f*

crusca ['kruska] *sf* salvado

cruscotto [krus'kɔtto] *sm* (*AUT*) salpicadero

CSI [tʃiesse'i] *sigla f* (= *Comunità di Stati Indipendenti*) CEI *f*

CSM [tʃi'esse'emme] *sigla m* (= *Consiglio Superiore della Magistratura*) CSM *m*

Cuba ['kuba] *sf* Cuba □ **cubano, -a** [ku'bano] *sm/f* cubano(-a)

cubetto [ku'betto] *sm* cubito ▶ **cubetto di ghiaccio** cubito de hielo

cubico, -a, -ci, -che ['kubiko] *agg* cúbico(-a)

cubista, -i, -e [ku'bista] *agg (ARTE)* cubista ♦ *sf (in discoteca)* go-go *f*

cubo ['kubo] *sm* cubo; *(GEOM)* cubo; *(in discoteca)* torreta; **elevare al ~** *(MAT)* elevar al cubo; **metro/centimetro ~** metro/centímetro cúbico

cuccagna [kuk'kaɲɲa] *sf*: **albero della ~** cucaña; **paese della ~** país *m* de jauja

cuccetta [kut'tʃetta] *sf (FERR, NAUT)* litera

cucchiaiata [kukkja'jata] *sf* cucharada

cucchiaino [kukkja'ino] *sm (posata)* cucharilla; *(quantità)* cucharadita

cucchiaio [kuk'kjajo] *sm (posata)* cuchara; *(quantità)* cucharada

cuccia, -ce ['kuttʃa] *sf (del cane)* caseta, perrera; **a ~!** ¡a piltra!

cucciolo ['kuttʃolo] *sm (di cane)* cachorro

cucina [ku'tʃina] *sf (stanza, arte, apparecchio)* cocina ▸ **cucina componibile** cocina integral o modular ◻ **cucinare** [kutʃi'nare] *vt* cocinar, guisar

cucire [ku'tʃire] *vt* coser ◻ **cucitrice** [kutʃi'tritʃe] *sf (per fogli)* grapadora

cucù [ku'ku] *sm inv (ZOOL)* cuco; **orologio a ~** reloj *m* de cuco

cuffia ['kuffja] *sf (da infermiera)* cofia; *(per neonato, da bagno)* gorro; *(per ascoltare)* casco

cugino, -a [ku'dʒino] *sm/f* primo(-a)

cui ['kui] *pron*

PAROLA CHIAVE

1 *(complemento di termine)*: **(a) cui** *(: persona)* a quien, al (a la) cual o que; *(: animale, cosa)* al (a la) cual o que; *(: ai quali: persona)* a quienes, a los (las) cuales o que; *(: animale, cosa)* a los (las) cuales o que; **la persona (a) cui accennavo** la persona a la que me refería

2 *(con altre prep: persona)* quien, el (la) cual o que; *(: cosa)* el (la) cual o que; *(: luogo)* donde, el (la) cual o que; *(: plurale: persona)* quienes, los (las) cuales o que; *(: animale, cosa)* los (las) cuales o que; **la penna con cui scrivo** el bolígrafo con el que escribo; **il paese da cui viene** el país de donde viene; **parla varie lingue, fra cui l'inglese** habla varias lenguas, entre ellas inglés; **il quartiere in cui abita** el barrio en el que vive; **la ragione per cui ho taciuto** el motivo por el que me he callado

3 *(inserito tra articolo e sostantivo)* cuyo(-a); **la donna i cui figli sono scomparsi** la mujer cuyos hijos han desaparecido

culinaria [kuli'narja] *sf* cocina

culla ['kulla] *sf* cuna ◻ **cullare** [kul'lare] *vt* acunar

culmine ['kulmine] *sm (di gioia, felicità ecc)* culmen *m*, ápice *m*

culo ['kulo] *sm (fam!)* culo *(fam!)*; *(: fig: fortuna)*: **aver ~** tener suerte

culto ['kulto] *sm (religione)* credo; *(adorazione)* culto

cultura [kul'tura] *sf* cultura ◻ **culturale** [kultu'rale] *agg* cultural

culturismo [kultu'rizmo] *sm* culturismo

cumulativo, -a [kumula'tivo] *agg* (*prezzo*) acumulativo(-a); (*biglietto*) colectivo(-a)

cumulo ['kumulo] *sm* montón f

cunetta [ku'netta] *sf* (*di strada*) badén m; (*scolo*) cuneta

cuocere ['kwɔtʃere] *vt, vi* cocer

cuoco, -a, -chi, -che ['kwɔko] *sm/f* cocinero(-a)

cuoio ['kwɔjo] *sm* cuero

cuore ['kwɔre] *sm* (ANAT, fig) corazón m; **cuori** *smpl* (CARTE) corazones *mpl*; **avere buon ~** tener buen corazón; **stare a ~ a qn** importar a algn; **nel ~ di** (*città, notte*) en el corazón de

cupo, -a ['kupo] *agg* (*colore*) oscuro(-a); (*suono, tono*) cavernoso(-a); (*persona*) taciturno(-a)

cupola ['kupola] *sf* cúpula, cimborrio

cura ['kura] *sf* (*accuratezza*) cuidado, atención f; (MED) cura; **aver ~ di qn** (*occuparsi di*) cuidar de algn; **prendersi ~ di** cuidar de; **a ~ di** (*libro, actas*) editado(-a) por; **fare una ~** hacer un tratamiento ♦ **cura dimagrante** tratamiento para adelgazar

curare [ku'rare] *vt* (*malato, malattia*) curar, sanar; **curarsi** *vpr* (MED) curarse, sanarse; **curarsi di** (*prestare attenzione*) preocuparse de; (*occuparsi di*) ocuparse de

curiosare [kurjo'sare] *vi* curiosear

curiosità [kurjosi'ta] *sf* curiosidad f

curioso, -a [ku'rjoso] *agg* curioso(-a); (*bizzarro*) extraño(-a), raro(-a)

cursore [kur'sore] *sm* (INFORM) cursor m

curva ['kurva] *sf* curva ❑ **curvare** [kur'vare] *vt* doblar ♦ *vi* (*strada*) torcer; **curvarsi** *vpr* (*abbassarsi*) agacharse, inclinarse; (*diventar curvo*) curvarse ❑ **curvo, -a** ['kurvo] *agg* (*linea*) curvo(-a); (*schiena, persona*) encorvado(-a)

cuscinetto [kuʃʃi'netto] *sm* (TECN) cojinete m ▸ **cuscinetto a sfere** (TECN) cojinete a bolas

cuscino [kuʃ'ʃino] *sm* (*guanciale*) almohada; (*su divano*) cojín m

custode [kus'tɔde] *sm/f* (*di fabbrica, carcere*) guardián(-ana); (*di parco, museo*) guarda m/f; (*di casa*) portero(-a), casero(-a) ❑ **custodia** [kus'tɔdja] *sf* (*tutela*) custodia; (*astuccio*) funda ❑ **custodire** [kusto'dire] *vt* (*oggetto, segreto*) guardar

CV *abbr* (= *curriculum vitae*) CV m

cybercaffè [tʃiberkaf'fɛ] *sm inv* cibercafé m

cybernauta, -i, -e [tʃiber'nauta] *sm/f* cibernauta m/f

cyberspazio [tʃiber'spattsjo] *sm* ciberespacio

Dd

da

PAROLA CHIAVE

[da] (*da* + *il* = **dal**, *da* + *lo* = **dallo** + *l'* = **dall'**, *da* + *la* = **dalla**, *da* + *i* = **dai**, *da* + *gli* = **dagli**, *da* + *le* = **dalle**) *prep*

1 (*agente*) por; **scritto da un ragazzo di 15 anni** escrito por un chico de 15 años; **dipinto da un grande artista** pintado por un gran artista

2 (*causa*) de; **tremare dalla paura/ dal freddo** temblar de miedo/ tiritar de frío; **urlare dal dolore** gritar de dolor

3 (*stato in luogo*) en; **abito da lui** vivo en su casa; **sono dal giornalaio** estoy en el quiosco de prensa; **ero da Francesco** estaba en casa de Francisco

4 (*moto a luogo*) a; (*a casa di*) a casa de; (*moto per luogo*) por; **vado dal dentista** voy al dentista; **vado da Pietro** voy a casa de Pedro; **sono passati dalla finestra** han entrado por la ventana

5 (*provenienza, allontanamento*) de; **arrivare/partire da Milano** llegar/ salir de Milán; **scendere dal treno/ dalla macchina** bajar del tren/del coche; **arrivo ora dalla stazione** llego ahora de la estación; **viene dalla Francia** viene de Francia

6 (*descrittivo*) de; **una macchina da corsa** un coche de carreras; **una ragazza dai capelli biondi** una chica de pelo rubio; **abbigliamento da uomo** ropa de hombre; **qualcosa da bere/ mangiare** algo de beber/comer; **una banconota da 500** un billete de 500

daccapo, da capo [dak'kapo] *avv* (*di nuovo*) de nuevo; (*dal principio*) desde el principio

dado ['dado] *sm* dado; (CUC) caldo; (: *da brodo*) avecrem® *m inv*; (TECN) tuerca; **dadi** *smpl* (*gioco*) dados

daino ['daino] *sm* gamo; (**pelle di ~**) (piel de) ante

daltonico, -a, -ci, -che [dal'tɔniko] *agg* daltónico(-a)

dama ['dama] *sf* (*signora*) dama; (*di ballerino*) compañera; (*gioco*) damas *fpl*

damigiana [dami'dʒana] *sf* damajuana

danese [da'nese] *agg, sm/f* danés(-esa) ♦ *sm* (*lingua*) danés *m*

Danimarca [dani'marka] *sf* Dinamarca

dannazione [dannat'tsjone] *escl* ¡maldita sea!, ¡maldición!

danneggiare [danned'dʒare] *vt* (*merce, macchina ecc*) estropear; (*persona, reputazione*) perjudicar

danno ['danno] *vb vedi* **dare** ♦ *sm* (*a persone, cose*) daño, perjuicio; **danni** *smpl* (DIR) daños *mpl*; **subire/ causare danni** (*persona*) sufrir/ causar daños ❏ **dannoso, -a** [dan'noso] *agg* **dannoso (a o per)** perjudicial (para), dañino(-a) (para)

Danubio [da'nubjo] *sm* Danubio

danza ['dantsa] *sf* danza ❏ **danzare** [dan'tsare] *vt, vi* danzar

dappertutto [dapper'tutto] *avv* por todas partes

dapprima [dap'prima] *avv* en un primer momento

dare ['dare] *vt* dar ♦ *vi* (*guardare*): ~ **su** dar a; **darsi** *vpr* darse; ~ **qc a qn** dar algo a algn; ~ **da mangiare a qn** dar de comer a algn; **darsi a** (*dedicarsi*) dedicarse a; (*al gioco, ai vizi*) darse a; **può darsi** puede ser

data ['data] *sf* fecha ▶ **data di nascita** fecha de nacimiento

dato, -a ['dato] *agg* determinado(-a) ♦ *sm* dato; **dati** *smpl* (*informazioni*) datos *mpl*; ~ **che**

dado que; **un ~ di fatto** una evidencia

datore, -trice [da'tore] sm/f: **~ di lavóro** patrono(-a)

dattero ['dattero] sm dátil m

dattilografia [dattilogra'fia] sf mecanografía □ **dattilografo, -a** [datti'lɔgrafo] sm/f mecanógrafo(-a)

davanti [da'vanti] avv delante ♦ agg inv delantero(-a), anterior ♦ sm inv delantera f inv ♦ prep: **~ a** delante de

davanzale [davan'tsale] sm antepecho

davvero [dav'vero] avv de verdad, verdaderamente

d.C. abbr avv (= dopo Cristo) d.C., d. de C.

dea ['dɛa] (pl dee) sf diosa

debito ['debito] sm (pecuniario, morale) deuda; **avere un ~** tener una deuda

debole ['debole] agg débil; (suono) flojo(-a); (luce) tenue ♦ sm punto flaco; **avere un ~ per qc/qn** tener una debilidad por algo/algn □ **debolezza** [debo'lettsa] sf debilidad f

debuttare [debut'tare] vi (a teatro) debutar

decadente [deka'dɛnte] agg decadente

decaffeinato, -a [dekaffei'nato] agg: (**caffè**) **~** (café m) descafeinado

decapitare [dekapi'tare] vt decapitar, degollar

decappottabile [dekappot'tabile] agg, sf descapotable (m)

decennio [de'tʃɛnnjo] sm decenio

decente [de'tʃɛnte] agg decente

decesso [de'tʃɛsso] sm fallecimiento

decidere [de'tʃidere] vt decidir ♦ vi decidir, determinar; **~ che ...** decidir que ...; **~ di fare** decidir hacer

decifrare [detʃi'frare] vt (scritto, messaggio) descifrar

decimale [detʃi'male] agg decimal

decimo, -a ['dɛtʃimo] agg, sm/f décimo(-a) ♦ sm décimo; vedi anche **quinto**

decina [de'tʃina] sf decena

decisione [detʃi'zjone] sf decisión f; **prendere una ~** tomar una decisión

decisivo, -a [detʃi'zivo] agg decisivo(-a)

deciso, -a [de'tʃizo] pp di **decidere** ♦ agg (persona) decidido(-a); (tono) firme

declinare [dekli'nare] vt (offerta, invito) rechazar; (LING) declinar □ **declinazione** [deklinat'tsjone] sf (di offerta, invito) rechazo; (LING) declinación f □ **declino** [de'klino] sm decadencia, ocaso

decodificatore [dekodifika'tore] sm descodificador m

decollare [dekol'lare] vi despegar □ **decollo** [de'kɔllo] sm despegue m

decorare [deko'rare] vt (appartamento) decorar; (torta) adornar; (MIL) condecorar □ **decorazione** [dekorat'tsjone] sf decoración f; (MIL) condecoración f

decreto [de'kreto] sm decreto ▸ **decreto legge** decreto ley

dedica, -che ['dedika] sf dedicatoria □ **dedicare** [dedi'kare] vt dedicar; **dedicarsi** vpr: **dedicarsi a** entregarse a

dedito, -a ['dedito] agg: ~ a (a studio, lavoro) dedicado(-a) a

dedurre [de'durre] vt (concludere) deducir

deficiente [defi'tʃɛnte] agg (carente) deficiente; (peg) imbécil ♦ sm/f (ritardato mentale) deficiente m/f; (peg) imbécil m/f

deficit ['defitʃit] sm inv déficit m

definire [defi'nire] vt (vocabolo) definir; (questione) resolver □ **definitiva** [defi'nitiva] sf: in **definitiva** en definitiva □ **definitivo, -a** [defi'nitivo] agg definitivo(-a) □ **definizione** [definit'tsjone] sf (di parola) definición f; (di vertenza) resolución f; (di disputa) solución f

deformare [defor'mare] vt deformar; **deformarsi** vpr deformarse □ **deforme** [de'forme] agg deforme

defunto, -a [de'funto] agg, sm/f difunto(-a)

degenerare [dedʒene'rare] vi degenerar

degente [de'dʒɛnte] sm/f hospitalizado(-a)

deglutire [deglu'tire] vt deglutir

degnare [deɲ'ɲare] vt: ~ di (occhiata, sguardo) considerar digno(-a) de; **degnarsi** vpr: **degnarsi di fare qc** dignarse a hacer algo

degno, -a ['deɲɲo] agg digno(-a); ~ **di lode** digno de alabanza

degrado [de'grado] sm: ~ **urbano** deterioro urbano

delega, -ghe ['dɛlega] sf (DIR) poder m

delfino [del'fino] sm (ZOOL) delfín m; (stile di nuoto) mariposa

delicato, -a [deli'kato] agg delicado(-a)

delinquente [delin'kwɛnte] sm/f delincuente m/f □ **delinquenza** [delin'kwɛntsa] sf delincuencia

delirare [deli'rare] vi delirar □ **delirio** [de'lirjo] sm delirio; **andare in delirio** (fig) caer en delirio

delitto [de'litto] sm delito

delizioso, -a [delit'tsjoso] agg (persona, cibo, serata) delicioso(-a); (abito) precioso(-a)

deltaplano [delta'plano] sm ala delta m; **volo col** ~ vuelo en ala delta

deludente [delu'dɛnte] agg decepcionante

deludere [de'ludere] vt (persona, aspettative) defraudar □ **delusione** [delu'zjone] sf (personale) desilusión f, decepción f; (libro, film) decepción □ **deluso, -a** [de'luzo] pp di **deludere** ♦ agg defraudado(-a), decepcionado(-a)

democratico, -a, -ci, -che [demo'kratiko] agg democrático(-a)

democrazia [demokrat'tsia] sf democracia

demolire [demo'lire] vt demoler, derribar

demonio [de'mɔnjo] sm demonio

denaro [de'naro] sm dinero

densità [densi'ta] sf densidad f

denso, -a ['dɛnso] agg (liquido, nebbia) denso(-a), espeso(-a); (fumo, popolazione) denso(-a); (nube) cargado(-a); **un periodo ~ di avvenimenti** un período cargado de acontecimientos

dente ['dɛnte] *sm* (ANAT, TECN) diente *m*; **al ~** (CUC) al dente ▸ **denti da latte** dientes de leche ▸ **denti del giudizio** muelas *fpl* del juicio ❏ **dentiera** [den'tjɛra] *sf* dentadura postiza ❏ **dentifricio** [denti'fritʃo] *sm* dentífrico ❏ **dentista, -i, -e** [den'tista] *sm/f* dentista *m/f*

dentro ['dentro] *avv* (nell'interno, in casa) dentro; (fig: nell'intimo) por dentro, dentro ♦ *prep*: **~ (a)** dentro de; **essere/andare ~** (in casa) estar/ir dentro; **qui/là ~** aquí/allí dentro; **piegato in ~** doblado hacia adentro; **~ di sé** dentro de sí, por dentro

denuncia, -ce o **-cie** [de'nuntʃa] *sf* denuncia; **fare una** o **sporgere ~ contro qn** poner o presentar una denuncia contra algn ❏ **denunciare** [denun'tʃare] *vt* (furto, ladro) denunciar; (reddito) declarar; **vorrei denunciare un furto** quisiera denunciar un robo

denutrito, -a [denu'trito] *agg* desnutrido(-a) ❏ **denutrizione** [denutrit'tsjone] *sf* desnutrición *f inv*

deodorante [deodo'rante] *agg, sm* desodorante (*m*)

deperire [depe'rire] *vi* (persona) agotarse, consumirse; (merce) estropearse, deteriorarse

depilarsi [depi'larsi] *vpr* depilarse ❏ **depilatorio, -a** [depila'tɔrjo] *agg* depilatorio(-a)

dépliant [depli'ɑ̃] *sm inv* folleto publicitario

deplorevole [deplo'revole] *agg* reprobable

deporre [de'porre] *vt* (mettere giù) poner; (testimoniare, spodestare)

deponer; **~ le armi** deponer las armas; **~ le uova** desovar

deportare [depor'tare] *vt* deportar

depositare [depozi'tare] *vt* (denaro, valori) depositar; **depositarsi** *vpr* (detriti, sedimenti) depositarse

deposito [de'pɔzito] *sm* (BANCA) imposición *f*; (magazzino) depósito; (sedimento) sedimento ▸ **deposito bagagli** consigna

deposizione [depozit'tsjone] *sf* (DIR) declaración *f* (testifical)

depravato, -a [depra'vato] *agg, sm/f* depravado(-a)

depredare [depre'dare] *vt* (città) saquear; (persona) despojar

depressione [depres'sjone] *sf* (PSIC, ECON ecc) depresión *f*

depresso, -a [de'presso] *agg* deprimido(-a)

deprezzare [depret'tsare] *vt* depreciar

deprimente [depri'mɛnte] *agg* deprimente

deprimere [de'primere] *vt* deprimir

depurare [depu'rare] *vt* (acqua) depurar; (aria) purificar

deputato, -a [depu'tato] *sm/f* diputado(-a)

deragliare [deraʎ'ʎare] *vi* descarrilar

deridere [de'ridere] *vt* escarnecer

deriva [de'riva] *sf* (NAUT) deriva; **andare alla ~** ir a la deriva; (fig) ir sin rumbo fijo

derivare [deri'vare] *vi* (parola): **~ da** derivar de; (essere causato: difetti, timidezza ecc) deberse a

dermatologo, -a, -gi, -ghe
[derma'tɔlogo] *sm/f*
dermatólogo(-a)

derubare [deru'bare] *vt* robar; **~ qn di qc** robar algo a algn

descrivere [des'krivere] *vt* describir □ **descrizione** [deskrit'tsjone] *sf* descripción *f*

desertico, -a [de'zɛrtiko] *agg* desértico(-a)

deserto, -a [de'zɛrto] *agg* desierto(-a) ♦ *sm* desierto

desiderare [deside'rare] *vt* (anche sessualmente) desear; **~ fare qc** desear hacer algo; **~ che qn faccia qc** desear o querer que algn haga algo; **desidera?** (in un negozio) ¿qué desea?; **desidera bere qualcosa?** ¿desea o quiere beber algo?; **è desiderato al telefono** lo llaman por teléfono □ **desiderio** [desi'dɛrjo] *sm* deseo □ **desideroso, -a** [deside'roso] *agg*: **desideroso di** deseoso(-a) de

desinenza [dezi'nɛntsa] *sf* desinencia

desistere [de'sistere] *vi*: **~ (da)** desistir (de)

desolato, -a [dezo'lato] *agg* desolado(-a)

destinare [desti'nare] *vt*: **~ a** (somma) destinar a; (lettera, pacco) dirigir a; **in data da destinarsi** con fecha aún por determinar □ **destinatario, -a** [destina'tarjo] *sm/f* (di lettera, pacco) destinatario(-a) □ **destinazione** [destinat'tsjone] *sf* destino

destino [des'tino] *sm* destino, sino

destituire [destitu'ire] *vt* destituir

destra ['destra] *sf* derecha; **la ~** (POL) la derecha; **a ~** a la derecha

destreggiarsi [destred'dʒarsi] *vpr* manejarse

destrezza [des'trettsa] *sf* destreza

destro, -a ['dɛstro] *agg* derecho(-a)

detenere [dete'nere] *vt* (titolo, primato) tener, poseer □ **detenuto, -a** [déte'nuto] *sm/f* presidiario(-a)

detergente [deter'dʒɛnte] *agg* limpiador(a)

determinare [determi'nare] *vt* (significato, confini) establecer; (data, prezzo) concretar; (peggioramento, cambiamento) originar, determinar □ **determinativo, -a** [determina'tivo] *agg* determinado(-a) □ **determinato, -a** [determi'nato] *agg* determinado(-a), decidido(-a)

detersivo [deter'sivo] *sm* (per stoviglie) lavavajillas *m inv*; (per bucato) detergente *m*; (per pavimenti) limpiador *m*

detestare [detes'tare] *vt* detestar

detrarre [de'trarre] *vt*: **~ (da)** deducir (de), desgravar (de)

detta ['detta] *sf*: **a ~ di** según dice (o dicen)

dettaglio [det'taʎʎo] *sm* detalle *m*; **al ~** (COMM) al por menor

dettare [det'tare] *vt* dictar; **~ legge** (fig) llevar la voz cantante □ **dettato** [det'tato] *sm* dictado

detto, -a [det'to] *pp di* **dire** ♦ *agg* (chiamato) alias, apodado(-a) ♦ *sm* dicho

devastare [devas'tare] *vt* (città, territorio) devastar

deviare [devi'are] *vi*: **~ da** (cambiare direzione) desviarse de, apartarse de ♦ *vt* (AUT, fiume) desviar □ **deviazione** [deviat'tsjone] *sf*

(AUT, di fiume) desviación f; **fare una deviazione** dar un rodeo

devolvere [de'vɔlvere] vt: ~ (a) entregar a

⚠ **devolvere** non si traduce mai con la parola spagnola **devolver**.

devoto, -a [de'vɔto] agg (religioso) devoto(-a); (affezionato) apegado(-a); **essere ~ a** (a patria, tradizioni) estar consagrado a □ **devozione** [devot'tsjone] sf (REL, a famiglia) devoción f; (a patria) entrega

di
PAROLA CHIAVE

[di] (di + il = **del**, di + lo = **dello**, di + l' = **dell'**, di + la = **della**, di + i = **dei**, di + gli = **degli**, di + le = **delle**) prep

1 (specificazione, argomento, possesso) de; **la grandezza della casa** el tamaño de la casa; **le foto delle vacanze** las fotos de las vacaciones; **un'amica di mia madre** una amiga de mi madre; **il libro è di Paolo** el libro es de Pablo; **parlare di politica/d'affari** hablar de política/de negocios

2 (partitivo) de; **alcuni di voi** algunos de vosotros; **il più bravo di tutti** el mejor de todos

3 (paragone) que; **è più veloce di me** es más rápido que yo; **il più bravo della classe** el mejor de la clase

4 (provenienza) de; **partì di casa alle 6** salió de casa a las 6; **è originario di Firenze** es natural de Florencia

5 (mezzo, strumento, causa) de, con; **spalmare di crema** untar de o con

crema; **ricoprire di vernice** dar con barniz; **tremare di paura** temblar de miedo; **tremare di freddo** tiritar de frío; **morire di cancro** morir de cáncer

6 (tempo) por; **di mattina** por la mañana; **di notte** por la noche; **d'estate** en verano; **di lunedì** los lunes

7 (materia) de; **un mobile di legno** un mueble de madera; **una camicia di seta** una camisa de seda

8 (età, peso, misura, qualità) de; **una bimba di tre anni** una cría de tres años; **una trota di 1 kg** una trucha de 1 kg; **un quadro di valore** un cuadro de valor

♦ art partitivo (una certa quantità di): **del pane** pan; **vuoi del vino?** ¿quieres vino?

diabete [dia'bɛte] sm diabetes f inv □ **diabetico, -a, -ci, -che** [dia'bɛtiko] agg, sm/f diabético(-a)

diaframma, -i [dia'framma] sm (ANAT, FOT, contraccettivo) diafragma m

diagnosi [di'aɲɲozi] sf, diagnóstico

diagonale [diago'nale] agg, sf diagonal (f)

diagramma, -i [dia'gramma] sm diagrama m

dialetto [dia'letto] sm dialecto

DIALETTO

La lengua oficial en Italia es el italiano pero existen varios dialectos muy distintos entre ellos.

dialisi [di'alizi] sf inv diálisis f inv

dialogo, -ghi [di'alogo] sm diálogo

diamante [dia'mante] *sm*
diamante *m*

diametro [di'ametro] *sm* diámetro

diapositiva [diapozi'tiva] *sf*
diapositiva

diario [di'arjo] *sm* (*quaderno,
taccuino*) diario; (*scolastico*) diario
escolar

diarrea [diar'rea] *sf* diarrea

diavolo ['djavolo] *sm* diablo(-a);
mandare qn al ~ mandar a algn al
diablo; **povero ~** pobre diablo

dibattito [di'battito] *sm* debate *m*

dicembre [di'tʃembre] *sm*
diciembre *m*; *vedi anche* **luglio**

diceria [ditʃe'ria] *sf* habladuría,
chisme *m*

dichiarare [dikja'rare] *vt* declarar;
dichiararsi *vpr* (*affermare di essere*)
declararse; **niente da ~** (*dogana*)
nada que declarar
☐ **dichiarazione** [dikjarat'tsjone]
sf declaración *f*

diciannove [ditʃan'nɔve] *agg inv,
sm inv* diecinueve (*m*); *vedi anche*
cinque

diciassette [ditʃas'sɛtte] *agg inv,
sm inv* diecisiete (*m*); *vedi anche* **cinque**

diciotto [di'tʃɔtto] *agg inv, sm inv*
dieciocho; *vedi anche* **cinque**

dicitura [ditʃi'tura] *sf* expresión *f*;
(*indicazione*) indicación *f*

didascalia [didaska'lia] *sf* (*di
illustrazione*) pie *m*; (*CINE*) subtítulo

dieci ['djɛtʃi] *agg inv, sm inv* diez (*m*);
vedi anche **cinque**

diesel ['di:zəl] *sm inv* (*motore,
macchina*) diesel *m inv*

diessino, -a [dies'sino] *agg, sm/f*
pertenciente o relativo al partido de
los demócratas de izquierda

dieta ['djɛta] *sf* dieta, régimen *m*;
essere a ~ estar a dieta

dietro ['djetro] *avv* (*nella parte
posteriore*) detrás ♦ *prep* detrás de,
tras ♦ *agg inv* posterior, trasero(-a)
♦ *sm* parte *f* de detrás; ~ **la casa**
detrás de la casa; **uno ~ l'altro** uno
tras otro; **le zampe di ~** las patas de
atrás; **portarsi ~ qc/qn** llevarse
consigo algo/a algn

difendere [di'fendere] *vt* defender;
difendersi *vpr*: **difendersi (da)**
defenderse (de) ☐ **difensore**
[difen'sore] *sm* defensor *m*; (*SPORT*)
defensa *m*; (*avvocato*) **difensore**
(*DIR*) (abogado) defensor ☐ **difesa**
[di'fesa] *sf* (*SPORT, DIR*) defensa

difetto [di'fetto] *sm* (*imperfezione*)
defecto; (*scarsità, mancanza*) falta
☐ **difettoso, -a** [difet'toso] *agg*
defectuoso(-a)

differente [diffe'rente] *agg*
diferente ☐ **differenza**
[diffe'rentsa] *sf* diferencia; **a
differenza di** a diferencia de

differire [diffe'rire] *vt* (*rinviare*)
diferir, aplazar ♦ *vi* (*essere diverso*): ~
da diferir de

differita [diffe'rita] *sf*: **trasmettere
in ~** transmitir en diferido

difficile [dif'fitʃile] *agg* difícil; **è ~
che venga oggi** es difícil que venga
hoy ☐ **difficoltà** [diffikol'ta] *sf inv*
dificultad *f*

diffidente [diffi'dente] *agg*
desconfiado(-a)

diffidenza [diffi'dentsa] *sf*
desconfianza

diffondere [dif'fondere] *vt*
(*informazioni, notizie*) difundir; (*luce,
calore, profumo*) desprender;
diffondersi *vpr* difundirse

❑ **diffuso, -a** [dif'fuzo] pp di **diffondere** ♦ agg (malattia, fenomeno) difundido(-a)

diga, -ghe ['diga] sf dique m; (in un porto) malecón m, rompeolas m inv

digerente [didʒe'rɛnte] agg digestivo(-a)

digerire [didʒe'rire] vt digerir ❑ **digestione** [didʒes'tjone] sf digestión f ❑ **digestivo, -a** [didʒes'tivo] agg digestivo(-a) ♦ sm digestivo

digitale [didʒi'tale] agg digital

digitare [didʒi'tare] vt, vi (INFORM) teclear

digiunare [didʒu'nare] vi ayunar ❑ **digiuno, -a** [di'dʒuno] agg en ayunas ♦ sm ayuno; **a digiuno** en ayunas

dignità [diɲɲi'ta] sf inv dignidad f

DIGOS ['digos] sigla f (= Divisione Investigazioni Generali e Operazioni Speciali) DIGOS f, policía política italiana

digrignare [digriɲ'ɲare] vt: ~ **i denti** rechinar los dientes

dilapidare [dilapi'dare] vt dilapidar

dilatare [dila'tare] vt dilatar; **dilatarsi** vpr dilatarse

dilazionare [dilattsjo'nare] vt (pagamento) demorar

dilemma, -i [di'lɛmma] sm dilema m

dilettante [dilet'tante] agg, sm/f diletante m/f, aficionado(-a); (peg) aficionado(-a)

diligente [dili'dʒɛnte] agg diligente

diluire [dilu'ire] vt diluir

dilungarsi [dilun'garsi] vpr: ~ (su) (su argomento, dettagli) alargarse (en)

diluviare [dilu'vjare] vb impers diluviar ❑ **diluvio** [di'luvjo] sm diluvio

dimagrante [dima'grante] agg adelgazante

dimagrire [dima'grire] vi adelgazar

dimenare [dime'nare] vt menear; **dimenarsi** vpr agitarse

dimensione [dimen'sjone] sf dimensión f

dimenticanza [dimenti'kantsa] sf olvido, descuido

dimenticare [dimenti'kare] vt olvidar; **dimenticarsi** vpr: **dimenticarsi di qc/qn** olvidarse de algo/algn; **ho dimenticato la chiave/il passaporto** olvidé la llave/el pasaporte

dimestichezza [dimesti'kettsa] sf familiaridad f; **prendere ~ con** familiarizarse con

dimettere [di'mettere] vt: ~ **(da ospedale)** dar el alta; **dimettersi** vpr: **dimettersi (da)** (carica, impiego) dimitir (de)

dimezzare [dimed'dzare] vt demediar, dividir en dos

diminuire [diminu'ire] vt, vi disminuir ❑ **diminutivo** [diminu'tivo] sm diminutivo ❑ **diminuzione** [diminut'tsjone] sf disminución f; **in diminuzione** en disminución o descenso

dimissioni [dimis'sjoni] sfpl dimisión fsg; **dare o presentare le ~** dimitir, presentar la dimisión

dimostrare [dimos'trare] vt (provare) demostrar; (simpatia,

affetto) mostrar; **dimostrarsi** *vpr* mostrarse; **dimostra 30 anni** aparenta 30 años
❑ **dimostrazione** [dimostra'tsjone] *sf* demostración f; (*sindacale, politica*) manifestación f

dinamica, -che [di'namika] *sf* dinámica
❑ **dinamico, -a, -ci, -che** [di'namiko] *agg* dinámico(-a)

dinamite [dina'mite] *sf* dinamita

dinamo [dinamo] *sf inv* dínamo f

dinosauro [dino'sauro] *sm* dinosaurio

dintorni [din'torni] *smpl*: **i ~ di** los alrededores de

dio ['dio] (*pl* **dei**) *sm* dios m; **D~** Dios; **gli dei** los dioses; **D~ mio!** ¡Dios mío!

dipartimento [diparti'mento] *sm* departamento

dipendente [dipen'dente] *agg* (*lavoro, lavoratore*) dependiente; (*LING*) subordinado(-a) ♦ *sm/f* empleado(-a) ▶ **dipendente statale** funcionario(-a) del Estado

dipendere [di'pendere] *vi*: **~ da** depender de; **dipende!** ¡depende!

dipingere [di'pindʒere] *vt* pintar
❑ **dipinto, -a** [di'pinto] *pp di* **dipingere** ♦ *sm* pintura

diploma, -i [di'plɔma] *sm* diploma m; (*SCOL, UNIV*) título

diplomatico, -a, -ci, -che [diplo'matiko] *agg* (*anche fig*) diplomático(-a) ♦ *sm* diplomático
❑ **diplomazia** [diplomat'tsia] *sf* (*anche fig*) diplomacia

diporto [di'pɔrto] *sm*: **da ~** deportivo(-a)

⚠ **diporto** non sí traduce mai con la parola spagnola *deporte*.

diradare [dira'dare] *vt* (*nebbia*) disipar; (*vegetazione*) enralecer; (*visite*) espaciar; **diradarsi** *vpr* (*nebbia*) disiparse; (*vegetazione*) enralecerse

dire ['dire] *vt* decir; **~ qc a qn** decir algo a algn; **~ a qn di fare qc** decir a algn que haga algo; **~ di sì/no** decir que sí/no; **come si dice in spagnolo ...?** ¿cómo se dice ... en español?; **si dice che ...** se dice que ...; **dica, signora?** (*in negozio*) ¿qué desea, señora?, ¡dígame, señora!; **lascialo ~** (*esprimersi, ignorarlo*) deja que hable; **come sarebbe a ~?** ¿qué quiere decir eso?

diretta [di'rerta] *sf*: **in ~** (*RADIO, TV*) en directo

diretto, -a [di'rerto] *pp di* **dirigere** ♦ *agg* directo(-a) ♦ *sm* (*FERR*) tren m directo

direttore, -trice [diret'tore] *sm/f* (*di azienda, SCOL*) director(a); (*di reparto*) jefe(-a) ▶ **direttore d'orchestra** director de orquesta ▶ **direttore vendite** jefe de ventas

direzione [diret'tsjone] *sf* dirección f

dirigente [diri'dʒente] *agg* dirigente ♦ *sm/f* (*di azienda*) directivo; (*POL*) dirigente m/f

dirigere [di'ridʒere] *vt* dirigir; **dirigersi** *vpr*: **dirigersi verso** *o* **a** dirigirse hacia o a

dirimpetto [dirim'pεtto] *avv* enfrente; **~ a** enfrente de, frente a

diritto, -a [di'ritto] *agg* derecho(-a), recto(-a) ♦ *avv* derecho, recto ♦ *sm* (DIR, TENNIS, *maglia ecc*) derecho; **andare ~** ir derecho; **aver ~ a qc** tener derecho a algo; **guardare qn ~ negli occhi** mirar a algn a los ojos ► **diritti d'autore** derechos de autor

dirottamento [dirotta'mento] *sm* desviación f; (*imposto con la forza*) secuestro aéreo

dirottare [dirot'tare] *vt* (*traffico, aereo*) desviar; (*con la forza*) secuestrar ► **dirottatore, -trice** [dirotta'tore] *sm/f* secuestrador(a)

dirotto, -a [di'rotto, -a] *agg* (*pianto*) incontenible; **piovere a ~** llover a cántaros

dirupo [di'rupo] *sm* despeñadero

disabitato, -a [dizabi'tato] *agg* deshabitado(-a), despoblado(-a)

disabituarsi [disabitu'arsi] *vpr*: **~ (a)** desacostumbrarse (a)

disaccordo [dizak'kordo] *sm* desacuerdo; **essere in ~ con qn** estar en desacuerdo con algn

disadattato, -a [dizadat'tato] *agg, sm/f* inadaptado(-a)

disadorno, -a [diza'dorno] *agg* desadornado(-a)

disagiato, -a [diza'dʒato] *agg* (*famiglia*) necesitado(-a); (*ceto*) pobre

disagio [di'zadʒo] *sm* (*difficoltà economica*) necesidad f; (*inconveniente*) inconveniente m; (*di un viaggio*) molestia; **essere a ~** estar a disgusto, estar incómodo(-a)

disapprovare [dizappro'vare] *vt* desaprobar ► **disapprovazione** [dizapprovat'tsjone] *sf* desaprobación f

disappunto [dizap'punto] *sm* contrariedad f

disarmare [dizar'mare] *vt* desarmar ► **disarmo** [di'zarmo] *sm* desarme m

disastro [di'zastro] *sm* desastre m ► **disastroso, -a** [dizas'troso] *agg* desastroso(-a)

disattento, -a [dizat'tento] *agg* desatento(-a) ► **disattenzione** [dizatten'tsjone] *sf* desatención f

disavventura [dizavven'tura] *sf* percance m

discapito [dis'kapito] *sm*: **a ~ di** en detrimento o perjuicio de

discarica, -che [dis'karika] *sf* escombrera

discendere [diʃʃendere] *vi*: **~ da** (*famiglia*) descender de ► **discesa** [diʃ'ʃesa] *sf* (*pendio*) bajada; **in discesa** (*strada*) en bajada ► **discesa libera** (SCI) descenso libre

disciplina [diʃʃi'plina] *sf* (*materia, regole*) disciplina

disco, -chi ['disko] *sm* (MUS) disco ► **disco rigido** (INFORM) disco duro ► **disco orario** (AUT) disco de estacionamiento, pase m de aparcamiento ► **disco volante** platillo volante ► **discografico, -a, -ci, -che** [disko'grafiko] *agg* discográfico(-a)

discorrere [dis'korrere] *vi*: **~ (di)** conversar (de)

discorso, -a [dis'korso] *pp di* **discorrere** ♦ *sm* discurso; **cambiamo ~** cambiemos de tema, hablemos de otra cosa

discoteca, -che [disko'tɛka] *sf* (*locale*) discoteca

discrepanza [diskre'pantsa] *sf* discrepancia

discreto, -a [dis'kreto] *agg* discreto(-a)

discriminazione [diskriminat'tsjone] *sf* discriminación f

discussione [diskus'sjone] *sf* discusión f ♦ **mettere in ~** poner en tela de juicio; **fuori ~** fuera de discusión

discutere [dis'kutere] *vt* (*problema, proposta*) discutir ♦ *vi* discutir; **~ di** discutir de o sobre

disdetta [diz'detta] *sf* (*di contratto*) rescisión f; (*di prenotazione*) anulación f; (*sfortuna*) mala suerte f

disdire [diz'dire] *vt* (*contratto*) rescindir; (*prenotazione*) anular; **vorrei ~ la mia prenotazione** quisiera anular la reserva

disegnare [diseɲ'ɲare] *vt* dibujar; (*progettare*) diseñar □ **disegnatore, -trice** [diseɲɲa'tore] *sm/f* (*illustratore*) dibujante *m/f*; (*MODA*) diseñador(a); (*ARCHIT*) delineante *m/f* □ **disegno** [di'seɲɲo] *sm* dibujo; (*progetto*) diseño

diserbante [dizer'bante] *sm* herbicida *m*

disertare [dizer'tare] *vi* (*MIL*) desertar

disfare [dis'fare] *vt* (*letto, valigia, vestito*) deshacer; (*nodo*) desatar; **disfarsi** *vpr* (*neve, maglia*) deshacerse; (*nodo*) desatarse; **disfarsi di** (*liberarsi*) deshacerse de □ **disfatto, -a** [dis'fatto] *pp di* **disfare** ♦ *agg* deshecho(-a)

disgelo [diz'dʒɛlo] *sm* (*anche fig*) deshielo

disgrazia [diz'grattsja] *sf* desgracia

disguido [diz'gwido] *sm* contratiempo, imprevisto

disgustare [dizgus'tare] *vt* disgustar

disgusto [diz'gusto] *sm*: **~ (di)** repugnancia (por) □ **disgustoso, -a** [dizgus'toso] *agg* (*sapore, odore*) repugnante

⚠ **disgusto** non si traduce mai con la parola spagnola *disgusto*.

disidratare [dizidra'tare] *vt* deshidratar

disinfettante [dizinfet'tante] *agg, sm* desinfectante (*m*)

disinfettare [dizinfet'tare] *vt* desinfectar

disinibito, -a [dizini'bito] *agg* desinhibido(-a)

disinstallare [dizinstal'lare] *vt* desinstalar

disintegrare [dizinte'grare] *vt* desintegrar; **disintegrarsi** *vpr* desintegrarse

disinteressarsi [disinteres'sarsi] *vpr*: **~ di** desinteresarse de o por □ **disinteresse** [dizinte'resse] *sm* desinterés *m*

disintossicarsi [dizintossi'karsi] *vpr* desintoxicarse

disinvolto, -a [dizin'vɔlto] *agg* desenvuelto(-a)

dismisura [dizmi'sura] *sf*: **a ~** con exceso

disoccupato, -a [dizokku'pato] *agg* desocupado(-a) ♦ *sm/f* desempleado(-a), desocupado(-a) □ **disoccupazione** [dizokkupat'tsjone] *sf* desempleo, paro

disonesto, -a *agg* deshonesto(-a)

disordinato, -a [dizordi'nato] agg (persona, vita, stanza) desordenado(-a); (racconto, discorso) confuso(-a)

disordine [di'zordine] sm desorden m; disordini smpl (tumulti) disturbios mpl; **in ~** en desorden

disorientare [dizorjen'tare] vt desorientar ☐ **disorientato, -a** [dizorjen'tato] agg desorientado(-a)

dispari ['dispari] agg inv (numero) impar

disparte [dis'parte] : **in ~** avv aparte; **tenersi** o **starsene in ~** aislarse

dispendioso, -a [dispen'djoso] agg dispendioso(-a)

dispensa [dis'pɛnsa] sf (per alimenti) despensa; (fascicolo) fascículo; (DIR) exención f; (REL) dispensa

disperato, -a [dispe'rato] agg desesperado(-a) ☐ **disperazione** [disperat'tsjone] sf desesperación f

disperdere [dis'perdere] vt (nemico, dimostranti) dispersar; (sostanze) disipar; **dispersi** vpr dispersarse ☐ **disperso, -a** [dis'perso] pp di **disperdere** ♦ sm/f desaparecido(-a)

dispetto [dis'petto] sm (sgarbo) desaire m; (stizza, irritazione) rabia; **a ~ di** a despecho o pesar de; **fare un ~ a qn** hacer un desaire a algn; **mamma, Giulio mi fa i dispetti!** ¡mamá, Julio no me deja! ☐ **dispettoso, -a** [dispet'toso] agg (persona) fastidioso(-a); (gesto) provocador(-a)

dispiacere [dispja'tʃere] sm pesar m ♦ vi: **~ a** disgustar a, desagradar a ♦ vb impers: **mi dispiace (che)** siento (que), lamento (que); **dispiaceri** smpl (preoccupazioni, problemi)

disgustos mpl; **le dispiace se ...?** ¿le importa si ...?

disponibile [dispo'nibile] agg (risorse, persona) disponible; (posto) libre

disporre [dis'porre] vt (sistemare) colocar, ordenar; (preparare) preparar; (stabilire) decidir ♦ vi: **~ di** (essere dotato) disponer de

dispositivo [dispozi'tivo] sm dispositivo ☐ **disposizione** [dispozit'tsjone] sf (sistemazione) distribución f; (stato d'animo, ordine) disposición f; (tendenza) inclinación f; **a ~ di qn** a disposición de algn

disposto, -a [dis'posto] pp di **disporre** ♦ agg (incline): **~ a** dispuesto(-a) a

disprezzare [dispret'tsare] vt despreciar, menospreciar ☐ **disprezzo** [dis'prettso] sm desprecio, menosprecio

disputa ['disputa] sf disputa

disputare [dispu'tare] vt (incontro, partita) disputar

dissenteria [dissente'ria] sf disentería

dissentire [dissen'tire] vi: **~ (da)** disentir (de), discordar (con)

dissetante [disse'tante] agg refrescante

dissimulare [dissimu'lare] vt disimular

dissipare [dissi'pare] vt disipar

dissuadere [dissua'dere] vt: **~ (da)** disuadir (de)

distaccare [distak'kare] vt (staccare) despegar; (da famiglia) separar; (soldato) destacar; (impiegato) trasladar; (avversari) aventajar; **distaccarsi** vpr (staccarsi) despegarse; (da famiglia) separarse

❏ **distacco, -chi** [dis'takko] *sm* (*di piastrella, francobollo*) despegadura; (*della retina*) desprendimiento; (*fig: indifferenza*) indiferencia; (*in gara*) ventaja

distante [dis'tante] *avv* lejos ♦ *agg* (*lontano*) distante, alejado(-a); (*fig: persona*) distante, frío(-a) ❏ **distanza** [dis'tantsa] *sf* distancia ❏ **distanziare** [distan'tsjare] *vt* (*oggetti*) alejar, apartar; (*avversario*) aventajar

distare [dis'tare] *vi* (*essere lontano*): ~ **da** distar de; **quanto dista il centro da qui?** ¿qué distancia hay de aquí al centro?

distendere [dis'tendere] *vt* (*coperta, telo*) extender, desplegar; (*braccia, gambe*) estirar; (*rilassare: persona, nervi*) relajar; **distendersi** *vpr* (*sdraiarsi*) tenderse, acostarse; (*rilassarsi*) relajarse ❏ **distesa** [dis'tesa] *sf* (*di mare, terra*) extensión *f*; (*di persone*) masa ❏ **disteso, -a** [dis'teso] *pp di* **distendere** ♦ *agg* (*sdraiato*) tendido(-a), acostado(-a); (*rilassato*) relajado(-a)

distilleria [distille'ria] *sf* destilería

distinguere [dis'tingwere] *vt* distinguir; **distinguersi** *vpr* distinguirse ❏ **distinta** [dis'tinta] *sf* lista ▸ **distinta di versamento** resguardo de ingreso ❏ **distintivo, -a** [distin'tivo] *agg* distintivo(-a) ♦ *sm* distintivo ❏ **distinto, -a** [dis'tinto] *pp di* **distinguere** ♦ *agg* distinguido(-a) ▸ **"distinti saluti"** (*in lettera*) "cordiales saludos" ❏ **distinzione** [distin'tsjone] *sf* distinción *f*

distogliere [dis'tɔʎʎere] *vt*: ~ **da** (*sguardo*) apartar (de); (*attenzione*) desviar (de)

distorsione [distor'sjone] *sf* (MED) esguince *m*

distrarre [dis'trarre] *vt* distraer; **distrarsi** *vpr* distraerse ❏ **distratto, -a** [dis'tratto] *pp di* **distrarre** ♦ *agg* (*disattento*) distraído(-a); (*sbadato*) descuidado(-a) ❏ **distrazione** [distrat'tsjone] *sf* distracción *f*; **errore di distrazione** descuido

distretto [dis'tretto] *sm* (AMM) distrito; (MIL) caja de reclutamiento

distribuire [distribu'ire] *vt* repartir ❏ **distributore** [distribu'tore] *sm* (*di benzina*) surtidor *m*, gasolinera; (*di bibite, dolci*) distribuidora ▸ **distributore automatico** máquina expendedora

districare [distri'kare] *vt* (*nodo, matassa*) desenredar; (*fig: problema*) resolver; **districarsi** *vpr* (*cavarsela*) salir; **districarsi da** (*fig: tirarsi fuori*) librarse de

distruggere [dis'truddʒere] *vt* (*città, edificio, persona*) destruir; (*speranze*) destrozar ❏ **distruzione** [distrut'tsjone] *sf* destrucción *f*

disturbare [distur'bare] *vt* (*persona*) molestar, fastidiar; (*lezione*) interrumpir; (*sonno*) turbar; **disturbarsi** *vpr* (*scomodarsi*) molestarse; **mi scusi se la disturbo** perdone la molestia ❏ **disturbo** [dis'turbo] *sm* molestia, incomodidad *f*; (MED) trastorno

disubbidiente [dizubbi'djente] *agg* desobediente

disubbidire [dizubbi'dire] *vi*: ~ **(a)** desobedecer (a)

disumano, -a [dizu'mano] *agg* inhumano(-a)

ditale [di'tale] *sm* dedal *m*

dito ['dito] (*pl(f)* **dita**) *sm* dedo *m*

ditta ['ditta] *sf* empresa, firma

dittatore, -trice [ditta'tore] *sm/f* dictador(a) ▫ **dittatura** [ditta'tura] *sf* dictadura

dittongo, -ghi [dit'tɔngo] *sm* diptongo

diurno, -a [di'urno] *agg* diurno(-a)

divano [di'vano] *sm* sofá *m*
▸ **divano letto** sofá-cama *m*

divaricare [divari'kare] *vt* abrir

divario [di'varjo] *sm* diferencia

diventare [diven'tare] *vi* (*grande, bello, vecchio ecc*) ponerse; (*famoso*) volverse; (*professore, medico*) llegar a ser

diversificare [diversifi'kare] *vt* diversificar; **diversificarsi** *vpr* diversificarse

diversità [diversi'ta] *sf inv* diversidad *f*

diversivo, -a [diver'sivo] *agg* diversivo(-a) ♦ *sm* (*distrazione*) pasatiempo

diverso, -a [di'verso] *agg* (*differente*) diverso(-a); **diversi, -e** *agg, pron pl* (*vari*) muchos(-as), varios(-as)

divertente [diver'tente] *agg* divertido(-a)

divertimento [diverti'mento] *sm* diversión *f*; **buon ~!** (*a te*) ¡que te diviertas!; (*a voi*) ¡que os divirtáis!

divertire [diver'tire] *vt* divertir; **divertirsi** *vpr* divertirse

dividere [di'videre] *vt* dividir; **dividersi** *vpr* (*coppia, strade*) separarse

divieto [di'vjeto] *sm* (*proibizione*) prohibición *f*; **"~ di sosta"** (*AUT*)

"prohibido aparcar"; **"~ di accesso"** "acceso prohibido"; **"~ di caccia"** "prohibido cazar"

divincolarsi [divinko'larsi] *vpr* forcejear

divino, -a [di'vino] *agg* divino(-a)

divisa [di'viza] *sf* (*uniforme*) uniforme *m*; (*COMM*) divisa

divisione [divi'zjone] *sf* (*anche MAT, MIL*) división *f*; (*di ospedale*) sección *f*

divo, -a [di'vo] *sm/f* divo(-a)

divorare [divo'rare] *vt* devorar

divorziare [divor'tsjare] *vi*: ~ (**da**) divorciarse (de)

divorzio [di'vɔrtsjo] *sm* divorcio

divulgare [divul'gare] *vt* divulgar

dizionario [dittsjo'narjo] *sm* diccionario

DJ [di'dʒei] *sigla m/f* (= *Disk Jockey*) DJ *m/f*

do [dɔ] *sm inv* (*MUS*) do *m inv*

D.O.C. [dɔk] *sigla* (= *denominazione di origine controllata*) D.O. *m*

doccia, -ce [ˈdɔttʃa] *sf* ducha; **fare la ~** ducharse

docente [do'tʃente] *agg, sm/f* docente *m/f*

docile [ˈdɔtʃile] *agg* (*persona*) dócil; (*animal*) manso(-a)

documentario [dokumen'tarjo] *sm* documental *m*

documentarsi [dokumen'tarsi] *vpr*: ~ (**su**) documentarse (sobre)

documento [doku'mento] *sm* documento

dodicesimo, -a [dodi'tʃɛzimo] *agg, sm/f* duodécimo(-a); *vedi anche* **quinto**

dodici [ˈdoditʃi] *agg inv, sm inv* doce (*m*); *vedi anche* **cinque**

dogana [do'gana] *sf* aduana ❑ **doganiere, -a** [doga'njɛre] *sm/f* aduanero(-a)

doglie ['dɔʎʎe] *sfpl* dolores *mpl* del parto

dolce ['doltʃe] *agg* (*anche fig*) dulce ♦ *sm* (*sapore*) dulce *m*; (*portata, torta*) postre *m*, dulce ❑ **dolcificante** [doltʃifi'kante] *agg, sm* dulcificante (*m*)

dollaro ['dɔllaro] *sm* dólar *m*

Dolomiti [dolo'miti] *sfpl* Dolomitas *mpl*

dolore [do'lore] *sm* (*fisico, morale*) dolor *m* ❑ **doloroso, -a** [dolo'roso] *agg* doloroso(-a)

domanda [do'manda] *sf* pregunta *f*; (*richiesta*) solicitud *f*; (*ECON*) demanda; **fare una ~ a qn** hacer una pregunta a algn; **fare ~ per un lavoro** presentar una solicitud para un trabajo, solicitar un trabajo

domandare [doman'dare] *vt* (*per sapere*) preguntar; (*per avere*) pedir; **domandarsi** *vpr* preguntarse; **~ a qn** preguntar o pedir algo a algn

domani [do'mani] *avv* mañana; **a ~!** ¡hasta mañana!

domare [do'mare] *vt* (*animale*) domar ❑ **domatore, -trice** [doma'tore] *sm/f* domador(a)

domattina [domat'tina] *avv* mañana por la mañana

domenica, -che [do'menika] *sf* domingo; *vedi anche* **martedì**

domestico, -a, -ci, -che [do'mɛstiko] *agg* (*vita*) casero(-a); (*lavoro, animale*) doméstico(-a) ♦ *sm/f* doméstico(-a)

domicilio [domi'tʃiljo] *sm* domicilio; **a ~** (*lavoro, consegna*) a domicilio

dominare [domi'nare] *vt* (*paese, sentimenti*) dominar

donare [do'nare] *vt*: **~ (a)** (*regalare*) regalar (a); (*in beneficenza*) donar (a) ♦ *vi* (*fig: colore, abito*): **~ (a)** sentar o quedar bien (a); **~ sangue/organi** donar sangre/órganos ❑ **donatore, -trice** [dona'tore] *sm/f* (*di beni*) donador(a); (*MED*) donante *m/f*

dondolare [dondo'lare] *vt* balancear, mecer; **dondolarsi** *vpr* balancearse, mecerse ❑ **dondolo** ['dondolo] *sm*: **cavallo a dondolo** (*cavallo*) caballo de balancín; **sedia a dondolo** (*sedia*) mecedora

donna ['dɔnna] *sf* mujer *f* ▶ **donna di casa** ama de casa ▶ **donna di servizio** empleada de hogar ❑ **donnaiolo** [donna'jɔlo] *sm* mujeriego

donnola ['dɔnnola] *sf* comadreja

dono ['dɔno] *sm* regalo, presente *m*; (*fig: grazia, qualità*) don *m*, dote *f*

doping [dou'pin] *sm* dopaje *m*

dopo ['dopo] *avv* después ♦ *prep* (*tempo, luogo*) después de ♦ *cong* (*temporale*): **~ aver studiato** después de haber estudiado ♦ *agg inv*: **il giorno ~** el día siguiente; **~ mangiato va a dormire** después de comer va a dormir; **un anno ~** un año después; **~ di me/lui** después de mí/él; **a ~!** ¡hasta luego!; **è subito ~ la chiesa** está justo después de la iglesia

dopobarba [dopo'barba] *sm inv* (*loción f*) after-shave *m*

dopodomani [dopodo'mani] *avv* pasado mañana

doposci [dopo'ʃʃi] *sm inv* calzado de après-ski

doposole [dopo'sole] *sm inv* (loción *f*) after-sun *m*

dopotutto [dopo'tutto] *avv* después de todo

doppiaggio [dop'pjaddʒo] *sm* (CINE) doblaje *m*

doppiare [dop'pjare] *vt* (capo, CINE) doblar

doppio, -a ['doppjo] *agg* doble ♦ *sm*: **il ~ (di)** el doble (de o que); (TENNIS) dobles *mpl* □ **doppione** [dop'pjone] *sm* copia, duplicado □ **doppiopetto** [doppjo'petto] *sm* (giacca) chaqueta cruzada

dormicchiare [dormik'kjare] *vi* dormitar

dormiglione, -a [dormiʎ'ʎone] *sm/f* dormilón(-ona)

dormire [dor'mire] *vi* (anche fig) dormir □ **dormita** [dor'mita] *sf* sueño □ **dormitorio** [dormi'tɔrjo] *sm* dormitorio; **città dormitorio** ciudad dormitorio □ **dormiveglia** [dormi'veʎʎa] *sm inv* duermevela *m/f*

dorso ['dɔrso] *sm* (schiena) espalda; (di mano) dorso; (di libro) lomo; **a ~ di cavallo/mulo** a lomo de caballo/mulo

dosare [do'zare] *vt* dosificar

dose ['dɔze] *sf* dosis *f inv* □ **dotato, -a** [do'tato] *agg*: **~ di** (di attrezzature ecc) equipado(-a) con, provisto(-a) de; (di talento ecc) dotado(-a) de; **una persona molto dotata** una persona muy dotada

dote ['dɔte] *sf* (di sposa, pregio) dote *f*

Dott. *abbr* (= dottore) Dr.

dottorato [dotto'rato] *sm* (UNIV) doctorado

dottore, -essa [dot'tore] *sm/f* (medico) médico(-a), doctor(a);

(laureato) licenciado(-a); **chiamate un ~** llamen a un médico

---

DOTTORE

El título de doctor se otorga en Italia a cualquiera que posea una **laurea** en cualquier disciplina. Una persona que se denomina *dottore* no tiene por qué ser un médico.

---

dottrina [dot'trina] *sf* (REL) doctrina

Dott.ssa *abbr* (= dottoressa) Dra.

---

dove

PAROLA CHIAVE

['dove] *avv*

1 (in interrogative) dónde, adónde; **dove sei?** ¿dónde estás?; **dove vai?** ¿adónde vas?; **dimmi dov'è!** ¡dime dónde está!; **da dove viene?** ¿de dónde viene?; **di dove sei?** ¿de dónde eres?; **per dove si passa?** ¿por dónde se pasa?

2 (in relative) donde; **qui è dove l'han trovato** aquí es donde lo han encontrado; **la città dove sono nato** la ciudad en la que he nacido; **la città dove devo andare è Firenze** la ciudad adonde debo ir es Florencia; **resta dove sei** quédate donde estás

---

dovere [do'vere] *sm* deber *m* ♦ *vt* (somma, favore): **~ qc (a qn)** deber algo (a algn) ♦ *vi* (seguito da infinito: obbligo): **~ fare qc** tener que hacer algo, deber hacer algo; (: necessità): **è dovuto partire** ha tenido que marcharse; (: intenzione): **devo partire domani** tengo que irme mañana; (: probabilità): **devo essere tardi** debe de ser tarde; (: divieto): **non devi prenderlo** no debes cogerlo; (: assenza di obbligo): **non devi venire se non vuoi** no tienes

que venir si no quieres; **quanto le devo?** ¿cuánto le debo?
□ **doveroso, -a** [dove'roso] *agg* necesario(-a), preciso(-a)

dovunque [do'vunkwe] *avv* (*dappertutto*) dondequiera; (*in qualunque luogo*) por todas partes; **io vada ...** dondequiera que vaya ...

dovuto, -a [do'vuto] *pp di* **dovere** ♦ *agg*: **~ a** debido(-a) a

dozzina [dod'dzina] *sf* docena
□ **dozzinale** [doddzi'nale] *agg* ordinario(-a), común

drago, -ghi ['drago] *sm* dragón *m*

dramma, -i ['dramma] *sm* drama *m* □ **drammatico, -a, -ci, -che** [dram'matiko] *agg* dramático(-a)

drastico, -a, -ci, -che ['drastiko] *agg* drástico(-a)

dritto, -a ['dritto] *agg, avv* = **diritto**

droga, -ghe ['droga] *sf* (*stupefacente*) droga ♦ **droghe leggere/pesanti** drogas blandas/ duras

drogarsi [dro'garsi] *vpr* drogarse

drogato, -a [dro'gato] *sm/f* drogadicto(-a)

drogheria [droge'ria] *sf* tienda de ultramarinos

dromedario [drome'darjo] *sm* dromedario

DS [di'esse] *abbr* (= *Democratici di sinistra*) Demócratas mpl de Izquierda

dubbio, -a ['dubbjo] *agg* (*incerto*) dudoso(-a), incierto(-a) ♦ *sm* duda; **mettere in ~ qc** poner algo en duda; **avere il ~ che** tener la duda de que

dubitare [dubi'tare] *vi* dudar; **ne dubito** lo dudo

Dublino [du'blino] *sf* Dublín

duca, -chi ['duka] *sm* duque *m* □ **duchessa** [du'kessa] *sf* duquesa

due ['due] *agg inv, sm inv* dos (*m*); **a ~ a ~** de dos en dos; *vedi anche* **cinque** □ **duecento** [due'tʃento] *agg inv, sm inv* doscientos(-as) ♦ *sm*: **il Duecento** el siglo XIII □ **duepezzi** [due'pettsi] *sm inv* (*costume*) biquini *m*; (*abito*) traje *m* sastre *inv*

dunque ['dunkwe] *cong* pues, por lo tanto ♦ *sm inv*: **venire al ~** ir al grano

duomo ['dwomo] *sm* catedral *f*; **il ~ di Milano** la catedral de Milán

duplicato [dupli'kato] *sm* duplicado

duplice ['duplitʃe] *agg* doble, dúplice; **in ~ copia** por duplicado

durante [du'rante] *prep* durante

durare [du'rare] *vi* durar

duro, -a ['duro] *agg* (*anche fig: severo, faticoso, difficile*) duro(-a) ♦ *avv*: **tener ~** resistir, no dar el brazo a torcer; **~ d'orecchi** duro de oído

DVD [divud'di] *abbr m* DVD *m*

Ee

E [e] *abbr* (= *est*) E

e [e] (*dav vocale anche* **ed**) *cong* y; (*prima di i- ed hi-*) e; **spagnolo e italiano** español e italiano

ebbene [eb'bene] *cong* pues bien

ebraico, -a, -ci, -che [e'braiko] *agg* hebreo(-a) ♦ *sm* (*lingua*) hebreo

ebreo, -a [e'breo] *agg, sm/f* judío(-a), hebreo(-a)

EC abbr (= Eurocity) (tren m) Eurocity m

ecc. abbr (= eccetera) etc.

eccedenza [ettʃeˈdentsa] sf exceso; **bagaglio in ~** exceso de equipaje

⚠ **eccedenza** non si traduce mai con la parola spagnola **excedencia**.

eccellente [ettʃelˈlɛnte] agg excelente

eccentrico, -a, -ci, -che [etˈtʃɛntriko] agg excéntrico(-a)

eccessivo, -a [ettʃesˈsivo] agg excesivo(-a)

eccesso [etˈtʃɛsso] sm exceso
► **eccesso di velocità** exceso de velocidad

eccetera [etˈtʃɛtera] avv etcétera

eccetto [etˈtʃɛtto] prep (tranne) excepto; **~ se** salvo que

eccezionale [ettʃettsjoˈnale] agg (straordinario, insolito) excepcional

eccezione [ettʃetˈtsjone] sf excepción f; **a ~ di** a excepción de; **d'~** de excepción; **fare ~** constituir una excepción; **fare un'~ (alla regola)** hacer una excepción (a la regla)

eccitare [ettʃiˈtare] vt excitar; **eccitarsi** vpr (agitarsi) exaltarse; (sessualmente) excitarse

ecco [ˈɛkko] avv: **~mi!** ¡aquí estoy!; (vengo!) ¡voy!; **~ fatto!** ¡ya está!; **~ci arrivati!** ¡ya hemos llegado!

eccome [ekˈkome] avv claro, por supuesto; **parla spagnolo? - lo parla ~!** ¿habla español? - ¡y muy bien!; **ti piace? - ~!** ¿te gusta? - ¡claro!

eclisse [eˈklisse] sf eclipse m

eco [ˈɛko] (pl(m) echi) sf (anche fig) eco ☐ **ecografia** [ekograˈfia] sf ecografía

ecologia [ekoloˈdʒia] sf ecología ☐ **ecologico, -a, -ci, -che** [ekoˈlɔdʒiko] agg ecológico(-a); (pelliccia) sintético(-a)

e-commerce [iˈkɔmers] sm comercio electrónico

economia [ekonoˈmia] sf economía; **fare ~** economizar ☐ **economico, -a, -ci, -che** [ekoˈnɔmiko] agg económico(-a); **edizione economica** edición económica; **potrebbe indicarmi un ristorante economico?** ¿podría indicarme un restaurante barato?

ecstasy [ˈɛkstasi] sf inv éxtasis m inv

edera [ˈɛdera] sf hiedra

edicola [eˈdikola] sf quiosco

edificio [ediˈfitʃo] sm edificio

edile [eˈdile] agg (impresa) constructor(a); (operaio) de la construcción

Edimburgo [edimˈburgo] sf Edimburgo

editore, -trice [ediˈtore] agg, sm/f editor(a); **casa editrice** editorial f

edizione [ediˈtsjone] sf edición f
► **edizione straordinaria** edición extraordinaria

educare [eduˈkare] vt educar ☐ **educato, -a** [eduˈkato] agg (persona) educado(-a); (modi) exquisito(-a); **in modo educato** de forma educada ☐ **educazione** [edukatˈtsjone] sf educación f; **per educazione** por educación
► **educazione fisica** (SCOL) educación física

effeminato, -a [effemiˈnato] agg afeminado(-a)

effervescente [efferveʃʃente] *agg* effervescente

effettivo, -a [effettivo] *agg (reale)* efectivo(-a), real

effetto [effetto] *sm* efecto; **in effetti** en efecto; **fare ~** *(medicina)* hacer efecto ▸ **effetto serra** efecto invernadero ▸ **effetti personali** efectos personales

efficace [effikatʃe] *agg* eficaz

efficiente [effiʃjɛnte] *agg* eficiente

Egitto [edʒitto] *sm* Egipto ❑ **egiziano, -a** [edʒitʃjano] *agg, sm/f* egipcio(-a)

egli [ʹeʎʎi] *pron* él; **~ stesso** él mismo

egoismo [egoizmo] *sm* egoísmo ❑ **egoista, -i, -e** [egoista] *agg, sm/f* egoísta *m/f*

Egr. *abbr* = **Egregio**; *(sulla busta)* Sr.; *(nella lettera)* Estimado

E.I. *abbr* (= *Esercito Italiano*) ejército italiano

elaborare [elaboʹrare] *vt (progetto, piano)* elaborar; *(dati)* procesar

elasticizzato, -a [elastitʃidʒdzato] *agg* elástico(-a)

elastico, -a, -ci, -che [eʹlastiko] *agg (materiale)* elástico(-a); *(fig: adattabile)* flexible ♦ *sm* elástico

elefante, -essa [eleʹfante] *sm/f* elefante(-a)

elegante [eleʹgante] *agg (persona, abito)* elegante; *(modi)* fino(-a)

eleggere [eʹlɛddʒere] *vt* elegir

elementare [elemenʹtare] *agg (semplice)* elemental; **(scuola)** ~ (escuela de) primaria; **prima ~** *(SCOL)* primero de primaria

elemento [eleʹmento] *sm* elemento; **elementi** *smpl (di scienza, arte)* elementos

elemosina [eleʹmɔzina] *sf* limosna; **chiedere l'~** pedir limosna

elencare [elenʹkare] *vt (mettere in elenco)* hacer una lista de; *(enumerare)* enumerar ❑ **elenco, -chi** [eʹlenko] *sm* lista ▸ **elenco telefonico** guía telefónica

elettorale [elettoʹrale] *agg* electoral

elettore, -trice [eletʹtore] *sm/f* elector(a)

elettrauto [eletʹtrauto] *sm inv (officina)* taller *m* de electricidad del automóvil; *(tecnico)* especialista *m/f* en electricidad del automóvil

elettricista, -i, e [elettriʹtʃista] *sm/f* electricista *m/f*

elettricità [elettritʃiʹta] *sf* electricidad *f*

elettrico, -a, -ci, -che [eʹlettriko] *agg* eléctrico(-a)

elettrizzante [elettridʹdzante] *agg (fig)* electrizante

elettrizzare [elettridʹdzare] *vt (anche fig)* electrizar

elettrocardiogramma, -i [elettrokardjoʹgramma] *sm* electrocardiograma *m*

elettrodomestico, -ci [elettrodoʹmestiko] *sm* electrodoméstico

elettronico, -a, -ci, -che [eletʹtrɔniko] *agg* electrónico(-a)

elezione [eletʹtsjone] *sf* elección *f*; **elezioni** *sfpl (amministrative, politiche)* elecciones *fpl*

elica, -che [ʹelika] *sf* hélice *f*

elicottero [eli'kɔttero] sm
helicóptero

eliminare [elimi'nare] vt eliminar

elisoccorso [elisok'korso] sm
socorro y salvamento con
helicóptero

elmetto [el'metto] sm casco

elogiare [elo'dʒare] vt elogiar

eloquente [elo'kwɛnte] agg
elocuente

eludere [e'ludere] vt (domanda,
regolamento, leggi) eludir;
(sorveglianza) burlar

e-mail [i'mail] sf inv e-mail m, correo
electrónico

emarginato, -a [emardʒi'nato]
agg, sm/f marginado(-a) ▪
❏ **emarginazione**
[emardʒinat'tsjone] sf marginación
f

embrione [embri'one] sm embrión
m

emendamento [emenda'mento]
sm (DIR) enmienda

emergenza [emer'dʒɛntsa] sf
emergencia; **in caso di ~** en caso de
emergencia; **stato di ~** estado de
excepción; **atterraggio d'~**
aterrizaje de emergencia

EMERGENZA

Los números para llamar en caso
de emergencia son: **Polizia**
(Policía) 113, **Carabinieri** 112,
"Ambulanza" (Urgencias Médicas)
118, "Soccorso stradale" (Ayuda en
Carretera) 116, "Vigili del fuoco"
(Bomberos) 115.

---

emergere [e'mɛrdʒere] vi (venire a
galla, distinguersi) emerger; (fig:

apparire) surgir; **è emerso che ...** ha
manifestado que ...

emettere [e'mettere] vt (suono,
luce, assegno) emitir; (grido, sospiro,
ordine, mandato) dar; (DIR: sentenza)
dictar

emicrania [emi'kranja] sf migraña

emigrare [emi'grare] vi emigrar

emisfero [emis'fɛro] sm hemisferio
▶ **emisfero australe/boreale**
hemisferio austral/boreal

emittente [emit'tɛnte] sf (RADIO, TV)
emisora

emorragia, -gie [emorra'dʒia] sf
hemorragia

emorroidi [emor'rɔidi] sfpl
hemorroides fpl

emoticona [emoti'kɔna] sf
emotición m, emoticono

emotivo, -a [emo'tivo] agg
emotivo(-a)

emozionante [emottsjo'nante]
agg emocionante, apasionante

emozionare [emottsjo'nare] vt
(commuovere) emocionar; (agitare)
poner nervioso(-a); **emozionarsi**
vpr (commuoversi) emocionarse;
(agitarsi) ponerse nervioso(-a)
❏ **emozionato, -a** agg
emocionado(-a); (agitato)
nervioso(-a)

emozione [emot'tsjone] sf
emoción f

enciclopedia [entʃiklope'dia] sf
enciclopedia

endovenoso, -a [endove'noso]
agg intravenoso(-a) ♦ sf (iniezione)
inyección f intravenosa

E.N.E.L. ['enel] sigla m (= Ente
Nazionale per l'Energia Elettrica)
compañía eléctrica italiana

energetico, -a, -ci, -che
[enerd'ʒetiko] *agg* enérgico(-a)

energia, -gie [ener'dʒia] *sf*
energía • **energico, -a, -ci, -che**
[e'nerdʒiko] *agg* enérgico(-a)

enfasi ['enfazi] *sf* énfasis *m inv*

ennesimo, -a [en'nezimo] *agg*
(MAT) enésimo(-a); **per l'ennesima
volta** por enésima vez

enorme [e'norme] *agg* enorme

ente ['ente] *sm (istituzione)* ente *m*
▶ **ente di ricerca** instituto de
investigación ▶ **enti pubblici**
entes públicos

entrambi, -e [en'trambi] *pron pl*
ambos(-as), los(-as) dos ♦ *agg pl:* ~ **i
ragazzi** ambos(-as) chicos(-as)

entrare [en'trare] *vi:* ~ **(in)** entrar
(en); **far** ~ **qn** hacer entrar a algn; ~
in vigore entrar en vigor; **questo
non c'entra** (fig) esto no tiene nada
que ver; **che c'entra?** ¿qué tiene
que ver? ❏ **entrata** [en'trata] *sf*
(ingresso) entrada; **entrate** *sfpl*
(COMM, ECON) ingresos *mpl*; **dov'è
l'entrata?** ¿dónde está la entrada?

entro ['entro] *prep* dentro de, en; ~
domani para mañana; ~ **il 25
marzo** para el 25 de marzo; ~ **e non
oltre il 25 aprile** como máximo
para el 25 de abril inclusive

entusiasmare [entuzjaz'mare] *vt*
entusiasmar; **entusiasmarsi** *vpr:*
entusiasmarsi (per) entusiasmarse
(por)

entusiasmo [entu'zjazmo] *sm*
entusiasmo

entusiasta, -i, -e [entu'zjasta]
agg, sm/f entusiasta *m/f*

epatite [epa'tite] *sf* hepatitis *f inv*

epidemia [epide'mia] *sf* epidemia

epilessia [epiles'sia] *sf* epilepsia
❏ **epilettico, -a, -ci, -che**
[epi'lettiko] *agg* epiléptico(-a)

episodio [epi'zɔdjo] *sm (fatto,
vicenda, di film)* episodio; *(di
sceneggiato)* capítulo

epoca, -che ['ɛpoka] *sf (periodo
storico)* época; **d'~** *(edificio, mobile)*
de época

eppure [ep'pure] *cong (nondimeno)*
sin embargo, con todo

EPT [epi'ti] *sigla m (= Ente provinciale
per il turismo)* Delegación *f*
Provincial de Turismo

equatore [ekwa'tore] *sm* ecuador
m

equazione [ekwat'tsjone] *sf*
ecuación *f*

equestre [e'kwestre] *agg* ecuestre

equilibrio [ekwi'librjo] *sm (anche
fig: moderazione)* equilibrio; **perdere
l'~** perder el equilibrio

equino, -a [e'kwino] *agg*
equino(-a)

equipaggiamento
[ekwipaddʒa'mento] *sm* equipo

equipaggiare [ekwipad'dʒare] *vt:*
~ **(di)** equipar (con); **equipaggiarsi**
vpr equiparse

equipaggio [ekwi'paddʒo] *sm (di
nave, aereo)* tripulación *f*

⚠ **equipaggio** non si traduce
mai con la parola spagnola
equipaje.

equitazione [ekwitat'tsjone] *sf*
equitación *f inv*

equivalente [ekwiva'lente] *agg,
sm* equivalente *(m)*

equivoco, -a, -ci, -che
[e'kwivoko] *agg (risposta,*

comportamento) equivoco(-a), ambiguo(-a) ♦ *sm* malentendido; **a scanso di equivoci** para que no haya malentendidos

equo, -a [ˈɛkwo] *agg* ecuánime; *(prezzo)* razonable

era [ˈɛra] *sf* era

era *ecc* [ˈɛra] *vb vedi* **essere**

erba [ˈɛrba] *sf* hierba; **in** ~ *(fig)* en cierne ▸ **erba medica** alfalfa ▸ **erbe aromatiche** hierbas aromáticas ◻ **erbaccia, -ce** [erˈbattʃa] *sf* maleza ◻ **erboristeria** [erboristeˈria] *sf* *(negozio)* herboristería

erede [eˈrɛde] *sm/f* heredero(-a) ◻ **eredità** [erediˈta] *sf inv (anche fig)* herencia; **lasciare qc in eredità a qn** dejar algo en herencia a algn ◻ **ereditare** [erediˈtare] *vt* heredar

eremita, -i [ereˈmita] *sm* ermitaño(-a), eremita *m/f*

ergastolo [erˈɡastolo] *sm* cadena perpetua

erica [ˈɛrika] *sf* brezo

eritema, -i [eriˈtɛma] *sm* eritema *m*

ermetico, -a, -ci, -che [erˈmɛtiko] *agg* hermético(-a)

ernia [ˈɛrnja] *sf* hernia

eroe [eˈrɔe] *sm* héroe *m* ◻ **eroico, -a, -ci, -che** [eˈrɔiko] *agg* heroico(-a) ◻ **eroina** [eroˈina] *sf* *(persona, droga)* heroína

erosione [eroˈzjone] *sf* erosión *f*

erotico, -a, -ci, -che [eˈrɔtiko] *agg* erótico(-a)

errato, -a [erˈrato] *agg* errado(-a), equivocado(-a)

errore [erˈrore] *sm (sbaglio)* error *m*; **per** ~ por error; **ci dev'essere un** ~ debe haber un error

eruzione [erutˈtsjone] *sf (GEO, MED)* erupción *f*

esacerbare [ezatʃerˈbare] *vt* exacerbar

esagerare [ezadʒeˈrare] *vt, vi* exagerar

esaltare [ezalˈtare] *vt* exaltar, ensalzar

esame [eˈzame] *sm (analisi, SCOL)* examen *m*; **fare** o **dare un** ~ hacer un examen; **passare** o **superare un** ~ pasar o aprobar un examen ▸ **esame del sangue** análisis *m inv* de sangre ▸ **esame di guida** examen de conducir ◻ **esaminare** [ezamiˈnare] *vt* examinar

esasperare [ezaspeˈrare] *vt* exasperar

esattamente [ezattaˈmente] *avv* exactamente

esattezza [ezatˈtettsa] *sf (precisione)* exactitud *f*; **per l'~** para ser preciso

esatto, -a [eˈzatto] *pp di* **esigere** ♦ *agg* exacto(-a)

esaudire [ezauˈdire] *vt (desideri, preghiera)* atender

esauriente [ezauˈrjɛnte] *agg* exhaustivo(-a)

esaurimento [ezauriˈmento] *sm (di scorte, provviste, MED)* agotamiento ▸ **esaurimento nervoso** agotamiento nervioso

esaurire [ezauˈrire] *vt* agotar; **esaurirsi** *vpr* agotarse ◻ **esaurito, -a** [ezauˈrito] *agg (scorte, provviste, libro, persona)* agotado(-a); *(posto)* completo(-a); **tutto esaurito** *(cinema, teatro, albergo)* completo

esausto, -a [eˈzausto] *agg* exhausto(-a)

esca ['eska] (pl **esche**) sf (PESCA) cebo; (fig) anzuelo

eschimese [eski'mese] agg, sm/f esquimal m/f

esclamare [eskla'mare] vi exclamar ◆ **esclamativo, -a** [esklama'tivo] agg: **punto esclamativo** signo de admiración □ **esclamazione** [esklamat'tsjone] sf exclamación f

escludere [es'kludere] vt excluir □ **esclusione** [esklu'zjone] sf exclusión f; **a esclusione di** con excepción de ▶ **esclusione sociale** marginación f □ **esclusiva** [esklu'ziva] sf exclusiva □ **esclusivamente** [eskluziva'mente] avv exclusivamente ◆ **esclusivo, -a** [esklu'zivo] agg (modello) exclusivo(-a); (circolo) selecto(-a) □ **escluso, -a** [es'kluzo] pp di **escludere** ◆ agg: **nessuno escluso** todos(-as) incluidos(-as); **IVA esclusa** IVA aparte

escogitare [eskodʒi'tare] vt (trucco) inventar; (piano) idear

escursione [eskur'sjone] sf (gita) excursión f ▶ **escursione termica** oscilación f climatológica

esecuzione [ezekut'tsjone] sf (di lavoro, MUS, DIR) ejecución f ▶ **esecuzione capitale** pena capital

eseguire [eze'gwire] vt ejecutar; (ordine) acatar

esempio [e'zempjo] sm ejemplo; **fare un ~** poner un ejemplo; **per ~** por ejemplo □ **esemplare** [ezem'plare] agg, sm ejemplar (m)

esercitare [ezertʃi'tare] vt (mente, corpo) ejercitar; (potere, diritto,

pressione, professione) ejercer; **esercitarsi** vpr (fare pratica) ejercitarse

esercito [e'zertʃito] sm ejército

esercizio [ezer'tʃittsjo] sm ejercicio; (ECON: gestione) gestión f; **fuori ~** (persona) en baja forma ▶ **esercizio pubblico** (COMM) local m público

esibire [ezi'bire] vt (documenti) exhibir; **esibirsi** vpr exhibirse □ **esibizione** [ezibit'tsjone] sf (di documenti, artistica) exhibición f

esigente [ezi'dʒente] agg exigente □ **esigere** [e'zidʒere] vt (pretendere) exigir; (imposte) cobrar

esile ['ezile] agg (persona, corporatura) delgado(-a); (voce) débil

esiliare [ezi'ljare] vt exiliar □ **esilio** [e'ziljo] sm exilio

esistenza [ezis'tentsa] sf existencia

esistere [e'zistere] vi (esserci, vivere) existir; **non esiste!** (fam) ¡ni hablar o pensarlo!

esitare [ezi'tare] vi vacilar, titubear

esito ['ezito] sm resultado

esodo ['ezodo] sm éxodo

esofago [e'zofago] sm esófago

esonerare [ezone'rare] vt: ~ **qn (da)** (da pagamento, servizio militare) eximir a algn (de)

esordio [e'zɔrdjo] sm (di artista, scrittore) debut m

esortare [ezor'tare] vt: ~ **(a fare)** exhortar (a hacer)

esotico, -a, -ci, -che [e'zɔtiko] agg exótico(-a)

espandere [es'pandere] vt (confini, influenza, attività) extender; (azienda) expandir; **espandersi** vpr (gas) expandirse; (paese)

extenderse ❑ **espansione** [espan'sjone] sf expansión f
▶ **espansione di memoria** (INFORM) ampliación f de memoria

espansivo, -a [espan'zivo] agg expansivo(-a)

espatriare [espa'trjare] vi expatriarse

espediente [espe'djente] sm artimaña

⚠ **espediente** non si traduce mai con la parola spagnola *expediente*.

espellere [es'pellere] vt expulsar

esperienza [espe'rjentsa] sf experiencia; **parlare per ~** hablar por experiencia

esperimento [esperi'mento] sm experimento

esperto, -a [es'perto] agg, sm/f experto(-a)

espirare [espi'rare] vt, vi espirar

esplicito, -a [es'plitʃito] agg explícito(-a)

esplodere [es'plɔdere] vi explotar ♦ vt (colpo) disparar

esplorare [esplo'rare] vt explorar

esplosione [esplo'zjone] sf explosión f

esporre [es'porre] vt exponer; **esporsi** vpr: **esporsi a** (sole, critiche, pericolo) exponerse a

esportare [espor'tare] vt exportar

esposizione [espozit'tsjone] sf exposición f

esposto, -a [es'posto] pp di **esporre** ♦ agg: **~ a nord** expuesto(-a) al norte ♦ sm (AMM) informe m

espressione [espres'sjone] sf (sul viso, locuzione, MAT) expresión f

espressivo, -a [espres'sivo] agg expresivo(-a)

espresso, -a [es'presso] pp di **esprimere** ♦ agg expreso(-a) ♦ sm (lettera, francobollo) expreso; (anche: treno ~) expreso; (anche: caffè ~) café m expreso

esprimere [es'primere] vt (opinione, idea) expresar; **esprimersi** vpr expresarse

espulsione [espul'sjone] sf expulsión f

essenza [es'sentsa] sf esencia ❑ **essenziale** [essen'tsjale] agg esencial ♦ sm: **l'essenziale** lo esencial

essere

PAROLA CHIAVE

['essere] vi

1 (trovarsi, stare) estar; (esistere) ser; **sono a casa** estoy en casa; **sono da Luigi** estoy en casa de Luis; **essere in piedi** estar de pie; **essere seduto** estar sentado

2 : **esserci**: **c'è** hay; **ci sono** hay; **che c'è?** ¿qué hay o pasa?; **non c'è niente da fare** no hay nada que hacer; **ci sono!** (sono qui) ¡estoy aquí!; (ho capito) ¡ya está!; **c'è Maria?** ¿está María?

3 (con attributo, sostantivo: condizione permanente) ser; (: condizione provvisoria) estar; **è giovane** es joven; **è medico** es médico

4 : **essere da** haber que, ser de o para; **è da fare subito** hay que hacerlo ya; **c'è da sperare che ...** es de esperar que ...; **c'è da impazzire** es para volverse loco

essi ['essi] *pron pl vedi* **esso**

esso, -a ['esso] *pron* ello(-a); (*pl*) ellos(-as)

est [est] *sm* este m *inv*; **i paesi dell'~** los países del Este

estate [es'tate] *sf* verano; **d'~, in ~** en verano

esteriore [este'rjore] *agg* exterior

esterno, -a [es'terno] *agg* externo(-a) ♦ *sm* exterior m ♦ *sm/f* (*allievo*) externo(-a); **esterni** *smpl* (*CINE*) exteriores; **per uso ~** para uso externo; **all'~** al exterior

estero, -a ['estero] *agg* extranjero(-a), exterior ♦ *sm*: **all'~** en el/al extranjero; **Ministero degli Esteri** Ministerio de Asuntos Exteriores

esteso, -a [es'teso] *pp di* **estendere** ♦ *agg* (*territorio*) extenso(-a), vasto(-a); **scrivere per ~** escribir sin abreviaturas

estetico, -a, -ci, -che [es'tetiko] *agg* estético(-a) □ **estetista** [este'tista] *sm/f* esteticista m/f

estinguere [es'tingwere] *vt* (*incendio, specie*) extinguir; (*debito*) liquidar; (*conto corrente*) anular; **estinguersi** *vpr* (*animale, fuoco, specie*) extinguirse □ **estintore** [estin'tore] *sm* extintor m □ **estinzione** [estin'tsjone] *sf* (*di debito*) liquidación f; (*di specie*) extinción f

estirpare [estir'pare] *vt* (*erbacce*) arrancar; (*dente*) extraer; (*tumore*) extirpar; (*vizio*) erradicar

estivo, -a [es'tivo] *agg* veraniego(-a), estival

estorcere [es'tortʃere] *vt* (*denaro, promessa*) sacar; (*confessione*) arrancar

estradizione [estradit'tsjone] *sf* extradición f

estraneo, -a [es'traneo] *agg, sm/f* extraño(-a); **rimanere ~ a qc** ser ajeno(-a) a algo

estrarre [es'trarre] *vt* (*minerali, dente*) extraer; (*sorteggiare*) sortear; (*pistola*) sacar

estremamente [estrema'mente] *avv* extremadamente

estremista, -i, -e [estre'mista] *agg, sm/f* extremista m/f

E: **essere di** (*appartenere, provenire*) ser de; **di chi è la penna?** ¿de quién es el bolígrafo?; **è di Carla** es de Carla; **è di Venezia** es de Venecia

6 (*data, ora*): **è il 15 agosto** estamos a o es 15 de agosto; **è lunedì** es lunes; **che ora è?** ¿qué hora es?; **è l'una** es la una; **sono le due** son las dos; **è mezzanotte** es medianoche

7 (*costare*): **quant'è?** ¿cuánto es?; **sono 10 euro** 10 euros

♦ *vb aus*

1 (*nei tempi composti*) haber; **è arrivato/venuto** ha llegado/ venido; **se n'è andata** se ha ido

2 (*costr. passiva*) ser; **è stata uccisa** ha sido asesinada

3 (*riflessivo*): **si è pettinato** se ha peinado; **si sono lavati** se han lavado

♦ *vb impers*: **è tardi** es tarde; **è bello** hace buen tiempo; **è caldo/freddo** hace calor/frío; **è possibile che venga** es posible que venga, puede que venga; **è così** es así

♦ *sm* (*individuo, essenza*) ser m; **essere umano** ser humano

estremità [estremi'ta] sf inv (parte terminale) extremidad f, extremo ♦ sfpl (del corpo) extremidades

estremo, -a [es'tremo] agg (misure, sport) extremo(-a); (tentativo, ora) último(-a) ♦ sm (limite) límite m; **estremi** smpl (AMM: dati essenziali) datos mpl; **da un ~ all'altro** de un extremo a otro; **l'E~ Oriente** Extremo Oriente

estroverso, -a [estro'verso] agg, sm/f extrovertido(-a)

età [e'ta] sf inv (di persona, animale, epoca) edad f; **all'~ di otto anni** a la edad de ocho años; **ha la mia ~** tiene mi edad; **di mezza ~** de mediana edad; **d'~ avanzata** de edad avanzada

etere ['etere] sm (CHIM) éter m; **trasmissione via ~** transmisión por ondas electromagnéticas

eternità [eterni'ta] sf eternidad f

eterno, -a [e'terno] agg eterno(-a)

eterogeneo, -a [etero'dʒɛneo] agg heterógeneo(-a)

eterosessuale [etero'sesswale] agg, sm/f heterosexual m/f

etica ['etika] sf ética

etichetta [eti'ketta] sf (cartellino, galateo) etiqueta

etico, -a, -ci, -che ['etiko] agg ético(-a)

etimologia, -gie [etimolo'dʒia] sf etimología

etnico, -a, -ci, -che ['etniko] agg étnico(-a)

etrusco, -a, -schi, -sche [e'trusko] agg, sm/f etrusco(-a)

ettaro ['ettaro] sm hectárea

etto ['etto] abbr m (= ettogrammo) hectogramo; **un ~ di salame** cien gramos de salami

euro ['euro] sm inv euro

Europa [eu'rɔpa] sf Europa ❏ **europeo, -a** [euro'pɛo] agg, sm/f europeo(-a)

eutanasia [eutana'zia] sf eutanasia

evacuare [evaku'are] vt (zona, paese) evacuar

evadere [e'vadere] vi: ~ **(da)** (da prigione, routine) escapar (de) ♦ vt (ordine) tramitar; (lettera, pratica) despachar; (fisco) evadir

evaporare [evapo'rare] vi evaporarse

evasione [eva'zjone] sf (dal carcere) fuga; (fig: dalla realtà) evasión f; (COMM: di ordine) despacho ▸ **evasione fiscale** evasión fiscal

evasivo, -a [eva'zivo] agg evasivo(-a)

evaso, -a [e'vazo] pp di **evadere** ♦ sm/f fugitivo(-a)

evento [e'vento] sm acontecimiento, evento ❏ **eventuale** [eventu'ale] agg (possibile) eventual ❏ **eventualmente** [eventual'mente] avv eventualmente

evidente [evi'dente] agg evidente ❏ **evidentemente** [evidente'mente] avv (palesemente) evidentemente; (sicuramente) sin ninguna duda

evitare [evi'tare] vt evitar; ~ **di fare** evitar hacer; ~ **qc a qn** evitar(le) algo a algn

evoluzione [evolut'tsjone] sf evolución f

evolversi [ev'vɔlsersi] *vpr* evolucionar

evviva [ev'viva] *escl* ¡viva!, ¡hurra!

ex [ɛks] *pref* ex ♦ *sm/f inv* (*fidanzato ecc*) ex *m/f inv*; **ex presidente** ex presidente

extra ['ɛkstra] *agg inv* extra, extraordinario(-a) ♦ *sm inv*: **gli ~** (*spese*) los gastos *mpl* extras ❑ **extracomunitario, -a** [ɛkstrakomuni'tarjo] *agg, sm/f* extracomunitario(-a)

extraterrestre [ɛkstrater'rɛstre] *agg, sm/f* extraterrestre *m/f*

Ff

fa [fa] *vb vedi* **fare** ♦ *sm inv* (*MUS*) fa *m* *inv* ♦ *avv*: **dieci anni fa** hace diez años; **due giorni fa** hace dos días; **molto tempo fa** hace mucho tiempo

fabbrica, -che ['fabbrika] *sf* fábrica ❑ **fabbricare** [fabbri'kare] *vt* fabricar

faccenda [fat'tʃɛnda] *sf* (*questione*) asunto; (*cosa da fare*) tarea; **le faccende domestiche** las tareas domésticas

facchino [fak'kino] *sm* mozo de cuerda

faccia, -ce ['fattʃa] *sf* cara; **a ~ cara** a cara ❑ **facciata** [fat'tʃata] *sf* (*di edificio*) fachada; (*di foglio*) cara, carilla; (*fig: apparenza*) apariencia

facile ['fatʃile] *agg* fácil; **~ a** (*incline*) propenso a; **è ~ che piova** es probable que llueva

facoltà [fakol'ta] *sf inv* (*anche UNIV*) facultad *f* ❑ **facoltativo, -a** [fakolta'tivo] *agg* (*lezione, corso*) optativo(-a); (*fermata*) discrecional

faggio ['faddʒo] *sm* haya

fagiano [fa'dʒano] *sm* faisán

fagiolino [fadʒo'lino] *sm* judía *o* alubia verde

fagiolo [fa'dʒɔlo] *sm* judía, alubia

fai-da-te ['fai da 'te] *sm inv* bricolaje *m inv*

falce ['faltʃe] *sf* hoz *f*, guadaña

falciare [fal'tʃare] *vt* segar

falciatrice [faltʃa'tritʃe] *sf* segadora

falco, -chi ['falko] *sm* halcón *m*

falda ['falda] *sf* (*di cappello*) ala; (*di cappotto*) faldón *m*; **le falde del Vesuvio** la falda del Vesubio

falegname [faleɲ'name] *sm* carpintero

fallimento [falli'mento] *sm* fracaso; (*DIR*) quiebra

fallire [fal'lire] *vt* (*colpo*) fallar ♦ *vi* (*non riuscire*): **~ (in)** fracasar (en); (*DIR*) quebrar

fallo ['fallo] *sm* (*SPORT*) falta; (*ANAT*) falo; **cogliere qn in ~** coger a algn con las manos en la masa; **mettere il piede in ~** dar un paso en falso

falò [fa'lɔ] *sm inv* fogata

falsificare [falsifi'kare] *vt* falsificar

falso, -a ['falso] *agg* (*denaro*) falso(-a) ♦ *sm* (*DIR*) falsedad *f*, falsificación *f*; **giurare il ~** jurar en falso

fama ['fama] *sf* fama

fame ['fame] *sf* hambre *f*; **aver ~** tener hambre; **fare la ~** (*anche fig*) morirse de hambre

famiglia [fa'miʎʎa] *sf* familia ❑ **familiare** [fami'ljare] *agg* familiar ♦ *sm/f* (*parente*) familiar *m*

famoso, -a [fa'moso] *agg* famoso(-a)

fanale [fa'nale] *sm* (AUT) faro, luz f; (*luce stradale*) farola

fanatico, -a, -ci, -che [fa'natiko] *agg, sm/f* fanático(-a)

fango, -ghi ['fango] *sm* fango, barro

fannullone, -a [fannul'lone] *sm/f* holgazán(-ana), haragán(-ana)

fantascienza [fantaʃ'ʃɛntsa] *sf* ciencia ficción f

fantasia [fanta'zia] *sf* fantasía

fantasma, -i [fan'tazma] *sm* fantasma m

fantastico, -a, -ci, -che [fan'tastiko] *agg* (*di fantasia, stupendo*) fantástico(-a)

fantino [fan'tino] *sm* jinete m, jockey m

farabutto [fara'butto] *sm* bribón(-ona), canalla m/f

fard [far] *sm inv* colorete m

---

fare

['fare] *vt*

1 (*creare, costruire*) hacer; **fare la cena** hacer la cena; **fare un film** hacer una película; **fare una promessa** hacer una promesa; **fare rumore** hacer ruido

2 (*effettuare, praticare: attività, sport*) hacer; (: *studi*) hacer, estudiar; **cosa fa?** (*adesso*) ¿qué hace? ¿qué está haciendo?; (*di professione*) ¿en qué trabaja?; **fare giurisprudenza** estudiar derecho; **fare il medico** ser médico; **fare un viaggio** hacer un viaje; **fare una passeggiata** dar un paseo; **fare la spesa** comprar, hacer la compra

3 (*simulare*): **fare il malato** hacerse

el enfermo; **fare l'indifferente** mostrarse indiferente

4 (*suscitare: pena, ribrezzo*) dar, producir; **fare paura a qn** dar miedo a algn; **mi fa rabbia** me da rabia; **(non) fa niente** (*non importa*) no importa

5 (*ammontare a*): **3 più 3 fa 6** 3 más 3 son 6; **fanno 6 euro** son 6 euros

6 (+ *infinito*): **far fare qc a qn** hacer que algn haga algo; **fammi vedere** déjame ver; **far partire il motore** arrancar el motor; **far riparare la macchina** arreglar el coche; **far costruire una casa** construir una casa

7: **farsi** hacerse; **farsi una gonna** hacerse una falda; **farsi un nome** hacerse un nombre; **farsi la permanente** hacerse la permanente; **farsi tagliare i capelli** cortarse el pelo; **farsi operare** operarse

8 (*fraseologia*): **farcela** ser capaz, poder con; **non ce la faccio più** no aguanto o puedo más; **ce la faremo** lo conseguiremos; **lo facevo più giovane** creía que era más joven; **fare sì/no con la testa** decir que sí/no con la cabeza

♦ *vi*

1 (*agire*) hacer; **fate come volete** haced lo que queráis; **fare presto** darse prisa; **fare da** (*fungere*) hacer de; **non c'è niente da fare** no hay nada que hacer; **saperci fare con qn** saber cómo tratar a algn; **faccia pure!** ¡adelante!

2: **si fa**: **si fa così** se hace así; **non si fa così!** (*rimprovero*) ¡eso no se hace!

3: **fare a gara con qn** ver quién hace algo; **fare a pugni** pegarse; **fare in tempo a fare** tener tiempo para hacer

♦ *vb impers*: **fa bel tempo** hace buen tiempo; **fa caldo/freddo** hace calor/frío; **fa notte** anochece

♦ *vpr*

1: **farsi** (*diventare*) hacerse; **farsi prete** hacerse sacerdote; **farsi vecchio** hacerse viejo; **si è fatto grande** se ha puesto grande

2 (*spostarsi*) **farsi avanti** acercarse; **farsi indietro** echarse hacia atrás; **farsi da parte** echarse a un lado

3 (*fam: drogarsi*) chutarse

farfalla [far'falla] *sf* mariposa

farina [fa'rina] *sf* harina

farmacia, -cie [farma't∫ia] *sf* farmacia □ **farmaceutico, -i, -e** [farma't∫istɔ] *sm/f* farmacéutico(-a), boticario(-a) □ **farmaco, -ci** ['farmakɔ] *sm* fármaco

faro ['faro] *sm* (*NAUT, AUT*) faro; (*AER*) luz f, baliza

fascia, -sce ['fa∫∫a] *sf* (*MED*) venda; (*di tessuto*) faja, fajín m; (*di territorio*) franja; (*di contribuenti, ascoltatori*) grupo; **in fasce** (*neonato*) en pañales ▶ **fascia oraria** franja horaria □ **fasciare** [fa∫'∫are] *vt* fajar

fascicolo [fa∫'∫ikolo] *sm* (*di documenti*) expediente m, ficha; (*opuscolo*) fascículo

fascino ['fa∫∫ino] *sm* atractivo, fascinación f

fascismo [fa∫'∫izmo] *sm* fascismo

fase ['faze] *sf* fase f

fastidio [fas'tidjo] *sm* (*disturbo*) fastidio, molestia; (*disturbo fisico*) molestia; **dare ~ a qn** molestar a algn; **avere fastidi con la polizia** tener problemas con la policía □ **fastidioso, -a** [fasti'djoso] *agg*

(*rumore, dolore*) molesto(-a); (*bambino*) pesado(-a)

fata ['fata] *sf* hada

fatale [fa'tale] *agg* (*incidente, malattia*) mortal; (*donna*) fatal

fatica, -che [fa'tika] *sf* (*sforzo*) fatiga; (*difficoltà*) dificultad f; **a ~ a duras penas**; **fare ~ a fare qc** costar a algn trabajo hacer algo □ **faticoso, -a** [fati'koso] *agg* (*lavoro*) pesado(-a), fatigoso(-a); (*salita*) pesado(-a)

fatto, -a ['fatto] *pp di* **fare** ♦ *agg*: **un uomo ~** un hombre hecho y derecho ♦ *sm* (*avvenimento*) hecho; **~ a mano** hecho a mano; **~ in casa** casero; **cogliere qn sul ~** coger a algn con las manos en la masa; **il ~ è che ...** lo cierto es que ...; **~ sta che ...** lo cierto es que ...; **in ~ di ...** en cuestión de ...

fattore [fat'tore] *sm* (*MAT, elemento*) factor m; (*AGR*) granjero(-a) ▶ **fattore di protezione** (*di crema*) factor de protección

fattoria [fatto'ria] *sf* granja

⚠️ **fattoria** non si traduce mai con la parola spagnola *factoría*.

fattorino [fatto'rino] *sm* (*di negozio, ufficio*) chico(-a) de los recados; (*d'albergo*) botones m inv

fattura [fat'tura] *sf* (*COMM*) factura; (*di abito*) hechura; (*stregoneria*) hechicería □ **fatturato** [fattu'rato] *sm* (*COMM*) volumen m de ventas

fauna ['fauna] *sf* fauna

fava ['fava] *sf* haba

favola ['favola] *sf* (*fiaba*) cuento; (*fandonia*) cuento, patraña

favoloso, -a [favo'loso] agg fabuloso(-a)

favore [fa'vore] sm favor m; **per ~** por favor; **di ~** (prezzo) de amigo; (trattamento) de favor; **fare un ~ a qn** hacer un favor a algn

favorire [favo'rire] vt favorecer; **vuole ~?** ¿puedo invitarlo?; **favorisca i documenti** haga el favor de enseñarme la documentación

fax [faks] sm inv fax m; **qual è il numero di ~?** ¿cuál es el número de fax?

fazzoletto [fattso'letto] sm pañuelo ▸ **fazzoletto di carta** kleenex® m inv, pañuelo de papel

febbraio [feb'brajo] sm febrero; vedi anche **luglio**

febbre ['febbre] sf fiebre f; **avere la ~** tener fiebre; **~ da fieno** fiebre del heno □ **fecondazione** [fekondat'tsjone] sf fecundación f; **~ artificiale** fecundación artificial □ **fecondo, -a** [fe'kondo] agg fértil

fede ['fede] sf (REL, fiducia) fe f; (anello) alianza; **aver ~ in qn** tener fe en algn; **in buona/cattiva ~** de buena/mala fe; **tener ~ a** (a giuramento, promessa) mantener; (a ideale) ser fiel a □ **fedele** [fe'dele] agg fiel ♦ sm/f (REL) fiel m/f

federa ['federa] sf funda

federale [fede'rale] agg federal

fegato ['fegato] sm hígado; (fig: coraggio) valor m, coraje m

felce ['feltʃe] sf helecho

felice [fe'litʃe] agg feliz □ **felicità** [felitʃi'ta] sf inv felicidad f □ **felicitarsi** [felitʃi'tarsi] vpr (congratularsi): **felicitarsi con qn per qc** felicitar a algn por algo

felino, -a [fe'lino] agg felino(-a) ♦ sm felino

felpa ['felpa] sf (tessuto) felpa; (indumento) sudadera

femmina ['femmina] sf (animale) hembra; (figlia) hija, niña □ **femminile** [femmi'nile] agg femenino(-a); (giornale) para mujeres ♦ sm (LING) femenino

femore ['femore] sm fémur m

fenomeno [fe'nɔmeno] sm fenómeno

feriale [fe'rjale] agg: **giorno ~** día laborable o hábil

ferie ['ferje] sfpl vacaciones fpl; **andare in ~** ir de vacaciones

ferire [fe'rire] vt herir, lastimar; **ferirsi** vpr: **ferirsi (con)** herirse o lastimarse (con) □ **ferita** [fe'rita] sf herida, lesión f □ **ferito, -a** [fe'rito] sm/f herido(-a)

fermaglio [fer'maʎʎo] sm (di cravatta) pasador m; (per capelli) horquilla; (di gioiello) broche m

fermare [fer'mare] vt (persona, pallone, motore) parar; (porta) sujetar; (treno, autobus) parar, detener; (sogg: polizia) detener; **fermarsi** vpr pararse, detenerse; **si fermi qui/all'angolo per favore** párese aquí/en la esquina por favor; **fermarsi a fare qc** pararse a hacer algo □ **fermata** [fer'mata] sf (sosta) parada ▸ **fermata dell'autobus** parada del autobús

fermenti [fer'menti] smpl: **~ lattici** fermentos lácticos

fermezza [fer'mettsa] sf firmeza

fermo, -a ['fermo] agg parado(-a); (traffico) detenido(-a); (voce, carattere) enérgico(-a); (mano) firme ♦ sm (di porta, finestra) tope m

feroce [fe'rotʃe] *agg (animale)* feroz

ferragosto [ferra'gosto] *sm (festa)* 15 de agosto; *(periodo)* puente *m* de agosto

ferramenta [ferra'menta] *sfpl:* **(negozio di)** ~ ferretería

ferro ['ferro] *sm (metallo)* hierro; **ai ferri** *(bistecca, scampi)* a la plancha; **tocca ~!** ¡toca madera! ▸ **ferro battuto** hierro forjado ▸ **ferro da stiro** plancha ▸ **ferro di cavallo** herradura

ferrovia [ferro'via] *sf* ferrocarril *m*; **le ferrovie** *(servizi)* = la RENFE □ **ferroviario, -a** [ferro'vjarjo] *agg* ferroviario(-a) □ **ferroviere, -a** [ferro'vjere] *sm/f* ferroviario(-a)

fertile ['fertile] *agg* fértil

fesso, -a ['fesso] *agg (fam)* tonto(-a), bobo(-a)

fessura [fes'sura] *sf (fenditura)* hendidura, grieta; *(per moneta, gettone)* ranura

festa ['festa] *sf* fiesta; *(compleanno)* cumpleaños *m inv; (onomastico)* santo; **far ~** *(dal lavoro)* tener vacaciones; *(far baldoria)* montar una juerga □ **festeggiare** [fested'dʒare] *vt (ricorrenza)* festejar; *(promozione)* celebrar; *(persona)* agasajar □ **festivo, -a** [fes'tivo] *agg* festivo(-a); **giorno festivo** día festivo

feto ['feto] *sm* feto

fetta ['fetta] *sf (di torta)* porción *f*; *(di carne)* tajada; *(di pane)* rebanada; *(fig)* parte *f*

fettuccine [fettut'tʃine] *sfpl (CUC)* fetuccini *mpl*

FF.SS. *abbr (= Ferrovie dello Stato)* ≈ RENFE *f (ESP)*

FI *sigla (= Forza Italia)* Fuerza Italia, partido de centro-derecha italiano

fiaba ['fjaba] *sf* cuento

fiacca ['fjakka] *sf (stanchezza, debolezza)* flojera; *(svogliatezza)* desgana □ **fiacco, -a, -chi, -che** ['fjakko] *agg (stanco)* cansado(-a); *(svogliato)* apático(-a)

fiaccola ['fjakkola] *sf* antorcha

fiala ['fjala] *sf* ampolla

fiamma ['fjamma] *sf* llama □ **fiammante** [fjam'mante] *agg (colore)* vivo(-a); **nuovo fiammante** flamante, recién estrenado

fiammifero [fjam'mifero] *sm* fósforo, cerilla

fianco, -chi ['fjanko] *sm (di persona, nave)* costado; *(di monte)* ladera; *(di edificio)* lado; **di ~** de lado, de costado; **~ a** ~ uno al lado del otro

fiasco, -schi ['fjasko] *sm (contenitore)* garrafa; *(insuccesso)* fiasco; **fare ~** fracasar

fiatare [fja'tare] *vi (fig: parlare)*: **senza ~** sin mediar palabra, sin decir ni pío

fiato ['fjato] *sm (alito, respiro)* aliento; *(resistenza)* resistencia, fuerza; **prendere ~** tomar aliento; **strumento a ~** instrumento de viento; **bere qc tutto d'un ~** beber algo de un trago o tirón

fibbia ['fibbja] *sf (di cintura)* hebilla; *(di bracciale)* broche *m*

fibra ['fibra] *sf (tessile)* fibra; *(fig)* constitución *f*

ficcare [fik'kare] *vt (infilare can forza)* hincar, clavar; **ficcarsi** *vpr (conficcarsi)* clavarse; *(andare a finire: cosa, persona)* meterse

fico, -a, -chi, -che ['fiko] *sm*
(*pianta*) higuera; (*frutto*) higo ♦ *sm/f*
(*fam: persona*) tío(-a) bueno(-a); **che
~!** ¡qué guay! ▸ **fico d'India** higo
chumbo ▸ **fico secco** higo seco

fidanzamento [fidantsa'mento]
sm compromiso; (*periodo*) noviazgo

fidanzarsi [fidan'tsarsi] *vpr*: **~ (con)**
prometerse (con) ☐ **fidanzato, -a**
[fidan'tsato] *sm/f* prometido(-a),
novio(-a)

fidarsi [fi'darsi] *vpr*: **~ di** fiarse de
☐ **fidato, -a** [fi'dato] *agg* fiable, de
confianza

fiducia [fi'dutʃa] *sf* confianza; **avere
~ in qn/se stesso** tener confianza
en algn/sí mismo; **di ~** (*incarico,
persona*) de confianza

fienile [fje'nile] *sm* henil m, pajar m

fieno ['fjeno] *sm* heno

fiera ['fjera] *sf* (*nazionale,
internazionale*) feria, mercado

fiero, -a ['fjero] *agg* orgulloso(-a)

fig. *abbr* (= *figura*) fig

fifa ['fifa] *sf* (*fam*) mieditis *f inv*;
aveva ~ le entró el tembleque *o*
canguelo

figlia ['fiʎʎa] *sf* hija
☐ **figliastro, -a** [fiʎ'ʎastro] *sm/f*
hijastro(-a) ♦ **figlio** ['fiʎʎo] *sm* hijo;
quanti figli hai? ¿cuántos hijos
tienes? ▸ **figlio di papà** niño de
papá ▸ **figlio unico** hijo único

figura [fi'gura] *sf* (*corporatura,
immagine, MAT*) figura; (*in un libro*)
ilustración f; (*sagoma*) forma; **fare
una brutta ~** (*brutta impressione*)
quedar mal *o* a la altura del betún;
far fare una brutta ~ a qn (*mettere
in imbarazzo*) poner en evidencia a
algn; (*mettere in ridicolo*) poner a
algn en ridículo; **che ~!** ¡qué

vergüenza! ☐ **figurina** [figu'rina]
sf (*da collezione*) cromo

fila ['fila] *sf* (*insieme allineato*) fila,
hilera; (*coda*) cola; **fare la ~** hacer
cola; **in ~ indiana** en fila india

filare [fi'lare] *vt* (*lana*) hilar ♦ *vi*
(*formaggio*) derretirse; (*fig: discorso*)
fluir; (: *ragionamento*) hilar;
(*sfrecciare*) ir como una bala; **~ a
diritto** (*fig*) portarse como Dios
manda; **filarsela** (*svignarsela*)
largarse

filastrocca, -che [filas'trɔkka] *sf*
breve poesía con rima que cantan los
niños

filatelia [filate'lia] *sf* filatelia

filetto [fi'letto] *sm* (*di carne*)
solomillo, filete m; (*di pesce*) filete

filiale [fi'ljale] *sf* (*COMM*) sucursal f;
(*impresa dipendente*) filial f

film [film] *sm inv* película

filo ['filo] *sm* (*di cotone, perle*) hilo;
(*metallico*) alambre m; **~ d'aria**
(*fig*) un pelo o una pizca de aire; **per
~ e per segno** con pelos y señales;
con un ~ di voce con un hilo de voz
▸ **filo spinato** alambre de púa

filone [fi'lone] *sm* (*d'oro ecc*) filón m;
(*di pane*) barra; (*fig*) corriente f

filosofia [filozo'fia] *sf* filosofía
☐ **filosofo, -a** [fi'lɔzofo] *sm/f*
filósofo(-a)

filtrare [fil'trare] *vt* (*liquido*) filtrar
♦ *vi* (*liquido, notizia*) filtrarse; (*luce,
gas*) entrar

filtro ['filtro] *sm* filtro; **senza ~**
(*sigaretta*) sin boquilla ▸ **filtro
dell'olio** (*AUT*) filtro del aceite

finale [fi'nale] *agg* final ♦ *sm* final ♦
♦ *sf* final f ☐ **finalmente**
[final'mente] *avv* por fin

finanza [fi'nantsa] *sf* (= *Guardia di Finanza*) policía fiscal; **finanze** *sfpl* (*di Stato*) finanzas *fpl*; (*di individuo*) recursos *mpl*

finché [fin'ke] *cong* hasta que; ~ **vorrai** hasta que quieras; **aspetta ~ (non) esce** espera hasta que salga

fine ['fine] *agg* fino ♦ *sf* (*conclusione, scopo*) fin *m*; (*esito*) final *m*, resultado; **in ~** en conclusión; **alla ~** al final; **secondo ~** segundas intenciones; **lieto ~** desenlace feliz

finestra [fi'nestra] *sf* ventana ◻ **finestrino** [fines'trino] *sm* ventanilla; **vorrei un posto vicino al finestrino** quisiera un asiento junto a la ventana

fingere ['findʒere] *vt* fingir; **fingersi** *vpr* hacerse pasar por; ~ **di fare qc** fingir hacer algo

finire [fi'nire] *vt, vi* terminar, acabar; ~ **di fare qc** (*completare*) acabar de hacer algo; (*smettere*) parar, dejar; ~ **in galera** acabar en la cárcel; **finiscila!** ¡ya basta!; **quando finisce lo spettacolo?** ¿cuándo termina o acaba el espectáculo?

finlandese [finlan'dese] *agg, sm/f* finlandés(-esa) ♦ *sm* (*lingua*) finlandés *m*

Finlandia [fin'landja] *sf* Finlandia

fino, -a ['fino] *agg* fino(-a) ♦ *prep* (*spesso troncato in fin*): ~ **a** hasta; ~ **a quando?, fin quando?** ¿hasta cuándo?; **fin qui** hasta aquí; **fin dal 1960** desde 1960; **fin dalla nascita** desde el nacimiento

finocchio [fi'nɔkkjo] *sm* hinojo *m*; (*fam, peg: omosessuale*) maricón *m*, marica *m*

finora [fi'nora] *avv* hasta ahora

finta ['finta] *sf* (*simulazione*) simulación *f*; (*SPORT*) amago; **fare ~ di** hacer como que; **l'ho detto per ~** (*per scherzo*) lo he dicho de broma

finto, -a ['finto] *pp di* **fingere** ♦ *agg* (*capelli, denti*) postizo(-a); (*fiori*) artificial; (*fig*) falso(-a), fingido(-a); **in finta pelle** a imitación de piel

finzione [fin'tsjone] *sf* ficción *f*

fiocco, -chi ['fjɔkko] *sm* (*di nastro*) lazo; (*di lana, neve*) copo; (*NAUT*) foque *m*; **coi fiocchi** (*fig: di prima qualità*) sin par, excelente ▶ **fiocchi d'avena** copos de centeno ▶ **fiocchi di granturco** palomitas *fpl* de maíz

fiocina [fjɔt͡ʃina] *sf* arpón *m*

fioco, -a, -chi, -che ['fjɔko] *agg* (*luce*) tenue; (*voce*) apagado(-a)

fionda ['fjonda] *sf* honda

fioraio, -a [fjo'rajo] *sm/f* florista *m/f*

fiore ['fjore] *sm* flor *f*; **fiori** *smpl* (*CARTE*) tréboles *mpl* ▶ **fior del latte** nata

fiorentina [fjoren'tina] *sf* chuletón *m* ◻ **fiorentino, -a** [fjoren'tino] *agg* florentino(-a)

fioretto [fjo'retto] *sm* (*SCHERMA*) florete *m*

fiorire [fjo'rire] *vi* (*anche fig: arti, cultura*) florecer

Firenze [fi'rentse] *sf* Florencia

firma ['firma] *sf* firma ◻ **firmare** [fir'mare] *vt* firmar; **dove devo firmare?** ¿dónde he de firmar?; **un abito firmato** (*da uomo*) un traje de marca; (*da donna*) un vestido de marca

fisarmonica, -che [fizar'mɔnika] *sf* (*MUS*) acordeón *m*

fiscale [fis'kale] agg (sistema, evasione) fiscal; (persona, controllo: rigido, pignolo) riguroso(-a), severo(-a); **medico ~** médico que controla a quienes están de baja por enfermedad

fischiare [fis'kjare] vt (motivo) silbar ♦ vi (persona, vento) silbar; (per disapprovazione) pitar □ **fischietto** [fis'kjetto] sm (strumento) silbato, pito □ **fischio** [fiskjo] sm silbido

fisco ['fisko] sm Hacienda

fisica ['fizika] sf física □ **fisico, -a, -ci, -che** ['fiziko] agg físico(-a) ♦ sm (scienziato) físico(-a); (corporatura) físico

fisionomista, -i, -e [fizjono'mista] agg fisonomista

fisioterapia [fizjotera'pia] sf fisioterapia

fisioterapista [fizjotera'pista] sm/f fisioterapeuta m/f

fissare [fis'sare] vt fijar; (appuntamento) pedir; (guardare intensamente) mirar fijamente; **fissarsi** vpr: **fissarsi su** (sogg: sguardo, attenzione) fijarse en; **fissarsi su qc** (fig: su un'idea) obstinarse en algo □ **fisso, -a** ['fisso] agg fijo(-a); (partner) estable ♦ avv: **guardare fisso** (qc/qn) mirar fijamente (algo/a algn)

fitta ['fitta] sf punzada

fittizio, -a [fit'tittsjo] agg ficticio(-a)

fitto, -a ['fitto] agg (nebbia) denso(-a); (boscaglia) espeso(-a); (pioggia) abundante

fiume ['fjume] sm río

fiutare [fju'tare] vt (annusare) oler, olfatear; (sogg: animale) husmear;

(tabacco) aspirar; (inganno, pista) intuir

flagrante [fla'grante] agg: **cogliere qn in ~** coger a algn en fraganti

flanella [fla'nɛlla] sf franela

flash [flæʃ] sm inv (FOT) flash m

flauto ['flauto] sm flauta

flessibile [fles'sibile] agg flexible

flessibilità [flessibili'ta] sf flexibilidad f

flessione [fles'sjone] sf flexión f; (di prezzo, moneta) disminución f

flettere ['flɛttere] vt flexionar

flipper ['flipper] sm inv pinball m, máquina de bolas

F.lli abbr (= fratelli) Hnos.

flora ['flɔra] sf flora

florido, -a ['flɔrido] agg (economia) próspero(-a); (industria) boyante; (aspetto) lozano(-a)

floscio, -a, -sci, -sce ['flɔʃʃo] agg flojo(-a)

flotta ['flɔtta] sf flota

fluido, -a ['fluido] agg fluido(-a) ♦ sm fluido

fluoro [flu'ɔro] sm flúor m

flusso ['flusso] sm flujo

fluviale [flu'vjale] agg fluvial

FMI ['effe'emme'i] sigla m (= Fondo Monetario Internazionale) FMI m

foca, -che ['fɔka] sf foca

focaccia, -ce [fo'kattʃa] sf (CUC) especie de bollo que lleva aceite u otros ingredientes y que se cuece en el horno; (: dolce) bollo suizo

foce ['fotʃe] sf desembocadura

focolaio [foko'lajo] sm (MED, fig) foco

focolare [foko'lare] sm (anche fig) hogar m

fodera 118 forma

fodera ['fodera] sf (di vestito) forro; (di poltrona) funda □ **fodero** ['fodero] sm (di spada, pugnale) vaina; (di pistola) funda

foga ['foga] sf ímpetu m, vehemencia

foglia ['fɔʎʎa] sf hoja

foglio ['fɔʎʎo] sm (di carta) hoja, folio ► **foglio di calcolo** (INFORM) hoja de cálculo ► **foglio di via** (DIR) orden f de expulsión ► **foglio rosa** (AUT) permiso de conducir provisional

fogna ['fonɲa] sf alcantarilla

föhn [føːn] sm inv (asciugacapelli) secador m de pelo

folla ['folla] sf muchedumbre f, multitud f

folle ['fɔlle] agg (persona) loco(-a); (idea) disparatado(-a), descabellado(-a); **in ~** (AUT) en punto muerto □ **follia** [fol'lia] sf locura; **amare qn alla follia** amar a algn con locura; **costare una follia** costar una barbaridad

folto, -a ['folto] agg (capelli, barba) tupido(-a); (bosco) espeso(-a)

fon [fɔn] sm inv vedi **föhn**

fondamenta [fonda'menta] sfpl cimientos mpl

fondamentale [fondamen'tale] agg fundamental

fondare [fon'dare] vt (città, comunità) fundar; (ditta) crear; (fig: teoria, supposizione): **~ su** basar en

fondente [fon'dente] agg: **cioccolato ~** chocolate amargo

fondere ['fondere] vt (metallo) fundir; (burro) derretir; (imprese, gruppi) fusionar

fondo, -a ['fondo] agg (piatto) hondo ♦ sm fondo; (di lista) final m; **fondi** smpl (denaro) fondos mpl, caudales mpl; **a notte fonda** en plena noche; **in ~ a** (pozzo, stanza) en el fondo de; **laggiù in ~** (lontano) allí en el fondo; **andare a ~** (nave) irse a pique; **in ~** (fig) en el fondo; **conoscere a ~** conocer a fondo; **dar ~ a** (fig: a provviste, soldi) agotar; **andare fino in ~** (fig) llegar hasta el fondo; **a ~ perduto** (COMM) a fondo perdido ► **fondi di investimento** fondos de inversión ► **fondi di caffè** posos mpl de café

fondotinta [fondo'tinta] sm inv maquillaje m de fondo

fonetica [fo'nɛtika] sf fonética

fontana [fon'tana] sf fuente f

fonte ['fonte] sf (sorgente) manantial m, fuente f; (fig: di informazione, reddito) fuente ► **fonte energetica** fuente energética

foraggio [fo'raddʒo] sm forraje m

forare [fo'rare] vt (pallone) pinchar; (biglietto) picar; (lamiera) agujerear; (sogg: proiettile) perforar; **~ (una gomma)** pinchar (una rueda)

forbici ['fɔrbitʃi] sfpl tijeras fpl

forca, -che ['forka] sf (AGR, patibolo) horca

forchetta [for'ketta] sf tenedor m

forcina [for'tʃina] sf (per capelli) horquilla

foresta [fo'resta] sf selva

forestiero, -a [fores'tjero] agg, sm/f forastero(-a)

forfora ['forfora] sf caspa

forma ['forma] sf forma; (tipo) tipo; **essere in ~** estar en forma; **tenersi**

in ~ mantenerse en forma; **una ~ di formaggio** un queso entero

formaggino [format'dʒino] *sm* quesito (en porciones)

formaggio [for'maddʒo] *sm* queso

FORMAGGI

Italia tiene una gran producción de **formaggi**, tanto fresco como curado, de leche de vaca, de oveja, o de búfala, y que varía bastante de una región a otra. Los quesos más conocidos son el "parmigiano" (parmesano), un queso curado producido en Emilia que se emplea para acompañar la pasta, y la "mozzarella", queso fresco de leche de vaca o de búfala que se pone en la pizza.

---

formale [for'male] *agg* formal

formare [for'mare] *vt* formare; (*partito*) fundar; (*cerchio*) formar; **formarsi** *vpr* formarse □ **formato** [for'mato] *sm* formato; **confezione formato famiglia** envase familiar □ **formazione** [format'tsjone] *sf* formación *f*; (*SPORT*) alineación *f* ▸ **formazione professionale** formación profesional

formica[1], **-che** [for'mika] *sf* (*ZOOL*) hormiga

formica®[2] ['fɔrmika] *sf* (*materiale*) fórmica®

formidabile [formi'dabile] *agg* formidable

formula ['fɔrmula] *sf* fórmula □ **formulare** [formu'lare] *vt* (*giudizio*) formular; (*pensiero*) expresar

fornaio [for'najo] *sm* panadero

fornello [for'nɛllo] *sm* hornillo ▸ **fornello a gas** hornillo de gas

fornire [for'nire] *vt*: **~ qc (a qn)** abastecer o proveer (a algn) de algo

forno ['forno] *sm* horno ▸ **forno a microonde** horno de microondas

foro ['foro] *sm* (*buco*) agujero, hoyo

forse ['forse] *avv* quizás, tal vez; **essere in ~** no ser seguro(-a)

forte ['fɔrte] *agg* fuerte; (*somma, spesa*) grande, considerable ♦ *avv* (*colpire*) con fuerza; (*parlare*) en voz alta; (*correre*) velozmente, rápidamente ♦ *sm* (*edificio fortificato*) fuerte *m*; **piatto ~** (*CUC*) plato fuerte; **andare ~** (*avere successo*) pegar fuerte □ **fortezza** [for'tettsa] *sf* fortaleza

fortuito, -a [for'tuito] *agg* fortuito(-a)

fortuna [for'tuna] *sf* (*buona sorte*) suerte *f*; (*destino, averi*) fortuna; **per ~** por suerte; **di ~** (*soluzione, atterraggio ecc*) de emergencia; **avere ~** tener suerte; **portare ~** traer suerte □ **fortunato, -a** [fortu'nato] *agg* afortunado(-a)

forza ['fɔrtsa] *sf* fuerza, fortaleza ♦ *escl* ¡ánimo!; **forze** *sfpl* (*fisiche, MIL*) fuerzas; **per ~** (*forzatamente*) a la fuerza; (*naturalmente*) por lógica ▸ **forze armate** fuerzas armadas ▸ **forze dell'ordine** fuerzas y cuerpos de seguridad del Estado □ **forzare** [for'tsare] *vt* (*persona, serratura*) forzar; (*voce*) esforzar

forzista [for'tsista] *agg* perteneciente o relativo al partido Fuerza Italia

foschia [fos'kia] *sf* neblina, calina □ **fosco, -a, -schi, -sche** [fosko] *agg* (*cielo*) oscuro(-a)

fosforo ['fɔsforo] *sm* fósforo

fossa   120   **fratello**

fossa ['fɔssa] *sf* (*buco*) fosa, hoyo
❑ **fossato** [fos'sato] *sm* arroyo,
riachuelo; (*di fortezza*) foso
❑ **fossetta** [fos'setta] *sf* hoyuelo

fossile ['fɔssile] *agg, sm* fósil (*m*)

fosso ['fɔsso] *sm* zanja; (*di castello*)
foso

foto ['fɔto] *sf inv* foto *f*; **può farci una
~, per favore?** ¿puede hacernos una
foto, por favor? ◆ **foto tessera**
foto de carné ◆ **fotocopia**
[foto'kɔpja] *sf* fotocopia
❑ **fotocopiare** [fotoko'pjare] *vt*
fotocopiar ◆ **fotocopiatrice**
[fotokopja'tritʃe] *sf* fotocopiadora
❑ **fotografare** [fotogra'fare] *vt*
fotografiar ◆ **fotografia**
[fotogra'fia] *sf* fotografía; **fare una
fotografia** hacer o sacar una
fotografía; **una fotografia a colori**
una fotografía en color; **una
fotografia in bianco e nero** una
fotografía en blanco y negro
❑ **fotografico, -a, -ci, -che**
[foto'grafiko] *agg* fotográfico(-a);
macchina fotografica cámara
fotográfica ◆ **fotografo, -a**
[fo'tɔgrafo] *sm/f* fotógrafo(-a)
❑ **fotoromanzo** [fotoro'mandzo]
sm fotonovela

foulard [fu'lar] *sm inv* fular *m*

fra [fra] *prep* = **tra**

fracasso [fra'kasso] *sm* estruendo

> ⚠ **fracasso** non si traduce mai
> con la parola spagnola
> *fracaso.*

fradicio, -a ['fraditʃo] *agg*
(*bagnato*) empapado(-a); **ubriaco ~**
borracho como una cuba

fragile ['fradʒile] *agg* (*anche fig*:
persona) frágil *f*; (: *salute, nervi*)
delicado(-a)

fragola ['fragola] *sf* fresa

fragrante [fra'grante] *agg* (*pane*)
fragante

fraintendere [frain'tendere] *vt*
tergiversar

frammento [fram'mento] *sm* (*di
osso, roccia*) fragmento; (*di oggetto
rotto*) trozo, pedazo

frana ['frana] *sf* desprendimiento;
essere una ~ (*fig*) ser un desastre

francese [fran'tʃeze] *agg, sm/f*
francés(-esa) ◆ (*lingua*) francés *m*

Francia ['frantʃa] *sf* Francia

franco, -a, -chi, -che ['franko]
agg franco(-a) ◆ *sm* (*vecchia moneta*)
franco; **farla franca** (*fig*) salir
impune o libre de polvo y paja

francobollo [franko'bollo] *sm*
sello

frangia, -ge ['frandʒa] *sf* (*di capelli*)
flequillo; (*di sciarpa*) orla; (*di coperta*)
fleco

frappè [frap'pe] *sm inv* batido

frase ['fraze] *sf* frase *f* ◆ **frase fatta**
frase hecha

frassino ['frassino] *sm* fresno

frastagliato, -a [frastaʎ'ʎato] *agg*
accidentado(-a), abrupto(-a)

frastuono [fras'twɔno] *sm* (*di
automobili*) estruendo; (*di grida*)
bullicio

frate ['frate] *sm* fraile *m*

fratellastro [fratel'lastro] *sm*
hermanastro(-a)

fratello [fra'tello] *sm* hermano;
fratelli *smpl* (*fratelli e sorelle*)
hermanos *mpl*

fraterno, -a [fra'tɛrno] *agg* fraterno(-a)

frattempo [frat'tɛmpo] *sm*: **nel ~** entre o mientras tanto

frattura [frat'tura] *sf* (MED) fractura f

frazione [frat'tsjone] *sf* (MAT, *parte*) fracción f; (*borgata*) aldea

freccia, -ce [frett'ʃa] *sf* flecha; (AUT) intermitente *m*; **mettere la ~ a destra/sinistra** poner el intermitente a la derecha/izquierda

freddezza [fred'dettsa] *sf* frialdad f

freddo, -a ['freddo] *agg* (*anche fig*) frío(-a) ♦ *sm* frío; **aver ~** tener frío; **fa ~** hace frío; **soffrire il ~** no soportar el frío; **a ~** (*fig*) en frío
☐ **freddoloso, -a** [freddo'loso] *agg* friolero(-a)

fregare [fre'gare] *vt* (*sfregare*) frotar, refregar; (*fam*: *truffare*) timar, estafar; (: *rubare*) mangar; **chi se ne frega?** ¿y a mí qué me importa?

⚠ **fregare** non si traduce mai con la parola spagnola *fragar*.

frenare [fre'nare] *vt* (*veicolo*, *processo*) frenar; (*cavallo*) refrenar; (*lacrime*) contener; (*processo*) parar ♦ *vi* frenar; **frenarsi** *vpr* (*fig*: *trattenersi*) contenerse; (*controllarsi*) controlarse

freno ['freno] *sm* freno; **tenere a ~** (*passioni ecc*) frenar ▸ **freno a disco** freno de disco ▸ **freno a mano** freno de mano

frequentare [frekwen'tare] *vt* frecuentar, relacionarse
☐ **frequentato, -a** [frekwen'tato] *agg* concurrido(-a)

frequente [fre'kwɛnte] *agg* frecuente; **di ~** con frecuencia

freschezza [fres'kettsa] *sf* (*di frutta*, *pesce*) frescura

fresco, -a, -schi, -sche ['fresko] *agg* fresco(-a) ♦ *sm* (*temperatura*): **il ~** el fresco; **al ~** al fresco; (*fig*: *in prigione*) a chirona

fretta ['fretta] *sf* prisa; **avere ~** tener prisa; **in ~** de prisa; **in ~ e furia** de prisa y corriendo

friggere ['friddʒere] *vt* freír ♦ *vi* chisporrotear

frigido, -a ['fridʒido] *agg* frígido(-a)

frigo, -ghi ['frigo] *sm* frigorífico, nevera

frigorifero, -a [frigo'rifero] *agg* frigorífico(-a) ♦ *sm* frigorífico, nevera

fringuello [frin'gwɛllo] *sm* pinzón *m*

frittata [frit'tata] *sf* tortilla

frittella [frit'tɛlla] *sf* (CUC) buñuelo

fritto, -a ['fritto] *pp di* **friggere** ♦ *agg* frito(-a) ♦ *sm* frito ▸ **fritto misto** (*di pesce*) frito mixto
☐ **frittura** [frit'tura] *sf* frito, fritada; **frittura di pesce** fritura de pescado

frivolo, -a ['frivolo] *agg* frívolo(-a)

frizione [frit'tsjone] *sf* (*massaggio*) friega; (*lozione*) loción f; (AUT) embrague *m*

frizzante [frid'dzante] *agg* (*vino*) espumoso(-a); (*acqua*, *bibita*) con gas

frodare [fro'dare] *vt* defraudar
☐ **frode** ['frɔde] *sf* estafa, fraude *m* ▸ **frode fiscale** fraude fiscal

fronda ['fronda] *sf* fronda; **fronde** *sfpl* (*fogliame*) frondas

frontale [fron'tale] *agg* frontal

frontalino [fronta'lino] *sm* (*AUT*) frontal *m*

fronte ['fronte] *sf* (*ANAT*) frente *f* ♦ *sm* (*MIL, POL, METEOR*) frente *m*; **di ~ enfrente**; **di ~ a** (*dall'altra parte*) enfrente de; (*davanti*) delante de; (*a paragone di*) en comparación con

frontiera [fron'tjɛra] *sf* frontera

frottola ['frɔttola] *sf* patraña

frugare [fru'gare] *vt* (*tasche, stanza*) registrar

frullare [frul'lare] *vt* (*CUC*) batir
□ **frullato** [frul'lato] *sm* batido
□ **frullatore** [frulla'tore] *sm* licuadora

frumento [fru'mento] *sm* trigo

fruscio [fruʃ'ʃio] *sm* crujido; (*di acque*) murmullo; (*su disco, cassetta*) ruido

frusta ['frusta] *sf* látigo, azote *m*; (*CUC*) batidor *m* □ **frustare** [frus'tare] *vt* azotar

frustrato, -a [frus'trato] *agg* frustrado(-a)

frutta ['frutta] *sf* fruta ► **frutta candita** fruta confitada ► **frutta secca** (*noci ecc*) frutos *mpl* secos; (*fichi, datteri ecc*) frutas pasas □ **fruttare** [frut'tare] *vt* (*denaro, interesse*) rentar □ **frutteto** [frut'teto] *sm* huerto (de frutales) □ **fruttivendolo, -a** [frutti'vendolo] *sm/f* frutero(-a), verdulero(-a) □ **frutto** ['frutto] *sm* (*anche fig: di sforzi, lavoro*) fruto; (*: di investimento*) beneficio, ganancia ► **frutti di bosco** frutas *fpl* del bosque ► **frutti di mare** marisco *sg*

FS ['effe'esse] *abbr* (= *Ferrovie dello Stato*) = RENFE *f* (*ESP*)

fucilare [futʃi'lare] *vt* fusilar

fucile [fu'tʃile] *sm* fusil *m*, escopeta

fucsia ['fuksja] *sf* (*fiore*) fucsia ♦ *sm*, *agg inv* (*colore*) fucsia (*m*)

fuga, -ghe ['fuga] *sf* (*da prigione, casa ecc*) fuga, huida; (*di gas, liquidi, MUS*) fuga

fuggire [fud'dʒire] *vi* huir; (*da prigione*) fugarse; **il tempo fugge** el tiempo vuela; **~ davanti a** (*a nemico*) huir ante; (*a situazione*) escaparse de

fuliggine [fu'liddʒine] *sf* hollín *m*

fulmine ['fulmine] *sm* rayo

fumare [fu'mare] *vi* fumar; (*mandare fumo*) echar humo ♦ *vt* (*sigaro, pipa*) fumar; **le dà fastidio se fumo?** ¿le molesta que fume? □ **fumatore, -trice** [fuma'tore] *sm/f* fumador(a); **"non fumatori"** "no fumadores"; **fumatore passivo** fumador pasivo

fumetto [fu'metto] *sm* (*disegno*) historieta; (*giornalino*) tebeo, cómic *m*

fumo ['fumo] *sm* (*di sigaretta, camino*) humo; (*il fumare*) fumar; **fumi** (*industriali*) humo *sg*; **il ~ mi dà fastidio** me molesta el humo; **andare in ~** (*fig*) esfumarse ► **fumo passivo** humo pasivo

fune ['fune] *sf* (*corda*) cuerda; (*più grossa*) soga

funebre ['funebre] *agg* fúnebre

funerale [fune'rale] *sm* funeral *m*

fungere ['fundʒere] *vi*: **~ da** (*persona*) desempeñar el cargo de; (*cosa*) servir de

fungo, -ghi ['fungo] *sm* hongo, seta; (*MED*) hongo; **~ velenoso** hongo venenoso, seta venenosa

funicolare [funiko'lare] *sf* funicular *m*

funivia [funi'via] *sf* teleférico

funzionare [funtsjo'nare] *vi* funcionar; **come funziona?** ¿cómo funciona?

funzionario, -a [funtsjo'narjo] *sm/f* funcionario(-a) ▸ **funzionario statale** funcionario del Estado

funzione [fun'tsjone] *sf* función *f*; **in ~** (*motore, meccanismo*) en funcionamiento o marcha

fuoco, -chi ['fwɔko] *sm* fuego; (*OTTICA, FOT, FIS*) foco; **dare ~ a qc** dar o prender fuego a algo; **fare ~** (*sparare*) hacer fuego; **prendere ~** prender fuego; **al ~!** ¡fuego!; **mettere a ~** (*FOT*) enfocar ▸ **fuoco d'artificio** fuegos artificiales

fuorché [fwor'ke] *cong, prep* excepto, salvo

fuori ['fwori] *avv* fuera ♦ *prep*: **~ (di)** fuera (de) ♦ *sm exterior m*; **~!** ¡fuera!; **lasciar ~ qc/qn** dejar fuera algo/a algn; **ceniamo a casa o ~?** ¿cenamos en casa o fuera?; **mangiamo ~ o dentro?** ¿comemos dentro o fuera?; **far ~ qn** (*fam*) cargarse o liquidar a algn; **essere tagliato ~** (*da un gruppo, ambiente*) ser excluido; **essere ~ di sé** (*dalla rabbia*) subirse por las paredes, estar fuera de sí; **Marco è ~ città** Marco está fuera de la ciudad; **~ luogo** (*inopportuno*) fuera de lugar; **~ mano** (*luogo, località*) retirado(-a), alejado(-a); **~ pasto** entre las comidas; **~ pericolo** fuera de peligro; **(andate) ~ dai piedi!** ¡(iros) fuera de aquí!; **~ servizio** fuera de servicio; **~ stagione** fuera de temporada

fuorigioco [fwori'dʒɔko] *sm inv* fuera de juego *m*

fuoristrada [fwori'strada] *sm inv* (*AUT*) todoterreno

furbo, -a ['furbo] *agg* listo(-a); (*peg*) zorro(-a)

furente [fu'rente] *agg* furioso(-a), furibundo(-a)

furfante [fur'fante] *sm/f* truhán(-ana)

furgone [fur'gone] *sm* furgoneta

furia ['furja] *sf* (*ira, impeto*) furia; (*fretta*) prisa; **a ~ di** a fuerza de; **andare su tutte le furie** ponerse hecho una furia □ **furibondo, -a** [furi'bondo] *agg* furibundo(-a) □ **furioso, -a** [fu'rjoso] *agg* furioso(-a)

furtivo, -a [fur'tivo] *agg* furtivo(-a)

furto ['furto] *sm* robo; **vorrei denunciare un ~** quisiera denunciar un robo

fusa ['fusa] *sfpl*: **fare le ~** ronronear

fuseaux [fy'zo] *smpl* mallas *fpl*

fusibile [fu'zibile] *sm* fusible *m*

fusione [fu'zjone] *sf* (*di metalli*) fundición *f*; (*fig: di aziende, gruppi*) fusión *f* □ **fuso, -a** [a 'fuzo] *pp di* **fondere** ♦ *agg* (*metallo, formaggio*) fundido(-a) ♦ *sm*: **~ orario** huso horario

fustino [fus'tino] *sm* (*di detersivo*) tambor *m*

fusto ['fusto] *sm* (*ANAT, di albero*) tronco; (*recipiente*) barril *m*

futuro, -a [fu'turo] *agg* futuro(-a) ♦ *sm* futuro

Gg

gabbia ['gabbja] *sf* (*per animali*) jaula ▸ **gabbia toracica** caja torácica

gabbiano [gab'bjano] *sm* gaviota

gabinetto [gabi'netto] *sm* (*bagno*) cuarto de baño; (*studio*) despacho; (: *MED*) consulta

gaffe [gaf] *sf inv* patinazo, metedura de pata; **fare una ~** meter la pata

galante [ga'lante] *agg* galante

galassia [ga'lassja] *sf* galaxia

galera [ga'lera] *sf* (*prigione*) chirona

Galizia [ga'littsja] *sf* Galicia

galla ['galla] *sf:* **a ~** a flote; **la verità viene sempre a ~** la verdad sale siempre a la luz

galleggiare [galled'dʒare] *vi* flotar

galleria [galle'ria] *sf* (*sotterranea, TEATRO, CINE*) galería; (*traforo*) túnel *m*; **~ d'arte** galería de arte

Galles ['galles] *sm:* **il ~** (el país de) Gales *m*

gallina [gal'lina] *sf* gallina

gallo ['gallo] *sm* gallo

galoppare [galop'pare] *vi* galopar □ **galoppo** [ga'loppo] *sm* galope *m*; **al galoppo** al galope

gamba ['gamba] *sf* (*ANAT*) pierna; (*di sedia, tavolo*) pata; **in ~** (*sveglio*) despierto; (*bravo, intelligente*) competente, inteligente

⚠ **gamba** non si traduce mai con la parola spagnola *gamba*.

gamberetto [gambe'retto] *sm* camarón *m*, quisquilla

gambero [gambero] *sm* (*di acqua dolce*) cangrejo de río; (*di mare*) gamba

gambo ['gambo] *sm* (*di fiore*) tallo; (*di frutta*) rabo

gamma ['gamma] *sf* gama

gancio ['gantʃo] *sm* gancho

gara ['gara] *sf* (*SPORT*) competición *f*; (*COMM*) concurso

garage [ga'raʒ] *sm inv* cochera, garaje *m*

garantire [garan'tire] *vt* garantizar; **ti garantisco che ...** te garantizo que ... □ **garanzia** [garan'tsia] *sf* (*di articolo, prodotto*) garantía; (*di debitore*) fianza

garbato, -a [gar'bato] *agg* (*persona*) cortés, amable; (*modi*) delicado(-a); (*tono*) amable

gareggiare [gared'dʒare] *vi:* **~ (con)** competir (con)

gargarismo [garga'rizmo] *sm* gárgara; **fare i gargarismi** hacer gárgaras

garofano [ga'rofano] *sm* clavel *m*

garza ['gardza] *sf* (*tessuto*) gasa

⚠ **garza** non si traduce mai con la parola spagnola *garza*.

garzone [gar'dzone] *sm* (*di bottega*) aprendiz(a)

gas [gas] *sm inv* gas *m*; **sento odore di ~** huelo a gas; **dare ~** (*AUT*) dar gas; **a tutto ~** (*fig*) a todo gas, a toda pastilla □ **gasolio** [ga'zɔljo] *sm* gasóleo □ **gassato, -a** [gas'sato] *agg* (*bibita, acqua*) con gas

gastrite [gas'trite] *sf* gastritis *f inv*

gastronomia [gastrono'mia] *sf* gastronomía

gatto ['gatto] *sm* gato(-a)

gazza ['gaddza] *sf* urraca, picaza

gel ['dʒɛl] *sm inv* gel *m*; (*per i capelli*) gomina

gelare [dʒe'lare] *vt* congelar, helar; (*con sguardo, osservazione*) dejar de una pieza ♦ *vb impers* helar

gelateria [dʒelate'ria] *sf* heladería

gelatina [dʒela'tina] sf (CUC)
gelatina ▸ **gelatina di frutta**
jalea de fruta

gelato, -a [dʒe'lato] agg (strada)
helado(-a), congelado(-a); (lago)
congelado(-a) ♦ sm helado

gelido, -a ['dʒelido] agg gélido(-a);
(fig: accoglienza, sguardo) muy
frío(-a)

gelo ['dʒelo] sm (temperatura) frío;
(brina) hielo, escarcha

gelosia [dʒelo'sia] sf celos mpl
□ **geloso, -a** [dʒe'loso] agg
celoso(-a)

gelso ['dʒelso] sm morera, moral m

gelsomino [dʒelso'mino] sm
jazmín m

gemello, -a [dʒe'mɛllo] agg, sm/f
(fratello, sorella) mellizo(-a);
(: omozigote) gemelo(-a); **gemelli**
smpl (di camicia) gemelos; **letti
gemelli** camas gemelas; **Gemelli**
(ZODIACO) Géminis m/f inv; **essere
dei Gemelli** ser Géminis

gemere ['dʒemere] vi (persona)
gemir; (molle, assi) chirriar

gemma ['dʒemma] sf (BOT) yema;
(pietra preziosa) gema

generale [dʒene'rale] agg general
♦ sm (MIL) general m; **in ~** en
general, por lo general

generare [dʒene'rare] vt generar;
(conseguenze, problemi) causar
□ **generazione** [dʒenerat'tsjone]
sf generación f

genere ['dʒenere] sm género; **in ~**
en general, por lo general
▸ **genere umano** género humano
▸ **generi alimentari** productos
mpl alimenticios

generico, -a, -ci, -che
[dʒe'nɛriko] agg vago(-a); **medico ~**
médico de cabecera

genero ['dʒɛnero] sm yerno

generoso, -a [dʒene'roso] agg
generoso(-a); (porzione) abundante

genetica [dʒe'nɛtika] sf genética
□ **genetico, -a, -ci, -che**
[dʒe'nɛtiko] agg genético(-a)

gengiva [dʒen'dʒiva] sf (ANAT) encía

geniale [dʒe'njale] agg genial

genio ['dʒenjo] sm genio; **andare a
~ a qn** caer bien a algn

genitore [dʒeni'tore] sm padre m; **i
miei genitori** mis padres

gennaio [dʒen'najo] sm enero; vedi
anche **luglio**

Genova ['dʒɛnova] sf Génova

gente ['dʒɛnte] sf gente f

gentile [dʒen'tile] agg (persona)
amable, cortés; (atto) gentil; (nelle
lettere): **Gentile Signore** Estimado
Señor; (sulla busta): **Gentile Sig.
Mario Bianchi** Señor Don Mario
Bianchi

genuino, -a [dʒenu'ino] agg
genuino(-a); (persona)
espontáneo(-a)

geografia [dʒeogra'fia] sf
geografía

geologia [dʒeolo'dʒia] sf geología

geometra, -i, -e [dʒe'ɔmetra] sm/f
(di case) aparejador(a); (di territorio)
topógrafo

geometria [dʒeome'tria] sf
geometría

geranio [dʒe'ranjo] sm geranio

gerarchia [dʒerar'kia] sf jerarquía

gergo, -ghi ['dʒɛrgo] sm (militare,
politico) jerga; (della malavita)
germanía

Germania [dʒer'manja] sf
Alemania

germe ['dʒɛrme] sm germen m

germogliare [dʒermoʎ'ʎare] vi
(seme) germinar; (ramo) brotar

geroglifico, -ci [dʒero'glifiko] sm
jeroglífico

gerundio [dʒe'rundjo] sm
gerundio

gesso ['dʒɛsso] sm (minerale, EDIL)
yeso; (per scrivere) tiza; (MED)
escayola

gestione [dʒes'tjone] sf gestión f,
administración f

gestire [dʒes'tire] vt (affari, ditta ecc)
administrar, dirigir; (situazione)
manejar

gesto ['dʒɛsto] sm gesto

Gesù [dʒe'zu] sm Jesús m

gettare [dʒet'tare] vt tirar, lanzar;
(anche: ~ via) tirar, lanzar; **gettarsi** vpr:
gettarsi in (in acqua) tirarse a,
lanzarse a; (in impresa) lanzarse a
❑ **getto** [dʒetto] sm (di gas, liquido)
chorro; **a getto continuo**
(ininterrottamente) sin interrupción;
di getto (scrivere, rispondere) a
vuelapluma

gettone [dʒet'tone] sm ficha

ghiacciaio [gjat'tʃajo] sm glaciar m
❑ **ghiacciato, -a** [gjat'tʃato] agg
congelado(-a); (strada) helado

ghiaccio [gjattʃo] sm hielo
❑ **ghiacciolo** [gjat'tʃɔlo] sm polo

ghiaia ['gjaja] sf grava

ghianda ['gjanda] sf (BOT) bellota

ghiandola ['gjandola] sf glándula

ghiotto, -a [gjotto] agg (persona)
glotón(-ona); (cibo) apetitoso(-a),
sabroso(-a)

ghirlanda [gir'landa] sf guirnalda

ghiro ['giro] sm lirón m

già [dʒa] avv ya ♦ escl ¡ya!, ¡sí!; **l'ho ~
fatto** lo he hecho ya; **che ci sei ...**
de paso ..., ya que estás ...

giacca, -che ['dʒakka] sf chaqueta
▸ **giacca a vento** anorak m

giacché [dʒak'ke] cong ya que

giaccone [dʒak'kone] sm
chaquetón m

giada ['dʒada] sf jade m

giaguaro [dʒa'gwaro] sm jaguar m

giallo, -a ['dʒallo] agg amarillo(-a)
♦ sm (colore) amarillo; (dell'uovo)
yema; (anche: **film/romanzo ~**)
película/novela policíaca

Giappone [dʒap'pone] sm Japón m
❑ **giapponese** [dʒappo'nese] agg,
sm/f japonés(-esa) ♦ sm (lingua)
japonés m

giardinaggio [dʒardi'naddʒo] sm
jardinería

giardiniere, -a [dʒardi'njere] sm/f
jardinero(-a)

giardino [dʒar'dino] sm jardín m

giavellotto [dʒavel'lɔtto] sm
(SPORT) jabalina

gigabyte [dʒiga'bait] sm inv
gigabyte m

gigante [dʒi'gante] agg, sm gigante
(m); **confezione ~** envase m familiar

giglio ['dʒiʎʎo] sm lirio blanco,
azucena

gilè [dʒi'lɛ] sm inv chaleco

gin [dʒin] sm inv ginebra f

ginecologo, -a, -gi, -ghe
[dʒine'kɔlogo] sm/f ginecólogo(-a)

ginepro [dʒi'nepro] sm (arbusto)
enebro; (bacca) enebrina

ginestra [dʒi'nestra] sf retama

Ginevra [dʒi'nevra] sf Ginebra

ginnastica [dʒin'nastika] *sf* ginnasia; **fare ~** hacer gimnasia

ginocchio [dʒi'nɔkkjo] *(pl(m)* ginocchi, *pl(f)* ginocchia *sm* rodilla; **mettersi in ~** ponerse de rodillas; **stare in ~** estar de rodillas

giocare [dʒo'kare] *vi* jugar ♦ *vt* jugar; *(scommettere: somma)* apostar; **~ a** *(pallone, dama ecc)* jugar a; **giocarsi il posto** jugarse el puesto □ **giocatore, -trice** [dʒoka'tore] *sm/f* jugador(a) □ **giocattolo** [dʒo'kattolo] *sm* juguete *m*

gioco, -chi [dʒɔko] *sm* juego; *(giocattolo)* juguete *m*; **entrare in ~** *(fig)* entrar en juego; **fare il doppio ~** hacer el doble juego, jugar a dos bazas; **mettere in ~** *(rischiare)* poner en juego; **per ~** de broma; **prendersi ~ di qn** tomar el pelo a algn; **stare al ~ di qn** seguir el juego a algn ▶ **gioco d'azzardo** juego de azar ▶ **giochi olimpici** juegos olímpicos □ **giocoliere** [dʒoko'ljere] *sm* malabarista *m/f*

gioia [dʒɔja] *sf* alegría; *(pietra preziosa)* joya, alhaja

gioielleria [dʒojelle'ria] *sf* joyería □ **gioielliere, -a** [dʒojel'ljere] *sm/f* joyero(-a)

gioiello [dʒo'jello] *sm* joya, alhaja

Giordania [dʒor'danja] *sf* Jordania

giornalaio, -a [dʒorna'lajo] *sm/f* vendedor(a) de periódicos; **andare dal ~** ir al quiosco

giornale [dʒor'nale] *sm* diario ▶ **giornale di bordo** *(NAUT)* diario de a bordo ▶ **giornale radio** diario hablado □ **giornaliero, -a** [dʒorna'ljero] *agg* diario(-a)

□ **giornalista, -i, -e** [dʒorna'lista] *sm/f* periodista *m/f*

⚠ **giornale** non si traduce mai con la parola spagnola *jornal*.

giornata [dʒor'nata] *sf* día *m*; **vivere alla ~** vivir al día ▶ **giornata lavorativa** jornada laboral

giorno [dʒorno] *sm* día *m*; **al ~** al día; **di ~** de día; **del ~** *(notizia, avvenimento)* del día; **che ~ è oggi?** ¿qué día es hoy?; **da un ~ all'altro** de la noche a la mañana; **al ~ d'oggi** hoy (en) día, en nuestros tiempos

giostra [dʒɔstra] *sf (per bambini)* tiovivo

giovane [dʒovane] *agg, sm/f* joven *m/f*; **i giovani** los jóvenes

giovare [dʒo'vare] *vi:* **~ a** *(essere utile)* ser útil (a); *(far bene)* beneficiar (a) ♦ *vb impers* servir

giovedì [dʒove'di] *sm inv* jueves *m inv*; *vedi anche* **martedì**

gioventù [dʒoven'tu] *sf* juventud *f*

G.I.P. [dʒip] *sigla m (= Giudice per le Indagini Preliminari)* juez *m* de investigaciones preliminares

giradischi [dʒira'diski] *sm inv* tocadiscos *m inv*

giraffa [dʒi'raffa] *sf* jirafa

girare [dʒi'rare] *vt (far ruotare)* girar, rodar; *(voltare: pagina, angolo)* pasar; *(città, paese)* recorrer, visitar; *(film)* rodar; *(assegno)* endosar ♦ *vi* girar; *(andare in giro: a piedi)* caminar, callejear; *(: in macchina, autobus)* circular; **girarsi** *vpr* volverse; **~ attorno a** dar vueltas alrededor de; *(ostacolo)* rodear; **al prossimo incrocio giri a destra/sinistra** en el próximo cruce gire a la izquierda/derecha; **far ~ la testa a qn** *(altezza)* marear a algn; (*fig: ragazza*) hacer perder la cabeza a algn ❑ **girarrosto** [dʒirar'rɔsto] *sm* (*CUC*) asador *m* ❑ **girasole** [dʒira'sole] *sm* girasol *m* ❑ **girevole** [dʒi'revole] *agg* giratorio(-a)

girino [dʒi'rino] *sm* renacuajo

giro ['dʒiro] *sm* vuelta; (*di amici*) grupo; **fare un ~** dar una vuelta; **andare in ~** pasear; **guardarsi in ~** observar la situación; **prendere in ~ qn** (*fig*) tomar el pelo a algn; **nel ~ di un mese** en cosa de un mes; **essere nel ~** (*giornalistico, politico, del teatro ecc*) estar en el ambiente; (*di droga, prostituzione ecc*) estar en el mundo ▶ **giro d'affari** (*COMM*) volumen *m* de ventas ▶ **giro di parole** rodeo (de palabras) ▶ **giro di prova** (*SPORT, AUT*) vuelta de reconocimiento ▶ **giro turistico** paseo turístico ❑ **girocollo** [dʒiro'kɔllo] *sm*: **a girocollo** de cuello redondo ❑ **gironzolare** [dʒirondzo'lare] *vi* callejear

gita ['dʒita] *sf* excursión *f*; **fare una ~** hacer una excursión

gitano, -a [dʒi'tano] *sm/f* gitano(-a)

giù [dʒu] *avv* (*stato in luogo, moto a luogo*) abajo; **in ~** hacia o para abajo; **dai sei anni in ~** de seis años para abajo; **~ di lì** (*pressappoco*) más o menos; **correre ~ per la strada** correr calle abajo; **cadere ~ per le scale** caer de las escaleras, rodar por las escaleras; **essere ~** (*fig: di morale*) estar alicaído

giubbotto [dʒub'bɔtto] *sm* cazadora ❑ **giubbotto antiproiettile** chaleco antibalas ▶ **giubbotto salvagente** chaleco salvavidas

giudicare [dʒudi'kare] *vt* (*fatto, persona*) juzgar; (*considerare: insufficiente, preparato ecc*) considerar ❑ **giudice** [dʒu'ditʃe] *sm* juez *m/f*, jueza(a)

giudizio [dʒu'dittsjo] *sm* juicio; **avere ~** ser sensato; **dente del ~** muela del juicio; **a mio ~** a mi juicio; **citare in ~** (*DIR*) citar a juicio

giugno ['dʒuɲɲo] *sm* junio; *vedi anche* **luglio**

giungere ['dʒundʒere] *vi* (*arrivare*): **~ (a/in)** llegar (a); (*spingersi fino*): **~** llegar hasta *o* a

giungla ['dʒungla] *sf* jungla

giuramento [dʒura'mento] *sm* juramento

giurare [dʒu'rare] *vt* jurar ♦ *vi* prestar juramento; (*DIR*) jurar; **il falso** jurar en falso ❑ **giuria** [dʒu'ria] *sf* jurado

giuridico, -a, -ci, -che [dʒu'ridiko] *agg* jurídico(-a)

giustificare [dʒustifi'kare] *vt* justificar ❑ **giustificazione** [dʒustifikat'tsjone] *sf* justificación *f*; (*SCOL*) justificante *m*

giustizia [dʒus'tittsja] *sf* justicia; **fare ~** hacer justicia ❑ **giustiziare** [dʒustit'tsjare] *vt* ajusticiar

giusto, -a ['dʒusto] *agg* (*equo, adatto*) justo(-a); (*preciso: misura, peso, ora*) exacto(-a) ♦ *avv* (*esattamente*) exactamente; (*per l'appunto*) justo ahora

glaciale [gla'tʃale] *agg* (*era*) glacial; (*sguardo*) glacial, muy frío(-a)

gli [ʎi] (*dav V, s impura, gn, pn, ps, x, z*) *art mpl* los ♦ *pron* (*a lui, esso*) le; (*a loro*) les; (*in coppia con lo, la, li, le, ne: a lui ecc*): **glielo do** se los doy; **gliene**

ho parlato le he hablado de ello; *vedi anche* **il**

globale [glo'bale] *agg* global

globalizzazione
[globalidzza'tsjone] *sf* globalización *f*

globo ['glɔbo] *sm* globo

globulo ['glɔbulo] *sm* (ANAT): ~ **rosso/bianco** glóbulo rojo/blanco

gloria ['glɔrja] *sf* gloria

gnocchi ['nɔkki] *smpl* (CUC) ñoquis *mpl*

gobba ['gɔbba] *sf* joroba □ **gobbo, -a** ['gɔbbo] *agg* (schiena) encorvado(-a); (persona) jorobado(-a)

goccia, -ce ['gɔttʃa] *sf* gota □ **gocciolare** [gottʃo'lare] *vi* gotear

godere [go'dere] *vi* (provare soddisfazione) gozar, disfrutar ♦ *vt* disfrutar; ~ **di** gozar de; **godersi la vita/la pace** disfrutar de la vida/la paz; **godersi il fresco** disfrutar del fresco

goffo, -a ['gɔffo] *agg* desgarbado(-a)

gola ['gola] *sf* (ANAT, tra monti) garganta; (golosità) glotonería; **fare ~** (pietanza) apetecer; (prospettiva) hacer ilusión

golf [gɔlf] *sm inv* (SPORT) golf *m inv*; (maglia) jersey *m*

golfo ['golfo] *sm* golfo

goloso, -a [go'loso] *agg* goloso(-a), glotón(-ona)

gomitata [gomi'tata] *sf*: **dare una ~ a** dar un codazo a

gomito ['gomito] *sm* codo

gomitolo [go'mitolo] *sm* ovillo

gomma ['gomma] *sf* (anche per cancellare) goma; **trasporto su ~** transporte *m* por carretera
▶ **gomma americana** (da masticare) chicle *m* □ **gommone** [gom'mone] *sm* bote *m* inflable

gonfiare [gon'fjare] *vt* inflar; (sogg: cibi, fig: notizia) hinchar; (cifra) inflar; **gonfiarsi** *vpr* hincharse; (fiume) crecer □ **gonfio, -a** ['gonfjo] *agg* (pallone, vela) inflado(-a); (caviglia, mani ecc) hinchado(-a) □ **gonfiore** [gon'fjore] *sm* hinchazón *f*

gonna ['gonna] *sf* falda ▶ **gonna pantalone** falda *f* pantalón *inv*

gorgo, -ghi ['gorgo] *sm* (di fiume: mulinello) remolino □ **gorgogliare** [gorgoʎ'ʎare] *vi* (acqua) gorgotear, borbotear

gorilla [go'rilla] *sm inv* gorila *m*; (guardia del corpo) gorila, guardaespaldas *m inv*

gotico, -a, -ci, -che ['gɔtiko] *agg* gótico(-a) ♦ *sm* gótico

gotta ['gotta] *sf* gota

governare [gover'nare] *vt* gobernar □ **governo** [go'verno] *sm* gobierno

gpl [dʒipi'elle] *abbr* = *gas di petrolio liquefatti* GPL *m*

gracidare [gratʃi'dare] *vi* croar

gracile ['gratʃile] *agg* grácil

gradazione [gradat'tsjone] *sf* (di colore) gradación ▶ **gradazione alcolica** graduación *f* alcohólica

gradevole [gra'devole] *agg* agradable

gradinata [gradi'nata] *sf* (scalinata) escalinata; (di stadio, teatro) graderío, gradas *fpl*

gradino [gra'dino] *sm* escalón *m*, peldaño

gradire [gra'dire] vt: ~ qc agradarle algo a algn; **gradisce una tazza di tè?** ¿le apetece una taza de té?

grado ['grado] sm (MAT, FIS, MIL) grado; (livello) grado, nivel m; **essere in ~ di fare qc** ser capaz de hacer algo; **di buon ~** con mucho gusto; **per gradi** por grados □ **graduale** [gradu'ale] agg gradual

graffetta [graf'fetta] sf (punto metallico) grapa; (fermaglio) clip m

graffiare [graf'fjare] vt arañar, rasguñar; **graffiarsi** vpr arañarse, rasguñarse □ **graffio** ['graffjo] sm (su superficie) arañazo; (lieve ferita) rasguño

grafia [gra'fia] sf grafía □ **grafico, -a, -ci, -che** ['grafiko] agg gráfico(-a) ♦ sm (disegno) gráfico; (persona) grafista m/f

grammatica, -che [gram'matika] sf gramática

grammo ['grammo] sm gramo

grana ['grana] sf (fam: seccatura) lío; (: soldi) pasta, pela ♦ sm inv (formaggio) queso de pasta dura y granulosa característica de las regiones italianas de Emilia y Lombardia

granaio [gra'najo] sm granero

granata [gra'nata] sf (arma) granada

Gran Bretagna [granbre'taɲɲa] sf Gran Bretaña

granchio ['grankjo] sm cangrejo; **prendere un ~** (fig) pifiarla

grande ['grande] (a volte **gran** + C, **grand'** + V) agg grande; **mio fratello più ~** mi hermano mayor □ **grandezza** [gran'dettsa] sf (dimensioni) tamaño; (fig:

importanza) grandeza; **in grandezza naturale** a tamaño natural

grandinare [grandi'nare] vb impers granizar □ **grandine** ['grandine] sf granizo

granello [gra'nello] sm grano

granito [gra'nito] sm granito

grano ['grano] sm (BOT) trigo
▸ **grano di pepe** grano de pimienta □ **granturco** [gran'turko] sm maíz m

grappa ['grappa] sf aguardiente m

grappolo ['grappolo] sm (d'uva) racimo

grassetto [gras'setto] sm (TIP) negrita

grasso, -a ['grasso] agg (alimento) graso(-a); (persona, braccia, gambe) gordo(-a) ♦ sm grasa; **grassi animali/vegetali** grasas animales/ vegetales

grata ['grata] sf rejilla, reja □ **graticola** [gra'tikola] sf (CUC) parrilla

gratis ['gratis] avv gratis

gratitudine [grati'tudine] sf gratitud f, reconocimiento

grato, -a ['grato] agg (riconoscente) agradecido(-a)

grattacapo [gratta'kapo] sm quebradero de cabeza, preocupación f

grattacielo [gratta'tʃelo] sm rascacielos m inv

gratta e vinci ['gratta e 'vintʃi] sm inv rasca y gana m inv

grattare [grat'tare] vt (pelle) rascarse; (formaggio, carote) rallar; **grattarsi** vpr rascarse □ **grattugia, -gie** [grat'tudʒa] sf

rallador *m* ❑ **grattugiare**
[grattu'dʒare] *vt* rallar; **pane
grattugiato** pan rallado

gratuito, -a [gra'tuito] *agg*
gratuito(-a)

grave ['grave] *agg* grave; *(peccato)*
mortal; *(pericolo)* grave, serio(-a);
(responsabilità) grande, importante
❑ **gravemente** [grave'mente] *avv*
(ammalato) gravemente; *(ferito)* de
gravedad

gravidanza [gravi'dantsa] *sf*
embarazo ❑ **gravità** [gravi'ta] *sf*
gravedad *f*; **forza di ~** fuerza de
gravedad

grazia ['grattsja] *sf (leggiadria)*
gracia, encanto; *(DIR)* indulto

grazie ['grattsje] *escl* gracias; **~
mille!** ¡un millón de gracias!; **~
tante o infinite!** ¡muchísimas
gracias!

grazioso, -a [grat'tsjoso] *agg
(persona)* gracioso(-a),
simpático(-a); *(abito)* gracioso,
atractivo(-a)

Grecia ['grɛtʃa] *sf* Grecia
❑ **greco, -a, -ci, -che** ['grɛko] *agg,
sm/f* griego(-a) ♦ *sm (lingua)* griego

gregge, -i ['greddʒe] *sm* rebaño

grembiule [grem'bjule] *sm (di
scolaro)* babero, babi *m (fam)*; *(di
infermiere, commessa)* bata; *(legato in
vita)* delantal *m*, mandil *M*

grembo ['grembo] *sm* regazo; *(di
madre)* seno, vientre *m* materno

grezzo, -a ['greddzo] *agg (materia,
tessuto)* basto(-a)

gridare [gri'dare] *vi* gritar ♦ *vt* pedir;
~ aiuto pedir ayuda

grido ['grido] *(pl(m) gridi, pl(f)
grida)* *sm* grito; **di ~** *(scrittore,
avvocato)* de prestigio o renombre

grigio, -a, -gi, -gie ['gridʒo] *agg*
gris; *(fig: vita ecc)* gris, monótono(-a)
♦ *sm* gris *m*

griglia ['griʎʎa] *sf (per arrostire)*
parrilla, plancha; *(inferriata)* reja,
enrejado; **alla ~** *(CUC)* a la parrilla o
plancha

grilletto [gril'letto] *sm* gatillo

grillo ['grillo] *sm* grillo

grinta ['grinta] *sf* garra,
determinación *f*; **avere molta ~**
tener mucha garra

grissino [gris'sino] *sm (CUC)* colín *m*

grondaia [gron'daja] *sf* canalón *m*

grondare [gron'dare] *vi (sudore,
sangue)* chorrear

groppa ['grɔppa] *sf (di animale)*
grupa; *(fam: di persona)* espinazo

grossezza [gros'settsa] *sf
(dimensione)* grosor *m*; *(spessore)*
espesor *m*

grossista, -i, -e [gros'sista] *sm/f
(COMM)* mayorista *m/f*

grosso, -a ['grɔsso] *agg (spesso)*
grueso(-a), gordo(-a); *(grande: nave,
aereo ecc)* grande; *(fig: errore)* grave,
gran; *(personaggio, perdita)* grande,
importante, gran; *(dolore)* fuerte;
(nome) importante; *(rischio)* gran
♦ *sm*: **il ~** di el grueso de; **farla
grossa** *(fig)* meter la pata;
sbagliarsi di ~ equivocarse
completamente; **un pezzo ~** *(fig)* un
pez gordo; **avere il fiato ~** estar
jadeando

grotta ['grɔtta] *sf* gruta, cueva

grottesco, -a, -schi, -sche
[grot'tesko] *agg (situazione, aspetto)*
grotesco(-a), ridículo(-a)

groviglio [gro'viʎʎo] *sm (di rami)*
enredo; *(di corde, fili)* maraña

gru [gru] *sf inv* (*ZOOL*) grulla; (*TECN*) grúa

gruccia, -ce [ˈgruttʃa] *sf* (*per camminare*) muleta; (*per abiti*) percha

grumo [ˈgrumo] *sm* (*di sangue*) coágulo; (*di farina, vernice*) grumo

gruppo [ˈgruppo] *sm* (*di case*) conjunto; (*di persone*) grupo; (*anche*: **~ musicale**) grupo o conjunto musical

gsm [dʒiˈesseˈemme] *sigla m* (*telefono*) GSM *m*

guadagnare [gwadaɲˈɲare] *vt* (*soldi, stipendio*) ganar; (*medaglia*) ganar, conquistar; (*fiducia*) conquistar; (*fama*) alcanzar □ **guadagno** [gwaˈdaɲɲo] *sm* (*COMM*) ganancia

guado [ˈgwado] *sm* vado; **passare a ~** vadear

guai [ˈgwai] *escl*: **~ a te/a lui!** ¡ay de ti/de él!

guaio [ˈgwajo] *sm* (*pasticcio*) lío; (*inconveniente*) problema *m*; **combinare guai** armar líos; **trovarsi in un brutto ~** estar en un lío; **essere nei guai** estar en un lío; **mettersi in un bel ~** meterse en un buen lío

guaire [gwaˈire] *vi* (*cane, lupo*) gañir, aullar lastimeramente

guancia, -ce [ˈgwantʃa] *sf* mejilla, carrillo □ **guanciale** [gwanˈtʃale] *sm* (*cuscino*) almohada

guanto [ˈgwanto] *sm* guante *m*

guardalinee [gwardaˈlinee] *sm inv* (*SPORT*) juez *m/f* de línea

guardare [gwarˈdare] *vt* (*film, televisione*) ver; (*quadro*) observar; (*custodire: casa, bambini*) vigilar; (*proteggere: persona*) proteger;

(: *salute*) cuidar ♦ *vi* (*badare: a spese, rischio*): **~ a** tener cuidado con, estar atento(-a) a; **guardarsi** *vpr* mirarse; **~ su** (*su mare, piazza*) dar a; **ma guarda un po'!** ¡lo que son las cosas!; **guardarsi da qn** tener cuidado con algn; **guardarsi dal fare qc** tener cuidado a la hora de hacer algo

 guardare non si traduce mai con la parola spagnola *aguardar*.

guardaroba [gwardaˈrɔba] *sm inv* (*armadio*) ropero; (*stanza, in teatro*) guardarropa *m*; (*insieme degli abiti*) guardarropa, vestuario

guardia [ˈgwardja] *sf* guarda *m/f*, guardián(-ana); **fare la ~** montar (la) guardia; **stare in ~** (*fig*) estar en guardia; **il medico di ~** el médico de guardia ▶ **guardia del corpo** guardaespaldas *m/f inv* ▶ **Guardia di Finanza** (*corpo*) policía fiscal ▶ **guardia medica** (*servizio notturno*) urgencias *fpl* □ **guardiano, -a** [gwarˈdjano] *sm/f* guardián(-ana), guarda *m/f* ▶ **guardiano notturno** sereno, guardián nocturno

GUARDIA DI FINANZA

La **Guardia di Finanza** es un organismo militar que lleva a cabo las infracciones de las leyes relativas a los impuestos sobre la renta o los monopolios. Informa al Ministerio de Economía, Justicia o Agricultura, según la función que desempeñe.

guarigione [gwariˈdʒone] *sf* cura, curación *f*

guarire [gwa'rire] vt curar ♦ vi sanar, curarse

guarnire [gwar'nire] vt (abito) adornar; (piatto) acompañar

guastafeste [gwasta'feste] sm/f inv aguafiestas m/f inv

guastarsi [gwas'tarsi] vpr (cibo) estropearse, descomponerse; (tempo) malograrse; (rapporto) estropearse, romperse; (meccanismo, motore) estropearse, averiarse ☐ **guasto, -a** ['gwasto] agg (motore, macchina, telefono) estropeado(-a), averiado(-a); (cibo) dañado(-a), podrido(-a); (dente) picado(-a) ♦ sm (di meccanismo, auto) avería, desperfecto; **la mia macchina ha avuto un guasto** se me ha averiado el coche

Guatemala [gwate'mala] sm Guatemala f

guerra ['gwɛrra] sf guerra ▶ **guerra mondiale** guerra mundial

gufo ['gufo] sm búho

guida ['gwida] sf (capo) guía m/f, maestro(-a); (direzione: di azienda, gruppo) dirección f; (di paese) gobierno; (AUT: azione) conducción f; (manuale) manual m; (libro per turisti) guía; **avete una ~ in spagnolo?** ¿tienen una guía en español?; **c'è una ~ che parla italiano?** ¿hay algún guía que hable italiano?; **essere alla ~ di** (fig) estar al frente de ▶ **guida a destra/sinistra** (AUT) conducción por la derecha/izquierda ▶ **guida telefonica** guía telefónica ▶ **guida turistica** (persona) guía turístico(-a); (libro) guía turística ☐ **guidare** [gwi'dare] vt (gruppo) dirigir, orientar; (persona) orientar; (esercito) mandar; (partito, rebelli)

liderar; (paese) gobernar; (automobile) conducir; (barca, aereo, nave) pilotar; (classifica) encabezar; **sai guidare?** ¿sabes conducir? ☐ **guidatore, -trice** [gwida'tore] sm/f conductor(a)

guinzaglio [gwin'tsaʎʎo] sm tralla; **tenere al ~** llevar con una correa

guscio, -sci ['guʃʃo] sm (di uovo, noce) cáscara

gustare [gus'tare] vt (assaporare: cibi) gustar, paladear; (fig: film, scena ecc) deleitarse, saborear

gusto ['gusto] sm (senso) gusto; (godimento, soddisfazione) gusto, placer m; (propensione) gusto, afición f; (di cibo, gelato) sabor m, gusto; **al ~ di fragola** de fresa; **che gusti avete?** ¿qué sabores tienen?; **mangiare di ~** comer con ganas; **prenderci ~** cogerle gusto ☐ **gustoso, -a** [gus'toso] agg gustoso(-a), sabroso(-a)

Hh

H, h abbr (ora) h; (etto) hg; (altezza) a

Haiti [a'iti] sf Haití m

hall [hɔːl] sf inv (di hotel) vestíbulo

handicap ['hændikap] sm inv (MED) minusvalía, discapacidad f ▶ **handicappato, -a** [andikap'pato] agg, sm/f minusválido(-a)

hascisc [aʃ'ʃiʃ] sm hachís m inv

Havana [a'vana] sf: **l'~** La Habana

herpes ['ɛrpes] sm (MED) herpes m inv ▶ **herpes zoster** herpes zóster

hi-fi ['haifai] agg inv de alta fidelidad ♦ sm inv alta fidelidad f; (impianto) equipo de alta fidelidad, hi-fi m

hobby ['hɔbi] *sm inv* afición *f*

hockey ['hɔki] *sm* hockey *m inv*
► **hockey su ghiaccio** hockey sobre hielo

home page ['houm'peidʒ] *sf inv* portada

Honduras [on'duras] *sf* Honduras *f*

hostess ['oustis] *sf inv* (*su aerei*) azafata; (*in congressi*) azafata de congresos

hotel [o'tɛl] *sm inv* hotel *m*

Ii

i [i] *art mpl* los; *vedi anche* **il**

IC *abbr* (= *Intercity*) Intercity *m*, Interurbano

ICI ['itʃi] *sigla f* (= *Imposta Comunale sugli Immobili*) impuesto sobre la propiedad

icona [i'kɔna] *sf* (REL, INFORM) icono

idea [i'dɛa] *sf* idea; **cambiare** o **cambiar de idea**; **neanche** o **neppure per ~!** ¡ni hablar!
□ **ideale** [ide'ale] *agg, sm* ideal (*m*)
□ **ideare** [ide'are] *vt* idear

identico, -a, -ci, -che [i'dɛntiko] *agg* idéntico(-a) □ **identificare** [identifi'kare] *vt* identificar; **identificarsi** *vpr*: **identificarsi (con)** identificarse (con) □ **identità** [identi'ta] *sf inv* identidad *f*

ideologia, -gie [ideolo'dʒia] *sf* ideología

idiomatico, -a, -ci, -che [idjo'matiko] *agg* idiomático(-a)

idiota, -i, -e [i'djɔta] *agg, sm/f* idiota *m/f*

idolo ['idolo] *sm* ídolo

idoneità [idonei'ta] *sf* (*a professione, servizio militare*) aptitud *f*; (*a uso, scopo*) idoneidad *f*

idoneo, -a [i'dɔneo] *agg*: **~ a** (*a professione, servizio militare*) apto (para); (*a uso, scopo*) idóneo (para)

idrante [i'drante] *sm* (*presa d'acqua*) boca de riego; (*tubo*) manguera

idratante [idra'tante] *agg* hidratante

idraulico, -a, -ci, -che [i'drauliko] *agg* hidráulico(-a) ♦ *sm* fontanero

idrofilo, -a [i'drɔfilo] *agg* hidrófilo(-a)

idrogeno [i'drɔdʒeno] *sm* hidrógeno

idrovolante [idrovo'lante] *sm* hidroavión *m*

iena ['jɛna] *sf* hiena

ieri ['jɛri] *avv* ayer; **il giornale di ~** el periódico de ayer; **~ l'altro** anteayer, antes de ayer; **~ sera** anoche, ayer por la tarde

igiene [i'dʒɛne] *sf* higiene *f*
□ **igienico, -a, -ci, -che** [i'dʒɛniko] *agg* higiénico(-a)

ignaro, -a [iɲ'ɲaro] *agg*: **~ (di)** desconocedor(a) (de)

ignobile [iɲ'ɲɔbile] *agg* innoble

ignorante [iɲɲo'rante] *agg* (*anche peg*) ignorante

ignorare [iɲɲo'rare] *vt* (*non sapere*) ignorar, desconocer; (*fingere di non notare*) ignorar □ **ignoto, -a** [iɲ'ɲɔto] *agg* (*destinazione*) ignoto(-a); (*genitori*) desconocido(-a)

il

PAROLA CHIAVE

[il] (pl i; diventa **lo** pl **gli** davanti a s impura, gn, pn, ps, x, z; f **la**; pl **le**) art

1 el (la); **il libro/lo studente** el libro/el estudiante; **il coraggio/ l'amore** el valor/el amor; **gli scolari** los alumnos; **il mantello** la capa; **le automobili** los automóviles; **l'acqua** el agua

2 (possesso): **aprire gli occhi** abrir los ojos; **rompersi la gamba** romperse la pierna; **avere i capelli neri** tener el pelo negro; **mettiti le scarpe** ponte los zapatos

3 (tempo): **il mattino** por la mañana; **il venerdì** (ogni venerdì) los viernes; **la settimana prossima** la próxima semana

4 (distributivo): **2 euro il chilo/il paio** 2 euros el kilo/el par; **110 km l'ora** 110 km por hora

5 (partitivo): **hai messo lo zucchero?** ¿has puesto azúcar?; **hai comprato il latte?** ¿has comprado leche?

6 (con nomi propri): **il Petrarca** Petrarca; **il Presidente Bush** el Presidente Bush; **dov'è la Donatella?** ¿donde está Donatella?

7 (con nomi geografici): **il Tevere** el Tíber; **l'Italia** Italia; **la Sardegna** Cerdeña; **l'Everest** el Everest; **le Alpi** los Alpes

illegale [ille'gale] agg ilegal

illeggibile [illed'dʒibile] agg ilegible

illegittimo, -a [ille'dʒittimo] agg ilegítimo(-a)

illeso, -a [il'lezo] agg: **rimanere ~** resultar ileso

illimitato, -a [illimi'tato] agg ilimitado(-a); (fiducia) total, absoluto(-a)

ill.mo abbr = **illustrissimo**; (nelle lettere) Ilmo.

illudere [il'ludere] vt ilusionar; **illudersi** vpr ilusionarse

illuminare [illumi'nare] vt iluminar; **illuminarsi** vpr (anche fig: volto, sguardo) iluminarse
☐ **illuminazione** [illuminat'tsjone] sf iluminación f; (fig: ispirazione) inspiración f

illusione [illu'zjone] sf ilusión f; **farsi delle illusioni** hacerse ilusiones ▶ **illusione ottica** ilusión óptica ☐ **illuso, -a** [il'luzo] pp di **illudere**

illustrare [illus'trare] vt (corredare di figure) ilustrar; (spiegare) explicar ☐ **illustrazione** [illustrat'tsjone] sf (figura) ilustración f; (spiegazione) explicación f

illustre [il'lustre] agg ilustre

imballaggio [imbal'laddʒo] sm embalaje m

imballare [imbal'lare] vt (merce) embalar

imbalsamare [imbalsa'mare] vt embalsamar

imbambolato, -a [imbambo'lato] agg embobado(-a)

imbarazzante [imbarat'tsante] agg embarazoso(-a)

imbarazzare [imbarat'tsare] vt (mettere a disagio) poner en un apuro ☐ **imbarazzato, -a** [imbarat'tsato] agg (a disagio) incómodo(-a) ☐ **imbarazzo** [imba'rattso] sm (disagio) incomodidad f; **mettere in imbarazzo** poner en un apuro;

avere l'imbarazzo della scelta encontrarse con la dificultad de elegir

imbarcare [imbar'kare] vt (NAUT, AER: passeggeri) embarcar; (merci) cargar; (fig: in affare) engañar **imbarcarsi** vpr: **imbarcarsi (su/per)** embarcarse (en/para); **imbarcarsi in** (fig: in affare) embarcarse en; (in situazione) meterse en □ **imbarcazione** [imbarkat'tsjone] sf embarcación f □ **imbarco, -chi** [im'barko] sm (NAUT, AER) embarque m

imbastire [imbas'tire] vt hilvanar

imbattersi [im'battersi] vpr: ~ **in** tropezar o toparse con

imbattibile [imbat'tibile] agg (squadra, giocatore) imbatible; (prezzi) insuperable

imbavagliare [imbavaʎ'ʎare] vt amordazar

imbecille [imbe'tʃille] agg, sm/f imbécil m/f

imbiancare [imbjan'kare] vt blanquear □ **imbianchino, -a** [imbjan'kino] sm/f pintor(a)

imboccare [imbok'kare] vt (malato, bambino) dar de comer a; (strada) embocar □ **imboccatura** [imbokka'tura] sf boca; (di strumento musicale) boquilla

imboscata [imbos'kata] sf emboscada; **tendere un'~ a qn** tender una emboscada a algn

imbottigliare [imbottiʎ'ʎare] vt embotellar □ **imbottigliarsi** vpr (veicoli) atascarse

imbottire [imbot'tire] vt rellenar; (materasso, indumento) acolchar; **imbottirsi** vpr: **imbottirsi di** (di cibo, sonniferi) atiborrarse de □ **imbottito, -a** [imbot'tito] agg

(giacca, coperta) acolchado(-a); (panino) relleno(-a)

imbranato, -a [imbra'nato] agg, sm/f torpe m/f

imbrogliare [imbroʎ'ʎare] vt (filo) enredar; (persona: truffare) engañar □ **imbroglione, -a** [imbroʎ'ʎone] sm/f, agg estafador(a), timador(a)

imbronciato, -a [imbron'tʃato] agg ceñudo(-a)

imbucare [imbu'kare] vt echar al correo o buzón; **dove posso ~ queste cartoline?** ¿dónde puedo echar estas postales?

imburrare [imbur'rare] vt untar con mantequilla

imbuto [im'buto] sm embudo

imitare [imi'tare] vt imitar

immagazzinare [immagaddzi'nare] vt almacenar

immaginare [immadʒi'nare] vt imaginar; (ritenere) creer; **immaginarsi** vpr imaginarse; **s'immagini!** ¡de ninguna manera!, ¡no hay de qué! □ **immaginazione** [immadʒinat'tsjone] sf imaginación f □ **immagine** [im'madʒine] sf imagen f

immancabile [imman'kabile] agg indefectible

immangiabile [imman'dʒabile] agg incomible

immatricolare [immatriko'lare] vt matricular; **immatricolarsi** vpr (SCOL) matricularse

immaturo, -a [imma'turo] agg (frutto) verde; (ragazzo) inmaduro(-a)

immedesimarsi [immedezi'marsi] vpr: ~ **in** identificarse con

immediatamente
[immedjata'mente] *avv*
inmediatamente

immediato, -a [imme'djato] *agg*
inmediato(-a)

immenso, -a [im'menso] *agg*
inmenso(-a); (*amore*) profundo(-a)

immergere [im'merdʒere] *vt*
sumergir, hundir; **immergersi** *vpr*
sumergirse, hundirse; **immergersi
in** (*fig: nello studio, nella lettura*)
sumirse en

immeritato, -a [immeri'tato] *agg*
inmerecido(-a)

immersione [immer'sjone] *sf*
inmersión *f*

immettere [im'mettere] *vt*: ~ **(in)**
meter (en), introducir (en)

immigrato, -a [immi'grato] *agg,
sm/f* inmigrante *m/f*

imminente [immi'nɛnte] *agg*
inminente

immischiarsi [immis'kjarsi] *vpr*: ~
(in) entrometerse (en), inmiscuirse
(en)

immobile [im'mɔbile] *agg* inmóvil
♦ *sm* (*edificio*) inmueble *m*; **beni
immobili** bienes *mpl* inmuebles
❏ **immobiliare** [immobi'ljare] *agg*
inmobiliario(-a); **agenzia
immobiliare** agencia inmobiliaria

immondizia [immon'dittsja] *sf*
basura

immorale [immo'rale] *agg* inmoral

immortale [immor'tale] *agg*
inmortal

immune [im'mune] *agg*: ~ **(da)**
inmune (a)

immutabile [immu'tabile] *agg*
inmutable

impacchettare [impakket'tare] *vt*
empaquetar

impacciato, -a [impat'tʃato] *agg*
(*impedito*) impedido(-a);
(*imbarazzato*) cortado(-a);
(*movimenti*) torpe

impacco, -chi [im'pakko] *sm* (*MED*)
compresa

impadronirsi [impadro'nirsi] *vpr*:
~ **di** (*impossessarsi*) apoderarse o
adueñarse de; (*fig: apprendere a
fondo*) dominar

impagabile [impa'gabile] *agg* (*fig*)
extraordinario(-a), excepcional

impalato, -a [impa'lato] *agg* (*fig*)
plantado(-a)

impalcatura [impalka'tura] *sf*
(*EDIL*) andamiaje *m*

impallidire [impalli'dire] *vi*
palidecer, ponerse pálido(-a)

impanato, -a [impa'nato] *agg*
(*CUC*) empanado(-a)

impantanarsi [impanta'narsi] *vpr*
empantanarse; (*con la macchina*)
atascarse

impappinarsi [impappi'narsi] *vpr*
enredarse, embarullarse

imparare [impa'rare] *vt*: ~ **qc/a
fare qc** aprender algo/a hacer algo

impartire [impar'tire] *vt* impartir

imparziale [impar'tsjale] *agg*
imparcial

impassibile [impas'sibile] *agg*
impasible, imperturbable

impastare [impas'tare] *vt* amasar

impasticciarsi [impastik'karsi] *vpr*
empastillarse

impasto [im'pasto] *sm* (*l'impastare*)
amasijo *m*; (*di pane*) cochura

impatto [im'patto] *sm* impacto

impaurire [impau'rire] *vt* asustar; **impaurirsi** *vpr* asustarse

impaziente [impat'tsjente] *agg* impaciente

impazzata [impat'tsata] *sf:* **all'~** (*suonare, correre*) a tontas y a locas

impazzire [impat'tsire] *vi* enloquecer, volverse loco(-a); **~ per qn/qc** volverse loco por algn/algo

impeccabile [impek'kabile] *agg* (*persona, comportamento*) intachable; (*abito*) impecable

impedimento [impedi'mento] *sm* impedimento

impedire [impe'dire] *vt* impedir; **~ qc a qn** impedir a algn algo; **~ a qn di fare qc** impedir a algn que haga algo

impegnarsi [impeɲ'narsi] *vpr* (*vincolarsi*): **~ (a fare qc)** comprometerse (a hacer algo); **~ in** (*in lavoro, compito*) empeñarse en; **~ con qn** comprometerse con algn □ **impegnativo, -a** [impeɲɲa'tivo] *agg* (*lettura*) difícil; (*lavoro, compito*) laborioso(-a) □ **impegnato, -a** [impeɲ'nato] *agg* (*occupato*) ocupado(-a), atareado(-a); (*fig: romanzo*) social; (*autore*) comprometido(-a) □ **impegno** [im'peɲɲo] *sm* (*vincolo, obbligo*) compromiso; (*zelo*) dedicación *f*, ahínco; **stasera ho già un impegno** esta tarde ya tengo una cita

impellente [impel'lente] *agg* urgente

impennarsi [impen'narsi] *vpr* (*alzarsi di colpo*) empinarse; (*con motorino*) hacer un caballito

impensierire [impensje'rire] *vt* preocupar

imperativo, -a [impera'tivo] *agg* (*tono*) autoritario(-a) ♦ *sm* (LING) imperativo □ **imperatore, -trice** [impera'tore] *sm/f* emperador (emperatriz)

imperdonabile [imperdo'nabile] *agg* imperdonable

imperfetto, -a [imper'fetto] *agg* imperfecto(-a) ♦ *sm* (LING) imperfecto

imperiale [impe'rjale] *agg* imperial □ **imperioso, -a** [impe'rjoso] *agg* imperioso(-a)

impermeabile [imperme'abile] *agg, sm* impermeable (*m*)

impero [im'pero] *sm* imperio

impersonale [imperso'nale] *agg* (*anche* LING) impersonal

impersonare [imperso'nare] *vt* encarnar

imperterrito, -a [imper'territo] *agg* impasible

impertinente [imperti'nente] *agg* impertinente

impeto ['impeto] *sm* ímpetu *m*; (*di ira, sdegno*) arrebato

impettito, -a [impet'tito] *agg* tieso(-a)

impetuoso, -a [impetu'oso] *agg* (*vento, torrente*) impetuoso(-a); (*carattere*) impulsivo(-a)

impianto [im'pjanto] *sm* (*apparecchiature*) instalación *f* ► **impianto di risalita** (SCI) remontes *mpl* de esquí ► **impianto di riscaldamento** instalación de calefacción ► **impianto elettrico** instalación eléctrica ► **impianto sportivo** instalación deportiva ► **impianto stereo** estéreo

impiccare [impik'kare] vt ahorcar, colgar; **impiccarsi** vpr ahorcarse, colgarse

impicciarsi [impit't∫arsi] vpr (immischiarsi): ~ **(in)** entremeterse (en), inmiscuirse (en); **impicciati degli affari tuoi!** ¡métete en tus asustos! □ **impiccione, -a** [impit't∫one] sm/f entrometido(-a)

impiegare [impje'gare] vt emplear; (tempo) tardar □ **impiegato, -a** [impje'gato] sm/f (in ufficio) oficinista m/f; (di banca) empleado(-a); (pubblico) funcionario(-a) □ **impiego, -ghi** [im'pjɛgo] sm (uso) uso; (posto di lavoro) empleo

impietosire [impjeto'sire] vt conmover; **impietosirsi** vpr conmoverse

impigliarsi [impiʎ'ʎarsi] vpr engancharse

impigrirsi [impi'grirsi] vpr volverse perezoso(-a), emperezarse

implicare [impli'kare] vt implicar

implicito, -a [im'plit∫ito] agg implícito(-a)

implorare [implo'rare] vt implorar

impolverarsi [impolve'rarsi] vpr empolvarse

imponente [impo'nente] agg imponente

imponibile [impo'nibile] agg imponible ♦ sm base f imponible

impopolare [impopo'lare] agg impopular

imporre [im'porre] vt (condizioni, patto) imponer; **imporsi** vpr imponerse: ~ **a qn di fare qc** imponer a algn que haga algo

importante [impor'tante] agg importante, relevante

□ **importanza** [impor'tantsa] sf importancia; **dare importanza a qc** dar importancia a algo; **darsi importanza** darse importancia; **non ha importanza** (non fa nulla) no importa

importare [impor'tare] vt (COMM) importar ♦ vi (interessare) importar; (essere necessario) ser necesario; **non importa!** ¡no importa!; **non me ne importa!** ¡no me importa!; **non importa che ...** (non serve) no es necesario que ...

importo [im'porto] sm importe m

importunare [importu'nare] vt importunar

imposizione [impozit'tsjone] sf imposición f

impossessarsi [imposses'sarsi] vpr: ~ **di** apoderarse o adueñarse de

impossibile [impos'sibile] agg imposible

imposta [im'posta] sf (tassa) impuesto; (di finestra) postigo ▶ **imposta sul reddito** impuesto sobre la renta ▶ **imposta sul valore aggiunto** impuesto sobre el valor añadido

impostare [impos'tare] vt (lettera) echar al buzón; (problema) plantear; (lavoro) organizar; (progetto) planificar; (attività) programar

impostazione [impostat'tsjone] sf (di problema) planteamiento; (di lavoro) organización f; (di attività) programación f; **impostazioni** sfpl (di computer) configuración f

impotente [impo'tente] agg (anche MED) impotente

impraticabile [imprati'kabile] agg impracticable

imprecazione [imprekat'tsjone] sf
imprecación f

impregnare [impreɲ'ɲare] vt: ~
(di) impregnar (de)

imprenditore, -trice
[imprendi'tore] sm/f
empresario(-a); **piccolo ~** pequeño
empresario

impresa [im'presa] sf (azione,
azienda) empresa

impressionante
[impressjo'nante] agg
impresionante

impressionare [impressjo'nare]
vt impresionar; **impressionarsi** vpr
impresionarse

impressione [impres'sjone] sf
impresión f; **fare ~** (colpire)
impresionar; (turbare) hacer
impresión; **fare buona/cattiva ~ (a)**
causar buena/mala impresión (a)

imprevedibile [impreve'dibile]
agg imprevisible

imprevisto, -a [impre'visto] agg
imprevisto(-a) ♦ sm inconveniente
m, impedimento; **salvo imprevisti**
salvo que no haya ningún
inconveniente

imprigionare [impridʒo'nare] vt
(mettere in prigione) encarcelar;
(intrappolare) aprisionar

improbabile [impro'babile] agg
improbable

impronta [im'pronta] sf huella f
▶ **impronta digitale** huella
dactilar

improvvisamente
[improvviza'mente] avv de repente
o pronto

improvvisare [improvvi'zare] vt
improvisar □ **improvviso, -a**
[improv'vizo] agg inesperado(-a),

repentino(-a); **d'improvviso** o
all'improvviso de repente o pronto

imprudente [impru'dente] agg
imprudente

impugnare [impuɲ'ɲare] vt
(spada, racchetta) empuñar; (DIR:
sentenza) impugnar

impulsivo, -a [impul'sivo] agg,
sm/f impulsivo(-a)

impulso [im'pulso] sm (fig: stimolo,
spinta) impulso; **d'~**
impulsivamente

impuntarsi [impun'tarsi] vpr
(ostinarsi) empecinarse

imputato, -a [impu'tato] sm/f
acusado(-a)

in

PAROLA CHIAVE

[in] (in + il = **nel**, in + lo = **nello**, in + l'
= **nell'**, in + la = **nella**, in + i = **nei**, in +
gli = **negli**, in + le = **nelle**) prep

1 (stato in luogo: dentro) en; **vivo in
Italia/in Portogallo** vivo en Italia/
en Portugal; **abito in città** vivo en
la ciudad; **abito in montagna/in
campagna** vivo en la montaña/en
el campo; **essere in casa** estar en
casa; **è nel cassetto/in salotto** está
en el cajón/en la sala

2 (moto a luogo) a; (dentro) en;
andare in Francia/in Portogallo ir
a Francia/a Portugal; **andare in
montagna/in campagna/in città** ir
a la montaña/al campo/a la ciudad;
entrare in casa entrar en casa;
andare in ufficio ir a la oficina;
entrare in macchina entrar en el
coche

3 (tempo) en; **nel 1992** en 1992; **in
giugno/estate** en junio/verano;
l'ho fatto in sei mesi/due ore lo he
hecho en seis meses/dos horas

4 (*modo, maniera*) en; **in silenzio** en silencio; **in abito da sera** en traje de noche; **in guerra** (*nazione, popolo*) en guerra; **essere in vacanza** estar de vacaciones; **parlare in tedesco** hablar (en) alemán

5 (*mezzo*) en; **viaggiare in autobus/treno/aereo** viajar en autobús/tren/avión

6 (*materia*) de; **statua in marmo** estatua de mármol; **una collana in oro** un collar de oro

7 (*misura*) en; **siamo in quattro** somos cuatro; **in tutto vengono tre metri** en total son tres metros

8 (*fine*) en; **spende tutto in alcol** gasta todo en alcohol; **in onore di** en honor de

inabitabile [inabi'tabile] *agg*
inhabitable

inaccessibile [inattʃes'sibile] *agg*
inaccesible

inaccettabile [inattʃet'tabile] *agg*
inaceptable

inadatto, -a [ina'datto] *agg*: ~ **a**
inadecuado(-a) (para)

inadeguato, -a [inade'gwato] *agg*
inadecuado(-a)

inaffidabile [inaffi'dabile] *agg*
(*automobile*) de poca fiabilidad;
(*persona*) informal

inamidato, -a [inami'dato] *agg*
almidonado(-a)

inarcare [inar'kare] *vt* (*schiena*)
doblar; (*sopracciglia*) fruncir

inaspettato, -a [inaspet'tato] *agg*
inesperado(-a)

inasprire [inas'prire] *vt* (*rapporti*)
agravar; (*misura*) endurecer;
(*carattere*) agriar; **inasprirsi** *vpr*
(*rapporti*) agravarse; (*misura*)

endurecerse; (*carattere*) agriarse;
(*freddo*) aumentar

inattaccabile [inattak'kabile] *agg*
(*fortezza*) inatacable; (*alibi*)
irrefutable

inattendibile [inatten'dibile] *agg*
infundado(-a)

inatteso, -a [inat'teso] *agg*
inesperado(-a)

inattuabile [inattu'abile] *agg*
irrealizable

inaudito, -a [inau'dito] *agg*
inaudito(-a)

inaugurare [inaugu'rare] *vt*
inaugurar □ **inaugurazione**
[inaugurat'tsjone] *sf* inauguración *f*

incallito, -a [inkal'lito] *agg*
(*fumatore*) empedernido(-a);
(*criminale*) incorregible

incandescente [inkandeʃ'ʃente]
agg candente

incantare [inkan'tare] *vt* (*stregare*)
hechizar; (*affascinare*) encantar;
incantarsi *vpr* embelesarse;
(*imbambolarsi*) embobarse
□ **incantevole** [inkan'tevole] *agg*
encantador(a), adorable
□ **incanto** [in'kanto] *sm*
(*meraviglia*) encanto; (*stupore*)
estupor *m*; **come per incanto** como
por arte de magia

incapace [inka'patʃe] *agg* incapaz;
essere ~ di qc ser incapaz de algo

incarcerare [inkartʃe'rare] *vt*
encarcelar

incaricare [inkari'kare] *vt*: ~ **qn (di
fare qc)** encargar o encomendar a
algn (que haga algo)
□ **incarico, -chi** [in'kariko] *sm*
(*incombenza, compito*) encargo

incartamento [inkarta'mento] *sm*
expediente *m*

incartare [inkar'tare] vt envolver en papel, empaquetar

incassare [inkas'sare] vt cobrar ❑ **incasso** [in'kasso] sm (introito) ingresos mpl; (CINEMA) taquilla

incastrare [inkas'trare] vt (inserire, far combaciare) encajar; (fig: intrappolare) enrollar; **incastrarsi** vpr (inserirsi, combaciare) encajarse; (restare bloccato) atascarse

incatenare [inkate'nare] vt encadenar

incauto, -a [in'kauto] agg incauto(-a)

incavato, -a [inka'vato] agg (guance) trasijado(-a); (occhi) hundido(-a)

incendiare [inʧen'djare] vt incendiar; **incendiarsi** vpr incendiarse ❑ **incendio** [in'ʧendjo] sm incendio

inceneritore [inʧeneri'tore] sm incinerador m

incenso [in'ʧenso] sm incienso

incensurato, -a [inʧensu'rato] agg (DIR) sin antecedentes penales

incentivo [inʧen'tivo] sm incentivo; **~ alla produzione** incentivo para la producción

incepparsi [inʧep'parsi] vpr atascarse, encasquillarse

incertezza [inʧer'tettsa] sf (esito insicuro) incertidumbre f; (dubbio, indecisione) indecisión f, vacilación f

incerto, -a [in'ʧerto] agg (persona, passo, tono) vacilante; (futuro, risultato) incierto(-a)

incetta [in'ʧetta] sf: **fare ~ di qc** hacer acaparamiento de algo

inchiesta [in'kjesta] sf (DIR) investigación f; (STAMPA) encuesta

inchinarsi [inki'narsi] vpr inclinarse

inchiodare [inkjo'dare] vt clavar; **~ (la macchina)** frenar en seco, pegar un frenazo

inchiostro [in'kjostro] sm tinta

inciampare [inʧam'pare] vi: **~ (in)** tropezar (en)

incidente [inʧi'dente] sm (disgrazia) accidente m; (episodio, disturbo) incidente m; **ho avuto un ~ tuve un accidente ▶ incidente automobilistico o d'auto** accidente de tráfico ▶ **incidente diplomatico** incidente diplomático

incidere [in'ʧidere] vi: **~ su** (influire) incidir en ♦ vt (MUS, ARTE) grabar

incinta [in'ʧinta] agg f embarazada, encinta

incipriare [inʧi'prjare] vt empolvar; **incipriarsi** vpr empolvarse

incirca [in'ʧirka] avv: **all'~** más o menos, aproximadamente

incisione [inʧi'zjone] sf (MED) incisión f; (ARTE) grabado; (registrazione) grabación f ❑ **inciso, -a** [in'ʧizo] pp di **incidere** ♦ sm: **fare un inciso** hacer un inciso; **per inciso** de paso

incitare [inʧi'tare] vt incitar

incivile [inʧi'vile] agg incivil; (maleducato) grosero(-a)

incl. abbr (= incluso) anexo, adj.

inclinare [inkli'nare] vt inclinar ♦ vi: **inclinar a** inclinarse a; **inclinarsi** vpr inclinarse

includere [in'kludere] vt incluir ❑ **incluso, -a** [in'kluzo] pp di **includere** ♦ agg incluido(-a)

incoerente [inkoe'rɛnte] *agg* incoherente

incognito, -a [in'kɔɲito] *sm* incógnito; **in ~** de incógnito

incollare [inkol'lare] *vt* encolar

incolore [inko'lore] *agg* incoloro(-a)

incolpare [inkol'pare] *vt*: ~ **(di)** inculpar (de), culpar (de)

incolto, -a [in'kɔlto] *agg* (terreno) incultivado(-a), yermo(-a); (barba) descuidado(-a); (persona) inculto(-a)

incolume [in'kɔlume] *agg*: **rimanere ~** salir ileso

incombenza [inkom'bɛntsa] *sf* cometido, encargo

incombere [in'kombere] *vi*: ~ **(su)** (pericolo, minaccia) cernerse (sobre)

incominciare [inkomin'tʃare] *vt, vi* comenzar, empezar

incompetente [inkompe'tɛnte] *agg, sm/f* incompetente *m/f*

incompiuto, -a [inkom'pjuto] *agg* incompleto(-a), inacabado(-a)

incompleto, -a [inkom'pleto] *agg* incompleto(-a)

incomprensibile [inkompren'sibile] *agg* incomprensible

inconcepibile [inkontʃe'pibile] *agg* inconcebible

inconciliabile [inkontʃi'ljabile] *agg* inconciliable

inconcludente [inkonklu'dɛnte] *agg* (discorso, ragionamento, tentativo) inútil; (persona) incapaz, inútil

incondizionato, -a [inkondittsjo'nato] *agg* incondicional

inconfondibile [inkonfon'dibile] *agg* inconfundible

inconsapevole [inkonsa'pevole] *agg*: ~ **di** ignorante de, desconocedor(a) de

inconscio, -a, -sci, -sce [in'kɔnʃo] *agg* inconsciente ♦ *sm* (PSIC) inconsciente *m*

inconsistente [inkonsis'tɛnte] *agg* inconsistente

inconsueto, -a [inkonsu'eto] *agg* inusitado(-a), insólito(-a)

incontrare [inkon'trare] *vt* encontrar; **incontrarsi** *vpr* encontrarse

incontro [in'kontro] *avv*: ~ **a** al encuentro de ♦ *sm* encuentro

inconveniente [inkonve'njɛnte] *sm* inconveniente *m*

incoraggiamento [inkoraddʒa'mento] *sm* aliciente *m*, acicate *m*

incoraggiare [inkorad'dʒare] *vt* animar, alentar

incorniciare [inkorni'tʃare] *vt* enmarcar

incoronare [inkoro'nare] *vt* coronar

incorrere [in'korrere] *vi*: ~ **in** incurrir en

incosciente [inkoʃ'ʃɛnte] *agg* inconsciente

incredibile [inkre'dibile] *agg* increíble

incredulo, -a [in'kredulo] *agg* incrédulo(-a)

incrementare [inkremen'tare] *vt* incrementar ❑ **incremento** [inkre'mento] *sm* incremento

increscioso, -a [inkreʃˈʃoso] agg (spiacevole) desagradable; (fastidioso) engorroso(-a)

incriminare [inkrimiˈnare] vt incriminar

incrinare [inkriˈnare] vt rajar; (fig: rapporti, amicizia) enfriar; **incrinarsi** vpr agrietarse; (rapporti, amicizia) enfriarse

incrociare [inkroˈtʃare] vt, vi cruzar; (incontrare: persone, veicoli) cruzarse con; **incrociarsi** vpr (strade, veicoli ecc) cruzarse □ **incrocio, -ci** [inˈkrotʃo] sm cruce m

incubatrice [inkubaˈtritʃe] sf incubadora

incubo [ˈinkubo] sm (anche fig) pesadilla

incurabile [inkuˈrabile] agg incurable

incurante [inkuˈrante] agg: ~ **(di)** despreocupado(-a) (de), desentendido(-a) de

incuriosire [inkurjoˈsire] vt despertar la curiosidad de; **incuriosirsi** vpr sentir curiosidad

incursione [inkurˈsjone] sf incursión f

incurvare [inkurˈvare] vt encorvar; **incurvarsi** vpr encorvarse

incustodito, -a [inkustoˈdito] agg (passaggio a livello) sin barreras; (parcheggio) no vigilado(-a)

incutere [inˈkutere] vt: ~ **(a)** (rispetto, soggezione) infundir (en)

indaco [ˈindako] sm añil m

indaffarato, -a [indaffaˈrato] agg atareado(-a)

indagare [indaˈgare] vi: ~ **(su)** indagar (sobre), investigar (sobre) □ **indagine** [inˈdadʒine] sf

indagación f ▸ **indagine di mercato** estudio de mercado

indebitarsi [indebiˈtarsi] vpr endeudarse

indebolire [indeboˈlire] vt debilitar; **indebolirsi** vpr debilitarse

indecente [indeˈtʃente] agg indecente

indeciso, -a [indeˈtʃizo] agg indeciso(-a)

indefinito, -a [indefiˈnito] agg (anche LING) indefinido(-a)

indegno, -a [inˈdeɲɲo] agg indigno(-a)

indemoniato, -a [indemoˈnjato] agg (posseduto) endemoniado(-a); (agitato) enfurecido(-a)

indenne [inˈdenne] agg: rimanere ~ salir indemne □ **indennizzare** [indenidˈdzare] vt indemnizar

indeterminativo, -a [indetermi naˈtivo] agg (LING) indeterminado(-a)

India [ˈindja] sf: **l'~** la India; **in ~** en la India □ **indiano, -a** [inˈdjano] agg, sm/f (d'India o d'America) indio(-a)

indicare [indiˈkare] vt indicar; (col dito) señalar; (prezzo) poner □ **indicativo, -a** [indikaˈtivo] agg indicativo(-a) ♦ sm (LING) indicativo

indicazione [indikatˈtsjone] sf indicación f

indice [ˈinditʃe] sm índice m

indicibile [indiˈtʃibile] agg indecible

indietreggiare [indjetredˈdʒare] vi retroceder

indietro [inˈdjetro] avv atrás; (guardare) hacia atrás; **(all')~** (andare, cadere) hacia atrás; **essere ~** (col lavoro, nello studio) estar

atrasado(-a); (*orologio*) atrasar;
rimandare qc ~ devolver algo;
rimanere ~ estar atrasado(-a)

indifeso, -a [indi'feso] *agg*
indefenso(-a)

indifferente [indiffe'rente] *agg*
indiferente ♦ *sm/f*: **fare l'~** hacerse
el (la) indiferente

indigeno, -a [in'didʒeno] *agg,
sm/f* indígena *m/f*

indigestione [indidʒes'tjone] *sf*
indigestión *f* ❑ **indigesto, -a**
[indi'dʒesto] *agg* indigesto(-a)

indignare [indiɲ'ɲare] *vt* indignar;
indignarsi *vpr* indignarse

indimenticabile
[indimenti'kabile] *agg* inolvidable

indipendente [indipen'dente]
agg independiente

indire [in'dire] *vt* convocar

indiretto, -a [indi'retto] *agg*
indirecto(-a)

indirizzare [indirit'tsare] *vt* dirigir;
(*persona*) mandar ❑ **indirizzo**
[indi'rittso] *sm* (*anche INFORM*)
dirección *f*; (*scientifico, linguistico*)
rama; **il mio indirizzo è** ... mi
dirección es ...

indiscreto, -a [indis'kreto] *agg*
indiscreto(-a)

indiscusso, -a [indis'kusso] *agg*
indiscutible

indispensabile [indispen'sabile]
agg imprescindible, indispensable

indispettire [indispet'tire] *vt*
mosquear; **indispettirsi** *vpr*
mosquearse

indistinto, -a [indis'tinto] *agg*
indistinto(-a)

individuale [individu'ale] *agg*
(*libertà*) individual; (*problema, scelta,*

responsabilità) personal; (*interesse*)
particular

individuare [individu'are] *vt*
(*punto, posizione*) localizar; (*persona*)
reconocer, identificar

individuo [indi'viduo] *sm*
individuo

indiziato, -a [indit'tsjato] *agg,
sm/f* encartado(-a), sospechoso(-a)
❑ **indizio** [in'dittsjo] *sm* (*traccia,
DIR*) indicio

indole ['indole] *sf* índole *f*

indolenzito, -a [indolen'tsito]
agg entumecido(-a)

indolore [indo'lore] *agg*
indoloro(-a)

indomani [indo'mani] *sm*: **l'~** el día
siguiente

indossare [indos'sare] *vt* (*mettere
indosso*) ponerse; (*avere indosso*)
llevar ❑ **indossatore, -trice**
[indossa'tore] *sm/f* modelo *m/f*

indovinare [indovi'nare] *vt*
adivinar; **tirare a** ~ tratar de
adivinar ❑ **indovinello**
[indovi'nello] *sm* adivinanza

indubbiamente
[indubbja'mente] *avv*
indudablemente

indubbio, -a [in'dubbjo] *agg*
indudable

indugiare [indu'dʒare] *vi* tardar
❑ **indugio, -gi** [in'dudʒo] *sm*
tardanza, demora; **senza indugio**
sin tardar

indulgente [indul'dʒente] *agg*
indulgente

indumento [indu'mento] *sm*
prenda

indurire [indu'rire] *vt* endurecer;
indurirsi *vpr* endurecerse

indurre [in'durre] *vt*: ~ **qn a fare qc** inducir a algn para que haga algo

industria [in'dustrja] *sf* industria
❑ **industriale** [indus'trjale] *agg* industrial

ineccepibile [inettfe'pibile] *agg* (*condotta, azione*) irreprensible; (*ragionamento*) irrefutable

inedito, -a [i'nedito] *agg* inédito(-a)

inerente [ine'rente] *agg*: ~ **(a)** (*facente parte*) inherente (a); (*concernente*) propio(-a) (de)

inerme [i'nerme] *agg* inerme

inerpicarsi [inerpi'karsi] *vpr*: ~ **(su)** trepar (a)

inerte [i'nerte] *agg* inerte

inesatto, -a [ine'zatto] *agg* inexacto(-a)

inesistente [inezis'tente] *agg* inexistente

inesperienza [inespe'rjentsa] *sf* inexperiencia

inesperto, -a [ines'perto] *agg* inexperto(-a)

inevitabile [inevi'tabile] *agg* inevitable

inezia [i'nettsja] *sf* nimiedad *f*, nadería; **per un'~** por una nimiedad o nadería

infagottare [infagot'tare] *vt* (*fig*) arropar; **infagottarsi** *vpr* arroparse

infallibile [infal'libile] *agg* infalible

infamante [infa'mante] *agg* infamante

infame [in'fame] *agg* infame

infangare [infan'gare] *vt* (*anche fig: nome, reputazione*) enlodar; **infangarsi** *vpr* enlodarse

infantile [infan'tile] *agg* (*anche fig*) infantil

infanzia [in'fantsja] *sf* infancia, niñez *f*; **la prima** ~ la primera infancia

infarinare [infari'nare] *vt* enharinar ❑ **infarinatura** [infarina'tura] *sf* rebozado; (*fig*) nociones *fpl*

infarto [in'farto] *sm* (*MED*) infarto

infastidire [infasti'dire] *vt* fastidiar, molestar; **infastidirsi** *vpr* molestarse

infaticabile [infati'kabile] *agg* infatigable

infatti [in'fatti] *cong* en efecto, de hecho; ~**!** ¡en efecto!

infatuarsi [infatu'arsi] *vpr*: ~ **(di)** prendarse (de)

infedele [infe'dele] *agg* (*marito, moglie*) infiel; (*ritratto, descrizione*) inexacto(-a)

infelice [infe'litʃe] *agg* (*persona*) infeliz; (*non adatto: momento, battuta*) inoportuno(-a)

inferiore [infe'rjore] *agg* inferior ❑ **inferiorità** [inferjori'ta] *sf* inferioridad *f*; **complesso di inferiorità** complejo de inferioridad

infermeria [inferme'ria] *sf* enfermería

infermiere, -a [infer'mjere] *sm/f* enfermero(-a)

infermità [infermi'ta] *sf inv* enfermedad *f* ▶ **infermità mentale** enfermedad mental

infermo, -a [in'fermo] *agg, sm/f* enfermo(-a) ▶ **infermo di mente** enfermo mental

infernale [infer'nale] *agg* infernal

inferno [in'fɛrno] *sm* (REL, *fig*) infierno

inferriata [infer'rjata] *sf* reja

infestare [infes'tare] *vt* infestar

infettare [infet'tare] *vt* infectar; **infettarsi** *vpr* infectarse □ **infezione** [infet'tsjone] *sf* infección *f*

infiammabile [infjam'mabile] *agg* inflamable

infiammazione [infjammat'tsjone] *sf* (MED) inflamación *f*

inferire [infje'rire] *vi*: ~ (**su** o **contro**) ensañarse (con)

⚠ **infierire** non si traduce mai con la parola spagnola *inferir*.

infilare [infi'lare] *vt* (*ago*) enhebrar; (*collana*) ensartar; (*chiave*) meter; (*scarpe, indumenti, anello*) ponerse; **infilarsi** *vpr*: **infilarsi in** (*letto, bagno*) meterse en; **infilarsi la giacca** ponerse la chaqueta

infiltrarsi [infil'trarsi] *vpr* (*gas, umidità*) penetrar; (*liquidi*) infiltrarse

infilzare [infil'tsare] *vt* (*trafiggere*) espetar

infimo, -a ['infimo] *agg* ínfimo(-a)

infine [in'fine] *avv* (*alla fine*) por fin; (*insomma*) en fin

infinità [infini'ta] *sf*: **un'~ di** una infinidad de

infinito, -a [infi'nito] *agg* (*spazio, tempo*) infinito(-a); (LING) infinitivo(-a) ♦ *sm* infinito; (LING) infinitivo; **all'~** hasta cansarse

infinocchiare [infinok'kjare] *vt* (*fam*) camelar

infischiarsi [infis'kjarsi] *vpr*: **me ne infischio di ...** me trae o tiene sin cuidado ...

infisso [in'fisso] *sm* (*di porta, finestra*) maderamen *m*, marco

inflazione [inflat'tsjone] *sf* inflación *f*

infliggere [in'fliddʒere] *vt*: ~ (**a**) infligir (a)

influente [influ'ente] *agg* influyente

influenza [influ'entsa] *sf* influencia; (MED) gripe *f* □ **influenzare** [influen'tsare] *vt* influir en

influire [influ'ire] *vi*: ~ (**su**) influir (en) □ **influsso** [in'flusso] *sm* influjo

infondato, -a [infon'dato] *agg* infundado(-a)

infondere [in'fondere] *vt*: ~ (**in**) infundir (en)

informare [infor'mare] *vt* informar; **informarsi** *vpr*: **informarsi (di/su)** informarse (de/sobre)

informatica [infor'matika] *sf* informática

informativo, -a [informa'tivo] *agg* informativo(-a)

informato, -a [infor'mato] *agg* informado(-a)

informatore, -trice [informa'tore] *sm/f* (*di polizia*) informador(a), soplón(-ona) □ **informazione** [informat'tsjone] *sf* información *f*; **chiedere un'~** pedir una información; **"informazioni"**

"información"; **informazioni turistiche** informaciones turísticas

informe [in'forme] agg informe

infortunato, -a [infortu'nato] agg lesionado(-a)

infortunio [infor'tunjo] sm accidente m, infortunio
▶ **infortunio sul lavoro** accidente laboral

infrazione [infrat'tsjone] sf infracción f

infreddatura [infredda'tura] sf (leggero raffreddore) resfriado

infreddolito, -a [infreddo'lito] agg aterido(-a)

infuori [in'fwori] avv hacia afuera; **all'~ di** excepto

infuriarsi [infu'rjarsi] vpr enfurecerse, encolerizarse

infusione [infu'zjone] sf infusión f
□ **infuso, -a** [in'fuzo] pp di **infondere** ♦ sm (bevanda) infusión f

Ing. abbr (= ingegnere) Ing.

ingaggiare [ingad'dʒare] vt (equipaggio) enrolar; (atleta) fichar, contratar

ingannare [ingan'nare] vt engañar; **ingannarsi** vpr engañarse
□ **inganno** [in'ganno] sm engaño; **trarre qn in inganno** engañar a algn

ingegnarsi [indʒeɲ'narsi] vpr: ~ **(a fare qc)** ingeniárselas o apañárselas (para hacer algo)

ingegnere [indʒeɲ'ɲere] sm ingeniero(-a) □ **ingegneria** [indʒeɲɲe'ria] sf ingeniería

ingegno [in'dʒeɲɲo] sm ingenio □ **ingegnoso, -a** [indʒeɲ'ɲoso] agg ingenioso(-a)

ingelosire [indʒelo'sire] vt dar celos a, poner celoso(-a) a; **ingelosirsi** vpr ponerse celoso, tener celos

ingente [in'dʒɛnte] agg ingente

ingenuità [indʒenui'ta] sf inv ingenuidad f

ingenuo, -a [in'dʒɛnuo] agg ingenuo(-a)

ingerire [indʒe'rire] vt ingerir

ingessare [indʒes'sare] vt (MED) enyesar □ **ingessatura** [indʒessa'tura] sf (MED) escayola

Inghilterra [ingil'terra] sf Inglaterra

inghiottire [ingjot'tire] vt tragar

ingiallire [indʒal'lire] vt teñir de amarillo ♦ vi amarillear, amarillecer

inginocchiarsi [indʒinok'kjarsi] vpr arrodillarse

ingiù, in giù [in'dʒu] avv (para) abajo; **all'~** hacia abajo

ingiuria [in'dʒurja] sf injuria

ingiustizia [indʒus'tittsja] sf injusticia

ingiusto, -a [in'dʒusto] agg injusto(-a)

inglese [in'glese] agg, sm/f inglés(-esa) ♦ sm (lingua) inglés m

ingoiare [ingo'jare] vt engullir

ingolfarsi [ingol'farsi] vpr (motore) ahogarse; (macchina) calarse

ingombrante [ingom'brante] *agg* voluminoso(-a)

ingombrare [ingom'brare] *vt* estorbar

ingordo, -a [in'gordo] *agg*: ~ **(di)** (*di cibo*) goloso(-a) (de); (*di denaro, gloria*) ávido(-a) ♦ *sm/f* (*di cibo*) glotón(-ona); (*di denaro, gloria*) ambicioso(-a)

ingorgo, -ghi [in'gorgo] *sm* atasco; ~ **(stradale)** atasco (de carretera)

ingozzarsi [ingot'tsarsi] *vpr*: ~ **(di)** atracarse (de), hartarse (de)

ingranaggio, -gi [ingra'naddʒo] *sm* (*TECN*) engranaje *m*

ingranare [ingra'nare] *vi* (*persona*) funcionar, ponerse en marcha; (*marcia*) entrar; (*pezzi di ingranaggio*) engranar ♦ *vt*: ~ **la marcia** (*AUT*) meter o poner la marcha

ingrandimento [ingrandi'mento] *sm* engrandecimiento, ensanchamiento; (*FOT, OTTICA*) ampliación *f*

ingrandire [ingran'dire] *vt* agrandar; (*esagerare*) exagerar; (*FOT, OTTICA*) ampliar; **ingrandirsi** *vpr* agrandarse

ingrassare [ingras'sare] *vt* engordar; (*lubrificare*) engrasar ♦ *vi* (*anche*: **ingrassarsi**) engordar

ingrato, -a [in'grato] *agg* ingrato(-a), desagradecido(-a)

ingrediente [ingre'djɛnte] *sm* ingrediente *m* □ **ingresso** [in'grɛsso] *sm* entrada; **"~ libero"** "entrada libre"

ingrossare [ingros'sare] *vt* engrosar; **ingrossarsi** *vpr.* (*ingrassare*) crecer

ingrosso [in'grɔsso] *avv*: **all'~** (*COMM*) al por mayor

inguaribile [ingwa'ribile] *agg* incurable

inguine ['ingwine] *sm* (*ANAT*) ingle *f*

inibito, -a [ini'bito] *agg* inhibido(-a), cohibido(-a)

iniettare [injet'tare] *vt* inyectar □ **iniezione** [injet'tsjone] *sf* (*MED*) inyección *f*; **motore a iniezione** motor de inyección

ininterrottamente [ininterrotta'mente] *avv* incesantemente, ininterrumpidamente □ **ininterrotto, -a** [ininter'rotto] *agg* incesante, ininterrumpido(-a)

iniziale [init'tsjale] *agg, sf* inicial (*f*)

iniziare [init'tsjare] *vt, vi* iniciar, empezar; **a che ora inizia il film?** ¿a qué hora empieza la película? □ **iniziativa** [inittsja'tiva] *sf* iniciativa □ **inizio** [i'nittsjo] *sm* inicio, comienzo; **all'inizio** al principio; **all'inizio di maggio** a principios de mayo; **dare inizio a qc** empezar o iniciar algo

innaffiare [innaf'fjare] *vt* = **annaffiare**

innamorarsi [innamo'rarsi] *vpr*: ~ **(di)** enamorarse (de) □ **innamorato, -a** [innamo'rato] *agg, sm/f* enamorado(-a)

innanzitutto [innantsi'tutto] *avv* antes de nada

innato, -a [in'nato] *agg* innato(-a)

innaturale [innatu'rale] *agg* innatural

innegabile [inne'gabile] *agg* innegable

innervosire [innervo'sire] *vt*
poner nervioso(-a) a; **innervosirsi**
vpr ponerse nervioso(-a)

innescare [innes'kare] *vt (bomba)*
accionar; *(fig)* provocar

inno ['inno] *sm* himno

innocente [inno'tʃɛnte] *agg*
inocente

innocuo, -a [in'nɔkuo] *agg*
inocuo(-a)

innovativo, -a [innova'tivo] *agg*
innovador(a)

innumerevole [innume'revole]
agg innumerable

inoltrare [inol'trare] *vt (domanda)*
presentar; *(lettera, messaggio)*
enviar, mandar

inoltre [i'noltre] *avv* además

inondare [inon'dare] *vt* inundar

inopportuno, -a [inoppor'tuno]
agg inoportuno(-a)

inorridire [inorri'dire] *vi*
horrorizarse ♦ *vt* horrorizar

inosservato, -a [inosser'vato] *agg*
(persona) desapercibido(-a);
passare ~ pasar desapercibido

inossidabile [inossi'dabile] *agg*
inoxidable

INPS [inps] *sigla m* (= *Istituto
Nazionale Previdenza Sociale*) *servicio
de la seguridad social italiano*, ≈ SS *f*
(*ESP*)

inquadrare [inkwa'drare] *vt*
enmarcar; *(CINE, FOT)* enfocar; *(fig)*
situar, colocar

inquieto, -a [in'kwjɛto] *agg*
inquieto(-a)

inquilino, -a [inkwi'lino] *sm/f*
inquilino(-a), arrendatario(-a)

inquinamento [inkwina'mento]
sm contaminación *f*; **~ atmosferico**
contaminación atmosférica

inquinare [inkwi'nare] *vt*
(ambiente) contaminar; *(prove)*
falsificar

insabbiare [insab'bjare] *vt (fig:
pratica)* encubrir, ocultar;
insabbiarsi *vpr (fig)* estancarse

insaccati [insak'kati] *smpl (CUC:
rusa)* embutidos *mpl*

insalata [insa'lata] *sf* ensalada
▸ **insalata mista** (*CUC*) ensalada
mixta ▸ **insalata russa** (*CUC*)
ensaladilla (rusa) ❏ **insalatiera**
[insala'tjɛra] *sf* ensaladera

insanabile [insa'nabile] *agg*
(piaga) insanable, incurable;
(situazione, conflitto) irremediable

insaputa [insa'puta] *sf*: **all'~ di** a
espaldas de; **a sua ~** a sus espaldas

insediarsi [inse'djarsi] *vpr*
(presidente, dirigente) tomar
posesión; *(popolo, colonia, MIL)*
establecerse, asentarse

insegna [in'seɲɲa] *sf (di albergo,
negozio)* letrero, rótulo

insegnamento [inseɲɲa'mento]
sm enseñanza; *(precetto)* ejemplo,
lección *f*; **trarre ~ da** aprender algo
de

insegnante [inseɲ'ɲante] *agg*
docente ♦ *sm/f (di scuola elementare)*
maestro(-a); *(di scuola media,
superiore, UNIV)* profesor(a)

insegnare [inseɲ'ɲare] *vt* enseñar;
~ qc a qn enseñar algo a algn; **~ a
qn a fare qc** enseñar a algn a hacer
algo

inseguimento [insegwi'mento]
sm persecución *f*

inseguire [inse'gwire] vt (anche fig) perseguir

insenatura [insena'tura] sf (di mare) ensenada

insensato, -a [insen'sato] agg (persona) insensato(-a); (discorso) desatinado(-a)

insensibile [insen'sibile] agg insensible

inserire [inse'rire] vt introducir, insertar; (spina) meter; **inserirsi** vpr: **inserirsi (in)** insertarse (en); (fig: contesto, gruppo) introducirse (en), integrarse (en)

inserviente [inser'vjɛnte] sm/f (addetto alla pulizia) señor(a) de la limpieza

inserzione [inser'tsjone] sf (avviso, comunicato) anuncio; **mettere un'~ sul giornale** poner un anuncio en el periódico

insetticida, -i, -e [insetti'tʃida] agg, sm insecticida (m)

insetto [in'setto] sm insecto

insicuro, -a [insi'kuro] agg: **essere ~** (persona) ser inseguro

insieme [in'sjɛme] avv junto(-a); (contemporaneamente) al mismo tiempo, a la vez ♦ sm conjunto ♦ prep: **~ a o con** junto a o con; **tutti ~** todos juntos; **tutto ~** (tutto compreso) todo; (in una volta) al mismo tiempo

insigne [in'siɲɲe] agg insigne

insignificante [insiɲɲifi'kante] agg insignificante

insinuare [insinu'are] vt insinuar; **insinuarsi** vpr: **insinuarsi (in)** introducirse (en); **cosa vuoi ~?** ¿qué quieres insinuar?

insipido, -a [in'sipido] agg insípido(-a), soso(-a)

insistente [insis'tɛnte] agg (persona, tono) insistente; (dolore, pioggia) persistente

insistere [in'sistere] vi: **~ su qc** insistir sobre algo; **~ in qc/a fare qc** insistir en algo/en hacer algo

insoddisfatto, -a [insoddis'fatto] agg (persona) insatisfecho(-a); (desiderio) incumplido(-a)

insofferente [insoffe'rɛnte] agg intolerante

insolazione [insolat'tsjone] sf (MED) insolación f

insolente [inso'lɛnte] agg insolente

insolito, -a [in'sɔlito] agg insólito(-a)

insoluto, -a [inso'luto] agg (non risolto) no resuelto(-a)

insomma [in'somma] avv (in breve, in conclusione) en conclusión, en resumen; (dunque) entonces, en fin ♦ escl (per esprimere impazienza) ¡en fin!; (così così) ¡así así!

insonne [in'sɔnne] agg (persona) insomne; (notte) desvelado(-a) ❑ **insonnia** [in'sɔnnja] sf insomnio

insonnolito, -a [insonno'lito] agg adormilado(-a), adormecido(-a)

insopportabile [insoppor'tabile] agg insoportable

insorgere [in'sordʒere] vi (ribellarsi: popolazione) sublevarse; (presentarsi: sintomo) aparecer; (: malattia) manifestarse; (: difficoltà) surgir

insospettire [insospet'tire] vt levantar sospechas en; **insospettirsi** vpr sospechar

inspirare [inspi'rare] vt inspirar

instabile [ins'tabile] agg inestable

installare [instal'lare] vt instalar

instancabile [instan'kabile] agg incansable

instaurare [instau'rare] vt instaurar

insuccesso [insut'tʃesso] sm fracaso

insufficiente [insuffi'tʃente] agg (risorse, fondi) insuficiente; (compito) suspenso(-a) ♦ sm suspenso ❑ **insufficienza** [insuffi'tʃentsa] sf escasez f; (SCOL) suspenso ▸ **insufficienza di prove** (DIR) falta de pruebas ▸ **insufficienza renale** insuficiencia renal

insulina [insu'lina] sf insulina

insultare [insul'tare] vt insultar ❑ **insulto** [in'sulto] sm insulto

intaccare [intak'kare] vt (sogg: ruggine, acido) corroer; (fig: il nome) manchar; (: una amicizia) enfriar

intagliare [intaʎ'ʎare] vt tallar

intanto [in'tanto] avv (nel frattempo) mientras tanto; (per cominciare) mientras; ~ **che** mientras

intasare [inta'sare] vt (lavandino) atascar; **intasarsi** vpr atascarse

intascare [intas'kare] vt (mettere in tasca) meter en el bolsillo; (soldi) embolsarse

intatto, -a [in'tatto] agg intacto(-a)

intavolare [intavo'lare] vt entablar

integrale [inte'grale] agg (versione) íntegro(-a); (pane, farina) integral; **a trazione ~** (AUT) tracción a las cuatro ruedas

integrante [inte'grante] agg: **essere parte ~ di** ser parte integrante de

integrare [inte'grare] vt integrar; **integrarsi** vpr (in sistema, ambiente) integrarse ❑ **integratore** [integra'tore] sm (alimentare, vitaminico) integrador m

integrità [integri'ta] sf (anche fig) integridad f

integro, -a [in'tegro] agg (anche fig) íntegro(-a)

intelaiatura [intelaja'tura] sf armadura, armazón m

intellettuale [intellettu'ale] agg, sm/f intelectual m/f

intelligente [intelli'dʒente] agg inteligente

intemperie [intem'perje] sfpl intemperie f

intendere [in'tendere] vt (avere intenzione) tener intención de; (voler dire) querer decir; (capire, interpretare) entender; **intendersi** vpr (andare d'accordo) entenderse; **intendersi di** entender de; **intendersi (su qc)** (mettersi d'accordo) ponerse de acuerdo (en algo); **intendersela con qn** (avere una relazione) tener una relación con algn ❑ **intenditore, -trice** [intendi'tore] sm/f entendido(-a)

intensivo, -a [inten'sivo] agg intensivo(-a)

intenso, -a [in'tenso] agg intenso(-a)

intento, -a [in'tento] agg: ~ **a fare qc** concentrado(-a) en hacer algo ♦ sm (fine, proposito) intento

intenzionale [intentsjo'nale] agg (gesto, fallo) intencionado(-a); (omicidio) premeditado(-a)

intenzione [inten'tsjone] sf intención f

interattivo, -a [interat'tivo] *agg* interactivo(-a)

intercettare [intert∫et'tare] *vt* (*telefonata*) intervenir; (*aereo*) interceptar

intercity [inter'siti] *sm inv* (FERR) tren rápido de largo recorrido

interdetto, -a [inter'detto] *agg* estupefacto(-a), perplejo(-a); **rimanere ~** quedarse estupefacto o perplejo

interessante [interes'sante] *agg* interesante; **essere in stato ~** estar embarazada

interessare [interes'sare] *vt* interesar ♦ *vi*: **~ a** interesar a, importar a; **interessarsi** *vpr* (*mostrare interesse*): **interessarsi a** o **interessarsi di** (*occuparsi*) ocuparse de □ **interesse** [inte'resse] *sm* interés *m*

interfaccia, -ce [inter'fatt∫a] *sf* (INFORM) interfaz *f*

interferenza [interfe'rentsa] *sf* (*nella vita altrui*) intromisión *f*; (*telefonica*) interferencia

interferire [interfe'rire] *vi* interferir

interiezione [interjet'tsjone] *sf* interjección *f*

interiora [inte'rjora] *sfpl* entrañas *fpl*

interiore [inte'rjore] *agg* interior

intermedio, -a [inter'medjo] *agg* intermedio(-a)

internare [inter'nare] *vt* internar

internauta [inter'nauta] *sm/f* (INFORM) internauta *m/f*

internazionale [internattsjo'nale] *agg* internacional

Internet ['internet] *sf* Internet *m* o *f*; **in ~** en Internet

interno, -a [in'terno] *agg* (*politica, commercio*) interior, interno(-a); (*organo, volo*) interno(-a) ♦ *sm* (*di edificio ecc*) interior *m*; (TEL) extensión *f*; **interni** *smpl* (CINE) interiores; **all'~** en el interior

intero, -a [in'tero] *agg* entero(-a); (*prezzo*) íntegro(-a); (*biglietto*) normal, sin descuento; **latte ~** leche entera

interpellare [interpel'lare] *vt* interpelar

interpretare [interpre'tare] *vt* interpretar □ **interprete** [in'terprete] *sm/f* intérprete *m/f*; **ci potrebbe fare da interprete?** ¿podría hacer de intérprete?

interregionale [interred3o'nale] *ver nota en el recuadro*

INTERREGIONALI

Los trenes **interregionali** son trenes de medio recorrido que hacen paradas en algunas estaciones menos importantes.

---

interrogare [interro'gare] *vt* (*alunno*) preguntar; (*accusato*) interrogar □ **interrogazione** [interrogat'tsjone] *sf* (SCOL, DIR) pregunta

interrompere [inter'rompere] *vt* interrumpir; **interrompersi** *vpr* interrumpirse □ **interruttore** [interrut'tore] *sm* interruptor *m* □ **interruzione** [interrut'tsjone] *sf* interrupción *f*

interurbana [interur'bana] sf (TEL) llamada interurbana

intervallo [inter'vallo] sm intervalo; (CINE, TEATRO) descanso

intervenire [interve'nire] vi: ~ **(in)** (in discorso, lite, guerra) intervenir (en); ~ **(a)** (dibattito, incontro, spettacolo) participar (en) □ **intervento** [inter'vento] sm (intromissione, breve discorso, MED) intervención f; (partecipazione) participación f

intervista [inter'vista] sf (STAMPA) entrevista □ **intervistare** [intervis'tare] vt (STAMPA) entrevistar

intestare [intes'tare] vt (libro, lettera) encabezar; ~ **a** (proprietà, assegno ecc) poner a nombre de □ **intestato, -a** [intes'tato] agg (registrado(-a)) a nombre de; **carta intestata** papel timbrado o con membrete

intestino [intes'tino] sm intestino

intimidazione [intimidat'tsjone] sf intimidación f

intimidire [intimi'dire] vt cohibir; (spaventare) intimidar

intimità [intimi'ta] sf intimidad f

intimo, -a ['intimo] agg (amicizia, sentimenti) profundo(-a); (amico, igiene) íntimo(-a) ♦ sm; **biancheria intima** (da donna) lencería, ropa interior; (da uomo) ropa interior

intingolo [in'tingolo] sm (CUC) salsa

intitolare [intito'lare] vt titular; **intitolarsi** vpr titularse; ~ **a qn** (monumento ecc) dedicar a algn

intollerabile [intolle'rabile] agg intolerable □ **intollerante** [intolle'rante] agg intolerante

intonaco, -ci [in'tɔnako] sm enlucido

intonare [into'nare] vt (canto) entonar; (armonizzare: colori, indumenti) combinar; **intonarsi** vpr: **intonarsi (a)** (colore, abito) pegar (con) □ **intontito, -a** [inton'tito] agg aturdido(-a); ~ **dal sonno** aturdido por el sueño

intoppo [in'tɔppo] sm (difficoltà) tropiezo

intorno [in'torno] avv alrededor; ~ **a** (attorno a) alrededor de, en torno a; (sull'argomento di) sobre, acerca de

intossicare [intossi'kare] vt intoxicar □ **intossicazione** [intossikat'tsjone] sf intoxicación f

intralciare [intral'tʃare] vt estorbar

intransitivo, -a [intransi'tivo] agg intransitivo(-a

intraprendente [intrapren'dente] agg (ragazzo) decidido(-a); (spirito) emprendedor(a)

intraprendere [intra'prendere] vt emprender

intrattabile [intrat'tabile] agg. intratable

intrattenere [intratte'nere] vt entretener; **intrattenersi** vpr entretenerse

intravedere [intrave'dere] vt entrever

intrecciare [intret'tʃare] vt (capelli) trenzar; (fili) entrelazar; (relazione) entablar; (rapporti) estrechar

intrigante [intri'gante] agg, sm/f (impiccione) entrometido(-a); (affascinante) intrigante

intrinseco, -a, -ci, -che [in'trinseko] agg intrínseco(-a)

intriso, -a [in'trizo] *agg*: ~ **di** empapado de

introdurre [intro'durre] *vt*: ~ **(in)** introducir (en); **introdursi** *vpr*: **introdursi in** introducirse en ☐ **introduzione** [introdut'tsjone] *sf* introducción f; *(presentazione)* presentación f

introito [in'troito] *sm* entradas *fpl*, ingresos *mpl*

intromettersi [intro'mettersi] *vpr*: ~ **(in)** *(in discussione, lite)* entrometerse (en); **non intrometterti** no te entrometas

intruglio [in'truʎʎo] *sm* brebaje *m*

intrusione [intru'zjone] *sf* intrusión f

intruso, -a [in'truzo] *sm/f* intruso(-a)

intuire [intu'ire] *vt* intuir ☐ **intuito** [in'tuito] *sm* intuición f

inumano, -a [inu'mano] *agg* inhumano(-a)

inumidire [inumi'dire] *vt* humedecer; **inumidirsi** *vpr* humedecerse

inutile [i'nutile] *agg* inútil ☐ **inutilmente** [inutil'mente] *avv* inútilmente

invadente [inva'dɛnte] *agg* entrometido(-a)

invadere [in'vadere] *vt* invadir

invaghirsi [inva'girsi] *vpr*: ~ **(di)** prendarse (de)

invalidità [invalidi'ta] *sf* (MED) invalidez f *inv*

invalido, -a [in'valido] *agg, sm/f* inválido(-a)

invano [in'vano] *avv* en vano

invariabile [inva'rjabile] *agg* *(anche* LING*)* invariable

invasione [inva'zjone] *sf* (MIL, fig) invasión f

invasore [inva'zore] *sm* invasor(a)

invecchiare [invek'kjare] *vi* envejecer

invece [in'vetʃe] *avv* en cambio; ~ **di** en vez o lugar de

inveire [inve'ire] *vi*: ~ **contro** despotricar contra

inventare [inven'tare] *vt* inventar

inventario [inven'tarjo] *sm* inventario

inventore, -trice [inven'tore] *sm/f* inventor(a) ☐ **invenzione** [inven'tsjone] *sf* (*l'inventare*) invención f; *(cosa inventata)* invento

invernale [inver'nale] *agg* invernal; *(abiti)* de invierno

inverno [in'vɛrno] *sm* invierno

inverosimile [invero'simile] *agg* inverosímil

inversione [inver'sjone] *sf* inversión f; ~ **di marcia** (AUT) cambio de sentido ☐ **inverso, -a** [in'vɛrso] *agg* inverso(-a) ♦ *sm*: **l'inverso** lo contrario o opuesto

invertire [inver'tire] *vt* cambiar; ~ **la marcia** (AUT) cambiar de sentido

investigare [investi'gare] *vt* investigar; *(causa)* averiguar ♦ *vi* investigar, indagar ☐ **investigatore, -trice** [investiga'tore] *sm/f* investigador(a) ▶ **investigatore privato** investigador privado

investimento [investi'mento] *sm* (ECON) inversión f

investire [inves'tire] *vt* *(denaro)* invertir; *(pedone, ciclista)* atropellar

inviare [invi'are] *vt* enviar ☐ **inviato, -a** [invi'ato] *sm/f* (*giornalista*) enviado(-a) ▸ **inviato speciale** enviado especial

invidia [in'vidja] *sf* envidia
❑ **invidiare** [invi'djare] *vt*: **invidiare qn (per qc)** envidiar a algn (por algo); **invidiare qc (a qn)** envidiar algo (a algn)
❑ **invidioso, -a** [invi'djoso] *agg* envidioso(-a)

invio, -vii [in'vio] *sm* envío; (*su tastiera*) intro, enter *m*

inviperito, -a [invipe'rito] *agg* enfurecido(-a)

invisibile [invi'zibile] *agg* invisible

invitare [invi'tare] *vt* invitar; ~ **qn a fare qc** invitar a algn a hacer algo; ~ **qn a cena** invitar a algn a cenar
❑ **invitato, -a** [invi'tato] *sm/f* invitado(-a) ❑ **invito** [in'vito] *sm* invitación *f*

invocare [invo'kare] *vt* (*Dio*) invocar; ~ **aiuto** pedir ayuda

invogliare [invoʎ'ʎare] *vt*: ~ **(qn a fare qc)** estimular (a algn para que haga algo)

involontario, -a [involon'tarjo] *agg* involuntario(-a)

involtino [invol'tino] *sm* (*CUC*) rollito de carne relleno

involto [in'volto] *sm* envoltorio, fardo

involucro [in'volukro] *sm* envoltorio

inzuppare [intsup'pare] *vt* (*biscotto, brioche*) mojar; (*terreno*) inundar; **inzupparsi** *vpr* (*imbeversi*) empaparse; (*sotto la pioggia*) empaparse, calarse

io [io] *pron* yo; **io stesso/a** yo mismo/a; **sono io** soy yo; **io credo che ...** yo creo que ...

iodio ['jɔdjo] *sm* yodo

Ionio ['jɔnjo] *sm*: **lo ~/il Mar ~** el Jonio/el mar Jonio

ipermercato [ipermer'kato] *sm* hipermercado

ipertensione [iperten'sjone] *sf* hipertensión *f*

ipertesto [iper'testo] *sm* hipertexto

ipnosi [ip'nɔzi] *sf* hipnosis *f inv*
❑ **ipnotizzare** [ipnotid'dzare] *vt* hipnotizar

ipocrisia [ipokri'zia] *sf* hipocresía
❑ **ipocrita, -i, -e** [i'pɔkrita] *agg, sm/f* hipócrita *m/f*

ipoteca, -che [ipo'tɛka] *sf* hipoteca

ipotesi [i'pɔtezi] *sf inv* hipótesis *f inv*; **per ~** por casualidad

ippica ['ippika] *sf* hípica
❑ **ippico, -a, -ci, -che** ['ippiko] *agg* hípico(-a)

ippocastano [ippokas'tano] *sm* castaño de Indias

ippodromo [ip'pɔdromo] *sm* hipódromo

ippopotamo [ippo'pɔtamo] *sm* hipopótamo

ipsilon ['ipsilon] *sf o m inv* i *f* griega

IR *abbr* (= *Interregionale*) tren *m* regional

iracheno, -a [ira'kɛno] *agg, sm/f* iraquí *m/f*

Irak [i'rak] *sm* Iraq *m*

Iran [i'ran] *sm* Irán *m*
❑ **iraniano, -a** [ira'njano] *agg, sm/f* iraní *m/f*

iride ['iride] *sf* (*ANAT*) iris *m inv*; (*arcobaleno*) arco iris

Irlanda [ir'landa] *sf* Irlanda; **l'~ del Nord** Irlanda del Norte; **la Repubblica d'~** la República de

Irlanda ◻ **irlandese** [irlan'dese]
agg, sm/f irlandés(-esa)

ironia [iro'nia] *sf* ironía; **fare dell'~**
ironizar ◻ **ironico, -a, -ci, -che**
[i'rɔniko] *agg* irónico(-a)

irragionevole [irradʒo'nevole]
agg irracional

irrazionale [irrattsjo'nale] *agg*
irracional

irreale [irre'ale] *agg* irreal

irregolare [irrego'lare] *agg*
irregular; *(polso)* arrítmico(-a)

irremovibile [irremo'vibile] *agg*
(persona) inflexible

irrequieto, -a [irre'kwjeto] *agg*
inquieto(-a)

irresistibile [irresis'tibile] *agg*
irresistible

irresponsabile [irrespon'sabile]
agg irresponsable

irrigare [irri'gare] *vt (campo)* regar,
irrigar

irrigidire [irridʒi'dire] *vt* agarrotar;
irrigidirsi *vpr (muscolo)* agarrotarse;
(fig) aferrarse

irrilevante [irrile'vante] *agg*
irrelevante

irrisolto, -a [irri'sɔlto] *agg*
(problema, questione) no resuelto(-a)

irrisorio, -a [irri'zɔrjo] *agg (cifra)*
irrisorio(-a)

irritare [irri'tare] *vt* irritar; **irritarsi**
vpr irritarse

irrompere [ir'rompere] *vi*: **~ in**
irrumpir en

irruente [irru'ente] *agg (fig)*
impetuoso(-a)

irruzione [irrut'tsjone] *sf* irrupción
f; **fare ~ in** irrumpir en

iscritto, -a [is'kritto] *pp di*
iscrivere ♦ *sm*: **per o in ~** por
escrito

iscrivere [is'krivere] *vt*: **~ (a)** *(a club)*
inscribir (en); *(a partito)* afiliar (a);
(all'università) matricular (en);
iscriversi *vpr* inscribirse; *(a partito)*
afiliarse; *(all'università)* matricularse
◻ **iscrizione** [iskrit'tsjone] *sf*
(scritta, a club) inscripción *f*; *(a scuola)*
matrícula

Islam [iz'lam] *sm inv* Islam *m inv*

Islanda [iz'landa] *sf* Islandia

isola ['izola] *sf* isla ▸ **isola
pedonale** *(AUT)* zona peatonal

isolamento [izola'mento] *sm*
aislamiento

isolante [izo'lante] *agg* aislante

isolare [izo'lare] *vt* aislar; *(persona)*
marginar; **isolarsi** *vpr* aislarse,
apartarse ◻ **isolato, -a** [izo'lato]
agg aislado(-a); *(persona)*
marginado(-a) ♦ *sm (gruppo di
edifici)* manzana

ispettore, -trice [ispet'tore] *sm/f*
inspector(a)

ispezionare [ispettsjo'nare] *vt*
inspeccionar

ispido, -a ['ispido] *agg* híspido(-a)

ispirare [ispi'rare] *vt* inspirar

Israele [izra'ele] *sf* Israel *m*
◻ **israeliano, -a** [izrae'ljano] *agg,
sm/f* israelí *m/f*, israelita *m/f*

issare [is'sare] *vt (vele)* izar; *(ancora)*
levar

istantanea [istan'tanea] *sf (FOT)*
instantánea ◻ **istantaneo, -a**
[istan'taneo] *agg* instantáneo(-a).

istante [is'tante] *sm* instante *m*;
all'~ *o* **sull'~** de momento

isterico, -a, -ci, -che [is'teriko]
agg histérico(-a)

istigare [isti'gare] *vt*: **~ (qn a qc/a
fare qc)** instigar (a algn a algo/a que
haga algo)

istinto [is'tinto] *sm* instinto *m*

istituire [istitu'ire] *vt* instituir
❏ **istituto** [isti'tuto] *sm* instituto;
(di università) departamento
▶ **istituto di credito** banco
▶ **istituto di ricerca** centro de
investigación ❏ **istituzione**
[istitut'tsjone] *sf* institución *f*

istmo ['istmo] *sm* istmo *m*

istrice ['istritʃe] *sm* puerco espín

istruito, -a [istru'ito] *agg*
instruido(-a) ❏ **istruttore, -trice**
[istrut'tore] *sm/f (di volo)*
instructor(a); *(di sci)* monitor(a); *(di
scuola guida, di nuoto)* profesor(a)
◆ *agg*: **giudice istruttore** juez *m/f*
de instrucción ❏ **istruzione**
[istrut'tsjone] *sf* instrucción *f*;
(insegnamento) enseñanza;
istruzioni *sfpl (norme)* instrucciones
▶ **istruzioni per l'uso**
instrucciones de uso

Italia [i'talja] *sf* Italia; **mi piace l'~**
me gusta Italia ❏ **italiano, -a**
[ita'ljano] *agg, sm/f* italiano(-a) ◆ *sm*
(LING) italiano

itinerario [itine'rarjo] *sm* itinerario *m*

ittico, -a, -ci, -che ['ittiko] *agg*
pesquero(-a); **il patrimonio ~** la
fauna pesquera

Iugoslavia [jugoz'lavja] *sf*
= **Jugoslavia**

IVA ['iva] *sigla f (= imposta sul valore
aggiunto)* IVA *m*

Jj

jazz [dʒaz] *sm* jazz *m inv*

jeans [dʒinz] *smpl*: **(un paio di) ~**
unos (pantalones) vaqueros

jeep® [dʒip] *sf inv* (MIL) jeep *m*

jogging ['dʒɔɡin] *sm inv* jogging *m
inv*, footing *m inv*; **fare ~** hacer
jogging *o* footing

jolly ['dʒɔli] *sm inv* comodín *m*

joystick [dʒois'tik] *sm inv* joystick
m, mando

judo ['dʒudo] *sm* judo *m inv*, yudo *m
inv*

Jugoslavia [jugoz'lavja] *sf*: **la ex ~**
la ex Yugoslavia

Kk

karaoke [ka'raoke] *sm inv* karaoke
m

karatè [kara'te] *sm inv* kárate *m inv*

kayak [ka'jak] *sm inv* kayak *m*

kg *abbr (= chilogrammo)* kg

killer ['killer] *sm inv* matón *m*

kiwi ['kiwi] *sm inv* kiwi *m*

km *abbr (= chilometro)* km

koala [ko'ala] *sm inv* koala *m*

kosovaro, -a [koso'varo] *agg, sm/f*
kosovar *m/f*

krapfen ['krapfen] *sm inv*
≈ buñuelo de viento, ≈ donut® *m*

Ll

l *abbr (= litro)* l

la [la] *(dav V l')* *art f, pron* la; *(forma di
cortesía)* le ◆ *sm inv* (MUS) la *m inv*;
vedi anche **il**

là [la] *avv* allí, allá; **di là** allí; *(moto per luogo)* por allí; *(dall'altra parte)* o o desde allí; **per di là** por allí; **più in là** *(spazio)* más allá; *(tempo)* más adelante; **là dentro/sopra/sotto** allí dentro/arriba/abajo

labbro ['labbro] *(pl/f)* solo nel senso ANAT **labbra** *sm* labio

labirinto [labi'rinto] *sm* laberinto

laboratorio [labora'tɔrjo] *sm* laboratorio; *(di arti, mestieri)* taller *m* ▶ **laboratorio linguistico** laboratorio de idiomas

laborioso, -a [labo'rjoso] *agg* complicado(-a), difícil; *(persona)* trabajador(a)

lacca, -che ['lakka] *sf* laca

laccio, -ci ['lattʃo] *sm (delle scarpe)* cordón *m*

lacerare [latʃe'rare] *vt* desgarrar; **lacerarsi** *vpr* desgarrarse

lacrima ['lakrima] *sf* lágrima; **in lacrime** en lágrimas
❑ **lacrimogeno, -a** [lakri'mɔdʒeno] *agg*: *(gas)* **lacrimogeno** gas lacrimógeno

lacuna [la'kuna] *sf (fig)* laguna

ladro, -a ['ladro] *sm/f* ladrón(-ona)

laggiù [lad'dʒu] *avv (là in basso)* allí abajo; *(in lontananza)* allí

lagnarsi [laɲ'narsi] *vpr:* **~ (di)** quejarse (de o por)

lago, -ghi ['lago] *sm* lago

laguna [la'guna] *sf* albufera, laguna

laico, -a, -ci, -che ['laiko] *agg, sm/f* laico(-a)

lama ['lama] *sf* hoja ♦ *sm inv (ZOOL)* llama; *(REL)* lama *m*

lamentarsi [lamen'tarsi] *vpr (gemere):* **~ (per)** quejarse (de o por), lamentarse (de o por); **~ (di)** *(esprimere risentimento)* lamentar
❑ **lamentela** [lamen'tela] *sf* queja

lametta [la'metta] *sf:* **~ da barba** cuchilla de afeitar

lamina ['lamina] *sf (di metallo)* lámina

lampada ['lampada] *sf* lámpara
❑ **lampadario** [lampa'darjo] *sm* araña ❑ **lampadina** [lampa'dina] *sf* bombilla, lámpara ▶ **lampadina tascabile** linterna

lampante [lam'pante] *agg (fig: evidente)* claro(-a), evidente

lampeggiare [lamped'dʒare] *vi* centellear; *(AUT: con i fari)* hacer señales o ráfagas con las luces ♦ *vb impers:* **lampeggia** relampaguea
❑ **lampeggiatore** [lampeddʒa'tore] *sm (AUT)* intermitente *m*

lampione [lam'pjone] *sm* farola

lampo ['lampo] *sm (METEOR)* relámpago ♦ *agg inv:* **cerniera ~** cremallera; **un ~ di genio** una idea genial

lampone [lam'pone] *sm* frambuesa

lana ['lana] *sf* lana; **di ~** de lana; **pura ~ vergine** pura lana virgen

lancetta [lan'tʃetta] *sf* manecilla

lancia ['lantʃa] *sf (arma)* lanza; *(NAUT)* lancha ▶ **lancia di salvataggio** bote *m* salvavidas *inv*

lanciafiamme [lantʃa'fjamme] *sm inv* lanzallamas *m*

lanciare [lan'tʃare] *vt* lanzar; *(grido)* pegar; **lanciarsi** *vpr:* **lanciarsi contro** lanzarse o tirarse contra; **lanciarsi su** lanzarse a o en; **lanciarsi in acqua** tirarse o lanzarse al agua

lancinante [lantʃiˈnante] *agg*: un **dolore ~** un dolor lancinante o desgarrador

lancio, -ci [ˈlantʃo] *sm* lanzamiento ▶ **lancio del disco/peso** lanzamiento de disco/peso

languido, -a [ˈlangwido] *agg* lánguido(-a)

lanterna [lanˈtɛrna] *sf* farol *m*

lapide [ˈlapide] *sf* (di sepolcro) lápida; (commemorativa) placa conmemorativa

lapsus [ˈlapsus] *sm inv* lapsus *m inv*; **~ freudiano** lapsus freudiano

lardo [ˈlardo] *sm* (CUC) lardo, tocino

larga [ˈlarga] *sf*: **stare alla ~ (da)** no querer cuentas (con); **tenersi alla ~ (da)** mantenerse lejos (de)

larghezza [larˈgettsa] *sf* ancho, anchura; **ha venti metri di ~** tiene veinte metros de anchura, la anchura es de veinte metros

largo, -a, -ghi, -ghe [ˈlargo] *agg* ancho(-a) ♦ *sm* (piazza) plaza; **al ~** (in mare) mar adentro; **è ~ due metri** tiene dos metros de anchura, la anchura es de dos metros; **~ di spalle** ancho de espaldas; **di larghe vedute** con una gran apertura mental; **su larga scala** a gran escala

⚠ **largo** non si traduce mai con la parola spagnola *largo*.

larice [ˈlaritʃe] *sm* alerce *m*

laringite [larinˈdʒite] *sf* laringitis *f inv*

larva [ˈlarva] *sf* larva

lasagne [laˈzaɲɲe] *sfpl* lasaña *sg*

lasciare [laʃˈʃare] *vt* (paese, casa, marito) dejar; (briglia, volante) soltar; (dimenticare: occhiali ecc) olvidar; (affidare: compito) dejar; **lasciarsi** *vpr*

(coppia) dejarse, separarse; **lasciar correre** o **perdere** pasar por alto, dejar correr; **lascia stare!** (non toccare) ¡déjalo!, ¡no lo toques!

laser [ˈlazer] *agg inv, sm inv* láser (*m*)

lassativo, -a [lassaˈtivo] *agg, sm* laxante (*m*)

lasso [ˈlasso] *sm*: **~ di tempo** lapso de tiempo

lassù [lasˈsu] *avv* allí o allá arriba

lastra [ˈlastra] *sf* (di pietra) laja; (di ghiaccio) témpano; (di metallo) lámina, chapa; (radiografia) radiografía

lastricato [lastriˈkato] *sm* enlosado, empedrado

laterale [lateˈrale] *agg* lateral ♦ *sf* (strada) lateral *f*

latino, -a [laˈtino] *agg, sm/f* latino(-a)

latitante [latiˈtante] *agg* (criminale) bajo orden de captura ♦ *sm/f* prófugo(-a)

latitudine [latiˈtudine] *sf* latitud *f*

lato, -a [ˈlato] *sm* lado; (aspecto, punto di vista) aspecto; **da un ~ ...**, **dall'altro ...** por una parte ..., por otra ..., por un lado ..., por otro ...

latta [ˈlatta] *sf* (materiale) hojalata; (recipiente) lata, bote *m*

lattante [latˈtante] *sm/f* lactante *m/f*

latte [ˈlatte] *sm* leche *f* ▶ **latte detergente** leche limpiadora ▶ **latte in polvere** leche en polvo ▶ **latte intero** leche entera ▶ **latte magro** o **scremato** leche desnatada ▶ **latte solare** leche bronceadora ❑ **latticini** [lattiˈtʃini] *smpl* lácteos *mpl*

lattina [lat'tina] *sf* lata; **una ~ di birra** una lata de cerveza

lattuga, -ghe [lat'tuga] *sf* lechuga

laurea ['laurea] *sf* (SCOL) licenciatura
❏ **laurearsi** [laure'arsi] *vpr* licenciarse ❏ **laureato, -a** [laure'ato] *agg* licenciado(-a)

LAUREA

La **Laurea** se concede a aquellos estudiantes que han completado con éxito la licenciatura. Suele durar entre 4 y 6 años. Una parte importante en los exámenes finales es la presentación y discusión de una tesina. También hay a disposición una carrera más corta y práctica que dura entre 2 y 3 años y en que al final los estudiantes reciben un diploma llamado la "Laurea breve".

---

lauro ['lauro] *sm* laurel *m*

lauto, -a ['lauto] *agg* (pranzo) opulento(-a); (mancia) espléndido(-a)

lava ['lava] *sf* lava

lavabo [la'vabo] *sm* lavabo

lavaggio [la'vaddʒo] *sm* lavado ▸ **lavaggio a secco** lavado en seco ▸ **lavaggio del cervello** lavado de cerebro

lavagna [la'vaɲɲa] *sf* (di scuola) pizarra

lavanda [la'vanda] *sf* (BOT) lavanda ▸ **lavanda gastrica** (MED) lavado de estómago

lavanderia [lavande'ria] *sf* lavandería ▸ **lavanderia a secco** tintorería (limpieza en seco) ▸ **lavanderia automatica** lavandería automática

lavandino [lavan'dino] *sm* (in bagno) lavabo; (in cucina) fregadero

lavapiatti [lava'pjatti] *sm/f inv* (persona, macchina) lavaplatos *m/f inv*

lavare [la'vare] *vt* lavar; (pavimento, piatti) fregar; **lavarsi** *vpr* lavarse; **~ a secco** lavar en seco; **lavarsi le mani/i capelli/i denti** lavarse las manos/el pelo/los dientes ❏ **lavasecco** [lava'sekko] *sm o f inv* tintorería (limpieza en seco) ❏ **lavastoviglie** [lavasto'viʎʎe] *sf inv* lavavajillas *m inv*, lavaplatos *m inv* ❏ **lavatrice** [lava'tritʃe] *sf* lavadora

lavorare [lavo'rare] *vi* (persona) trabajar; (funzionare) trabajar, funcionar ♦ *vt* (creta ecc) trabajar; (pane ecc) amasar ❏ **lavorativo, -a** [lavora'tivo] *agg* (giorno) laborable; (ore) laboral ❏ **lavoratore, -trice** [lavora'tore] *agg, sm/f* trabajador(a)

⚠ **lavoratore** non si traduce mai con la parola spagnola *labrador*.

lavoro [la'voro] *sm* trabajo; (opera) obra; (domestico) labores *fpl*; **che ~ fa?** ¿en qué trabaja?

le [le] *art fpl* las ♦ *pron* (oggetto) las; (: a lei, a essa, forma di cortesia) le; **le ho viste ieri** las he visto ayer; **le chiedo scusa, signora** le pido disculpas, señora, discúlpeme, señora

leale [le'ale] *agg* leal

lecca lecca ['lekka 'lekka] *sm inv* piruleta

leccapiedi [lekka'pjedi] *sm/f inv* (peg) pelotilla *m/f*

leccare [lek'kare] vt lamer; **leccarsi i baffi** (fig) chuparse los dedos, relamerse

leccio, -ci ['lettʃo] sm quejigo

leccornia [lekkor'nia] sf exquisitez f, manjar m

lecito, -a ['lɛtʃito] agg lícito(-a)

lega, -ghe ['lega] sf (alleanza, unione) liga, coalición f; (di metalli) aleación f; **la L~ Nord** (POL) la Liga Norte

legaccio [le'gattʃo] sm cordón m, cinta

legale [le'gale] agg legal ♦ sm/f abogado(-a) □ **legalizzare** [legalid'dzare] vt legalizar

legame [le'game] sm ligazón f

legare [le'gare] vt atar, amarrar; (mani) maniatar; (capelli) recoger

legenda [le'dʒenda] sf leyenda, notas fpl

legge ['leddʒe] sf ley f; (giurisprudenza: derecho): **facoltà di ~** facultad de derecho

leggenda [led'dʒenda] sf leyenda

leggere ['leddʒere] vt leer

leggerezza [leddʒe'rettsa] sf (anche fig) ligereza

leggero, -a [led'dʒero] agg ligero(-a); (dolore, ferita) leve; **alla leggera** (non seriamente) a la ligera

leggio, -gi [led'dʒio] sm atril m

legislatura [ledʒizla'tura] sf legislatura

legittimo, -a [le'dʒittimo] agg legítimo(-a) ▸ **legittima difesa** (DIR) legítima defensa

legna ['leɲɲa] sf leña

legno ['leɲɲo] sm madera; **un pezzo di ~** un trozo de madera; **di ~** de madera ▸ **legno compensato** madera conglomerada

lei ['lɛi] pron ella; (forma di cortesia) usted ♦ sm: **dare del ~ a qn** tratar de usted a algn; ~ **stessa** ella misma

---

LEI

En Italia, para dirigirse a personas de modo formal se emplea **lei**, el pronombre de tercera persona singular.

---

lentamente [lenta'mente] avv lentamente, despacio

lente ['lɛnte] sf lente f ▸ **lente d'ingrandimento** lupa ▸ **lenti (a contatto) morbide/rigide** lentes (de contacto) o lentillas fpl blandas/duras

lentezza [len'tettsa] sf lentitud f

lenticchia [len'tikkja] sf lenteja

lentiggine [len'tiddʒine] sf peca

lento, -a ['lɛnto] agg lento(-a)

lenza ['lentsa] sf (PESCA) sedal m

lenzuolo [len'tswɔlo] sm sábana

leone [le'one] sm león m; (ZODIACO): **L~** Leo m/f; **essere del L~** ser Leo

leporino, -a [lepo'rino] agg: **labbro ~** labio leporino

lepre ['lɛpre] sf liebre f

lercio, -a ['lertʃo] agg mugriento(-a)

lesione [le'zjone] sf (MED) lesión f

lessare [les'sare] vt salcochar, hervir

lessico, -ci ['lɛssiko] sm (LING) léxico

lesso, -a ['lɛsso] agg salcochado(-a), hervido(-a) ♦ sm cocido

letale [le'tale] agg (ferita, colpo) mortal; (dose) letal

letamaio [leta'majo] *sm* estercolero, muladar *m*; (*fig: luogo sudicio*) pocilga

letame [le'tame] *sm* estiércol *m*

letargo, -ghi [le'targo] *sm* (ZOOL) letargo; **andare in ~** aletargarse

lettera [l'ettera] *sf* (*dell'alfabeto*) letra; (*missiva*) carta; **lettere** *sfpl* (*studi umanistici*) letras *fpl*, humanidades *fpl*
□ **letteralmente** [letteral'mente] *avv* literalmente □ **letterario, -a** [lette'rarjo] *agg* literario(-a) □ **letterato, -a** [lette'rato] *agg, sm/f* literato(-a) □ **letteratura** [lettera'tura] *sf* literatura

lettiga, -ghe [let'tiga] *sf* (*barella*) camilla

lettino [let'tino] *sm* (*per bambini*) cuna ▶ **lettino solare** solárium *m* o cama de rayos UVA

letto, -a [l'etto] *pp di* **leggere** ♦ *sm* cama; **andare a ~** irse a la cama ▶ **letto a castello** litera ▶ **letto a una piazza** cama individual o de un cuerpo ▶ **letto matrimoniale** o **a due piazze** cama de matrimonio o de dos cuerpos

lettore, -trice [let'tore] *sm/f* lector(a) ♦ *sm* (INFORM): **~ ottico (di caratteri)** lector *m* óptico ▶ **lettore CD** lector de CD

lettura [let'tura] *sf* lectura

leucemia [leutʃe'mia] *sf* leucemia

leva [l'eva] *sf* palanca; (MIL) quinta; **far ~ su** (*sentimento*) apelar a ▶ **leva del cambio** (AUT) palanca de cambios

levante [le'vante] *sm* levante *m*

levare [le'vare] *vt* quitar; (*dente*) sacar; (*sollevare*) levantar; **levarsi di mezzo** quitarse del medio

levatoio, -a [leva'tojo] *agg*: **ponte levatoio** puente *m* levadizo

lezione [let'tsjone] *sf* lección *f*; (UNIV) clase *f*; **andare a ~** ir a clase; **fare ~** (SCOL) dar clase ▶ **lezioni private** clases *fpl* particulares

li [li] *pron pl* (*oggetto*) los

lì [li] *avv* ahí, allí; **di** o **da lì** desde ahí o allí; **per di lì** por ahí o allí; **lì dentro/sotto/sopra** ahí o allí dentro/abajo/arriba

libanese [liba'nese] *agg, sm/f* libanés(-esa)

Libano [l'ibano] *sm* Líbano

libeccio [li'bettʃo] *sm* lebeche *m*

libellula [li'bellula] *sf* libélula

liberale [libe'rale] *agg* liberal; (*generoso*) generoso(-a) ♦ *sm/f* (POL) liberal *m/f*

liberalizzare [liberalid'dzare] *vt* liberalizar

liberare [libe'rare] *vt* liberar; (*stanza*) desocupar; (*passaggio*) dejar libre; **liberarsi** *vpr* liberarse; **liberarsi di qc/qn** librarse de algo/algn; **liberarsi da un impegno** zafarse de un compromiso

libero, -a [l'ibero] *agg* libre; **~ di fare qc** libre de hacer algo; **~ da** (*obblighi, doveri ecc*) libre de; **è ~ questo posto?** ¿está libre este asiento? □ **libertà** [liber'ta] *sf inv* libertad *f*

Libia [l'ibja] *sf* Libia □ **libico, -a, -ci, -che** [l'ibiko] *agg, sm/f* libio(-a)

libidine [li'bidine] *sf* libido *f*

libraio [li'brajo] *sm* librero(-a)

librarsi [li'brarsi] *vpr* planear

libreria [libre'ria] *sf* (*negozio, mobile*) librería

libretto [li'bretto] *sm (piccolo libro)* librito ▸ **libretto degli assegni** talonario ▸ **libretto di circolazione** *(AUT)* permiso de circulación ▸ **libretto di risparmio** cartilla de ahorros

libro ['libro] *sm* libro ▸ **libro di testo** libro de texto

licenza [li'tʃɛntsa] *sf (di pesca, MIL)* licencia; *(di circolazione)* permiso; **andare in ~** *(MIL)* estar de permiso

licenziamento [litʃentsja'mento] *sm* despido

licenziare [litʃen'tsjare] *vt (lavoratore)* despedir; **licenziarsi** *vpr (impiegato)* renunciar

⚠ **licenziare** non si traduce mai con la parola spagnola *licenciar*.

liceo [li'tʃɛo] *sm (SCOL)* instituto al que asisten estudiantes entre 14 y 19 años

lido ['lido] *sm (litorale)* litoral *m*

lieto, -a ['ljɛto] *agg* contento(-a); *(viso, notizia, compagnia)* alegre; **"molto ~"** *(in presentazioni)* "encantado"; **a ~ fine** *(storia)* con un final feliz

lieve ['ljeve] *agg (tocco)* ligero(-a); *(ferita)* leve

lievitare [ljevi'tare] *vi* leudar

lievito [li'evito] *sm* levadura ▸ **lievito di birra** levadura de cerveza

ligio, -a, -gi, -gie ['lidʒo] *agg*: **~ (a)** cumplidor(a) *(con)*

lilla ['lilla] *agg inv, sm inv (colore)* lila *(m)*

lillà [lil'la] *sm inv (fiore)* lila

lima ['lima] *sf* lima ▸ **lima da unghie** lima de uñas

limaccioso, -a [limat'tʃoso] *agg* cenagoso(-a)

limare [li'mare] *vt* limar

limitare [limi'tare] *vt (numero, spese, consumo)* reducir; *(danni)* limitar; **limitarsi** *vpr*: **limitarsi (in)** *(nel bere, fumare)* contenerse (en); **limitarsi a fare qc** limitarse a hacer algo

limite ['limite] *sm* límite *m*; **al ~** *(fig)* en última instancia ▸ **limite di velocità** límite de velocidad

limonata [limo'nata] *sf* limonada

limone [li'mone] *sm (pianta)* limonero; *(frutto)* limón *m*

limpido, -a ['limpido] *agg* límpido(-a); *(cielo)* despejado(-a); *(fig: suono, voce)* claro(-a)

lince ['lintʃe] *sf* lince *m*

linciare [lin'tʃare] *vt* linchar

linea ['linea] sf línea; **a grandi linee** a grandes rasgos; **mantenere la ~** guardar la línea; **è caduta la ~** (TEL) se ha cortado la comunicación; **rimanga in ~** (TEL) permanezca a la escucha; **di ~** (aereo, autobus ecc) de línea ▶ **linea aerea** aerolínea, línea aérea ▶ **linea d'arrivo** (SPORT) línea de meta ▶ **linea di partenza** (SPORT) línea de salida

lineamenti [linea'menti] smpl (di volto) facciones fpl, rasgos mpl

lineare [line'are] agg lineal; (ragionamento) coherente

lineetta [line'etta] sf rayita; (in parole composte, a fine riga) guión m

lingotto [lin'gotto] sm lingote m

lingua ['lingwa] sf (idioma, ANAT) lengua; **mostrare la ~** sacar la lengua; **di ~ italiana** de lengua italiana; **che lingue parla?** ¿qué idiomas habla? ▶ **lingua madre** lengua materna
□ **linguaggio, -gi** [lin'gwaddʒo] sm (anche INFORM) lenguaje m
□ **linguetta** [lin'gwetta] sf lengüeta

lino ['lino] sm lino

linoleum [li'nɔleum] sm inv linóleo m

liposuzione [liposut'tsjone] sf (MED) liposucción f

liquefatto, -a [likwe'fatto] agg licuado(-a); (metallo) fundido(-a)

liquidare [likwi'dare] vt liquidar; ~ qn (fig: ucciderlo) liquidar a algn; (: sbarazzarsene) deshacerse de algn
□ **liquidazione** [likwidat'tsjone] sf liquidación f

liquidità [likwidi'ta] sf (denaro) liquidez f inv

liquido, -a [li'kwido] agg líquido(-a); (fig: denaro) al contado
♦ sm líquido

liquirizia [likwi'rittsja] sf regaliz m

liquore [li'kwore] sm licor m

lira ['lira] sf (moneta italiana) lira; (di altri paesi) libra ▶ **lira sterlina** libra esterlina

lirico, -a, -ci, -che ['liriko] agg lírico(-a)

Lisbona [lis'bona] sf Lisboa

lisca, -sche ['liska] sf raspa

lisciare [liʃ'ʃare] vt (levigare) pulir, alisar

liscio, -a, -sci, -sce ['liʃʃo] agg liso(-a); (whisky, gin) solo(-a); (fig: senza intoppi) sin problemas ♦ sm (MUS) baile m de salón ♦ avv: **andare ~** marchar sobre ruedas; **passarla liscia** salir limpio de polvo y paja

liso, -a ['lizo] agg gastado(-a), raído(-a)

lista ['lista] sf lista ▶ **lista della spesa** lista de la compra ▶ **lista (delle vivande)** carta, menú m ▶ **lista dei vini** carta de vinos ▶ **lista d'attesa** lista de espera
□ **listino** [lis'tino] sm: **listino dei cambi** tipos mpl de cambio; **listino dei prezzi** listín m de precios

lite ['lite] sf riña

litigare [liti'gare] vi reñir

litigio [li'tidʒo] sm disputa, riña

litorale [lito'rale] sm litoral m

litro ['litro] sm litro

livellare [livel'lare] vt nivelar

livello [li'vello] sm nivel m; **ad alto ~** (fig) de alto nivel; **a ~ mondiale** a nivel mundial

livido, -a ['livido] *agg* lívido(-a); *(cielo)* gris; *(di rabbia, gelosia)* negro(-a) ♦ *sm (su pelle)* cardenal *m*

Livorno [li'vorno] *sf* Liorna

lizza ['littsa] *sf (fig)*: **scendere in ~** entrar en liza

lo [lo] *(dav s impura, gn, pn, ps, x, z; day VI')* art m el ♦ *pron (cosa)* lo; *(persona)* lo, le; **lo sapevo** lo sabía; **lo so** lo sé

locale [lo'kale] *agg* local ♦ *sm* local *m; (anche:* **treno ~)** tren *m* de cercanías ▷ **locale notturno** local nocturno □ **località** [lokali'ta] *sf inv* localidad *f* ▶ **località di villeggiatura** localidad de veraneo

locanda [lo'kanda] *sf* fonda

locomotiva [lokomo'tiva] *sf* locomotora

locuzione [lokut'tsjone] *sf* locución *f*

lodare [lo'dare] *vt* alabar; *(Dio)* loar

lode ['lɔde] *sf (UNIV)* matrícula de honor

loden ['lɔdan] *sm inv (tessuto)* loden *m; (cappotto)* abrigo de loden

lodevole [lo'devole] *agg* loable

logaritmo [loga'ritmo] *sm* logaritmo

loggia, -ge ['lɔddʒa] *sf (ARCHIT)* galería □ **loggione** [lod'dʒone] *sm (TEATRO)* cazuela

logico, -a, -ci, -che ['lɔdʒiko] *agg* lógico(-a)

logorare [logo'rare] *vt (consumare)* gastar, consumir; *(fig: persona)* cansar; **logorarsi** *vpr (consumarsi)* deteriorarse, consumirse; *(fig: persona)* cansarse □ **logoro, -a** ['logoro] *agg (consumato)* raído(-a), gastado(-a)

lombata [lom'bata] *sf (taglio di carne)* lomo

lombrico, -chi [lom'briko] *sm* lombriz *f*

londinese [londi'nese] *agg, sm/f* londinense *m/f*

Londra ['londra] *sf* Londres

longevo, -a [lon'dʒevo] *agg* longevo(-a)

longitudine [londʒi'tudine] *sf* longitud *f*

lontananza [lonta'nantsa] *sf* lejanía; *(assenza)* ausencia; **vedere una casa in ~** ver una casa a lo lejos

lontano, -a [lon'tano] *agg* lejano(-a); *(assente)* ausente ♦ *avv (stare, vivere, andare)* lejos; **più ~** más lejos; **da o di ~** de o desde lejos; **~ da** lejos de; **è lontana la casa?** ¿está lejos la casa?; **~ un chilometro** está a un kilómetro de distancia; **è molto ~ da qui?** ¿está muy lejos de aquí?

loquace [lo'kwatʃe] *agg (persona)* locuaz

lordo, -a ['lordo] *agg* bruto(-a)

loro ['loro] *pron* ellos(-as); *(complemento)*: **(a) ~** les, (a) ellos ♦ *agg*: **il/la ~** *(possessivo)* su; **i/le ~** sus; **~ stessi/stesse** ellos mismos/ mismas; **il ~, la ~** *(possessivo)* el suyo, la suya; **i ~, le ~** *(possessivo)* los suyos, las suyas; *(forma di cortesia: anche:* **L~)** ustedes

losco, -a, -schi, -sche ['losko] *agg* sospechoso(-a)

lotta ['lɔtta] *sf* lucha, combate *m* ▶ **lotta libera** *(SPORT)* lucha libre □ **lottare** [lot'tare] *vi:* **lottare (contro/per)** luchar (contra/para o por)

lotteria [lotte'ria] *sf* lotería

lotto ['lɔtto] *sm (di terreno)* parcela; (*COMM: partita*) partida; (*gioco*) ≈ lotería primitiva

---

LOTTO

La **Lotto** es un juego de apuestas autorizado y dirigido por el Ministerio de Economía que consiste en la extracción de números cada semana.

---

lozione [lot'tsjone] *sf* loción f

lubrificante [lubrifi'kante] *agg, sm* lubricante (m)

lubrificare [lubrifi'kare] *vt* lubricar, lubrificar

lucchetto [luk'ketto] *sm* candado

luccicare [luttʃi'kare] *vi* brillar

luccio, -ci ['luttʃo] *sm* lucio

lucciola ['luttʃola] *sf* luciérnaga; (*fig*) fulana

luce ['lutʃe] *sf* luz f; **fare ~ su** (*fig*) poner en claro, esclarecer; **venire alla ~** (*fig: bimbo*) venir al mundo; **dare alla ~** (*fig: partorire*) dar a luz

lucernario [lutʃer'narjo] *sm* tragaluz m, claraboya

lucertola [lu'tʃertola] *sf* lagartija

lucidare [lutʃi'dare] *vt (scarpe)* limpiar; (*pavimento*) sacar brillo a, abrillantar ▫ **lucidatrice** [lutʃida'tritʃe] *sf* enceradora

lucido, -a ['lutʃido] *agg* lustroso(-a), brillante; (*occhi*) brillante; (*fig: ragionamento, persona, malato*) lúcido(-a) ♦ *sm* (*lucentezza*) brillo; (*disegno*) calco ▶ **lucido per scarpe** betún m o crema para zapatos ▫ **lucro** ['lukro] *sm* lucro; **a scopo di ~** con fin de lucro

luglio ['luʎʎo] *sm* julio; **in** o **a ~** en julio; **il primo** o **il uno** o **primero de**

de julio; **arrivare il due** = llegar el dos de julio; **all'inizio/alla fine di ~** a principios/a finales de julio

lugubre ['lugubre] *agg* lúgubre

lui ['lui] *pron* él; **~ stesso** él mismo

lumaca, -che [lu'maka] *sf (senza guscio)* babosa; (*chiocciola*) caracol m; (*fig: persona lenta*) cachazudo, tortuga

luminoso, -a [lumi'noso] *agg* luminoso(-a); (*sorriso*) resplandeciente

luna ['luna] *sf* luna; **siamo in ~ di miele** estamos de luna de miel; **avere la ~ storta** estar de mala uva ▶ **luna di miele** luna de miel ▶ **luna nuova/piena** luna nueva/llena

luna park ['luna 'park] *sm inv* parque m de atracciones

lunare [lu'nare] *agg* lunar

lunario [lu'narjo] *sm*: **sbarcare il ~** ir tirando, arreglárselas

lunatico, -a, -ci, -che [lu'natiko] *agg* maniático(-a)

lunedì [lune'di] *sm inv* lunes m inv; *vedi anche* **martedì**

lunghezza [lun'gettsa] *sf (dimensione)* largo, longitud f; (*durata*) duración f

lungo, -a, -ghi, -ghe ['lungo] *agg* largo(-a); (*diluito: caffè, brodo*) aguado(-a) ♦ *prep (rasente)* junto a; (*durante*) durante; **essere ~ tre metri** tener tres metros de largo; **a ~ andare** a la larga; **a ~** (*per molto tempo*) largo y tendido ▫ **lungomare** [lungo'mare] *sm* paseo marítimo

lunotto [lu'nɔtto] *sm (AUT)* luna trasera ▶ **lunotto termico** luna térmica

luogo, -ghi ['lwɔgo] *sm* lugar *m*; **in primo ~** en primer lugar; **aver ~** tener lugar; **dar ~ a** dar lugar a
▶ **luogo comune** lugar común
▶ **luogo di nascita/di provenienza** lugar de nacimiento/de origen o procedencia

lupo, -a ['lupo] *sm/f* lobo(-a); **cane ~** perro lobo

> ⚠ **lupa** non si traduce mai con la parola spagnola *lupa*.

luppolo ['luppolo] *sm* lúpulo

lurido, -a ['lurido] *agg* mugriento(-a)

lusingare [luzin'gare] *vt* halagar; (*fig: allettare*) tentar

Lussemburgo [lussem'burgo] *sm* Luxemburgo

lusso ['lusso] *sm* lujo; **di ~** de lujo □ **lussuoso, -a** [lussu'oso] *agg* lujoso(-a)

lussuria [lus'surja] *sf* lujuria

lustrino [lus'trino] *sm* lentejuela, lustrina

lutto ['lutto] *sm* luto; **essere in ~** estar de luto; **portare il ~** llevar luto

Mm

m ['ɛmme] *abbr* (= *metro*)

ma [ma] *cong* pero; (*bensì*) sino; **non solo ... ma (anche)** no sólo ... sino (también)

macabro, -a ['makabro] *agg* macabro(-a)

macché [mak'ke] *escl* ¡qué va!

maccheroni [makke'roni] *smpl* macarrones *mpl*

macchia ['makkja] *sf* (*su tovaglia, pantaloni*) mancha; (*tipo di boscaglia*) matorral *m*; **darsi alla ~** (*fig*) echarse al monte □ **macchiare** [mak'kjare] *vt* manchar; **macchiarsi** *vpr*: **macchiarsi (di)** (*di sugo, olio ecc*) mancharse de □ **macchiato, -a** [mak'kjato] *agg* manchado(-a); **caffè macchiato** café *m* cortado; **latte macchiato** leche *f* manchada

macchina ['makkina] *sf* (*TECN*) máquina; (*fam: automobile*) coche *m*; **andare in ~** (*AUT*) ir en coche
▶ **macchina da cucire** máquina de coser ▶ **macchina da scrivere** máquina de escribir ▶ **macchina fotografica** cámara fotográfica □ **macchinario** [makki'narjo] *sm* maquinaria □ **macchinista, -i** [makki'nista] *sm* (*FERR*) maquinista *m/f*

macedonia [matʃe'dɔnja] *sf* macedonia

macellaio [matʃel'lajo] *sm* carnicero □ **macelleria** [matʃelle'ria] *sf* carnicería

macerie [ma'tʃerje] *sfpl* escombros *mpl*

macigno [ma'tʃiɲɲo] *sm* peñasco

macinare [matʃi'nare] *vt* triturar; (*carne*) picar; (*caffè, pepe*) moler

macrobiotico, -a, -ci, -che [makrobi'ɔtiko] *agg* macrobiótico(-a)

Madonna [ma'dɔnna] *sf* Virgen *f*

madornale [mador'nale] *agg*: **un errore ~** un error garrafal

madre ['madre] *sf* madre *f* ♦ *agg inv*: **ragazza ~** madre soltera □ **madrelingua** [madre'lingwa] *sf* lengua materna ♦ *sm/f*: **un madrelingua italiano** un hablante nativo de italiano ❑ **madreperla** [madre'perla] *sf* nácar *m*

Madrid [ma'drid] *sf* Madrid

madrina [ma'drina] *sf* madrina

maestà [maes'ta] *sf* majestad *f*

maestrale [maes'trale] *sm* maestral *m*

maestro, -a [ma'estro] *sm/f* maestro(-a); *(di sci)* instructor(a) ♦ *agg (principale)*: **muro ~** pared *f* maestra; **strada maestra** calle *f* principal

mafia ['mafja] *sf*: **la M~** la Mafia

magari [ma'gari] *escl (esprime desiderio)*: **~ fosse vero!** ¡ojalá fuera verdad! ♦ *avv (forse)* tal vez, quizás; *(anche, persino)* hasta, incluso; **ti piacerebbe andare in Scozia? - ~!** ¿te gustaría ir a Escocia? - ¡ojalá!

magazzino [magad'dzino] *sm* almacén *m*, depósito; **grandi magazzini** grandes almacenes

maggio ['maddʒo] *sm* mayo; *vedi anche* **luglio**

maggiorana [maddʒo'rana] *sf* mejorana

maggioranza [maddʒo'rantsa] *sf* mayoría; **la ~ di** la mayoría de

maggiordomo [maddʒor'dɔmo] *sm* mayordomo

maggiore [mad'dʒore] *agg, sm/f* mayor *m/f* ♦ *sm* (MIL) mayor *m*; **la maggior parte** la mayor parte ❑ **maggiorenne** [maddʒo'renne] *agg, sm/f* mayor *m/f* de edad

magia [ma'dʒia] *sf* magia ❑ **magico, -a, -ci, -che** ['madʒiko] *agg* mágico(-a)

magistrato [madʒis'trato] *sm* magistrado

maglia ['maʎʎa] *sf (intreccio di fili)* malla; *(lavoro ai ferri, tessuto)* punto; *(indumento: a maniche lunghe)* jersey *m*; (: *a mezze maniche*) camiseta; *(di catena, rete)* cota; **lavorare a o fare la ~** hacer punto ❑ **maglietta** [maʎ'ʎetta] *sf* camiseta ❑ **maglione** [maʎ'ʎone] *sm* jersey *m*

magnetico, -a, -ci, -che [maɲ'nɛtiko] *agg* magnético(-a)

magnifico, -a, -ci, -che [maɲ'ɲifiko] *agg* magnífico(-a)

magnolia [maɲ'ɲɔlja] *sf* magnolia

mago, -a, -ghi, -ghe ['mago] *sm/f* mago(-a)

magrebino, -a [magre'bino] *agg* magrebí *m/f*

magro, -a ['magro] *agg (ragazzo, gambe, braccia)* delgado(-a), flaco(-a); *(carne)* magro(-a); *(formaggio)* descremado(-a); *(fig: raccolto, bottino)* escaso(-a)

mai ['mai] *avv (neanche una volta)* nunca, jamás; **non ... ~** no ... nunca, nunca ...; **~ più** nunca más; **come ~?** ¿por qué?; **chi ~?** ¿quién?; **dove ~?** ¿dónde?; **quando ~?** ¿cuándo?; **non sono ~ stato in Spagna** nunca he estado en España

maiale [ma'jale] *sm (anche fig)* cerdo, guarro

maionese [majo'nese] *sf* mayonesa

Maiorca [ma'jɔrka] *sf* Mallorca

mais ['mais] *sm inv* maíz *m*

maiuscolo, -a [ma'juskolo] *agg* mayúsculo(-a) ♦ *sf* mayúscula

malafede [mala'fede] *sf* mala fe *f inv*

malandato, -a [malan'dato] agg
estropeado(-a); (casa) en mal
estado; (persona) achacoso(-a)

malanno [ma'lanno] sm (acciacco)
achaque m

malapena [mala'pena] sf: **a ~ a**
duras penas

malaria [ma'larja] sf malaria

malato, -a [ma'lato] agg, sm/f
enfermo(-a); **darsi ~** hacerse el
enfermo □ **malattia** [malat'tia] sf
enfermedad f; **mettersi in malattia**
darse de baja

malavita [mala'vita] sf mala vida,
hampa

malavoglia [mala'vɔʎʎa] sf: **di ~**
de mala gana

malconcio, -a, -ci, -ce
[mal'kontʃo] agg maltrecho(-a),
malparado(-a)

malcontento [malkon'tento] sm
descontento, malestar m

malcostume [malkos'tume] sm
(disonestà) corrupción f;
(maleducazione) mala educación f

maldestro, -a [mal'destro] agg
(movimento, persona) torpe,
desmañado(-a)

male ['male] avv mal ♦ sm (opposto
del bene) mal m; (dolore fisico o
morale) dolor m; **far ~** (testa, piede ecc)
lastimar; **far ~ alla salute** perjudicar
la salud; **far del ~ a qn** hacer daño a
algn; **parlar ~ di qn** hablar mal de
algn; **rimanere ~** disgustarse,
llevarse un disgusto; **stare ~**
(fisicamente, moralmente) estar mal;
(abito, colore) quedar mal; **trattar ~**
qn tratar mal a algn; **andare a ~**
(cibo, latte) echarse a perder;
aversela a ~ tomárselo a mal; **come
va? - non c'è ~** ¿cómo va eso? - no

me va mal; **ho mal di testa** me
duele la cabeza ► **mal d'auto**
mareo (en coche) ► **mal di denti**
dolor m de dientes ► **mal di mare**
mareo (en barco)

□ **maledetto, -a** [male'detto] pp di
maledire ♦ agg maldito(-a)

□ **maledire** [male'dire] vt maldecir

□ **maledizione** [maledit'tsjone] sf
maldición f; (disgrazia) maldición,
desgracia; **maledizione!**
¡maldición!, ¡maldita sea!

□ **maleducato, -a** [maledu'kato]
agg maleducado(-a)

□ **maleducazione**
[maledukat'tsjone] sf mala
educación f, grosería

□ **malefico, -a, -ci, -che**
[ma'lefiko] agg (influsso, azione)
maléfico(-a)

malessere [ma'lessere] sm
(indisposizione) malestar m, molestia

malfamato, -a [malfa'mato] agg
(locale, quartiere) de mala fama

malfermo, -a [mal'fermo] agg
(salute) inestable; (vecchietto)
tambaleante

malgrado [mal'grado] prep a pesar
de ♦ cong a pesar de (que); **mio** (o
tuo ecc) **~** a pesar mío (o tuyo etc), a
mi (o tu etc) pesar

maligno, -a [ma'liɲɲo] agg (anche
MED) maligno(-a)

malinconia [malinko'nia] sf
melancolía

□ **malinconico, -a, -ci, -che**
[malin'kɔniko] agg (persona, occhi)
melancólico(-a)

malincuore [malin'kwɔre]: **a ~** avv
muy a mi (o tuo etc) pesar

malinteso [malin'teso] sm
malentendido m; **c'è stato un ~** ha
habido un malentendido

malizia [ma'littsja] sf (cattiveria) malicia, maldad f; (di donna) picardía □ **malizioso, -a** [malit'tsjoso] agg (occhiata) malicioso(-a); (donna) pícaro(-a)

malmenare [malme'nare] vt (picchiare) pegar, atizar

malocchio [ma'lɔkkjo] sm mal m de ojo; **gettare il ~ su qn** echar el mal de ojo a algn

malora [ma'lora] sf (fam): **andare in ~** irse a hacer gárgaras; **va' in ~!** ¡vete al diablo!

malore [ma'lore] sm indisposición f

malsano, -a [mal'sano] agg (clima, aria) malsano(-a); (desiderio, pensiero) enfermizo(-a)

malta ['malta] sf (EDIL) mortero

maltempo [mal'tempo] sm mal tiempo

malto ['malto] sm malta

maltrattare [maltrat'tare] vt (persona) maltratar

malumore [malu'more] sm (di persona) mal humor m; **essere di ~** estar de mal humor

malva ['malva] sf (BOT) malva

malvagio, -a, -gi, -gie [mal'vadʒo] agg (azione, persona) malvado(-a)

malvivente [malvi'vente] sm/f delincuente m/f, malhechor(a)

malvolentieri [malvolen'tjeri] avv a regañadientes, de mala gana

mamma ['mamma] sf mamá f; **~ mia!** ¡madre mía!, ¡mi madre!

mammella [mam'mella] sf (di donna) mama f; (di mucca) teta

mammifero [mam'mifero] sm mamífero

manata [ma'nata] sf (colpo) palmada

mancanza [man'kantsa] sf (carenza: di acqua, lavoro, tempo) falta f; (errore) error m; **per ~ di tempo** por falta de tiempo; **sento la ~ di Piero** echo de menos a Piero

mancare [man'kare] vi faltar; (essere lontano): **~ (da)** faltar (de); (morire) fallecer, morir ♦ vt (bersaglio, colpo) fallar, errar; **~ di** (essere privo: di tatto, senso dell'umorismo) no tener, carecer de; **sentirsi ~** desmayarse; **mi manchi** te echo de menos; **manca un quarto alle sei** falta un cuarto de hora para las seis

mancia, -ce ['mantʃa] sf propina; **quanto devo lasciare di ~?** ¿cuánto he de dejar de propina?

manciata [man'tʃata] sf puñado

mancino, -a [man'tʃino] agg (persona) zurdo(-a)

mandarancio [manda'rantʃo] sm clementina

mandare [man'dare] vt (spedire: lettera, messaggio) enviar, mandar; (far andare: persona) mandar; **~ a chiamare qn** mandar a llamar a algn; **~ a prendere qn** mandar a recoger a algn; **~ avanti** (persona) mandar delante; (fig: famiglia) mantener; (: ditta) dirigir; **~ giù qc** engullir algo; (fig) tragar algo; **~ via qn** echar a algn; (licenziare) despedir a algn

mandarino [manda'rino] sm (frutto) mandarina

mandata [man'data] sf vuelta; **chiudere a doppia ~** cerrar con dos vueltas (de llave)

mandato [man'dato] sm (DIR) mandato, orden f ▶ **mandato d'arresto** orden de arresto

mandibola [man'dibola] sf mandíbula

mandorla ['mandorla] sf almendra; **occhi a ~** ojos rasgados

mandorlo ['mandorlo] sm almendro

mandria ['mandrja] sf manada

maneggiare [maned'dʒare] vt (arnesi) manejar; (creta, cera) trabajar; **fare da ~** hacer de comer; **potremmo ~ qualcosa?** ¿podemos comer algo?; **mangiarsi le parole/unghie** comerse las palabras/uñas □ **mangime** [man'dʒime] sm pienso

mango, -ghi ['mango] sm (frutto, albero) mango

mania [ma'nia] sf manía □ **maniaco, -a, -ci, -che** [ma'niako] agg, sm/f maníaco(-a) ▶ **maniaco sessuale** maníaco sexual

manica, -che ['manika] sf (di indumento) manga; **il Canale della M~** el Canal de la Mancha

manichino [mani'kino] sm maniquí m

manico, -ci ['maniko] sm (di scopa) mango; (di ombrello) bastón m; (di spada, fioretto) empuñadura, puño

manicomio [mani'kɔmjo] sm manicomio

manicure [mani'kure] sf inv manicura

maniera [ma'njera] sf manera, modo; **maniere** sfpl modales mpl, maneras fpl

manifestare [manifes'tare] vt manifestar; (sintomo) presentar ♦ vi (in dimostrazione) manifestarse □ **manifestazione** [manifestat'tsjone] sf (POL) manifestación f; (cerimonia, spettacolo) espectáculo; (espressione) manifestación, expresión f

manifesto [mani'fɛsto] sm cartel m; (scritto ideologico) manifiesto

maniglia [ma'niʎʎa] sf (di porta) manilla, manija; (sostegno: in autobus, treno) agarradero, asidero

manipolare [manipo'lare] vt (creta, cera) trabajar; (fig: persona) manipular

mannaro [man'naro] agg: **lupo ~** hombre m lobo

mano, -i ['mano] sf mano f; (strato: di vernice ecc) mano, capa; **darsi o stringersi la ~** darse o estrecharse la mano; **a ~** (cucire, lavare) a mano; **dare una ~ (a qn)** (fig) echar una mano (a algn); **di seconda ~** (macchina, notizia) de segunda mano; **alla ~** (persona) a la pata llana; **fuori ~** a trasmano; **man ~** poco a poco, paulatinamente; **man ~ che** a medida que; **mani in alto!** ¡manos arriba! □ **manodopera** [mano'dɔpera] sf mano f de obra

manesco, -a, -schi, -sche [ma'nesko] agg ligero(-a) de manos

manette [ma'nette] sfpl esposas fpl

manganello [manga'nello] sm porra

mangiare [man'dʒare] vt (anche CARTE, SCACCHI) comer; **fare da ~**

manometro [ma'nɔmetro] *sm*
manómetro

manomettere [mano'mettere] *vt*
(*serratura*) forzar; (*prove, documenti*)
manipular

manopola [ma'nɔpola] *sf* (*tipo di
guanto*) manopla; (*pomello di
apparecchio*) botón *m*

manoscritto [manos'kritto] *sm*
manuscrito

manovale [mano'vale] *sm* peón *m*

manovella [mano'vella] *sf*
manivela

manovra [ma'nɔvra] *sf* (*anche ECON,
MIL*) maniobra

mansarda [man'sarda] *sf*
buhardilla

mansione [man'sjone] *sf*
incumbencia

mansueto, -a [mansu'eto] *agg*
(*animale, persona*) manso(-a)

mantello [man'tello] *sm*
(*abbigliamento*) capa; (*di animale*)
pelaje *m*, pelo

mantenere [mante'nere] *vt*
mantener; (*promessa, impegno*)
cumplir; (*figli, famiglia*) mantener,
sustentar; **mantenersi** *vpr*
(*finanziariamente*) mántenerse; **~ la
calma** conservar la calma;
mantenersi giovane conservarse
joven

Mantova ['mantova] *sf* Mantua

manuale [manu'ale] *agg, sm*
manual (*m*)

manubrio [ma'nubrjo] *sm* (*di
bicicletta ecc*) manillar *m*; (*GINNASTICA*)
pesa

manutenzione [manuten'tsjone]
sf (*di impianto, automobile, casa*)
mantenimiento

manzo ['mandzo] *sm* buey *m*

mappa ['mappa] *sf* mapa *m*
❑ **mappamondo** [mappa'mondo]
sm (*disegno*) mapamundi *m*; (*sfera*)
globo

maratona [mara'tona] *sf* maratón
m o f

marca, -che ['marka] *sf* (*di prodotti*)
marca; (*di gran*) (*prodotto*) de
marca ▸ **marca da bollo** póliza,
timbre *m* móvil

marcare [mar'kare] *vt* (*anche SPORT*)
marcar

marchiare [mar'kjare] *vt* (*animale*)
marcar

marcia, -ce ['martʃa] *sf* marcha;
mettersi in ~ ponerse en marcha;
mettere in ~ (*processo, meccanismo*)
poner en marcha; **far ~ indietro**
(*AUT, fig*) dar marcha atrás

marciapiede [martʃa'pjede] *sm* (*di
strada*) acera; (*FERR*) andén *m*

marciare [mar'tʃare] *vi* marchar

marcio, -a, -ci, -ce ['martʃo] *agg*
podrido(-a); (*fig: persona*)
corrupto(-a); **di (gran)** ❑ **marcire** [mar'tʃire]
vi (*guastarsi*) pudrirse

mare ['mare] *sm* mar *m o f*; **andare al
~** (*in vacanza ecc*) ir a la playa; **un ~ di**
(*gente*) una marea de; (*guai*) un mar
de ❑ **marea** [ma'rea] *sf* marea;
alta/bassa marea marea alta/baja
❑ **mareggiata** [mared'dʒata] *sf*
marejada

maremoto [mare'mɔto] *sm*
maremoto

maresciallo [mareʃ'ʃallo] *sm* (*MIL*)
mariscal *m*; (*sottufficiale*)
subteniente *m*

margarina [marga'rina] *sf*
margarina

margherita [marge'rita] *sf* (BOT) margarita

margine ['mardʒine] *sm* (*anche fig*) margen *m*

marijuana [mæri'wa:na] *sf* marihuana

marina [ma'rina] *sf* marina ▸ **marina mercantile/militare** marina mercante/de guerra ❑ **marinaio** [mari'najo] *sm* marinero

marinare [mari'nare] *vt* (CUC) marinar; ~ **la scuola** hacer novillos

marino, -a [ma'rino] *agg* marino(-a)

marionetta [marjo'netta] *sf* marioneta, títere *m*

marito [ma'rito] *sm* marido

marittimo, -a [ma'rittimo] *agg* marítimo(-a)

marmellata [marmel'lata] *sf* mermelada

marmitta [mar'mitta] *sf* (AUT) silenciador *m* ▸ **marmitta catalitica** silenciador catalítico

marmo ['marmo] *sm* mármol *m*; **di ~** de mármol

marmotta [mar'mɔtta] *sf* marmota

marocchino, -a [marok'kino] *agg, sm/f* marroquí *m/f*

Marocco [ma'rɔkko] *sm* Marruecos *m*

marrone [mar'rone] *agg inv* marrón ♦ *sm* (*color*) marrón *m*; (BOT) castaña

marsupio [mar'supjo] *sm* (*di canguro*) marsupio; (*borsellino*) riñonera; (*per bambini*) portabebé *m*

martedì [marte'di] *sm inv* martes *m inv*; **di ~ il** ~ los martes; **tutti i ~** todos los martes; **oggi è ~ tre aprile** hoy es martes tres de abril; **"a ~"**

"hasta el martes" ▸ **martedì grasso** martes de carnaval

martellare [martel'lare] *vt* golpear ♦ *vi* (*tempie, cuore*) latir con violencia

martello [mar'tello] *sm* (*anche* SPORT) martillo ▸ **martello pneumatico** martillo neumático

martire ['martire] *sm/f* mártir *m/f*

marxista, -i, -e [mark'sista] *agg, sm/f* marxista *m/f*

marzapane [martsa'pane] *sm* mazapán *m*

marzo ['martso] *sm* marzo; *vedi anche* **luglio**

mascalzone [maskal'tsone] *sm* sinvergüenza *m/f*, canalla *m/f*

mascara [mas'kara] *sm inv* rímel *m*

mascella [maʃ'ʃella] *sf* mandíbula

maschera ['maskera] *sf* máscara; (*antigas, subacquea*) máscara, careta; **in ~** (*mascherato*) enmascarado(-a), disfrazado(-a); **ballo in ~** baile de disfraces o máscaras ❑ **mascherare** [maske'rare] *vt* (*anche fig*) enmascarar; **mascherarsi** *vpr* (*persona*) disfrazarse

maschile [mas'kile] *agg* masculino(-a); (*abito, voce*) de hombre ♦ *sm* (LING) masculino

maschilista, -i, -e [maski'lista] *agg, sm/f* machista *m/f*

maschio, -a ['maskjo] *agg* macho ♦ *sm* (*animale*) macho; (*uomo*) varón *m*; **ha due figli maschi** tiene dos varones ❑ **mascolino, -a** [masko'lino] *agg* masculino(-a)

massa ['massa] *sf* (*grande quantità*) masa; (ELETTR) masa, tierra; **in ~** (*accorrere, produrre*) en masa; **di ~** (*cultura, manifestazione*) de masa

massacro [mas'sakro] *sm* massacre f, matanza

massaggio [mas'saddʒo] *sm* masaje m ▶ **massaggio cardiaco** masaje cardíaco

massaia [mas'saja] *sf* ama de casa

masserizie [masse'rittsje] *sfpl* trastos *mpl*, bártulos *mpl*

massiccio, -a, -ci, -ce [mas'sittʃo] *agg* (*oro, legno*) macizo(-a); (*corporatura*) macizo(-a), robusto(-a) ♦ *sm* (*montagna*) macizo

massima [massima] *sf* (*regola*) máxima, principio; (*temperatura*) máxima; **in linea di ~** en general

massimale [massi'male] *sm* límite m máximo

massimo, -a [massimo] *agg* máximo(-a) ♦ *sm* máximo; **al ~** (*non più di*) como máximo o mucho

masso ['masso] *sm* macizo

masterizzare [masterid'dzare] *vt* grabar ❏ **masterizzatore** [masteridzza'tore] *sm* regrabadora

masticare [masti'kare] *vt* masticar, mascar

mastice ['mastitʃe] *sm* mástique m, masilla

mastino [mas'tino] *sm* mastín m

matassa [ma'tassa] *sf* madeja

matematica [mate'matika] *sf* matemáticas *fpl*

matematico, -a, -ci, -che [mate'matiko] *agg, sm/f* matemático(-a)

materassino [materas'sino] *sm* colchoneta ▶ **materassino gonfiabile** colchoneta inflable o de aire

materasso [mate'rasso] *sm* colchón m ▶ **materasso a molle** colchón de muelles

materia [ma'terja] *sf* materia; (*SCOL*) asignatura; **in ~ di** (*per quanto concerne*) en materia de ▶ **materie prime** materias primas ❏ **materiale** [mate'rjale] *agg, sm* material (m)

maternità [materni'ta] *sf* maternidad f; **essere in ~** estar de baja por maternidad

materno, -a [ma'terno] *agg* materno(-a); (*eredità*) por parte de madre

matita [ma'tita] *sf* lápiz m ▶ **matita per gli occhi** lápiz de ojos ▶ **matite colorate** lápices de colores

matricola [ma'trikola] *sf* (*numero*) (número de) matrícula; (*UNIV*) novato(-a)

matrigna [ma'triɲɲa] *sf* madrastra

matrimoniale [matrimo'njale] *agg* (*camera, vita*) matrimonial; (*letto*) de matrimonio

matrimonio [matri'mɔnjo] *sm* (*cerimonia*) boda; (*rapporto*) matrimonio

matta ['matta] *sf* (*CARTE*) comodín m

mattina [mat'tina] *sf* mañana; **la o di ~** por la mañana

matto, -a ['matto] *agg, sm/f* loco(-a)

mattone [mat'tone] *sm* ladrillo; (*peg: film, libro*) tostón m, rollo ❏ **mattonella** [matto'nella] *sf* baldosa

maturare [matu'rare] *vt* (*frutto, persona*) madurar ♦ *vi* (*anche:* **maturarsi**: *frutto, persona*) madurar; (*interessi*) devengar

maturità [maturi'ta] *sf* madurez *f inv*; (SCOL) ≈ título de bachiller

---

MATURITÀ

El diploma de **maturità** es el premio que se otorga a aquellos chicos que han superado el examen, conocido con el mismo nombre, al final de la escuela de secundaria superior, entre 18-19 años, y que permite a los candidatos acceder a la universidad.

---

maturo, -a [ma'turo] *agg* (persona, frutto) maduro(-a)

max. *abbr* (= massimo) máx.

mazza ['mattsa] *sf* porra ► **mazza da baseball** bate *m* de béisbol ► **mazza da golf** palo de golf □ **mazzata** [mat'tsata] *sf* mazazo; (fig) mazazo, palo

mazzo ['mattso] *sm* (di fiori) ramo; (di carte) baraja; (di chiavi) manojo

me [me] *pron* mí, me; **me stesso/a** mí mismo(-a); *vedi anche* **mi**

meccanico, -a, -ci, -che [mek'kaniko] *agg* mecánico(-a) ♦ *sm* mecánico; **può mandare un ~?** ¿puede enviar un mecánico?

meccanismo [mekka'nizmo] *sm* (anche fig) mecanismo

medaglia [me'daʎʎa] *sf* medalla

medesimo, -a [me'dezimo] *agg* mismo(-a)

media ['mɛdja] *sf* (MAT) media; **le medie (inferiori)** *sfpl* (SCOL) ciclo educativo dirigido a alumnos entre los 11 y los 14 años

mediante [me'djante] *prep* mediante

mediatore, -trice [medja'tore] *sm/f* (POL) mediador(a); (COMM) corredor *m*, intermediario

medicare [medi'kare] *vt* curar

medicina [medi'tʃina] *sf* (scienza) medicina; (farmaco) medicamento

medico, -a, -ci, -che ['mɛdiko] *agg* médico(-a) ♦ *sm* médico(-a); **chiamate un ~** llamen a un médico ► **medico generico** médico de cabecera

medievale [medje'vale] *agg* medieval

medio, -a ['mɛdjo] *agg* (punto, ceto, statura) medio(-a) ♦ *sm* (dito) (dedo) corazón *m*

mediocre [me'djɔkre] *agg* (persona, risultato) mediocre

meditare [medi'tare] *vi* meditar

mediterraneo, -a [mediter'raneo] *agg* mediterráneo(-a); **il (mare) M~** el (mar) Mediterráneo

medusa [me'duza] *sf* medusa

mega ['mɛga] (INFORM) *sm inv* mega *m*

megabyte [mega'bait] *sm inv* megabyte *m*

megafono [me'gafono] *sm* megáfono

meglio ['mɛʎʎo] *avv* mejor ♦ *agg inv* mejor ♦ *sm*: **il ~** lo mejor; **sto ~ di ieri** estoy mejor que ayer; **(va) ~ così** (va) mejor así; **faresti ~ ad andartene** sería mejor que te fueras; **è ~ di lei** es mejor que ella; **alla (bell'e) ~** a la buena de Dios; **fare del proprio ~** hacer todo lo posible; **per il ~** de la mejor manera posible; **avere la ~** salirse con la suya

mela ['mela] sf manzana
□ **melagrana** [mela'grana] sf
granada

melanzana [melan'dzana] sf
berenjena

melma ['melma] sf cieno, limo

melo ['melo] sm manzano

melodia [melo'dia] sf melodía

melone [me'lone] sm melón m

membro ['membro] sm (di
associazione, partito) miembro

memorandum [memo'randum]
sm inv memorándum m

memoria [me'mɔrja] sf (anche
INFORM) memoria; **memorie** sfpl
(opera autobiografica) memorias fpl;
a ~ (imparare, sapere) de memoria

mendicante [mendi'kante] sm/f
mendigo(-a), mendicante m/f

---

meno

PAROLA CHIAVE

['meno] avv

1 menos; **(di) meno** menos;
lavorare/costare meno trabajar/
costar menos; **ne voglio di meno**
quiero menos; **in meno** menos;
mille euro in meno mil euros
menos; **meno fumo più mangio**
cuanto menos fumo más como; **è
sempre meno semplice** es cada
vez menos sencillo

2 (comparativo, superlativo): **meno
di** menos que; **lavora meno di te**
trabaja menos que tú; **meno di
quanto pensassi** menos de lo que
pensaba; **meno ... di** menos ... que;
meno alto di me menos alto que
yo; **il meno pericoloso** el menos
peligroso; **il meno bravo degli
studenti** el menos capacitado de
los estudiantes

3 (MAT) menos; **8 meno 5 uguale 3**
8 menos 5, 3

4 (con numeri): **sono le 8 meno un
quarto** son las 8 menos cuarto; **ha
preso 6 meno** (SCOL) ha sacado un
5 raspado; **meno 5 gradi** 5 grados
bajo cero

5 (fraseologia): **quanto meno
poteva telefonare** al menos podía
llamar por teléfono; **non so se
accettare o meno** no sé si aceptar
o no; **fare a meno di qc/qn**
(privarsene) prescindir de algo/algn;
**non ho potuto fare a meno di
ridere** no he podido dejar de
reírme; **meno male!** ¡menos mal!;
vedi anche **più**

♦ agg inv: **meno ... (di)** menos ...
(que); **ha fatto meno errori di tutti**
he cometido menos errores que
ninguno

♦ sm inv: **il meno** (il minimo) lo
menos; **era il meno che ti potesse
succedere** era lo menos que te
podía pasar; vedi anche **più**

♦ prep (eccetto) menos; **tutti meno
lui** todos menos él; **a meno che
non piova** a menos que no llueva,
a no ser que llueva

menopausa [meno'pauza] sf
menopausia

mensa ['mensa] sf comedor m

mensile [men'sile] agg
(abbonamento, ciclo) mensual ♦ sm
(periodico) revista mensual ♦ sm
(stipendio) mensualidad f

mensola ['mensola] sf repisa

menta ['menta] sf (BOT)
hierbabuena, menta; (sciroppo)
menta

mentale [men'tale] agg mental
□ **mentalità** [mentali'ta] sf inv
mentalidad f

mente ['mente] *sf* (*intelletto*) mente *f*; **passare di ~ a qn** írsele el santo al cielo a algn; **tenere a ~ qc** recordar algo, tener presente algo; **a ~ fredda** con la mente fresca; **lasciami fare ~ locale** déjame concentrarme

mentire [men'tire] *vi*: ~ **(a)** mentir (a)

mento ['mento] *sm* mentón *m*, barbilla

mentre ['mentre] *cong* (*temporale*) mientras, cuando; (*avversativa*) mientras que

menù [me'nu] *sm inv* menú *m*; **possiamo vedere il ~?** ¿podemos ver el menú?

menzionare [mentsjo'nare] *vt* mencionar

menzogna [men'tsoɲɲa] *sf* mentira

meraviglia [mera'viʎʎa] *sf* (*sorpresa, stupore*) maravilla, asombro; (*persona, cosa*) maravilla; **a ~** (*benissimo*) a las mil maravillas ❏ **meravigliare** [meraviʎ'ʎare] *vt* maravillar; **meravigliarsi** *vpr*: **meravigliarsi (di)** maravillarse (de), asombrarse (de) ❏ **meraviglioso, -a** [meraviʎ'ʎoso] *agg* maravilloso(-a)

mercante [mer'kante] *sm* comerciante *m/f*

mercatino [merka'tino] *sm* baratillo

mercato [mer'kato] *sm* (*luogo*) mercado; **di ~** (*economia, prezzo, ricerche*) de mercado; **lanciare sul ~** lanzar al mercado; **a buon ~** barato ▶ **mercato nero** mercado negro

merce ['mertʃe] *sf* mercancía

mercé [mer'tʃe] *sf*: **essere alla ~ di qn** estar a la merced de algn

merceria [mertʃe'ria] *sf* (*negozio, articoli*) mercería

mercoledì [merkole'di] *sm inv* miércoles *m inv*; *vedi anche* **martedì**

mercurio [mer'kurjo] *sm* mercurio

merda ['merda] *sf* (*fam!*) mierda

merenda [me'renda] *sf* merienda; **fare ~** merendar

meridiana [meri'djana] *sf* reloj *m* de sol ❏ **meridiano** [meri'djano] *sm* (GEO) meridiano

meridionale [meridjo'nale] *agg, sm/f* meridional *m/f*

meridione [meri'djone] *sm* sur *m inv*

meringa, -ghe [me'ringa] *sf* (CUC) merengue *m*

meritare [meri'tare] *vt* merecer ♦ *vb impers* valer la pena; **merita andare** vale la pena ir ❏ **meritevole** [meri'tevole] *agg* digno(-a), merecedor(a)

merito ['merito] *sm* mérito; **in ~ a** respecto a; **dare a qn il ~ di** reconocerle a algn el mérito de

merletto [mer'letto] *sm* encaje *m*

merlo ['merlo] *sm* (ZOOL) mirlo *m*, (ARCHIT) almena

merluzzo [mer'luttso] *sm* merluza

meschino, -a [mes'kino] *agg* mezquino(-a); **fare una figura meschina** dar una muy mala impresión

mescolare [mesko'lare] *vt* (*colori, vini*) mezclar; (*salsa*) dar vueltas a; (*fogli, schede, carte*) mezclar, desordenar

mese ['mese] *sm* mes *m*

messa ['messa] *sf* (REL) misa
► **messa a punto** puesta a punto
► **messa in moto** (AUT, *fig*) puesta
en marcha ► **messa in piega**
marcado de pelo ► **messa in
scena** *vedi* **messinscena**

messaggero, -a [messad'dʒero]
sm/f mensajero(-a)

messaggio [mes'saddʒo] *sm*
mensaje *m*, recado; **potrei lasciare
un ~?** ¿podría dejar un mensaje o
recado? ► **messaggio di posta
elettronica** correo electrónico

messale [mes'sale] *sm* misal *m*

messicano, -a [messi'kano] *agg*,
sm/f mejicano(-a)

Messico ['messiko] *sm* Méjico

messinscena [messin'ʃena] *sf*
puesta en escena

messo, -a ['messo] *pp di* **mettere**
♦ *sm* (*comunale, giudiziario*) ujier *m*

mestiere [mes'tjere] *sm* (*lavoro*)
oficio, profesión *f*

mestolo ['mestolo] *sm* (CUC)
cuchara de palo, cucharón *m*

mestruazioni [mestruat'tsjoni]
sfpl menstruación *f*, regla; **avere le ~**
tener la menstruación o regla

meta ['meta] *sf* (*anche fig*) meta

metà [me'ta] *sf inv* mitad *f*; **dividere
qc a o per ~** dividir algo por la
mitad; **fare a ~** hacer a medias; **a ~
prezzo** a mitad de precio; **a ~
strada** en la mitad del camino

metadone [meta'done] *sm*
metadona

metafora [me'tafora] *sf* metáfora

metallico, -a, -ci, -che
[me'talliko] *agg* metálico(-a)

metallo [me'tallo] *sm* metal *m*; **di ~**
de metal

▢ **metalmeccanico, -a, -ci, -che**
[metalmek'kaniko] *agg*
metalmecánico(-a)

metano [me'tano] *sm* metano

meticcio, -a, -ci, -ce [me'tittʃo]
sm/f, agg mestizo(-a)

metodico, -a, -ci, -che
[me'tɔdiko] *agg* metódico(-a)

metodo ['mɛtodo] *sm* método

metro ['mɛtro] *sm* (*unità di misura*)
metro; (*fig*: *criterio di giudizio*) criterio

metropolitana [metropoli'tana]
sf metro, metropolitano

mettere ['mettere] *vt* poner, meter;
(*francobollo, manifesto*) poner,
pegar; (*tende, quadri*) poner, colgar;
(*telefono, riscaldamento*) poner,
instalar; **mettersi** *vpr* (*porsi,
collocarsi*) ponerse, meterse; (*abiti,
scarpe*) ponerse; **~ allegria a qn**
poner alegre a algn; **~ un annuncio
sul giornale** poner un anuncio en el
periódico; **~ a confronto** comparar;
~ su negozio montar una
tienda; **~ su peso** engordar; **~ via**
quitar; (*soldi*) ahorrar; **mettiamo
che ...** pongamos que ...; **metterci
molta cura** poner mucho cuidado;
metterci molto tempo tardar
mucho tiempo; **ci ho messo tre ore
per venire** he tardado tres horas en
llegar; **mettercela tutta**
(*impegnarsi*) hacer todo lo posible;
mettersi bene/male (*faccenda*)
ponerse bien/mal; **mettersi con qn**
(*in coppia*) salir con algn; **mettersi
nei guai** meterse en problemas;
mettersi a piangere/ridere
ponerse a llorar/reír; **mettersi a
sedere** sentarse

mezzanotte [meddza'nɔtte] *sf*
medianoche *f*; **a ~** a medianoche, a
las doce de la noche

mezzo, -a ['mɛddzo] agg medio(-a)
♦ avv (a metà): ~ distrutto/morto
medio destrozado/muerto ♦ sm
(metà) medio, mitad f; (parte
centrale, veicolo) medio; **mezzi** smpl
(possibilità economiche) medios mpl;
nove e ~ nueve y medio;
mezzanotte e ~ las doce y media
de la noche; **di mezza età** de
mediana edad; **di mezza stagione**
de entretiempo; **di ~ (centrale)** del
medio; **andarci di ~** (subire danno)
pagar el pato; **levarsi / togliersi di
~** quitarse de en medio; **mettersi di
~** meterse en medio; **togliere di ~**
(anche fam: uccidere) quitar de en
medio; **non c'è una via di ~** no hay
una solución intermedia; **in ~ a** en
medio de; **per o a ~ di** por medio de
▶ **mezzo chilo** medio kilo
▶ **mezz'ora** media hora ▶ **mezzi
di comunicazione** medios de
comunicación ▶ **mezzi di
trasporto** medios de transporte
▶ **mezzi pubblici** medios de
transporte público
❏ **mezzogiorno** [meddzo'dʒorno]
sm mediodía m; **a mezzogiorno** a
mediodía, a las doce de la mañana;
il Mezzogiorno (in Italia) el sur

mi¹ [mi] sm inv (MUS) mi m inv

mi² [mi] (dav lo, la, li, le, ne diventa **me**)
pron me; **mi aiuti?** ¿me ayudas?; **me
ne ha dato un altro** me ha dado
otro; **mi servo da solo** me sirvo solo

miagolare [miago'lare] vi maullar

mica ['mika] avv (fam): **non ... ~** no ...
en absoluto; **non sono ~ stanco** no
estoy cansado en absoluto; **non
sarà ~ partito?** ¿no se habrá ido?; **~
male** no está nada mal

miccia, -ce ['mittʃa] sf mecha

micidiale [mitʃi'djale] agg (colpo)
mortal; (caldo) insoportable;
(effetto) dañino(-a)

microfibra [mikro'fibra] sf
microfibra

microfono [mi'krɔfono] sm
micrófono

microscopio [mikros'kɔpjo] sm
microscopio

midollo [mi'dollo] sm (ANAT, BOT)
médula

miele ['mjɛle] sm miel f

migliaio [miʎ'ʎajo] (pl(f) **migliaia**)
sm millar m; **un ~ (di)** un millar (de);
a migliaia a millares

miglio ['miʎʎo] sm (NAUT: **miglia**:
pl(f)) milla; (BOT) mijo, millo

miglioramento [miʎʎora'mento]
sm mejoría, mejora

migliorare [miʎʎo'rare] vt, vi
mejorar

migliore [miʎ'ʎore] agg
(comparativo): **(di)** mejor (que);
(superlativo): **il/la ~** el/la mejor
♦ sm/f: **il/la ~** el/la mejor; **è ~ di lui**
es mejor que él; **il miglior vino
della regione** el mejor vino de la
región

mignolo ['miɲɲolo] sm (di mano,
piede) meñique m

Milano [mi'lano] sf Milán

miliardario, -a [miljar'darjo] agg,
sm/f multimillonario(-a)

miliardo [mi'ljardo] sm mil
millones mpl

milione [mi'ljone] sm millón m

militante [mili'tante] sm/f
militante m/f

militare [mili'tare] vi militar ♦ agg,
sm militar (m); **fare il ~** hacer el
servicio militar

mille ['mille] (pl(f) **mila**) agg, sm mil (m); **diecimila** diez mil; vedi anche **cinque** ❏ **millennio** [mil'lennjo] sm milenio ❏ **millepiedi** [mille'pjɛdi] sm inv ciempiés m inv ❏ **millesimo, -a** [mil'lɛzimo] agg milésimo(-a) ♦ sm milésimo ❏ **milligrammo** [milli'grammo] sm miligramo ❏ **millimetro** [mil'limetro] sm milímetro

milza ['miltsa] sf bazo

mimetizzare [mimetid'dzare] vt camuflar; **mimetizzarsi** vpr (MIL) camuflarse; (pianta, animale) mimetizarse

mimo ['mimo] sm mimo

mimosa [mi'mosa] sf mimosa

min. abbr (= minuto) m, min.; (= minimo) mín.

mina ['mina] sf (di ordigno, di matita) mina

minaccia, -ce [mi'nattʃa] sf amenaza; (pericolo) peligro ❏ **minacciare** [minat'tʃare] vt amenazar

minare [mi'nare] vt minar

minatore [mina'tore] sm minero

minerale [mine'rale] agg, sm mineral (m) ♦ sf (anche: **acqua ~**) agua mineral ❏ **minerario, -a** [mine'rarjo] agg minero(-a)

minestra [mi'nɛstra] sf sopa ▶ **minestra di verdure** sopa de verdura

⚠ **minestra** non si traduce mai con la parola spagnola **menestra**.

miniatura [minja'tura] sf (anche: modellino) miniatura; **in ~** en miniatura

miniera [mi'njɛra] sf mina

minigonna [mini'gonna] sf minifalda

minimo, -a ['minimo] agg mínimo(-a) ♦ sm mínimo; (AUT) ralentí m; **come ~** como mínimo

ministero [mini'stero] sm (POL) ministerio; **pubblico ~** fiscal m/f

ministro [mi'nistro] sm (POL) ministro

minoranza [mino'rantsa] sf minoría

Minorca [mi'nɔrka] sf Menorca

minore [mi'nore] agg menor ♦ sm/f (minorenne) menor m/f; **il fratello ~** el hermano menor ❏ **minorenne** [mino'rɛnne] agg, sm/f menor m/f de edad

minuscolo, -a [mi'nuskolo] agg minúsculo(-a)

minuto, -a [mi'nuto] agg menudo(-a); (lineamenti) fino(-a) ♦ sm (unità di misura e tempo) minuto; **al ~** (COMM) al detalle, al por menor

mio, mia ['mio] (pl **miei, mie**) agg: (**il**) **~**, (**la**) **mia** mi, mío(-a); (pl): **i miei, le mie** mis, míos(-a) ♦ pron: **il ~, la mia** el mío, la mía, lo mío neutro; **i miei** (genitori) mis padres; **una mia amica** una amiga mía; **i miei guanti** mis guantes; **~ padre/madre** mi padre/madre; **è ~** es mío

miope ['mjope] agg miope

mira ['mira] sf puntería; **mire** sfpl (ambizioni) miras fpl; **avere una buona/cattiva ~** tener buena/mala puntería; **prendere la ~** apuntar; **prendere di ~ qn** (fig) meterse o tomarla con algn

miracolo [mi'rakolo] sm milagro

miraggio [mi'raddʒo] sm espejismo

mirare [mi'rare] *vi*: ~ **a** (*anche fig*) apuntar a

mirino [mi'rino] *sm* (*di fucile*) mira; (*di macchina fotografica*) visor m

mirtillo [mir'tillo] *sm* arándano

miscela [miʃ'ʃela] *sf* (*miscuglio*) mezcla

mischia ['miskja] *sf* riña, trifulca; (*SPORT*) melé f

miscuglio [mis'kuʎʎo] *sm* mezcolanza, mezcla

miserabile [mize'rabile] *agg* (*anche spregevole*) miserable

miseria [mi'zerja] *sf* miseria, pobreza; **porca ~!** (*fam*) ¡me cago o cachis en la mar!

misericordia [mizeri'kɔrdja] *sf* misericordia

misero, -a [mizero] *agg* (*anche stipendio*) mísero(-a)

misogino [mi'zɔdʒino] *sm* misógino(-a)

missile ['missile] *sm* misil m

missionario, -a [missjo'narjo] *agg, sm/f* misionero(-a)

missione [mis'sjone] *sf* (*compito, dovere morale*) misión f, cometido; (*punitiva, diplomatica*) misión f

misterioso, -a [miste'rjoso] *agg* misterioso(-a)

mistero [mis'tero] *sm* misterio

misto, -a ['misto] *agg* mixto(-a); (*tessuto*) compuesto(-a) por varias fibras ♦ *sm* (*miscuglio*) mezcla □ **mistura** [mis'tura] *sf* mezcla, mixtura

misura [mi'zura] *sf* (*quantità, provvedimento*) medida; (*dimensione*) tamaño; (*di abiti*) talla; (*di scarpe*) número; **nella ~ in cui** en la medida en que; **su ~** a medida

□ **misurare** [mizu'rare] *vt* (*terreno, muro, fig: parole*) medir; (*abito*) probarse ♦ *vi* medir; **misurarsi** *vpr*: **misurarsi con** (*fig*) medirse con

mite ['mite] *agg* (*persona, carattere*) apacible, dócil; (*inverno*) templado(-a)

mitico, -a, -ci, -che ['mitiko] *agg* mítico(-a)

mito ['mito] *sm* mito; **è un ~** (*persona, cosa*) es un mito □ **mitologia** [mitolo'dʒia] *sf* mitología

mitra ['mitra] *sm inv* ametralladora

mittente [mit'tente] *sm/f* remitente m/f

mm *abbr* (= *millimetro*) mm

mobile ['mɔbile] *agg* móvil, movible; (*DIR: bene*) mueble ♦ *sm* (*arredamento*) mueble m

mocassino [mokas'sino] *sm* mocasín m

moda ['mɔda] *sf* moda; **alla ~** a la moda; **di ~** de moda; **fuori ~** pasado de moda

MODA

La industria de la **moda** es un sector muy floreciente en Italia. Los diseñadores italianos confeccionan prendas de vestir que se exportan por todo el mundo.

modalità [modali'ta] *sf inv* modo; (*formalità*) modalidad f

modello [mo'dɛllo] *sm* modelo; (*stampo*) molde m; (*modulo amministrativo*) formulario ♦ *agg inv* (*genitori, azienda*) modelo *inv*

modem ['mɔdem] *sm inv* módem m

moderatore, -trice
[modera'tore] sm/f (di discussione, in TV) moderador(a)

moderno, -a [mo'dɛrno] agg moderno(-a)

modesto, -a [mo'dɛsto] agg modesto(-a); **secondo il mio ~ parere** según mi modesta opinión

modico, -a, -ci, -che ['mɔdiko] agg módico(-a)

modifica, -che [mo'difika] sf modificación f □ **modificare** [modifi'kare] vt modificar

modo ['mɔdo] sm modo, manera; (LING) modo; **modi** smpl (comportamento) modales mpl, maneras fpl; **a suo ~, a sua modo** o manera; **di** o **in ~ che** (così da) de modo o manera que; **in ~ da** de modo o manera que; **in ~ ad ogni ~** de todas formas; **in tutti i modi** (comunque sia, in ogni caso) de todas formas; **in qualche ~** de una u otra manera o forma; **un ~ di dire** una locución, un modismo; **per ~ di dire** por decirlo así

modulo ['mɔdulo] sm módulo; (schema stampato) formulario, impreso

mogano ['mɔgano] sm caoba

mogio, -a, -gi, -gie ['mɔdʒo] agg abatido(-a)

moglie ['mɔʎʎe] sf mujer f, esposa

moine [mo'ine] sfpl zalamerías fpl

molare [mo'lare] sm (dente m) molar m

mole ['mɔle] sf (dimensioni) mole f; (fig: di lavoro ecc) cantidad f

molestare [moles'tare] vt molestar

molestia [mo'lɛstja] sf molestia
▶ **molestie sessuali** acoso sexual

molla ['mɔlla] sf muelle m;
materasso a molle colchón de muelles

mollare [mol'lare] vt soltar; (fig: lavoro, ragazzo) dejar; (: ceffone) soltar, pegar ♦ vi (cedere) ceder, dejarlo

molle ['mɔlle] agg blando(-a)

molletta [mol'letta] sf (per capelli) horquilla; (per panni stesi) pinza

mollica, -che [mol'lika] sf miga

mollusco, -schi [mol'lusko] sm molusco

molo ['mɔlo] sm (di porto) muelle m

moltiplicare [moltipli'kare] vt multiplicar; **moltiplicarsi** vpr multiplicarse □ **moltiplicazione** [moltiplikat'tsjone] sf multiplicación f

---

molto, -a

PAROLA CHIAVE

['molto] agg (quantità) mucho(-a);
molta neve/gente/pioggia mucha nieve/gente/lluvia; **molto tempo** mucho tiempo; **molti libri** muchos libros; **per molto** (tempo) mucho (tiempo); **ci vuole molto (tempo)?** ¿falta mucho (tiempo)?

♦ avv

1 (parlare, capire, amare) mucho;
viaggia molto viaja mucho

2 (intensivo: con agg, avv, pp, in frasi negative) muy; **molto buono** muy bueno; **molto meglio** mucho mejor

---

momentaneamente
[momentanea'mente] avv momentáneamente

momentaneo, -a
[momen'taneo] agg (gioia, malessere) momentáneo(-a)

momento [mo'mento] *sm*
momento, instante *m*; **da un ~
all'altro** (*presto*) de un momento a
otro; (*all'improvviso*) de repente; **per
il ~** por el momento; **dal ~ che** dado
que; **a momenti** por momentos;
(*molto presto*) de un momento a
otro; (*quasi*) casi; **aspetti un ~**
espere un momento

Monaco ['mɔnako] *sf*: **~ (di
Baviera)** Múnich; **Principato di ~**
Principado de Mónaco

monaco, -a, -ci, -che ['mɔnako]
sm/f monje(-a)

monarchia [monar'kia] *sf*
monarquía

monastero [monas'tero] *sm* (*di
monaci*) monasterio, convento; (*di
monache*) convento

mondano, -a [mon'dano] *agg*
mundano(-a), mundanal

mondiale [mon'djale] *agg* mundial

mondo ['mondo] *sm* mundo; **un ~
di** (*fig: grande quantità*) un montón
de; **venire al ~** (*nascere*) venir al
mundo; **mettere al ~** (*far nascere*)
traer al mundo; **di ~** (*uomo, donna*)
de mundo

monello [mo'nɛllo] *sm* (*ragazzo di
strada*) galopín *m*; (*ragazzo vivace*)
pícaro(-a)

moneta [mo'neta] *sf* moneda;
(*denaro spicciolo*) suelto

mongolfiera [mongol'fjera] *sf*
globo aerostático

monitor ['mɔnitar] *sm inv* monitor *m*

monolocale [monolo'kale] *sm*
apartamento

monopolio [mono'pɔljo] *sm*
monopolio

monotono, -a [mo'nɔtono] *agg*
monótono(-a)

monovolume [monovo'lume] *sf
inv* (AUT) monovolumen *m*

monsone [mon'sone] *sm* monzón
m

montacarichi [monta'kariki] *sm
inv* montacargas *m inv*

montaggio, -gi [mon'taddʒo] *sm*
(*anche CINE*) montaje

montagna [mon'taɲɲa] *sf*
montaña; **andare in ~** ir a la
montaña ► **montagne russe**
montaña rusa *sg*
□ **montanaro, -a** [monta'naro]
agg, sm/f montañés(-esa)
□ **montano, -a** [mon'tano] *agg*
montano(-a)

montare [mon'tare] *vt* (*armadio,
panna, film ecc*) montar; (*brillante*)
montar, engastar; (*fig: esagerare*)
inflar ♦ *vi* (*salire*) montar; **~ la
guardia** (MIL) montar guardia;
montarsi (*la testa*) subirse los
humos a la cabeza □ **montatura**
[monta'tura] *sf* (*di occhiali*) montura;
(*di gioiello*) engaste *m*; (*fig*) montaje
m ► **montatura pubblicitaria**
montaje propagandístico

monte ['monte] *sm* monte *m*; (*fig:
mucchio*) montón *m*; **a ~** (*fig*) de raíz;
andare a ~ (*fig*) fracasar; **mandare a
~ qc** (*fig*) hacer que algo fracase
► **monte premi** (*premio*) gordo,
bote *m*

montone [mon'tone] *sm* (*animale*)
carnero; (*giaccone*) chaquetón *m* de
ante

montuoso, -a [montu'oso] *agg*
montuoso(-a)

monumento [monu'mento] *sm*
monumento

moquette [mɔ'ket] *sf* moqueta

mora ['mɔra] *sf* (BOT, DIR) mora

morale [mo'rale] *agg* moral ♦ *sf* (FILOS) moral f ♦ *sm* (condizione psichica) moral f; **essere giù di ~** tener la moral baja

morbido, -a ['mɔrbido] *agg* (capelli, lana, pelle) suave; (cuscino, letto) blando(-a)

morbillo [mor'billo] *sm* sarampión m

morbo ['mɔrbo] *sm* enfermedad f

morboso, -a [mor'boso] *agg* (gelosia, affetto) morboso(-a)

mordere ['mɔrdere] *vt* morder

moribondo, -a [mori'bondo] *agg, sm/f* moribundo(-a)

morire [mo'rire] *vi* morir, morirse; **~ di fame/freddo** morirse de hambre/frío

mormorare [mormo'rare] *vi* murmurar; **si mormora che ...** se rumorea que ...; **la gente mormora** la gente murmura

moro, -a ['mɔro] *agg* (di capelli, carnagione) moreno(-a)

morsa ['mɔrsa] *sf* (TECN) prensa

morsicare [morsi'kare] *vt* morder

morso, -a ['mɔrso] *pp di* **mordere** ♦ *sm* (di cane ecc) mordedura; (di vipera ecc) picadura; (boccone, parte della briglia) bocado

mortadella [morta'della] *sf* mortadela

mortaio [mor'tajo] *sm* mortero

mortale [mor'tale] *agg* mortal

morte ['mɔrte] *sf* muerte f

morto, -a ['mɔrto] *pp di* **morire** ♦ *agg, sm/f* muerto(-a); **i morti** (defunti) los muertos; **~ di sonno/stanchezza** muerto de sueño/cansancio; **fare il ~** (in acqua) hacerse el muerto

mosaico, -ci [mo'zaiko] *sm* mosaico

Mosca ['moska] *sf* Moscú m

mosca, -sche ['moska] *sf* mosca
► **mosca cieca** gallina ciega

moscerino [moʃʃe'rino] *sm* mosquito

moschea [mos'kεa] *sf* mezquita

moscio, -a, -sci, -sce ['moʃʃo] *agg* flojo(-a); **ha la "r" moscia** pronuncia la erre a la francesa

moscone [mos'kone] *sm* (ZOOL) moscón m; (barca) patín m, hidropedal m

mossa ['mɔssa] *sf* (gesto) gesto; (movimento, fig: azione) movimiento; (nel gioco) movimiento, jugada

mosso, -a ['mɔsso] *pp di* **muovere** ♦ *agg* (foto) movido(-a), borroso(-a); (mare) bravo(-a), agitado(-a); (capelli) ondulado(-a)

mostarda [mos'tarda] *sf* salsa espesa a base de mostaza, vinagre y especias

mostra ['mostra] *sf* (di quadri) exposición f; **mettere in ~** hacer gala, ostentar

mostrare [mos'trare] *vt* (far vedere) mostrar, enseñar; (ostentare) lucir, exhibir; **~ la lingua** sacar la lengua; **può mostrarmi dov'è, per favore?** ¿puede indicarme dónde está, por favor?

mostro ['mostro] *sm* monstruo
❑ **mostruoso, -a** [mostru'oso] *agg* monstruoso(-a)

motel [mo'tεl] *sm inv* motel m

motivare [moti'vare] *vt* motivar

motivo [mo'tivo] *sm* (anche disegno, MUS) motivo; **per quale ~?** ¿por qué motivo o razón?

moto [ˈmɔto] sm movimiento; (*esercizio fisico*) ejercicio ♦ sf inv (*motocicletta*) moto f; **mettere in ~** (*veicolo*) poner en marcha

motociclista, -i, -e [mototʃiˈklista] sm/f motociclista m/f

motore [moˈtore] sm motor m; **a ~** a motor ▸ **motore di ricerca** (*INFORM*) buscador m ▫ **motorino** [motoˈrino] sm (*ciclomotore*) ciclomotor m ▸ **motorino di avviamento** estárter m

motoscafo [motosˈkafo] sm motora

motto [ˈmɔtto] sm (*frase emblematica*) lema m

mouse [ˈmaus] sm inv ratón m

movente [moˈvente] sm móvil m

movimento [moviˈmento] sm movimiento; (*fig: animazione, vivacità*) animación f

mozione [motˈtsjone] sf (*POL*) moción f

mozzarella [mottsaˈrɛlla] sf mozzarella, queso elaborado sobre todo con leche de búfala y que se consume muy fresco

mozzicone [mottsiˈkone] sm (*di sigaretta*) colilla; (*di candela*) cabo

mucca, -che [ˈmukka] sf vaca (lechera) ▸ **mucca pazza** vaca loca

mucchio [ˈmukkjo] sm montón m; **un ~ di** un montón de

muco, -chi [ˈmuko] sm moco

muffa [ˈmuffa] sf moho

muggire [mudˈdʒire] vi mugir

mughetto [muˈgetto] sm (*BOT*) muguete m

mulino [muˈlino] sm molino ▸ **mulino a vento** molino de viento

mulo [ˈmulo] sm mulo(-a)

multa [ˈmulta] sf multa

multietnico, -a, -ci, -che [multiˈetniko] agg multiétnico(-a)

multirazziale [multiratˈtsjale] agg multirracial

multisala [multiˈsala] agg inv (*cinema*) multisala

multivitaminico, -a, -ci, -che [multivitaˈminiko] agg multivitamínico(-a)

mummia [ˈmummja] sf momia

mungere [ˈmundʒere] vt ordeñar

municipale [munitʃiˈpale] agg municipal

municipio [muniˈtʃipjo] sm (*amministrazione*) municipio; (*edificio*) ayuntamiento

munizioni [munitˈtsjoni] sfpl (*MIL*) municiones fpl

muovere [ˈmwɔvere] vt mover; (*macchina, ingranaggio*) accionar; **muoversi** vpr moverse; (*mettersi in marcia*) ir; (*adoperarsi, darsi da fare*) esforzarse; **~ un'accusa contro qn** acusar a algn; **muoviti!** ¡muévete!, ¡date prisa!

mura [ˈmura] sfpl (*cinta cittadina*) murallas fpl

murale [muˈrale] agg (*dipinto*) mural

muratore [muraˈtore] sm albañil m

muro [ˈmuro] sm muro, pared f; **armadio a ~** armario empotrado

muschio [ˈmuskjo] sm (*BOT*) musgo; (*in profumeria*) almizcle m

muscolare [musko'lare] *agg*
muscular

muscolo ['muskolo] *sm* músculo

museo [mu'zɛo] *sm* museo

museruola [muze'rwɔla] *sf* bozal *m*

musica ['muzika] *sf* música
❑ **musicale** [muzi'kale] *agg*
musical ❑ **musicista, -i, -e**
[muzi'tʃista] *sm/f* músico(-a)

muso ['muzo] *sm* morro; (*peg: di
persona*) jeta; **tenere il ~ a qn** estar
de morros con algn

musulmano, -a [musul'mano]
agg, sm/f musulmán(-ana)

muta ['muta] *sf* (*di cani*) jauría; (*ZOOL*)
muda; (*di subacqueo*) traje *m* de
neopreno

mutande [mu'tande] *sfpl* (*da uomo*)
calzoncillos *mpl*; (*da donna*) bragas
fpl

muto, -a ['muto] *agg* mudo(-a)

mutuo ['mutwo] *sm* (*ECON*)
préstamo

Nn

N ['enne] *abbr* (= *nord*) N

n. *abbr* (= *numero*) n, núm.

nafta ['nafta] *sf* (*per imbarcazioni*)
nafta

naftalina [nafta'lina] *sf* naftalina

naia ['naja] *sf* (*MIL: fam*) mili *f inv*

naïf [na'if] *agg inv* ingenuo(-a); (*arte,
pittore*) naïf

nanna ['nanna] *sf*: **fare la ~** irse a la
cama o a dormir; **andare a ~**
acostarse; **mettere a ~ qn** acostar a
algn

nano, -a ['nano] *agg, sm/f* enano(-a)

napoletano, -a [napole'tano]
agg, sm/f napolitano(-a)

Napoli ['napoli] *sf* Nápoles

narciso [nar'tʃizo] *sm* (*BOT*) narciso

narcotico, -ci [nar'kɔtiko] *agg*
narcótico(-a) ♦ *sm* narcótico

narice [na'ritʃe] *sf* (*ANAT*) narina, fosa
nasal

narrare [nar'rare] *vt* narrar
❑ **narrativa** [narra'tiva] *sf*
narrativa

nasale [na'sale] *agg* nasal

nascere ['naʃʃere] *vi* (*bambino,
animale, sospetto*) nacer; (*fig:
istituzione ecc*) fundarse; **è nata nel
1982** nació en 1982 ❑ **nascita**
['naʃʃita] *sf* (*di bambino, animale*)
nacimiento; (*fig*) origen *m*; **nobile/
umile di nascita** de origen noble/
humilde

nascondere [nas'kondere] *vt*
esconder; **nascondersi** *vpr*
esconderse ❑ **nascondiglio**
[naskon'diʎʎo] *sm* escondite *m*,
escondrijo ❑ **nascondino**
[naskon'dino] *sm* escondite *m*;
giocare a nascondino jugar al
escondite ❑ **nascosto, -a**
[nas'kosto] *pp di* **nascondere** ♦ *agg*
escondido(-a); (*qualità, virtù,
pensiero*) oculto(-a); **di nascosto** a
escondidas

nasello [na'sello] *sm* (*ZOOL*) pescada

naso ['naso] *sm* nariz *f*; **avere ~** (*fig*)
tener intuición

nastro ['nastro] *sm* cinta ▶ **nastro
adesivo** cinta adhesiva ▶ **nastro
di partenza** (*SPORT*) línea de
partida

nasturzio [nas'turtsjo] *sm*
mastuerzo

Natale [na'tale] *sm* (*giorno*) Navidad
f; (*periodo*) Navidades

❏ **natalizio, -a** [nata'littsjo] *agg*
navideño(-a)

natica, -che ['natika] *sf* nalga

natio, -a, -tii, -tie ['na'tio] *agg*
(*paese, terra*) de origen; **la mia terra
natia è ...** soy oriundo(-a) de ...

nato, -a ['nato] *pp di* **nascere**
♦ *agg*: **un oratore/artista** ~ un
orador/artista nato

natura [na'tura] *sf* (*anche carattere,
indole*) naturaleza; **pagare in** ~
pagar en especie ❏ **natura morta**
(*ARTE*) bodegón *m* ❏ **naturale**
[natu'rale] *agg* natural; (*ovvio:
conseguenze ecc*) obvio(-a); (**ma**) **è
naturale!** (*ovviamente*) ¡está claro!; **a
grandezza naturale** a tamaño
natural; **acqua naturale** agua
natural ❏ **naturalezza**
[natura'lettsa] *sf* naturalidad *f*
❏ **naturalmente** [natural'mente]
avv (*ovviamente*) naturalmente; (*in
modo naturale*) de forma natural
❏ **naturista, -i, -e** [natu'rista] *agg,
sm/f* naturista *m/f*

⚠ **naturalezza** non si traduce
mai con la parola spagnola
naturaleza.

naufragare [naufra'gare] *vi* (*nave*)
naufragar; (*fig: impresa, tentativo*)
hundirse, fracasar
❏ **naufrago, -a, -ghi, -ghe**
['naufrago] *sm/f* náufrago(-a)

nausea ['nauzea] *sf* náusea; **avere
la** ~ tener náuseas; **fino alla** ~
(*mangiare, bere*) hasta reventar; (*fig:
ripetere ecc*) hasta la saciedad
❏ **nauseante** [nauze'ante] *agg*
(*odore, sapore*) nauseabundo(-a);
(*fig: spettacolo*) repugnante

nautico, -a, -ci, -che ['nautiko]
agg náutico(-a)

navale [na'vale] *agg* naval; **cantiere**
~ astillero; **battaglia** ~ batalla naval

Navarra [na'varra] *sf* Navarra

navata [na'vata] *sf* (*ARCHIT*) nave *f*

nave ['nave] *sf* nave *f*, barco ♦ **nave
da guerra** buque *m* o nave de
guerra ♦ **nave passeggeri** buque
mercante ♦ **nave mercantile**
carguero ♦ **nave** *spaziale* nave *f*
(*veicolo spaziale*) lanzadera espacial
♦ *agg inv* (*autobus*) jardinera *inv*, de
enlace; **servizio di navetta** servicio
de transbordo ❏ **navicella**
[navi't∫ella] *sf*: **navicella spaziale**
nave *f* espacial

navigare [navi'gare] *vi* navegar; ~
in Internet navegar por o en
Internet; ~ **in buone/cattive acque**
correr buenos/malos vientos
❏ **navigazione** [navigat'tsjone] *sf*
navegación *f*

nazionale [nattsjo'nale] *agg*
nacional ♦ *sf* (*SPORT*) selección *f*
nacional ❏ **nazionalità**
[nattsjonali'ta] *sf inv* nacionalidad *f*

nazione [nat'tsjone] *sf* nación *f*

naziskin ['na:tsiskin] *sm inv* cabeza
m rapada

NB *abbr* (= *nota bene*) NB

---

ne

PAROLA CHIAVE

[ne] *pron*

1 (*di lui*) de él; (*di lei*) de ella; (*di loro*)
de ellos(-as); **ne riconosco la voce**
reconozco su voz; **non ne
sappiamo più nulla** no sabemos
nada más de él (o ella *etc*); **ne
voglio ancora** quiero más; **ne
voglio ancora uno** quiero uno
más; **dammene uno** dame uno;
haidei libri? - sì, ne ho ¿tienes
libros? - sí, tengo; **quanti anni hai?**

- ne ho 17 ¿cuántos años tienes? - 17

♦ *avv*: **se n'è andato** se ha ido; **vattene!** ¡vete!

né [ne] *cong*: **né ... né** ni ... ni; **non parla né l'italiano né il tedesco** no habla ni italiano ni alemán; **non vuole né l'uno né l'altro** no quiere ninguna de los dos cosas

neanche [ne'anke] *avv* ni aunque
♦ *avv* tampoco; **non l'ho visto – neanch'io** no lo he visto - ni yo tampoco; **non l'ho ~ chiamato** ni siquiera lo he llamado; **~ per idea!** o **~ per sogno!** ¡ni hablar!

nebbia ['nebbja] *sf* niebla

necessariamente [netʃessarja'mente] *avv* necesariamente

necessario, -a [netʃes'sarjo] *agg* necesario(-a)

necessità [netʃessi'ta] *sf inv* necesidad *f*; **in caso di ~** en caso de necesidad

necrologio, -gi [nekro'lɔdʒo] *sm* (*su giornale*) esquela mortuoria, necrológica

negare [ne'gare] *vt* negar; **~ che/di aver fatto** negar que/que se ha hecho □ **negativa** [nega'tiva] *sf* (*FOT*) negativo □ **negativo, -a** [nega'tivo] *agg* negativo(-a)

negligente [negli'dʒente] *agg* negligente

negoziante [negot'tsjante] *sm/f* negociante *m/f*

negoziato [negot'tsjato] *sm* negociación *f*

negozio [ne'gɔttsjo] *sm* tienda, negocio

negro, -a ['negro] *agg*, *sm/f* negro(-a)

nemico, -a, -ci, -che [ne'miko] *agg*, *sm/f* enemigo(-a)

nemmeno [nem'meno] *avv*, *cong* = **neanche**

neo ['nɛo] *sm* (*MED*, *difetto*) lunar *m*

neon ['nɛon] *sm inv* neón *m inv*; **lampada al ~** lámpara de neón

neonato, -a [neo'nato] *sm/f* recién nacido(-a)

neozelandese [neoddzelan'dese] *sm/f* neozelandés(-esa)

neppure [nep'pure] *avv*, *cong* = **neanche**

nero, -a ['nero] *agg* (*anche fig*: *mercato, lavoro, umore*) negro(-a)
♦ *sm* (*colore*) negro; **cronaca nera** crónica negra, sucesos *mpl*; **caffè ~** café solo

nervo ['nɛrvo] *sm* (*ANAT*) nervio; **avere i nervi a fior di pelle** tener los nervios a flor de piel; **dare sui nervi a qn** irritar a algn □ **nervoso, -a** [ner'voso] *agg* nervioso(-a) ♦ *sm* (*malumore, ira*): **far venire il nervoso a qn** sacar de quicio a algn

nespola ['nɛspola] *sf* níspero

nesso ['nɛsso] sm nexo, conexión f

---

nessuno, -a

PAROLA CHIAVE

[nes'suno] (dav sm **nessun** + C, V, **nessuno** + s impura, gn, pn, ps, x, z; dav sf **nessuna** + C, **nessun'** + V) agg

1 (nemmeno uno) ninguno(-a); **non c'è nessun libro** no hay ningún libro; **in nessun luogo** en ninguna parte; **nessun altro** (cosa) ninguno más; (persona) nadie más; **nessun'altra cosa** nada más

2 (qualche) alguno(-a); **hai nessuna obiezione?** ¿tienes alguna objeción?

♦ pron

1 (persona) ninguno(-a), nadie; (cosa) ninguno(-a); **non è venuto nessuno?** ¿no ha venido nadie?

2 (qualcuno) alguno, alguien; **non ha telefonato nessuno?** ¿ha llamado alguien por teléfono?

---

nettare [net'tare] sm néctar m

nettezza [net'tettsa] sf: (servizio di) ~ **urbana** servicio de limpieza urbana

netto, -a ['netto] agg (chiaro, nitido) claro(-a); (guadagno, peso) neto(-a); **dare un taglio** ~ cortar por lo sano

netturbino [nettur'bino] sm barrendero(-a)

neutrale [neu'trale] agg neutral

neutro, -a ['neutro] agg neutro(-a)

neve ['neve] sf nieve f **□ nevicare** [nevi'kare] vb impers nevar; **nevica** nieva **□ nevicata** [nevi'kata] sf nevada **□ nevischio** [ne'viskjo] sm aguanieve f **□ nevoso, -a** [ne'voso] agg (giornata) nevoso(-a); (cima, strada) nevado(-a); (inverno, manto) de nieve

nevralgia [nevral'dʒia] sf neuralgia

nevrastenico, -a, -ci, -che [nevras'teniko] agg (MED, fig) neurasténico(-a)

nevrosi [ne'vrɔzi] sf inv neurosis f inv **□ nevrotico, -a, -ci, -che** [ne'vrɔtiko] agg (MED, fig) neurótico(-a)

nibbio ['nibbjo] sm milano

Nicaragua [nika'ragwa] sm Nicaragua f

nicchia ['nikkja] sf (ARCHIT) nicho, hornacina; (nella roccia ecc) refugio (natural) ▶ **nicchia di mercato** (COMM) nicho o segmento de mercado

nicchiare [nik'kjare] vi titubear, vacilar

nichel ['nikel] sm níquel m inv

nicotina [niko'tina] sf nicotina

nido ['nido] sm nido ♦ agg inv: **asilo** ~ guardería infantil

---

niente

PAROLA CHIAVE

['njɛnte] pron

1 nada; **niente può fermarlo** nada puede pararlo; **nient'altro** nada más; **per niente** ¡de ningún modo!, ¡en absoluto!; **poco o niente** poco o nada; **grazie! - di niente** ¡gracias! - de nada

2 (qualcosa): **non hai bisogno di niente?** ¿necesitas algo?

3: **non ... niente** no ... nada; **non ho visto niente** no he visto nada; **non ho niente da dire** no tengo nada que decir; **non può farci niente** no puede hacer nada; (non) **fa niente** no pasa nada

♦ sm nada; **un bel niente** nada de nada; **finire in niente** quedar en nada

♦ avv (in nessuna misura): **non ... niente** no ... nada; **non ... (per) niente** no ... en absoluto; **non è (per) niente male** no está nada mal; **non ci penso per niente** ni siquiera lo pienso; **niente affatto** nada de eso, para nada

♦ agg: **niente paura!** ¡calma!

ninfa ['ninfa] sf ninfa

ninfea [nin'fea] sf nenúfar m

ninna-nanna [ninna'nanna] sf nana

ninnolo ['ninnolo] sm (gingillo) bagatela

nipote [ni'pote] sm/f (di zii) sobrino(-a); (di nonni) nieto(-a)

nitido, -a ['nitido] agg nítido(-a)

nitrire [ni'trire] vi relinchar ◻ **nitrito** [ni'trito] sm relincho

nitroglicerina [nitrogliʧe'rina] sf nitroglicerina

no [nɔ] avv no; **vieni o no?** ¿vienes o no?; **perché no?** ¿por qué no?; **verrai, no?** vendrás, ¿no?

nobile ['nɔbile] agg (anche animo, gesto) noble ♦ sm/f noble m/f

nocca ['nɔkka] sf nudillo

nocciola [not'ʧɔla] agg inv (colore, occhi) habana inv ♦ sf (frutto) avellana; **alla ~** (gelato, crema ecc) de avellanas ◻ **nocciolina** [nottʃo'lina] sf (anche: **nocciolina americana**) cacahuete m

nocciolo[1] ['nɔttʃolo] sm (di frutto) hueso, cuesco; (punto essenziale) quid m

nocciolo[2] [not'ʧɔlo] sm (albero) avellano

noce ['noʧe] sm (albero) nogal m ♦ sf (frutto) nuez f ♦ agg inv (colore) nogal
  ▸ **noce di cocco** nuez de coco
  ▸ **noce moscata** nuez moscada

nocivo, -a [no'ʧivo] agg nocivo(-a), dañino(-a)

nodo ['nɔdo] sm nudo; **avere un ~ alla gola** tener un nudo en la garganta

noi ['noi] pron nosotros(-as); **~ stessi/e** nosotros(-as) mismos(-as)

noia ['nɔja] sf aburrimiento; **mi è venuto a ~** me he cansado o aburrido; **dare ~ a** fastidiar o molestar a algn; **avere delle noie con** tener problemas con ◻ **noioso, -a** [no'joso] agg (tedioso) aburrido(-a); (fastidioso) fastidioso(-a), molesto(-a)

noleggiare [noled'dʒare] vt (prendere o dare a noleggio) alquilar; **vorrei ~ una macchina** quisiera alquilar un coche ◻ **noleggio** [no'leddʒo] sm alquiler m

nomade ['nɔmade] agg, sm/f nómada m/f

nome ['nome] sm (anche LING) nombre; (fig: reputazione) fama; **a ~ di** (da parte di) de parte de; (in rappresentanza di) en nombre de; **chiamare qn per ~** llamar a algn por su nombre; **conoscere qn di ~** conocer a algn de oídas ◻ **nome di battesimo** nombre de pila

nomignolo [no'miɲɲolo] sm apodo, sobrenombre m

nomina ['nɔmina] sf nombramiento, nominación f

⚠ **nomina** non si traduce mai con la parola spagnola **nómina**.

nominare [nomi'nare] vt nombrar
❏ **nominativo** [nomina'tivo] sm
(AMM: nome) nombre m; (LING: caso)
nominativo

non [non] avv no

nonché [non'ke] cong (e inoltre) y
además

noncurante [nonku'rante] agg
(persona, atteggiamento)
despreocupado(-a); **con fare ~** con
indiferencia

nonno, -a ['nɔnno] sm/f abuelo(-a);
i nonni smpl (nonno e nonna) los
abuelos

nonnulla [non'nulla] sm inv: **un ~**
una nadería

nono, -a ['nɔno] agg, sm/f
noveno(-a)

nonostante [nonos'tante] prep a
pesar de ♦ cong aunque, si bien; **ciò
~** sin embargo, no obstante

nontiscordardimé
[nontiskordardi'me] sm inv
nomeolvides m inv

nord [nɔrd] agg inv, sm norte (m) inv;
a ~ (di) al norte (de); **verso ~** hacia
el norte ❏ **nordest** [nor'dɛst] sm
nor(d)este m inv ❏ **nordovest**
[nor'dɔvɛst] sm noroeste m inv

norma ['nɔrma] sf norma; **di ~**
normalmente; **a ~ di legge**
conforme a la ley ▶ **norme di
sicurezza** normas de seguridad
▶ **norme per l'uso** instrucciones
fpl de uso

normale [nor'male] agg normal
❏ **normalmente** [normal'mente]
avv normalmente

norvegese [norve'dʒese] agg, sm/f
noruego(-a) ♦ sm (lingua) noruego

Norvegia [nor'vɛdʒa] sf Noruega

nostalgia [nostal'dʒia] sf (di casa,
paese, amici) nostalgia, añoranza

nostrano, -a [nos'trano] agg
(poeta) local; (pomodoro, vino) del
país

nostro, -a ['nɔstro] agg: **(il) ~, (la)
nostra** nuestro(-a) ♦ pron: **il ~, la
nostra** el nuestro, la nuestra, lo
nuestro m; **il nostro** neutro; **una nostra amica**
una amiga nuestra; **i nostri libri**
nuestros libros

nota ['nɔta] sf (anche MUS) nota;
degno di ~ digno de mención

notaio [no'tajo] sm notario(-a)

notare [no'tare] vt notar; **farsi ~**
(anche peg) hacerse notar, llamar la
atención ❏ **notevole** [no'tevole]
agg considerable ❏ **notifica, -che**
[no'tifika] sf notificación f

notizia [no'tittsja] sf noticia; **ultime
notizie** últimas noticias
❏ **notiziario** [notit'tsjarjo] sm
(RADIO) boletín m informativo; (TV)
telediario

noto, -a ['nɔto] agg famoso(-a),
conocido(-a) ❏ **notorietà**
[notorje'ta] sf inv notoriedad f
❏ **notorio, -a** [no'tɔrjo] agg
notorio(-a); **atto notorio** acta de
notoriedad

nottambulo, -a [not'tambulo]
agg, sm/f noctámbulo(-a)

nottata [not'tata] sf noche f

notte ['nɔtte] sf noche f; **di ~** por la
noche, de noche; **buona ~!** ¡buenas
noches!; **passare la ~ in bianco**
pasar la noche en blanco

notturno, -a [not'turno] agg
nocturno(-a)

novanta [no'vanta] agg inv, sm inv
noventa (m); vedi anche **cinque**
❏ **novantesimo, -a**

[novan'tezimo] *agg, sm/f*
nonagésimo(-a)

nove ['nɔve] *agg sm, sm inv* nueve
(m); *vedi anche* **cinque**
❑ **novecento** [nove'tʃento] *agg
inv, sm inv* novecientos(-as); **il
Novecento** el siglo XX

novella [no'vella] *sf (racconto)*
cuento

novello, -a [no'vello] *agg (patate)*
temprano(-a); **sposi novelli** recién
casados

novembre [no'vembre] *sm*
noviembre m; *vedi anche* **luglio**

novità [novi'ta] *sf inv (cosa originale,
insolita)* novedad f; *(notizia)* primicia
f

nozione [not'tsjone] *sf* noción f

nozze ['nɔttse] *sfpl* boda f ▸ **nozze
d'argento/d'oro** bodas de plata/
de oro

nubile ['nubile] *agg* soltero(-a)

nuca, -che [nuka] *sf* nuca

nucleare [nukle'are] *agg* nuclear

nucleo ['nukleo] *sm (anche fig)*
núcleo ▸ **nucleo familiare**
núcleo familiar

nudista, -i, -e [nu'dista] *sm/f*
nudista m/f

nudo, -a [nudo] *agg* desnudo(-a)
♦ *sm (ARTE)* desnudo; **a occhio ~ a**
ojos vistas; **a piedi nudi** descalzo

nulla ['nulla] *pron, avv* = **niente**

nullità [nulli'ta] *sf inv* nulidad f

nullo, -a [nullo] *agg* nulo(-a)

numerale [nume'rale] *agg*
numeral

numerare [nume'rare] *vt* numerar

numero ['numero] *sm (MAT, LING,
TEATRO)* número; *(di giornale)*
ejemplar m; **~ di matricola** número
de matrícula; **dare i numeri** estar

un poco ido ▸ **numero civico**
número de casa ▸ **numero di
scarpe** número de zapato
▸ **numero di telefono** número
de teléfono ❑ **numeroso, -a**
[nume'roso] *agg* numeroso(-a)

nuocere ['nwɔtʃere] *vi*: **~ a qc/qn**
perjudicar a algo/algn

nuora ['nwɔra] *sf* nuera

nuotare [nwo'tare] *vi* nadar
❑ **nuotatore, -trice** [nwota'tore]
sm/f nadador(a) ❑ **nuoto** ['nwɔto]
sm natación f; **a nuoto** a nado

nuova ['nwɔva] *sf (notizia)* nueva

nuovamente [nwɔva'mente] *avv*
nuevamente

Nuova Zelanda ['nwɔva
dze'landa] *sf* Nueva Zelanda

nuovo, -a ['nwɔvo] *agg* nuevo(-a);
(concetto, teoria, tecnica) nuevo(-a),
novedoso(-a); **~ fiammante** o **~ di
zecca** flamante o ~ **di** ~ de nuevo, otra
vez

nutriente [nutri'ente] *agg (crema,
cibo)* nutritivo(-a)

nutrimento [nutri'mento] *sm*
nutrición f

nutrire [nu'trire] *vt* nutrir; **nutrirsi**
vpr: **nutrirsi di** nutrirse de

nuvola ['nuvola] *sf* nube f
❑ **nuvoloso, -a** [nuvo'loso] *agg*
nublado(-a)

nuziale [nut'tsjale] *agg* nupcial

nylon ['nailən] *sm* nylon m inv,
nailon m inv

Oo

O [o] *abbr (= ovest)* O

o [o] *cong* o; *(prima di o- ed ho-)* u; **o ...
o** o ... o; **o l'uno o l'altro** o uno u otro

oasi ['ɔazi] *sf inv* (*anche fig*) oasis *m inv*

obbediente [obbe'djɛnte] *agg* = **ubbidiente**

obbligare [obbli'gare] *vt*: ~ **(qn a fare qc)** obligar (a algn a hacer algo) ♢ **obbligatorio, -a** [obbliga'tɔrjo] *agg* obligatorio(-a) ♢ **obbligo, -ghi** ['ɔbbligo] *sm* obligación *f*; **avere l'obbligo di fare qc** tener el deber de hacer algo

obeso, -a [o'bɛso] *agg* obeso(-a)

obiettare [objet'tare] *vt*: ~ **(su/che)** objetar (sobre/que)

obiettivo, -a [objet'tivo] *agg* objetivo(-a) ♦ *sm* objetivo

obiettore [objet'tore] *sm* objetor *m* ▸ **obiettore di coscienza** objetor de conciencia ♢ **obiezione** [objet'tsjone] *sf* objeción *f*

obitorio [obi'tɔrjo] *sm* depósito de cadáveres

obliquo, -a [o'blikwo] *agg* oblicuo(-a)

obliterare [oblite'rare] *vt* (*biglietto*) validar, timbrar

oblò [o'blɔ] *sm inv* ojo de buey

oboe ['ɔboe] *sm inv* oboe *m*

oca ['ɔka] (*pl* **oche**) *sf* (*ZOOL*) oca, ganso; (*peg: donna sciocca*) tonta, boba

occasione [okka'zjone] *sf* ocasión *f*; **cogliere l'~** aprovechar la ocasión; **d'~** de ocasión

occhiaie [ok'kjai] *sfpl* ojeras *fpl*; **avere le ~** tener ojeras

occhiali [ok'kjali] *smpl* gafas *fpl*, lentes *fpl* ▸ **occhiali da sole/da vista** gafas de sol/de ver

occhiata [ok'kjata] *sf* mirada; **dare un'~** a echar un vistazo a

occhiello [ok'kjɛllo] *sm* ojal *m*

occhio ['ɔkkjo] *sm* ojo; **~!** ¡ojo!; **a ~ nudo** a simple vista; **a occhi aperti** con ojo avizor; **a occhi chiusi** con los ojos cerrados; **a quattr'occhi** a solas; **dare nell'~** llamar la atención; **tenere d'~ qc/qn** no perder de vista algo/a algn; **vedere di buon/ cattivo ~** ver con buenos/malos ojos ♢ **occhiolino** [okkjo'lino] *sm*: **fare l'occhiolino a qn** guiñar a algn, hacer un guiño a algn

occidentale [ottʃiden'tale] *agg*, *smf* occidental *m/f*.

occidente [ottʃi'dɛnte] *sm* occidente *m*; **a ~** hacia occidente

occorrente [okkor'rɛnte] *sm* necesario ♢ **occorrenza** [okkor'rɛntsa] *sf*: **all'occorrenza** en caso de necesidad

⚠ **occorrenza** non si traduce mai con la parola spagnola *ocurrencia*.

occorrere [ok'korrere] *vi* ser necesario o preciso ♦ *vb impers*: **occorre farlo** es necesario o preciso hacerlo; **mi occorre una penna** necesito un bolígrafo; **occorre che tu parta** es preciso que te vayas

⚠ **occorrere** non si traduce mai con la parola spagnola *ocurrir*.

occulto, -a [ok'kulto] *agg* oculto(-a)

occupare [okku'pare] *vt* ocupar; **occuparsi** *vpr*: **occuparsi di** ocuparse de ♢ **occupato, -a** [okku'pato] *agg* (*anche linea*) ocupado(-a); (*telefono*) comunicando *inv*; (*persona*:

affaccendato) atareado(-a), ajetreado(-a); **è occupáto questo posto?** ¿está ocupado este asiento?; **la linea è occupata** la línea está ocupada
❏ **occupazione** [okkupat'tsjone] *sf (di territorio)* ocupación f; *(impiego, lavoro)* empleo

oceano [o'tʃeano] *sm* océano

ocra ['ɔkra] *sf* ocre m ♦ *agg inv* ocre *inv*

OCSE ['ɔkse] *sigla f (= Organizzazione per la Cooperazione e lo Sviluppo Economico)* OCDE f

oculare [oku'lare] *agg (dell'occhio)* ocular; *(testimone)* presencial

oculato, -a [oku'lato] *agg (persona)* mesurado(-a), cauteloso(-a); *(scelta ecc)* cuidadoso(-a)

oculista, -i, -e [oku'lista] *sm/f* oculista *m/f*

odiare [o'djare] *vt* odiar

odierno, -a [o'djerno] *agg (di oggi)* del día, de hoy; *(attuale)* actual

odio ['ɔdjo] *sm* odio ❏ **odioso, -a** [o'djoso] *agg* odioso(-a)

odorare [odo'rare] *vi* oler

odore [o'dore] *sm* olor m; **odori** *smpl (cuc)* hierbas fpl aromáticas; **sento ~ di bruciato/di fumo** huelo a quemado/humo; **buon/cattivo ~** buen/mal olor

offendere [offendere] *vt* ofender; **offendersi** *vpr* ofenderse

offerente [offe'rente] *sm/f:* **al miglior ~** al mejor postor

offerta [offerta] *sf* oferta; *(donazione)* donación f; *(in chiesa)* limosna ▶ **offerta speciale** oferta especial ▶ **"offerte d'impiego"** "ofertas de empleo"

offesa [offesa] *sf* ofensa, agravio

offeso, -a [offeso] *pp di* **offendere** ♦ *agg* ofendido(-a)

officina [offi'tʃina] *sf (del meccanico)* taller m

⚠ **officina** non si traduce mai con la parola spagnola **oficina**.

offrire [offrire] *vt* ofrecer; **offrirsi** *vpr* ofrecerse; **offrirsi (di fare)** ofrecerse (para hacer); **ti offro da bere/un caffè** te invito a una copa/a un café; **posso offrirle qualcosa da ber?** ¿le puedo ofrecer algo de beber?

offuscare [offus'kare] *vt (sole)* oscurecer; *(fig: intelletto)* trastornar; *(: fama)* cegar; **offuscarsi** *vpr (immagine)* oscurecerse; *(fama)* cegarse

oggettivo, -a [oddʒet'tivo] *agg* objetivo(-a)

oggetto [od'dʒetto] *sm (cosa)* objeto; *(argomento)* tema m; **essere ~ di** ser objeto de

oggi ['ɔddʒi] *avv* hoy; **~ come ~** hoy por hoy; **dall'~ al domani** de hoy para mañana; **a tutt'~** hasta hoy ❏ **oggigiorno** [oddʒi'dʒorno] *avv* hoy (en) día

OGM [odʒi'emme] *sigla m (= organismi geneticamente modificati)* OGM m

ogni ['oɲɲi] *agg* cada; **~ volta che ...** cada vez que ...; **~ sera/giorno** todas las noches/días, cada noche/día; **viene ~ due giorni** viene cada dos días; **~ cosa** todo; **ad ~ costo** a toda costa; **in ~ luogo** en cualquier parte; **~ tanto** de vez en cuando

ognuno, -a [oɲˈɲuno] *pron* cada uno(-a)

Olanda [oˈlanda] *sf* Holanda
❏ **olandese** [olanˈdese] *agg, sm/f* holandés(-esa) ♦ *sm* (*lingua*) holandés *m*

oleandro [oleˈandro] *sm* adelfa

oleodotto [oleoˈdɔtto] *sm* oleoducto

oleoso, -a [oleˈoso] *agg* aceitoso(-a)

olfatto [olˈfatto] *sm* olfato

oliare [oˈljare] *vt* (*ingranaggio, serratura*) aceitar, untar con aceite

oliera [oˈljera] *sf* aceitera

Olimpiadi [olimˈpiadi] *sfpl*: **le ~** le Olimpiadas
❏ **olimpico, -a, -ci, -che** [oˈlimpiko] *agg* olímpico(-a)

olio [ˈɔljo] *sm* (*per condire, lubrificare*) aceite *m*; **un (quadro a) ~** un (cuadro al) óleo; **sott'~** (*CUC*) en aceite ▶ **olio d'oliva** aceite de oliva

oliva [oˈliva] *sf* aceituna, oliva
❏ **olivo** [oˈlivo] *sm* olivo

olmo [ˈɔlmo] *sm* olmo

OLP [ɔlp] *sigla f* (= *Organizzazione per la Liberazione della Palestina*) OLP *f*

oltraggio [olˈtraddʒo] *sm* (*anche DIR*) ultraje *m*

oltranza [olˈtrantsa] *sf*: **a ~** a ultranza

oltre [ˈoltre] *avv* (*più in là*) más allá; (*nel tempo*) más ♦ *prep* (*di là da*) más allá de; (*più di*) más de; (*in aggiunta a*) además de; **~ a** (*in aggiunta a, eccetto*) además de
❏ **oltrepassare** [oltrepasˈsare] *vt* (*zona, confine*) translimitar; (*fig: limite*) superar

omaggio [oˈmaddʒo] *sm* homenaje *m* ♦ *agg inv* (*copia, biglietto*) gratuito(-a); **omaggi** *smpl* (*complimenti*) saludos *mpl*, recuerdos *mpl*; **dare qc in ~** dar algo de regalo; **campione in ~** muestra gratuita, ejemplar gratuito; **rendere ~** rendir homenaje a

ombelico, -chi [ombeˈliko] *sm* ombligo

ombra [ˈombra] *sf* sombra; **sedere all'~** sentarse a la sombra; **restare nell'~** (*fig*) quedar en el anonimato; **senza ~ di dubbio** sin ningún género de duda

ombrello [omˈbrello] *sm* paraguas *m inv* ❏ **ombrellone** [ombrelˈlone] *sm* sombrilla

ombretto [omˈbretto] *sm* sombra de ojos

ombroso, -a [omˈbroso] *agg* sombrío(-a)

O.M.C. [oˈemmeˈtʃi] *sigla f* (= *Organizzazione Mondiale per il Commercio*) OMC *f*

omelette [ɔmaˈlɛt] *sf inv* tortilla muy fina que se dobla y que se rellena casi siempre de alimentos salados o dulces

omelia [omeˈlia] *sf* homilía

omeopatia [omeopaˈtia] *sf* homeopatía

omertà [omerˈta] *sf* ley f del silencio

omettere [oˈmettere] *vt* omitir

omicida, -i, -e [omiˈtʃida] *agg, sm/f* homicida *m/f* ❏ **omicidio** [omiˈtʃidjo] *sm* homicidio

omissione [omisˈsjone] *sf* omisión *f* ▶ **omissione di soccorso** omisión del deber de socorro

omogeneizzati [omodʒeneidˈdzati] *smpl* homogeneizados *mpl*

omogeneo, -a [omo'dʒɛneo] agg homogéneo(-a)

omonimo, -a [o'mɔnimo] agg homónimo(-a) ♦ sm/f homónimo(-a), tocayo(-a)

omosessuale [omosessu'ale] agg, sm/f homosexual m/f

O.M.S. [o'emme'esse] sigla f (= Organizzazione Mondiale della Sanità) OMS f

On. abbr (POL) diputado(-a); (= onorevole) parlamentario(-a)

onda ['onda] sf ola; (FIS) onde; **andare in ~** (RADIO, TV) retransmitirse; **mandare in ~** retransmitir ► **onde corte/ lunghe/medie** onda sg corta/ media/larga

onere ['ɔnere] sm (di spesa, finanziario) carga ► **oneri fiscali** gravamen msg fiscal

onestà [ones'ta] sf honestidad f, honradez f

onesto, -a [o'nesto] agg honesto(-a)

O.N.G. [o'enne'dʒi] sigla f (= organizzazione non governativa) ONG f

onnipotente [onnipo'tɛnte] agg omnipotente

onomastico, -ci [ono'mastiko] sm onomástica

onorare [ono'rare] vt honrar

onorario, -a [ono'rarjo] agg honorario(-a) ♦ sm (compenso) honorarios mpl

onore [o'nore] sm honor m; **in ~ di** en honor de; **fare ~ a qn/qc** hacer honor a algn/algo; **fare gli onori di casa** hacer los honores de casa; **farsi ~** lucirse; **parola d'~** palabra de honor

onorevole [ono'revole] agg honorable ♦ sm/f (POL) diputado(-a), parlamentario(-a)

O.N.U. ['ɔnu] sigla f (= Organizzazione delle Nazioni Unite) ONU f

opaco, -a, -chi, -che [o'pako] agg (vetro) opaco(-a); (metallo) mate

opale [o'pale] sm (pietra) ópalo

opera ['ɔpera] sf (libro, quadro, costruzione) obra; (attività, lavoro) trabajo; (MUS) ópera; **mettersi all'~** ponerse manos a la obra ► **opera d'arte** obra de arte ► **opera lirica** ópera lírica

operaio, -a [ope'rajo] agg, sm/f obrero(-a)

operare [ope'rare] vt, vi (anche MED) operar; **operarsi** vpr producirse, realizarse ❑ **operazione** [operat'tsjone] sf operación f

operetta [ope'retta] sf opereta

opinione [opi'njone] sf opinión f ► **opinione pubblica** opinión pública

oppio ['ɔppjo] sm opio

opporre [op'porre] vt oponer; **opporsi** vpr: **opporsi (a)** oponerse (a)

opportunista, -i, -e [opportu'nista] agg, sm/f oportunista m/f

opportunità [opportuni'ta] sf inv oportunidad f; **cogliere l'~** aprovechar la ocasión

opportuno, -a [oppor'tuno] agg (adatto, pertinente) oportuno(-a); (propizio, favorevole) favorable

opposizione [oppozit'tsjone] sf (anche POL) oposición f ❑ **opposto, -a** [op'posto] pp di **opporre** ♦ agg (lato) opuesto(-a), contrario(-a); (*marciapiede*) de enfrente; (*sponda*) otro(-a) ♦ *sm* contrario; **all'~** al contrario

oppressione [oppres'sjone] *sf* opresión f; (*sensazione*) agobio

opprimente [oppri'mente] *agg* (*peso, caldo ecc*) agobiante

opprimere [op'primere] *vt* (*sogg: tiranno*) oprimir; (*: peso, caldo ecc*) agobiar

oppure [op'pure] *cong* o, o bien; (*prima di o- ed ho-*) u; (*altrimenti*) de otra manera, de otro modo

optare [op'tare] *vi*: **~ per** optar por

opuscolo [o'puskolo] *sm* opúsculo m; (*pubblicitario*) folleto

opzione [op'tsjone] *sf* opción f

ora¹ ['ora] *sf* hora; **che ~ è?** *o* **che ore sono?** ¿qué hora es?; **non veder l'~ di fare qc** no ver la hora de hacer algo; **di buon'~** temprano; **a che ~ ...?** ¿a qué hora ...?; **a che ~ apre il museo/negozio?** ¿a qué hora abre el museo/la tienda?

ora² ['ora] *avv* (*adesso*) ahora; (*tra poco*) ya; **~ ... ~ ora** ... ora; **d'~ in poi** *o* **in avanti** de ahora en adelante

orafo, -a ['orafo] *sm/f* orfebre *m/f*

orale [o'rale] *agg oral*; (*della bocca*) oral, bucal ♦ *sm* (SCOL) oral m

orario, -a [o'rarjo] *agg* horario(-a) ♦ *sm* horario; **disco ~** disco de estacionamiento, pase *m* de aparcamiento

orata [o'rata] *sf* dorada

oratore, -trice [ora'tore] *sm/f* orador(a)

orbita ['ɔrbita] *sf* (ASTRON, ANAT) órbita

orchestra [or'kɛstra] *sf* orquesta

orchidea [orki'dɛa] *sf* orquídea

ordigno [or'diɲɲo] *sm* mecanismo; (*esplosivo*) artefacto

ordinale [ordi'nale] *agg* (*numero*) ordinal

ordinare [ordi'nare] *vt* ordenar; (*merce, al ristorante*) pedir; (*medicina, cura*) prescribir; **~ a qn di fare qc** (*comandare*) ordenar a algn que haga algo; **posso ~ per favore?** ¿puede tomar nota del pedido por favor?

ordinario, -a [ordi'narjo] *agg* ordinario(-a) ♦ *sm/f* (*a scuola*) titular *m/f*; (UNIV) catedrático

ordinato, -a [ordi'nato] *agg* ordenado(-a) ◻ **ordinazione** [ordinat'tsjone] *sf* (COMM, al bar) pedido; **su ~** bajo pedido

ordine ['ordine] *sm* orden m; (*comando*) orden f; (*ordinazione*) pedido; **d'~ pratico** (*problema*) de carácter práctico; **essere in ~** (*stanza, persona*) estar en orden; (*documento*) estar en regla; **mettere in ~** poner en orden ▶ **ordine del giorno** orden del día

orecchino [orek'kino] *sm* pendiente *m*

orecchio [o'rekkjo] (*pl(f)* **orecchie**) *sm* oreja; **avere ~** (*per la musica*) tener oído ◻ **orecchioni** [orek'kjoni] *smpl* (MED) paperas *fpl*

orefice [o'refitʃe] *sm* orfebre *m/f*; (*negoziante*) joyero(-a) ◻ **oreficeria** [orefitʃe'ria] *sf* (*arte*) orfebrería; (*negozio*) joyería

orfano, -a ['ɔrfano] *agg, sm/f* huérfano(-a)

organetto [orga'netto] *sm* (MUS) organillo

organico, -a, -ci, -che [or'ganiko] *agg* orgánico(-a) ♦ *sm* (*personale*) plantilla; (*MIL*) efectivos *mpl*

organigramma, -i [organi'gramma] *sm* organigrama *m*

organismo [orga'nizmo] *sm* organismo

organizzare [organid'dzare] *vt* organizar; **organizzarsi** *vpr* organizarse □ **organizzazione** [organiddzat'tsjone] *sf* organización *f*

organo ['ɔrgano] *sm* (*ANAT, MUS*) órgano

orgia, -ge ['ɔrdʒa] *sf* orgía

orgoglio [or'goʎʎo] *sm* orgullo □ **orgoglioso, -a** [orgoʎ'ʎoso] *agg* orgulloso(-a); **orgoglioso (di)** (*fiero*) orgulloso (de)

orientale [orjen'tale] *agg, sm/f* oriental *m/f*

orientamento [orjenta'mento] *sm* orientación *f*; **senso dell'~** sentido de la orientación; **perdere l'~** desorientarse ▶ **corso d'orientamento professionale** curso de orientación profesional

orientarsi [orjen'tarsi] *vpr* (*anche fig*) orientarse

oriente [o'rjɛnte] *sm* oriente *m*; **Medio/Estremo O~** Medio/ Extremo Oriente; **a ~** hacia oriente

origano [o'rigano] *sm* orégano

originale [oridʒi'nale] *agg* original

originario, -a [oridʒi'narjo] *agg*: **essere ~ di** (*animale, pianta*) ser originario(-a) de; (*persona*) ser natural de

origine [o'ridʒine] *sf* origen *m*; **avere ~ (da)** tener su origen (en), empezar (en); **dare ~ a** dar origen a;

in ~ al comienzo; **d'~ italiana** de origen italiano

origliare [oriʎ'ʎare] *vi, vt* escuchar a escondidas, espiar

orina [o'rina] *sf* orina

orinare [ori'nare] *vi, vt* orinar

orizzontale [oriddzon'tale] *agg* horizontal

orizzonte [orid'dzonte] *sm* horizonte *m*

orlo ['orlo] *sm* (*di bicchiere, recipiente*) borde *m*; (*di gonna, vestito*) dobladillo; **pieno fino all'~** lleno hasta el tope; **essere sull'~ di** estar al borde del

orma ['orma] *sf* (*di persona, fig*) huella; (*di animale*) pisada; **seguire le orme di** seguir las huellas de

ormai [or'mai] *avv* ya

ormeggiare [ormed'dʒare] *vt, vi* amarrar

ormeggio [or'meddʒo] *sm* (*manovra*) amarre *m*; (*luogo*) amarradero; (*cavi, catene ecc*) amarra

ormone [or'mone] *sm* hormona

ornamentale [ornamen'tale] *agg* ornamental

ornare [or'nare] *vt* adornar, ornamentar; **ornarsi** *vpr*: **ornarsi (di)** adornarse (con)

ornitologia [ornitolo'dʒia] *sf* ornitología

oro ['ɔro] *sm* oro; **d'~** (*materiale, fig: occasione*) de oro; (*colore*) oro

orologio [oro'lɔdʒo] *sm* reloj *m*; **~ a muro** reloj de pared; **~ da polso** reloj de pulsera

oroscopo [o'rɔskopo] *sm* horóscopo

orrendo, -a [or'rendo] agg horrendo(-a)

orribile [or'ribile] agg horrible

orrore [or'rore] sm horror m

orsacchiotto [orsak'kjɔtto] sm osezno; (pupazzo) oso de peluche

orso, -a [l'orso] sm/f oso(-a); (fig) hurón(-ona)

ortaggio [or'taddʒo] sm hortaliza

ortensia [or'tɛnsja] sf hortensia

ortica, -che [or'tika] sf ortiga □ **orticaria** [orti'karja] sf urticaria

orto ['ɔrto] sm huerto ▶ **orto botanico** jardín m botánico

ortodosso, -a [orto'dɔsso] agg ortodoxo(-a)

ortografia [ortogra'fia] sf ortografía

ortopedico, -a, -ci, -che [orto'pɛdiko] agg ortopédico(-a) ♦ sm ortopedista m/f

orzaiolo [ordza'jɔlo] sm (MED) orzuelo

orzo ['ɔrdzo] sm cebada

osare [o'zare] vt osar, atreverse a; ~ **fare qc** atreverse a hacer algo; **come osi?** ¿cómo te atreves?

oscenità [oʃʃeni'ta] sf inv (indecenza) indecencia f; **fare/dire ~** hacer/decir marranadas

osceno, -a [oʃ'ʃɛno] agg (indecente) obsceno(-a); (brutto) horrendo(-a)

oscillare [oʃʃil'lare] vi oscilar

oscurare [osku'rare] vt oscurecer; **oscurarsi** vpr oscurecerse

oscurità [oskuri'ta] sf inv oscuridad f

oscuro, -a [os'kuro] agg (buio) oscuro(-a); (fig: significato) incomprensible ♦ sm (fig): **essere all'~ (di)** estar a oscuras (de); **tenere**

qn all'~ (di) dejar a algn a oscuras (de)

ospedale [ospe'dale] sm hospital m; **dov'è l'~ più vicino?** ¿dónde está el hospital más cercano?

ospitale [ospi'tale] agg (persona) hospitalario(-a); (luogo) acogedor(a)

ospitare [ospi'tare] vt hospedar; (contenere) acoger □ **ospite** ['ɔspite] sm/f (chi ospita, chi è ospitato) huésped m/f □ **ospizio** [os'pittsjo] sm asilo

osservare [osser'vare] vt observar; (rispettare: legge, regolamento) cumplir, acatar □ **osservazione** [osservat'tsjone] sf (esame, commento) observación f

ossessionare [ossessjo'nare] vt obsesionar □ **ossessione** [osses'sjone] sf (anche PSIC) obsesión f

ossia [os'sia] cong o sea, es decir

ossido ['ɔssido] sm óxido

ossigenare [ossidʒe'nare] vt (capelli) oxigenar

ossigeno [os'sidʒeno] sm oxígeno

osso ['ɔsso] sm (ANAT: pl(f) ossa) sm hueso; (nocciolo) hueso; **d'~** de hueso

ostacolare [ostako'lare] vt obstaculizar, dificultar □ **ostacolo** [os'takolo] sm obstáculo; **essere di ostacolo (a)** ser un estorbo (para)

ostaggio [os'taddʒo] sm rehén m

ostello [os'tɛllo] sm: ~ **della gioventù** albergue m juvenil

ostentare [osten'tare] vt (lusso) ostentar; (disprezzo) mostrar

osteria [oste'ria] sf mesón m

ostetrico, -a, -ci, -che [os'tɛtriko] sm/f tocólogo(-a)

ostia ['ɔstja] sf (REL) hostia

ostico, -a, -ci, -che ['ɔstiko] agg (fig: materia, argomento) peliagudo(-a)

ostile [os'tile] agg hostil

ostinarsi [osti'narsi] vpr obstinarse; **~ in qc/a fare qc** obstinarse en algo/en hacer algo ◻ **ostinato, -a** [osti'nato] agg (testardo) obstinado(-a), testarudo(-a); (tenace) tenaz

ostrica, -che ['ɔstrika] sf ostra

ostruire [ostru'ire] vt obstruir; **il lavandino è ostruito** el lavabo está atascado

otite [o'tite] sf otitis f inv

ottanta [ot'tanta] agg inv, sm inv ochenta (m); vedi anche **cinque**

ottavo, -a [ot'tavo] agg octavo(-a) ♦ sm octavo

ottenere [otte'nere] vt obtener, conseguir

ottica, -che ['ɔttika] sf (FIS, FOT) óptica; (fig: punto di vista) perspectiva ◻ **ottico, -a, -ci, -che** ['ɔttiko] agg, sm/f óptico(-a)

ottimamente [ottima'mente] avv excelentemente

ottimismo [otti'mizmo] sm optimismo ◻ **ottimista, -i, -e** [otti'mista] agg, sm/f optimista m/f

ottimo, -a ['ɔttimo] agg óptimo(-a)

otto ['ɔtto] agg inv, sm inv ocho; vedi anche **cinque**

ottobre [ot'tobre] sm octubre m; vedi anche **luglio**

ottocento [otto'tʃento] agg inv, sm inv ochocientos(-as) ♦ sm inv: **l'O~** el siglo XIX

ottone [ot'tone] sm (materiale) latón m; **gli ottoni** (MUS) los metales

otturare [ottu'rare] vt (tubo) obturar; (dente) empastar; **otturarsi** vpr (tubo) obstruirse ◻ **otturazione** [otturat'tsjone] sf (di tubo) obstrucción f; (di dente) empaste m

ottuso, -a [ot'tuzo] agg (peg: persona) obtuso(-a), torpe

ovaia [o'vaja] sf ovario

ovale [o'vale] agg ovalado(-a), oval

ovatta [o'vatta] sf (per medicazioni) algodón m (en rama); (per imbottitura) guata

ovest ['ɔvest] sm oeste m; **a ~ (di)** al oeste (de); **verso ~** hacia el oeste

ovile [o'vile] sm redil m

ovulazione [ovulat'tsjone] sf ovulación f

ovulo ['ɔvulo] sm óvulo

ovunque [o'vunkwe] avv = **dovunque**

ovviare [ovvi'are] vi: **~ a** (a inconveniente, problema) eludir

ovvio, -a ['ɔvvjo] agg obvio(-a)

oziare [ot'tsjare] vi ociar, holgazanear

ozio [ot'tsjo] sm (inattività) ocio; **stare in ~** estar ocioso(-a)

ozono [od'dzono] sm ozono; **buco nell'~** agujero de la capa de ozono

Pp

P abbr (= parcheggio) P

p. abbr (= pagina) pág., p.

pacchetto [pak'ketto] sm paquete m; (di sigarette) cajetilla; **mi fa un ~ regalo, per favore?** ¿puede envolver el regalo, por favor?; **un ~ di sigarette, per favore** un paquete de cigarrillos, por favor

pacco, -chi ['pakko] *sm* paquete *m*
▶ **pacco postale** paquete postal

pace ['patʃe] *sf* paz *f*; **lasciare qn in ~** dejar a algn en paz; **fare la ~ con qn** hacer las paces con algn ❑ **pacifico, -a, -ci, -che** [pa'tʃifiko] *agg* pacífico(-a) ♦ *sm*: **il Pacifico/l'Oceano Pacifico** el Pacífico/el Océano Pacífico ❑ **pacifista, -i, -e** [patʃi'fista] *agg, sm/f* pacifista *m/f*

padella [pa'della] *sf (per friggere)* sartén *f; (per malati)* cuña

padiglione [padiʎ'ʎone] *sm* pabellón *m*

Pàdova ['padova] *sf* Padua

padre ['padre] *sm* padre *m*

padrino [pa'drino] *sm* padrino

padronanza [padro'nantsa] *sf:* **ha una buona ~ del francese** tiene un buen conocimiento del francés

padrone, -a [pa'drone] *sm/f (datore di lavoro)* dueño(-a); patrono(-a) ▶ **padrone di casa** *(chi ospita)* dueño de la casa; *(chi dà in affitto)* casero

⚠ **padrone** non si traduce mai con la parola spagnola *padrón*.

paesaggio [pae'zaddʒo] *sm* paisaje *m*

paese [pa'eze] *sm (villaggio)* pueblo, aldea; *(nazione)* país *m;* **i Paesi Bassi** los Países Bajos; **i Paesi baschi** El País Vasco

paga, -ghe ['paga] *sf* paga

pagamento [paga'mento] *sm* pago

pagare [pa'gare] *vt (anche fig)* pagar; **posso ~ con la carta di credito?** ¿puedo pagar con tarjeta de crédito?

pagella [pa'dʒella] *sf (SCOL)* expediente *m* escolar

pagina ['padʒina] *sf* página; **a ~ 5** en la página 5; **voltare ~** pasar la página; *(fig)* hacer borrón y cuenta nueva ▶ **pagine gialle** *(TEL)* páginas amarillas

paglia ['paʎʎa] *sf* paja

pagliaccio [paʎ'ʎattʃo] *sm* payaso(-a)

paglietta [paʎ'ʎetta] *sf (cappello per uomo)* sombrero de paja; *(per stoviglie)* estropajo de acero

pagnotta [pap'ɲɔtta] *sf* hogaza

paio ['pajo] *(pl/f* **paia** *sm* par *m;* **un ~ di** *(pantaloni, occhiali)* un par de; *(alcuni)* un par de, dos o tres; **un ~ di volte** un par de veces, dos o tres veces

pala ['pala] *sf* pala; *(di elica)* álabe *m; (di mulino)* aspa

palato [pa'lato] *sm* paladar *m*

palazzo [pa'lattso] *sm (reggia, signorile)* palacio; *(edificio)* edificio

palco, -chi ['palko] *sm (palcoscenico)* escenario; *(per oratore)* tribuna ❑ **palcoscenico, -ci** [palkoʃ'ʃeniko] *sm* escenario

palese [pa'leze] *agg* patente, manifiesto(-a)

Palestina [pales'tina] *sf* Palestina

palestra [pa'lestra] *sf (locale)* gimnasio; **fare ~** hacer gimnasia

paletta [pa'letta] *sf* pala; *(per immondizie)* cogedor *m; (di vigile, capostazione)* disco

---

◀ col izquierda:

▶ pacchetto software *(INFORM)* paquete software ▶ **pacchetto turistico** paquete de viaje

paletto [pa'letto] sm estaca; (di porta, finestra) cerrojo, pasador m

palio ['paljo] sm: **mettere qc in ~** poner algo en juego

palla ['palla] sf (per gioco) pelota
▶ **palla di neve** bola de nieve
□ **pallacanestro** [pallaka'nεstro] sf baloncesto □ **pallamano** [palla'mano] sf balonmano
□ **pallanuoto** [palla'nwɔto] sf waterpolo m inv □ **pallavolo** [palla'vɔlo] sf voleibol m inv, balonvolea m □ **palleggiare** [palled'dʒare] vi pelotear

palliativo [pallja'tivo] sm paliativo

pallido, -a ['pallido] agg (persona, viso) pálido(-a); (luce) mortecino(-a); **non avere la più pallida idea di qc** no tener ni la más remota idea de algo

pallina [pal'lina] sf pelota

palloncino [pallon'tʃino] sm globo

pallone [pal'lone] sm (palla) balón m; **giocare a ~** jugar al balón

pallottola [pal'lɔttola] sf (di pistola) bala; (di carta) pelota

palma ['palma] sf (BOT) palmera, palma

palmo ['palmo] sm (ANAT) palmo; **restare con un ~ di naso** quedarse con un palmo de narices

palo ['palo] sm palo, estaca; (AGR) rodrigón m; (ELETTR, CALCIO) poste m; (EDIL) pilote m; **fare da o il ~** (fig) quedarse vigilando

palombaro [palom'baro] sm buzo

palpare [pal'pare] vt palpar

palpebra ['palpebra] sf párpado

palude [pa'lude] sf pantano

Panama ['panama] sf Panamá m

pancetta [pan'tʃetta] sf (CUC) panceta

panchina [pan'kina] sf banco, asiento; (SPORT: riserve) reservas m/f pl

pancia, -ce ['pantʃa] sf barriga, panza; **avere mal di ~** tener dolor de barriga o vientre □ **panciotto** [pan'tʃɔtto] sm chaleco

pancreas ['pankreas] sm inv páncreas m inv

panda ['panda] sm inv (oso) panda m

pane ['pane] sm pan m; **guadagnarsi il ~** ganarse el pan ▶ **pane integrale** pan integral ▶ **pane tostato** tostada □ **panetteria** [panette'ria] sf panadería □ **panettiere, -a** [panet'tjere] sm/f panadero(-a) □ **panettone** [panet'tone] sm panettone m, dulce navideño en forma de cúpula, con uvas pasas y acitrón

pangrattato [pangrat'tato] sm pan m rallado

panico, -ci ['paniko] sm pánico; **essere in preda al ~** ser presa del pánico; **lasciarsi prendere dal ~** dejarse llevar por el pánico

paniere [pa'njere] sm cesta

panificio, -ci [pani'fitʃo] sm panificadora; (rivendita di pane) panadería

panino [pa'nino] sm (anche imbottito) bocadillo, bocata m; **vorrei un ~ con il prosciutto/ formaggio** quisiera un bocadillo de jamón/queso

panna ['panna] *sf* nata ▶ **panna da cucina** nata líquida ▶ **panna montata** nata montada

⚠ **panna** non si traduce mai con la parola spagnola *pana*.

panne [pan] *sf inv*: **essere in ~** (AUT) estar averiado(-a), tener una avería

pannello [pan'nello] *sm* panel *m* ▶ **pannello solare** panel solar

panno ['panno] *sm* paño; **panni** *smpl* (*abiti*) ropa *sg*; **mettersi nei panni di qn** (*fig*) ponerse en el lugar o la situación de algn

pannocchia [pan'nɔkkja] *sf* (*di mais ecc*) panoja

pannolino [panno'lino] *sm* (*per bambini*) pañal *m*

panorama, -i [pano'rama] *sm* panorama *m*

pantaloni [panta'loni] *smpl* pantalones *mpl*

pantano [pan'tano] *sm* pantano

pantera [pan'tera] *sf* pantera

pantofola [pan'tɔfola] *sf* pantufla

Papa ['papa] *sm* Papa *m*

papà [pa'pa] *sm inv* papá *m*

papavero [pa'pavero] *sm* amapola

pappa ['pappa] *sf* papilla; **fare la ~** (*linguaggio infantile*) hacer la papilla ▶ **pappa reale** jalea real

pappagallo [pappa'gallo] *sm* papagayo, loro; (*fig: persona che ripete*) loro

parabola [pa'rabola] *sf* parábola; (*antenna*) parabólica

parabolico, -a, -ci, -che [para'bɔliko] *agg* parabólico(-a)

parabrezza [para'breddza] *sm inv* parabrisas *m inv*

paracadute [paraka'dute] *sm inv* paracaídas *m inv*

paradiso [para'dizo] *sm* paraíso

paradossale [parados'sale] *agg* paradójico(-a)

parafulmine [para'fulmine] *sm* pararrayos *m inv*

paraggi [pa'raddʒi] *smpl*: **nei ~** en las cercanías o los alrededores

paragonare [parago'nare] *vt*: **~ con o a** parangonar o comparar con ❏ **paragone** [para'gone] *sm* parangón *m*, comparación *f*; **a paragone di** en comparación con; **non avere paragoni** no tener par

paragrafo [pa'ragrafo] *sm* apartado; (*capoverso*) párrafo

Paraguay [para'gwai] *sm* Paraguay *m*

paralisi [pa'ralizi] *sf inv* (MED) parálisis *f inv*; (*di traffico, lavori ecc*) paralización *f*

parallelo, -a [paral'lelo] *agg* paralelo(-a) ♦ *sm* (GEO, *parangone*) paralelo

paralume [para'lume] *sm* pantalla

parametro [pa'rametro] *sm* (MAT) parámetro; (*fig: criterio*) criterio

paranoia [para'nɔja] *sf* (*anche fam*: *fig*) paranoia
□ **paranoico, -a, -ci, -che** [para'nɔiko] *agg, sm/f* paranoico(-a)

paraocchi [para'ɔkki] *sm inv* anteojeras *fpl*; **avere il ~** (*fig*) no ver lo evidente

parapetto [para'petto] *sm* parapeto

parare [pa'rare] *vt* (CALCIO) parar

parata [pa'rata] *sf* (CALCIO, MIL) parada

paraurti [para'urti] *sm inv* (AUT) parachoques *m inv*

paravento [para'vɛnto] *sm* biombo; **fare da ~ a** (*fig*) servir de tapadera a algn

parcella [par'tʃella] *sf* (*di professionista*) honorarios *mpl*

parcheggiare [parked'dʒare] *vt* aparcar; **posso ~ qui?** ¿se puede aparcar aquí? □ **parcheggio** [par'keddʒo] *sm* aparcamiento □ **parchimetro** [par'kimetro] *sm* parquímetro

parco, -chi [ˈparko] *sm* parque *m*

parecchio, -a [pa'rekkjo] *agg* mucho(-a), bastante; (*numerosi*): **parecchi/e** muchos(-as), bastantes ♦ *pron* mucho, bastante ♦ *avv* (*con agg*) muy, bastante; (*con vb*) bastante; **ho ~ lavoro** tengo mucho trabajo; **è ~ che aspetti?** ¿llevas mucho esperando?

pareggiare [pared'dʒare] *vt* (*terreno*) igualar, nivelar; (*bilancio*) nivelar ♦ *vi* (SPORT) empatar □ **pareggio** [pa'reddʒo] *sm* (ECON) balance *m*; (SPORT) empate *m*; **essere in pareggio** (ECON) estar a la par

parente [pa'rɛnte] *sm/f* pariente *m/f* □ **parentela** [paren'tela] *sf* (*vincolo*) parentesco; (*i parenti*) parentela

parentesi [pa'rɛntezi] *sf inv* (*anche fig*) paréntesis *m inv*; **tra ~** entre paréntesis ▶ **parentesi graffe** llaves *fpl* ▶ **parentesi quadre** corchetes *mpl* ▶ **parentesi tonde** paréntesis *m*

parere [pa'rere] *sm* (*opinione*) parecer *m*; (*consiglio*) opinión *f* ♦ *vi* parecer ♦ *vb impers*: **pare che ...** parece que ...; **a mio ~** según mi opinión; **mi pare che ...** me parece que ..., creo que ...; **mi pare di sì/no** me parece que sí/no, creo que sí/no; **fai come ti pare** haz lo que te parezca

parete [pa'rete] *sf* pared *f*

pari [ˈpari] *agg inv* (*uguale*) igual; (*in giochi*) empatado(-a); (MAT) par; **siamo ~** estamos en paz

Parigi [pa'ridʒi] *sf* París

parità [pari'ta] *sf* paridad *f*, igualdad *f*; (SPORT) empate *m*

parlamentare [parlamen'tare] *agg, sm/f* parlamentario(-a)

parlamento [parla'mento] *sm* parlamento

PARLAMENTO

La Constitución Italiana, que entró en vigor el 1 de enero de 1948, declara que el **Parlamento** tiene poder legislativo. Consiste en dos cámaras, la **Camera dei deputati** y el **Senato**. Las elecciones parlamentarias se celebran cada cinco años.

---

parlantina [parlan'tina] *sf* (*fam*): **avere ~** tener labia

parlare [par'lare] *vi* hablar ♦ *vt* (*lingua*) hablar; **~ a (qn) di** hablar (a algn) de; **~ con qn** hablar con algn; **non parlo spagnolo** no hablo español; **parla italiano?** ¿hablas italiano?; **posso ~ con ...?** ¿puedo hablar con ...?

parmigiano [parmi'dʒano] *sm* (*formaggio*) (queso) parmesano

parola [pa'rɔla] *sf* (*vocabolo, promessa*) palabra; (*facoltà*) habla; **parole** *sfpl* (*chiacchiere*) palabras; **ti credo sulla ~** creo en tu palabra; **è una ~!** ¡no es cosa fácil! ▶ **parola d'onore** palabra de honor ▶ **parola d'ordine** contraseña ▶ **parola (in)crociate** palabras cruzadas □ **parolaccia, -ce** [paro'lattʃa] *sf* palabrota, taco

parrocchia [par'rɔkkja] *sf* parroquia

parrucca, -che [par'rukka] *sf* peluca

parrucchiere, -a [parruk'kjɛre] *sm/f* peluquero(-a)

parte ['parte] *sf* parte *f*; (*TEATRO*) papel *m*; **a ~** aparte; **in ~** en parte; **mettere da ~** poner aparte; **prendere da ~** coger aparte; **d'altra ~** por otra parte o otro lado; **da ~ di** (*per conto di*) de parte de; **da ~ mia** por mi parte; **da qualche ~** en alguna parte; **da nessuna ~** en ninguna parte; **da questa ~** (*in questa direzione*) por aquí; **da ogni ~** de todos partes; **far ~ di qc** formar parte de algo; **prendere ~ a qc** tomar parte en algo

partecipare [partetʃi'pare] *vi*: **~ (a)** participar (en)

parteggiare [parted'dʒare] *vi*: **~ per** apoyar a

partenza [par'tentsa] *sf* salida; **"partenze"** (*in aeroporto ecc*) "salidas"

participio [parti'tʃipjo] *sm* participio

particolare [partiko'lare] *agg* (*specifico, proprio*) particular; (*speciale, fuori dal comune*) especial ♦ *sm* (*di racconto, foto ecc*) detalle *m*; **in ~** en particular

partire [par'tire] *vi* partir, salir; (*mettersi in moto*) arrancar; (*avere inizio*) empezar; **a che ora parte il treno/l'autobus?** ¿a qué hora sale el tren/autobús?

partita [par'tita] *sf* (*SPORT*) partido; (*COMM, di carte, scacchi*) partida

partito [par'tito] *sm* (*POL*) partido

parto ['parto] *sm* (*MED*) parto

parziale [par'tsjale] *agg* (*incompleto, fazioso*) parcial

pascolare [pasko'lare] *vt* pastorear ♦ *vi* pastar

pascolo [pas'kolo] *sm* pasto, prado

Pasqua ['paskwa] *sf* Pascua

passabile [pas'sabile] *agg* pasable

passaggio [pas'saddʒo] *sm* (*transito*) paso; (*luogo per cui si passa*) paso, pasaje *m*; (*cambiamento*) cambio; (*CALCIO*) pase *m*; **di ~** (*in transito*) de paso; **dare un ~ a qn** llevar en coche a algn; **mi ha chiesto un ~ fino a casa** me ha pedido que lo lleve (en coche) a casa; **può darmi un ~ in stazione?** ¿puede acercarme a la estación? ▶ **passaggio a livello** paso a nivel ▶ **passaggio pedonale** paso de peatones

passamontagna [passamon'taɲɲa] *sm inv* pasamontañas *m inv*

passante [pas'sante] *sm/f* transeúnte *m/f* ♦ *sm* (*di cintura*) trabilla

passaporto [passa'pɔrto] *sm* pasaporte *m*

passare [pas'sare] *vi* pasar; (*per fare una visita*) ir, venir ♦ *vt* pasar; ~ qc a qn (*dare*) pasar algo a algn; **mi passa il Signor X?** (*al telefono*) ¿me pone o pasa con el Señor X?; **mi passa il sale/l'olio per favore?** ¿me pasa la sal/el aceite por favor?; ~ **inosservato** pasar inadvertido; ~ a **prendere qn** recoger a algn; ~ a **prendere qc** coger algo; ~ **di moda** pasar de moda ◻ **passatempo** [passa'tempo] *sm* pasatiempo ◻ **passato, -a** [pas'sato] *agg* pasado(-a) ♦ *sm* (*anche* LING) pasado(-a); **l'anno passato** el año pasado ► **passato di verdura** (CUC) crema de verdura ► **passato prossimo/remoto** (LING) pretérito perfecto/indefinido

passeggero, -a [passed'dʒero] *agg* (*malessere, sensazione*) pasajero(-a) ♦ *sm/f* pasajero(-a)

passeggiare [passed'dʒare] *vi* pasear ◻ **passeggiata** [passed'dʒata] *sf* paseo; **fare una passeggiata** dar un paseo ◻ **passeggino** [passed'dʒino] *sm* cochecito

passerella [passe'rella] *sf* pasarela

passero ['passero] *sm* gorrión *m*

passeur [pa'sœr] *sm/f* traficante *m/f* de inmigrantes

passione [pas'sjone] *sf* pasión *f*

passivo, -a [pas'sivo] *agg* pasivo(-a) ♦ *sm* (LING) (voz *f*) pasiva; (ECON) pasivo

passo ['passo] *sm* paso; (*brano musicale o letterario*) pasaje *m*; a ~

d'uomo a paso de hombre; ~ (a) paso a paso; **fare due** o **quattro passi** dar una vuelta; **di questo** ~ (in questo modo) por este camino; (con questo ritmo) a este paso ► "**passo carraio**" "vado permanente"

pasta ['pasta] *sf* (*impasto*) masa; (*spaghetti, fig: indole*) pasta; **paste** *sfpl* (*pasticcini*) pastas ► **pasta sfoglia** hojaldre *m* ◻ **pastasciutta** [pastaʃ'ʃutta] *sf* pasta

pastella [pas'tella] *sf* (CUC) masa para rebozar

pastello [pas'tello] *sm* pastel *m* ♦ *agg inv*: **rosa/verde** ~ rosa/verde pastel

pasticceria [pastittʃe'ria] *sf* pastelería, confitería

pasticciere, -a [pastit'tʃere] *sm/f* pastelero(-a), confitero(-a)

pasticcino [pastit'tʃino] *sm* pasta de té

pasticcio [pas'tittʃo] *sm* (CUC) pastel *m*; (*lavoro disordinato*) chapuza; **essere nei pasticci** estar en un lío; **mettersi in un bel** ~ meterse en un buen lío

pastiglia [pas'tiʎʎa] *sf* pastilla

pastina [pas'tina] *sf* (*dolce*) pàsta de té; (*per brodo*) fideo

pasto ['pasto] *sm* comida

⚠ **pasto** non si traduce mai con la parola spagnola *pasto*.

pastore [pas'tore] *sm* (*anche* REL) pastor *m* ► **pastore tedesco** (ZOOL) pastor alemán

patata [pa'tata] *sf* patata ► **patate fritte** patatas fritas ◻ **patatine** [pata'tine] *sfpl* patatas *fpl* fritas

patente [pa'tɛnte] *sf* (*anche*: ~ **di guida**) permiso *o* carné *m* de conducir

paternità [paterni'ta] *sf* paternidad *f*; (*cognome del padre*) apellido paterno

patetico, -a, -ci, -che [pa'tetiko] *agg* patético(-a)

patibolo [pa'tibolo] *sm* patíbulo

patina ['patina] *sf* (*su rame ecc*) pátina; (*sulla lingua*) saburra

patire [pa'tire] *vt, vi* padecer
□ **patito, -a** [pa'tito] *sm/f* aficionado(-a); **un patito di** un aficionado a

patologia [patolo'dʒia] *sf* patología

patria ['patrja] *sf* patria

patrigno [pa'triɲɲo] *sm* padrastro

patrimonio [patri'mɔnjo] *sm* patrimonio; **costare un ~** costar una barbaridad

patrono [pa'trɔno] *sm* (*santo*) patrón(-ona); (*promotore*) promotor,a

patteggiare [patted'dʒare] *vt, vi* pactar, negociar

pattinaggio [patti'naddʒo] *sm* patinaje *m* ▶ **pattinaggio a rotelle/sul ghiaccio** patinaje sobre ruedas/sobre hielo

pattinare [patti'nare] *vi* patinar; ~ **sul ghiaccio** patinar sobre hielo
□ **pattinatore, -trice** [pattina'tore] *sm/f* patinador(a)
□ **pattino** [pattino] *sm* patín *m* ▶ **pattini da ghiaccio/a rotelle** patines de hielo/de ruedas

patto ['patto] *sm* (*accordo*) pacto; **a ~ che** a condición de que

⚠ **patto** non si traduce mai con la parola spagnola *pato*.

pattuglia [pat'tuʎʎa] *sf* patrulla

pattuire [pattu'ire] *vt* pactar

pattumiera [pattu'mjɛra] *sf* cubo de la basura

paura [pa'ura] *sf* miedo; **aver ~ di** tener miedo de *o* temer; **ho ~ di sì/no** temo que sí/no ▶ **pauroso, -a** [pau'roso] *agg* (*che fa paura*) pavoroso(-a); (*che ha paura*) miedoso(-a); (*fig: straordinario*) espantoso(-a), asombroso(-a)

pausa ['pauza] *sf* pausa

pavimento [pavi'mento] *sm* pavimento, piso

pavone, -a [pa'vone] *sm* pavo real

pazientare [pattsjen'tare] *vi* tener paciencia

paziente [pat'tsjɛnte] *agg* paciente ♦ *sm/f* (*MED*) paciente *m/f*
□ **pazienza** [pat'tsjɛntsa] *sf* paciencia; **perdere la pazienza** perder la paciencia

pazzesco, -a, -schi, -sche [pat'tsesko] *agg* (*fam: incredibile*) increíble; (*: assurdo*) absurdo(-a)

pazzia [pat'tsia] *sf* locura

pazzo, -a [pattso] *agg, sm/f* loco(-a); **va ~ per il calcio** el fútbol lo vuelve loco

peccare [pek'kare] *vi* pecar
□ **peccato** [pek'kato] *sm* pecado; **un peccato che ...** es una lástima *o* pena que ...; **che peccato!** ¡qué lástima *o* pena!

pecora ['pɛkora] *sf* oveja; ~ **nera** (*fig*) oveja negra

pecorino [peko'rino] *sm* (*formaggio*) queso de oveja

pedaggio [pe'daddʒo] *sm* peaje *m*

pedagogia [pedago'dʒia] *sf* pedagogía

pedalare [peda'lare] *vi* pedalear

pedale [pe'dale] *sm* pedal *m*

pedana [pe'dana] *sf* escabel *m*; (SPORT: *nel salto*) trampolín *m*; (: *nella scherma*) pista

pedante [pe'dante] *agg* (*peg*) pedante

pedata [pe'data] *sf* (*calcio*) patada; (*orma*) pisada

pediatra, -i, -e [pe'djatra] *sm/f* pediatra *m/f*

pedicure [pedi'kure] *sm/f inv* pedicuro(-a) ♦ *m inv* (*cura dei piedi*) pedicura

pedina [pe'dina] *sf* (*di dama*) peón *m*; (*fig*) marioneta

pedinare [pedi'nare] *vt* seguir

pedofilo, -a [pe'dɔfilo] *sm/f* pederasta *m/f*

pedonale [pedo'nale] *agg* peatonal

pedone [pe'done] *sm* peatón(-ona)

peggio ['pɛddʒo] *sm inv*: il ~ lo peor ♦ *agg inv, avv* peor; **sto ~ di ieri** estoy peor que ayer; **~ per te!** ¡peor para ti!; **alla ~** en lo peor de los casos □ **peggiorare** [peddʒo'rare] *vt, vi* empeorar □ **peggiore** [ped'dʒore] *agg* (*comparativo*): **peggiore (di)** peor (de que); (*superlativo*): **il/la peggiore** el/la peor ♦ *sm/f*: **il/la peggiore** el/la peor; **il peggior posto del mondo** el peor sitio del mundo

pegno ['peɲɲo] *sm* prenda *f*; **dare qc in ~** empeñar algo

pelare [pe'lare] *vt* (*togliere i peli, sbucciare*) pelar; (*spennare*) desplumar; (*spellare*) desollar; **mi**

hanno pelato! ¡me han desplumado! □ **pelato, -a** [pe'lato] *agg* (*sbucciato*) pelado(-a); (*calvo*) calvo(-a); (**pomodori**) **pelati** tomates enteros pelados

pelle ['pelle] *sf* piel *f*; **avere la ~ d'oca** tener la piel de gallina

pellegrinaggio [pellegri'naddʒo] *sm* peregrinación *f*

pellerossa [pelle'rossa] (*pl* **pellirosse**) *sm/f* piel *m/f* roja

pellicano [pelli'kano] *sm* pelícano

pelliccia, -ce [pel'littʃa] *sf* piel *f*; (*indumento*) abrigo de piel
  ▶ **pelliccia ecologica** piel sintética

pellicola [pel'likola] *sf* película

pelo ['pelo] *sm* pelo; (ZOOL: *pelliccia*) pelo, piel *f*; **per un ~** por un pelo; **c'è mancato un ~ che affogasse** ha faltado un pelo para que se ahogase □ **peloso, -a** [pe'loso] *agg* peludo(-a)

peltro ['peltro] *sm* peltre *m*

peluche [pa'lyʃ] *sm* peluche *m*; **di ~** de peluche

peluria [pe'lurja] *sf* pelusa, vello

pena ['pena] *sf* (*punizione, compassione*) pena; **mi fa ~** me da pena o lástima; **far ~** (*peg*) dar pena; **essere o stare in ~ per qc/qn** estar en ascuas por algo/algn; **valere la ~** valer la pena; **non (ne) vale la ~** no vale la pena ▶ **pena di morte** pena de muerte □ **penale** [pe'nale] *agg* penal ♦ *sf* cláusula penal

pendente [pen'dente] *agg* (*appeso*) colgante; (*inclinato*) pendiente ♦ *sm* (*ciondolo*) colgante *m*; (*orecchino*) pendiente *m*; **la torre ~ di Pisa** la torre inclinada de Pisa

pendere ['pendere] vi pender; ~ **da** (essere appeso) pender de; ~ **su** (fig: incombere) cernerse sobre ❑ **pendio, -dii** [pen'dio] sm pendiente f, cuesta

pendola ['pendola] sf (reloj m de) péndola ❑ **pendolare** [pendo'lare] sm/f (anche: **lavoratore pendolare**) persona que viaja cada día de su casa a su trabajo ❑ **pendolino** [pendo'lino] sm (FERR) tren m basculante

pene ['pene] sm (ANAT) pene m

penetrante [pene'trante] agg (anche fig) penetrante, intenso(-a)

penetrare [pene'trare] vi: ~ **(in)** penetrar (en)

penicillina [penitʃil'lina] sf penicilina

penisola [pe'nizola] sf península

penitenziario [peniten'tsjarjo] sm penitenciaría

penna ['penna] sf (di uccello) pluma; (per scrivere) bolígrafo; **penne** sfpl (CUC) pasta alimenticia corta y hueca ▶ **penna a sfera** bolígrafo ▶ **penna stilografica** pluma estilográfica ❑ **pennarello** [penna'rello] sm rotulador m

pennello [pen'nello] sm (per parete) brocha; (per quadro) pincel m; **a ~** (calzare, stare) como pintado ▶ **pennello da barba** brocha de afeitar

penombra [pe'nombra] sf penumbra

pensare [pen'sare] vi pensar; ~ **a** pensar en; ~ **di fare qc** pensar hacer algo; **devo pensarci su** tengo que pensarlo bien; **ci penso io** de eso me encargo yo

pensiero [pen'sjero] sm (facoltà, atto) pensamiento m; (ansia, preoccupazione) preocupación f, ansia; (fig: dono) regalo, detalle m; **stare in ~ per qn** estar en ascuas por algn ❑ **pensieroso, -a** [pensje'roso] agg pensativo(-a), meditabundo(-a)

pensile ['pensile] agg (giardino) colgante; **(mobili) pensili** armarios mpl de pared

pensionato, -a [pensjo'nato] sm/f jubilado(-a), pensionista m/f

pensione [pen'sjone] sf (di lavoratore) jubilación f, pensión f; (albergo) pensión; **andare in ~** jubilarse; **mezza ~** media pensión ▶ **pensione completa** pensión completa

pentirsi [pen'tirsi] vpr: ~ **(di)** arrepentirse (de)

pentola ['pentola] sf olla, cacerola ▶ **pentola a pressione** olla exprés

penultimo, -a [pe'nultimo] agg, sm/f penúltimo(-a)

penzolare [pendzo'lare] vi: ~ **(da)** colgar (de)

pepe ['pepe] sm pimienta ▶ **pepe in grani/macinato** pimienta en grano/molida

peperoncino [peperon'tʃino] sm guindilla

peperone [pepe'rone] sm pimiento m

pepita [pe'pita] sf pepita

---

per

PAROLA CHIAVE

[per] prep

1 (moto attraverso luogo) por; **i ladri sono passati per la finestra** los ladrones han entrado por la ventana

2 (moto a luogo) para; **partire per la Germania/il mare** salir para Alemania/la playa; **il treno per Roma** el tren para Roma

3 (stato in luogo): **seduto per terra** sentado en el suelo

4 (tempo: durante) durante, en; (: entro) para; **per anni/due ore/molto tempo** durante años/dos horas/mucho tiempo; **per tutta l'estate** non l'ho visto no lo he visto o durante todo el verano; **lo faccio per lunedì** lo hago para el lunes

5 (mezzo, maniera) por; **per lettera** por carta; **prendere qn per un braccio** coger a algn por un brazo; **per abitudine** por costumbre

6 (causa) por; (scopo) para; **arrestato per furto** arrestado por robo; **assente per malattia** ausente por enfermedad; **lavora per la famiglia** trabaja para la familia; **ottimo per il mal di gola** buenísimo para el dolor de garganta

7 (limitazione) para; **è troppo difficile per lui** es demasiado difícil para él; **per questa volta ti perdono** te perdono por esta vez

8 (prezzo, misura, distributivo) por; **venduto per 3 milioni** vendido por 3 millones; **la strada continua per 3 km** la carretera continúa por 3 km; **2 euro per persona** 2 euros por persona; **5 per cento** 5 por ciento; **3 per 4 fa 12** 3 por 4, 12; **dividere 12 per 4** dividir 12 entre o por 4; **moltiplicare 12 per 4** multiplicar 12 por 4

9 (in qualità di) por, como; (al posto di) con; **avere qn per professore** tener a algn como profesor; **ti ho**

preso per Mario te he confundido con Mario

10 (seguito da vb: finale): **per fare qc** para hacer algo; (: causale): **per aver fatto qc** por haber hecho algo

pera ['pera] sf pera; (fam: iniezione di eroina) chute m, pico

perbene [per'bene] agg inv de bien ♦ avv (con cura) bien, como es debido

percentuale [pertʃentu'ale] agg, sf porcentual ♦ sf porcentaje m

percepire [pertʃe'pire] vt percibir

perché

PAROLA CHIAVE

[per'ke] avv por qué; **perché no?** ¿por qué no?; **perché non vuoi andarci?** ¿por qué no quieres ir?; **spiegami perché l'hai fatto** explícame por qué lo has hecho

♦ cong

1 (causale) porque; **dormo perché sono stanco** voy a dormir porque estoy cansado; **non posso uscire perché ho da fare** no puedo salir porque tengo cosas que hacer

2 (finale) para que; **te lo do perché tu lo legga** te lo doy para que lo leas

3 (consecutivo) para que; **è troppo forte perché si possa batterlo** es demasiado fuerte para que uno pueda ganarle

♦ sm inv (motivo) porqué m

perciò [per'tʃɔ] cong por lo tanto, por eso

percorrere [per'korrere] vt recorrer □ **percorso, -a** [per'korso] pp di **percorrere** ♦ sm recorrido

percuotere [per'kwɔtere] vt
(picchiare) golpear, pegar
◻ **percussione** [perkus'sjone] sf
percusión f; **strumenti a
percussione** (MUS) instrumentos de
percusión

perdere ['pɛrdere] vt, vi perder;
perdersi vpr (smarrirsi) perderse;
saper ~ saber perder; **lascia ~!**
¡déjalo!, ¡no te preocupes!;
abbiamo perso il treno perdimos
el tren; **ho perso il portafoglio/
passaporto** he perdido la cartera/el
pasaporte; **il rubinetto perde** el
grifo gotea; **mi sono perso** me he
perdido ◻ **perdigiorno**
[perdi'dʒorno] sm/f inv vago(-a),
holgazán(-ana) ◻ **perdita**
['pɛrdita] sf pérdida; (dispersione: di
gas) escape m; **essere in perdita**
(COMM) estar en pérdidas

perdonare [perdo'nare] vt
perdonar ◻ **perdono** [per'dono]
sm perdón m

perdutamente [perduta'mente]
avv perdidamente

perenne [pe'rɛnne] agg perenne

perfettamente [perfetta'mente]
avv perfectamente

perfetto, -a [per'fɛtto] agg
perfecto(-a)

perfezionamento
[perfettsjona'mento] sm
perfeccionamiento; **corso di ~**
curso de perfeccionamiento

perfezionare [perfettsjo'nare] vt
perfeccionar; **perfezionarsi** vpr
perfeccionarse; (in studi, materia)
especializarse

perfezione [perfet'tsjone] sf
perfección f; **a ~** a la perfección

perfino [per'fino] avv hasta, incluso

perforare [perfo'rare] vt perforar

pergamena [perga'mɛna] sf
pergamino

pericolante [periko'lante] agg
tambaleante

pericolo [pe'rikolo] sm peligro;
essere in ~ estar en peligro; **essere
fuori ~** estar fuera de peligro
◻ **pericoloso, -a** [periko'loso] agg
peligroso(-a)

periferia [perife'ria] sf periferia,
afueras fpl

perifrasi [pe'rifrazi] sf inv perífrasis
f inv

perimetro [pe'rimetro] sm
perímetro

periodico, -a, -ci, -che
[peri'ɔdiko] agg periódico(-a) ♦ sm
(giornale) revista

periodo [pe'riodo] sm (intervallo di
tempo) período, periodo

peripezie [peripet'tsie] sfpl
peripecias fpl

perito, -a [pe'rito] sm (esperto)
perito(-a); (di assicurazione) actuario
▶ **perito agrario** perito
agrónomo ▶ **perito chimico**
perito químico

perla ['pɛrla] sf perla ◻ **perlina**
[per'lina] sf (di collana) cuenta

perlustrare [perlus'trare] vt batir

permaloso, -a [perma'loso] agg
susceptible, quisquilloso(-a)

permanente [perma'nɛnte] agg
permanente ♦ sf (pettinatura)
permanente f ◻ **permanenza**
[perma'nɛntsa] sf permanencia

permeare [perme'are] vt
impregnar

permesso, -a [per'messo] pp di
permettere ♦ sm permiso;

chiedere il ~ di fare qc pedir permiso para hacer algo; **~?/è ~?** (entrando, passando) ¿permiso?/¿se puede? ▸ **permesso di soggiorno** permiso de residencia (para extranjeros)

permettere [per'mettere] vt permitir; **permettersi** vpr (economicamente) permitirse; (prendersi la libertà) atreverse; **~ qc a qn** permitir algo a algn; **~ a qn di fare qc** permitir a algn que haga algo

pernacchia [per'nakkja] sf pedorreta

pernice [per'nitʃe] sf perdiz f

perno ['perno] sm perno

pernottare [pernot'tare] vi pernoctar

pero ['pero] sm peral m

però [pe'rɔ] cong pero; **~, non è male!** ¡no está mal!

perpendicolare [perpendiko'lare] agg, sf perpendicular (f)

perplesso, -a [per'plɛsso] agg perplejo(-a)

perquisire [perkwi'zire] vt (persona) cachear; (stanza, zona) registrar ▸ **perquisizione** [perkwizit'tsjone] sf (di persona) cacheo; (di abitazione) registro

persecuzione [persekut'tsjone] sf persecución f; **mania di ~** (PSIC) manía persecutoria

perseguitare [persegwi'tare] vt perseguir

perseverante [perseve'rante] agg perseverante

Persia ['pɛrsja] sf Persia

persiana [per'sjana] sf (di finestra) persiana ▸ **persiana avvolgibile** persiana enrollable

persino [per'sino] avv = **perfino**

persistente [persis'tɛnte] agg persistente

perso, -a ['pɛrso] pp di **perdere** ♦ agg perdido(-a); **a tempo ~** a ratos perdidos

persona [per'sona] sf persona; **c'erano delle persone** había algunas personas; **di ~** personalmente ☐ **personaggio** [perso'naddʒo] sm (di film, romanzo) personaje m; **un personaggio politico** un político ☐ **personale** [perso'nale] agg personal ♦ sm (impiegati) personal m; (figura fisica) figura, tipo ♦ sf (mostra) exposición f de un artista vivo ☐ **personalità** [personali'ta] sf inv personalidad f

perspicace [perspi'katʃe] agg perspicaz

persuadere [persua'dere] vt: **~ (qn di qc/a fare qc)** persuadir (a algn de algo/para que haga algo)

pertanto [per'tanto] cong (quindi) por lo tanto

pertica, -che ['pɛrtika] sf (attrezzo ginnico) pértiga

pertinente [perti'nɛnte] agg pertinente

pertosse [per'tosse] sf tos f ferina

perturbazione [perturba'tsjone] sf (METEOR) perturbación f

Perù [pe'ru] sm Perú m

pervadere [per'vadere] vt difundirse en; (fig) invadir

perverso, -a [per'vɛrso] agg perverso(-a)

pervertito, -a [perver'tito] *sm/f* pervertido(-a)

p.es. *abbr* (= *per esempio*) p.ej.

pesante [pe'sante] *agg* (*anche fig*: *lavoro, persona, libro*) pesado(-a); (*cibo*) indigesto(-a); (*aria*) cargado(-a); (*silenzio*) profundo(-a); **è troppo ~** es demasiado pesado; **avere il sonno ~** tener el sueño profundo

pesare [pe'sare] *vt, vi* pesar; **pesarsi** *vpr* pesarse; **mi pesa ammetterlo** me cuesta admitirlo

pesca¹ ['peska] (*pl* **pesche**) *sf* (*frutto*) melocotón m

pesca² ['peska] *sf* pesca; **andare a ~** ir a pescar

pescare [pes'kare] *vt* pescar; (*prendere a caso*) sacar; (*fig*: *trovare*) encontrar; **~ dall'acqua** sacar del agua ▢ **pescatore, -trice** [peska'tore] *sm/f* pescador(a)

pesce ['peʃʃe] *sm* pez m; (*CUC*) pescado(-a); (*ZODIACO*): **Pesci** Piscis m; **essere dei Pesci** ser Piscis ▸ **pesce d'aprile** inocentada ▸ **pesce rosso** pez rojo ▸ **pesce spada** pez espada ▢ **pescecane** [peʃʃe'kane] *sm* tiburón m

peschereccio, -ci [peske'rettʃo] *sm* pesquero

pescheria [peske'ria] *sf* pescadería

peso ['peso] *sm* peso; **sollevare qc di ~** levantar algo en peso; **sollevamento pesi** levantamiento de pesas ▸ **peso lordo/netto** peso bruto/neto ▸ **peso massimo/medio** (*PUGILATO*) peso pesado/medio

pessimismo [pessi'mizmo] *sm* pesimismo ▢ **pessimista, -i, -e** [pessi'mista] *agg, sm/f* pesimista *m/f*

pessimo, -a ['pessimo] *agg* pésimo(-a)

pestare [pes'tare] *vt* (*calpestare*) pisar; (*fig*: *picchiare*) dar una paliza a; **~ i piedi** patear; **~ i piedi a qn** patear a algn; (*fig*) pisar a algn

peste ['peste] *sf* (*MED*) peste f; (*fig*: *persona*) pelma *m/f*, pelmazo(-a)

pestello [pes'tello] *sm* majadero

pesto, -a ['pesto] *agg* (*occhio*) amoratado(-a); (*persona*) magullado(-a) ♦ *sm* (*CUC*) pesto, salsa a base de albahaca típica de la cocina genovesa; **buio ~** oscuro(-a) como la boca de un lobo

petalo ['petalo] *sm* pétalo

petardo [pe'tardo] *sm* petardo

petizione [petit'tsjone] *sf* petición f

petroliera [petro'ljera] *sf* petrolero

petrolio [pe'trɔljo] *sm* petróleo

pettegolare [pettego'lare] *vi* chismorrear, cotillear

pettegolezzo [pettego'leddzo] *sm* chisme m; **fare pettegolezzi** andar con chismes

pettegolo, -a [pet'tegolo] *agg, sm/f* chismoso(-a), cotilla *m/f*

pettinare [petti'nare] *vt* peinar; **pettinarsi** *vpr* peinarse ▢ **pettinatura** [pettina'tura] *sf* peinado

pettine ['pettine] *sm* peine *m*; **a ~** (*parcheggio*) en batería

pettirosso [petti'rosso] *sm* petirrojo

petto ['petto] *sm* (ANAT) pecho; (*di animale*) pechuga; **a doppio ~** (*abito*) cruzado ▶ **petto di pollo** pechuga de pollo

petulante [petu'lante] *agg* (*persona*) cargante

pezza ['pettsa] *sf* trapo; (*toppa*) parche *m*; **di ~** (*bambola*) de trapo

pezzente [pet'tsente] *sm/f* pordiosero(-a)

pezzo ['pettso] *sm* (*di macchina, arnese*, MUS: *brano*) pieza; (*di carta, pane*) trozo; (*di strada, cammino*) trecho; (*di stoffa*) tira; (STAMPA) artículo; **andare a pezzi** (*rompersi*) hacerse añicos; **essere a pezzi** (*di: persona*) estar reventado(-a); **fare a pezzi** (*oggetto*) hacer trizas; (*fig: persona*) hacer papilla ▶ **pezzo di ricambio** (AUT) repuesto, recambio

piacente [pja'tʃente] *agg* atractivo(-a)

piacere [pja'tʃere] *vi*: **~ (a)** gustar (a) ♦ *sm* placer *m*; (*favore*) favor *m*; **mi piace la poesia** me gusta la poesía; **non mi piace il caffè** no me gusta el café; **~!** (*nelle presentazioni*) ¡encantado!, ¡mucho gusto!; **con ~!** ¡con mucho gusto!; **per ~!** ¡por favor!; **fare un ~ a qn** hacer un favor a algn; **è stato un ~ conoscerla** ha sido un placer conocerla ❑ **piacevole** [pja'tʃevole] *agg* agradable

piaga, -ghe ['pjaga] *sf* (MED) llaga; (*fig: problema*) plaga

piagnucolare [pjaɲɲuko'lare] *vi* lloriquear

pianeggiante [pjaned'dʒante] *agg* llano(-a)

pianerottolo [pjane'rɔttolo] *sm* rellano

pianeta, -i [pja'neta] *sm* planeta *m*

piangere ['pjandʒere] *vi, vt* llorar

pianificare [pjanifi'kare] *vt* planificar

pianista, -i, -e [pja'nista] *sm/f* pianista *m/f*

piano, -a ['pjano] *agg* (*piatto*) llano(-a), plano(-a) ♦ *avv* (*lentamente, a bassa voce*) despacio; (*con cautela*) con cuidado ♦ *sm* (*di edificio*) piso, planta; (*pianura*) llano; (MUS: *pianoforte*) piano; (*progetto, proposito*) plan *m*; **a che ~ si trova?** ¿en qué planta está?; **pian ~** poco a poco; **in primo/secondo ~** (FOT, CINE *ecc*) en primer/segundo plano; **di primo ~** (*fig*) destacado; **di secondo ~** secundario, de poca monta ❑ **pianoforte** [pjano'fɔrte] *sm* (MUS) piano

pianta ['pjanta] *sf* (BOT) planta; (*mappa, cartina*) plano ▶ **pianta del piede** planta del pie ❑ **piantare** [pjan'tare] *vt* plantar; (*semi*) sembrar; (*tenda*) instalar; (*paletto*) clavar; (*fam: marito, fidanzato*) dejar; **piantarsi** *vpr* plantarse; (*conficcarsi*) clavarse; **piantare qn in asso** dejar plantado(-a) a algn; **piantare grane** (*fig*) crear problemas; **piantala!** (*fam*) ¡basta (ya)!

pianterreno [pjanter'reno] *sm* planta baja

pianura [pja'nura] *sf* llanura

piastra ['pjastra] *sf* (*di metallo*) plancha, chapa; (*di cemento*) placa; **alla ~** (CUC) a la plancha ▶ **piastra**

di registrazione platina de grabación

piastrella [pjas'trɛlla] sf azulejo, baldosa

piattaforma [pjatta'fɔrma] sf plataforma

piattino [pjat'tino] sm (di tazza) platillo

piatto, -a [pjatto] agg plano(-a) ♦ sm plato; (di bilancia) platillo; **piatti** smpl (MUS) platillos; **primo/ secondo ~** primer/segundo plato
▸ **piatto del giorno** plato del día
▸ **piatto fondo/piano** plato hondo/llano

piazza ['pjattsa] sf plaza; **a una ~** (letto, lenzuolo) de un cuerpo; **a due piazze** de dos cuerpos; **scendere in ~** (manifestanti) echarse a la calle □ **piazzale** [pjat'tsale] sm plaza

piazzola [pjat'tsɔla] sf (AUT) área de descanso; (in campeggio) aparcamiento

piccante [pik'kante] agg (anche fig: barzelletta, battuta) picante

picchetto [pik'ketto] sm (per tenda) viento; (gruppo di scioperanti) piquete m

picchiare [pik'kjare] vt (persona, pugno) pegar; (testa) golpear ♦ vi (alla porta, finestra) llamar; (fig: sole) pegar; **~ contro** (sbattere) golpear contra □ **picchiata** [pik'kjata] sf: **scendere in picchiata** caer en picado

picchio, -chi [pikkjo] sm pájaro carpintero

piccione [pit'tʃone] sm palomo

picco, -chi ['pikko] sm (vetta) pico; **colare a ~** (nave, azienda) irse a pique

piccolo, -a ['pikkolo] agg pequeño(-a) ♦ sm/f (bambino) niño(-a); (di animale) cría, cachorro(-a)

piccone [pik'kone] sm pico

piccozza [pik'kɔttsa] sf piolet m

picnic [pik'nik] sm inv merienda; **fare un ~** hacer un picnic, merendar al aire libre

pidocchio, -chi [pi'dɔkkjo] sm piojo

piede ['pjɛde] sm pie m; (di un mobile) pata; **a piedi** a pie; **a piedi nudi** descalzo; **essere** o **stare in piedi** estar de pie; **su due piedi** inmediatamente; **prendere ~** (fig) cobrar fuerza

piega, -ghe ['pjɛga] sf (di gonna, abito) pliegue m; (di pantaloni) raya; (grinza: di abito) arruga; (anche: **messa in ~**) marcado de pelo □ **piegare** [pje'gare] vt doblar; (braccia, gambe) flexionar; (testa) agachar; **piegarsi** vpr doblarse □ **pieghevole** [pje'gevole] agg plegable

Piemonte [pje'monte] sm Piamonte

piena ['pjɛna] sf (di fiume) crecida

pieno, -a ['pjɛno] agg lleno(-a); (viso) gordo(-a); (fianchi) ancho(-a); (muro, mattone) macizo(-a) ♦ sm (di benzina) depósito lleno; (di gente) lleno; **~ di** lleno de; **a tempo ~** (lavorare) a jornada completa; **in ~ giorno/piena notte** en pleno día/ plena noche; **fare il ~** (di benzina) llenar el depósito; **luna piena** luna llena; **il ~, per favore** llénelo, por favor

piercing ['pirsing] sm piercing m

pietà [pje'ta] *sf* piedad *f*; **avere ~ di** tener piedad de

pietanza [pje'tantsa] *sf* plato, comida

pietoso, -a [pje'toso] *agg* (*compassionevole*) piadoso(-a); (*che fa pietà*) penoso(-a)

pietra ['pjetra] *sf* piedra; **di ~** de piedra ▶ **pietra preziosa** piedra preciosa

piffero ['piffero] *sm* pífano

pigiama, -i [pi'dʒama] *sm* pijama *m*

pigliare [piʎ'ʎare] *vt* (*fam: prendere*) coger

pigna ['piɲɲa] *sf* piña

pignolo, -a [piɲ'ɲɔlo] *agg* meticuloso(-a), minucioso(-a)

pigrizia [pi'grittsja] *sf* pereza, holgazanería ▢ **pigro, -a** ['pigro] *agg* perezoso(-a)

PIL [pil] *sigla m* (= *prodotto interno lordo*) PNB *m*

pila ['pila] *sf* (*mucchio, batteria*) pila; (*torcia*) linterna

pilastro [pi'lastro] *sm* pilar *m*

pile ['pail] *sm* (*materiale*) pile *m*; (*maglia*) polar *m*

pillola ['pillola] *sf* píldora ▶ **pillola (anticoncezionale)** píldora (anticonceptiva)

pilone [pi'lone] *sm* (*di ponte*) pilar *m*; (*di funivia*) poste *m*

pilota, -i, -e [pi'lɔta] *sm/f* piloto ▶ **pilota automatico** piloto automático

pinacoteca, -che [pinako'tɛka] *sf* pinacoteca

pineta [pi'neta] *sf* pinar *m*

ping-pong [ping 'pɔng] *sm inv* pimpón *m inv*

pinguino [pin'gwino] *sm* pingüino

pinna ['pinna] *sf* (*di pesce, di gomma*) aleta

pino ['pino] *sm* pino ▢ **pinolo** [pi'nɔlo] *sm* piñón *m*

pinza ['pintsa] *sf* (*anche:* **pinze**) pinza ▢ **pinzette** [pin'tsette] *sfpl* pinzas *fpl*

pioggia, -ge ['pjɔddʒa] *sf* lluvia

piolo [pi'ɔlo] *sm* travesaño

piombare [pjom'bare] *vi* (*cadere*) caer; (*fig: nell'angoscia*) sumirse; (: *arrivare improvvisamente*) presentarse; **~ su** (*su nemico, vittima*) lanzarse o abalanzarse sobre

piombatura [pjomba'tura] *sf* (*di dente*) empaste *m*

piombino [pjom'bino] *sm* plomo

piombo ['pjombo] *sm* plomo; **senza ~** (*benzina*) sin plomo

pioniere, -a [pjo'njere] *sm/f* pionero(-a)

pioppo ['pjɔppo] *sm* álamo, chopo

piovere ['pjɔvere] *vb impers, vi* llover; **piove** llueve ▢ **piovigginare** [pjoviddʒi'nare] *vb impers* lloviznar ▢ **piovoso, -a** [pjo'voso] *agg* lluvioso(-a)

piovra ['pjɔvra] *sf* pulpo

pipa ['pipa] *sf* pipa

pipì [pi'pi] *sf* pipí *m*, pis *m*

pipistrello [pipis'trɛllo] *sm* murciélago

piramide [pi'ramide] *sf* pirámide *f*

pirata, -i [pi'rata] *sm* pirata *m* ▶ **pirata della strada** *conductor(a) que se da a la fuga tras provocar un accidente* ▶ **pirata informatico** pirata informático

Pirenei [pire'nɛi] *smpl* Pirineos *mpl*

piromane [pi'rɔmane] *sm/f* pirómano(-a)

piroscafo [pi'rɔskafo] *sm* piróscafo, barco de vapor

pisciare [piʃ'ʃare] *vi (fam)* mear

piscina [piʃ'ʃina] *sf* piscina

pisello [pi'sɛllo] *sm* guisante *m*

pisolino [pizo'lino] *sm* siesta; **schiacciare un ~** echarse una siesta, dar una cabezada

pista ['pista] *sf (anche fig: di indagine)* pista ▸ **pista di pattinaggio** *(pista)* pista de patinaje

pistacchio, -chi [pis'takkjo] *sm* pistacho; **al ~** *(gelato)* de pistacho

pistola [pis'tɔla] *sf* pistola

pistone [pis'tone] *sm* pistón *m*

pitone [pi'tone] *sm* (serpiente *f*) pitón *f*

pittore, -trice [pit'tore] *sm/f (artista, imbianchino)* pintor(a)

pittoresco, -a, -schi, -sche [pitto'resko] *agg* pintoresco(-a)

pittura [pit'tura] *sf (arte)* pintura; *(dipinto)* cuadro □ **pitturare** [pittu'rare] *vt* pintar

---

più

PAROLA CHIAVE

[pju] *avv*

1 *(in maggiore quantità, di più)* más; **costa di più** cuesta más; **ne voglio di più** quiero más; **per di più** *(inoltre)* además; **in più** de más; **più o meno** más o menos; **è sempre più difficile** es cada vez más difícil

2 *(comparativo, superlativo)* más; **più di mio zio; lavoro più di te** trabajo más que tú; **più buono di lui** más bueno que él; **è più intelligente che ricco** es más

inteligente que rico; **più che altro** más bien, sobre todo; **ci sono più di 30 persone** hay más de 30 personas; **la più grande** el más grande, el mayor; **la più brava della classe** la más capacitada de la clase; **al più tardi** como máximo; **il più delle volte** la mayoría de las veces

3 *(negazione)*: **non ... più** no ... más; **non ho più soldi** no tengo más dinero; **non parlo più** no hablo más; **non l'ho più rivisto** no lo he vuelto a ver más

4 *(MAT)* más; **4 più 5 fa 9** 4 más 5, 9

♦ *prep (con l'aggiunta di)* más; **500 più le spese** 500 más gastos; **siamo in 4 più il nonno** somos 4 más o y el abuelo

♦ *agg inv*

1 : **più ... (di)** más ... (que); **ci vuole più denaro/tempo** falta más dinero/tiempo

2 *(numerosi, diversi)* muchos(-as); **l'aspettai per più giorni** lo esperé muchos días

♦ *sm*

1 *(la maggior parte)*: **il più è fatto** la mayor parte está hecha; **parlare del più e del meno** hablar del más y del menos

2 *(MAT)* más *m inv*

piuma ['pjuma] *sf (di uccello)* pluma □ **piumino** [pju'mino] *sm (per letto)* edredón *m; (giacca)* pluma *m*, plumífero; *(per spolverare)* plumero

piuttosto [pjut'tɔsto] *avv (più volentieri)* más bien; *(alquanto)* bastante

pizza ['pittsa] *sf (CUC)* pizza □ **pizzeria** [pittse'ria] *sf* pizzería

pizzicare [pittsi'kare] *vt* pellizcar; *(pungere)* picar; *(fig: ladro, monello)*

pillar ♦ vi (prudere, essere piccante)
picar

pizzico, -chi ['pittsiko] sm
(pizzicotto) pellizco; (piccola
quantità) pizca; (puntura d'insetto)
picadura; **un ~ di fantasia** una pizca
o un poco de fantasía ◻ **pizzicotto**
[pittsi'kɔtto] sm pellizco; **dare un
pizzicotto a qn** dar un pellizco a
algn

pizzo ['pittso] sm (merletto) encaje
m; (barbetta) perilla; (fig: tangente)
pellizco

plagiare [pla'dʒare] vt plagiar

plaid [plɛd] sm inv plaid m, manta de
viaje

planare [pla'nare] vi planear

plasma, -i ['plazma] sm plasma m

plasmare [plaz'mare] vt (creta)
modelar; (carattere) forjar

plastica [plastika] sf plástico n; (MED)
plastia; **di ~** de plástico

platano ['platano] sm plátano m

platea [pla'tɛa] sf (TEATRO) platea m

platino ['platino] sm platino m

plausibile [plau'zibile] agg
atendible

plenilunio [pleni'lunjo] sm
plenilunio m

plettro ['plettro] sm (MUS) plectro m

pleurite [pleu'rite] sf pleuritis f inv

plico, -chi ['pliko] sm pliego m

plotone [plo'tone] sm (MIL) pelotón
m

plurale [plu'rale] agg, sm plural (m)

PM [pi'emme] abbr (POL: Pubblico
Ministero) Ministerio Fiscal

pneumatico, -a, -ci, -che
[pneu'matiko] agg neumático(-a)
♦ sm (AUT) neumático

po' [pɔ] avv, sm vedi **poco**

---

poco, -a, -chi, -che

PAROLA CHIAVE

['pɔko] agg (quantità) poco(-a);
poco pane/spazio poco pan/
espacio; **poche persone/notizie**
pocas personas/noticias; **con poca
spesa** con poco dinero

♦ avv

1 poco; **guadagna/parla poco**
gana/habla poco; **è poco
espansivo/socievole** es poco
comunicativo/sociable; **sta poco
bene** no está muy bien; **poco
prima/dopo** poco antes/después; **il
film dura poco** la película dura
poco; **ci vediamo molto poco** nos
vemos muy poco

2: **un po'** un poco; **è un po' corto**
es un poco corto; **arriverà fra un
po'** llegará dentro de poco

3 (fraseologia): **a dir poco** como
mínimo, al menos; **a poco a poco**
poco a poco; **per poco non cadevo**
por poco no me he caído; **è una
cosa da poco** es algo de poca
importancia

♦ pron poco(-a); **pochi/poche**
(persone, cose) pocos/pocas; **ci
vediamo tra poco** nos vemos
pronto

♦ sm

1 poco; **vive del poco che ha** vive
de lo poco que tiene; **vi ho detto
quel poco che so** os he dicho lo
poco que sé

2: **un po'** un poco, algo; **un po' di
zucchero/soldi/tempo** un poco de
azúcar/dinero/tiempo; **un bel po'
di denaro** bastante o mucho
dinero; **un po' per ciascuno** un
poco para cada uno

podere [po'dere] sm finca

podio ['pɔdjo] sm podio

podismo [po'dizmo] *sm* (SPORT) pedestrismo

poesia [poe'zia] *sf* poesía

poeta, -essa [po'eta] *sm/f* poeta (poetisa)

poggiare [pod'dʒare] *vt* apoyar ♦ *vi* apoyarse; (*fig: persona, teoria ecc*) basarse ❏ **poggiatesta** [poddʒa'testa] *sm inv* cabezal *m*

poggio ['pɔddʒo] *sm* alcor *m*

poi ['pɔi] *avv* (*dopo*) luego, después; (*alla fine*) al final; **e ~ ...** (*inoltre*) y además ...

poiché [poi'ke] *cong* puesto que, ya que

poker ['pɔker] *sm inv* póquer *m*

polacco, -a, -chi, -che [po'lakko] *agg, sm/f* polaco(-a) ♦ *sm* (*lingua*) polaco

polare [po'lare] *agg* polar

polemica, -che [po'lemika] *sf* polémica ❏ **polemico, -a, -ci, -che** [po'lemiko] *agg* polémico(-a)

polenta [po'lenta] *sf* (CUC) polenta

poliomielite [poljomie'lite] *sf* poliomielitis *f inv*

polipo ['pɔlipo] *sm* (ZOOL) pulpo; (MED) pólipo

polistirolo [polisti'rɔlo] *sm* poliestireno

politica, -che [po'litika] *sf* política ❏ **politicamente** [politika'mente] *avv* políticamente; **politicamente corretto** políticamente correcto ❏ **politico, -a, -ci, -che** [po'litiko] *agg* político(-a) ♦ *sm* (*anche:* **uomo politico**) político

polizia [polit'tsia] *sf* policía ❏ **poliziesco, -a, -schi, -sche** [polit'tsjesko] *agg* policiaco(-a)

poliziotto, -a [polit'tsjɔtto] *sm/f* (*agente m/f de*) policía *m/f* ♦ *agg inv*: **cane poliziotto** perro policía; **una donna poliziotto** una (agente de) policía

polizza ['pɔlittsa] *sf* (*di assicurazione*) póliza

pollaio [pol'lajo] *sm* gallinero

pollice ['pɔllitʃe] *sm* (*dito*) pulgar *m*

polline ['pɔlline] *sm* polen *m inv*

pollo ['pollo] *sm* pollo

polmone [pol'mone] *sm* pulmón *m* ❏ **polmonite** [polmo'nite] *sf* pulmonía

polo ['pɔlo] *sm* polo ♦ *sf inv* (*maglia*) polo ▸ **polo nord/sud** polo Norte/Sur

Polonia [po'lɔnja] *sf* Polonia

polpa ['polpa] *sf* pulpa

polpaccio [pol'pattʃo] *sm* pantorrilla

polpastrello [polpas'trello] *sm* yema

polpetta [pol'petta] *sf* albóndiga

polpo ['polpo] *sm* pulpo

polsino [pol'sino] *sm* puño

polso ['polso] *sm* (ANAT) muñeca; (*pulsazione*) pulso; **avere ~** (*fig*) tener garra; **un uomo di ~** un hombre con carácter; **tastare il ~ a qn** (MED) tomar el pulso a algn

poltrire [pol'trire] *vi* holgazanear

poltrona [pol'trona] *sf* sillón *m*, butaca

polvere ['polvere] *sf* polvo; **in ~** (*latte, caffè, detersivo*) en polvo
▶ **polvere da sparo** pólvora

pomata [po'mata] *sf* pomada

pomello [po'mɛllo] *sm* pomo

⚠ **pomello** non si traduce mai con la parola spagnola *pomelo*.

pomeriggio [pome'riddʒo] *sm* tarde *f*; **nel ~** por la tarde

pomice ['pomitʃe] *sf, agg inv* pómez (*f*) *inv*

pomo ['pomo] *sm*: **~ d'Adamo** (*ANAT*) nuez *f*

pomodoro [pomo'dɔro] *sm* (*frutto*) tomate *m*; (*pianta*) tomatera
▶ **pomodori pelati** tomates enteros pelados

pompa ['pompa] *sf* bomba
▶ **pompa di benzina** surtidor *m* de gasolina ☐ **pompare** [pom'pare] *vt* bombear

pompelmo [pom'pelmo] *sm* pomelo

pompiere [pom'pjere] *sm* bombero

ponente [po'nente] *sm* poniente *m*

ponte ['ponte] *sm* puente *m*
▶ **ponte levatoio** puente levadizo

pontefice [pon'tefitʃe] *sm* pontífice *m*

popcorn ['pɔpcɔrn] *sm inv* palomitas *fpl* de maíz

popolare [popo'lare] *agg* (*del popolo*) popular; (*conosciuto*) famoso(-a) ♦ *vt* (*territorio, città*)

poblar; (*piazza*) llenar; **popolarsi** *vpr* poblarse; (*riempirsi di gente*) llenarse

popolazione [popolat'tsjone] *sf* población *f*

popolo [ˈpopolo] *sm* pueblo

poppa ['poppa] *sf* (*NAUT*) popa; (*mammella*) mama

porcellana [portʃel'lana] *sf* porcelana

porcellino, -a [portʃel'lino] *sm/f* lechón(-ona) ▶ **porcellino d'India** conejillo de Indias

porcheria [porke'ria] *sf* (*sporcizia, cosa mal fatta*) porquería; (*fig: azione disonesta*) guarrada

porcile [por'tʃile] *sm* (*anche fig*) pocilga

porcino [por'tʃino] *sm* (*anche: fungo ~*) boletus *m* edulis, boleto comestible

porco, -ci ['pɔrko] *sm* cerdo, cochino; (*peg: fig*) guarro, cerdo

porcospino [porkos'pino] *sm* puerco espín *m*

porgere ['pɔrdʒere] *vt*: **~ (a)** (*oggetto*) pasar (a); (*mano*) tender (a)

porno ['pɔrno] *agg inv* = **pornografico** ☐ **pornografia** [pornogra'fia] *sf* pornografía ☐ **pornografico, -a, -ci, -che** [porno'grafiko] *agg* pornográfico(-a)

poro ['pɔro] *sm* poro

porpora ['porpora] *sm* (*colore*) púrpura *m*

porre ['porre] *vt* (*mettère, posare*) poner; (*collocare*) colocar; (*fig: supporre*) suponer; **poniamo (il caso) che ...** pongamos o supongamos que ...; **~ una**

domanda a qn hacer una pregunta a algn

porro ['pɔrro] sm (BOT) puerro; (MED) verruga

porta ['porta] sf puerta; (CALCIO) portería, puerta □ **portabagagli** [portaba'gaʎʎi] sm inv (AUT) portaequipaje m □ **portacenere** [porta'tʃenere] sm inv cenicero □ **portachiavi** [porta'kjavi] sm inv llavero □ **portaerei** [porta'ɛrei] agg inv, sf inv portaaviones (m) inv □ **portafinestra** [portafi'nɛstra] (pl **portefinestre**) sf puerta ventana, cristalera □ **portafoglio** [porta'fɔʎʎo] sm cartera, portafolio □ **portafortuna** [portafor'tuna] sm inv amuleto

portale [por'tale] sm (INFORM) portal m

portamento [porta'mento] sm porte m

portamonete [portamo'nete] sm inv monedero

portante [por'tante] agg maestro(-a)

portantina [portan'tina] sf (sedia da viaggio) silla de manos; (per ammalati) camilla

porta...: □ **portaombrelli** [portaom'brelli] sm inv paragüero □ **portapacchi** [porta'pakki] sm inv (AUT) baca, portaequipaje m

portare [por'tare] vt llevar; (verso chi parla) traer; ~ **qc a qn** (lontano da chi parla) llevar algo a algn; (verso chi parla) traer algo a algn; ~ **i bambini a spasso** sacar a pasear a los niños; **mi porta un caffè, per favore?** ¿por favor, me trae un café?; ~ **fortuna/ sfortuna a** traer suerte/mala suerte a

portasigarette [portasiga'rette] sm inv pitillera

portata [por'tata] sf (vivanda) plato; (volume d'acqua) caudal m; (fig: importanza) importancia; **alla ~ di tutti** al alcance de todos; **a ~ di mano** al alcance de la mano

portatile [por'tatile] agg portátil

portato, -a [por'tato] agg: **essere ~ per qc** estar capacitado para algo

porta...: □ **portauovo** [porta'wɔvo] sm inv huevera □ **portavoce** [porta'votʃe] sm/f inv portavoz m

portento [por'tɛnto] sm portento

portiera [por'tjera] sf (di auto) puerta

portiere, -a [por'tjere] sm/f (di caseggiato) portero(-a); (di hotel) conserje m/f ♦ sm (CALCIO) portero(-a); guardameta m/f

portineria [portine'ria] sf portería

porto, -a ['pɔrto] pp di **porgere** ♦ sm (NAUT) puerto ♦ **porto d'armi** licencia de armas

Portogallo [porto'gallo] sm Portugal m □ **portoghese** [porto'gese] agg, sm/f portugués(-esa) ♦ sm (lingua) portugués m

portone [por'tone] sm portal m

portuale [portu'ale] sm portuario(-a)

porzione [por'tsjone] sf porción f

posa ['pɔsa] sf pose f; **senza ~** sin descanso; **mettersi in ~** ponerse en pose

posare [po'sare] vt (appoggiare) posar ♦ vi (per foto) posar; **posarsi** vpr posarse

posata [po'sata] sf cubierto

poscritto [pos'kritto] *sm* posdata

positivo, -a [pozi'tivo] *agg* positivo(-a)

posizione [pozit'tsjone] *sf* posición *f*; **prendere ~** (*fig*) tomar partido; **luci di ~** (*AUT*) luces *fpl* de posición

posporre [pos'porre] *vt* (*differire*) posponer, aplazar

possedere [posse'dere] *vt* (*casa, macchina*) poseer; (*fig: qualità*) tener □ **possessivo, -a** [posses'sivo] *agg* (*anche LING*) posesivo(-a) ♦ *sm* posesivo □ **possesso** [pos'sesso] *sm* (*proprietà*) posesión *f*; **essere in possesso di** estar en posesión de; **entrare in possesso di** tomar posesión de □ **possessore** [posses'sore] *sm* poseedor(a)

possibile [pos'sibile] *agg* posible ♦ *sm*: **fare tutto il ~** hacer todo lo posible; **prima ~** lo antes posible □ **possibilità** [possibili'ta] *sf inv* posibilidad *f* ♦ *sfpl* (*mezzi*) posibilidades *fpl*

possidente [possi'dɛnte] *sm/f* propietario(-a)

posta ['posta] *sf* correo; (*nei giochi d'azzardo*) apuesta; **Poste** *sfpl* Correos *m inv*; **c'è ~ per me?** ¿tengo correo? ► **posta aerea** correo aéreo ► **posta elettronica** correo electrónico ► **posta ordinaria** correo normal ► **posta prioritaria** correo urgente □ **postale** [pos'tale] *agg* postal

posteggiare [posted'dʒare] *vt, vi* aparcar, estacionar □ **posteggio** [pos'teddʒo] *sm* aparcamiento

poster ['pɔster] *sm inv* póster *m*

posteriore [poste'rjore] *agg* posterior, trasero(-a) ♦ *sm* (*fam: sedere*) trasero

posticipare [postitʃi'pare] *vt* posponer, aplazar

postino, -a [pos'tino] *sm/f* cartero(-a)

posto, -a ['posto] *pp di* **porre** ♦ *sm* (*luogo, spazio libero*) sitio; (*: in treno*) plaza; (*: a teatro*) localidad *f*; (*impiego*) puesto; **prender ~** tomar asiento; **a ~** (*stanza, documento*) en orden; (*persona*) de bien; **al ~ di** en lugar o vez de; **sul ~** allí; **mettere a ~** (*riordinare*) ordenar; (*faccenda*) resolver; **vorrei prenotare due posti** quisiera reservar dos asientos ► **posto di blocco** puesto de control ► **posto di lavoro** puesto de trabajo ► **posto di polizia** puesto de policía ► **posti in piedi** (*in teatro*) localidades *fpl* de a pie; (*in autobus*) espacio reservado para los (viajeros) que van de pie

potabile [po'tabile] *agg* potable

potare [po'tare] *vt* podar

potassio [po'tassjo] *sm* potasio

potente [po'tente] *agg* (*persona, sovrano*) poderoso(-a); (*motore, macchina*) potente; (*veleno, farmaco*) eficaz □ **potenza** [po'tɛntsa] *sf* potencia; (*di sovrano, persona*) poder *m* □ **potenziale** [poten'tsjale] *agg, sm* potencial (*m*)

potere

PAROLA CHIAVE

[po'tere] *sm* poder *m*; **al potere** (*partito ecc*) en el poder

♦ *vb aus*

1 (*essere in grado di*) poder; **non ha potuto ripararlo** no ha podido arreglarlo; **non è potuto venire** no ha podido venir; **spiacente di non poter aiutare** siento no poder ayudar; **non ne posso più** no puedo más

2 (*avere il permesso*) poder; **posso entrare?** ¿puedo entrar o pasar?

3 (*eventualità*) poder; **potrebbe essere vero** podría ser verdad; **può aver avuto un incidente** puede haber tenido un accidente; **può darsi** puede ser; **può darsi o essere che non venga** puede ser que no venga

4 (*augurio, suggerimento*): **potessi almeno parlargli!** ¡si pudiera o ¡ojalá pudiera por lo menos hablarle!; **potresti almeno scusarti!** ¡por lo menos podrías o deberías disculparte!

povero, -a ['pɔvero] *agg* pobre
♦ *sm/f* pobre *m/f*; **i poveri** los pobres; **~ di** (*acqua*) pobre de; (*minerali*) carente de; (*vitamine*) falto de □ **povertà** [pover'ta] *sf* pobreza

pozzanghera [pot'tsangera] *sf* charco

pozzo ['pottso] *sm* pozo ▶ **pozzo petrolifero** pozo petrolífero

P.R.A. [pra] *sigla m* (= *Pubblico Registro Automobilistico*) ≈ Tráfico (*ESP*)

pranzare [pran'dzare] *vi* almorzar, comer □ **pranzo** ['prandzo] *sm* almuerzo, comida

prassi ['prassi] *sf inv* praxis *f*

pratica, -che ['pratika] *sf* práctica; (*incartamento*) expediente *m*; **in ~** prácticamente; **mettere in ~** poner en práctica

praticabile [prati'kabile] *agg* (*strada*) transitable; (*progetto*) practicable

praticamente [pratika'mente] *avv* prácticamente

praticare [prati'kare] *vt* (*sport*) practicar; (*professione*) ejercer; (*apertura*) hacer; (*incisione*) efectuar

pratico, -a, -ci, -che ['pratiko] *agg* práctico(-a); **essere ~ di** (*tecnica, professione*) ser experto(-a) en; (*luogo, ambiente*) ser conocedor(-a) de

prato ['prato] *sm* prado; (*in giardino*) césped *m inv*; **su ~** (*SPORT*) sobre hierba

preavviso [preav'vizo] *sm* plazo

precario, -a [pre'karjo] *agg* (*lavoro, situazione*) precario(-a); (*lavoratore*) interino(-a)

precauzione [prekaut'tsjone] *sf* precaución *f*; **prendere precauzioni** tomar precauciones

precedente [pretʃe'dɛnte] *agg* precedente, anterior ♦ *sm* precedente *m*; **il giorno ~** el día anterior; **senza precedenti** sin precedentes ▶ **precedenti penali** (*DIR*) antecedentes *mpl* penales □ **precedenza** [pretʃe'dɛntsa] *sf* (*priorità*) precedencia; **dare la precedenza (a)** (*AUT*) ceder el paso (a)

precedere [pre'tʃedere] *vt* preceder

precipitare [pretʃipi'tare] *vi* precipitarse; **precipitarsi** *vpr* (*affrettarsi*) acudir corriendo

❑ **precipitoso, -a** [pretʃipi'toso]
agg precipitado(-a) ❑ **precipizio**
[pretʃi'pittsjo] sm precipicio

precisamente [pretʃiza'mente]
avv (esattamente) precisamente; (per
l'appunto) justamente

precisare [pretʃi'zare] vt precisar
❑ **precisione** [pretʃi'zjone] sf
precisión f ❑ **preciso, -a** [pre'tʃizo]
agg preciso(-a); (uguale)
idéntico(-a); **sono le nove precise**
son las nueve en punto

precludere [pre'kludere] vt
impedir; (possibilità) perder;
(speranza) acabar con

precoce [pre'kɔtʃe] agg (frutto)
temprano(-a); (bambino) precoz;
(vecchiaia) prematuro(-a)

preconcetto, -a [prekon'tʃetto]
agg preconcebido(-a) ♦ sm prejuicio

precursore [prekur'sore] sm
precursor(a)

preda ['preda] sf (bottino) botín m;
(di animale) presa; **in ~ a** (a sconforto,
agitazione ecc) presa de

predicare [predi'kare] vt, vi
predicar

predicato [predi'kato] sm (LING)
predicado

prediletto, -a [predi'letto] pp di
prediligere ♦ agg, sm/f
predilecto(-a)

prediligere [predi'lidʒere] vt
preferir

predire [pre'dire] vt predecir

predisporre [predis'porre] vt
predisponer

predizione [predit'tsjone] sf
predicción f

prefazione [prefat'tsjone] sf
prefacio

preferenza [prefe'rentsa] sf
(predilezione) preferencia

preferire [prefe'rire] vt preferir

prefiggersi [pre'fiddʒersi] vpr
(meta) fijarse; (scopo) proponerse

prefisso, -a [pre'fisso] pp di
prefiggersi ♦ sm (LING, TEL) prefijo;
qual è il ~ di Barcelona? ¿cuál es el
prefijo de Barcelona?

pregare [pre'gare] vi (REL) rezar, orar
♦ vt (REL) rezar, orar; (chiedere) rogar;
vedi anche **prego** ❑ **preghiera**
[pre'gjɛra] sf (REL) oración f, rezo;
(domanda) ruego

pregiato, -a [pre'dʒato] agg
(metallo) precioso(-a); (stoffa, vino)
preciado(-a); (valuta) fuerte

pregio [pre'dʒo] sm (valore) valor m;
(virtù) virtud f; **pregi e difetti**
virtudes y defectos

pregiudicare [predʒudi'kare] vt
perjudicar

pregiudizio [predʒu'dittsjo] sm
(preconcetto) prejuicio; (danno)
perjuicio

prego ['prego] escl (a chi ringrazia)
¡de nada!; **~, sedetevi** siéntense,
por favor; **~, dopo di lei** por favor,
después de usted; **~?** (desidera)
¿qué desea?, dígame; (come ha
detto?) ¿disculpe?, ¿perdón?

pregustare [pregus'tare] vt
saborear

prelevare [prele'vare] vt (BANCA)
sacar; (campione) tomar
❑ **prelievo** [pre'ljevo] sm (BANCA):
fare un ~ sacar dinero; **il dottore mi
ha fatto un ~ di sangue** el médico
me ha sacado sangre

preliminare [prelimi'nare] agg, sm
preliminar (m)

premere ['prɛmere] vt apretar ♦ vi presionar

premettere [pre'mettere] vt anteponer; **premetto che ...** hago presente que ...

premiare [pre'mjare] vt premiar ❑ **premiazione** [premjat'tsjone] sf entrega de premios

premio ['prɛmjo] sm premio; (assicurativo, indennità) prima; (BORSA) agio ♦ agg inv de premio

premunirsi [premu'nirsi] vpr: ~ (di) proveerse (de); ~ (contro) precaverse (contra)

premura [pre'mura] sf (fretta) prisa; **premure** sfpl (attenzioni, cure) atenciones fpl; **aver ~** (fretta) tener prisa ❑ **premuroso, -a** [premu'roso] agg atento(-a)

prendere ['prɛndere] vt coger; (portare con sé) llevarse; (guadagnare) cobrar; (ordinare: cibo, bevanda) tomar; (malattia) coger; **andare a ~ qc** ir a coger o recoger algo; **andare a ~ qn** ir a recoger o buscar a algn; **~ qn per** (scambiare) confundir a algn con; **~ qc per** (scambiare) confundir algo con; **~ fuoco** prender fuego; **~ parte a** tomar parte en; **~ posto** (sedersi) tomar asiento; **~ il sole** tomar el sol; **prendi qualcosa?** (da bere, mangiare) ¿quieres algo?; **prendersi a pugni/a botte** liarse a puñetazos/a golpes; **prendersi cura di qn** cuidar a algn; **prendersi cura di qc** cuidar algo; **prendersela** (arrabbiarsi) enfadarse; **dove si prende il traghetto per ...?** ¿dónde se puede coger o tomar el ferry para ...?

prenotare [preno'tare] vt reservar; **vorrei ~ una camera doppia** quisiera reservar una habitación doble ❑ **prenotazione** [prenotat'tsjone] sf reserva; **ho confermato la prenotazione per fax** confirmé la reserva por fax

preoccupare [preokku'pare] vt preocupar; **preoccuparsi** vpr: **preoccuparsi (per)** preocuparse (por); **preoccuparsi di qc/di fare qc** (occuparsene) ocuparse de algo/de hacer algo ❑ **preoccupazione** [preokkupat'tsjone] sf preocupación f

preparare [prepa'rare] vt preparar; (tavola) poner; **prepararsi** vpr prepararse; **~ da mangiare** preparar la comida o de comer ❑ **preparativi** [prepara'tivi] smpl preparativos mpl

preposizione [preposit'tsjone] sf (LING) preposición f
▸ **preposizione articolata** preposición más artículo

prepotente [prepo'tɛnte] agg (persona, gesto) prepotente; (fig: bisogno) apremiante; (: desiderio) irrefrenable ♦ sm/f prepotente m/f

presa ['presa] sf (il prendere) toma; (appiglio) agarradero, asa; (ELETTR): ~ **(di corrente)** toma o enchufe m (de la corriente); **far ~** (colla) fraguar; (fig: su pubblico) hacer mella en; **una ~ in giro** (fig) una tomadura de pelo; **essere alle prese con qc** (fig) estar metido en algo

presagio [pre'zadʒo] sm presagio

presbite ['prɛzbite] agg présbita

prescrivere [pres'krivere] vt prescribir; (medicinali) recetar

presentare [prezen'tare] vt presentar; **presentarsi** vpr presentarse; **~ qn a** presentar a algn

a; ~ **un reclamo** presentar una
reclamación

presente [pre'zɛnte] *agg* presente
♦ *sm* (*anche regalo*) presente *m* ♦ *sf*
(*lettera*) presente *f*; **aver** *o* **tenere**
qc/qn tener presente algo/a algn

presentimento [presenti'mento]
sm presentimiento

presenza [pre'zɛntsa] *sf* presencia;
alla *o* **in ~ di** en presencia de

presepio [pre'zɛpjo] *sm* pesebre *m*,
belén *m*

preservare [preser'vare] *vt*: **~ (da)**
preservar (de) ❏ **preservativo**
[preserva'tivo] *sm* preservativo,
condón *m*

preside ['prɛside] *sm/f* (*SCOL*)
director(a) ▸ **preside di facoltà**
(*UNIV*) decano(-a)

presidente [presi'dɛnte] *sm/f*
presidente(-a) ▸ **Presidente del**
Consiglio Presidente del Consejo
▸ **Presidente della Repubblica**
Presidente de la República

PRESIDENTE DELLA REPUBBLICA

El **Presidente della Repubblica**,
nombrado cada siete años ante el
Parlamento, tiene el deber de
nombrar al "Presidente del
Consiglio", la facultad para
convocar unas elecciones o un
referéndum así como elegir a los
representantes de la Cámara. El
"Presidente del Consiglio", el
primer ministro italiano, es
nombrado **Presidente della**
Repubblica, preside el Consejo de
Ministros y propone al
Parlamento las directrices del
programa del gobierno.

presiedere [pre'sjɛdere] *vt* presidir
♦ *vi*: **~ a** dirigir

pressante [pres'sante] *agg*
(*richiesta, problema*) apremiante,
acuciante

pressappoco [pressap'pɔko] *avv*
aproximadamente

pressare [pres'sare] *vt* (*schiacciare*)
apretar; (*fig: incalzare*) apremiar,
acuciar

pressi ['pressi] *smpl*: **nei ~ di** en los
alrededores o las inmediaciones de
❏ **pressione** [pres'sjone] *sf* presión
f; **far** *o* **su qn** presionar a algn;
essere sotto pressione (*fig*) estar
bajo presión ▸ **pressione**
atmosferica presión atmosférica
▸ **pressione sanguigna** presión
sanguínea

presso ['prɛsso] *prep* (*vicino a*) cerca
de, junto a; (*a casa di*) con, en casa
de; (*in ditta, negozio*) en; (*in casa*) con

prestante [pres'tante] *agg*
apuesto(-a), garrido(-a)

prestare [pres'tare] *vt*: **~ (qc a qn)**
prestar (algo a algn); **prestarsi** *vpr*
(*offrirsi*): **prestarsi (a qc/a fare qc)**
prestarse (a algo/a hacer algo); **~**
attenzione (a) prestar atención (a);
mi può ~ dei soldi? ¿puede
prestarme algo de dinero?
❏ **prestazione** [prestat'tsjone] *sf*
(*di macchina, professionista*)
prestación *f*; (*di atleta*) actuación *f*

prestigiatore, -trice
[prestidʒa'tore] *sm/f*
prestidigitador(a)

prestigio [pres'tidʒo] *sm* prestigio;
gioco di ~ juego de manos

prestito ['prɛstito] *sm* préstamo;
dare qc in *o* **a ~** prestar algo;

prendere qc in o a ~ coger o tomar algo prestado

presto ['presto] avv (di buon'ora) pronto, temprano; (tra poco) pronto; (in fretta) rápido; **a ~** hasta luego o pronto; **al più ~** lo más pronto posible, lo antes posible

presumere [pre'zumere] vt (supporre) suponer
□ **presuntuoso, -a** [prezuntu'oso] agg presuntuoso(-a)

presunzione [prezun'tsjone] sf presunción f

prete ['prete] sm cura m

pretendente [preten'dente] sm/f (corteggiatore) pretendiente(-a); (al trono) aspirante m/f

pretendere [pre'tendere] vt (volere) pretender; (esigere) exigir; (sostenere) afirmar

pretesa [pre'tesa] sf pretensión f; **senza pretese** sin pretensiones

pretesto [pre'testo] sm pretexto; **con il ~ di** con el pretexto de

prevalere [preva'lere] vi (tendenza, opinione) prevalecer; (squadra) vencer

prevedere [preve'dere] vt (tempo, futuro ecc) prever; **come previsto** según lo previsto

prevenire [preve'nire] vt (malattie, disgrazie) prevenir; (anticipare) adelantarse

preventivo, -a [preven'tivo] agg preventivo(-a) ♦ sm (COMM) presupuesto

prevenzione [preven'tsjone] sf prevención f

previdente [previ'dente] agg precavido(-a), prevenido(-a)
□ **previdenza** [previ'dentsa] sf

precaución f ▸ **previdenza sociale** seguridad f social

previsione [previ'zjone] sf previsión f ▸ **previsioni meteorologiche** previsiones meteorológicas

previsto, -a [pre'visto] pp di **prevedere** ♦ sm: **meno/più del ~** (quantità) menos/más de lo previsto; **prima del ~** antes de lo previsto

prezioso, -a [pret'tsjoso] agg (gioiello, pietra, aiuto) valioso(-a); (consiglio) útil

prezzemolo [pret'tsemolo] sm perejil m inv

prezzo ['prettso] sm precio; **a caro ~** (fig) caro

prigione [pri'dʒone] sf prisión f
□ **prigioniero, -a** [pridʒo'njero] agg, sm/f prisionero(-a)

prima ['prima] sf (SCOL: elementare) ≈ primer año de primaria; vedi anche **scuola**; (TEATRO, CINE) estreno; (AUT) primera; vedi anche **primo** ♦ avv antes; **~ di** prep, cong antes de; **~ o poi** antes o después; **~ di tutto** antes de nada

primario, -a [pri'marjo] agg primario(-a); (fondamentale) fundamental ♦ sm (MED) médico jefe (de una sección)

primatista, -i, -e [prima'tista] sm/f (SPORT) plusmarquista m/f

primato [pri'mato] sm primacía; (SPORT) plusmarca

primavera [prima'vera] sf primavera; **in ~** en primavera

primitivo, -a [primi'tivo] agg primitivo(-a)

primizia [pri'mittsja] sf primicia

primo, -a ['primo] *agg, sm/f*
primero(-a) ♦ *sm* (*CUC: anche:* ~
piatto) primer plato; (*anche:minuto*
~) primer minuto; **il** ~ **luglio** el
primero o uno de julio; **in prima
pagina** en primera plana; **per
prima cosa** en primer lugar; **in
prima classe** (*viaggiare*) en primera; **in
un** ~ **tempo** o **momento** en un
principio o primer momento; **in** ~
luogo en primer lugar; **ai primi di
maggio** a principios de mayo

primordiale [primor'djale] *agg*
primordial

primula ['primula] *sf* (*BOT*)
primavera

principale [printʃi'pale] *agg*
principal ♦ *sm/f* jefe(-a)
□ **principalmente**
[printʃipal'mente] *avv*
principalmente

principe ['printʃipe] *sm* príncipe *m*
□ **principessa** [printʃi'pessa] *sf*
princesa

principiante [printʃi'pjante] *sm/f*
principiante(-a)

principio [prin'tʃipjo] *sm* principio;
principi *smpl* (*concetti fondamentali*)
principios; **al** o **in** ~ al o en principio;
fin dal ~ desde el principio; **per** ~
por principios

priorità [priori'ta] *sf inv* prioridad *f*

prioritario, -a [priori'tarjo] *agg*
prioritario(-a); **posta prioritaria**
correo urgente

privare [pri'vare] *vt*: ~ **qn** di privar a
algn de; **privarsi** *vpr*: **privarsi di**
privarse de

privato, -a [pri'vato] *agg*
privado(-a) ♦ *sm* (*anche:* ~ **cittadino**)
ciudadano(-a), particular *m/f*; **in** ~
en privado

privilegiare [privile'dʒare] *vt*
privilegiar □ **privilegiato, -a**
[privile'dʒato] *agg* privilegiado(-a)
□ **privilegio** [privi'ledʒo] *sm*
privilegio

privo, -a ['privo] *agg*: ~ **di** carente o
falto(-a) de

pro [prɔ] *prep* pro ♦ *sm inv* (*utilità*)
pro; **a che** ~? ¿con qué finalidad?; **i** ~
e i contro los pros y las contras

probabile [pro'babile] *agg*
probable □ **probabilità**
[probabili'ta] *sf inv* probabilidad *f*;
con molta probabilità muy
probablemente
□ **probabilmente**
[probabil'mente] *avv*
probablemente

problema, -i [pro'blema] *sm*
problema *m*

proboscide [pro'bɔʃʃide] *sf*
trompa, proboscide *f*

procedere [pro'tʃedere] *vi*
(*proseguire*) seguir; (*seguire il proprio
corso: offerta, faccenda*) marchar, ir;
(*comportarsi, agire*) proceder; ~ **a/
contro** proceder a/contra

procedura [protʃe'dura] *sf*
procedimiento

processare [protʃes'sare] *vt* (*DIR*)
procesar

processione [protʃes'sjone] *sf* (*REL*)
procesión *f*

processo [pro'tʃesso] *sm* (*anche DIR*)
proceso

procinto [pro'tʃinto] *sm*: **in** ~ **di
fare** a punto de hacer

proclamare [prokla'mare] *vt*
proclamar

procurare [proku'rare] *vt*
(*procacciare: cibo ecc*) procurar,

proporcionar; (*causare: guai ecc*) ocasionar

prodigio [pro'didʒo] *sm* prodigio

prodotto, -a [pro'dotto] *pp di* **produrre ♦** *sm* producto

produrre [pro'durre] *vt* producir ❑ **produzione** [produt'tsjone] *sf* producción *f*

Prof. *abbr* (= *professore*) Prof.

profanare [profa'nare] *vt* profanar

professare [profes'sare] *vt* profesar

professionale [professjo'nale] *agg* profesional

professione [profes'sjone] *sf* profesión *f* ❑ **professionista, -i, -e** [professjo'nista] *sm/f* profesional *m/f*

professore, -essa [profes'sore] *sm/f* profesor(a)

profilo [pro'filo] *sm* perfil *m*; **di ~ de** perfil

profitto [pro'fitto] *sm* provecho, beneficio; (COMM) beneficio; **trarre ~ da** sacar provecho de

profondità [profondi'ta] *sf inv* profundidad *f*

profondo, -a [pro'fondo] *agg* (*anche fig*) profundo(-a); (*interesse*) fuerte; (*rancore*) fuerte; **è ~ 8 metri** tiene 8 metros de profundidad, tiene una profundidad de 8 metros; **quanto è profonda la piscina?** ¿qué profundidad tiene la piscina?

profugo, -a, -ghi, -ghe ['prɔfugo] *sm/f* refugiado(-a)

⚠ **profugo** non si traduce mai con la parola spagnola ***prófugo***.

profumare [profu'mare] *vt, vi* perfumar; **profumarsi** *vpr* perfumarse

profumato, -a [profu'mato] *agg* perfumado(-a)

profumeria [profume'ria] *sf* perfumería

profumo [pro'fumo] *sm* perfume *m*

progettare [prodʒet'tare] *vt* (*spedizione*) planear; (*costruzione*) proyectar, diseñar ❑ **progetto** [pro'dʒetto] *sm* (*piano, idea*) plan *m*; (*per costruzione*) proyecto, diseño; **avere in progetto di fare qc** tener en proyecto hacer algo; **fare progetti** hacer proyectos ▸ **progetto di legge** proyecto de ley

programma, -i [pro'gramma] *sm* programa *m*; (*per serata, vacanze*) plan *m*; **avere in ~ di fare qc** tener programado hacer algo ❑ **programmare** [program'mare] *vt* programar ❑ **programmatore, -trice** [programma'tore] *sm/f* (INFORM) programador(a)

progredire [progre'dire] *vi* progresar

progresso [pro'gresso] *sm* progreso, adelanto; **fare progressi (in)** hacer progresos (en)

proibire [proi'bire] *vt*: **~ (qc a qn)** prohibir (algo a algn)

proiettare [projet'tare] *vt* (*film, diapositiva*) proyectar ❑ **proiettile** [pro'jettile] *sm* proyectil *m* ❑ **proiettore** [projet'tore] *sm* (CINE, FOT) proyector *m*

proliferare [prolife'rare] *vi* proliferar

prolunga, -ghe [pro'lunga] *sf* (*di cavo, filo*) alargador *m*

prolungare [prolun'gare] *vt* prolongar

promemoria [prome'mɔrja] *sm inv* nota, apunte *m*

promessa [pro'messa] *sf* promesa

promettere [pro'mettere] *vt*: ~ (**a qn qc**) prometer (algo a algn); ~ **a qn di fare qc** prometer a algn que se hará algo

prominente [promi'nɛnte] *agg* (*mento, naso*) prominente

promontorio [promon'tɔrjo] *sm* promontorio

promozione [promot'tsjone] *sf* (*SCOL*) aprobado; (*ECON*) promoción *f*; (*SPORT, in lavoro*) ascenso

promuovere [pro'mwɔvere] *vt* (*iniziativa, ricerca*) promover; (*vendita, squadra*) promocionar; (*studente*) aprobar; (*lavoratore, soldato*) ascender

pronipote [proni'pote] *sm/f* (*di nonni*) bisnieto(-a); (*di zii*) sobrino(-a)

pronome [pro'nome] *sm* pronombre *m*

prontezza [pron'tettsa] *sf* prontitud *f*, rapidez *f inv*; ~ **di riflessi** rapidez de reflejos; ~ **di spirito** viveza de ingenio

pronto, -a ['pronto] *agg* (*preparato*) listo(-a); (*rapido: risposta*) rápido(-a), inmediato(-a); (*disposto*): ~ **a** dispuesto(-a) a; ~, **chi parla?** (*TEL*) diga o sí, ¿quién habla?; **quando saranno pronte le mie foto?** ¿cuándo estarán listas las fotos?
▶ **pronto soccorso** (*MED*) urgencias *fpl*

prontuario [prontu'arjo] *sm* prontuario, compendio

pronuncia [pro'nuntʃa] *sf* pronunciación *f* □ **pronunciare** [pronun'tʃare] *vt* pronunciar; **come si pronuncia?** ¿cómo se pronuncia?

propaganda [propa'ganda] *sf* propaganda

propendere [pro'pɛndere] *vi*: ~ **per** (*ipotesi, idee ecc*) decantarse por; ~ **a credere** tender o inclinarse a creer

propinare [propi'nare] *vt* suministrar

proporre [pro'porre] *vt* proponer; ~ **qn qc** proponer algo a algn; ~ **a qn di fare qc** proponer a algn que haga algo

proporzionale [proportsjo'nale] *agg* proporcional

proporzione [propor'tsjone] *sf* proporción *f*; **proporzioni** *sfpl* (*dimensioni*) proporciones; **in ~ (a)** en proporción (a), proporcionalmente (a)

proposito [pro'pɔzito] *sm* (*proponimento*) propósito; **a ~ di** (*quanto a*) acerca de; **di ~** (*apposta*) a propósito, adrede; **a ~ di ... a** propósito de ...

proposizione [propozit'tsjone] *sf* (*LING*) proposición *f*

proposta [pro'posta] *sf* (*suggerimento*) propuesta, proposición *f*; (*di matrimonio, d'affari*) propuesta

proprietà [proprje'ta] *sf inv* (*caratteristica, possesso*) propiedad *f*
▶ **proprietà di linguaggio** propiedad del lenguaje
▶ **proprietà privata** propiedad

privada ▫ **proprietario, -a**
[proprje'tarjo] *sm/f* propietario(-a)

proprio, -a ['prɔprjo] *agg*
(*possessivo*) propio(-a); (*tipico*): **~ di**
típico(-a) o propio(-a) de ♦ *avv*
(*precisamente*) precisamente;
(*davvero*) de verdad, muy; (*affatto*):
non ... ~ no ... en absoluto o de
ninguna manera ♦ *sm*: **in ~** (*essere,
mettersi*) por mi (o tu *etc*) cuenta;
(*lavoratore*) por cuenta propia

prorogare [proro'gare] *vt*
prorrogar, aplazar

prosa ['prɔza] *sf* prosa

prosciogliere [prɔʃʃɔʎʎere] *vt*: **~
(da)** (*da accusa*) absolver (de)

prosciugare [proʃʃu'gare] *vt* secar;
(*bonificare*) sanear; **prosciugarsi** *vpr*
secarse

prosciutto [proʃʃutto] *sm* jamón *m*
▶ **prosciutto cotto/crudo** jamón
cocido/serrano

proseguimento
[prosegwi'mento] *sm* continuación
f

proseguire [prose'gwire] *vt*
proseguir ♦ *vi* continuar, seguir

prosperare [prospe'rare] *vi*
prosperar

prospettare [prospet'tare] *vt*
(*ipotesi, situazione*) exponer
▫ **prospettiva** [prospet'tiva] *sf*
perspectiva; **avere buone
prospettive** tener buenas
perspectivas ▫ **prospetto**
[pros'petto] *sm* (*volantino*)
prospecto, folleto; (*tabella*) lista;
(*sommario*) esquema *m*

prossimità [prossimi'ta] *sf*
proximidad *f*, cercanía; **in ~ di**
(*vicino a*) en las cercanías de

prossimo, -a ['prɔssimo] *agg*
próximo(-a); (*parente*) cercano(-a)
♦ *sm* prójimo

prostituta [prosti'tuta] *sf*
prostituta

protagonista, -i, -e
[protago'nista] *sm/f* protagonista
m/f

proteggere [pro'teddʒere] *vt*: **~
(da)** proteger (de)

proteina [prote'ina] *sf* proteína

protendere [pro'tendere] *vt*
extender

protesta [pro'testa] *sf* protesta

protestante [protes'tante] *agg,
sm/f* protestante *m/f*

protestare [protes'tare] *vi*: **~
(contro)** protestar (contra)

protetto, -a [pro'tetto] *pp di*
proteggere ♦ *agg* protegido(-a)

protezione [protet'tsjone] *sf*
protección *f*

prototipo [pro'tɔtipo] *sm*
prototipo

protrarre [pro'trarre] *vt* prolongar;
(*rimandare*) aplazar; **protrarsi** *vpr*
prolongarse, alargarse

protuberanza [protube'rantsa] *sf*
protuberancia

prova ['prɔva] *sf* prueba; (*TEATRO*)
ensayo; **di ~** (*giro, corsa*) de
reconocimiento; **fare una ~** hacer
una prueba; **mettere alla ~** poner a
prueba; **in ~** (*assumere, essere*) a
prueba; **dar ~ di** dar prueba de; **a ~
di** (*di fuoco*) a prueba de ▶ **prova
generale** ensayo general
▫ **provare** [pro'vare] *vt* probar;
(*tentare*) intentar; (*sentire: emozione,
dolore*) sentir, experimentar;
(*mettere alla prova*) poner a prueba;

(*spettacolo*) ensayar; **provare a fare qc** intentar hacer algo

provenienza [prove'njɛntsa] *sf* procedencia

provenire [prove'nire] *vi*: ~ **da** proceder de □ **proventi** [pro'vɛnti] *smpl* ingresos *mpl*, ganancias *fpl*

proverbio [pro'vɛrbjo] *sm* proverbio, refrán *m*

provetta [pro'vetta] *sf* probeta; **bambino in** ~ niño probeta

provider [pro'vaider] *sm inv* proveedor *m*

provincia, -ce *o* **cie** [pro'vintʃa] *sf* provincia

provino [pro'vino] *sm* (CINE, FOT) prueba

provocante [provo'kante] *agg* provocativo(-a)

provocare [provo'kare] *vt* provocar □ **provocazione** [provokat'tsjone] *sf* provocación *f*

provvedere [provve'dere] *vi*: ~ **a** (*occuparsi di*) ocuparse de; (*predisporre*) disponer de; ~ **a fare qc** disponer para hacer algo □ **provvedimento** [provvedi'mento] *sm* (*misura*) medida □ **provvidenza**

[provvi'dɛntsa] *sf*: **la provvidenza** la providencia

provvigione [provvi'dʒone] *sf* comisión *f*

provvisorio, -a [provvi'zɔrjo] *agg* provisional

provvista [prov'viste] *sf* provisión *f*; **fare** ~ guardar provisiones

prua ['prua] *sf* proa

prudente [pru'dɛnte] *agg* prudente □ **prudenza** [pru'dɛntsa] *sf* prudencia

prudere ['prudere] *vi* picar

prugna ['pruɲɲa] *sf* ciruela ▶ **prugna secca** ciruela pasa

prurito [pru'rito] *sm* prurito, picazón *m*

P.S. *abbr* (= *postscriptum*) P.D. ♦ *sigla f* (= *Pubblica Sicurezza*) Policía

pseudonimo [pseu'dɔnimo] *sm* seudónimo

psicanalista, -i, -e [psikana'lista] *sm/f* psicoanalista *m/f*

psiche ['psike] *sf* psique *f* □ **psichiatra, -i, -e** [psi'kjatra] *sm/f* psiquiatra *m/f* □ **psichiatrico, -a, -ci, -che** [psi'kjatriko] *agg* psiquiátrico(-a) □ **psicologia** [psikolo'dʒia] *sf* psicología □ **psicologico, -a, -ci, -che** [psiko'lɔdʒiko] *agg* psicológico(-a) □ **psicologo, -a, -gi, -ghe** [psi'kɔlogo] *sm/f* psicólogo(-a) □ **psicopatico, -a, -ci, -che** [psiko'patiko] *agg, sm/f* psicopático(-a)

pubblicare [pubbli'kare] *vt* publicar □ **pubblicazione** [pubblikat'tsjone] *sf* publicación *f*; **pubblicazioni** *sfpl* (*matrimoniali*) amonestaciones *fpl*

pubblicità [pubblitʃi'ta] *sf inv* publicidad *f*; **fare ~ a qc** dar publicidad a algo

pubblico, -a, -ci, -che ['pubbliko] *agg* público(-a) ♦ *sm* público; **in ~** en público

pube ['pube] *sm* pubis *m inv* □ **pubertà** [puber'ta] *sf* pubertad *f inv*

pudico, -a, -ci, -che [pu'diko] *agg* púdico(-a)

pudore [pu'dore] *sm* pudor *m*

puerile [pue'rile] *agg* pueril

pugilato [pudʒi'lato] *sm* boxeo □ **pugile** ['pudʒile] *sm* púgil *m*, boxeador *m*

pugnalare [puɲɲa'lare] *vt* apuñalar

pugnale [puɲ'ɲale] *sm* puñal *m*

pugno ['puɲɲo] *sm* (*mano serrata*) puño; (*colpo*) puñetazo; (*quantità*) puñado

pulce ['pultʃe] *sf* pulga

pulcino [pul'tʃino] *sm* pollo, polluelo

pulire [pu'lire] *vt* limpiar □ **pulito, -a** [pu'lito] *agg* limpio(-a) □ **pulitura** [puli'tura] *sf* limpieza □ **pulizia** [puli'tsia] *sf* limpieza; **fare le pulizie** hacer la limpieza ▶ **pulizia etnica** limpieza étnica

⚠ **pulire** non si traduce mai con la parola spagnola *pulir*.

pullman ['pulman] *sm inv* autocar *m*

pullover [pul'lɔver] *sm inv* jersey *m*

pullulare [pullu'lare] *vi* pulular; **~ di** estar lleno(-a) de

pulmino [pul'mino] *sm* microbús *m*

pulpito ['pulpito] *sm* púlpito

pulsante [pul'sante] *sm* botón *m*, pulsador *m*

pulsare [pul'sare] *vi* latir

pulviscolo [pul'viskolo] *sm* polvo ▶ **pulviscolo atmosferico** polvo atmosférico

puma ['puma] *sm inv* puma *m*

pungente [pun'dʒente] *agg* (*oggetto, ironia*) punzante; (*freddo*) cortante; (*odore*) intenso(-a); (*commento*) hiriente

pungere [pun'dʒere] *vt* (*con ago: persona*) pinchar, punzar; (*sogg: insetto*) picar □ **pungiglione** [pundʒiʎ'ʎone] *sm* aguijón *m*

punire [pu'nire] *vt* castigar □ **punizione** [punit'tsjone] *sf* castigo; (*SPORT*) falta

punta ['punta] *sf* punta; (*di trapano*) broca; **in ~ di piedi** de puntillas; **di ~** (*personaggio*) puntero; **ore di ~** horas punta

puntare [pun'tare] *vt* (*arma*) apuntar; (*piedi*) asentar; (*gomiti*) apoyar ♦ *vi*: **~ a** (*mirare*) aspirar a; **~ su** (*scommettere*) apostar a

puntata [pun'tata] *sf* (*scommessa*) apuesta; (*di sceneggiato*) episodio

punteggiatura [punteddʒa'tura] *sf* (*LING*) puntuación *f*

punteggio [pun'teddʒo] *sm* (*in gara, partita*) puntuación *f*

puntellare [puntel'lare] *vt* (*sorreggere*) apuntalar; **puntellarsi** *vpr* sostenerse

puntina [pun'tina] *sf* (*AUT*) platino ▶ **puntina da disegno** chincheta

puntino [pun'tino] *sm* punto; **a ~** (*benissimo: cotto, fatto*) a la perfección; **mettere i puntini sulle i** (fig) poner los puntos sobre las íes

punto, -a ['punto] pp di **pungere** ♦ sm punto; (di libro) pasaje m, fragmento; **due punti** (LING) dos puntos; **ad un certo ~** a un cierto punto; **a tal ~** hasta tal punto; **di ~ in bianco** de buenas a primeras; **essere a buon ~** estar adelantado; **le 6 in ~** las 6 en punto; **mettere a ~** poner a punto; **sul ~ di fare** a punto de hacer; **venire al ~** ir al grano ► **punto cardinale** punto cardinal ► **punto debole** punto débil o flaco ► **punto di partenza** punto de partida ► **punto di riferimento** punto de referencia ► **punto (di) vendita** punto de venta ► **punto di vista** punto de vista ► **punto esclamativo** signo de admiración ► **punto e virgola** punto y coma ► **punto interrogativo** signo de interrogación ► **punto nero** (ANAT) punto negro, barrillo

puntuale [puntu'ale] agg puntual

puntura [pun'tura] sf (con ago, spillo) pinchazo; (MED) punción f; (fam: iniezione) inyección f ► **puntura d'insetto** picadura de insecto

punzecchiare [puntsek'kjare] vt (anche fig) picar

pupazzo [pu'pattso] sm muñeco, títere m

pupilla [pu'pilla] sf (ANAT) pupila

purché [pur'ke] cong con tal (de) que

pure ['pure] avv (anche) también ♦ cong (tuttavia) sin embargo, pero; (sebbene) aunque; **faccia ~!** ¡adelante!; **pur di** (al fine di) con tal de

purè [pu're] sm: **~ di patate** puré m de patatas

purezza [pu'rettsa] sf pureza

purgante [pur'gante] sm (MED) purgante m

purgatorio [purga'tɔrjo] sm purgatorio

purificare [purifi'kare] vt purificar

puro, -a ['puro] agg puro(-a); **per ~ caso** por pura casualidad ❑ **purosangue** [puro'sangwe] agg, sm/f purasangre (m)

purtroppo [pur'trɔppo] avv desgraciadamente, lamentablemente

pus [pus] sm pus m inv

pustola ['pustola] sf pústula

putiferio [puti'ferjo] sm jaleo, follón m

putrefatto, -a [putre'fatto] pp di **putrefare** ► agg putrefacto(-a)

puttana [put'tana] sf (fam!) puta (fam!)

puzza [puttsa] sf peste f, hedor m ❑ **puzzare** [put'tsare] vi apestar, heder ❑ **puzzola** ['puttsola] sf turón m ❑ **puzzolente** [puttso'lɛnte] agg hediondo(-a), maloliente

pvc [pivi't∫i] sigla m (= polivinilcloruro) PVC m

Qq

q abbr (= quintale) q

qua [kwa] avv aquí, acá; **in ~** hacia aquí, para acá; **fatti più in ~** échate más para acá; **~ dentro/fuori/sotto** aquí dentro/fuera/abajo; **da un anno in ~** de un año a esta parte; **per di ~** por aquí; **al di ~ di** (fiume,

strada) de esta parte de; *vedi anche*
questo

quaderno [kwa'dɛrno] *sm*
cuaderno

quadrante [kwa'drante] *sm* (*di
orologio*) esfera

quadrare [kwa'drare] *vi* (*bilancio,
conto*) cuadrar ♦ *vt*: **far ~ il bilancio**
hacer que el balance cuadre;
(con) (*descrizione*) concordar (con),
coincidir (con); **non mi quadra** (*fig*)
no me convence ☐ **quadrato, -a**
[kwa'drato] *agg* cuadrado(-a) ♦ *sm*
(*MAT*) cuadrado; **5 al quadrato**
cinco al cuadrado

quadrifoglio [kwadri'fɔʎʎo] *sm*
trébol *m* de cuatro hojas

quadrimestre [kwadri'mɛstre] *sm*
cuatrimestre *m*

quadro ['kwadro] *sm* cuadro; (*fig:
politico, della situazione*) cuadro,
panorama *m*; (*quadrato*) cuadrado;
quadri *smpl* (*POL*) miembros *mpl* de
una ejecutiva; (*CARTE*) diamantes
mpl; **a quadri** de cuadros

quadruplo, -a ['kwadruplo] *agg*
cuádruple, cuadruplo(-a) ♦ *sm*
cuádruple *m*, cuádruplo

quaggiù [kwad'dʒu] *avv* aquí abajo

quaglia ['kwaʎʎa] *sf* codorniz *f*

qualche ['kwalke] *agg* (*alcuni*)
algunos(-as); **ho comprato ~ libro**
he comprado algunos libros; **~
volta** algunas veces; **hai ~
sigaretta?** ¿tienes un cigarrillo?

qualcosa [kwal'kɔsa] *pron* algo;
qualcos'altro algo más; **~ da
mangiare** algo de comer; **c'è ~ che
non va?** ¿hay algún problema?

qualcuno [kwal'kuno] *pron*
alguien; **~ è della nostra parte**
alguien está de acuerdo con

nosotros; **qualcun altro** alguien
más; **~ di noi/loro** alguno de
nosotros/ellos

['kwale] (*spesso troncato in* **qual**) *agg*
(*interrogativo*) qué, cuál; **quale
uomo?** ¿qué hombre?; **quale
stanza preferisci?** ¿qué habitación
prefieres?

♦ *pron*

1 (*interrogativo*) cuál; **quale dei
due scegli?** ¿cuál de los dos
eliges?; **qual è il più bello?** ¿cuál es
el más bonito?

2 (*relativo*): **il/la quale** (*soggetto*) el/
la cual, que; (*con preposizione:
persona*) quien, el/la qual o que;
(*: cosa*) el/la cual o que; **suo padre,
il quale è avvocato, ...** su padre,
que es abogado, ...; **il signore con il
quale parlavo** el señor con el que
hablaba; **la donna per la quale ...** la
mujer por la que ...; **il palazzo nel
quale abito** el edificio en el que
vivo; **la signora della quale
ammiriamo l'abilità** la señora cuya
destreza admiramos

3 (*relativo: come*) como, en calidad
de; **piante quali l'edera** plantas
como la hiedra; **quale sindaco di
questa città** como alcalde de esta
ciudad

qualifica, -che [kwa'lifika] *sf*
(*titolo*) título; (*incarico*) cargo
☐ **qualificato, -a** [kwalifi'kato]
agg (*dotato di qualifica*)
cualificado(-a); (*esperto, abile*)
experto(-a) ☐ **qualificazione**
[kwalifikat'tsjone] *sf* (*SPORT*)
cualificación *f*

qualità [kwali'ta] *sf inv* (*attributo*)
cualidad *f*; (*pregio*) calidad *f*; **in ~ di**

en calidad de; **prodotto di ~** producto de calidad

qualora [kwa'lora] *cong* en (el) caso de que

qualsiasi [kwal'siasi] *agg inv* cualquiera; **~ cosa/persona** cualquier cosa/persona; **mettiti un vestito ~** ponte un vestido cualquiera; **~ cosa accada** pase lo que pase; **a ~ costo** a toda costa

qualunque [kwa'lunkwe] *agg inv* = **qualsiasi**

quando ['kwando] *cong* cuando ♦ *avv* cuando; (*nelle interrogative*) cuándo; **~ sarò ricco** cuando sea rico; **da ~** desde que; **da ~ sei qui?** ¿desde cuándo estás aquí?; **di ~ in ~** de vez en cuando

quantità [kwanti'ta] *sf inv* cantidad *f*; **una ~ di** una cantidad de; **in grande ~** en gran cantidad

---

quanto, -a

PAROLA CHIAVE

['kwanto] *agg*

1 (*interrogativo, esclamativo*) cuánto(-a); **quanti libri/ragazzi?** ¿cuántos libros/chicos?; **quanto tempo ti fermi?** ¿cuánto tiempo te quedas?; **quanti anni hai?** ¿cuántos años tienes?; **quante storie!** ¡cuántas historias!; **quanto fracasso!** ¡cuánto ruido!; **quanto tempo sprecato!** ¡cuánto tiempo perdido!, ¡qué pérdida de tiempo!

2 (*relativo*) cuanto(-a); **prendi quanti libri vuoi** coge cuantos libros quieras; **ho quanto denaro mi occorre** tengo el dinero que necesito

♦ *pron*

1 (*interrogativo*) cuánto(-a); **quanti/quante** (*persone*) cuántos/

cuántas; **quanto mi dai?** ¿cuánto me das?; **pensa a quanto puoi ottenere** piensa en lo que puedes conseguir; **quanti me ne hai portati?** ¿cuántos me has traído?; **quanti ne abbiamo oggi?** (*data*) ¿a cuántos estamos hoy?; **quanti starai via?** ¿cuánto tiempo estarás fuera?; **da quanto sei qui?** ¿desde cuándo estás aquí?

2 (*relativo*) cuanto(-a); **quanti/quante** cuantos/cuantas; **farò quanto posso** haré lo que pueda

♦ *avv*

1 (*interrogativo: con vb*) cuánto; **quanto costa?** ¿cuánto cuesta?; **quant'è?** ¿cuánto es?; **(in) quanto** a (*per ciò che riguarda*) en cuanto a

2: **per quanto** (*nonostante, anche se*) por más que; **per quanto si sforzi, non ce la farà** por más que se esfuerce, no lo conseguirá; **per quanto io sappia** por lo que sé

---

quaranta [kwa'ranta] *agg inv, sm inv* cuarenta (*m*); *vedi anche* **cinque** ❑ **quarantena** [kwaran'tena] *sf* cuarentena ❑ **quarantesimo, -a** [kwaran'tezimo] *agg, sm/f* cuadragésimo(-a); *vedi anche* **quinto** ❑ **quarantina** [kwaran'tina] *sf*: **una quarantina di** unos(-as) cuarenta; **essere sulla quarantina** tener unos cuarenta años

quarta ['kwarta] *sf* (*SCOL: elementare*) ≈ cuarto año de primaria; *vedi anche* **scuola**; (*AUT*) cuarta; *vedi anche* **quarto**

quartetto [kwar'tetto] *sm* (*MUS*) cuarteto

quartiere [kwar'tjere] *sm* barrio ▶ **quartier generale** (*MIL, fig*) cuartel *m* general

quarto, -a ['kwarto] agg, sm/f
cuarto(-a) ♦ sm cuarto; **un ~ di vino**
un cuarto de vino; **un ~ d'ora** un
cuarto de hora; **tre quarti d'ora** tres
cuartos de hora; **le sei e un ~** las seis
y cuarto; **le nove meno un ~** las
nueve menos cuarto; **le sette e tre
quarti** las ocho menos cuarto
▸ **quarti di finale** cuartos de final

quarzo ['kwartso] sm cuarzo; **al ~**
(orologio, lampada) de cuarzo

quasi ['kwazi] avv casi; **ha ~ vinto**
casi ha ganado; **non piove ~ mai** no
llueve casi nunca; **~ ~ me ne andrei**
casi casi me iría

quassù [kwas'su] avv aquí arriba

quattordici [kwat'torditʃi] agg inv,
sm inv catorce (m); vedi anche
cinque

quattrini [kwat'trini] smpl dinero
sg, plata sg

quattro ['kwattro] agg inv, sm inv
cuatro (m); **farsi in ~ per qn**
desvivirse por algn; **in ~ e
quattr'otto** en un abrir y cerrar de
ojos, en un periquete; vedi anche
cinque □ **quattrocento**
[kwattro'tʃento] agg inv, sm inv
cuatrocientos(-as) ♦ sm: **il
Quattrocento** el siglo XV

---

quello, -a

PAROLA CHIAVE

['kwello] (dav sm **quel** + C, **quell'** + V,
quello + s impura, gn, pn, ps, x, z; pl
quei + C, **quegli** + V o s impura ecc;
dav sf **quella** + C, **quell'** + V; pl **quelle**)
agg ese(-a); (più lontano) aquel
(aquella); **quello stivale** ese (o
aquella) bota; **quell'uomo** ese (o
aquel) hombre; **quella casa** esa (o
aquella) casa

♦ pron

1 (dimostrativo) ése(-a); (: più
lontano) aquél (aquella); (neutro)
eso; (: più lontano) aquello; **quello è
mio fratello** ése (o aquél) es mi
hermano; **conosci quella?**
¿conoces (a) ésa (o aquélla)?;
prendo quello bianco cojo ése (o
aquél) blanco; **gli ho detto proprio
quello** precisamente le he dicho

2 (relativo): **quello/quella che** el/la
que; (cosa) lo que; **quelli/quelle
che** los/las que; **è lui quello che
non voleva venire** es él quien o el
que no quería venir; **è quella che ti
ho prestato** es la que te he
prestado; **ho fatto quello che
potevo** he hecho lo que podía

quercia, -ce ['kwertʃa] sf (albero)
encina, roble m; (legno) roble

querela [kwe'rɛla] sf (DIR) querella

quesito [kwe'sito] sm (domanda)
interrogante m/f; (problema)
problema m

questionario [kwestjo'narjo] sm
formulario, cuestionario

questione [kwes'tjone] sf cuestión
f; **è ~ di tempo** es cuestión de
tiempo

---

questo, -a

PAROLA CHIAVE

['kwesto] agg (dimostrativo) este(-a);
questi/queste estos/estas; **questo
ragazzo è molto in gamba** este
chico es muy competente; **questo
libro (qui o qua)** este libro (de
aquí); **io prendo questo cappotto,
tu quello** yo cojo este abrigo, tú
quest'oggi hoy mismo;
questa sera esta tarde o noche

♦ pron (dimostrativo) éste(-a); (ciò)
esto; **questi/queste** éstos/éstas;
voglio questo quiero éste; (voglio

ciò) quiero esto; **prendo questo (qui** o **qua)** cojo éste (de aquí); **preferisci questo o quelli?** ¿prefieres éstos o ésos?; **questo non dovevi dirlo** no tenías que haber dicho esto; **e con questo?** ¿y qué quieres decir?; **questo è quanto** esto es todo

questura [kwes'tura] sf jefatura de policía

qui [kwi] avv aquí, acá; **da** o **di ~** desde aquí; **di ~ in avanti** de ahora en adelante; **di ~ a poco/a una settimana** dentro de poco/de una semana; **~ dentro** aquí dentro; **~ sopra** aquí arriba o encima; **~ vicino** aquí cerca, cerca de aquí; vedi anche **questo**

quietanza [kwje'tantsa] sf (ricevuta) recibo

quiete ['kwjɛte] sf quietud f, sosiego □ **quieto, -a** ['kwjɛto] agg (persona) sosegado(-a), tranquilo(-a); (mare, notte) calmo(-a)

quindi ['kwindi] avv (poi, in seguito) después, luego ♦ cong (perciò, di conseguenza) por lo tanto, luego

quindici ['kwinditʃi] agg inv, sm inv quince (m); **~ giorni** quince días; vedi anche **cinque** □ **quindicina** [kwindi'tʃina] sf: **una quindicina di** unos(-as) quince; **fra una quindicina di giorni** en unos quince días

quinta ['kwinta] sf (SCOL: elementare) ≃ quinto año de primaria; vedi anche **scuola**; (AUT) quinta; **tra** o **dietro le quinte** (fig) entre bastidores; vedi anche **quinto**

quintale [kwin'tale] sm quintal m (métrico)

quinto, -a ['kwinto] agg, sm/f quinto(-a) ♦ sm quinto

quiz [kwidz] sm inv pregunta; (TV: anche: **gioco a ~**) concurso (de preguntas y respuestas)

quota ['kwɔta] sf (somma, parte) cuota; (altitudine) cota, altura; (AER) cota; **ad alta/bassa ~** (AER) a gran/baja altura; **prendere/perdere ~** (AER) ganar/perder altura

quotidiano, -a [kwoti'djano] agg cotidiano(-a), diario(-a) ♦ sm (giornale) diario, periódico

quoziente [kwot'tsjɛnte] sm cociente m ▸ **quoziente d'intelligenza** cociente intelectual

Rr

R abbr (= regionale) tren regional (con paradas frecuentes)

rabbia ['rabbja] sf (collera, MED) rabia; **fare ~ a qn** dar rabia a algn

rabbino [rab'bino] sm rabino

rabbioso, -a [rab'bjoso] agg (anche MED) rabioso(-a)

rabbonire [rabbo'nire] vt apaciguar

rabbrividire [rabbrivi'dire] vi (per freddo) estremecerse, tiritar; (per orrore, ribrezzo) horripilar

raccapezzarsi [rakkapet'tsarsi] vpr: **non ~** no atinar a comprender

raccapricciante [rakkaprit'tʃante] agg espeluznante

raccattapalle [rakkatta'palle] sm inv (SPORT) recogepelotas m/f inv

raccattare [rakkat'tare] vt recoger

racchetta [rak'ketta] *sf (da tennis)* raqueta; *(da ping-pong)* pala; *(da sci)* bastón *m*

racchiudere [rak'kjudere] *vt (circondare)* encerrar; *(contenere)* contener

raccogliere [rak'kɔʎʎere] *vt (oggetti, persone, frutta)* recoger; *(fiori, funghi)* coger; *(voti)* obtener; *(applausi)* recibir; *(francobolli, monete)* coleccionar; *(capelli)* recogerse; *(fig: energie)* juntar ❏ **raccolta** [rak'kɔlta] *sf (di fondi, minerali, dati)* recogida; *(collezione: di francobolli, monete)* colección *f*; *(di poesie)* antología ❏ **raccolto, -a** [rak'kɔlto] *pp vedi* **raccogliere ◆** *sm (AGR)* cosecha

raccomandabile [rakkoman'dabile] *agg* recomendable

raccomandare [rakkoman'dare] *vt* recomendar; **~ a qn di non fare qc** recomendar a algn que no haga algo; **mi raccomando!** ¡por favor! ❏ **raccomandata** [rakkoman'data] *sf* carta certificada

raccontare [rakkon'tare] *vt:* **~ (a)** contar (a) ❏ **racconto** [rak'konto] *sm (resoconto, esposizione)* relato; *(LETTER)* cuento ▸ **racconti per bambini** cuentos infantiles

raccordo [rak'kordo] *sm (TECN: giunzione)* racor *m*; *(stradale)* enlace *m*; *(ferroviario)* empalme *m*, enlace ▸ **raccordo anulare** *(AUT)* circunvalación *f*

racimolare [ratʃimo'lare] *vt (denaro, fondi)* juntar

rada ['rada] *sf* rada

radar ['radar] *sm inv* radar *m*

raddoppiare [raddop'pjare] *vt* duplicar, doblar; *(fig: premure, sforzi)* redoblar ◆ *vi* duplicarse, doblarse

raddrizzare [raddrit'tsare] *vt* enderezar; *(fig: correggere)* rectificar

radere ['radere] *vt (viso, mento)* afeitar, rasurar; **radersi** *vpr (farsi la barba)* afeitarse; **~ al suolo** arrasar, asolar

radiare [ra'djare] *vt (da albo)* expulsar; *(da elenco)* borrar

radiatore [radja'tore] *sm (termosifone, AUT)* radiador *m*

radiazione [radjat'tsjone] *sf* radiación *f*

radicale [radi'kale] *agg, sm/f (cambiamento, intervento, POL)* radical *m/f*

radicchio [ra'dikkjo] *sm* achicoria

radice [ra'ditʃe] *sf (BOT, MAT)* raíz *f*

radio ['radjo] *sf inv* radio *f* ◆ *agg inv:* **stazione ~** emisora de radio; **giornale ~** boletín informativo ❏ **radioattivo** [radjoat'tivo] *agg* radiactivo(-a) ❏ **radiocronaca, -che** [radjo'krɔnaka] *sf* crónica radiofónica ❏ **radiografia** [radjogra'fia] *sf (lastra)* radiografía

radioso, -a [ra'djoso] *agg (sorriso)* radiante; *(giornata)* espléndido(-a)

radiosveglia [radjoz'veʎʎa] *sf* radio *f* despertador

rado, -a ['rado] *agg (bosco, capelli)* ralo(-a); **di ~** raramente, rara vez

radunare [radu'nare] *vt* reunir, juntar; **radunarsi** *vpr* reunirse

radura [ra'dura] *sf* claro

raffermo, -a [raf'fermo] *agg (pane)* duro(-a)

raffica, -che ['raffika] sf (di vento, mitra) ráfaga

raffigurare [raffigu'rare] vt representar

raffinato, -a [raffi'nato] agg (persona, gusti) fino(-a); (zucchero, petrolio) refinado(-a)

rafforzare [raffor'tsare] vt reforzar

raffreddamento [raffredda'mento] sm enfriamiento

raffreddare [raffred'dare] vt (anche fig) enfriar; (stanza, aria) refrescar; **raffreddarsi** vpr (diventare freddo) enfriarse; (prendere un raffreddore) resfriarse, constiparse □ **raffreddato, -a** [raffred'dato] agg (MED) resfriado(-a), constipado(-a) □ **raffreddore** [raffred'dore] sm (MED) resfriado, constipado

raffronto [raf'fronto] sm comparación, cotejo

rafia ['rafja] sf rafia

rafting ['rafting] sm rafting m inv

ragazza [ra'gattsa] sf (fanciulla) muchacha; (giovane donna) joven f, chica; (fam: fidanzata) novia; **nome da ~** apellido de soltera ▶ **ragazza madre** madre f soltera □ **ragazzo** [ra'gattso] sm (fanciullo) muchacho; (giovane uomo) joven m, chico; (fam: fidanzato) novio; **ragazzi** smpl (bambini) niños mpl; (più grandi) chicos mpl

raggiante [rad'dʒante] agg (di gioia) radiante

raggio ['raddʒo] sm (di luce, sole) rayo; (MAT) radio; **nel ~ di** en el radio de ▶ **raggi X** rayos X

raggirare [raddʒi'rare] vt (ingannare) embaucar

raggiungere [rad'dʒundʒere] vt alcanzar; (persona) pillar; (record) conseguir

raggomitolarsi [raggomito'larsi] vpr acurrucarse

raggranellare [raggranel'lare] vt juntar

raggruppare [raggrup'pare] vt agrupar

ragionamento [radʒona'mento] sm razonamiento

ragionare [radʒo'nare] vi razonar; **cerca di ~** trata de o intenta razonar □ **ragione** [ra'dʒone] sf razón f; **aver ragione** tener razón; **perdere la ragione** perder la razón

ragionevole [radʒo'nevole] agg (persona) sensato(-a); (proposta, condizioni, prezzo) razonable; (dubbio, sospetto) lógico(-a), fundado(-a)

ragioniere, -a [radʒo'njere] sm/f contable m/f

ragliare [raʎ'ʎare] vi rebuznar

ragnatela [raɲɲa'tela] sf telaraña

ragno ['raɲɲo] sm araña

ragù [ra'gu] sm inv (CUC: sugo) salsa de carne y tomate

RAI-TV ['raiti'vu] sigla f (= Radio televisiva italiana) RAI f

rallegrare [ralle'grare] vt alegrar; **rallegrarsi** vpr alegrarse; **rallegrarsi con qn** felicitar a algn

rallentamento [rallenta'mento] sm (in autostrada) retención f

rallentare [rallen'tare] vt ralentizar ♦ vi ir más despacio; (AUTO) reducir la velocidad □ **rallentatore** [rallenta'tore] sm (CINE) cámara lenta; **al rallentatore** (anche fig) a cámara lenta

ramanzina [raman'dzina] sf regañina, sermón m; **fare una ~ a qn** echar un sermón a algn

rame ['rame] sm cobre m

rammaricarsi [rammari'karsi] vpr: **~ di** lamentar

rammendare [rammen'dare] vt remendar

ramo ['ramo] sm (di pianta, disciplina) rama, ramo; **non è il mio ~** no es mi campo □ **ramoscello** [ramoʃˈʃello] sm ramita, ramito

rampa ['rampa] sf rampa

rampicante [rampi'kante] agg trepador(a) ♦ sm (BOT) trepadora

rana ['rana] sf rana; (stile di nuoto) braza; **nuotare a ~** nadar a braza

rancido, -a ['rantʃido] agg (sapore, olio) rancio(-a); **sa di ~** sabe a rancio

rancore [ran'kore] sm rencor m

randagio, -a, -gi, -gie o **ga** [ran'dadʒo] agg: **cane ~** perro vagabundo o callejero

rango, -ghi ['rango] sm (MIL) fila

rannicchiarsi [rannik'kjarsi] vpr encogerse

rannuvolarsi [rannuvo'larsi] vpr nublarse, encapotarse

rapa ['rapa] sf (BOT) nabo

rapace [ra'patʃe] agg rapaz ♦ sm ave f rapaz

rapare [ra'pare] vt rapar

rapidamente [rapida'mente] avv rápidamente

rapidità [rapidi'ta] sf rapidez f inv

rapido, -a ['rapido] agg rápido(-a); (esame) breve

rapimento [rapi'mento] sm (di persona) rapto; (fig: estasi) éxtasis m inv

rapina [ra'pina] sf atraco, robo
▶ **rapina a mano armata** robo a mano armada □ **rapinare** [rapi'nare] vt (persona) robar a; (banca) atracar, asaltar □ **rapinatore, -trice** [rapina'tore] sm/f atracador(a), asaltante m/f

rapire [ra'pire] vt raptar □ **rapitore, -trice** [rapi'tore] sm/f raptor(a)

rapporto [rap'porto] sm (resoconto, legame) relación f ▶ **rapporti sessuali** relaciones sexuales

rappresaglia [rappre'saʎʎa] sf represalia

rappresentante [rapprezen'tante] sm/f representante m/f

rappresentare [rapprezen'tare] vt representar □ **rappresentazione** [rapprezentat'tsjone] sf representación f

raramente [rara'mente] avv raramente

rarefatto, -a [rare'fatto] agg enrarecido(-a)

raro, -a ['raro] agg (poco frequente) raro(-a), infrecuente; (non comune) raro(-a), singular

rasare [ra'sare] vt (barba) afeitar, rasurar; (capelli) rapar; **rasarsi** vpr (radersi: barba) afeitarse, rasurarse; (: capelli) raparse

raschiare [ras'kjare] vt (superficie) raspar

rasente [ra'zente] prep: **~ a** a ras de

raso, -a ['raso] pp di **radere** ♦ agg raso(-a) ♦ sm (tessuto) raso ♦ prep: **~ terra** a ras de(l) suelo

rasoio [ra'sojo] sm navaja de afeitar ▶ **rasoio elettrico** maquinilla (de afeitar) eléctrica

rassegna [ras'seɲɲa] sf (MIL) revista; (resoconto) relación f; (mostra) feria, exposición f; (CINE) festival m
▶ **rassegna stampa** reseña de prensa

rassegnarsi [rasseɲ'ɲarsi] vpr: ~ **(a)** resignarse (a)

rassicurare [rassiku'rare] vt tranquilizar

rassodare [rasso'dare] vt (muscoli) endurecer; **rassodarsi** vpr endurecerse

rassomiglianza [rassomiʎ'ʎantsa] sf parecido, semejanza

rassomigliare [rassomiʎ'ʎare] vi: ~ **a** parecerse a

rastrellare [rastrel'lare] vt (zona, quartiere) peinar, registrar; (fieno, erba, prato) rastrillar

rastrello [ras'trello] sm rastro

rata ['rata] sf plazo; **pagare a rate** pagar a plazos

ratificare [ratifi'kare] vt ratificar

ratto ['ratto] sm (ZOOL) rata

rattoppare [rattop'pare] vt remendar

rattristare [rattris'tare] vt entristecer; **rattristarsi** vpr entristecerse

rauco, -a, -chi, -che ['rauko] agg ronco(-a)

ravanello [rava'nello] sm rábano

ravioli [ravi'ɔli] smpl (CUC) raviolis mpl

ravvivare [ravvi'vare] vt (colore, fiamma) avivar; (atmosfera, festa) animar

razionale [rattsjo'nale] agg racional

razionare [rattsjo'nare] vt racionar
❑ **razione** [rat'tsjone] sf (di cibo) ración f

razza ['rattsa] sf raza; (pesce) raya; **di ~ de raza; che ~ di domande!** ¡qué (tipo de) preguntas!

razziale [rat'tsjale] agg racial

razzismo [rat'tsizmo] sm racismo
❑ **razzista, -i, -e** [rat'tsista] agg, sm/f racista m/f

razzo ['raddzo] sm cohete m

R.C. ['erre'tʃi] sigla m (= partito della Rifondazione Comunista) (Partido de la) Refundación f Comunista

re [re] sm inv rey m; (MUS) re m inv

reagire [rea'dʒire] vi reaccionar

reale [re'ale] agg (vero, del re) real
❑ **realizzare** [realid'dzare] vt realizar; (goal) marcar; **realizzarsi** vpr realizarse ❑ **realmente** [real'mente] avv realmente ❑ **realtà** [real'ta] sf inv realidad f; **in realtà** en realidad

reato [re'ato] sm (DIR) delito

reattore [reat'tore] sm (AER) reactor m

reazionario, -a [reattsjo'narjo] agg, sm/f reaccionario(-a)

reazione [reat'tsjone] sf reacción f; **a ~** (motore) de reacción

rebus ['rebus] sm inv (gioco) jeroglífico; (fig) enigma m

recapitare [rekapi'tare] vt: ~ **(a)** entregar (a) ❑ **recapito** [re'kapito] sm (indirizzo) dirección f, señas fpl; (consegna) entrega ▶ **recapito a domicilio** entrega a domicilio ▶ **recapito telefonico** número de teléfono

recedere [re'tʃedere] vi: ~ **da** (contratto) rescindir

recensione [retʃen'sjone] sf reseña, recensión f

recente [re'tʃɛnte] agg reciente; **di ~ recientemente** □ **recentemente** [retʃɛnte'mente] avv recientemente

recidere [re'tʃidere] vt cortar

recintare [retʃin'tare] vt cercar, vallar □ **recinto** [re'tʃinto] sm (spazio) recinto; (recinzione) cerca, valla

recipiente [retʃi'pjɛnte] sm recipiente m

reciproco, -a, -ci, -che [re'tʃiproko] agg recíproco(-a)

recita ['rɛtʃita] sf representación f

recitare [retʃi'tare] vt (ruolo) interpretar; (dramma) representar; (poesia, lezione) recitar ♦ vi (attore) actuar

reclamare [rekla'mare] vi, vt reclamar □ **reclamo** [re'klamo] sm reclamación f

reclinabile [rekli'nabile] agg reclinable

reclusione [reklu'zjone] sf reclusión f

recluta ['rekluta] sf recluta m

recondito, -a [re'kɔndito] agg (luogo) recóndito(-a); (fig) oculto(-a)

record ['rekɔrd] sm inv récord m ♦ agg inv récord inv; **a tempo di ~** en tiempo récord ► **record mondiale** récord mundial

recuperare [rekupe'rare] vt recuperar; (naufrago) rescatar

redarguire [redar'gwire] vt reprender, regañar

redditizio, -a [reddi'tittsjo] agg rentable

reddito ['reddito] sm renta •

redigere [re'didʒere] vt redactar

redini ['redini] sfpl riendas fpl

RDT ['erre'di'ti] sigla f (= Repubblica Democratica Tedesca) RDA f

reduce ['redutʃe] agg: **essere ~ da un viaggio** volver de un viaje ♦ sm/f (combattente) veterano(-a); **essere ~ da** (esperienza, esame) estar saliendo de

referendum [refe'rɛndum] sm inv referéndum m

referenze [refe'rɛntse] sfpl referencias fpl

referto [re'fɛrto] sm (MED) parte m médico

regalare [rega'lare] vt: **~ qc (a qn)** regalar algo (a algn)

regalo [re'galo] sm regalo

regata [re'gata] sf regata

reggere ['reddʒere] vt (sostenere) sostener, sujetar; (sopportare: peso, situazione) soportar, aguantar; (governare) gobernar ♦ vi (a peso, tensione, pressione): **~ (a)** resistir (a); (fig: teoria, alibi) tenerse en pie; **reggersi** vpr (stare ritto) mantenerse en pie; **reggersi a** (tenersi) agarrarse o aferrarse a; **reggersi sulle gambe o in piedi** (man)tenerse en pie; **reggiti forte** agárrate fuerte

reggia ['reddʒa] sf palacio real

reggicalze [reddʒi'kaltse] sm inv liguero

reggimento [reddʒi'mento] sm (MIL) regimiento

reggiseno [reddʒi'seno] sm sujetador m, sostén m

regia, -gie [re'dʒia] sf (CINE, TV) realización f, dirección f; (TEATRO) dirección f

regime [re'dʒime] *sm* (POL) régimen *m*

regina [re'dʒina] *sf* (*anche* SCACCHI, CARTE) reina

regionale [redʒo'nale] *agg* regional ♦ *sm* (FERR) tren *m* tranvía *inv*

REGIONALI

Los trenes **regionali** son trenes de cercanías que hacen paradas en algunas estaciones muy pequeñas.

regione [re'dʒone] *sf* región *f*

REGIONE

La **Regione** es la entidad administrativa más grande de Italia. Cada una de las 20 **Regioni** se compone de un número variado de **Province**, y que a su vez se subdividen en **Comuni**. Cada región tiene un "capoluogo", capital de provincia (por ejemplo, Florencia es la capital de provincia de la región de la Toscana). Hay cinco regiones que gozan de un status especial y mayores poderes: Val d'Aosta, Friuli-Venezia Giulia, Trentino-Alto Adige, Sicilia y Cerdeña.

regista, -i, -e [re'dʒista] *sm/f* (CINEMA, TV) realizador(a), director(a); (TEATRO) director(a) de escena

registrare [redʒis'trare] *vt* (*musica, disco*) grabar; (*freni, congegno*) someter a reglaje □ **registratore** [redʒistra'tore] *sm* magnetófono, grabadora ▶ **registratore di cassa** caja registradora □ **registro** [re'dʒistro] *sm* registro; (*a scuola*) libro, actas *fpl* escolares

regnare [reɲ'ɲare] *vi* reinar □ **regno** ['reɲɲo] *sm* reino; **il Regno Unito** el Reino Unido ▶ **regno animale/vegetale** reino animal/vegetal

regola ['regola] *sf* regla; **di ~** por lo general; **essere in ~** estar en regla; **a ~ d'arte** perfectamente

regolabile [rego'labile] *agg* regulable

regolamento [regola'mento] *sm* reglamento; (*pagamento*) pago ▶ **regolamento di conti** (*fig*) ajuste *m* de cuentas

regolare [rego'lare] *agg* regular ♦ *vt* (*apparecchio, volume*) ajustar; **regolarsi** *vpr* ajustarse; (*comportarsi*) comportarse

relativo, -a [rela'tivo] *agg* relativo(-a); **~ a** relativo a

relazione [relat'tsjone] *sf* relación *f*

relegare [rele'gare] *vt* relegar

religione [reli'dʒone] *sf* religión *f*

RELIGIONE

La religión estatal en Italia es la católica pero todas las principales religiones están reconocidas y protegidas.

reliquia [re'likwja] *sf* reliquia

relitto [re'litto] *sm* (*di nave*) pecio, derrelicto; (*persona*) desecho

remare [re'mare] *vi* remar

reminiscenze [reminiʃ'ʃentse] *sfpl* reminiscencias *fpl*

remissivo, -a [remis'sivo] *agg* sumiso(-a)

remo ['remo] *sm* remo

remoto, -a [re'mɔto] *agg* remoto(-a); *vedi anche* **passato**

rendere ['rendere] vt (far diventare) volver, poner; (restituire) devolver; (produrre, fruttare) rendir, producir ♦ vi (fruttare) rendir; **rendersi** vpr: **rendersi utile/antipatico** hacerse útil/antipático; **rendersi conto di qc** darse cuenta o percatarse de algo ▫ **rendimento** [rendi'mento] sm rendimiento ▫ **rendita** ['rendita] sf renta; **vivere di rendita** vivir de (las) rentas

rene ['rene] sm riñón m

renna ['renna] sf reno; (pelle) ante m

reparto [re'parto] sm (di ospedale, MIL) división f; (di negozio, ufficio) sección f; (di fabbrica) sala, taller m

repellente [repel'lente] agg (disgustoso) repelente

repentaglio [repen'taʎʎo] sm: **mettere a ~** poner en peligro

repentino, -a [repen'tino] agg repentino(-a)

repertorio [reper'tɔrjo] sm (TEATRO) repertorio

replica, -che ['replika] sf (ripetizione) repetición f; (risposta, obiezione) réplica; (TEATRO) representación f ▫ **replicare** [repli'kare] vt (ripetere, TEATRO) repetir; (rispondere) replicar

repressione [repres'sjone] sf represión f

represso, -a [re'presso] pp di **reprimere** ♦ agg reprimido(-a)

reprimere [re'primere] vt (sentimento, insurrezione) reprimir; (lacrime) contener

repubblica, -che [re'pubblika] sf república

reputazione [reputat'tsjone] sf reputación f

requisire [rekwi'zire] vt requisar, incautarse de ▫ **requisito** [rekwi'zito] sm requisito

resa ['resa] sf (l'arrendersi) rendición f; (restituzione) devolución f, restitución f; (utilità, rendimento) rendimiento; **la ~ dei conti** (fig) la rendición de cuentas

residente [resi'dente] agg residente ▫ **residenziale** [residen'tsjale] agg residencial

residuo, -a [re'siduo] agg restante

resina ['rezina] sf resina

▫ **resistente** [resis'tente] agg: **~ (a)** resistente (a); **~ all'acqua** resistente al agua

resistenza [resis'tentsa] sf resistencia; **la R~** la Resistencia

---

RESISTENZA

La **Resistenza** en Italia luchó contra los Nazis y Fascistas durante la Segunda Guerra Mundial. Tomó parte activa tras la caída del gobierno fascista el 25 de julio de 1943, en toda la ocupación alemana y durante la República de Salò de Mussolini en el norte de Italia. Miembros de la Resistencia abarcaron todo el espectro político y jugaron un papel fundamental en la Liberación y en la formación del nuevo gobierno democrático a finales de la guerra.

---

resistere [re'sistere] vi: **~ (a)** resistir (a)

resoconto [reso'konto] sm (relazione) relación f, informe m; (rendiconto) estado de cuentas

respingere [res'pindʒere] vt (nemico, attacco) rechazar; (pacco, lettera) reexpedir; (invito, proposta) rehusar, rechazar; (SCOL: bocciare) suspender

respirare [respi'rare] vi, vt respirar □ **respirazione** [respirat'tsjone] sf respiración f □ **respiro** [res'piro] sm (anche fig: sollievo, riposo) respiro; **di ampio respiro** (opera, lavoro) de gran envergadura

responsabile [respon'sabile] agg, sm/f responsable m/f; **~ di** responsable de □ **responsabilità** [responsabili'ta] sf inv responsabilidad f

responso [res'ponso] sm veredicto, dictamen m

ressa ['ressa] sf gentío, muchedumbre f

restare [res'tare] vi (in luogo) quedarse; (rimanere) quedar; **~ in piedi** quedarse de o en pie; **~ seduto** quedarse sentado

restaurare [restau'rare] vt restaurar

restio, -a [res'tio] agg: **essere ~ a fare qc** ser reacio a hacer algo

restituire [restitu'ire] vt devolver, restituir

resto ['resto] sm (parte restante) resto; (denaro) vuelta; **resti** smpl (di cibo) sobras fpl; (di civiltà, città) restos; **del ~** además; **per il ~** por lo demás; **tenga pure il ~** quédese con la vuelta

restringere [res'trindʒere] vt (strada) estrechar; (stoffa, vestito) encoger; **restringersi** vpr (strada, spazio) estrecharse; (stoffa) encoger

rete ['rete] sf red f; (televisiva) red m, cadena; (di recinzione) cerco, valla; (del letto) somier m; (CALCIO) portería, gol m; **la R~** (INFORM) la red; **segnare una ~** (CALCIO) marcar un

gol; **calze a ~** medias de red ► **rete ferroviaria** red ferroviaria ► **rete stradale** red de carreteras

reticente [reti'tʃɛnte] agg reticente

reticolato [retiko'lato] sm (rete) alambrado

retina ['retina] sf (ANAT) retina

retorico, -a, -ci, -che [re'tɔriko] agg retórico(-a)

retribuire [retribu'ire] vt retribuir

retro ['retro] sm inv reverso, vuelta ♦ avv (dietro): **vedi ~** véase al dorso □ **retrocedere** [retro'tʃɛdere] vi (indietreggiare) retroceder; (in classifica) descender □ **retrogrado, -a** [re'trɔgrado] agg retrógrado(-a) □ **retromarcia** [retro'martʃa] sf (AUT) marcha atrás □ **retroscena** [retroʃ'ʃena] sm inv (intrighi) tejemaneje m; **conoscere tutti i retroscena** conocer todo lo que pasa entre bastidores □ **retrovisore** [retrovi'zore] sm (AUT: anche: **specchietto retrovisore**) retrovisor m

retta ['retta] sf (MAT) recta; (di convitto) pensión f; **dar ~ a qn** (fig) hacer caso a algn

rettangolare [rettaŋgo'lare] agg rectangular

rettangolo [ret'taŋgolo] sm rectángulo

rettifica, -che [ret'tifika] sf rectificación f

rettile ['rettile] sm reptil m

rettilineo [retti'lineo] agg rectilíneo(-a) ♦ sm (di strada, percorso) recta

retto, -a ['retto] pp di **reggere** ♦ agg (linea) recto(-a); (fig: onesto) honrado(-a) ♦ sm (ANAT: anche: **intestino ~**) recto

rettore [ret'tore] sm (UNIV) rector(a)

reumatismo [reuma'tizmo] sm reumatismo

revisione [revi'zjone] sf revisión f ► **revisione contabile** revisión o control m de cuentas ► **revisione di bozze** corrección f o revisión de pruebas □ **revisore** [revi'zore] sm revisor m ► **revisore di bozze** corrector de pruebas ► **revisore di conti** revisor de cuentas

revival [ri'vaival] sm inv resurgimiento

revoca, -che ['revoka] sf revocación f, anulación f □ **revocare** [revo'kare] vt revocar, anular

revolver [re'vɔlver] sm inv revólver m

riabilitare [riabili'tare] vt rehabilitar

rianimazione [rianimat'tsjone] sf (MED) reanimación f

riaprire [ria'prire] vt reabrir; **riaprirsi** vpr reabrirse

riarmo [ri'armo] sm rearme m

riassumere [rias'sumere] vt (dipendente) volver a contratar; (sintetizzare) resumir □ **riassunto, -a** [rias'sunto] pp di **riassumere** ♦ sm resumen m

riattaccare [riattak'kare] vt (manifesto) volver a colgar; (francobollo) volver a pegar; (bottoni) volver a coser; (telefono) colgar

riavere [ria'vere] vt (avere di nuovo) volver a tener; (avere indietro) recuperar, recobrar; **riaversi** vpr (da svenimento, stordimento) volver en sí; (da spavento) recobrarse

ribadire [riba'dire] vt (affermazione ecc) corroborar, ratificar

ribaltabile [ribal'tabile] agg (sedile) abatible

ribaltare [ribal'tare] vt volcar; (situazione) dar una vuelco a

ribassare [ribas'sare] vt (prezzi, affitti) rebajar

ribattere [ri'battere] vt (palla) restar; (confutare) rebatir, refutar; ~ **che** refutar que

ribellarsi [ribel'larsi] vpr: ~ **(a)** rebelarse (contra) □ **ribelle** [ri'belle] agg, sm/f rebelde m/f

ribes ['ribes] sm inv grosella

ribrezzo [ri'breddzo] sm asco, repulsión f; **far** ~ **a** dar asco a, repeler a

ributtante [ribut'tante] agg repugnante, repelente

ricadere [rika'dere] vi (cadere di nuovo) volver a caer; ~ **su** (fig: responsabilità) recaer en □ **ricaduta** [rika'duta] sf (MED) recaída f

ricamare [rika'mare] vt bordar

ricambiare [rikam'bjare] vt (contraccambiare) devolver □ **ricambio** [ri'kambjo] sm (sostituzione) cambio; **pezzo di ricambio** (pieza de) repuesto o recambio

ricamo [ri'kamo] sm bordado m

ricapitolare [rikapito'lare] vt recapitular

ricaricare [rikari'kare] vt recargar; (orologio, giocattolo) dar cuerda a

ricattare [rikat'tare] vt chantajear □ **ricatto** [ri'katto] sm (anche morale) chantaje m

ricavare [rika'vare] vt (guadagnare, dedurre) sacar; (estraerre: da lavorazione) extraer, sacar

ricchezza [rik'kettsa] sf riqueza

riccio, -a ['rittʃo] agg rizado(-a), ensortijado(-a) ♦ sm (ZOOL, BOT) erizo ► **riccio di mare** (ZOOL) erizo de mar □ **ricciolo** ['rittʃolo] sm rizo

ricco, -a, -chi, -che ['rikko] agg, sm/f rico(-a); ~ **di** (materie prime, risorse) rico en; (idee, illustrazioni, fantasia) lleno de; **i ricchi** los ricos

ricerca, -che [ri'tʃerka] sf (il cercare) busca, búsqueda; (studio, indagine) estudio; (universitaria, scientifica) investigación f ► **ricerca di mercato** estudio de mercado □ **ricercare** [ritʃer'kare] vt buscar; (motivi, cause) investigar, averiguar □ **ricercato, -a** [ritʃer'kato] agg (raffinato) refinado(-a); (affettato) afectado(-a) ♦ sm/f (dalla polizia) prófugo(-a) □ **ricercatore, -trice** [ritʃerka'tore] sm/f investigador(a)

ricetta [ri'tʃetta] sf (MED, CUC) receta; **potrebbe farmi una ~ medica?** ¿podría recetarme un medicamento?

ricettazione [ritʃettat'tsjone] sf receptación f

ricevere [ri'tʃevere] vt recibir; (stipendio) cobrar □ **ricevimento** [ritʃevi'mento] sm (il ricevere) recibo, recibimiento; (festa) recepción f □ **ricevitore** [ritʃevi'tore] sm (TEL) receptor m □ **ricevuta** [ritʃe'vuta] sf recibo, comprobante m; **potrei avere una ricevuta per favore?** ¿podría darme un recibo por favor? ► **ricevuta di ritorno** (POSTA) acuse m de recibo ► **ricevuta fiscale** recibo

richiamare [rikja'mare] vt (chiamare di nuovo) volver a llamar; (chiamare indietro) hacer volver; (rimproverare) reprender, amonestar; (ritelefonare) volver a telefonear; (attirare) atraer; **la prego di ~ più tardi** por favor llame más tarde; **~ qn all'ordine** llamar a algn al orden

richiedere [ri'kjedere] vt (chiedere di nuovo) volver a pedir; (chiedere: informazioni, documento) pedir; (necessitare) requerir, necesitar; (pretendere) exigir □ **richiesta** [ri'kjesta] sf petición f; (AMM: istanza) solicitud f, instancia; (di manodopera, prodotti) demanda; **a richiesta** a petición; **a grande richiesta** a petición popular

riciclare [ritʃi'klare] vt reciclar; (denaro sporco) blanquear

ricino ['ritʃino] sm: **olio di ~** aceite m de ricino

ricognizione [rikoɲɲit'tsjone] sf reconocimiento

ricominciare [rikomin'tʃare] vt, vi recomenzar; **~ a fare qc** recomenzar a hacer algo

ricompensa [rikom'pensa] sf recompensa ► **ricompensare** [rikompen'sare] vt recompensar

riconciliarsi [rikontʃi'ljarsi] vpr reconciliarse

riconoscente [rikonoʃˈʃɛnte] *agg*
agradecido(-a); *(parole, espressione)*
de gratitud

riconoscere [rikoˈnoʃʃere] *vt*
reconocer

ricopiare [rikoˈpjare] *vt* pasar en
limpio

ricoprire [rikoˈprire] *vt* cubrir;
(carica) ocupar, desempeñar

ricordare [rikorˈdare] *vt (serbare
memoria)* recordar, acordarse;
(menzionare) mencionar;
(rassomigliare) parecerse a;
ricordarsi *vpr*: **ricordarsi (di qc/qn)**
recordar (algo/a algn), acordarse
(de algo/algn) ❑ **ricordo** [riˈkɔrdo]
sm (memoria, oggetto) recuerdo

ricorrente [rikorˈrɛnte] *agg*
recurrente ❑ **ricorrenza**
[rikorˈrɛntsa] *sf (periodicità)*
repetición *f*; *(festività)* festividad *f*; *(di
compleanno, anniversario: data)*
fecha

ricorrere [riˈkorrere] *vi (data, festa)*
celebrarse; *(fenomeno)* repetirse; **~ a**
recurrir a

ricorso [riˈkorso] *sm (DIR)* recurso

ricostituente [rikostituˈɛnte] *agg*:
cura ~ remedio reconstituyente
♦ *sm (MED)* reconstituyente *m*

ricostruire [rikostruˈire] *vt (anche
fatti, circostanze)* reconstruir

ricotta [riˈkɔtta] *sf* requesón *m*

ricoverare [rikoveˈrare] *vt*: **~ (in un
ospedale)** ingresar (en un hospital),
hospitalizar ❑ **ricovero** [riˈkovero]
sm (in ospedale) ingreso,
hospitalización *f*; *(rifugio)* refugio

ricreazione [rikreatˈtsjone] *sf*
(svago) distracción *f*; *(SCOL)* recreo

ricredersi [riˈkredersi] *vpr* cambiar
de opinión

ridacchiare [ridakˈkjare] *vi* reír
socarronamente

ridare [riˈdare] *vt (dare di nuovo)*
volver a dar; *(restituire)* devolver,
restituir

ridere [ˈridere] *vi* reír, reírse; **~ di**
(deridere) reírse de

ridicolo, -a [riˈdikolo] *agg*
ridículo(-a)

ridimensionare
[ridimensjoˈnare] *vt (problema,
questione)* poner en perspectiva;
(industria) reorganizar

ridire [riˈdire] *vt (dire di nuovo)*
repetir; **avere** *o* **trovare da ~** tener
que objetar o replicar

ridondante [ridonˈdante] *agg*
redundante

ridotto, -a [riˈdotto] *pp di* **ridurre**
♦ *agg* reducido(-a); *(biglietto, tariffa)*
rebajado(-a)

ridurre [riˈdurre] *vt (diminuire)*
reducir; **ridursi** *vpr (rimpicciolire)*
reducirse; **~ qc in pezzi** hacer algo
añicos; **ridursi a** *(ricondursi)*
reducirse a

riduttore [ridutˈtore] *sm (ELETTR)*
reductor *m*

riduzione [ridutˈtsjone] *sf*
reducción *f*; **ci sono riduzioni per i
bambini?** ¿hay descuento para
niños?

riempire [riemˈpire] *vt*: **~ (di)** llenar
(de); **riempirsi** *vpr* llenarse; **~ un
modulo** rellenar un formulario; **~
qn di gioia** llenar a algn de alegría

rientranza [rienˈtrantsa] *sf*
entrante *m*

rientrare [rienˈtrare] *vi (entrare di
nuovo)* volver a entrar; *(tornare)*
volver, regresar; *(riguardare, essere
compreso)*: **~ in** entrar en, formar

parte de; **~ a casa** volver o regresar a casa

riepilogare [riepilo'gare] vt recapitular, resumir

rifare [ri'fare] vt volver a hacer; (ripetere) repetir; **rifarsi** vpr: **rifarsi a** (riferirsi, alludere) referirse a; (: scrittore) imitar a; (stile) imitar; **rifarsi una vita** rehacer la vida; **rifarsi di** (spesa, perdita) recuperarse de

riferimento [riferi'mento] sm referencia; **punto di ~** punto de referencia; **in o con ~** a con referencia a

riferire [rife'rire] vt (fatti, notizie) referir ♦ vi: **~ (su qc a qn)** informar (a algn de algo); **riferirsi** vpr: **riferirsi a** referirse a

rifinire [rifi'nire] vt (lavoro) terminar, acabar; (quadro) dar un último toque a

rifiutare [rifju'tare] vt rechazar, rehusar; **rifiutarsi di fare qc** negarse a hacer algo □ **rifiuto** [ri'fjuto] sm (risposta negativa) negativa; (rigetto) rechazo; **rifiuti** smpl (spazzatura) basura sg ► **rifiuti solidi urbani** residuos mpl sólidos urbanos

riflessione [rifles'sjone] sf reflexión f

riflessivo, -a [rifles'sivo] agg (persona, LING) reflexivo(-a)

riflesso, -a [ri'flesso] pp di **riflettere** ♦ agg reflejo(-a) ♦ sm (luce, allo specchio) reflejo; (ripercussione) repercusión f; **di ~** de resultas; **per ~** indirectamente

riflessologia [riflessolo'dʒia] sf reflexología

riflettere [ri'flettere] vt (anche fig) reflejar ♦ vi (meditare): **~ (su)** reflexionar (sobre); **riflettersi** vpr: **riflettersi (su)** (essere riflesso) reflejarse (en); (ripercuotersi) influir (en) □ **riflettore** [riflet'tore] sm (per illuminazione) reflector m; (TEATRO) foco

riflusso [ri'flusso] sm (di marea) reflujo; (fig) involución f, retroceso

riforma [ri'forma] sf reforma □ **riformatorio** [riforma'tɔrjo] sm reformatorio

rifornimento [riforni'mento] sm abastecimiento, provisión f; **rifornimenti** smpl (viveri, materiale) provisiones; **fare ~** (viveri ecc) hacer provisión de; (benzina) abastecerse de

rifornire [rifor'nire] vt: **~ di** abastecer de, suministrar; **rifornirsi** vpr: **rifornirsi di qc** abastecerse o proveerse de algo

rifugiarsi [rifu'dʒarsi] vpr refugiarse □ **rifugiato, -a** [rifu'dʒato] sm/f refugiado(-a) □ **rifugio** [ri'fudʒo] sm refugio ► **rifugio antiaereo** refugio antiaéreo

riga, -ghe ['riga] sf raya; (di testo) línea, renglón m; (fila, MIL) fila; (righello) regla; **in ~** (persone ecc) en fila; **a righe** (foglio, vestito ecc) de rayas □ **rigare** [ri'gare] vt rayar ♦ vi: **rigare dritto** (fig) comportarse como corresponde o como es debido

rigattiere [rigat'tjere] sm ropavejero/a

rigido, -a ['ridʒido] agg (materiale, struttura, fig) rígido(-a); (gambe, braccia) tieso(-a); (sistema, clima, inverno) riguroso(-a)

rigoglioso, -a [rigoˈʎoso] agg (pianta) lozano(-a), lujuriante; (fig: sviluppo) floreciente

rigore [riˈɡore] sm rigor m; (anche: calcio di ~) penalti m; **a rigor di termini** en el sentido estricto de la palabra

riguardare [riɡwarˈdare] vt (riesaminare) remirar; (concernere) concernir, atañer; **riguardarsi** vpr (aver cura di sé) tener cuidado

riguardo [riˈɡwardo] sm (attenzione) cuidado, atención f; (considerazione) consideración f, respeto; (attinenza) relación f; **~ a** (con) respecto a

rilasciare [rilaʃˈʃare] vt (prigioniero) liberar; (documento) extender, expedir; (intervista) conceder; (dichiarazione) hacer

rilassare [rilasˈsare] vt relajar ♦ vpr relajarse

rilegare [rileˈɡare] vt (libro) encuadernar

rileggere [riˈleddʒere] vt releer

rilento [riˈlento]: **a ~** avv lentamente

rilevante [rileˈvante] agg relevante

rilevare [rileˈvare] vt (notare) evidenciar, notar; (raccogliere: dati) registrar; (COMM: attività) adquirir □ **rilievo** [riˈljevo] sm (GEO, ARTE, fig) relieve m; **in rilievo** en relieve

riluttante [rilutˈtante] agg reluctante

rima [ˈrima] sf rima; **far ~ con** rimar con

rimandare [rimanˈdare] vt (mandare di nuovo) volver a enviar; (rinviare) aplazar; (studente) suspender □ **rimando** [riˈmando] sm (in testo) remisión f

rimanente [rimaˈnente] agg restante, sobrante ♦ sm remanente m; **i rimanenti** los demás

rimanere [rimaˈnere] vi quedarse, permanecer; (avanzare, mancare) quedar; **~ vedovo** quedarse viudo; **c'è rimasto male** se ha llevado un disgusto

rimangiare [rimanˈdʒare] vt: **rimangiarsi la parola** faltar a mi (o tu etc) palabra

rimarginarsi [rimardʒiˈnarsi] vpr (ferita) cicatrizarse

rimbalzare [rimbalˈtsare] vi (palla, proiettile) rebotar

rimbambito, -a [rimbamˈbito] agg chocho(-a)

rimboccare [rimbokˈkare] vt (orlo, pantaloni) remangar; (coperta) remeter; **rimboccarsi le maniche** (fig) remangarse, arremangarse

rimbombare [rimbomˈbare] vi retumbar, resonar

rimborsare [rimborˈsare] vt reembolsar

rimediare [rimeˈdjare] vi: **~ a** remediar ♦ vt (fam: procurarsi) conseguir, encontrar □ **rimedio** [riˈmedjo] sm remedio

rimettere [riˈmettere] vt (mettere di nuovo) volver a poner; (vomitare) vomitar; (perdere: anche: **rimetterci**) perder; (perdonare: decisione): **~** (a) remitir (a), someter (a); **rimettersi** vpr (ristabilirsi) restablecerse, recobrarse; **rimettersi a fare qc** ponerse a hacer algo de nuevo; **rimettersi in viaggio** seguir el viaje; **rimettersi al lavoro** ponerse a trabajar otra vez

rimmel® [ˈrimmel] sm inv rímel m inv

rimodernare [rimoder'nare] vt modernizar

rimorchiare [rimor'kjare] vt (veicolo) remolcar; (fam: fig: ragazza) ligar con ▫ **rimorchio** [ri'morkjo] sm remolque m

rimorso [ri'morso] sm remordimiento

rimozione [rimot'tsjone] sf (di veicolo) retiro; (di impiegato) remoción f; (PSIC) represión f

rimpatriare [rimpa'trjare] vi, vt repatriar

rimpiangere [rim'pjandʒere] vt añorar, lamentar ▫ **rimpianto, -a** [rim'pjanto] pp di **rimpiangere** ♦ sm (nostalgia) añoranza; (rammarico) arrepentimiento

rimpiazzare [rimpjat'tsare] vt reemplazar

rimpicciolire [rimpittʃo'lire] vt achicar, empequeñecer ♦ vi (anche: **rimpiccioliirsi**) achicarse, empequeñecerse

rimpinzare [rimpin'tsare] vt: ~ **(di)** atiborrar (de), hartar (de); **rimpinzarsi** vpr: **rimpinzarsi (di)** atiborrarse (de), hartarse (de)

rimproverare [rimprove'rare] vt reprender, regañar; (rinfacciare) reprochar

rimuovere [ri'mwɔvere] vt remover; (fig: ostacolo) quitar

Rinascimento [rinaʃʃi'mento] sm: **il** ~ el Renacimiento

rinascita [ri'naʃʃita] sf (culturale, economica) renacimiento

rincarare [rinka'rare] vt encarecer ♦ vi encarecerse; ~ **la dose** (fig) echar leña al fuego

rincasare [rinka'sare] vi recogerse

rinchiudere [rin'kjudere] vt encerrar; (prigioniero) recluir; **rinchiudersi** vpr (in casa ecc) encerrarse; **rinchiudersi in se stesso** encerrarse en sí mismo

rincorrere [rin'korrere] vt perseguir ▫ **rincorsa** [rin'korsa] sf impulso; **prendere la rincorsa** tomar impulso

rincrescere [rin'kreʃʃere] vb impers: **mi rincresce (che o di)** siento (que), lamento (que)

rinfacciare [rinfat'tʃare] vt: ~ **qc a qn** echar en cara algo a algn, reprochar algo a algn

rinforzare [rinfor'tsare] vt (muscoli) fortalecer; (edificio) reforzar

rinfrescare [rinfres'kare] vt refrescar ♦ vi (tempo) refrescar; **rinfrescarsi** vpr refrescarse ▫ **rinfresco, -schi** [rin'fresko] sm (festa) refresco; **rinfreschi** smpl (bevande, dolci) refrescos

rinfusa [rin'fuza] sf: **alla** ~ a la buena de Dios

ringhiare [rin'gjare] vi gruñir

ringhiera [rin'gjɛra] sf barandilla

ringiovanire [rindʒova'nire] vt, vi rejuvenecer

ringraziamento [ringrattsja'mento] sm agradecimiento

ringraziare [ringrat'tsjare] vt agradecer, dar las gracias a; ~ **qn di qc** agradecer algo a algn, dar las gracias a algn por algo

rinnegare [rinne'gare] vt renegar

rinnovamento [rinnova'mento] sm renovación f

rinnovare [rinno'vare] vt renovar; (tende, tappezzeria) cambiar

rinoceronte [rinot∫e'ronte] *sm*
rinoceronte *m*

rinomato, -a [rino'mato] *agg*
renombrado(-a), famoso(-a)

rintracciare [rintrat't∫are] *vt*
(*persona*) localizar; (*documento*)
hallar; **~ qn telefonicamente**
localizar a algn telefónicamente o
por teléfono

rintronare [rintro'nare] *vi*
retumbar, resonar ♦ *vt* aturdir,
ensordecer

rinunciare [rinun't∫are] *vi*: **~ a**
renunciar a

rinviare [rinvi'are] *vt* (*rimandare
indietro*) reenviar; **~ qc (a)** (*differire*)
aplazar algo (para); **~ a giudizio**
(DIR) encausar □ **rinvio, -vii**
[rin'vio] *sm* (*di merci*) reenvío; (*di
seduta*) aplazamiento; (*in un testo*)
remisión *f* ▸ **rinvio a giudizio**
(DIR) encausamiento

rione [ri'one] *sm* barrio

riordinare [riordi'nare] *vt*
(*rimettere in ordine*) poner en orden

riorganizzare [riorganid'dzare] *vt*
reorganizar

ripagare [ripa'gare] *vt*
(*ricompensare*) recompensar;
(*pagare di nuovo*) volver a pagar

riparare [ripa'rare] *vt* (*aggiustare,
correggere*) reparar; (*proteggere*)
proteger ♦ *vi* (*rifugiarsi*) buscar
refugio; (*porre rimedio*): **~ a**
remediar; **ripararsi** *vr* (*dalla pioggia
ecc*) protegerse, guarecerse; **dove
lo posso portare a ~?** ¿dónde me lo
pueden arreglar? □ **riparazione**
[riparat'tsjone] *sf* (*di torto, errore,
motore*) reparación *f*; (*di scarpe*)
arreglo *m* □ **riparo** [ri'paro] *sm*

(*ricovero*) amparo; (*da sole, vento*)
protección

ripartire [ripar'tire] *vi* (*dividere*)
repartir ♦ *vi* (*partire di nuovo:
persona, macchina*) volver a salir o a
partir

ripassare [ripas'sare] *vi* (*passare di
nuovo*) volver a pasar; (*ritornare*)
volver ♦ *vt* (*lezione*) repasar

ripensare [ripen'sare] *vi*: **~ (a qc/
qn)** (*riflettere*) reflexionar (sobre
algo/algn); **ci ho ripensato** (*ho
cambiato idea*) he cambiado de idea

ripercuotersi [riper'kwotersi] *vpr*:
~ su (*fig*) repercutir en, afectar a
□ **ripercussione** [riperkus'sjone]
sf repercusión *f*

ripescare [ripes'kare] *vt* (*in acqua*)
pescar, sacar del agua; (*fig: ritrovare*)
encontrar, dar con

ripetere [ri'petere] *vt* repetir; **può ~
per favore?** ¿puede repetirlo por
favor? □ **ripetizione**
[ripetit'tsjone] *sf* (*il ripetere*)
repetición *f*; **ripetizioni** *sfpl* (SCOL:
lezioni private) clases *fpl* particulares

ripiano [ri'pjano] *sm* estante *m*

ripicca, -che [ri'pikka] *sf*: **per ~**
desquite

ripido, -a [ri'pido] *agg*
escarpado(-a), empinado(-a)

ripiegare [ripje'gare] *vt* (*cartoncino
ecc*) replegar; **~ su** (*fig: accontentarsi*)
conformarse con

ripieno, -a [ri'pjeno] *agg* (CUC)
relleno(-a) ♦ *sm* (CUC) relleno

riporre [ri'porre] *vt* (*mettere via*)
guardar; **~ la propria fiducia in qn**
depositar la confianza en algn

riportare [ripor'tare] *vt* (*portare di
nuovo*) volver a llevar; (*portare
indietro*) devolver, restituir; (*riferire*)

referir; (*citare*) citar; (*vittoria,
successo*) obtener; **~ danni** sufrir
daños; **ha riportato gravi ferite** ha
sufrido graves heridas

riposare [ripo'sare] *vi* descansar;
riposarsi *vpr* reposar, descansar
❏ **riposo** [ri'pɔso] *sm* reposo,
descanso; **riposo!** (MIL) ¡descansen!

ripostiglio [ripos'tiʎʎo] *sm*
trastero

riprendere [ri'prendere] *vt*
(*prendere di nuovo*) volver a coger;
(*prendere indietro*) recobrar,
recuperar; (*riacchiappare*) coger;
(*ricominciare*) retomar, reanudar;
(*rimproverare*) reprender, regañar;
(CINE) rodar, filmar ♦ *vi* (*ricominciare*)
reanudarse; **riprendersi** *vpr* (*da
malattia, crisi*) restablecerse; **~ il
cammino** continuar el camino; **~ i
sensi** recobrar el conocimiento; **~ il
sonno** volverse a dormir; **~ a fare
qc** volver a hacer algo ❏ **ripresa**
[ri'presa] *sf* (*nuovo inizio*)
reanudación f; (ECON) reactivación f,
repunte m; (CINE) toma; (CALCIO)
segunda parte f, segundo tiempo; **a
più riprese** más veces

ripristinare [ripristi'nare] *vt*
(*servizio, linea ferroviaria*)
restablecer; (*edificio*) restaurar

riprodurre [ripro'durre] *vt*
(*immagine*) reproducir; (*stampare*)
reimprimir; (*ritrarre*) retratar;
riprodursi *vpr* (ANAT, ZOOL, BOT)
reproducirse

riprovare [ripro'vare] *vt* (*provare di
nuovo*) volver a probar; (*sensazione*)
volver a experimentar ♦ *vi* (*tentare*)
~ (a fare qc) volver a intentar (hacer
algo)

ripudiare [ripu'djare] *vt* (*coniuge,
idee*) repudiar; (*figlio*) renegar

ripugnante [ripuɲ'ɲante] *agg*
repugnante

riquadro [ri'kwadro] *sm* cuadrado

risaia [ri'saja] *sf* arrozal *m*

risalire [risa'lire] *vi* subir de nuevo;
(*fiume*) remontar; **~ a** (*fig: a epoca,
periodo*) datar de, remontarse a

risaltare [risal'tare] *vi* (*colori ecc*)
resaltar; (*fig: distinguersi*) destacar,
distinguirse

risaputo, -a [risa'puto] *agg*: **è ~
che ...** es archisabido que ...

risarcimento [risartʃi'mento] *sm*
indemnización f ► **risarcimento
danni** indemnización por daños

risarcire [risar'tʃire] *vt*: **~ qn di qc**
indemnizar a algn por algo; **~ i
danni a qn** indemnizar a algn por
los daños

risata [ri'sata] *sf* risotada, carcajada

riscaldamento [riskalda'mento]
sm (*aumento di temperatura*)
recalentamiento; (*impianto*)
calefacción f ► **riscaldamento
autonomo/centralizzato**
calefacción autónoma/central

riscaldare [riskal'dare] *vt* calentar;
riscaldarsi *vpr* calentarse

riscatto [ris'katto] *sm* (*somma
pagata*) rescate *m*

rischiarare [riskja'rare] *vt* (*stanza,
cielo*) alumbrar, iluminar; (*colore*)
aclarar; **rischiararsi** *vpr* (*tempo, cielo*)
despejarse, aclararse; (*fig: volto*)
iluminarse

rischiare [ris'kjare] *vt* arriesgar; **~ di
fare qc** arriesgarse a hacer algo
❏ **rischio** ['riskjo] *sm* riesgo;
correre il rischio di fare qc correr el
riesgo de hacer algo
❏ **rischioso, -a** [ris'kjoso] *agg*
arriesgado(-a)

risciacquare [riʃʃak'kware] vt
enjuagar

riscontrare [riskon'trare] vt
(rilevare) descubrir, hallar

riscuotere [ris'kwɔtere] vt
(stipendio, affitto, assegno) cobrar;
(tasse) recaudar; (fig: successo)
obtener, conseguir

risentimento [risenti'mento] sm
resentimiento

risentire [risen'tire] vi: ~ **di** (caldo,
viaggio ecc) notar; (trauma)
resentirse de; **risentirsi** vpr:
risentirsi (per) resentirse (por)
□ **risentito, -a** [risen'tito] agg
resentido(-a)

riserbo [ri'serbo] sm discreción f

riserva [ri'serva] sf (di energia,
denaro, cibo) reserva; (di caccia,
pesca) vedado; (SPORT) suplente m/f,
reserva m/f; **di** ~ de reserva; **essere
in** ~ (AUT) estar en reserva; **avere
delle riserve su** tener reservas
sobre

riservare [riser'vare] vt (prenotare)
reservar; **ho riservato un tavolo a
nome ...** he reservado una mesa a
nombre de ... □ **riservato, -a**
[riser'vato] agg reservado(-a);
(informazione, notizia) reservado(-a),
confidencial

risiedere [ri'sjedere] vi: ~ **a** o **in**
residir en

risma ['rizma] sf (di carta) resma; (fig:
genere) ralea, calaña

riso, -a [ri'so] pp di **ridere ♦** sm (pl(f)
risa il ridere) risa; (BOT, CUC) arroz m
□ **risolino** [riso'lino] sm sonrisita

risolto, -a [ri'sɔlto] pp di **risolvere**

risoluto, -a [riso'luto] agg
(carattere, persona) determinado(-a),
decidido(-a)

risoluzione [risolut'tsjone] sf
resolución f; (decisione) decisión f

risolvere [ri'sɔlvere] vt resolver,
solucionar; (decidere) decidir;
risolversi vpr (decidersi): **risolversi a
fare qc** resolverse a hacer algo;
risolversi in (andare a finire)
resolverse en

risonanza [riso'nantsa] sf
resonancia

risorgere [ri'sɔrdʒere] vi (REL)
resucitar; (sole) resurgir; (fig:
problemi) volver a surgir; (: speranze)
renacer

Risorgimento [risordʒi'mento]
sm ver nota en el recuadro

> **RISORGIMENTO**
>
> El **Risorgimento**, período que va
> desde principios del s. XIX hasta
> 1861 con la proclamación del
> Reino de Italia, fue una época de
> gran agitación y de cambios. La
> libertad política y personal
> adquirió una nueva importancia
> mientras se desarrollaban los
> acontecimientos de la Revolución
> Francesa. El **Risorgimento** allanó
> el terreno para la unificación de
> Italia en 1871.

risorsa [ri'sorsa] sf recurso
▸ **risorse umane** recursos
humanos

risotto [ri'sɔtto] sm risotto, primer
plato a base de arroz (cocido en caldo)
y diversos ingredientes

risparmiare [rispar'mjare] vt
ahorrar; (non uccidere) perdonar ♦ vi
ahorrar □ **risparmio** [ris'parmjo]
sm ahorro; **risparmi** smpl (denaro)
ahorros

rispecchiare [rispek'kjare] vt
(anche fig) reflejar

rispettabile [rispet'tabile] agg
respetable

rispettare [rispet'tare] vt respetar;
farsi ~ hacerse respetar

rispettivo, -a [rispet'tivo] agg
respectivo(-a)

rispetto [ris'petto] sm respeto;
rispetti smpl (saluti) respetos; **~ a**
(con) respecto a

rispondere [ris'pondere] vi: **~ (a)**
responder (a), contestar (a); **~ di sì/
no** responder que sí/no; **~ di qc**
(essere responsabile) responder de
algo □ **risposta** [ris'posta] sf
respuesta, contestación f; **in
risposta a** como respuesta a

rissa ['rissa] sf riña

ristampa [ris'tampa] sf
reimpresión f

ristorante [risto'rante] sm
restaurante m; **mi può consigliare
un buon ~?** ¿puede recomendarme
un buen restaurante?

ristretto, -a [ris'tretto] pp di
restringere ♦ agg (spazio)
estrecho(-a), reducido(-a); (fig:
mentalità) cerrado(-a); (: significato,
uso) estricto(-a); (gruppo)
reducido(-a); **~ a** (limitato)
reservado a; **brodo ~** caldo
concentrado; **caffè ~** café cargado
o fuerte

ristrutturare [ristruttu'rare] vt
(edificio, appartamento)
reestructurar, restaurar; (azienda)
reestructurar

risucchiare [risuk'kjare] vt tragar,
tragarse

risultare [risul'tare] vi resultar; **~
vincitore** resultar o salir vencedor;
mi risulta che ... me parece que ...;
da quanto mi risulta ... según sé, ...

□ **risultato** [risul'tato] sm
resultado

risuonare [riswo'nare] vi
(rimbombare) resonar, retumbar

risurrezione [risurret'tsjone] sf
resurrección f

risuscitare [risuʃʃi'tare] vt, vi
resucitar

risveglio [riz'veʎʎo] sm despertar
m; (fig: rinnovamento, ripresa)
renacimiento

risvolto [riz'vɔlto] sm (di giacca,
libro) solapa; (di manica) vuelta; (fig:
aspetto); (: conseguenza)
consecuencia

ritagliare [rita'ʎʎare] vt (tagliare di
nuovo) volver a cortar; (tagliar via)
recortar

ritardare [ritar'dare] vi (persona,
treno) tardar, retrasarse ♦ vt retrasar
□ **ritardo** [ri'tardo] sm retraso,
atraso; **in ritardo** con retraso; **scusi
il ritardo** perdón por el retraso;
siamo in ritardo di 10 minuti
vamos 10 minutos tarde; **il volo ha
due ore di ritardo** el vuelo lleva dos
horas de retraso

ritegno [ri'teɲɲo] sm (riserbo)
discreción f; (misura) moderación f

ritenere [rite'nere] vt (giudicare)
considerar, juzgar; (trattenere)
retener; **~ che ...** creer que ...

ritirare [riti'rare] vt retirar; **ritirarsi**
vpr retirarse; (stoffa) encoger

ritmo ['ritmo] sm ritmo

rito ['rito] sm rito

ritoccare [ritok'kare] vt retocar

ritornare [ritor'nare] vi (a casa, in
ufficio ecc) volver, regresar;
(ridiventare) volver a ser ♦ vt
(restituire): **~ qc a qn** devolver o

restituir algo a algn; **quando ritorniamo?** ¿cuándo regresamos?

ritornello [ritor'nello] sm estribillo
□ **ritorno** [ri'torno] sm vuelta;
(restituzione) restitución f; **biglietto di andata e ~** billete de ida y vuelta;
essere di ~ estar de vuelta; **far ritorno** volver; **ne parleremo al tuo ritorno** hablaremos cuando vuelvas

ritrarre [ri'trarre] vt (mano) retirar;
(in dipinto: persona) retratar;
(: paesaggio) pintar

ritrattare [ritrat'tare] vt (trattare nuovamente) volver a tratar; **~ una dichiarazione** desmentir una declaración

ritratto, -a [ri'tratto] pp di **ritrarre**
♦ sm retrato

ritrovare [ritro'vare] vt (cosa, persona) hallar, encontrar;
ritrovarsi vpr (in senso reciproco) encontrarse, verse; (raccapezzarsi) hallarse, caer

ritto, -a [ritto] agg (persona) erguido(-a); (capelli) de punta

rituale [ritu'ale] agg, sm ritual (m)

riunione [riu'njone] sf reunión f

riunire [riu'nire] vt (mettere insieme) reunir, juntar; (riconciliare) reconciliar; **riunirsi** vpr (radunarsi) reunirse

riuscire [riuʃ'ʃire] vi (avere buon esito) salir; (essere, apparire) ser, resultar; **~ bene in qc** dársele bien a uno algo; **~ a fare qc** lograr o conseguir hacer algo

riva ['riva] sf orilla f; **in ~ al mare** en la orilla del mar

rivale [ri'vale] agg, sm/f rival m/f
□ **rivalità** [rivali'ta] sf inv rivalidad f

rivalutare [rivalu'tare] vt (ECON) revaluar; (fig: opera d'arte ecc) revalorizar

rivedere [rive'dere] vt (vedere di nuovo) volver a ver; (riesaminare) reexaminar, revisar

rivelare [rive'lare] vt revelar;
rivelarsi vpr revelarse
□ **rivelazione** [rivelat'tsjone] sf revelación f

rivendicare [rivendi'kare] vt reivindicar

rivenditore, -trice [rivendi'tore] sm/f minorista m/f, comerciante m/f al por menor

riverbero [ri'verbero] sm reverbero

rivestimento [rivesti'mento] sm revestimiento

rivestire [rives'tire] vt (vestire di nuovo) volver a vestir; (con stoffa) forrar, tapizar; (avere: carica, ruolo) desempeñar

rivincita [ri'vintʃita] sf revancha

rivista [ri'vista] sf (periodico) revista

rivolgere [ri'vɔldʒere] vt: **~ (a)** dirigir (a); (domanda) hacer (a);
rivolgersi vpr: **rivolgersi a** (per informazioni) dirigirse a

rivolta [ri'vɔlta] sf revuelta

rivoltella [rivol'tella] sf revólver m

rivoluzionare [rivoluttsjo'nare] vt revolucionar
□ **rivoluzionario, -a** [rivoluttsjo'narjo] agg, sm/f revolucionario(-a)

rivoluzione [rivolut'tsjone] sf revolución f

rizzare [rit'tsare] vt (tenda) montar;
(bandiera) izar; **rizzarsi** vpr (persona) levantarse; (capelli) ponerse de

punta; **rizzarsi in piedi** ponerse de pie

roba ['rɔba] *sf* (*cose varie*) cosas *fpl*; (*merce*) mercancía; (*fam: droga*) droga; **~ da mangiare** comida; **~ da vestire** ropa; **hai ~ da lavare?** ¿tienes ropa para lavar?; **~ da matti!** ¡cosa de locos!

robot ['rɔbɔt] *sm inv* robot *m*

robusto, -a [ro'busto] *agg* (*persona, braccia*) robusto(-a); (*catena, corda*) fuerte, resistente; (*pianta, vino*) recio(-a)

rocchetto [rok'ketto] *sm* (*di filo*) carrete *m*, bobina

roccia, -ce ['rɔttʃa] *sf* roca; **fare ~** (*ALPINISMO*) escalada

roco, -a, -chi, -che ['rɔko] *agg* (*voce*) ronco(-a), bronco(-a)

rodaggio [ro'daddʒo] *sm* rodaje *m*; **essere in ~** (*macchina*) estar en rodaje

roditore [rodi'tore] *sm* roedor *m*

rododendro [rodo'dɛndro] *sm* rododendro

rognone [roɲ'ɲone] *sm* (*CUC*) riñones *mpl*

rogo, -ghi ['rɔɡo] *sm* hoguera

rollio [rol'lio] *sm* balanceo

Roma ['roma] *sf* Roma

Romania [roma'nia] *sf* Rumanía

romanico, -a, -ci, -che [ro'maniko] *agg* románico(-a)

romano, -a [ro'mano] *agg, sm/f* romano(-a)

romantico, -a, -ci, -che [ro'mantiko] *agg* romántico(-a)

romanziere, -a [roman'dzjere] *sm/f* novelista *m/f*

romanzo, -a [ro'mandzo] *sm* novela ▶ **romanzo giallo** novela

policíaca ▶ **romanzo rosa** novela rosa

rombo ['rombo] *sm* (*di motore*) zumbido; (*di cannone, tuono*) estruendo; (*GEOM*) rombo; (*ZOOL*) rodaballo

rompere ['rompere] *vt* romper, quebrar; (*fig: silenzio, contratto ecc*) romper; **rompersi** *vpr* (*spezzarsi*) romperse, quebrarse; (*guastarsi*) romperse; **~ con qn** romper con algn; **~ (le scatole) a qn** (*fam*) tocar las pelotas a algn; **rompersi un braccio/una gamba** romperse un brazo/una pierna; **la serratura/la TV si è rotta** la cerradura/televisión se ha roto; **mi sono rotto** (*fam!: sono stufo*) estoy hasta las pelotas ▭ **rompiscatole** ['rompis'katole] *sm/f inv* (*fam*) pelmazo(-a)

rondine ['rondine] *sf* (*ZOOL*) golondrina

ronzare [ron'dzare] *vi* zumbar ▭ **ronzio, -ii** [ron'dzio] *sm* zumbido

rosa ['rɔza] *sf* (*fiore*) rosa; (*pianta*) rosal *m* ♦ *agg inv, sm inv* (*colore*) rosa (*m*); **la ~ dei candidati** el grupo de candidatos ▭ **rosato, -a** [ro'zato] *agg* rosado(-a) ♦ *sm* (*vino*) rosado

rosicchiare [rosik'kjare] *vt* (*rodere*) roer; (*mangiucchiare*) mordisquear

rosmarino [rozma'rino] *sm* romero

rosolare [rozo'lare] *vt* (*CUC*) dorar

rosolia [rozo'lia] *sf* (*MED*) rubeola

rosone [ro'zone] *sm* (*vetrata*) rosetón *m*

rospo ['rɔspo] *sm* sapo

rossetto [ros'setto] *sm* pintalabios *m inv*, lápiz *m* de labios

rosso, -a ['rosso] agg rojo(-a), colorado(-a); (dai capelli rossi) pelirrojo(-a) ♦ sm (colore) rojo, colorado; **a luce rossa** (CINE) porno ▸ **rosso d'uovo** yema de huevo

rosticceria [rostittʃe'ria] sf asador m

rotaia [ro'taja] sf (FERR) carril m, riel m

rotella [ro'tella] sf (di meccanismo) rodillo; (di pattini, mobile) rueda

rotolare [roto'lare] vt hacer rodar ♦ vi rodar; **rotolarsi** vpr revolcarse ▢ **rotolo** ['rotolo] sm (di carta, stoffa) rollo; **andare a rotoli** (fig: azienda) ir a pique

⚠ **rotolo** non si traduce mai con la parola spagnola *rótulo*.

rotondo, -a [ro'tondo] agg redondo(-a)

rotta ['rotta] sf (AER) ruta; (NAUT) rumbo; **a ~ di collo** a toda velocidad; **essere in ~ con qn** (fig) estar enemistado(-a) con algn

rottamare [rotta'mare] vt desguazar

rottame [rot'tame] sm chatarra

rotto, -a ['rotto] pp di **rompere** ♦ agg (spezzato, guasto) roto(-a); (lacerato) destrozado(-a); (voce) entrecortado(-a); **la serratura/la TV è rotta** la cerradura/televisión está rota

rottura [rot'tura] sf rotura; (fig) ruptura

roulotte [ru'lɔt] sf inv caravana

rovente [ro'vente] agg candente, ardiente

rovere ['rovere] sm (BOT, legno) roble m

rovescia [ro'vessa] sf: **alla ~** al revés

rovesciare [roveʃ'ʃare] vt (versare: bicchiere, acqua) verter, derramar; (capovolgere) volcar; (rivoltare: tasche) volver al revés; (piegare all'indietro: testa) echar hacia atrás; (fig: governo) derrocar; (: situazione) dar un vuelco a; **rovesciarsi** vpr (bicchiere, acqua) verterse, derramarse; (sedia) caerse; (barca, macchina) volcar; (fig: situazione) dar un vuelco ▢ **rovescio, -sci** [ro'veʃʃo] sm (di stoffa, TENNIS) revés m; (di moneta) reverso; (di pioggia) aguacero; **a rovescio** al revés

rovina [ro'vina] sf ruina; **rovine** sfpl (ruderi) ruinas; **essere in ~** (edificio) estar en ruinas; **andare in ~** (persona, società) arruinarse; **mandare in ~** arruinar

rovinare [rovi'nare] vt estropear; **rovinarsi** vpr (persona) arruinarse; (abito, oggetto) estropearse

rovistare [rovis'tare] vt revolver, hurgar en

rovo ['rovo] sm zarza

rozzo, -a ['roddzo] agg rudo(-a); (sgarbato) grosero(-a); (linguaggio, maniere) tosco(-a)

RFT ['ɛrre'effe'ti] sigla f (= Repubblica Federale Tedesca) RFA f

rubare [ru'bare] vt robar; **~ qc a qn** robar algo a algn; **mi hanno rubato il portafoglio** me han robado la cartera

rubinetto [rubi'netto] sm grifo

rubino [ru'bino] sm rubí m

rubrica, -che [ru'brika] sf (per indirizzi) agenda de direcciones; (per telefono) agenda de teléfonos; (STAMPA, TV, RADIO) sección f

rubrica non si traduce mai con la parola spagnola *rúbrica*.

rudere ['rudere] *sm (rovine)* ruina

rudimentale [rudimen'tale] *agg* rudimentario(-a)

rudimenti [rudi'menti] *smpl* rudimentos *mpl*

ruffiano, -a [ruf'fjano] *sm/f (mezzano)* alcahuete(-a); *(adulatore)* pelotillero(-a)

ruga, -ghe ['ruga] *sf* arruga

ruggine ['ruddʒine] *sf* herrumbre *f*

ruggire [rud'dʒire] *vi* rugir

rugiada [ru'dʒada] *sf* rocío

rugoso, -a [ru'goso] *agg* arrugado(-a)

rullino [rul'lino] *sm* carrete *m*, rollo; **vorrei un ~ da 36 foto** quisiera un carrete de 36 fotos

rullo ['rullo] *sm (arnese cilindrico)* rodillo; *(di tamburi)* redoble *m*

rum [rum] *sm inv* ron *m inv*

rumeno, -a [ru'meno] *agg, sm/f* rumano(-a) ♦ *sm (lingua)* rumano

ruminare [rumi'nare] *vt* rumiar

rumore [ru'more] *sm* ruido; *(scalpore)* escándalo, revuelo; **fare ~** hacer ruido; **non riesco a dormire a causa del ~** no puedo dormir por el ruido □ **rumoroso, -a** [rumo'roso] *agg* ruidoso(-a)

 rumore non si traduce mai con la parola spagnola *rumor*.

ruolo ['rwɔlo] *sm* papel *m*; **di ~** *(insegnante, impiegato)* de plantilla

ruota ['rwɔta] *sf* rueda; *(in luna park)* noria; **ho una ~ a terra** tengo una rueda pinchada ▸ **ruota di scorta**

rueda de repuesto □ **ruotare** [rwo'tare] *vt, vi* girar

rupe ['rupe] *sf* peña, roca

rurale [ru'rale] *agg* rural

ruscello [ruʃ'ʃello] *sm* arroyo

ruspa ['ruspa] *sf* excavadora

russare [rus'sare] *vi* roncar

Russia ['russja] *sf* Rusia □ **russo, -a** ['russo] *agg, sm/f* ruso(-a) ♦ *sm (lingua)* ruso

rustico, -a, -ci, -che ['rustiko] *agg (casa, arredamento)* rústico(-a) ♦ *sm (EDIL)* armazón *m o f*

ruttare [rut'tare] *vi* eructar □ **rutto** ['rutto] *sm* eructo

ruvido, -a ['ruvido] *agg* áspero(-a)

Ss

S ['esse] *abbr (= sud)* S

S. *abbr (= santo)* S.

sabato ['sabato] *sm* sábado; *vedi anche* **martedì**

sabbia ['sabbja] *sf* arena □ **sabbioso, -a** [sab'bjoso] *agg* arenoso(-a)

sacca, -che ['sakka] *sf (borsone)* bolsa ▸ **sacca da viaggio** bolsa de viaje

saccarina [sakka'rina] *sf* sacarina

saccheggiare [sakked'dʒare] *vt* saquear

sacchetto [sak'ketto] *sm* bolsa, bolsita ▸ **sacchetto di carta/di plastica** bolsa de papel/de plástico

sacco, -chi ['sakko] *sm* saco; *(di tela grezza)* costal *m*; **un ~ di** *(fig)* un montón de; **pranzo al ~** comida al aire libre ▸ **sacco a pelo** saco de dormir ▸ **sacco per i rifiuti** bolsa de basura

sacerdote, -essa [satʃer'dɔte] *sm/f* sacerdote(-isa)

sacrificare [sakrifi'kare] *vt* sacrificar; **sacrificarsi** *vpr* sacrificarse ◻ **sacrificio** [sakri'fitʃo] *sm* sacrificio

sacro, -a ['sakro] *agg* sagrado(-a); *(musica)* sacro(-a)

sadico, -a, -ci, -che ['sadiko] *agg, sm/f* sádico(-a)

saetta [sa'etta] *sf (fulmine)* rayo

safari [sa'fari] *sm inv* safari *m*

saggezza [sad'dʒettsa] *sf* sabiduría

saggio, -a, -gi, -ge ['saddʒo] *agg* sabio(-a) ◆ *sm/f (persona)* sabio(-a) ◆ *sm (campione indicativo)* muestra; *(studio, esame critico)* ensayo

Sagittario [sadʒit'tarjo] *sm (ZODIACO)* Sagitario; **essere del ~** ser Sagitario

sagoma ['sagoma] *sf (profilo, contorno)* perfil *m*; *(bersaglio)* blanco

sagra ['sagra] *sf (festa popolare)* fiesta popular; **~ del prosciutto** feria del jamón

sagrestano [sagres'tano] *sm* sacristán ◻ **sagrestia** [sagres'tia] *sf* sacristía

sala ['sala] *sf (anche CINE)* sala ▸ **sala da ballo** sala de fiestas ▸ **sala da gioco** sala de juegos ▸ **sala da pranzo** comedor *m* ▸ **sala d'aspetto** sala de espera ▸ **sala operatoria** *(MED)* quirófano

salame [sa'lame] *sm* salchichón *m*

salamoia [sala'mɔja] *sf (CUC)* salmuera; **in ~** en salmuera

salato, -a [sa'lato] *agg* salado(-a); *(prezzo, conto)* caro(-a)

saldare [sal'dare] *vt (congiungere)* juntar; *(TECN)* soldar; *(conto, debito)* saldar

saldo, -a ['saldo] *agg (mura)* resistente, firme; *(gambe)* robusto(-a), fuerte; *(fig: animo)* firme; *(: amicizia)* duradero(-a); *(: principio)* sólido(-a) ◆ *sm (di conto)* saldo; **saldi** *smpl (COMM)* rebajas *fpl*

sale [sale] *sm* sal; **sotto ~** bajo sal ▸ **sale fino/grosso** sal fina/gorda

salice ['salitʃe] *sm* sauce ▸ **salice piangente** sauce llorón

saliente [sa'ljɛnte] *agg* saliente

saliera [sa'ljera] *sf* salero

salire [sa'lire] *vi* subir; *(aereo)* ascender; *(sentiero)* empinarse ◆ *vt (scale, pendio)* subir; **~ da qn** *(andare a trovare)* ir a visitar a algn; **~ su** subir(se) a; **~ sul treno/ sull'autobus** subir al tren/al autobús; **~ in macchina** subir al coche ◻ **salita** [sa'lita] *sf (strada)* cuesta; *(il salire)* subida; **in salita** cuesta arriba

⚠ **salire** non si traduce mai con la parola spagnola *salir*.

saliva [sa'liva] *sf* saliva

salma ['salma] *sf* restos *mpl* mortales

salmo ['salmo] *sm* salmo

salmone [sal'mone] *sm* salmón *m*

salone [sa'lone] *sm* salón *m*; *(di parrucchiere)* peluquería ▸ **salone di bellezza** salón de belleza

salotto [sa'lɔtto] *sm* sala (de estar)

salpare [sal'pare] *vi* zarpar

salsa ['salsa] *sf* salsa ▸ **salsa di pomodoro** salsa de tomate

salsiccia [sal'sittʃa] *sf* salchicha, longaniza

saltare [sal'tare] *vi* (*sollevarsi da terra, esplodere*) saltar; (*non aver luogo*) anularse ♦ *vt* saltar; ~ **fuori** (*fig: apparire all'improvviso*) aparecer de repente; ~ **giù da** (*da treno, muro*) bajar de; ~ (*serratura*) forzar; (*cuc*) saltear □ **saltellare** [saltel'lare] *vi* brincar

salto ['salto] *sm* salto; **fare un** ~ o pegar un salto; **fare un** ~ **da qn** (*fig*) hacer una escapada a casa de algn ▸ **salto con l'asta** (*sport*) salto con pértiga ▸ **salto in alto/lungo** (*sport*) salto de altura/longitud ▸ **salto mortale** salto mortal

saltuario, -a [saltu'arjo] *agg* (*lavoro*) ocasional; (*visita*) esporádico(-a)

salubre [sa'lubre] *agg* salubre

salumeria [salume'ria] *sf* charcutería

salumi [sa'lumi] *smpl* embutidos *mpl*

salutare [salu'tare] *agg* saludable ♦ *vt*: ~ (**qn**) (*amico, conoscente: incontrando*) saludar (a algn); (: *nel congedarsi*) despedirse (de algn); **mi saluti sua moglie** déle recuerdos a su mujer

salute [sa'lute] *sf* salud *f inv*; ~! (*a chi starnutisce*) ¡Jesús!; (*nei brindisi*) ¡salud!; **bere alla ~ di qn** beber o brindar a la salud de algn □ **saluto** [sa'luto] *sm* saludo; **"cari/tanti saluti"** "cordiales/muchos saludos";

"distinti saluti" "(le saluda) atentamente"

salvadanaio [salvada'najo] *sm* hucha, alcancía

salvagente [salva'dʒɛnte] *sm* (*a ciambella*) salvavidas *m inv*, flotador *m* ♦ *sm*: **giubbotto** ~ chaleco salvavidas

salvaguardare [salvagwar'dare] *vt* salvaguardar

salvare [sal'vare] *vt* salvar; (*inform*) guardar; **salvarsi** *vpr* salvarse; **salvarsi da** salvarse de □ **salvaslip** [salva'zlip] *sm inv* salva-slip *m*, protege-slip *m* □ **salvataggio** [salva'taddʒo] *sm* salvamento

salve ['salve] *escl* ¡hola!

salvia ['salvja] *sf* salvia

salvietta [sal'vjetta] *sf* (*tovagliolo*) servilleta; (*umidificata*) toallita

salvo, -a ['salvo] *agg* salvo(-a) ♦ *sm*: **in** ~ a salvo ♦ *prep* (*eccetto*) salvo; **mettersi in** ~ ponerse a salvo; **portare in** ~ poner a salvo; ~ **imprevisti** salvo imprevisto

sambuco [sam'buko] *sm* saúco

san [san] *agg* (*davanti a nomi maschili*) san; **S~ Francesco** San Francisco; **S~ Tommaso** Santo Tomás; *vedi anche* **santo**

sandalo ['sandalo] *sm* (*bot*) sándalo; (*calzatura*) sandalia

sangue ['sangwe] *sm* sangre *f*; **al** ~ (*bistecca*) poco hecho; **a ~ freddo** (*fig*) a sangre fría □ **sanguinare** [sangwi'nare] *vi* sangrar

sanità [sani'ta] *sf* (*salute*) salud *f inv*; (*tutela della salute*) sanidad *f inv* □ **sanitario, -a** [sani'tarjo] *agg* sanitario(-a) ♦ *sm* (*persona*) médico(-a); **sanitari** *smpl* (*impianti*) sanitarios *mpl*

sano, -a ['sano] *agg* sano(-a); **~ di mente** cuerdo(-a); **di sana pianta** (*inventare, creare*) de arriba abajo, de cabo a rabo; **~ e salvo** sano y salvo

santo, -a ['santo] (*seguito da sm: usato dav s impura, x, z; seguito da sf: usato davanti a consonante*) *agg, sm/f* santo(-a); **Sant'Antonio** San Antonio; **S~ Stefano** (*giorno*) San Esteban **□ santuario** [santu'arjo] *sm* santuario

sanzione [san'tsjone] *sf* sanción *f*

sapere [sa'pere] *vt* saber; (*apprendere: notizia*) enterarse de ♦ *vi:* **~ di** (*aver sapore*) saber a; (*aver odore*) oler a ♦ *sm:* **il ~** el saber; **saper fare qc** saber hacer algo; **far ~ qc a qn** hacer saber a algo algo; **non lo so** no lo sé; **non solo spagnolo** no sé español; **sa dove posso ...?** ¿sabe dónde puedo ...?; **venire a ~ qc** enterarse de algo; **mi sa che ...** creo que ...

sapone [sa'pone] *sm* jabón *m*

sapore [sa'pore] *sm* sabor *m* **□ saporito, -a** [sapo'rito] *agg* sabroso(-a)

saracinesca [saratʃi'neska] *sf* cierre *m* metálico

sarcastico, -a, -ci, -che [sar'kastiko] *agg* sarcástico(-a)

Sardegna [sar'deɲɲa] *sf* Cerdeña *f*

sardina [sar'dina] *sf* sardina

sarto, -a ['sarto] *sm/f* (*per uomini*) sastre *m*; (*per donne*) modista *m/f*

sasso ['sasso] *sm* piedra; (*ciottolo*) guijarro

sassofono [sas'sɔfono] *sm* saxofón *m*

sassoso, -a [sas'soso] *agg* pedregoso(-a)

Satana ['satana] *sm* Satanás *m inv*

satellite [sa'tellite] *sm* satélite *m*; **via ~** vía satélite

satira ['satira] *sf* sátira

sauna ['sauna] *sf* sauna; **fare la ~** ir a la sauna

sazio, -a ['sattsjo] *agg* lleno(-a), harto(-a)

sbadato, -a [zba'dato] *agg* descuidado(-a), distraído(-a)

sbadigliare [zbadiʎ'ʎare] *vi* bostezar **□ sbadiglio** [zba'diʎʎo] *sm* bostezo

sbagliare [zbaʎ'ʎare] *vt* (*i conti*) equivocarse en; (*persona*) confundirse en; (*strada*) equivocarse de ♦ *vi* (*fare un errore*) equivocarse; (*comportarsi male*) actuar o portarse mal; **sbagliarsi** *vpr* equivocarse, estar equivocado(-a); **~ la mira** fallar la puntería; **scusi, ho sbagliato numero** (*TEL*) perdone, me he equivocado o confundido de número **□ sbagliato, -a** [zbaʎ'ʎato] *agg* (*erroneo, inesatto*) equivocado(-a); (*mal fatto*) mal hecho(-a); (*momento*) inoportuno(-a); (*pronuncia*) incorrecto(-a) **□ sbaglio** ['zbaʎʎo] *sm* equivocación *f*, error *m*; (*in compito*) error, falta; **per sbaglio** por descuido; **fare uno sbaglio** cometer una equivocación o un error; (*per sbadataggine*) tener un descuido

sbalordire [zbalor'dire] *vt* dejar pasmado(-a)

sbalzare [zbal'tsare] *vt* arrojar, lanzar

sbandare [zban'dare] vi (veicolo) derrapar

sbaraglio [zba'raʎʎo] sm: **mandare qn allo ~** poner a algn en peligro; **gettarsi allo ~** (fig) arriesgarlo todo

sbarazzarsi [zbarat'tsarsi] vpr: **~ di** (peso) liberarse de; (seccatore) librarse de

sbarcare [zbar'kare] vt (passeggeri) desembarcar; (merci) descargar ♦ vi: **~ (da)** (da nave, aereo) desembarcar (de)

sbarra ['zbarra] sf (bastone) palo; (spranga) tranca; (di passaggio a livello) barrera; (di cancello) barrote m; **dietro le sbarre** (in prigione) entre rejas, a la sombra

sbarrare [zbar'rare] vt (chiudere con sbarre) trancar, atrancar; (impedire, bloccare) cortar, cerrar; **~ il passo (a qn)** cortar o cerrar el paso (a algn)

sbattere ['zbattere] vt (panni, tappeti) sacudir; (ali, CUC) batir; (scagliare, gettare) arrojar, estrellar ♦ vi (porta, finestra) batir; (ali) agitarse; (vele) menearse; **~ contro qc** chocar contra o con algo; **~ contro qn** chocarse con algn

sbavare [zba'vare] vi babear

sberla ['zberla] sf bofetada, tortazo

sbiadire [zbja'dire] vt desteñir, decolorar ♦ vi desteñirse, decolorarse; (ricordo) borrarse □ **sbiadito, -a** [zbja'dito] agg desteñido(-a), decolorado(-a); (ricordo) borroso(-a)

sbiancare [zbjan'kare] vt blanquear ♦ vi (diventare bianco) ponerse blanco(-a); (impallidire) palidecer

sbirciata [zbir'tʃata] sf: **dare una ~ a** dar una ojeada a, echar un vistazo a

sbloccare [zblok'kare] vt (meccanismo, situazione) desbloquear; **sbloccarsi** vpr (meccanismo, situazione) desbloquearse; (persona) soltarse

sboccare [zbok'kare] vi: **~ in** (fiume, strada) desembocar en; (corteo) acabar en □ **sboccato, -a** [zbok'kato] agg (persona) deslenguado(-a), mal hablado(-a); (linguaggio) grosero(-a)

sbocciare [zbot'tʃare] vi (fiore) abrirse; (fig: sentimento) brotar

sbollire [zbol'lire] vi (rabbia ecc) pasarse

sbornia ['zbɔrnja] sf (fam) pedo, ciego

sborsare [zbor'sare] vt desembolsar

sbottare [zbot'tare] vi estallar, prorrumpir

sbottonare [zbotto'nare] vt desabrochar, desabotonar

sbraitare [zbrai'tare] vi gritar

sbranare [zbra'nare] vt despedazar

sbriciolare [zbritʃo'lare] vt desmigajar; **sbriciolarsi** vpr desmigajarse

sbrigare [zbri'gare] vt (pratica) tramitar; (faccenda) despachar; **sbrigarsi** vpr darse prisa

sbronza ['zbrontsa] sf (fam) pedo, ciego □ **sbronzarsi** [zbron'tsarsi] vpr (fam) cogerse un pedo o ciego □ **sbronzo, -a** ['zbrontso] agg (fam) trompa

sbruffone, -a [zbruf'fone] sm/f fanfarrón(-ona)

sbucare [zbu'kare] vi salir; **~ da** salir de

sbucciare [zbut'tʃare] vt (patate, frutta) pelar, mondar; (piselli) pelar, desgranar; **sbucciarsi un ginocchio** rasparse la rodilla

sbuffare [zbuf'fare] vi (persona) jadear, resoplar; (fig) resoplar

scabroso, -a [ska'broso] agg escabroso(-a)

scacchi ['skakki] smpl (gioco) ajedrez m inv; **a ~** a cuadros

scacchiera [skak'kjɛra] sf tablero, damero

scacciare [skat'tʃare] vt echar; (fig: dubbio) disipar; (: malinconia) desterrar

scadente [ska'dɛnte] agg malo(-a)

scadenza [ska'dɛntsa] sf término, vencimiento; (di alimenti, farmaci) caducidad f; **a breve/lunga ~** a corto/largo plazo; **data di ~** (di alimenti, passaporto) fecha de caducidad; **"~"** (in documento) "válido hasta", "validez"

scadere [ska'dere] vi (contratto, impegno, tempo) vencer; (passaporto, patente, alimento) caducar; **questo tonno è scaduto** este atún está o ha caducado

scafandro [ska'fandro] sm escafandro

scaffale [skaf'fale] sm estantería, estante m

scafo ['skafo] sm casco

scagionare [skadʒo'nare] vt exculpar

scaglia ['skaʎʎa] sf (ZOOL) escama; (frammento) esquirla

scagliare [skaʎ'ʎare] vt arrojar, lanzar; (fig: accuse) lanzar; (insulti)

proferir; **scagliarsi** vpr: **scagliarsi su** o **contro** (anche fig) arremeter contra

scala ['skala] sf escalera; (di disegno) escala; **scale** sfpl (scalinata) escalinata sg; **su larga** o **vasta ~** a o en gran escala ▶ **scala mobile** escalera mecánica

scalare [ska'lare] vt (montagna, muro) escalar; (da una somma) deducir

scaldabagno [skalda'baɲɲo] sm calentador m

scaldare [skal'dare] vt calentar; **scaldarsi** vpr (anche fig) calentarse

scalfire [skal'fire] vt (superficie) rayar; (pelle) rasguñar

scalino [ska'lino] sm (gradino) escalón m, peldaño; (fig) paso

scalo ['skalo] sm (NAUT, AER) escala; (FERR) estación f; **fare ~ a** hacer escala en

scaloppina [skalop'pina] sf (CUC) escalopín m, loncha delgada de carne de ternera que se cocina a veces con vino en una sartén

scalpello [skal'pello] sm (di scultore) cincel m

scalpore [skal'pore] sm sensación f; **far ~** (notizia ecc) causar sensación

scaltro, -a ['skaltro] agg (persona) listo(-a); (mossa) astuto(-a)

scalzo, -a ['skaltso] agg descalzo(-a)

scambiare [skam'bjare] vt (barattare) cambiar; (parole, opinioni) intercambiar; **scambiarsi** vpr (auguri) intercambiarse; (confidenze) contarse; (visite) devolverse; **~ qn per** (confondere) confundir algo/a algn con ▶ **scambio** [skambjo] *sm (baratto, FERR)* cambio; *(di regali, auguri)* intercambio

scampagnata [skampaɲˈnata] *sf* excursión *f* campestre

scampare [skamˈpare] *vt* evitar ♦ *vi*: ~ a escapar de; **scamparla bella** salvarse por un pelo

scampo[1] [ˈskampo] *sm (salvezza)* salvación *f*; **cercare ~ nella fuga** buscar la salvación en la fuga; **non c'è (via di) ~** no hay escape

scampo[2] [ˈskampo] *sm (ZOOL)* cigala

scampolo [ˈskampolo] *sm* retal *m*

scanalatura [skanalaˈtura] *sf* estría

scandagliare [skandaʎˈʎare] *vt (NAUT)* sondar

scandalizzare [skandalidˈdzare] *vt* escandalizar; **scandalizzarsi** *vpr* escandalizarse

scandalo [ˈskandalo] *sm* escándalo

Scandinavia [skandiˈnavja] *sf* Escandinavia

scansafatiche [skansafaˈtike] *sm/f inv* haragán(-ana)

scansare [skanˈsare] *vt (evitare: colpo, palla ecc)* esquivar; *(: pericolo)* evadir; **scansarsi** *vpr* quitarse, apartarse

scansia [skanˈsia] *sf* estantería, estante *m*

scanso [ˈskanso] *sm*: **a ~ di equivoci** para evitar equívocos

scantinato [skantiˈnato] *sm* sótano

scapaccione [skapatˈtʃone] *sm* pescozón *m*

scapestrato, -a [skapesˈtrato] *agg* desenfrenado(-a)

scapola [ˈskapola] *sf* omóplato, omoplato

scapolo [ˈskapolo] *sm* soltero

scappamento [skappaˈmento] *sm (AUT)* escape *m*

scappare [skapˈpare] *vi (fuggire)* escapar, fugarse; ~ **di prigione** fugarse de la cárcel; ~ **di mano** *(oggetto)* escaparse de la(s) mano(s); **mi è scappato di mente** se me ha ido de la cabeza ▫ **scappatoia** [skappaˈtoja] *sf* escapatoria

scarabeo [skaraˈbeo] *sm* escarabajo

scarabocchiare [skarabokˈkjare] *vt* llenar de borrones; *(scrivere senza impegno)* emborronar ▫ **scarabocchio** [skaraˈbɔkkjo] *sm* borrón *m*

scarafaggio [skaraˈfaddʒo] *sm* cucaracha

scaramanzia [skaramanˈtsia] *sf*: **per ~** contra la mala suerte

scaraventare [skaravenˈtare] *vt* arrojar; **scaraventarsi** *vpr* arrojarse, lanzarse

scarcerare [skartʃeˈrare] *vt* excarcelar

scardinare [skardiˈnare] *vt (porta, finestra)* desquiciar

scaricare [skariˈkare] *vt (merci, INFORM)* descargar; *(passeggeri)* dejar; *(arma: sparare)* disparar; *(arma: togliere le pallottole)* descargar; **scaricarsi** *vpr (persona: da stress, tensione)* relajarse; *(orologio)* pararse; *(batteria)* descargarse ▫ **scarico, -a, -chi, -che** [ˈskariko] *agg (batteria)* descargado(-a); *(orologio)* sin cuerda ♦ *sm (di merci, materiali)* descarga; *(deflusso)* salida; *(di vasca, lavandino)* desagüe *m*; *(AUT)* escape *m*

scarlattina [skarlatˈtina] *sf* escarlatina

scarlatto, -a [skar'latto] agg
escarlata inv

scarpa ['skarpa] sf zapato
□ **scarpata** [skar'pata] sf (declivio)
escarpadura; (colpo) zapatazo
♦ **scarpiera** [skar'pjera] sf (mobile)
zapatera □ **scarpone** [skar'pone]
sm bota ▸ **scarponi da
montagna/da sci** botas de
montaña/de esquí

scarseggiare [skarsed'dʒare] vi
escasear

scarso, -a ['skarso] agg escaso(-a);
(voto) bajo(-a); (compito)
insuficiente; (persona) malo(-a); **3
chili scarsi** 3 kilos escasos; **essere
in matematica** ser malo en
matemáticas

scartare [skar'tare] vt (pacco)
desenvolver; (idea, candidato)
descartar; (CALCIO: avversario)
regatear; (carta da gioco)
descartarse □ **scarto** ['skarto]
sm (ciò che viene scartato) desecho;
(differenza) diferencia

scassinare [skassi'nare] vt forzar

scatenare [skate'nare] vt (reazione,
rivolta) desencadenar; **scatenarsi**
vpr (temporale) desatarse; (rivolta)
desencadenarse; (atleta, squadra)
exaltarse; (comportarsi senza freni)
desatarse

scatola ['skatola] sf caja; (di latta)
lata; **in ~** (cibi) en conserva o lata
□ **scatolone** [skato'lone] sm caja

scattare [skat'tare] vt (fotografia)
sacar ♦ vi saltar; (SPORT) esprintar;
(fig: per l'ira ecc) saltar, dispararse; **~ in
piedi** ponerse de pie □ **scatto**
['skatto] sm (rumore) clic m; (balzo)
salto; (TEL) paso; (accelerazione)
aceleración f; (SPORT) esprint m; (fig:
di ira ecc) arrebato; (: di stipendio)

aumento; **di scatto** (all'improvviso)
de golpe

scavalcare [skaval'kare] vt
(ostacolo, staccionata) salvar; (fig: in
gara) dejar atrás; (: in concorso)
aventajar

scavare [ska'vare] vt cavar ♦ vi
excavar

scavo ['skavo] sm excavación f;
(ARCHEOLOGIA) excavación
arqueológica

scegliere [ʃeʎʎere] vt elegir

sceicco, -chi [ʃe'ikko] sm jeque m

scellino [ʃel'lino] sm chelín m

scelta ['ʃelta] sf (lo scegliere) elección
f; **a ~** a elección; **c'è molta ~** hay
mucho surtido, hay donde elegir
□ **scelto, -a** ['ʃelto] pp di **scegliere**
♦ agg (gruppo) selecto(-a); (frutta)
escogido(-a)

scemo, -a ['ʃemo] agg, sm/f
estúpido(-a), tonto(-a)

scena ['ʃena] sf escena;
(palcoscenico) escenario
□ **scenario** [ʃe'narjo] sm (TEATRO)
escenario; (paesaggio naturale)
paisaje m; (di film) ambientación f
□ **scenata** [ʃe'nata] sf escena,
número

scendere ['ʃendere] vi bajar; (sole,
notte, sera) caer ♦ vt bajar; **~ da
cavallo** bajar(se) del caballo; **~
dalle o le scale** bajar(se) de la
escalera; **~ dal treno/dalla
macchina** bajar(se) del tren/del
coche; **dove devo ~?** ¿dónde he de
bajarme?

sceneggiato [ʃened'dʒato] sm
serial m

scettico, -a, -ci, -che ['ʃettiko]
agg escéptico(-a)

scettro ['ʃettro] sm cetro

scheda ['skɛda] sf (cartoncino) ficha; (di telefono cellulare) tarjeta
  ▶ **scheda elettorale** papeleta electoral ▶ **scheda ricaricabile** tarjeta recargable ▶ **scheda telefonica** tarjeta telefónica
  ❑ **schedario** [ske'darjo] sm fichero
  ❑ **schedina** [ske'dina] sf quiniela

scheggia, -ge ['skeddʒa] sf (di pietra, vetro) esquirla; (di legno) astilla

scheletro ['skɛletro] sm esqueleto

schema, -i ['skɛma] sm esquema m

scherma ['skerma] sf esgrima
  ❑ **schermaglia** [sker'maʎʎa] sf discusión f

schermo ['skermo] sm (di TV, computer) pantalla; **il piccolo ~** (TV) la pequeña pantalla; **il grande ~** (CINE) la gran pantalla

schernire [sker'nire] vt escarnecer

scherzare [sker'tsare] vi bromear
  ❑ **scherzo** ['skertso] sm broma; **per scherzo** de o en broma; **fare uno scherzo a qn** hacer o gastar una broma a algn

schiaccianoci [skjattʃa'notʃi] sm inv cascanueces m inv

schiacciare [skjat'tʃare] vt (anche fig) aplastar; (fig: personalità) abrumar; (noci) cascar; (pulsante) apretar; **schiacciarsi** vpr (appiattirsi, frantumarsi) aplastarse; **~ un pisolino** echarse una siesta

schiaffeggiare [skjaffed'dʒare] vt abofetear

schiaffo ['skjaffo] sm bofetada

schiantarsi [skjan'tarsi] vpr chocar, estrellarse; **~ al suolo** (aereo) estrellarse

schiarire [skja'rire] vt aclarar; **schiarirsi** vpr (diventare più chiaro)

aclararse; **schiarirsi la voce/i capelli** aclararse la voz/el pelo

schiavitù [skjavi'tu] sf esclavitud f

schiavo, -a ['skjavo] sm/f esclavo(-a)

schiena ['skjɛna] sf espalda
  ❑ **schienale** [skje'nale] sm respaldo

schiera ['skjɛra] sf (di soldati) fila; (folla) grupo; **villette a ~** chalets mpl o chalés mpl adosados
  ❑ **schieramento** [skjera'mento] sm (MIL: manovra) despliegue m; (: formazione) formación f; (SPORT) alineación f; (POL) coalición f
  ❑ **schierare** [skje'rare] vt (ordinare in schiera) alinear; (MIL) formar; **schierarsi** vpr (ordinarsi in schiera) alinearse; (MIL) formar; **schierarsi con o dalla parte di/contro** (fig) alinearse con/contra; **schierarsi contro** (fig) unirse contra

schifo ['skifo] sm asco; **fare ~** dar asco; **mi fa ~** me da asco
  ❑ **schifoso, -a** [ski'foso] agg (ripugnante) asqueroso(-a); (molto scadente) pésimo(-a), horrible

schioccare [skjok'kare] vt, vi chasquear

schiudersi ['skjudersi] vpr (fiore) florecer; (labbra) entreabrirse

schiuma ['skjuma] sf espuma

schivare [ski'vare] vt esquivar
  ❑ **schivo, -a** ['skivo] agg (carattere, persona) arisco(-a), huraño(-a)

schizzare [skit'tsare] vt (spruzzare) salpicar; (ritratto, paesaggio) esbozar
  ♦ vi salpicar; (saltar fuori) saltar; **~ via** (fuggire) salir corriendo

schizzinoso, -a [skittsi'noso] agg delicado(-a)

schizzo ['skittso] sm (di liquido) salpicadura; (abbozzo) esbozo, bosquejo

sci [ʃi] sm inv (attrezzo, sport) esquí ► **sci d'acqua** o **nautico** esquí acuático ► **sci di fondo** esquí de fondo

scia, scie ['ʃia] sf (di imbarcazione) estela; (di odore) olor m; **mettersi sulla ~ di** (fig) seguir los pasos de

sciabola ['ʃabola] sf sable m

sciacallo [ʃa'kallo] sm (ZOOL) chacal m; (fig) saqueador(a)

sciacquare [ʃak'kware] vt (panni) aclarar; (piatti) enjuagar

sciagura [ʃa'gura] sf (disgrazia) desgracia; (sfortuna) mala suerte f

scialacquare [ʃalak'kware] vt despilfarrar, derrochar

scialbo, -a ['ʃalbo] agg (colore) desvaído(-a); (fig) soso(-a)

scialle ['ʃalle] sm chal m

scialuppa [ʃa'luppa] sf chalupa ► **scialuppa di salvataggio** bote m salvavidas

sciame ['ʃame] sm enjambre m

sciare [ʃi'are] vi esquiar; **andare a ~** ir a esquiar

sciarpa ['ʃarpa] sf bufanda

sciatore, -trice [ʃia'tore] sm/f esquiador(a)

sciatto, -a ['ʃatto] agg (nel vestire) dejado(-a); (nel lavoro) negligente

scientifico, -a, -ci, -che [ʃen'tifiko] agg científico(-a)

scienza ['ʃentsa] sf (sapere) ciencia; **scienze** sfpl (SCOL) ciencias □ **scienziato, -a** [ʃen'tsjato] sm/f científico(-a)

scimmia ['ʃimmja] sf mono, simio

scimpanzé [ʃimpan'tse] sm inv chimpancé m

scintilla [ʃin'tilla] sf chispa, centella □ **scintillare** [ʃintil'lare] vi chispear, centellear; (fig: occhi) centellear

sciocchezza [ʃok'kettsa] sf (anche inezia) tontería

sciocco, -a, -chi, -che ['ʃɔkko] agg, sm/f tonto(-a)

sciogliere ['ʃɔʎʎere] vt (in acqua, fig: matrimonio, parlamento) disolver; (neve) derretir; (disfare: nodo) desatar; (: capelli) soltar; (fig: contratto) rescindir; (: muscoli) desentumecer; (: enigma) resolver; **sciogliersi** vpr disolverse; (ghiaccio, gelato, neve) derretirse; (nodo) desatarse □ **scioglilingua** [ʃoʎʎi'lingwa] sm inv trabalenguas m inv

sciolto, -a ['ʃɔlto] pp di **sciogliere** ♦ agg (franco, disinvolto) desenvuelto(-a); (agile) ágil; **essere ~ nei movimenti** ser ágil de movimientos

scioperare [ʃope'rare] vi ponerse en huelga

sciopero ['ʃɔpero] sm huelga; **fare ~** ponerse en huelga

sciovia [ʃio'via] sf telesquí m

scippare [ʃip'pare] vt: **~ qn** dar un tirón a algn

scirocco [ʃi'rokko] sm viento sudeste, siroco

sciroppo [ʃi'rɔppo] sm jarabe m

scisma, -i ['ʃizma] sm cisma m

scissione [ʃis'sjone] sf escisión f

sciupare [ʃu'pare] vt (abito, libro) estropear; (tempo, denaro) malgastar

scivolare [ʃivo'lare] *vi* deslizarse; (*involuntariamente*) resbalar(se) □ **scivolo** ['ʃivolo] *sm* (*per bambini, da sci ecc*) tobogán *m* □ **scivoloso, -a** [ʃivo'loso] *agg* resbaladizo(-a), escurridizo(-a)

sclerosi [skle'rɔzi] *sf* esclerosis *f inv*

scoccare [skok'kare] *vt* (*freccia*) disparar, lanzar; (*ore*) dar ♦ *vi* (*scintilla*) saltar; (*bagliore*) brillar; (*ore*) sonar

scocciare [skot'tʃare] *vt* (*fam*) dar la lata, incordiar; **scocciarsi** *vpr* (*annoiarsi*) aburrirse; (*perdere la pazienza*) perder la paciencia

scodella [sko'della] *sf* tazón *m*

scodinzolare [skodintso'lare] *vi* (*cane*) rabear

scogliera [skoʎ'ʎɛra] *sf* arrecife *m*

scoglio ['skɔʎʎo] *sm* (*anche fig*: *difficoltà*) escollo

scoiattolo [sko'jattolo] *sm* ardilla

scolapasta [skola'pasta] *sm inv* escurridor *m*

scolapiatti [skola'pjatti] *sm inv* escurreplatos *m*

scolare [sko'lare] *vt* escurrir ♦ *vi* (*liquido*) escurrir; **scolarsi una bottiglia** beberse una botella

scolaresca [skola'reska] *sf* (*di una classe*) alumnos *mpl*; (*di una scuola*) alumnado

scolaro, -a [sko'laro] *sm/f* escolar *m/f*

scolastico, -a, -ci, -che [sko'lastiko] *agg* escolar

scollato, -a [skol'lato] *agg* (*abito*) escotado(-a); (*staccato*) desencolado(-a) □ **scollatura** [skolla'tura] *sf* escote *m*

scollegare [skolle'gare] *vt* (*fili, apparecchi*) desconectar

scolo ['skolo] *sm* (*di liquidi*) desagüe *m*; **acque di ~** aguas *fpl* de drenaje

scolorire [skolo'rire] *vt* desteñir, descolorar; **scolorirsi** *vpr* desteñirse, descolorarse

scolpire [skol'pire] *vt* esculpir

scombussolare [skombusso'lare] *vt* trastornar; (*stomaco*) alterar

scommessa [skom'messa] *sf* apuesta

scommettere [skom'mettere] *vt* apostar

scomodare [skomo'dare] *vt* molestar; **scomodarsi** *vpr* molestarse; **scomodarsi a fare qc** molestarse en hacer algo

scomodo, -a [s'komodo] *agg* incómodo(-a); (*fig*: *personaggio*) difícil; **stare ~** estar incómodo

scomparire [skompa'rire] *vi* desaparecer

scompartimento [skomparti'mento] *sm* (*di treno, borsa*) compartimento; **uno ~ per fumatori** un compartimento para fumadores

scompigliare [skompiʎ'ʎare] *vt* desbarajustar

scomunicare [skomuni'kare] *vt* excomulgar

sconcio, -a, -ci, -ce [s'kontʃo] *agg* (*parola, gesto*) obsceno(-a); (*barzelletta*) verde

sconfiggere [skon'fiddʒere] *vt* (*nemico*) derrotar; (*malattia, corruzione*) acabar con

sconfinare [skonfi'nare] *vi*: **~ in** (*in un altro paese*) invadir; **hai**

sconfinato dall'argomento te has salido del tema

sconfitta [skon'fitta] *sf* derrota

sconforto [skon'fɔrto] *sm* desaliento, desánimo

scongelare [skondʒe'lare] *vt* descongelar

scongiurare [skondʒu'rare] *vt* (*persona*) suplicar; (*pericolo*) conjurar ▫ **scongiuro** [skon'dʒuro] *sm* conjuro; **fare gli scongiuri** hacer conjuros

sconnesso, -a [skon'nesso] *agg* (*assi*) desconectado(-a); (*ragionamento*) inconexo(-a)

sconosciuto, -a [skonoʃ'ʃuto] *agg, sm/f* desconocido(-a)

sconsigliare [skonsiʎ'ʎare] *vt*: ~ **(qc a qn)** desaconsejar (algo a algn); ~ **qn di fare qc** desaconsejar a algn que haga algo

sconsolato, -a [skonso'lato] *agg* (*addolorato*) desconsolado(-a); (*deluso*) desanimado(-a)

scontare [skon'tare] *vt* (*prezzo*) rebajar; (*debito*) liquidar; (*colpa*) expiar; (*eccessi, errori*) pagar; (*pena, condanna*) cumplir ▫ **scontato, -a** [skon'tato] *agg* (*prezzo, merce*) rebajado(-a); (*risultato*) previsto(-a); **dare per scontato qc/che** dar por descontado algo/que

scontento, -a [skon'tento] *agg* descontento(-a); **essere ~ di qc** estar descontento(-a) con algo

sconto [skonto] *sm* (*riduzione*) descuento; **fare lo ~ (a)** hacer un descuento (a); **ci sono sconti per studenti?** ¿hacen descuentos para estudiantes?

scontrarsi [skon'trarsi] *vpr* (*persona*): ~ **con** chocar con o

contra; (*veicolo*): ~ **con** chocar con o contra, estrellarse contra; (*reciproco: veicoli, persone*) chocar; (*fig: eserciti*) enfrentarse

scontrino [skon'trino] *sm* ticket *m*; **potrei avere lo ~ per favore?** ¿podría darme un ticket o recibo por favor?

SCONTRINO

Los propietarios de bares y negocios tienen capacidad parar entregar un **scontrino** a quien consuma o compre cualquier cosa. Es preferible que lo acepte ya que si no lo presenta en caso de eventual control podría costarle una multa.

---

scontro ['skontro] *sm* (*anche fig*) choque *m*

scontroso, -a [skon'troso] *agg* (*persona, carattere*) huraño(-a)

conveniente [skonve'njɛnte] *agg* (*contegno, parole*) indecoroso(-a)

sconvolgere [skon'vɔldʒere] *vt* (*mettere in disordine*) desordenar; (*fig: piani, progetti, turbare*) trastornar; (*: mondo, opinione pubblica*) convulsionar ▫ **sconvolto, -a** [skon'vɔlto] *pp di* **sconvolgere** ♦ *agg* (*persona*) trastornado(-a)

scopa ['skopa] *sf* escoba ▫ **scopare** [sko'pare] *vt* (*spazzare*) barrer ♦ *vi* (*spazzare*) barrer; (*fare l'amore: fam!*) joder (*fam!*)

scoperta [sko'perta] *sf* descubrimiento ▫ **scoperto, -a** [sko'perto] *pp di* **scoprire** ♦ *agg* (*capo, spalle, assegno, conto*) descubierto(-a); (*pentola*)

destapado(-a); (*macchina*)
descapotable

scopo ['skɔpo] *sm* fin m, finalidad f; **a
che ~?** ¿para qué?, ¿con qué
objeto?

scoppiare [skop'pjare] *vi* (*pallone,
pneumatico*) reventar; (*bomba,
guerra, incendio*) estallar; (*epidemia*)
desatarse; **~ in lacrime** o **a
piangere** echarse o romper a llorar;
~ a ridere echarse o romper a reír
□ **scoppiettare** [skoppjet'tare] *vi*
(*fuoco*) crepitar □ **scoppio**
['skɔppjo] *sm* estallido; (*di
pneumatico*) reventón m

scoprire [sko'prire] *vt* descubrir;
(*pentola*) destapar; (*tesoro*)
encontrar; **scoprirsi** *vpr* (*spogliarsi*)
desabrigarse

scoraggiare [skorad'dʒare] *vt*
desanimar, desalentar;
scoraggiarsi *vpr* desanimarse,
desalentarse

scorciatoia [skortʃa'toja] *sf* atajo

scorcio ['skortʃo] *sm* (*ARTE*) escorzo
▸ **scorcio panoramico** escorzo
panorámico

scordare [skor'dare] *vt* olvidar;
scordarsi *vpr*: **scordarsi di qc/di
fare qc** olvidarse de algo/de hacer
algo

scorgere ['skɔrdʒere] *vt* divisar,
vislumbrar

scorpacciata [skorpat'tʃata] *sf*
atracón m, panzada; **fare una ~ di**
darse un atracón o una panzada de

scorpione [skor'pjone] *sm*
escorpión m, alacrán m; (*ZODIACO*):
S~ Escorpio; **essere dello S~** ser
Escorpio

scorrere ['skorrere] *vi* (*fiume,
lacrime, tempo*) correr; (*fune, cassetto*)
deslizarse

scorretto, -a [skor'retto] *agg*
incorrecto(-a)

scorrevole [skor'revole] *agg* (*porta,
finestra*) corredero(-a); (*fig: prosa,
stile, traffico*) fluido(-a)

scorso, -a ['skorso] *pp di* **scorrere;
scorgere ♦** *agg* pasado(-a); **l'anno
~** el año pasado

scorsoio, -a [skor'sojo] *agg*: **nodo
~** nudo corredizo

scorta ['skɔrta] *sf* (*di personalità*)
escolta; (*provvista*) provisión f; **di ~**
(*materiali, ruota*) de repuesto

scortese [skor'tese] *agg* (*persona*)
descortés, grosero(-a); (*risposta*)
grosero(-a)

scorza ['skɔrdza] *sf* (*di limone,
arancia*) cáscara

scosceso, -a [skoʃ'feso] *agg*
escarpado(-a)

scossa ['skɔssa] *sf* sacudida; (*ELETTR*)
descarga; **prendere la ~** (*ELETTR*) dar
calambre ▸ **scossa di terremoto**
temblor m de tierra □ **scosso, -a**
['skɔsso] *pp di* **scuotere ♦** *agg*
(*persona*) turbado(-a),
trastornado(-a); (*nervi*)
destrozado(-a)

scostante [skos'tante] *agg*
(*atteggiamento*) antipático(-a);
(*persona*) insociable, huraño(-a)

scotch® ['skɔtʃ] *sm inv* (*whisky*)
whisky m escocés; (*nastro adesivo*)
celo, cinta adhesiva

scottare [skot'tare] *vi* quemar; (*fig:
faccenda*) ser delicado(-a) ♦ *vt*
(*ustionare*) quemar; **scottarsi** *vpr*
quemarse □ **scottatura**

[skotta'tura] sf (anche solare) quemadura

scotto, -a ['skɔtto] agg (riso, pasta) recocido(-a), pasado(-a)

scovare [sko'vare] vt (ladro, oggetto raro) dar con

Scozia ['skɔttsja] sf Escocia ❑ **scozzese** [skot'tsese] agg, sm/f escocés(-esa)

screditare [skredi'tare] vt desacreditar

screen saver ['skrin'seɪvər] sm inv protector m de pantalla

scremato, -a [skre'mato] agg desnatado(-a), descremado(-a)

screpolato, -a [skrepo'lato] agg agrietado(-a)

screzio ['skrɛttsjo] sm roce m

scriccchiolare [skrikkjo'lare] vi (pavimento, sedia) rechinar; (porta) chirriar

scrigno ['skriɲɲo] sm cofre m

scritta ['skritta] sf inscripción f

scritto, -a ['skritto] pp di **scrivere** ♦ agg escrito(-a) ❑ **scrittoio** [skrit'tojo] sm escritorio ❑ **scrittore, -trice** [skrit'tore] sm/f escritor(a) ❑ **scrittura** [skrit'tura] sf escritura; (calligrafia) letra; (CINE, TEATRO) contrato f ❑ **scritturare** [skrittu'rare] vt (attore ecc) escriturar

scrivania [skriva'nia] sf escritorio

scrivere ['skrivere] vt escribir; **come si scrive?** ¿cómo se escribe?; ~ **a macchina** escribir algo a máquina; ~ **a penna/a matita** escribir a bolígrafo/a lápiz; ~ **qc maiuscolo/minuscolo** escribir algo con mayúscula(s)/minúscula(s)

scroccone, -a [skrok'kone] sm/f gorrón(-ona)

scrofa ['skrɔfa] sf puerca, cerda

scrollare [skrol'lare] vt (albero, ramo) sacudir; **scrollarsi** vpr (scuotersi) sacudirse; ~ **il capo** negar con la cabeza; ~ **le spalle** encogerse de hombros; **scrollarsi di dosso qc** sacudirse algo, quitarse de encima algo

scrupolo ['skrupolo] sm (morale, di coscienza) escrúpulo; (meticolosità) escrupulosidad f ❑ **scrupoloso, -a** [skrupo'loso] agg (persona) escrupuloso(-a); (lavoro) esmerado(-a)

scrutare [skru'tare] vt escrutar

scucire [sku'tʃire] vt descoser; **scucirsi** vpr descoserse

scuderia [skude'ria] sf (di cavalli) caballeriza, cuadra

scudetto [sku'detto] sm (distintivo) distintivo; (SPORT) título de liga

scudo ['skudo] sm escudo

sculacciare [skulat'tʃare] vt pegar en el culo

scultore, -trice [skul'tore] sm/f escultor(a) ❑ **scultura** [skul'tura] sf escultura

scuola ['skwɔla] sf escuela; (di ballo, cucito ecc) academia ▸ **scuola dell'obbligo** enseñanza obligatoria ▸ **scuola elementare** enseñanza primaria ▸ **scuola guida** autoescuela ▸ **scuola materna** preescolar m ▸ **scuole serali** escuela nocturna

SCUOLA

La enseñanza obligatoria en Italia va desde los 6 a los 14 años. Desde los 6 hasta los 11 años los chicos suelen ir a la "scuola elementare", y de los 11 a los 14 a la "scuola media inferiore". A los 14 años se puede elegir entre varios tipos de escuelas. Si opta por ir a la universidad entonces se suele escoger un **liceo**, mientras que si prefiere hacer carreras más prácticas se ha de optar por una escuela técnica o profesional. Está prevista una reforma del sistema educativo italiano.

scuotere ['skwɔtere] vt sacudir; (fig: turbare) estremecer

scure ['skure] sf hacha

scuro, -a ['skuro] agg oscuro(-a); (birra) negro(-a) ♦ sm (buio) oscuridad f; (imposta) postigo; **verde/rosso ~** verde/rojo oscuro

scusa ['skuza] sf (giustificazione) excusa; (perdono) disculpa; **chiedere ~ a qn (per o di)** pedir disculpas a algn (por); **chiedo ~** perdón ❑ **scusare** [sku'zare] vt disculpar; **scusarsi** vpr **scusarsi (di)** disculparse (por), excusarse (por); **(mi) scusi!** (mi dispiace) ¡perdone!, ¡perdón!; (per richiamare l'attenzione) ¡disculpe!

sdegnato, -a [zdeɲ'ɲato] agg indignado(-a)

sdegno ['zdeɲɲo] sm (ira) indignación f; (disprezzo) desprecio

sdolcinato, -a [zdoltʃi'nato] agg almibarado(-a), empalagoso(-a)

sdraiarsi [zdra'jarsi] vpr tenderse, tumbarse ❑ **sdraio** ['zdrajo] sm: **sedia a sdraio** tumbona

sdrucciolevole [zdruttʃo'levole] agg resbaladizo(-a)

se [se] pron vedi **si** ♦ cong si ♦ pron: **se stesso/a** sí mismo(-a); **se nevica**

non vengo si nieva no voy; **se fossi in te** si yo fuera tú; **se non altro** al menos, por lo menos; **se no** (altrimenti) si no; **se stessi/-e** sí mismos(-as)

sé [se] pron sí; **lo porta con sé** lo lleva/trae consigo; **l'ha fatto da sé** lo ha hecho solo

sebbene [seb'bɛne] cong si bien, a pesar de que

sec. abbr (= secolo) s.; (= secondo) s, seg.

secca ['sekka] sf (NAUT) banco, bajío

seccare [sek'kare] vt (rendere secco) secar; (prosciugare) vaciar; (fig: importunare) fastidiar; **seccarsi** vpr secarse; (infastidirsi) cansarse ❑ **seccato, -a** [sek'kato] agg (reso secco) seco(-a); (fig: infastidito) cansado(-a) ❑ **seccatura** [sekka'tura] sf (fastidio) fastidio

secchiello [sek'kjɛllo] sm (per bambini) cubo, balde m

secchio ['sekkjo] sm cubo, balde m

secco, -a, -chi, -che ['sekko] agg seco(-a); (fichi, prugne) paso(-a); (pane: non fresco) duro(-a) ♦ sm (siccità) sequía; **far ~ qn** (fig) dejar tieso a algn; **restarci ~** (fig: morire) quedarse tieso; **lavare a ~** lavar en seco; **rimanere a ~** (fig: senza soldi) quedarse sin un duro

secolare [seko'lare] agg secular

secolo ['sɛkolo] sm siglo

seconda [se'konda] sf (SCOL: elementare) ≈ segundo año de primaria; vedi anche **scuola**; (AUT, FERR) segunda(-a); **a ~ di** según; vedi anche **secondo**

secondario, -a [sekon'darjo] agg (aspetto, problema) secundario(-a); (proposizione) subordinado(-a)

secondo, -a [se'kondo] *agg, sm/f*
segundo(-a) ♦ *sm* (*tempo, portata*)
segundo ♦ *prep*: **~ me/lui** según yo/
él; **in ~ luogo** en segundo lugar; **di
seconda mano** (*merce, notizia*) de
segunda mano; **~ la legge** según la
ley, conforme a la ley ▶ **seconda
classe** (*FERR*) segunda clase *f*; *vedi
anche* **seconda**

sedano ['sedano] *sm* apio

sedativo, -a [seda'tivo] *agg, sm*
sedante (*m*)

sede ['sɛde] *sf* sede *f*; **in ~ di** (*in
occasione di*) en ocasión de; **in ~
d'esame** durante el examen; **in
altra ~** en otra sede; **in separata ~**
(*fig: privatamente*) en privado
▶ **sede centrale** (*di ufficio, banca*)
sede, oficina central

sedentario, -a [seden'tarjo] *agg*
sedentario(-a)

sedere [se'dere] *vi* (*anche*: **sedersi**)
sentarse ♦ *sm* (*ANAT*) trasero; **posto
a ~** asiento; **~ in** (*consiglio,
parlamento*) ser miembro de

sedia ['sɛdja] *sf* silla ▶ **sedia a
rotelle** silla de ruedas ▶ **sedia
elettrica** silla eléctrica

sedici ['sɛditʃi] *agg inv, sm inv*
dieciséis (*m*) *inv*; *vedi anche* **cinque**

sedile [se'dile] *sm* asiento

seducente [sedu'tʃɛnte] *agg*
seductor(a)

sedurre [se'durre] *vt* seducir

seduta [se'duta] *sf* (*riunione*) sesión
f; (*con medico, legale*) cita ▶ **seduta
spiritica** sesión espiritista *o* de
espiritismo

seduzione [sedut'tsjone] *sf*
seducción *f*

SEeO *abbr* (= *salvo errori e omissioni*)
s.e.u.o.

sega, -ghe ['sega] *sf* sierra

segale ['segale] *sf* centeno; **pane di
~** pan de centeno

segare [se'gare] *vt* serrar; (*stringere:
polsi ecc*) apretar

seggio ['seddʒo] *sm* (*in parlamento*)
escaño ▶ **seggio elettorale** mesa
electoral ❑ **seggiola** ['seddʒola] *sf*
silla ❑ **seggiolone** [seddʒo'lone]
sm (*per bambini*) trona
❑ **seggiovia** [seddʒo'via] *sf*
telesilla

segnalare [seɲɲa'lare] *vt* (*manovra,
svolta ecc*) señalizar; (*mettere in
evidenza: fatto, persona*) señalar

segnale [seɲ'ɲale] *sm* señal *f*; **il
telefono dà il ~ di occupato** el
teléfono da la señal de ocupado
▶ **segnale acustico** señal acústica
▶ **segnale orario** señal horaria
▶ **segnale stradale** señal de
tráfico

segnalibro [seɲɲa'libro] *sm*
marcalibros *m inv*

segnare [seɲ'ɲare] *vt* (*anche goal*)
marcar; (*prendere nota*) anotar,
apuntar; **l'orologio segna le
quattro** el reloj marca las cuatro

segno [seɲɲo] *sm* (*indizio, gesto,
traccia*) señal *f*; (*ortografico,
matematico*) signo; **fare ~ di sì/no**
hacer una señal afirmativa/
negativa; **lasciare il ~** dejar rastro,
(*fig*) dejar huella; **passare il ~**
pasarse de la raya ▶ **segno
zodiacale** signo zodiacal *o* del
zodíaco

segretario, -a [segre'tarjo] *sm/f*
secretario(-a) ❑ **segreteria**
[segrete'ria] *sf* secretaría
▶ **segreteria telefonica** (*di
telefono fisso*) contestador *m*

automático; (*di cellulare*) buzón *m* de voz

segreto, -a [se'greto] *agg* secreto(-a) ♦ *sm* secreto; **in ~** en secreto

seguace [se'gwatʃe] *sm/f* seguidor(a)

seguente [se'gwɛnte] *agg* siguiente

seguire [se'gwire] *vt* (*anche corso, consiglio*) seguir; (*paziente*) realizar un seguimiento de ♦ *vi* (*venire dopo*) suceder; (*continuare*) continuar; **"segue"** "sigue", "continúa"

seguitare [segwi'tare] *vt* seguir, continuar ♦ *vi*: **~ (a fare qc)** seguir o continuar (haciendo algo)

seguito [se'gwito] *sm* (*continuazione*) continuación *f*; (*seguaci*) seguidores *mpl*; **di ~** sin parar o interrupción; **in ~** más adelante; **in ~ a** o **a ~ di** (*dopo*) después de; (*a causa di*) a causa de

sei ['sɛi] *vb vedi* **essere** ♦ *agg inv*, *sm inv* seis (*m*) *inv*; *vedi anche* **cinque**
❏ **seicento** [sei'tʃɛnto] *agg inv*, *sm inv* seiscientos(-as) ♦ *sm*: **il Seicento** el siglo XVII

selciato [sel'tʃato] *sm* adoquinado

selezionare [selettsjo'nare] *vt* seleccionar ♦ **selezione** [selet'tsjone] *sf* selección *f*

sella ['sɛlla] *sf* (*di cavallo*) silla; (*di moto*) sillín *m* ♦ **sellino** [sel'lino] *sm* sillín *m*

selvaggina [selvad'dʒina] *sf* caza

selvaggio, -a, -gi, -ge [sel'vaddʒo] *agg*, *sm/f* salvaje *m/f*

selvatico, -a, -ci, -che [sel'vatiko] *agg* (*pianta, fiore*) silvestre; (*animale*) salvaje

semaforo [se'maforo] *sm* semáforo

sembrare [sem'brare] *vi* parecer
♦ *vb impers*: **sembra che** parece que; **mi sembra che** me parece que

⚠ **sembrare** non si traduce mai con la parola spagnola *sembrar*.

seme ['seme] *sm* (*BOT*) semilla; (: *di pere, mele, uva*) pepita; (*sperma*) semen *m*

semestre [se'mɛstre] *sm* semestre *m*

semifinale [semifi'nale] *sf* semifinal *f*

semifreddo [semi'freddo] *sm* (*dolce*) semifrío, postre *m* helado

seminare [semi'nare] *vt* sembrar

seminario [semi'narjo] *sm* seminario

seminterrato [seminter'rato] *sm* semisótano

semola ['semola] *sf* salvado
➤ **semola di grano duro** sémola de trigo durillo o duro ❏ **semolino** [semo'lino] *sm* sopa de sémola

semplice ['semplitʃe] *agg* simple, sencillo(-a)

sempre ['sempre] *avv* siempre; (*ancora*) todavía; **da ~** desde siempre; **per ~** por o para siempre; **una volta per ~** de una vez por todas; **~ che** siempre que; **~ più** siempre más, cada vez más; **~ meno** siempre menos, cada vez menos; **va ~ meglio** va cada vez mejor ❏ **sempreverde** [sempre'verde] *agg* (*BOT*) sempervirente

senape ['senape] *sf* (*CUC*) mostaza

senato [se'nato] *sm* senado
❏ **senatore** [sena'tore] *sm* senador(a)

SENATO

El **Senato** es la cámara alta del **Parlamento** italiano con funciones similares a la **Camera dei deputati**. Los candidatos deben tener al menos 40 años y los electores al menos 25. Las elecciones se celebran cada 5 años. Antiguos cabezas de estado llegan a ocupar el cargo de senador vitalicio, mientras que cinco miembros distinguidos del público son elegidos por la cabeza de estado por sus logros científicos, sociales, artísticos o literarios. La Cámara está presidida por el "Presidente del Senato" que es elegido por los senadores.

senno ['senno] sm juicio, cordura; **col ~ di poi** a posteriori

seno ['seno] sm (ANAT) seno, pecho; **in ~ a** (entro, nell'ambito di) en el seno de

sensato, -a [sen'sato] agg sensato(-a)

sensazionale [sensattsjo'nale] agg sensacional

sensazione [sensat'tsjone] sf sensación f

sensibile [sen'sibile] agg sensible; (aumento, diminuzione) considerable, notable; **~ a** sensible a

senso ['senso] sm (facoltà, significato, direzione) sentido; (impressione, sensazione) sensación f; **sensi** smpl (sensualità) sentidos; (coscienza) conciencia; **avere ~ pratico** tener sentido práctico; **avere il sesto ~** tener un sexto sentido; **fare ~ (a)** (ripugnare) dar asco (a); **questo non ha ~** (non significa nulla) esto no

tiene sentido; **nel ~ che** en el sentido de que; **in ~ opposto** en dirección opuesta ▸ **senso comune** sentido común ▸ **senso di colpa** sentimiento de culpa ▸ **senso unico** sentido único ▸ **senso vietato** dirección f prohibida ☐ **sensuale** [sensu'ale] agg sensual

sentenza [sen'tentsa] sf (DIR) sentencia

sentiero [sen'tjero] sm sendero, senda

sentimentale [sentimen'tale] agg sentimental

sentimento [senti'mento] sm sentimiento

sentinella [senti'nella] sf centinela m

sentire [sen'tire] vt (udire, ascoltare) oír; (al tatto) tocar; (sapore) probar; (sentimento, sensazione, odore) sentir; (consultare: medico, avvocato) consultar; **sentirsi** vpr sentirse; **come ti senti?** ¿cómo te sientes?; **non mi sento bene** no me siento bien; **te la senti di farlo?** ¿eres capaz de hacerlo?; **non me la sento** no soy capaz; **ci sentiamo!** ¡nos vemos!; (al telefono) ¡nos llamamos! ☐ **sentito, -a** [sen'tito] agg (ringraziamento, auguri) sincero(-a); **per sentito dire** de o por oídas

senza ['sentsa] prep, cong sin; **~ dir nulla** sin decir nada; **~ di me** sin mí; **senz'altro** desde luego; **~ dubbio** sin duda

separare [sepa'rare] vt separar; **separarsi** vpr: **separarsi (da)** separarse (de) ☐ **separato, -a** [sepa'rato] agg separado(-a)

seppellire [seppel'lire] vt enterrar

seppia ['sɛppja] sf jibia, sepia ♦ agg inv (colore) sepia inv

sequenza [se'kwɛntsa] sf (serie, CINE) secuencia

sequestrare [sekwes'trare] vt (DIR, rapire) secuestrar □ **sequestro** [se'kwɛstro] sm (DIR, rapimento) secuestro

sera ['sera] sf tarde f, noche f; **di ~** al atardecer, al anochecer; **domani ~** mañana por la tarde o noche □ **serale** [se'rale] agg nocturno(-a) □ **serata** [se'rata] sf (sera) noche f; (spettacolo) representación f; (ricevimento) velada

serbare [ser'bare] vt (denaro, segreto) guardar; **~ rancore a qn** guardar rencor a algn

serbatoio [serba'tojo] sm (AUT) depósito; (cisterna) cisterna

serbo[1] ['sɛrbo] sm: **tenere o avere in ~ qc** tener guardado algo

serbo[2], **-a** ['sɛrbo] agg, sm/f serbio(-a) ♦ sm (lingua) serbio

sereno, **-a** [se'reno] agg (persona, animo) sereno(-a); (cielo) despejado(-a) ♦ sm (bel tempo) buen tiempo

sergente [ser'dʒɛnte] sm sargento

serie ['sɛrje] sf inv serie f; **in ~** (produzione) en serie

serietà [serje'ta] sf seriedad f

serio, **-a** ['sɛrjo] agg serio(-a) ♦ sm: **sul ~** en serio

serpente [ser'pɛnte] sm serpiente f, culebra ▶ **serpente a sonagli** serpiente de cascabel

serra ['sɛrra] sf (per piante) invernadero ♦ agg inv: **effetto ~** efecto invernadero

serranda [ser'randa] sf cierre m metálico

serratura [serra'tura] sf cerradura

server ['server] sm inv (INFORM) servidor m

servire [ser'vire] vi servir ♦ vt servir; (cliente) atender; **servirsi** vpr servirse; (essere cliente): **servirsi da** ser cliente de; **~ a fare** servir para hacer; **non mi serve più** ya no me hace falta, ya no me sirve; **serviti pure!** ¡sírvete (tú mismo)! □ **servizievole** [servit'tsjevole] agg servicial □ **servizio** [ser'vittsjo] sm servicio; (articolo, reportage) reportaje m; **servizi** smpl (strutture) servicios; (di abitazione) cocina y baño; **donna di servizio** asistenta; **fuori servizio** fuera de servicio; **servizio compreso/escluso** servicio incluido/no incluido ▶ **servizio da tè** juego o servicio de té ▶ **servizio militare** servicio militar ▶ **servizi segreti** servicios secretos

sessanta [ses'santa] agg inv, sm inv sesenta (m) inv; vedi anche **cinque** □ **sessantesimo**, **-a** [sessan'tezimo] agg, sm/f sexagésimo(-a)

sessione [ses'sjone] sf (di assemblea) sesión f; (UNIV) convocatoria

sesso ['sɛsso] sm sexo o □ **sessuale** [sessu'ale] agg sexual

sestante [ses'tante] sm sextante m

sesto, **-a** ['sɛsto] agg, sm/f sexto(-a) ♦ sm sexto; **arco a tutto ~/a ~ acuto** arco de medio punto/ojival; **rimettersi in ~** (anche economicamente) reponerse

seta ['seta] sf seda

⚠ **seta** non si traduce mai con la parola spagnola *seta*.

sete ['sete] *sf* sed *f inv*; **avere ~** tener sed

setola ['setola] *sf* cerda

setta ['setta] *sf* secta

settanta [set'tanta] *agg inv, sm inv* setenta *(m) inv*; *vedi anche* **cinque**
☐ **settantesimo, -a** [settan'tezimo] *agg, sm/f* septuagésimo(-a)

settare [set'tare] *vt* (INFORM) configurar los parámetros de

sette ['sette] *agg inv, sm inv* siete *(m) inv*; *vedi anche* **cinque**
☐ **settecento** [sette'tʃento] *agg inv, sm inv* setecientos(-as) ♦ *sm*: **il Settecento** el siglo XVIII

settembre [set'tembre] *sm* septiembre *m*; *vedi anche* **luglio**

settentrionale [settentrjo'nale] *agg* septentrional

settentrione [setten'trjone] *sm* norte *m*

settimana [setti'mana] *sf* semana
☐ **settimanale** [settima'nale] *agg* (lavoro, orario) semanal ♦ *sm* (giornale) semanario

settimo, -a ['settimo] *agg, sm/f* séptimo(-a) ♦ *sm* séptimo

settore [set'tore] *sm* (campo di attività) sector *m*

severità [severi'ta] *sf* severidad *f*

severo, -a [se'vero] *agg* severo(-a)

seviziare [sevit'tsjare] *vt* torturar; (violentare) violar

sezionare [settsjo'nare] *vt* seccionar, fraccionar; (MED) disecar

sezione [set'tsjone] *sf* sección *f*; (parte: di testo) parte *f*

sfacchinata [sfakki'nata] *sf* (fam) tute *m*, reventón *m*

sfacciato, -a [sfat'tʃato] *agg* (persona, comportamento) descarado(-a); (scollatura) atrevido(-a)

sfamare [sfa'mare] *vt* dar de comer a; **sfamarsi** *vpr* quitarse el hambre

sfasciare [sfaʃ'ʃare] *vt* (distruggere) destrozar; **sfasciarsi** *vpr* (rompersi) destrozarse; (fig: famiglia) destruirse; (rapporto) romperse

sfavorevole [sfavo'revole] *agg* desfavorable; (giudizio) negativo(-a)

sfera ['sfera] *sf* (globo: fig: ambito, settore) esfera

sferrare [sfer'rare] *vt* (pugno, calcio) pegar; (attacco) lanzar

sfida ['sfida] *sf* desafío, reto
☐ **sfidare** [sfi'dare] *vt* (a duello, gara) desafiar, retar; (fortuna, sorte) desafiar; **sfidare qn a fare qc** desafiar o retar a algn a que haga algo

sfiducia [sfi'dutʃa] *sf* (sconforto) desconfianza; **mozione di ~** moción *f* de censura

sfigurare [sfigu'rare] *vt* (statua, persona) desfigurar; (quadro) estropear ♦ *vi* (fare brutta figura) quedar mal

sfilare [sfi'lare] *vt* (abito, scarpe) quitar; (tessuto) deshilar; (ago) desenhebrar; (chiave) sacar ♦ *vi* (truppe, atleti, modelle) desfilar; **sfilarsi** *vpr* (perle) desensartarse; (orlo, tessuto) deshilarse; (calza) correrse; **~ il portafoglio dalla tasca** quitar la cartera del bolsillo; **sfilarsi la gonna** quitarse la falda
☐ **sfilata** [sfi'lata] *sf* (di soldati, atleti)

desfile *m* ► **sfilata di moda** desfile de moda

sfinge ['sfindʒe] *sf* esfinge *f*

sfinito, -a [sfi'nito] *agg* agotado(-a), extenuado(-a)

sfiorare [sfjo'rare] *vt* (*toccare leggermente*) rozar; (*argomento*) mencionar; (*successo*) acariciar

sfiorire [sfjo'rire] *vi* (*anche fig*) ajarse, mustiarse

sfocato, -a [sfo'kato] *agg* (FOT) desenfocado(-a)

sfociare [sfo't∫are] *vi*: ~ **in** (*anche fig*) desembocar en

sfoderato, -a [sfode'rato] *agg* sin forro o funda

sfogarsi [sfo'garsi] *vpr* (*persona*) desahogarse; ~ **con qn** (*confidarsi*) desahogarse con algn

sfoggiare [sfod'dʒare] *vt* (*vestito, scarpe*) lucir; (*cultura, conoscenze*) presumir de

sfoglia ['sfɔʎʎa] *sf* (CUC) masa en hoja; **pasta** ~ hojaldre *m*

sfogliare [sfoʎ'ʎare] *vt* deshojar, hojear

sfogo, -ghi ['sfogo] *sm* (MED: *eruzione cutanea*) erupción *f*; (*fig: di rabbia*) arrebato; (: *di dolore*) desahogo; **dare ~ a** (*fig*) dar salida a

sfondare [sfon'dare] *vt* (*scatola*) desfondar; (*sedia*) romper; (*scarpe*) gastar; (*porta*) abatir, derribar; (MIL) romper ♦ *vi* (*attore, artista*) triunfar

sfondo ['sfondo] *sm* (*di quadro*) fondo; (*di scena*) telón *m* de fondo

sformato [sfor'mato] *agg* deformado(-a) ♦ *sm* (CUC) comida a base de verdura, carne, queso etc, amasada con huevos batidos y cocida en un molde

sfortuna [sfor'tuna] *sf* mala suerte *f*; **avere** ~ tener mala suerte □ **sfortunato, -a** [sfortu'nato] *agg* desafortunado(-a)

sforzare [sfor'tsare] *vt* (*voce, occhi*) forzar; **sforzarsi** *vpr*: ~ **di fare qc** esforzarse en o para hacer algo □ **sforzo** ['sfɔrtso] *sm* esfuerzo

sfrattare [sfrat'tare] *vt* desahuciar □ **sfratto** ['sfratto] *sm* desahucio

sfrecciare [sfret't∫are] *vi* ir como una bala

sfregare [sfre'gare] *vt* (*strofinare*) refregar, frotar; (*graffiare*) rozar, rayar; **sfregarsi le mani** frotarse las manos

sfregiare [sfre'dʒare] *vt* (*persona*) marcar; (*quadro*) rasgar

sfrenato, -a [sfre'nato] *agg* desenfrenado(-a)

sfrontato, -a [sfron'tato] *agg* descarado(-a)

sfruttamento [sfrutta'mento] *sm* (*di risorse, operai*) explotación *f*; (*di spazio*) aprovechamiento

sfruttare [sfrut'tare] *vt* (*risorse, operai*) explotar; (*spazio, occasione*) aprovechar; (*potere*) aprovecharse de

sfuggire [sfud'dʒire] *vi* escapar; ~ **a** escapar o huir de; **mi sfugge il nome** no me acuerdo del nombre; **non gli sfugge nulla** no se le pasa nada; ~ **di mano a qn** (*oggetto, situazione*) escaparse de las manos a algn

sfumare [sfu'mare] *vt* (*colore, contorni*) esfumar, degradar ♦ *vi* (*colori, contorni*) esfumarse, degradarse; (*fig: speranze*) desvanecerse □ **sfumatura**

[sfuma'tura] *sf* (*di colore*) matiz *m*; (*fig: ironica, di disprezzo*) dejo

sfuriata [sfu'rjata] *sf* reprimenda; **fare una ~ a qn** echar una bronca a algn

sgabello [zga'bello] *sm* taburete *m*

sgabuzzino [zgabud'dzino] *sm* trastero

sgambettare [zgambet'tare] *vi* (*muovere le gambe*) mover las piernas de un lado para otro; (*camminare*) corretear ❑ **sgambetto** [zgam'betto] *sm* (*anche fig*) zancadilla; **far lo sgambetto a qn** poner la zancadilla a algn

sganciare [zgan'tʃare] *vt* (*vestito, reggiseno, cintura*) desabrochar; (*rimorchio, roulotte*) desenganchar; (*bomba, missile*) lanzar; (*fam: fig: soldi*) soltar; **sganciarsi** *vpr* desabrocharse, desengancharse; **sganciarsi (da)** (*fig: liberarsi*) desengancharse de

sgangherato, -a [zgange'rato] *agg* (*malridotto*) desvencijado(-a); (*fig: ragionamento ecc*) incoherente

sgarbato, -a [zgar'bato] *agg* (*gesto*) grosero(-a); (*persona*) mal educado(-a)

sgarbo ['zgarbo] *sm* desaire *m*, grosería; **fare uno ~ a qn** hacer un desaire a algn

sgargiante [zgar'dʒante] *agg* (*colore*) chillón(-ona)

sgattaiolare [zgattajo'lare] *vi* escabullirse

sgelare [zdʒe'lare] *vt, vi* deshelar

sghignazzare [zgiɲɲat'tsare] *vi* dar carcajadas

sgobbare [zgob'bare] *vi* (*fam: alunno*) empollar; (*operaio*) deslomarse

sgomberare [zgombe'rare] *vt* (*tavolo, stanza, piazza*) desocupar, despejar; (*città*) evacuar; **"~ la zona!"** "¡desalojen la zona!" ❑ **sgombro, -a** ['zgombro] *agg* (*stanza, mobile*) desocupado(-a), vacío(-a); (*fig: mente*) libre ♦ *sm* (*ZOOL*) caballa

sgonfiare [zgon'fjare] *vt* desinflar, deshinchar; (*caviglia, ematoma*) desinflamar; **sgonfiarsi** *vpr* desinflarse, deshincharse; (*caviglia, ematoma*) desinflamarse ❑ **sgonfio, -a** ['zgonfjo] *agg* desinflado(-a), deshinchado(-a); (*caviglia, ematoma*) desinflamado(-a)

sgorbio ['zgorbjo] *sm* garabato

sgradevole [zgra'devole] *agg* desagradable

sgradito, -a [zgra'dito] *agg* desagradable

sgranare [zgra'nare] *vt* (*piselli*) desgranar; **~ gli occhi** (*fig*) abrir de par en par los ojos

sgranchire [zgran'kire] *vt* desentumecer; **sgranchirsi** *vpr* desentumecerse; **~ le gambe** estirar las piernas

sgranocchiare [zgranok'kjare] *vt* picar

sgravio ['zgravjo] *sm*: **~ fiscale** desgravación *f* fiscal

sgraziato, -a [zgrat'tsjato] *agg* desgarbado(-a)

sgridare [zgri'dare] *vt* reprender, regañar

sgualcire [zgwal'tʃire] *vt* arrugar

sgualdrina [zgwal'drina] sf furcia, zorra

sguardo ['zgwardo] sm mirada

sguazzare [zgwat'tsare] vi (nell'acqua) chapotear, chapalear

sguinzagliare [zgwintsaʎ'ʎare] vt (cane) soltar; ~ **qn dietro a qn** lanzar a algn detrás de algn

sgusciare [zguʃ'ʃare] vt (uova, castagne) descascarar; (piselli) desgranar ♦ vi (scivolare) escurrirse; (sfuggire di mano) escaparse, resbalarse; ~ **via** escabullirse

shampoo ['ʃampo] sm inv champú m

shiatsu [ʃi'atstsu] sm inv Shiatsu m inv

shock [ʃɔk] sm inv choque m

---

si

PAROLA CHIAVE

[si] (dav lo, la, li, le, ne diventa **se**) pron

1 se; **si è lavata** se ha lavado; **si credono importanti** se creen importantes; **odiarsi** odiarse; **si amano** se aman; **lavarsi le mani** lavarse las manos; **si sta lavando i capelli** se está lavando el pelo; **si ripara facilmente** se arregla fácilmente; **affittasi camera** se alquila habitación

2 (impersonale) se; **si dice che ...** se dice que ...; **si vede che è vecchio** se ve que es viejo

3 (noi): **tra poco si parte** salimos pronto, nos vamos pronto

♦ sm inv (MUS) si m inv

sì [si] avv sí ♦ sm sí m; **dire (di) sì** decir (que) sí; **uno sì e uno no** uno sí y uno no; **un giorno sì e uno no** un día sí y otro no

sia¹ ['sia] cong: ~ ... ~ ... tanto ... como ...; **verranno ~ Luigi che suo fratello** vendrán tanto Luis como su hermano; **che lavori o ~ che non lavori** trabajes o no

sia² ['sia] vb vedi **essere**

sicario [si'karjo] sm sicario

sicché [sik'ke] cong por lo tanto

siccità [sittʃi'ta] sf sequía

siccome [sik'kome] cong como, dado que

Sicilia [si'tʃilja] sf Sicilia

sicura [si'kura] sf (di arma, spilla) seguro

sicurezza [siku'rettsa] sf seguridad f; (certezza, di notizia) certeza; **di ~** (valvola, distanza) de seguridad; **pubblica ~** seguridad ciudadana

sicuro, -a [si'kuro] agg seguro(-a); (fonte) fiable ♦ avv (certamente) seguro, por supuesto; **sentirsi ~** (non in pericolo) sentirse seguro; (ad esame) estar preparado; ~ **di sé** seguro de sí mismo; **di ~** (sicuramente) seguramente

siepe ['sjɛpe] sf seto

siero ['sjɛro] sm suero

sieronegativo, -a [sjeronega'tivo] agg, sm/f seronegativo(-a)

sieropositivo, -a [sjeropozi'tivo] agg, sm/f seropositivo(-a)

sifilide [si'filide] sf sífilis f inv

Sig. abbr (= signor) Sr.

sigaretta [siga'retta] sf cigarrillo

sigaro ['sigaro] sm puro

Sigg. abbr (= signori) Sres.

sigillare [sidʒil'lare] vt (busta) sellar; (plico) precintar

sigillo [si'dʒillo] sm (per lettera) sello; **sigilli** smpl (DIR) sellos mpl judiciales

sigla ['sigla] sf (abbreviazione) sigla; (motivo musicale) sintonía

Sig.na abbr (= signorina) Srta.

significare [siɲɲifi'kare] vt significar □ **significato** [siɲɲifi'kato] sm (di parola) significado; (fig: valore) significación f

signora [siɲ'ɲora] sf señora; **la ~ Bianchi** la señora Bianchi; **buon giorno ~** (in negozio ecc) buenos días, señora; (in lettere) Estimada Señora Rossi; **il signor Rossi e ~** el señor Rossi y su esposa; **signore e signori** señoras y señores, damas y caballeros

signore [siɲ'ɲore] sm señor m; (REL): **il S~** el Señor; **il signor Bianchi** el señor Bianchi; **i signori Bianchi** (coniugi) los señores Bianchi; **buon giorno ~** (in negozio ecc) buenos días, señor; **gentile S~ Rossi** (in lettere) Estimado Señor Rossi; vedi anche **signora** □ **signorile** [siɲɲo'rile] agg señorial

signorina [siɲɲo'rina] sf señorita; **la ~ Bianchi** la señorita Bianchi; **buon giorno ~** (in negozio ecc) buenos días, señorita; **gentile S~ Rossi** (in lettere) Estimada Señorita Rossi

Sig.ra abbr (= signora) Sra.

silenziatore [silentsja'tore] sm silenciador m

silenzio [si'lentsjo] sm silencio; **fate ~!** ¡guardad silencio! □ **silenzioso, -a** [silen'tsjoso] agg silencioso(-a)

silicio [si'litʃo] sm silicio

silicone [sili'kone] sm silicona

sillaba ['sillaba] sf sílaba

siluro [si'luro] sm torpedo

simboleggiare [simboled'dʒare] vt simbolizar

simbolo ['simbolo] sm símbolo

simile ['simile] agg semejante, parecido(-a); **~ a** semejante a, parecido(-a) a; **i propri simili** los semejantes

simmetria [simme'tria] sf simetría

simpatia [simpa'tia] sf simpatía; **avere ~ per qn** sentir o tener simpatía por algn □ **simpatico, -a, -ci, -che** [sim'patiko] agg (persona) simpático(-a); (film, libro) divertido(-a) □ **simpatizzare** [simpatid'dzare] vi: **simpatizzare con qn/per qc** simpatizar con algn/por algo

simulare [simu'lare] vt simular, aparentar; (riprodurre) simular

simultaneo, -a [simul'taneo] agg simultáneo(-a)

sinagoga, -ghe [sina'gɔga] sf sinagoga

sincerità [sintʃeri'ta] sf sinceridad f

sincero, -a [sin'tʃero] agg sincero(-a)

sindacale [sinda'kale] agg sindical

sindacato [sinda'kato] sm (di lavoratori) sindicato

sindaco, -ci [sindako] sm (di città) alcalde(-esa)

sinfonia [sinfo'nia] sf sinfonía

singhiozzare [singjot'tsare] vi (aver il singhiozzo) hipar; (piangere) sollozar □ **singhiozzo** [sin'gjottso] sm hipo; (nel piangere) sollozo

single ['singol] *sm/f inv* solterón(-ona) ♦ *agg inv* soltero(-a)

singolare [singo'lare] *agg* singular ♦ *sm* (LING) singular *m*; **~ maschile/femminile** (TENNIS) individual masculino/femenino

singolo, -a ['singolo] *agg* (*cabina, camera*) individual; (*letto*) de un cuerpo; **ogni singola persona** cada persona

sinistra [si'nistra] *sf* (*anche POL*) izquierda *f*; **a ~ (di)** a la izquierda (de); **di ~** de izquierda; **tenere la ~** circular por la izquierda

sinistro, -a [si'nistro] *agg* izquierdo(-a); (*fig: sguardo*) avieso(-a); (*rumore*) lúgubre ♦ *sm* (*incidente*) siniestro; (PUGILATO) golpe *m* de izquierda; (CALCIO: tiro) zurdazo

sinonimo [si'nɔnimo] *sm* sinónimo

sintassi [sin'tassi] *sf inv* sintaxis *f inv*

sintesi ['sintezi] *sf* síntesis *f inv*; **in ~** en síntesis
❑ **sintetico, -a, -ci, -che** [sin'tetiko] *agg* sintético(-a)
❑ **sintetizzare** [sintetid'dzare] *vt* sintetizar

sintomatico, -a, -ci, -che [sinto'matiko] *agg* sintomático(-a)

sintomo ['sintomo] *sm* síntoma *m*

sintonizzarsi [sintonid'dzarsi] *vpr*: **~ su** sintonizar

sipario [si'parjo] *sm* telón *m*

sirena [si'rena] *sf* (*segnale, figura mitologica*) sirena

Siria ['sirja] *sf* Siria

siringa, -ghe [si'ringa] *sf* jeringa

sismico, -a, -ci, -che ['sizmiko] *agg* sísmico(-a)

sistema, -i [sis'tema] *sm* sistema *m*
▶ **sistema nervoso** sistema nervioso ▶ **sistema operativo** (INFORM) sistema operativo
▶ **sistema solare** sistema solar
❑ **sistemare** [siste'mare] *vt* (*ordinare: libri, carte*) ordenar; (*questione*) resolver; (*persona: dare alloggio*) alojar; (: *trovare lavoro*) colocar; **sistemarsi** *vpr* (*problema*) resolverse; (*persona: sposarsi*) casarse; (: *trovare lavoro*) colocarse; (: *trovare alloggio*) alojarse, instalarse
❑ **sistematico, -a, -ci, -che** [siste'matiko] *agg* sistemático(-a)
❑ **sistemazione** [sistemat'tsjone] *sf* (*di oggetti*) disposición *f*, colocación *f*; (*di questione*) solución *f*; (*alloggio*) alojamiento

sito, -i ['sito] *sm* (*luogo*) lugar *m*; **~ Internet** sitio de Internet

situazione [situat'tsjone] *sf* situación *f*

Siviglia [si'viʎʎa] *sf* Sevilla

ski-lift ['ski:lift] *sm inv* telesquí *m*

slacciare [zlat'tʃare] *vt* (*camicia, cintura*) desabrochar; **slacciarsi le scarpe** desatarse los zapatos

slanciato, -a [zlan'tʃato] *agg* esbelto(-a) ❑ **slancio** [zlant'ʃo] *sm* (*movimento*) impulso; (*fig: di affetto, generosità*) arranque *m*; **di ~** de un salto; (*fig*) de momento

slavo, -a ['zlavo] *agg, sm/f* eslavo(-a)

sleale [zle'ale] *agg* desleal

slegare [zle'gare] *vt* desatar

slip [zlip] *sm inv* slips *mpl*; **un paio di ~** un par de slips

slitta [ˈzlitta] sf treneo

s.l.m. abbr (= sul livello del mare) snm, sobre el nivel del mar

slittare [zlitˈtare] vi (scivolare accidentalmente) patinar; (fig: incontro, conferenza) aplazarse

slogare [zloˈgare] vt dislocar, torcer; **slogarsi la spalla** dislocarse el hombro; **slogarsi la caviglia** torcerse el tobillo

sloggiare [zlodˈdʒare] vt (inquilino) desalojar ♦ vi (andarsene) desalojar, desocupar; (fam) largarse

Slovacchia [zloˈvakkja] sf Eslovaquia

slovacco, -a [zloˈvakko] agg, sm/f eslovaco(-a)

Slovenia [zloˈvenja] sf Eslovenia

sloveno, -a [zloˈveno] agg, sm/f esloveno(-a) ♦ sm (lingua) esloveno

smacchiare [zmakˈkjare] vt quitar las manchas a □ **smacchiatore** [zmakkjaˈtore] sm quitamanchas m inv

smacco, -chi [ˈzmakko] sm fracaso, humillación f

smagliante [zmaʎˈʎante] agg (colore) brillante; (bellezza, sorriso) radiante; **in forma ~** de forma brillante

smagliatura [zmaʎʎaˈtura] sf (su calza) carrera; (sulla pelle) estría

smaliziato, -a [zmalitˈtsjato] agg (persona) despabilado(-a); (aspetto, aria) vivo(-a)

smaltimento [zmaltiˈmento] sm (di rifiuti) eliminación f; (del traffico) agilización f

smaltire [zmalˈtire] vt (cibo) digerir; (peso) perder; (acque) desaguar; (rifiuti) eliminar; (sbornia) dormir;

(merce) agotar; **per ~ la rabbia** para que se me pase el enfado

smalto [ˈzmalto] sm esmalte m
▶ **smalto per unghie** esmalte de uñas

smantellare [zmantelˈlare] vt (costruzione, argomentazione) demoler; (fabbrica, accampamento) desmantelar

smarrimento [zmarriˈmento] sm (di oggetto) extravío, pérdida; (fig: turbamento) desconcierto

smarrire [zmarˈrire] vt extraviar, perder; **smarrirsi** vpr extraviarse, perderse

smascherare [zmaskeˈrare] vt (colpevole ecc) desenmascarar

SME [zmɛ] sigla m (= Sistema Monetario Europeo) SME m

smentire [zmenˈtire] vt desmentir; **smentirsi** vpr desmentirse

smeraldo [zmeˈraldo] sm esmeralda

smesso, -a [ˈzmesso] pp di **smettere** ♦ agg (abito) desechado(-a)

smettere [ˈzmettere] vt dejar; (indumenti) desechar ♦ vi (interrompersi) parar; **~ di fare qc** dejar o parar de hacer algo

smilzo, -a [ˈzmiltso] agg espigado(-a)

sminuire [zminuˈire] vt quitar

sminuzzare [zminutˈtsare] vt desmenuzar

smistare [zmisˈtare] vt (pacchi, corrispondenza) clasificar; (pazienti, recluse) distribuir

smisurato, -a [zmizuˈrato] agg desmesurado(-a)

smoking ['smɔukiŋ] *sm inv* smoking *m*, esmoquin *m*

smontare [zmon'tare] *vt* desmontar ♦ *vi (scendere: da animale)* desmontar; (: *da treno, autobus)* bajar(se); *(terminare il lavoro)* terminar; **smontarsi** *vpr (scoraggiarsi)* desanimarse

smorfia ['zmɔrfja] *sf* mueca

smorto, -a ['zmɔrto] *agg (carnagione)* pálido(-a); *(colore)* apagado(-a)

smorzare [zmor'tsare] *vt (suoni, luce)* amortiguar; *(colori)* atenuar; *(sete)* aplacar; *(entusiasmo)* enfriar; **smorzarsi** *vpr (suono, luce)* amortiguarse; *(entusiasmo)* enfriarse

sms ['esse'emme'esse] *sigla m (= short message system)* SMS *m*

smuovere ['zmwɔvere] *vt* mover, desplazar; *(fig: da inerzia, ozio)* estimular; (: *da proposito, decisione)* disuadir

snaturato, -a [znatu'rato] *agg (genitore)* desnaturalizado(-a)

snello, -a ['znello] *agg* esbelto(-a)

snervante [zner'vante] *agg* enervante

snobbare [znob'bare] *vt* desdeñar, desairar

snodare [zno'dare] *vt (corda)* desanudar, desatar; **snodarsi** *vpr (strada, fiume)* serpentear

snodato, -a [zno'dato] *agg (fune)* desanudado(-a), desatado(-a)

sobbarcarsi [sobbar'karsi] *vpr (spese, fatica)* hacerse cargo de, asumir

sobrio, -a ['sɔbrjo] *agg* sobrio(-a)

socchiudere [sok'kjudere] *vt (porta, finestra, occhi)* entornar; *(labbra)* entrecerrar
❏ **socchiuso, -a** [sok'kjuso] *pp di* **socchiudere** ♦ *agg (porta, finestra, occhi)* entornado(-a); *(labbra)* entrecerrado(-a)

soccorrere [sok'korrere] *vt* socorrer, auxiliar
❏ **soccorritore, -trice** [sokkorri'tore] *sm/f* socorrista *m/f*
❏ **soccorso, -a** [sok'korso] *pp di* **soccorrere** ♦ *sm* socorro, auxilio
▶ **soccorso stradale** asistencia o ayuda en carretera; *vedi anche* **pronto**

sociale [so'tʃale] *agg* social

socialismo [sotʃa'lizmo] *sm* socialismo ❏ **socialista, -i, -e** [sotʃa'lista] *agg, sm/f* socialista *m/f*

società [sotʃe'ta] *sf inv* sociedad *f*
▶ **società per azioni** sociedad anónima

socievole [so'tʃevole] *agg* sociable

socio ['sɔtʃo] *sm* socio(-a)

soda ['sɔda] *sf (CHIM)* sosa; *(acqua gassata)* soda

soddisfacente [soddisfa'tʃente] *agg* satisfactorio(-a)

soddisfare [soddis'fare] *vt* satisfacer ❏ **soddisfatto, -a** [soddis'fatto] *pp di* **soddisfare** ♦ *agg* satisfecho(-a)
❏ **soddisfazione** [soddisfat'tsjone] *sf* satisfacción *f*

sodo, -a ['sɔdo] *agg (muscolo, uovo)* duro(-a) ♦ *avv (picchiare)* duro, fuerte; *(lavorare)* duramente; *(dormire)* a pierna suelta

sofà [so'fa] *sm inv* sofá *m*

sofferenza [soffe'rentsa] *sf* sufrimiento

sofferto, -a [sofˈfɛrto] pp di **soffrire ♦** agg (vittoria, decisione) dificil

soffiare [sofˈfjare] vt, vi soplar; **~ qc a qn** (fig: portar via) birlar o soplar algo a algn; **soffiarsi il naso** sonarse la nariz ❏ **soffiata** [sofˈfjata] sf (fam) soplo; **fare una soffiata alla polizia** dar un soplo a la policía

soffice [ˈsoffitʃe] agg (lana) mullido(-a); (letto) blando(-a)

soffio [ˈsoffjo] sm (di vento) soplo
▶ **soffio al cuore** soplo en el corazón

soffitta [sofˈfitta] sf (stanza) desván m, buhardilla

soffitto [sofˈfitto] sm techo

soffocante [soffoˈkante] agg sofocante; (fig: atmosfera, attenzioni) asfixiante

soffocare [soffoˈkare] vt (uccidere) ahogar; (fig: scandalo) encubrir; (sentimento) dominar ♦ vi (morire) ahogarse; (dal caldo ecc) sofocarse

soffrire [sofˈfrire] vt (sofferenza) padecer, padecer ♦ vi sufrir, padecer; **~ di emicrania** padecer de migraña; **~ il caldo/il freddo** no soportar el frío/el calor; **non lo posso ~** no lo soporto o aguanto

soffritto [sofˈfritto] sm (CUC) sofrito

sofisticato, -a [sofistiˈkato] agg sofisticado(-a); (vino) adulterado(-a)

soggettivo, -a [soddʒetˈtivo] agg subjetivo(-a)

soggetto, -a [sodˈdʒɛtto] agg: **~ a** (esposto: variazioni, danni ecc) sujeto(-a) a ♦ sm (tema) tema m; (argomento) argumento; (LING, persona) sujeto

soggezione [soddʒetˈtsjone] sf (subordinazione) sumisión f;

(imbarazzo, timore) vergüenza; **non avere ~ di nessuno** no temer a nadie

soggiorno [sodˈdʒorno] sm (permanenza) estancia, permanencia; (stanza) sala de estar

soglia [ˈsɔʎʎa] sf (ingresso) umbral m

sogliola [ˈsɔʎʎola] sf lenguado

sognare [soɲˈɲare] vt, vi soñar

sogno [ˈsoɲɲo] sm sueño; **neanche per ~** ni en sueños

soia [ˈsɔja] sf soja

sol [sɔl] sm inv (MUS) sol m inv

solaio [soˈlajo] sm forjado; (soffitta) desván m

solamente [solaˈmente] avv solamente

solare [soˈlare] agg solar; **lettino ~** solárium m o cama de rayos UVA

solco [ˈsolko] sm (in terreno) surco; (di ruota) huella; (su disco) ranura

soldato [solˈdato] sm soldado

soldi [ˈsoldi] smpl dinero; **non ho ~** no tengo dinero

sole [ˈsole] sm sol m; **prendere il ~** tomar el sol ❏ **soleggiato, -a** [soledˈdʒato] agg soleado(-a)

solenne [soˈlenne] agg solemne

solidale [soliˈdale] agg: **~ (con)** solidario(-a) (con) ❏ **solidarietà** [solidarjeˈta] sf solidaridad f

solido, -a [ˈsɔlido] agg (anche fig) sólido(-a)

solista, -i, -e [soˈlista] agg, sm/f solista m/f

solitamente [solitaˈmente] avv generalmente, habitualmente

solitario, -a [soliˈtarjo] agg solitario(-a) ♦ sm (gioco di carte, gioiello) solitario

solito, -a ['sɔlito] agg sólito(-a)
♦ sm: **il ~ lo** habitual; **essere o fare
qc** hacer algo; **di ~**
generalmente, habitualmente;
come al ~ como de costumbre; **più
tardi del ~** más tarde de lo habitual

solitudine [soli'tudine] sf soledad f

solletico [sol'letiko] sm cosquillas
fpl; **fare il ~ a qn** hacer cosquillas a
algn; **soffrire il ~** tener cosquillas

sollevamento [solleva'mento] sm
levantamiento ▸ **sollevamento
pesi** levantamiento de peso(s)

sollevare [solle'vare] vt (oggetto,
persona) levantar, alzar; (questione,
problema) plantear; **sollevarsi** vpr
(alzarsi, innalzarsi) levantarse,
alzarse; (fig: ribellarsi) levantarse,
sublevarse; **sentirsi sollevato**
sentirse aliviado(-a) o
confortado(-a)

sollievo [sol'ljevo] sm alivio

solo, -a ['solo] agg solo(-a) ♦ avv
sólo, solamente; **un ~ libro** un solo
libro; **non ~ ... ma anche** no sólo ...
sino también

soltanto [sol'tanto] avv sólo,
solamente

solubile [so'lubile] agg soluble

soluzione [solut'tsjone] sf (anche
CHIM) solución f

solvente [sol'vente] sm solvente m

somaro, -a [so'maro] sm/f (animale,
fig: alunno) burro(-a)

somiglianza [somiʎ'ʎantsa] sf
semejanza, parecido

somigliare [somiʎ'ʎare] vi: **~ a**
parecerse o asemejarse a;
somigliarsi vpr parecerse,
asemejarse

somma ['somma] sf (MAT, denaro)
suma ❑ **sommare** [som'mare] vt

(MAT) sumar; (aggiungere) añadir,
agregar; **tutto sommato** después
de todo, a fin de cuentas

sommario, -a [som'marjo] agg
sumario(-a) ♦ sm (riassunto)
sumario; (indice) índice m

sommergibile [sommer'dʒibile]
sm submarino

sommerso, -a [som'merso] agg
(anche fig: economia, lavoro)
sumergido(-a)

sommità [sommi'ta] sf inv cumbre f

sommossa [som'mɔssa] sf
revuelta, levantamiento

sonda ['sonda] sf sonda
❑ **sondaggio** [son'daddʒo] sm
sondeo ▸ **sondaggio d'opinioni**
sondeo de opinión, encuesta
❑ **sondare** [son'dare] vt (anche fig)
sondear

sonetto [so'netto] sm soneto

sonnambulo, -a [son'nambulo]
sm/f sonámbulo(-a)

sonnellino [sonnel'lino] sm siesta

sonnifero [son'nifero] sm
somnífero

sonno ['sonno] sm sueño; **aver ~**
tener sueño; **prendere ~** coger el
sueño

sonoro, -a [so'nɔro] agg (anche fig:
sconfitta, ceffone) sonoro(-a)

sontuoso, -a [sontu'oso] agg
suntuoso(-a)

soppalco [sop'palko] sm altillo

sopportare [soppor'tare] vt
(sostenere) soportar; (tollerare)
soportar, aguantar

sopprimere [sop'primere] vt
(uccidere) liquidar, eliminar; (treno,
servizio) suprimir

sopra ['sopra] prep sobre, encima de; (superiore a) de más de ♦ avv (su, nella parte superiore) encima, arriba; (più in alto) arriba; (in testo) antes, anteriormente ♦ sm inv (parte superiore) parte f superior; di ~ (al piano superiore) arriba; passar ~ qc (fig) pasar por algo ❏ **soprabito** [so'prabito] sm sobretodo ❏ **sopracciglio** [soprat'tʃiʎʎo] (pl/f) **sopracciglia** sm ceja ❏ **sopraffare** [sopraf'fare] vt (nemico) arrollar; **essere sopraffatto dalle emozioni** ser dominado por las emociones ❏ **sopralluogo, -ghi** [sopral'lwogo] sm inspección f ❏ **soprammobile** [sopram'mobile] sm adorno (para un mueble) ❏ **soprannaturale** [soprannatu'rale] agg sobrenatural ❏ **soprannome** [sopran'nome] sm sobrenombre m, apodo

soprano [so'prano] sm/f soprano m/f

sopra...: ❏ **soprappensiero** [soprappen'sjero] avv: **essere soprappensiero** estar pensativo(-a) ❏ **soprassalto** [sopras'salto] sm: **di soprassalto** de sobresalto ❏ **soprassedere** [soprasse'dere] vi: **soprassedere a** aplazar, postergar ❏ **soprattutto** [soprat'tutto] avv sobre todo ❏ **sopravvalutare** [sopravvalu'tare] vt supervalorar ❏ **sopravvento** [soprav'vento] sm: **prendere il sopravvento (su)** coger o tomar la delantera (a) ❏ **sopravvissuto, -a** [sopravvis'suto] pp di **sopravvivere** ♦ sm/f superviviente m/f ❏ **sopravvivere** [soprav'vivere] vi

sobrevivir; **sopravvivere a** sobrevivir a

sopruso [so'pruzo] sm abuso, atropello

soqquadro [sok'kwadro] sm: **mettere a ~** poner patas arriba

sorbetto [sor'betto] sm sorbete m

sordina [sor'dina] sf: **in ~** a la sordina

sordo, -a ['sordo] agg, sm/f sordo(-a) ❏ **sordomuto, -a** [sordo'muto] agg, sm/f sordomudo(-a)

sorella [so'rella] sf hermana

sorgente [sor'dʒente] sf (di fiume) fuente f, manantial m ▸ **sorgente luminosa** fuente luminosa

sorgere ['sordʒere] vi (sole) salir; (fig: complicazione, difficoltà) presentarse

sornione, -a [sor'njone] agg socarrón(-ona)

sorpassare [sorpas'sare] vt (AUT) adelantar; (limite) sobrepasar, superar; **~ qn in** (bravura, altezza) superar a algn en

sorprendente [sorpren'dente] agg sorprendente, asombroso(-a)

sorprendere [sor'prendere] vt sorprender; **sorprendersi** vpr: **sorprendersi (di)** sorprenderse (por) ❏ **sorpresa** [sor'presa] sf sorpresa; **fare una sorpresa a qn** dar una sorpresa a algn ❏ **sorpreso, -a** [sor'preso] agg sorprendido(-a)

sorreggere [sor'reddʒere] vt (peso, persona) sostener; **sorreggersi** vpr (tenersi dritto) mantenerse en pie; **sorreggersi a** agarrarse a

sorridere [sor'ridere] vi sonreír ❏ **sorriso** [sor'riso] pp di **sorridere** ♦ sm sonrisa

sorso ['sorso] sm trago, sorbo; **d'un ~** de un trago o tirón

sorta ['sɔrta] sf (specie) especie f; (genere) tipo; **di ogni ~** de todo tipo

sorte ['sɔrte] sf (destino, caso) suerte f; **tirare a ~** echar suerte □ **sorteggio** [sor'teddʒo] sm sorteo

sorveglianza [sorveʎ'ʎantsa] sf vigilancia

sorvegliare [sorveʎ'ʎare] vt vigilar; (malato) cuidar

sorvolare [sorvo'lare] vt (territorio, città) sobrevolar ♦ vi: **~ su** (fig: lasciar perdere) pasar por alto

S.O.S. ['esse 'o 'esse] sigla m SOS m

sosia ['sɔzja] sm/f inv doble m/f, sosia m/f

sospendere [sos'pendere] vt suspender; (appendere) colgar

sospettare [sospet'tare] vt sospechar ♦ vi: **~ di qn** sospechar de algn; **~ qn di qc** sospechar de algn por algo □ **sospetto, -a** [sos'petto] agg (individuo, merce) sospechoso(-a) ♦ sm sospecha ♦ sm/f (persona sospetta) sospechoso(-a); **destare sospetti** despertar sospechas □ **sospettoso, -a** [sospet'toso] agg (carattere) desconfiado(-a), receloso(-a); (sguardo) receloso(-a)

⚠ **sospettoso** non si traduce mai con la parola spagnola *sospechoso*.

sospirare [sospi'rare] vi suspirar □ **sospiro** [sos'piro] sm suspiro

sosta ['sɔsta] sf alto; **senza ~** sin parar; **divieto di ~** (AUT) prohibido aparcar

sostantivo [sostan'tivo] sm sustantivo

sostanza [sos'tantsa] sf sustancia; **sostanze** sfpl (patrimonio) patrimonio; **in ~** en sustancia

sostare [sos'tare] vi (fermarsi) pararse; (AUT) aparcar; (fare una pausa) hacer un alto

sostegno [sos'teɲɲo] sm (anche fig) sostén m, apoyo

sostenere [soste'nere] vt (reggere, tenere saldo, spese) sostener; (affermare) afirmar; (innocenza) defender; (appoggiare) apoyar; **sostenersi** vpr sostenerse; **~ un esame** hacer un examen

sostentamento [sostenta'mento] sm sustento; **mezzi di ~** medios de subsistencia

sostituire [sostitu'ire] vt: **~ (con)** sustituir (por) □ **sostituto, -a** [sosti'tuto] sm/f sustituto(-a) □ **sostituzione** [sostitut'tsjone] sf sustitución f; **a sostituzione di** en lugar de

sottaceti [sotta'tʃeti] smpl (CUC) encurtidos mpl

sottana [sot'tana] sf (gonna) falda

sotterfugio [sotter'fudʒo] sm subterfugio

sotterraneo, -a [sotter'raneo] agg subterráneo(-a) ♦ sm subterráneo

sotterrare [sotter'rare] vt enterrar

sottile [sot'tile] agg (filo, lama, polvere, capelli) fino(-a); (figura) esbelto(-a); (caviglia) delgado(-a); (olfatto, vista) agudo(-a); (mente, discorso) sutil

sottinteso, -a [sottin'teso] sm alusión f ♦ agg: **è ~ che ...** se sobrentiende que ...; **parlare per sottintesi** hablar a medias tintas

sotto ['sotto] prep (in posizione inferiore) bajo, debajo de; (ai piedi di: montagna, mura) a los pies de; (più in basso di) bajo; (poco prima di: feste, esami) poco antes de ♦ avv abajo ♦ sm (parte inferiore) parte f inferior; **di** ~ (al piano inferiore) abajo; ~ **terra** bajo tierra; ~ **il sole/la pioggia** bajo el sol/la lluvia; ~ **casa** debajo de casa; **5 gradi** ~ **lo zero** 5 grados bajo cero; ~ **forma di** bajo la forma de; ~ **vuoto = sottovuoto**
❏ **sottofondo** [sotto'fondo] sm fondo; **musica di sottofondo** música de fondo ❏ **sottolineare** [sottoline'are] vt (anche fig) subrayar ❏ **sottomarino, -a** [sottoma'rino] agg submarino(-a) ♦ sm submarino ❏ **sottopassaggio** [sottopas'saddʒo] sm paso subterráneo ❏ **sottoporre** [sotto'porre] vt: **sottoporre a** someter a; **sottoporsi** vpr: **sottoporsi a** someterse a
❏ **sottoscritto, -a** [sottos'kritto] sm/f: **il/la sottoscritto/a** el/la infrascrito(-a); **io sottoscritto/a** el/ la abajo firmante ❏ **sottosopra** [sotto'sopra] avv (capovolto) al revés; (fig: in gran disordine) patas arriba ❏ **sottoterra** [sotto'terra] avv bajo tierra ❏ **sottotitolo** [sotto'titolo] sm subtítulo ❏ **sottovalutare** [sottovalu'tare] vt subestimar ❏ **sottoveste** [sotto'veste] sf combinación f ❏ **sottovoce** [sotto'votʃe] avv en voz baja ❏ **sottovuoto** [sotto'vwoto] avv, agg al vacío

sottrarre [sot'trarre] vt (MAT) restar, sustraer; **sottrarsi** vpr: **sottrarsi a** eludir ❏ **sottrazione** [sottrat'tsjone] sf (MAT) sustracción f, resta

souvenir [suvə'nir] sm inv recuerdo

sovietico, -a, -ci, -che [so'vjetiko] agg, sm/f soviético(-a)

sovraccarico, -a, -chi, -che [sovrak'kariko] agg: ~ **(di)** sobrecargado(-a) (de)

sovraffollato, -a [sovraffol'lato] agg atestado(-a)

sovrannaturale [sovranna'turale] agg = **soprannaturale**

sovrano, -a [so'vrano] sm/f soberano(-a)

sovrapporre [sovrap'porre] vt: ~ **(a)** sobreponer (en)

sovvenzione [sovven'tsjone] sf subvención f

sozzo, -a ['sottso] agg sucio(-a)

S.p.A. ['esse'pi'a] sigla f (= società per azioni) S.A. f

spaccare [spak'kare] vt (legna) partir; (piatto) romper; **spaccarsi** vpr (rompersi) romperse; (fig: gruppo, partito) escindirse ❏ **spaccatura** [spakka'tura] sf (fenditura, punto di rottura) grieta, rotura; (fig: di gruppo, partito) ruptura

spacciare [spat'tʃare] vt (droga) vender; **spacciarsi** vpr: **spacciarsi per** hacerse pasar por; ~ **qc per** colar algo por ❏ **spacciatore, -trice** [spattʃa'tore] sm/f: **spacciatore (di droga)** camello ❏ **spaccio** ['spattʃo] sm (di merce rubata, denaro falso) tráfico; (bottega) tienda; **spaccio di droga** trapicheo de droga

spacco, -chi ['spakko] sm (di gonna) abertura, raja

spaccone [spak'kone] sm/f fanfarrón(-ona)

spada ['spada] sf espada

spaesato, -a [spae'zato] agg perdido(-a)

spaghetti [spa'getti] smpl espaguetis mpl

Spagna ['spaɲɲa] sf España; **mi piace tanto la ~** me encanta España □ **spagnolo, -a** [spaɲ'ɲɔlo] agg, sm/f español(a) ♦ sm (lingua) español m

spago, -ghi ['spago] sm bramante m

spaiato, -a [spa'jato] agg desparejado(-a)

spalancare [spalan'kare] vt (porta, occhi, bocca) abrir de par en par; **spalancarsi** vpr abrirse de par en par

spalare [spa'lare] vt (neve) espalar; (fango, terra ecc) quitar con la pala

spalla ['spalla] sf hombro m; **spalle** sfpl (dorso) espaldas fpl; **di spalle** de espaldas □ **spalliera** [spal'ljera] sf (di sedia) respaldo; (di letto: testiera) cabecera; (GINNASTICA) espalderas fpl □ **spallina** [spal'lina] sf (di indumento) tirante m; (imbottitura) hombrera

spalmare [spal'mare] vt untar

spalti ['spalti] smpl graderíos mpl, gradas fpl

spandere ['spandere] vt (versare) verter, derramar

sparare [spa'rare] vt, vi (colpo) disparar; **~ a qn/qc** disparar a algn/ algo □ **sparatoria** [spara'tɔrja] sf tiroteo

sparecchiare [sparek'kjare] vt: **~ (la tavola)** quitar la mesa

spareggio [spa'reddʒo] sm (SPORT) desempate m

spargere ['spardʒere] vt (farina, zucchero) esparcir, desparramar; (liquido) verter, derramar; (lacrime, sangue) derramar; **spargersi** vpr (voce, notizia) difundirse, propagarse

sparire [spa'rire] vi desaparecer

sparlare [spar'lare] vi hablar mal; **~ di qn** hablar mal de algn

sparo ['sparo] sm disparo; (rumore) disparo, tiro

spartire [spar'tire] vt repartir, dividir

spartito [spar'tito] sm (MUS) partitura

spartitraffico [sparti'traffiko] sm inv (AUT): **banchina ~** mediana

sparviero [spar'vjero] sm gavilán m, esparavel m

spasimante [spazi'mante] sm/f pretendiente m/f

spassionato, -a [spassjo'nato] agg (parere, giudizio) desapasionado(-a), imparcial

spasso ['spasso] sm (divertimento) diversión f; **andare a ~** ir a pasear

spatola ['spatola] sf espátula

spavaldo, -a [spa'valdo] agg arrogante

spaventapasseri [spaventa'passeri] sm inv espantapájaros m inv

spaventare [spaven'tare] vt asustar, espantar; **spaventarsi** vpr asustarse, espantarse □ **spavento** [spa'vento] sm susto; **far spavento** dar miedo □ **spaventoso, -a** [spaven'toso] agg espantoso(-a)

spazientirsi [spattsjen'tirsi] vpr impacientarse

spazio ['spattsjo] *sm (celeste, cosmico ecc)* espacio; *(posto)* espacio, sitio; **fare ~ per qc/qn** hacer sitio a algo/algn ☐ **spazioso, -a** [spat'tsjoso] *agg* espacioso(-a)

spazzacamino [spattsaka'mino] *sm* deshollinador

spazzaneve [spattsa'neve] *sm inv* quitanieves *f inv*

spazzare [spat'tsare] *vt* barrer ☐ **spazzatura** [spattsa'tura] *sf* basura ☐ **spazzino, -a** [spat'tsino] *sm/f* barrendero(-a)

spazzola ['spattsola] *sf* cepillo; *(di tergicristalli)* escobilla; **capelli a ~** pelo de punta ☐ **spazzolare** [spattso'lare] *vt* cepillar ☐ **spazzolino** [spattso'lino] *sm* cepillo ▸ **spazzolino da denti** cepillo de dientes

specchiarsi [spek'kjarsi] *vpr* mirarse en el espejo; *(riflettersi)* reflejarse

specchietto [spek'kjetto] *sm (piccolo specchio)* espejo; *(prospetto)* cuadro sinóptico ▸ **specchietto retrovisore** *(AUT)* retrovisor *m*

specchio ['spekkjo] *sm* espejo

speciale [spe'tʃale] *agg* especial ☐ **specialista, -i, -e** [spetʃa'lista] *(anche MED) sm/f* especialista *m/f* ☐ **specialità** [spetʃali'ta] *sf inv* especialidad *f*; **vorrei assaggiare una specialità della casa** quisiera probar una especialidad de la casa ☐ **specialmente** [spetʃal'mente] *avv* especialmente

specie ['spetʃe] *sf inv (BIOL, BOT, ZOOL)* especie *f*; *(tipo, qualità)* clase *f*, tipo ♦ *avv* especialmente, en especial; **ogni ~ di verdura** toda clase o todo

tipo de verdura; **una ~ di** una especie de

specificare [spetʃifi'kare] *vt* especificar

specifico, -a, -ci, -che [spe'tʃifiko] *agg* específico(-a)

speculazione [spekulat'tsjone] *sf (COMM)* especulación *f*

spedire [spe'dire] *vt (lettera, pacco)* expedir, remitir; *(fig: persona)* mandar, enviar

spegnere ['speɲɲere] *vt* apagar; *(motore)* apagar, parar; **spegnersi** *vpr* apagarse; *(motore)* apagarse, pararse; *(fig: morire)* morir(se); **non riesco a ~ il riscaldamento** no puedo apagar la calefacción; **può ~ la luce?** ¿podría apagar la luz?

spellarsi [spel'larsi] *vpr* pelarse

spendere ['spendere] *vt* gastar

spensierato, -a [spensje'rato] *agg* despreocupado(-a)

spento, -a ['spento] *pp di* **spegnere** ♦ *agg* apagado(-a); *(vulcano)* extinto(-a)

speranza [spe'rantsa] *sf* esperanza

sperare [spe'rare] *vt* esperar ♦ *vi:* **~ in** confiar en; **~ che/di fare** espero que/hacer; **lo spero** lo espero; **spero di sì** espero que sí

sperduto, -a [sper'duto] *agg (posto)* apartado(-a); *(persona: imbarazzato, a disagio)* incómodo(-a)

sperimentale [sperimen'tale] *agg* experimental

sperimentare [sperimen'tare] *vt* experimentar

sperma, -i ['sperma] *sm* esperma *m* o *f*

sperone [spe'rone] *sm (di stivale)* espuela *f*; *(di nave, zampa)* espolón *m*

sperperare [sperpe'rare] *vt* derrochar, despilfarrar

spesa ['spesa] *sf* (*versamento, somma*) gasto; (*acquisto*) compra; **fare la ~** ir a comprar, ir a hacer la compra ▶ **spese di viaggio** gastos de viaje ▶ **spese postali** gastos de envío

spesso, -a ['spesso] *agg* grueso(-a), espeso(-a) ♦ *avv* a menudo

spessore [spes'sore] *sm* espesor *m*, grosor *m*

Spett. *abbr* = **spettabile**; **~ Ditta** Señores *mpl*

spettacolo [spet'takolo] *sm* espectáculo; (*CINE*) sesión *f*

spettare [spet'tare] *vi*: **~ a** corresponder a, tocar a; **spetta a te decidere** te toca decidir

spettatore, -trice [spetta'tore] *sm/f* (*CINE, TEATRO*) espectador(a)

spettegolare [spettego'lare] *vi* chismorrear, cotillear

spettinato, -a [spetti'nato] *agg* despeinado(-a)

spettro ['spettro] *sm* (*fantasma*) espectro

spezie ['spettsje] *sfpl* (*CUC*) especias *fpl*

spezzare [spet'tsare] *vt* romper; (*in due*) partir en dos; **spezzarsi** *vpr* romperse, partirse

spezzatino [spettsa'tino] *sm* (*CUC*) guisado

spezzettare [spettset'tare] *vt* trocear

spia ['spia] *sf* (*agente segreto*) espía *m/f*; (*ELETTR*) indicador *m*; (*fig: segnale*) indicio; **fare la ~** (*essere uno spione*) ser un(a) chivato(-a)

spiacente [spja'tʃɛnte] *agg* dolido(-a)

spiacevole [spja'tʃevole] *agg* lamentable

spiaggia, -ge ['spjaddʒa] *sf* playa ▶ **spiaggia libera** playa (pública)

spianare [spja'nare] *vt* (*terreno*) allanar; (*pasta*) extender

spiare [spi'are] *vt* espiar

spiazzo ['spjattso] *sm* explanada; (*in un bosco*) claro

spicchio ['spikkjo] *sm* (*di agrumi*) gajo; (*di aglio*) diente *m*; (*parte*) raja

spicciarsi [spit'tʃarsi] *vpr* darse prisa, apresurarse

spiccioli ['spittʃoli] *smpl* suelto; **mi dispiace, non ho ~** lo siento, no tengo suelto

spicco, -chi ['spikko] *sm*: **di ~** (*fatto, personaggio*) de relieve

spiedino [spje'dino] *sm* pincho

spiedo ['spjedo] *sm* (*CUC*) espetón *m*, asador *m*; **pollo allo ~** pollo asado

spiegare [spje'gare] *vt* (*concetto ecc*) explicar; (*ali, tovaglia*) desplegar, extender; **spiegarsi** *vpr* (*reciproco*) aclararse; (*farsi capire*) explicarse; **~ qc a qn** explicar algo a algn □ **spiegazione** [spjegat'tsjone] *sf* explicación *f*

spietato, -a [spje'tato] *agg* despiadado(-a)

spifferare [spiffe'rare] *vt* (*fam*) largar, cantarlas claras □ **spiffero** ['spiffero] *sm* (*fam*) aire *m* colado

spiga, -ghe ['spiga] *sf* (*BOT*) espiga

spigliato, -a [spiʎ'ʎato] *agg* desenvuelto(-a), desenfadado(-a)

spigolo ['spigolo] *sm* arista *f*; (*punta*) pico

spilla ['spilla] sf (gioiello) broche m, alfiler m

spillo ['spillo] sm alfiler m; **tacchi a ~** tacones de aguja ▶ **spillo da balia** o **di sicurezza** imperdible m

spilorcio, -a, -ci, -ce [spi'lortʃo] agg, sm/f tacaño(-a)

spina ['spina] sf (ELETTR) enchufe m; (BOT, ZOOL: di pesce) espina; (ZOOL: di istrice) púa; una **birra alla ~** una cerveza de barril ▶ **spina dorsale** espina dorsal

spinaci [spi'natʃi] smpl espinacas fpl

spinello [spi'nello] sm (fam) porro, canuto

spingere ['spindʒere] vt empujar; ~ **qn a fare qc** empujar a algn a que haga algo

spinoso, -a [spi'noso] agg (anche fig: problema, argomento) espinoso(-a)

spinta ['spinta] sf empujón m; (scatto, impulso) impulso; (fig: stimolo) estímulo; (: appoggio, raccomandazione) enchufe m; **dare una ~ a qn** dar un empujón a algn; (fig: aiutare) dar un empujoncito a algn

spinto, -a ['spinto] pp di **spingere** ♦ agg (scabroso: giornaletto, film) verde; (estremo: posizione, idea) extremista

spionaggio [spio'naddʒo] sm espionaje m

spioncino [spion'tʃino] sm mirilla f

spiraglio [spi'raʎʎo] sm (fessura) rendija; (di luce) rayo; (di aria) pizca; (fig: barlume) hilo

spirale [spi'rale] sf espiral f; (contraccettivo) dispositivo intrauterino; **a ~** en espiral

spiritato, -a [spiri'tato] agg (espressione, occhi) fuera de sí; (persona) endemoniado(-a)

spiritismo [spiri'tizmo] sm espiritismo

spirito ['spirito] sm espíritu m; (disposizione) ánimo; (alcol) alcohol m; **di ~** (persona) con sentido del humor; (battuta) gracioso(-a) ❑ **spiritosaggine** [spirito'saddʒine] sf (qualità) gracia; (battuta) ocurrencia

spiritoso, -a [spiri'toso] agg gracioso(-a), chistoso(-a)

spirituale [spiritu'ale] agg espiritual

splendere ['splendere] vi (sole, stelle, volto) resplandecer; (occhi, pavimento) brillar ❑ **splendido, -a** ['splendido] agg resplandeciente; (stupendo) espléndido(-a)

spogliare [spoʎ'ʎare] vt desnudar, desvestir; **spogliarsi** vpr desnudarse, desvestirse ❑ **spogliarello** [spoʎʎa'rello] sm strip-tease m ❑ **spogliatoio** [spoʎʎa'tojo] sm vestuario

spola ['spola] sf: **fare la ~ (fra)** (fig) ir y venir (entre)

spolverare [spolve'rare] vt (mobile) desempolvar; (vestito) cepillar ♦ vi desempolvar

spontaneo, -a [spon'taneo] agg espontáneo(-a)

sporcare [spor'kare] vt ensuciar; **sporcarsi** vpr ensuciarse ❑ **sporcizia** [spor'tʃittsja] sf suciedad f ❑ **sporco, -a, -chi, -che** ['sporko] agg (anche fig: faccenda, denaro) sucio(-a)

sporgenza [spor'dʒɛntsa] sf
saliente m

sporgere ['spɔrdʒere] vt asomar;
(denuncia) presentar ♦ vi sobresalir;
sporgersi vpr: **sporgersi (da)**
asomarse (por)

sport [spɔrt] sm inv deporte m

sportello [spor'tɛllo] sm (di treno,
auto) puerta; (di banca, ufficio)
ventanilla ▶ **sportello
automatico** (per prelievi) cajero
automático

sportivo, -a [spor'tivo] agg (gara,
giornale, abbigliamento)
deportivo(-a); (persona) deportista
♦ sm/f deportista m/f

sposa ['spɔza] sf (alle nozze) novia;
(moglie) esposa

sposalizio [spoza'littsjo] sm
casamiento

sposare [spo'zare] vt casarse con;
(unire in matrimonio) casar; **sposarsi**
vpr casarse; **sposarsi con qn** casarse
con algn ▫ **sposato, -a** [spo'zato]
agg casado(-a)

sposo ['spɔzo] sm (alle nozze) novio;
(marito) esposo; **gli sposi** los novios,
los recién casados

spossato, -a [spos'sato] agg
agotado(-a), rendido(-a)

spostare [spos'tare] vt (mobile,
oggetto) correr, desplazar; (riunione,
incontro) aplazar; **spostarsi** vpr
correrse, desplazarse; **può ~ la
macchina, per favore?** ¿puede
mover su coche, por favor?

spranga, -ghe ['spranga] sf tranca

sprecare [spre'kare] vt (tempo,
occasione) desperdiciar; (denaro,
energie) malgastar

spregevole [spre'dʒevole] agg
despreciable

spremere ['spremere] vt exprimir

spremiagrumi [spremia'grumi]
sm inv exprimidor m

spremuta [spre'muta] sf zumo
▶ **spremuta d'arancia** zumo de
naranja

sprezzante [spret'tsante] agg
despreciativo(-a)

sprofondare [sprofon'dare] vi
(casa, tetto) derrumbarse,
desplomarse; (pavimento, terreno)
hundirse; (nel fango, nella melma)
atascarse

spronare [spro'nare] vt (anche fig)
espolear

sproporzionato, -a
[sproportsjo'nato] agg
desproporcionado(-a); (prezzo)
excesivo(-a)

sproporzione [s:propor'tsjone] sf
desproporción f

sproposito [spro'pɔzito] sm
(azione sconsiderata) despropósito,
disparate m; **a ~** (intervenire, parlare)
sin venir al caso, a destiempo

sprovveduto, -a [sprovve'duto]
agg (persona) desprevenido(-a);
(pubblico) mal preparado(-a)

sprovvista [sprov'vista] sf: **alla ~**
por o de sorpresa

sprovvisto, -a [sprov'visto] agg: **~
(di)** desprovisto(-a) (de), falto(-a)
(de)

spruzzare [sprut'tsare] vt rociar,
salpicar; (con nebulizzatore)
vaporizar

spugna ['spuɲɲa] sf (ZOOL) esponja;
(tessuto) felpa

spuma ['spuma] sf espuma
▫ **spumante** [spu'mante] sm cava
m, vino espumoso

spuntare [spun'tare] vt (coltello) despuntar; (capelli) cortar las puntas de; (elenco) puntear ♦ vi (germogli, brufoli) brotar; (sole) despuntar; (capelli) nacer; (denti) salir; (apparire improvvisamente) aparecer

spuntino [spun'tino] sm refrigerio, tentempié m

spunto ['spunto] sm: **dare lo ~ per** servir para; **prendere ~ da** (artista ecc) inspirarse en

sputare [spu'tare] vt, vi escupir

squadra ['skwadra] sf (SPORT, di pompieri) equipo; (di operai) brigada, cuadrilla; (MIL, NAUT) escuadra; (AER) escuadrón m; (strumento) escuadra, cartabón m; **a squadre** (gioco) de equipo

squagliarsi [skwaʎ'ʎarsi] vpr derretirse, deshacerse

squalificare [skwalifi'kare] vt descalificar; (screditare) desacreditar

squallido, -a ['skwallido] agg (ambiente) triste; (faccenda) sórdido(-a); (casa) mugriento(-a); (vita) gris

squalo ['skwalo] sm tiburón m

squama ['skwama] sf escama

squarciagola [skwartʃa'gola] avv: **a ~** a voz en cuello, a grito pelado

squarcinato, -a [skwartʃi'nato] agg pelado(-a), sin blanca

squilibrato, -a [skwili'brato] agg, sm/f desequilibrado(-a)

squillante [skwil'lante] agg (voce) claro(-a); (nota) agudo(-a); (fig: colore) llamativo(-a)

squillare [skwil'lare] vi (campanello, telefono) sonar; (tromba) resonar □ **squillo** ['skwillo] sm (di campanello) timbrazo; (di tromba, telefono) toque m

squisito, -a [skwi'zito] agg exquisito(-a)

squittire [skwit'tire] vi (topo) chillar

sradicare [zradi'kare] vt (albero, pianta: anche fig: persona, vizio) desarraigar

sregolato, -a [zrego'lato] agg desordenado(-a)

S.r.l. ['esse'erre'elle] abbr (= società a responsabilità limitata) S.L.

srotolare [zroto'lare] vt desenrollar

SS abbr (= strada statale) ≈ N (ESP)

S.S.N. sigla m (= Servizio Sanitario Nazionale) ≈ SS f (ESP)

stabile ['stabile] agg estable ♦ sm (edificio) inmueble m

stabilimento [stabili'mento] sm (fabbrica) establecimiento, planta ▶ **stabilimento balneare** balneario ▶ **stabilimento termale** termas fpl

stabilire [stabi'lire] vt (residenza) fijar; (leggi, prezzi, data) establecer, fijar; (decidere) decidir, determinar; **stabilirsi** vpr (prendere dimora) establecerse

staccare [stak'kare] vt (etichetta, adesivo) despegar; (quadro, poster) descolgar; (apparecchio elettrico) desconectar; (fig: da luogo, persona) alejar, apartar; **staccarsi** vpr: **staccarsi (da)** (bottone, cerotto) despegarse (de); (persona, luogo) alejarse (de), apartarse (de); **~ un assegno** extender un cheque; **non ~ gli occhi da qn** no quitar los ojos de algn

stadio ['stadjo] sm (impianto sportivo, fase) estadio

staffa ['staffa] sf (di sella) estribo; **perdere le staffe** (fig) perder los estribos ▢ **staffetta** [staf'fetta] sf (SPORT) carrera de relevos

stagionale [stadʒo'nale] agg (lavoro) temporal; (turismo) estacional

stagionato, -a [stadʒo'nato] agg curado(-a)

stagione [sta'dʒone] sf estación f; (periodo di tempo) temporada; **alta/ bassa ~** temporada alta/baja

stagno, -a ['staɲɲo] agg (porta) hermético(-a); (compartimento) estanco(-a) ♦ sm (metallo) estaño; (acquitrino) charca ▢ **stagnola** [staɲ'ɲɔla] sf (anche: **carta stagnola**) papel m de estaño o aluminio

stalla ['stalla] sf (per mucche, pecore, fig) establo; (per cavalli) caballeriza ▢ **stallone** [stal'lone] sm semental m

stamattina [stamat'tina] avv esta mañana

stambecco [stam'bekko] sm cabra montés

stampa ['stampa] sf (tecnica) imprenta; (procedimento) impresión f; (copia) impreso; (FOT) copia; (insieme di pubblicazione, giornalisti ecc) prensa; (riproduzione artistica) grabado; **mandare in ~** mandar a imprenta; **"stampe"** (su lettera) "impresos" ▢ **stampante** [stam'pante] sf impresora ▢ **stampare** [stam'pare] vt (libri, giornali) imprimir; (pubblicare) publicar; (FOT) revelar

stampatello [stampa'tello] sm letra de imprenta

stampella [stam'pella] sf muleta; (per abiti) percha

stampo ['stampo] sm (CUC, TECN) molde m

stanare [sta'nare] vt (animale) desencovar; (fig: persona) desanidar

stancare [staŋ'kare] vt cansar; **stancarsi** vpr cansarse; **stancarsi (di qc/di fare qc)** cansarse (de algo/de hacer algo)

⚠ **stancare** non si traduce mai con la parola spagnola **estancar**.

stanchezza [staŋ'kettsa] sf cansancio

stanco, -a, -chi, -che ['staŋko] agg cansado(-a)

⚠ **stanco** non si traduce mai con la parola spagnola **estanco**.

stanghetta [staŋ'getta] sf (di occhiali) patilla

stanotte [sta'nɔtte] avv esta noche; (ieri notte) anoche

stante ['stante] prep: **a sé ~** aparte

stantio, -a, -tii, -tie [stan'tio] agg (burro, formaggio) rancio(-a); (pane) duro(-a); (biscotti) revenido(-a)

stantuffo [stan'tuffo] sm pistón m

stanza ['stantsa] sf habitación f, cuarto ▶ **stanza da letto** dormitorio

stappare [stap'pare] vt destapar

---

stare

PAROLA CHIAVE

['stare] vi

1 (rimanere) estar, quedarse; **stare a casa** estar o quedarse en casa; **stare in piedi** estar o quedarse de pie

2 (abitare) estar, vivir; **sta a Roma da due anni** está en Roma desde hace dos años; **sto qui vicino** estoy aquí cerca

8 (essere, trovarsi) estar; **sta sopra il tavolo** está encima de la mesa; **stavo dal dentista** estaba en la consulta del dentista

4 (sentirsi) **stare bene/male** (di salute) estar o encontrarse bien/ mal; **come stai?** ¿cómo estás o te encuentras?; **sto bene con lui** estoy bien con él

5 (abito, scarpe) **come mi sta?** ¿cómo me queda o sienta? **ti sta molto bene** te queda o sienta muy bien

6 (seguito da gerundio) estar; **sto aspettando** estoy esperando

7 **stare a fare qc** hacer algo; **stare a sentire** oír, escuchar; **stiamo a vedere** veamos; **sono stati a parlare per ore** han hablado durante horas; **sta' un po' a sentire** escucha un momento

8 (essere in procinto) **stare per fare qc** estar a punto de hacer algo; **stavo per andarmene** estaba a punto de irme

9 (spettare) **stare a** corresponder a; **sta a me giudicare** me corresponde a mí juzgar; **non sta a lui decidere** no le corresponde a él decidir

10 : **starci** (essere contenuto) caber; (essere d'accordo) estar de acuerdo; **non ci sta più nulla** ya no cabe nada más

starnutire [starnu'tire] vi estornudar ◻ **starnuto** [star'nuto] sm estornudo

stasera [sta'sera] avv esta tarde o noche

statale [sta'tale] agg estatal ♦ sm/f (anche: **dipendente ~**)

funcionario(-a) del Estado ♦ sf (anche: **strada ~**) (carretera) nacional f

statista, -i [sta'tista] sm estadista m/f

statistica [sta'tistika] sf estadística

stato, -a [stato] pp di **essere, stare** ♦ sm (condizione, paese) estado; in ~ **interessante** en estado de buena esperanza; **gli Stati Uniti (d'America)** (los) Estados Unidos (de América) ► **stato d'animo** estado de ánimo

statua ['statua] sf estatua

statunitense [statuni'tɛnse] agg, sm/f estadounidense m/f

statura [sta'tura] sf estatura; (fig) talla

statuto [sta'tuto] sm (DIR) estatuto

stavolta [sta'vɔlta] avv esta vez

stazionario, -a [stattsjo'narjo] agg estacionario-a

stazione [stat'tsjone] sf (dei treni) estación f; (RADIO, TV) emisora ► **stazione degli autobus** estación de autobuses ► **stazione di polizia** comisaría de policía ► **stazione di servizio** estación de servicio

stecca, -che ['stekka] sf (asticella) listón m, varilla; (di biliardo) taco; (di sigarette) cartón m; (MED) férula

steccato [stek'kato] sm (palizzata) estacada, empalizada

stella ['stella] sf (anche fig: del cinema, teatro ecc) estrella ► **stella alpina** edelweiss m ► **stella cadente** estrella fugaz ► **stella di mare** estrella de mar

stelo ['stɛlo] sm (BOT) tallo; **lampada a ~** lámpara de pie

stemma ['stemma] *sm* escudo

stempiato, -a [stem'pjato] *agg* con entradas

stendere ['stendere] *vt* extender; (*panni, bucato*) tender; (*relazione*) redactar; **stendersi** *vpr* (*sdraiarsi*) tenderse, tumbarse

stenografia [stenogra'fia] *sf* taquigrafía

stentare [sten'tare] *vi*: **stento a crederli/ad alzarmi** me cuesta creerte/levantarme

stento ['stento] *sm* (*fatica*) esfuerzo; **stenti** *smpl* (*privazioni*) privaciones *fpl*, estrecheces *fpl*; **a ~** (*con difficoltà*) a duras penas

sterco, -chi ['sterko] *sm* estiércol *m*

stereo ['stereo] *agg inv* estereofónico(-a), estéreo(-a) ♦ *sm inv* (*impianto*) estéreo

sterile ['sterile] *agg* estéril □ **sterilizzare** [sterilid'dzare] *vt* esterilizar

sterlina [ster'lina] *sf* (*anche*: **lira ~**) libra (esterlina)

sterminare [stermi'nare] *vt* exterminar □ **sterminato, -a** [stermi'nato] *agg* (*immenso*) inmenso(-a) □ **sterminio** [ster'minjo] *sm* exterminio, exterminación *f*

sterno ['sterno] *sm* (ANAT) esternón *m*

steroide [ste'rɔide] *sm* esteroide *m*

sterzare [ster'tsare] *vi* virar □ **sterzo** ['stertso] *sm* dirección *f*

stesso, -a ['stesso] *agg, pron* mismo(-a); **lo ~ ministro** (*rafforzativo*) el mismo ministro; **se ~** él mismo; **se stessa** ella misma; **se stessi/se stesse** ellos mismos/ellas mismas; **fa lo ~** da o es igual; **parto**

lo ~ de todas formas voy; *vedi anche* **io, tu** *ecc*

stesura [ste'sura] *sf* (*di contratto*) redacción *f*; (*di libro*) escritura

stilare [sti'lare] *vt* extender, redactar

stile ['stile] *sm* estilo ► **stile di vita** estilo de vida ► **stile libero** (SPORT) crol *m* □ **stilista, -i, -e** *sm/f* estilista *m/f*, diseñador(a)

stilografica, -che [stilo'grafika] *sf* (*anche*: **penna ~**) (pluma) estilográfica

stima ['stima] *sf* (*apprezzamento*) estima; (*valutazione*) estimación *f*, valoración *f* □ **stimare** [sti'mare] *vt* estimar; **stimare che** (*ritenere*) creo o considero que

stimolare [stimo'lare] *vt* estimular; **~ qn a fare qc** estimular a algn para que haga algo □ **stimolo** ['stimolo] *sm* estímulo

stingere ['stindʒere] *vi* (*anche*: **stingersi**) desteñirse □ **stinto, -a** ['stinto] *pp di* **stingere**

stipare [sti'pare] *vt* apiñar, amontonar; **stiparsi** *vpr* apiñarse, amontonarse

stipendio [sti'pendjo] *sm* sueldo, nómina

stipite ['stipite] *sm* jamba

stipulare [stipu'lare] *vt* estipular

stirare [sti'rare] *vt* (*abito, tovaglia ecc*) planchar; (*braccia, gambe*) extender; **stirarsi** *vpr* (*persona*) desperezarse; **stirarsi un muscolo** sufrir un estiramiento muscular

stitichezza [stiti'kettsa] *sf* estreñimiento

stitico, -a, -ci, -che ['stitiko] *agg* estreñido(-a)

stiva ['stiva] sf (di nave) bodega

stivale [sti'vale] sm bota

stizza ['stittsa] sf rabia

stoffa ['stɔffa] sf tela; **di che ~ è?** ¿qué tela es?

stomaco, -chi ['stɔmako] sm estómago; **dare di ~** vomitar, devolver

stonato, -a [sto'nato] agg (persona, strumento) desentonado(-a); (strumento) desafinado(-a)

stop [stɔp] sm inv (segnale) stop m; (fanalino) luz f de frenado

storcere ['stɔrtfere] vt torcer; **storcersi** vpr torcerse, doblarse; **storcersi la caviglia** doblarse o torcerse el tobillo

stordire [stor'dire] vt aturdir □ **stordito, -a** [stor'dito] agg aturdido(-a)

storia ['stɔrja] sf historia; **storie** sfpl (pretesti) historias fpl; (smancerie, lamentele) monsergas fpl □ **storico, -a, -ci, -che** ['stɔriko] agg histórico(-a) ♦ sm/f historiador(a)

storione [sto'rjone] sm esturión m

stormo ['stormo] sm (di uccelli) bandada

storpio, -a ['stɔrpjo] agg lisiado(-a), tullido(-a)

storta ['stɔrta] sf (distorsione) esguince m, torcedura □ **storto, -a** ['stɔrto] pp di **storcere** ♦ agg torcido(-a); **è andato tutto storto** ha salido todo mal

stoviglie [sto'viʎʎe] sfpl vajilla

strabico, -a, -ci, -che ['strabiko] agg estrábico(-a)

stracchino [strak'kino] sm queso de leche de vaca cremoso y no fermentado

stracciare [stratt'tfare] vt (foglio) rasgar, romper; (fam: avversario) aplastar; **stracciarsi** vpr (lacerarsi) rasgarse, romperse

straccio, -ci ['strattfo] sm bayeta

strada ['strada] sf (di paese, campagna) carretera; (in città) calle f; (cammino) camino; **che ~ devo prendere per andare a ...?** ¿qué carretera he de tomar para ...?; **farsi ~** (fig: persona) abrirse camino; **essere fuori ~** (fig) ir descaminado(-a), estar equivocado(-a) □ **stradale** [stra'dale] agg de carretera, vial

---

STRADE

En Italia existe una buena red de carreteras y autopistas. Las "strade statali" (carreteras nacionales) vienen identificadas por señales de tráfico de color azul, mientras las **autostrade** (autopistas) son de color verde.

---

strafalcione [strafal'tfone] sm barbaridad f, disparate m

strafare [stra'fare] vi excederse

strafottente [strafot'tente] agg, sm/f insolente, arrogante

strage ['stradʒe] sf matanza, masacre f

stralunato, -a [stralu'nato] agg (persona) trastornado(-a)

strambo, -a ['strambo] agg estrambótico(-a)

strampalato, -a [strampa'lato] agg extravagante; (idea) descabellado(-a)

stranezza [stra'nettsa] sf extrañeza, rareza

strangolare [strango'lare] vt
estrangular

straniero, -a [stra'njɛro] agg, sm/f
extranjero(-a)

strano, -a ['strano] agg extraño(-a),
raro(-a)

straordinario, -a [straordi'narjo]
agg extraordinario(-a); (treno)
especial ♦ sm (lavoro) horas fpl
extras

strapiombo [stra'pjombo] sm
barranco, precipicio; **a ~** en
desplomo

strappare [strap'pare] vt (fiore,
foglia, vittoria) arrancar; (carta,
fazzoletto) rasgar, romper;
strapparsi vpr (lacerarsi) rasgarse,
romperse; (corda) romperse; **~ qc a
qn** quitar algo a algn; **strapparsi un
muscolo** sufrir un desgarro
muscular □ **strappo** ['strappo] sm
(lacerazione) rasgón m, rotura;
(strattone) tirón m; **fare uno
strappo alla regola** hacer una
excepción a la regla ▶ **strappo
muscolare** desgarro muscular

straripare [strari'pare] vi
desbordarse

strascico, -chi ['straʃʃiko] sm (di
abito) cola; (fig: conseguenza)
secuela

stratagemma, -i [strata'dʒemma]
sm estratagema, ardid m

strategia, -gie [strate'dʒia] sf
estrategia
□ **strategico, -a, -ci, -che**
[stra'tɛdʒiko] agg estratégico(-a)

strato ['strato] sm capa ▶ **strato
d'ozono** capa de ozono

strattone [strat'tone] sm tirón m

stravagante [strava'gante] agg
extravagante

stravolto, -a [stra'vɔlto] agg
descompuesto(-a); (dalla fatica, ecc)
reventado(-a)

strazio ['strattsjo] sm suplicio,
tormento

strega, -ghe ['strega] sf bruja,
hechicera □ **stregare** [stre'gare] vt
embrujar, hechizar, (fig) hechizar,
cautivar □ **stregone** [stre'gone]
sm brujo, hechicero

strepitoso, -a [strepi'toso] agg
(successo) estrepitoso(-a),
espectacular

stressante [stres'sante] agg
estresante

stressato, -a [stres'sato] agg
estresado(-a), agobiado(-a)

stretta ['stretta] sf apretón m; **una ~
di mano** un apretón de manos

strettamente [stretta'mente] avv
(in modo stretto) estrechamente;
(rigorosamente) estrictamente

stretto, -a ['stretto] pp di
stringere ♦ agg (nodo)
apretado(-a); (curva) cerrado(-a);
(corridoio, stanza, abito) estrecho(-a);
(amico) íntimo(-a); (parente)
cercano(-a) ♦ sm (braccio di mare)
estrecho; **ridere a denti stretti**
reírse de dientes afuera; **lo ~
necessario/indispensabile** lo
estrictamente necesario/
indispensable □ **strettoia**
[stret'toja] sf (di strada)
estrechamiento

striato, -a [stri'ato] agg estriado(-a)

stridulo, -a ['stridulo] agg (voce)
chillón(-ona)

strillare [stril'lare] vt, vi chillar
□ **strillo** ['strillo] sm chillido

striminzito, -a [strimin'tsito] agg
(vestito) ajustado(-a), ceñido(-a);
(persona) flaco(-a)

strimpellare [strimpel'lare] vt
(violino, chitarra) rascar; (piano)
aporrear

stringa, -ghe ['stringa] sf (di
scarpe) cordón m □ **stringato, -a**
[strin'gato] agg conciso(-a)

stringere ['strindʒere] vt apretar;
(vestito) estrechar; (patto) estipular
♦ vi (essere stretto) apretar; ~ la
mano a qn estrechar la mano a
algn; **il tempo stringe** el tiempo
apremia

striscia, -sce ['striʃʃa] sf (di carta,
tessuto) tira; (riga) lista ▸ **strisce
(pedonali)** paso sg de cebra
□ **strisciare** [striʃ'ʃare] vt (piedi)
arrastrar; (muro, macchina) rozar ♦ vi
(serpente) reptar; (persona)
arrastrarse □ **striscio** [striʃ'ʃo] sm
(segno) raya, arañazo; **di striscio** de
refilón □ **striscione** [striʃ'ʃone] sm
pancarta

stritolare [strito'lare] vt moler,
machacar

strizzare [strit'tsare] vt (panni,
spugna) estrujar; ~ **l'occhio (a)**
guiñar el ojo (a)

strofa ['strɔfa] sf estrofa

strofinaccio [strofi'nattʃo] sm (per
piatti, per spolverare) paño; (per
pavimenti) bayeta

strofinare [strofi'nare] vt frotar,
restregar

stroncare [stron'kare] vt (ribellione)
sofocar; (film, libro) demoler; (sogg:
infarto ecc) truncar

stronzo ['strontso] sm (sterco)
mierda, cagada; (fam!: fig: stupido)

gilipollas m/f; (: malvagio)
cabrón(-ona)

strozzare [strot'tsare] vt (soffocare)
sofocar, ahogar

struccare [struk'kare] vt
desmaquillar; **struccarsi** vpr
desmaquillarse

strumentale [strumen'tale] agg
(MUS) instrumental

strumentalizzare
[strumentalid'dzare] vt
instrumentalizar

strumento [stru'mento] sm (anche
fig) instrumento; (anche: ~
musicale) instrumento (musical)

strutto ['strutto] sm manteca de
cerdo

struttura [strut'tura] sf estructura

struzzo ['struttso] sm avestruz m

stuccare [stuk'kare] vt (muro)
estucar; (legno) enmasillar

stucco, -chi ['stukko] sm (per muro,
ornamentale) estuco; (per legno)
mástique m; **rimanere di ~** (fig)
quedarse de piedra o de una pieza

studente, -essa [stu'dente] sm/f
estudiante m

studiare [stu'djare] vt, vi estudiar

studio ['studjo] sm estudio; (di
notaio) notaría; **studi** smpl (SCOL)
estudios ▸ **studio medico**
consulta médica □ **studioso, -a**
[stu'djoso] agg, sm/f estudioso(-a)

stufa ['stufa] sf estufa

stufare [stu'fare] vt (CUC) estofar;
(fam: fig: stancare) cansar, hartar;
stufarsi vpr (fam: fig) cansarse,
hartarse □ **stufo, -a** ['stufo] agg
cansado(-a), harto(-a); **essere stufo
(di qc/fare qc)** estar cansado o
harto (de algo/hacer algo)

stuoia [ˈstwɔːja] *sf* estera

stupefacente [stupefaˈtʃɛnte] *agg* (*fatto, notizia*) asombroso(-a), sorprendente; (*sostanza*) estupefaciente ♦ *sm* (*anche:* **sostanza ~**) (sustancia) estupefaciente *m*

stupefatto, -a [stupeˈfatto] *agg* estupefacto(-a)

stupendo, -a [stuˈpɛndo] *agg* estupendo(-a)

stupidaggine [stupiˈdaddʒine] *sf* (*l'essere stupido, azione*) estupidez *f*; (*inezia*) nimiedad *f*

stupidità [stupidiˈta] *sf* estupidez *f*

stupido, -a [ˈstuːpido] *agg* estúpido(-a)

stupire [stuˈpire] *vt* sorprender, asombrar; **stupirsi** *vpr*: **stupirsi (di)** sorprenderse (de), asombrarse (de)

stupore [stuˈpore] *sm* estupor *m*, asombro

stuprare [stuˈprare] *vt* violar
□ **stupro** [ˈstuːpro] *sm* violación *f*

sturare [stuˈrare] *vt* (*lavandino*) desatascar; (*bottiglia*) destapar

stuzzicadenti [stuttsikaˈdɛnti] *sm inv* mondadientes *m inv*, palillo de dientes

stuzzicare [stuttsiˈkare] *vt* (*persona, cane*) manosear; (*ferita*) hurgar; (*appetito, curiosità*) despertar

---

su

PAROLA CHIAVE

[su] (*su + il = **sul**, su + lo = **sullo**, su + l' = **sull'**, su + la = **sulla**, su + i = **sui**, su + gli = **sugli**, su + le = **sulle***) *prep*

1 (*posizione*) sobre; **è sul tavolo** está en o sobre la mesa; **mettilo sul tavolo** ponlo en o sobre la mesa; **un paesino sul mare** un

pueblecito en el mar; **salire sul treno** subir al tren; **tre casi su dieci** tres de cada diez casos

2 (*argomento*) sobre, acerca de; **un articolo sull'argomento** un artículo sobre el tema

3 (*circa*) alrededor de; **costerà sui 3 milioni** costará alrededor de o unos tres millones; **una ragazza sui 17 anni** una chica de unos diecisiete años

4 (*modo*): **su misura** a medida; **su ordinazione** bajo pedido

♦ *avv*

1 (*in alto*) arriba; (*verso l'alto*) hacia o para arriba; **rimani su** quédate arriba; **vieni su** sube; **guarda su** mira arriba; **andare su e giù** (*passeggiare*) ir de arriba abajo; **su le mani!** ¡arriba las manos!; **in su** (*verso l'alto*) hacia o para arriba; **dai 20 anni in su** a partir de los veinte años

2 (*addosso*) encima; **cos'hai su?** ¿qué llevas puesto?; **metti su questo** pon arriba o encima esto

♦ *escl* ¡arriba!, ¡venga!; **su coraggio!** ¡arriba o vamos, ánimo!; **su avanti, muoviti!** ¡vamos o venga, muévete!

subacqueo, -a [suˈbakkweo] *agg* (*pesca, immersione*) submarino(-a)
♦ *sm/f* submarinista *m/f*

subbuglio [subˈbuʎʎo] *sm* alboroto, jaleo; **in ~** (*in agitazione*) alborotado(-a); (*in disordine*) en desorden

subdolo, -a [ˈsubdolo] *agg* solapado(-a)

subentrare [subenˈtrare] *vi*: **~ a qn** suceder a algn

subire [suˈbire] *vt* sufrir

⚠ **subire** non si traduce mai con la parola spagnola *subir*.

subito ['subito] *avv* inmediatamente, en seguida; ~ **dopo** inmediatamente después

sub...: ◻ subodorare [subodo'rare] *vt* sospechar, presentir ◻ **subordinato, -a** [subordi'nato] *agg* subordinado(-a)

succedere [sut'tʃedere] *vi* (*accadere*) pasar, ocurrir; (*prendere il posto di*): ~ a suceder a; **cos'è successo?** ¿qué pasó o ocurrió? ◻ **successivo, -a** [suttʃes'sivo] *agg* siguiente ◻ **successo, -a** [sut'tʃesso] *pp di* **succedere ♦** *sm* éxito; **di successo** (*libro, personaggio*) famoso(-a)

succhiare [suk'kjare] *vt* chupar, succionar ◻ **succhiotto** [suk'kjɔtto] *sm* chupete *m*

succinto, -a [sut'tʃinto] *agg* (*abito*) atrevido(-a); (*stile*) conciso(-a)

succo, -chi ['sukko] *sm* (*di arancia, limone*) zumo ► **succo di frutta** zumo de fruta ► **succo gastrico** jugo gástrico

succursale [sukkur'sale] *sf* sucursal *f*

sud [sud] *agg inv, sm* sur (*m*) *inv*

Sudafrica [su'dafrika] *sm* Sudáfrica *f*

Sudamerica [suda'merika] *sm* Sudamérica *f*, Suramérica *f*

sudare [su'dare] *vi* sudar ◻ **sudato, -a** [su'dato] *agg* sudado(-a)

suddividere [suddi'videre] *vt* (*testo, libro*) subdividir; (*ripartire: credito, somma*) dividir, repartir

sudest [su'dɛst] *sm* sudeste *m inv*, sureste *m inv*

sudicio, -a, -ci, -ce ['suditʃo] *agg* sucio(-a)

sudore [su'dore] *sm* sudor *m*

sudovest [su'dɔvest] *sm* sudoeste *m inv*, suroeste *m inv*

sufficiente [suffi'tʃɛnte] *agg* suficiente ◻ **sufficienza** [suffi'tʃɛntsa] *sf* (*anche bene*) suficiencia; (*SCOL*) suficiente *m*; **a sufficienza** bastante; **ne ho avuto a sufficienza!** ¡he tenido bastante!

suffisso [suf'fisso] *sm* sufijo

suggerimento [suddʒeri'mento] *sm* sugerencia

suggerire [suddʒe'rire] *vt* sugerir

suggestionare [suddʒestjo'nare] *vt* suggestionar ◻ **suggestivo, -a** [suddʒes'tivo] *agg* sugestivo(-a)

sughero ['sugero] *sm* corcho

sugo, -ghi ['sugo] *sm* (*condimento*) salsa; (*di arrosto, verdure, frutta*) jugo

suicida, -i, -e [sui'tʃida] *agg, sm/f* suicida *m/f* ◻ **suicidarsi** [suitʃi'darsi] *vpr* suicidarse ◻ **suicidio** [sui'tʃidjo] *sm* suicidio

suino, -a [su'ino] *agg* de cerdo ♦ *sm* cerdo, guarro; **i suini** los suidos

sultano, -a [sul'tano] *sm/f* sultán(-ana)

suo, sua ['suo] (*pl* **suoi, sue**) *agg*: (**il**) **~**, (**la**) **sua** (*anche forma di cortesia*) su; (*dopo il sostantivo*) suyo(-a) ♦ *pron*: **il ~, la sua** el suyo, la suya, lo suyo *neutro*; **i suoi** (*genitori*) sus padres; **una sua amica** una amiga suya; **i suoi guanti** sus guantes

suocero, -a [su'ɔtʃero] *sm/f* suegro(-a); **i suoceri** los suegros

suola ['swɔla] *sf* suela

suolo ['swɔlo] *sm* suelo

suonare [swo'nare] *vt* tocar; *(ore)* dar ♦ *vi (sveglia, allarme)* sonar; **~ il clacson** tocar la bocina □ **suoneria** [swone'ria] *sf* timbre *m*

suono ['swɔno] *sm* sonido

suora ['swɔra] *sf* monja

super ['super] *sf inv (anche:* **benzina ~**) (gasolina) súper *f*

superare [supe'rare] *vt* superar; *(bivio)* pasar; *(veicolo)* adelantar; *(esame)* aprobar; **~ qn in altezza/ peso** superar a algn en altura/peso; **ha superato la cinquantina** ha pasado los cincuenta

superbia [su'pɛrbja] *sf* soberbia □ **superbo, -a** [su'pɛrbo] *agg* soberbio(-a)

superficiale [superfi'tʃale] *agg (anche fig)* superficial

superficie, -ci [super'fitʃe] *sf* superficie *f*

superfluo [su'pɛrfluo] *agg* superfluo(-a)

superiore [supe'rjore] *agg* superior ♦ *sm/f (in gerarchia)* superior *m*; **~ (a)** superior (a); **essere ~** *(pettegolezzi, critiche)* estar por encima de; *vedi anche* **scuola**

superlativo, -a [superla'tivo] *agg* superlativo(-a) ♦ *sm (LING)* superlativo

supermercato [supermer'kato] *sm* supermercado

superstite [su'perstite] *sm/f* superviviente *m/f*

superstizione [superstit'tsjone] *sf* superstición □ **superstizioso, -a** [superstit'tsjoso] *agg* supersticioso(-a)

superstrada [super'strada] *sf* autovía

supino, -a [su'pino] *agg* supino(-a)

supplementare [supplemen'tare] *agg* suplementario(-a); **tempi supplementari** *(SPORT)* prórroga *sg*

supplemento [supple'mento] *sm (di giornale)* suplemento; *(sovrapprezzo)* suplemento, sobreprecio

---

SUPPLEMENTO

En los trenes Intercity (IC) y Eurocity (EC) se paga un **supplemento**. Cuando se toman uno de estos trenes no debe olvidar comprar el **supplemento** en taquilla junto con el billete.

---

supplente [sup'plente] *agg* suplente ♦ *sm/f (insegnante)* sustituto(-a)

supplica, -che ['supplika] *sf (preghiera)* súplica; *(domanda scritta)* solicitud *f*, instancia □ **supplicare** [suppli'kare] *vt* suplicar

supplizio [sup'plittsjo] *sm (anche fig)* suplicio

supporre [sup'porre] *vt* suponer

supporto [sup'porto] *sm* soporte *m*

supposta [sup'posta] *sf* supositorio

supremo, -a [su'prɛmo] *agg* supremo(-a)

surgelare [surdʒe'lare] *vt* congelar □ **surgelato, -a** [surdʒe'lato] *agg* congelado(-a) ♦ *sm* congelado

surplus [syr'ply] *sm inv (ECON)* superávit *m*

surriscaldare [surriskal'dare] *vt* recalentar; *(fig: ambiente, atmosfera)* calentar

suscettibile [suʃʃet'tibile] agg
susceptible

suscitare [suʃʃi'tare] vt suscitar

susina [su'sina] sf ciruela

susseguirsi [susse'gwirsi] vpr
sucederse

sussidio [sus'sidjo] sm (aiuto)
ayuda; (finanziario, dello stato)
subsidio ▸ **sussidi didattici**
material msg didáctico

sussultare [sussul'tare] vi (trasalire)
sobresaltarse

sussurrare [sussur'rare] vt, vi
susurrar ▫ **sussurro** [sus'surro] sm
susurro

svagarsi [zva'garsi] vpr distraerse
▫ **svago, -ghi** ['zvago] sm (riposo,
ricreazione) distracción f;
(divertimento) diversión f

svaligiare [zvali'dʒare] vt (banca)
robar; (negozio, casa) desvalijar

svalutarsi [zvalu'tarsi] vpr (ECON)
devaluarse ▫ **svalutazione**
[zvalutat'tsjone] sf (ECON)
devaluación f

svanire [zva'nire] vi desvanecerse

svantaggiato, -a [zvantad'dʒato]
agg en desventaja; (bambino)
desfavorecido(-a)

svantaggio [zvan'taddʒo] sm
desventaja

svariato, -a [zva'rjato] agg
variado(-a); **svariate volte/persone**
muchas veces/personas

svastica, -che ['zvastika] sf
(simbolo nazista) esvástica, cruz f
gamada

svedese [zve'dese] agg, sm/f
sueco(-a) ♦ sm (lingua) sueco

sveglia [zveʎʎa] sf (lo svegliarsi)
despertar m; (orologio) despertador

m ▸ **sveglia telefonica** servicio
despertador

svegliare [zveʎ'ʎare] vt despertar;
svegliarsi vpr despertarse; **potrei
essere svegliato alle 7, per
favore?** ¿podría despertarme a las
7, por favor? ▫ **sveglio, -a, -gli, -glie** ['zveʎʎo]
agg (anche fig: vivace, furbo)
despierto(-a)

svelare [zve'lare] vt (segreto, mistero)
revelar

svelto, -a ['zvelto] agg (veloce:
passo, persona ecc) rápido(-a), veloz;
alla svelta rápido, de corrida

svendita ['zvendita] sf liquidación f

svenimento [zveni'mento] sm
desmayo, desvanecimiento

svenire [zve'nire] vi desmayarse

sventare [zven'tare] vt (furto,
rapina) impedir, frustrar

sventato, -a [zven'tato] agg
atolondrado(-a)

sventolare [zvento'lare] vt
(bandiera) ondear; (fazzoletto) agitar
♦ vi flamear, ondear

sventura [zven'tura] sf (cattiva
sorte) desventura; (disgrazia)
desdicha, desgracia

svestire [zves'tire] vt desvestir,
desnudar; **svestirsi** vpr desvestirse,
desnudarse

Svezia ['zvettsja] sf Suecia

sviare [zvi'are] vt desviar; **~ (da)** (fig)
distraer (de)

svignarsela [zviɲ'narsela] vpr
pirarse

sviluppare [zvilup'pare] vt
desarrollar; (FOT) revelar;
svilupparsi vpr desarrollarse; **può ~
questo rullino?** ¿puede revelar

este carrete? ◻ **sviluppo**
[zvi'luppo] sm desarrollo; (FOT)
revelado; **in via di sviluppo** en vías
de desarrollo

svincolo ['zvinkolo] sm (raccordo
stradale) (carretera de) enlace m

svista ['zvista] sf descuido

svitare [zvi'tare] vt des(a)tornillar

Svizzera ['zvittsera] sf Suiza
◻ **svizzero, -a** ['zvittsero] agg, sm/f
suizo(-a)

svogliato, -a [zvoʎ'ʎato] agg
desganado(-a)

svolgere ['zvɔldʒere] vt (compito)
desarrollar; (gomitolo) desenrollar;
(funzione, lavoro ecc) desempeñar;
svolgersi vpr (film) desarrollarse

svolta ['zvɔlta] sf (curva) curva; (fig:
cambiamento) viraje m ◻ **svoltare**
[zvol'tare] vi doblar, girar

svuotare [zvwo'tare] vt vaciar

Tt

T [t] abbr (= tabaccheria) estanco

t [ti] abbr (= tonnellata) t

tabaccheria [tabakke'ria] sf
estanco

TABACCHERIA

Los cigarrillos y el tabaco se
pueden comprar en Italia en las
tabaccherie, que aparecen en
letreros con una T de color blanco
con fondo negro. Algunos
estancos también venden prensa.

tabacco, -chi [ta'bakko] sm tabaco

tabella [ta'bella] sf (tavola) tabla;
(elenco) tablilla ◻ **tabellone**
[tabel'lone] sm (per pubblicità) cartel
m; (per informazioni) tablero

TAC [tak] sigla f (MED: Tomografia
Assiale Computerizzata) TAC m

tacchino [tak'kino] sm pavo

tacco, -chi ['takko] sm tacón m

taccuino [takku'ino] sm bloc m,
libreta

tacere [ta'tʃere] vi, vt callar; **far ~ qn**
hacer callar a algn, hacer que algn
calle

tachimetro [ta'kimetro] sm (AUT)
taquímetro, velocímetro

tafano [ta'fano] sm tábano

taglia ['taʎʎa] sf (misura, ricompensa)
talla

tagliacarte [taʎʎa'karte] sm inv
cortapapeles m inv

tagliando [taʎ'ʎando] sm cupón m

tagliare [taʎ'ʎare] vt cortar; (torta)
partir; (scritto) reducir ♦ vi (essere
tagliente) cortar; (prendere una
scorciatoia) acortar; **tagliarsi** vpr
cortarse; **~ la corda** (fig)
escabullirse, largarse; **mi sono
tagliato** me he cortado

tagliatelle [taʎʎa'tɛlle] sfpl
tallarines mpl

tagliaunghie [taʎʎa'ungje] sm inv
cortaúñas m inv

tagliente [taʎ'ʎente] agg (lama,
coltello) cortante ◻ **taglio** ['taʎʎo]
sm corte m; (quantità: di carne,
tessuto) trozo; **banconota di
piccolo taglio** billete m fraccionario
▶ **taglio cesareo** cesárea

talco, -chi ['talko] sm talco

tale

PAROLA CHIAVE

['tale] agg

1 (simile, così grande) tal,
semejante; **c'è un rumore tale che**

non riesco a dormire hay tal ruido que no puedo dormir

2 (indefinito) tal, cierto(-a); **ha telefonato una tale Michela** ha llamado por teléfono una tal Michela

3 (nelle similitudini): **tale ... tale** tal ... tal; **tale padre tale figlio** de tal palo tal astilla

♦ pron (indefinito: persona): **un tale** un tal o fulano; **una tale** una tal o fulana

talento [ta'lɛnto] sm talento

talismano [taliz'mano] sm talismán m

talloncino [tallon'tʃino] sm resguardo

tallone [tal'lone] sm talón m

talmente [tal'mente] avv tan

talpa ['talpa] sf (ZOOL, spia) topo

talvolta [tal'vɔlta] avv a veces

tamburello [tambu'rɛllo] sm (MUS) pandereta

tamburo [tam'buro] sm (di pistola, MUS) tambor m

Tamigi [ta'midʒi] sm Támesis m inv

tamponare [tampo'nare] vt (macchina) dar por detrás a

tampone [tam'pone] sm (MED) tapón m; (assorbente interno) tampón m

tana ['tana] sf (di animale, malviventi) madriguera, guarida

tanga ['tanga] sm inv tanga m

tangente [tan'dʒɛnte] agg (MAT) tangente ♦ sf (denaro estorto) soborno □ **tangenziale** [tandʒen'tsjale] sf (strada) carretera de circunvalación

tanica, -che ['tanika] sf bidón m

---

tanto, -a

PAROLA CHIAVE

['tanto] agg

1 (molto) mucho(-a); (così tanto) tanto(-a); **tanti auguri!** ¡muchas felicidades!; **tante grazie** muchas gracias; **non aveva mai fatto tanto freddo** nunca había hecho tanto frío

2: **tanto ... quanto** tanto ... cuanto o como; **ha tanti amici quanti nemici** tiene tantos amigos como enemigos

3 (rafforzativo) tanto(-a); **tanta fatica per niente!** ¡tanto trabajo para nada!; **tanto ... che** tanto ... que

♦ pron

1 (molto) mucho(-a); (così tanto) tanto(-a); **tanti/tante** (persone, cose) muchos/muchas, tantos/tantas; **due volte tanto** dos veces más

2 (indeterminato) tanto; **riceve un tanto al mese** cobra un tanto al mes; **di tanto in tanto** o **ogni tanto** de vez en cuando

3 (dimostrativo) eso, tanto; **tanto meglio!** ¡mejor que mejor!; **tanto peggio per lui!** ¡peor todavía para él!

♦ avv

1 (molto, così tanto: con agg, avv) tan; (: con vb) tanto; **è tanto intelligente** es tan inteligente; **è tanto bella!** ¡es tan guapa!; **non credevo costasse tanto** no creía que costase tanto

2: **tanto ... quanto** tanto ... cuanto o como; **conosco tanto Carlo quanto suo padre** conozco tanto a Carlos como a su padre

3 (solamente) sólo, solamente; **tanto per cambiare/scherzare**

para variar/bromear; **tanto per dire** por ejemplo; **una volta tanto** de vez en cuando

♦ cong (comunque, perché) total; **non insistere, tanto è inutile** no insistas, total es inútil

tappa ['tappa] sf etapa; (fermata: alto): **a tappe** (corsa, gara) por etapas

tappare [tap'pare] vt tapar; **tapparsi** vpr: **tapparsi in casa** encerrarse en casa; **tapparsi la bocca** coserse la boca; **tapparsi le orecchie** cerrar los oídos

tapparella [tappa'rella] sf persiana enrollable

tappetino [tappe'tino] sm (anche per il mouse) alfombrilla

tappeto [tap'peto] sm alfombra f; (PUGILATO) lona

tappezzare [tappet'tsare] vt (stanza, parete) empapelar; (poltrona, divano) tapizar □ **tappezzeria** [tappettse'ria] sf (anche negozio) tapicería; (carta da parati) empapelado

tappo ['tappo] sm (di bottiglia) tapón m; (di barattolo) tapa

tardare [tar'dare] vi tardar, retrasarse; ▸ **a fare qc** tardar en hacer algo

tardi ['tardi] avv tarde; **più ~** más tarde; **è troppo ~** es demasiado tarde; **al più ~** a más tardar; **sul ~** (verso sera) al atardecer o anochecer; **far ~** (ad appuntamento) llegar tarde; (restare alzato) acostarse tarde; **ho lavorato fino a ~** he trabajado hasta tarde

targa, -ghe ['targa] sf (piastra con nome) placa; (AUT) matrícula

□ **targhetta** [tar'getta] sf (con nome, indirizzo) etiqueta

tariffa [ta'riffa] sf tarifa

tarlo ['tarlo] sm carcoma

tarma ['tarma] sf polilla

tarocchi [ta'rɔkki] smpl (carte) tarot m

tartaruga, -ghe [tarta'ruga] sf (marina, di terra) tortuga; (materiale) carey m

tartina [tar'tina] sf canapé m

tartufo [tar'tufo] sm (BOT) trufa

tasca, -sche ['taska] sf bolsillo □ **tascabile** [tas'kabile] agg de bolsillo

⚠ **tasca** non si traduce mai con la parola spagnola *tasca*.

tassa ['tassa] sf (tributo) tasa, impuesto; (per iscrizione: a scuola ecc) tasa ▸ **tassa di circolazione** (AUT) impuesto de circulación ▸ **tassa di soggiorno** impuesto sobre el turismo

tassare [tas'sare] vt tasar

tassello [tas'sello] sm (pezzetto di legno o pietra) taco; (di puzzle) pieza; (di calza, pantaloni) entrepierna

tassista, -i, -e [tas'sista] sm/f taxista m/f

tasso ['tasso] sm (di disoccupazione, natalità ecc) tasa; (ECON) tipo; (ZOOL) tejón m

tastare [tas'tare] vt palpar

tastiera [tas'tjera] sf teclado

tasto ['tasto] sm tecla

tastoni [tas'toni] avv: **procedere a ~** caminar a tientas

tatto ['tatto] sm (anche fig: delicatezza) tacto; **avere ~** tener tacto

tatuaggio [tatu'addʒo] *sm* tatuaje *m*

tatuare [tatu'are] *vt* tatuar

tavola ['tavola] *sf* (*asse, quadro, prospetto*) tabla; (*mobile*) mesa; (*illustrazione*) ilustración **▸ tavola calda** cafetería *f* **◻ tavola rotonda** (*fig*) mesa redonda ◻ **tavoletta** [tavo'letta] *sf* (*di cioccolata*) tableta ◻ **tavolino** [tavo'lino] *sm* (*da salotto, bar, campeggio*) mesita; (*scrivania*) escritorio ◻ **tavolo** ['tavolo] *sm* mesa; **un tavolo per 4 per favore** una mesa para 4 por favor

taxi ['taksi] *sm inv* taxi *m*; **può chiamarmi un ~ per favore?** ¿puede llamar a un taxi por favor?

tazza ['tattsa] *sf* taza **▸ tazza da tè/caffè** taza de té/café; **una tazza di tè** una taza de té

TBC [tibi'tʃi] *sigla f* (= *tubercolosi*) tuberculosis *f inv*

te [te] *pron* ti; **lo dico per te** lo digo por ti; **con te** contigo; **te lo dico** te lo digo

tè [te] *sm inv* té *m*

teatrale [tea'trale] *agg* (*anche fig*) teatral

teatro [te'atro] *sm* teatro

techno ['tekno] *agg inv* (*musica*) tec(h)no *inv*

tecnica [tek'nika] *sf* técnica ◻ **tecnico, -a, -ci, -che** ['tekniko] *agg* técnico(-a) ◆ *sm* técnico

tecnologia [teknolo'dʒia] *sf* tecnología

tedesco, -a, -schi, -sche [te'desko] *agg, sm/f* alemán(-ana) ◆ *sm* (*lingua*) alemán *m*

tegame [te'game] *sm* sartén *f*; **al ~** (*zucchine, uova*) fritos

tegola ['tegola] *sf* teja

teiera [te'jɛra] *sf* tetera

tel. [tel] *abbr* (= *telefono*) Tel.

tela ['tela] *sf* (*tessuto*) tela; (*quadro*) tela, lienzo; **di ~** (*calzoni, borsa ecc*) de tela

telaio [te'lajo] *sm* (*apparecchio*) telar *m*; (*struttura*) armazón *m* o *f*; (*di macchina*) bastidor *m*, chasis *m inv*; (*di finestra*) marco

telecamera [tele'kamera] *sf* cámara; (*videocamera*) cámara de vídeo

telecomando [teleko'mando] *sm* mando a distancia, control *m* remoto

telecronaca, -che [tele'krɔnaka] *sf* crónica televisiva

telefonare [telefo'nare] *vi* telefonear; **~ a qn** llamar por teléfono a algn; **posso ~ da qui?** ¿puedo llamar por teléfono desde aquí? ◻ **telefonata** [telefo'nata] *sf* telefonazo; **fare una telefonata (a qn)** dar un telefonazo (a algn) ◻ **telefonico, -a, -ci, -che** [tele'fɔniko] *agg* telefónico(-a)

telefonino [telefo'nino] *sm* móvil *m*

telefono [te'lefono] *sm* teléfono **▸ telefono fisso** teléfono fijo

telegiornale [teledʒor'nale] *sm* telediario

telegramma, -i [tele'gramma] *sm* telegrama *m*

telelavoratore, -trice [telelavora'tore] *sm/f* teletrabajador(a)

telelavoro [telela'voro] *sm* teletrabajo

telepass® [tele'pass] *sm inv* telepeaje *m, sistema electrónico de pago de las autopistas*

telepatia [telepa'tia] *sf* telepatía

telescopio [teles'kɔpjo] *sm* telescopio

teleselezione [teleselet'tsjone] *sf* servicio telefónico interurbano automático

telespettatore, -trice [telespetta'tore] *sm/f* telespectador(a)

televendita [tele'vendita] *sf* teletienda, televenta

televisione [televi'zjone] *sf* televisión *f*

TELEVISIONE

En Italia hay tres canales públicos, RAI 1, 2 y 3, y un gran número de empresas privadas que emiten programas de televisión. Algunos de estos últimos funcionan sólo a nivel local o regional. Algunos forman parte de una red, mientras otros permanecen independientes. Como entidad pública, la RAI informa al Ministerio de Telecomunicaciones y Fomento. Tanto la RAI como los canales del sector privado compiten por ingresos publicitarios.

televisore [televi'zore] *sm* televisor *m*

tema, -i [tema] *sm (argomento)* tema *m, asunto; (SCOL)* composición *f,* redacción *f*

temere [te'mere] *vt, vi* temer; ~ **di o che** temer que

temperamatite [temperama'tite] *sm inv* sacapuntas *m inv*

temperamento [tempera'mento] *sm* temperamento

temperatura [tempera'tura] *sf* temperatura

temperino [tempe'rino] *sm* navaja

tempesta [tem'pesta] *sf* tempestad *f*

tempia ['tempja] *sf* sien *f*

tempio ['tempjo] *sm* templo

tempo ['tempo] *sm* tiempo; *(di film)* parte *f; (SPORT)* parte, tiempo; **un ~ (una volta)** una vez; ~ **fa** hace tiempo; **al ~ stesso** al mismo tiempo; **per ~** con tiempo; **in ~** en tiempo; **che ~ fa?** ¿qué tiempo hace? ▶ **tempo libero** tiempo libre

temporale [tempo'rale] *sm* temporal *m,* tormenta

temporaneo, -a [tempo'raneo] *agg* temporal; **lavoro ~** trabajo temporal

tenace [te'natʃe] *agg* tenaz

tenaglie [te'naʎʎe] *sfpl (anche ZOOL)* tenazas *fpl; (da dentista)* gatillo

tenda ['tenda] *sf (di finestra)* cortina; *(sporgente: di negozio, terrazza)* toldo; *(da campeggio)* tienda

tendenza [ten'dentsa] *sf* tendencia

tendere ['tendere] *vt (corda)* extender; *(muscolo)* tensar ♦ *vi:* ~ **qc/a fare qc** tender a algo/a hacer algo

tendine ['tendine] *sm* tendón *m*

tendone [ten'done] *sm* toldo ▶ **tendone da circo** carpa del circo

⚠ **tendone** non si traduce mai con la parola spagnola *tendón.*

tenebre ['tɛnebre] *sfpl* tinieblas *fpl*

tenente [te'nɛnte] *sm* teniente *m/f*

tenere [te'nere] *vt* (*stringere, prendere*) tener, coger; (*reggere*) sostener; (*contenere*) contener; (*sopportare: peso*) soportar, aguantar; (*conferenza, lezione*) dar ♦ *vi* (*resistere: persona, cosa*) resistir, aguantar; **tenersi** *vpr:* **tenersi a** (*aggrapparsi*) agarrarse a, asirse a; (*attenersi*) atenerse a, ajustarse a; **tener conto di** tener en cuenta algo; **tener d'occhio** no perder de vista; **tener presente qc** tener presente algo; **ci tengo molto** me importa mucho

tenero, -a ['tɛnero] *agg* (*anche fig*) tierno(-a)

tennis ['tɛnnis] *sm inv* tenis *m inv*
□ **tennista, -i, -e** [ten'nista] *sm/f* tenista *m/f*

tenore [te'nore] *sm* (*tono*) tono; (*MUS*) tenor *m*; (*contenuto*) contenido ▸ **tenore di vita** tren *m* de vida

tensione [ten'sjone] *sf* tensión *f*

tentare [ten'tare] *vt* (*spingere, indurre*) tentar; (*provare*) intentar, tratar de; **~ qc/di fare qc** intentar algo/hacer algo □ **tentativo** [tenta'tivo] *sm* tentativa, intento □ **tentazione** [tentat'tsjone] *sf* tentación *f*

tentennare [tenten'nare] *vi* (*fig*) titubear, vacilar

tentoni [ten'toni] *avv:* **a ~** a tientas

tenue ['tɛnue] *agg* (*luce*) tenue; (*colore*) suave

tenuta [te'nuta] *sf* (*capacità*) capacidad *f*, cabida; (*abito*) conjunto; (*agricola*) finca; **a ~ d'aria** hermético(-a)

teologia [teolo'dʒia] *sf* teología

teoria [teo'ria] *sf* teoría; **in ~** en teoría

tepore [te'pore] *sm* tibieza

teppista, -i, -e [tep'pista] *sm/f* gamberro(-a)

terapia [tera'pia] *sf* terapia

tergicristallo [terdʒikris'tallo] *sm* limpiaparabrisas *m inv*

tergilunotto [terdʒilu'nɔtto] *sm* limpiaparabrisas *m inv* trasero

tergiversare [terdʒiver'sare] *vi* eludir

⚠ **tergiversare** non si traduce mai con la parola spagnola *tergiversar*.

termale [ter'male] *agg* termal

terme ['tɛrme] *sfpl* termas *fpl*

terminale [termi'nale] *agg* terminal ♦ *sm* (*INFORM*) terminal *m*

terminare [termi'nare] *vt, vi* terminar

termine ['tɛrmine] *sm* (*limite: di tempo*) plazo; (*fine, vocabolo*) término; **avere ~** acabarse; **portare a ~** llevar a término; **a breve/lungo ~** a corto/largo plazo; **contratto a ~** (*COMM*) contrato de duración determinada o a término; **senza mezzi termini** (*fig*) abiertamente ▸ **termine di paragone** término de comparación

termometro [ter'mɔmetro] *sm* termómetro

termos ['tɛrmos] *sm inv* = **thermos**

termosifone [termosi'fone] *sm* (*radiatore*) radiador *m*

termostato [ter'mɔstato] *sm* termostato

terra ['tɛrra] sf tierra; **terre** sfpl (possedimenti) tierras; **a** o **per ~** en el suelo; **essere a ~** (fig) estar por los suelos; **sotto ~** bajo tierra ❑ **terracotta** [terra'kɔtta] sf terracota ❑ **terraferma** [terra'fɛrma] sf tierra firme

terrazza [ter'rattsa] sf terraza ❑ **terrazzo** [ter'rattso] sm terraza

terremoto [terre'mɔto] sm terremoto

terreno, -a [ter'reno] agg terrenal ♦ sm (area) terreno; (suolo) suelo

terrestre [ter'restre] agg terrestre

terribile [ter'ribile] agg terrible

terrificante [terrifi'kante] agg terrorífico(-a)

terrina [ter'rina] sf (zuppiera, insalatiera) fuente f

territorio [terri'tɔrjo] sm territorio

terrore [ter'rore] sm terror m ❑ **terrorismo** [terro'rizmo] sm terrorismo ❑ **terrorista, -i, -e** [terro'rista] sm/f terrorista m/f

terrorizzare [terrorid'dzare] vt aterrorizar

terza [tɛrtsa] sf (SCOL: elementare) ≈ tercer año de primaria o, (AUT) tercera

terzino [ter'tsino] sm (CALCIO) lateral m

terzo, -a [tɛrtso] agg, sm/f tercero(-a) ♦ sm (la terza parte) tercio; (anche DIR) tercero; **terzi** smpl (altri) terceros ► **terza pagina** (di quotidiano) página cultural

teschio ['teskjo] sm calavera

tesi¹ ['tɛzi] sf (da dimostrare, di teorema) tesis f inv ► **tesi di laurea** tesis final (o de carrera)

tesi² ['tɛsi] vb vedi **tendere**

teso, -a ['teso] pp di **tendere** ♦ agg (corda, persona) tenso(-a); (braccia, gambe) extendido(-a)

tesoro [te'zɔro] sm (anche fig: persona) tesoro

tessera ['tɛssera] sf (di abbonamento, magnetica) tarjeta; (di partito) carné m; (di mosaico) pieza

tessuto [tes'suto] sm tejido

test ['tɛst] sm inv test m

testa ['tɛsta] sf cabeza; **a ~ alta/bassa** con la cabeza alta/baja; **essere in ~** (in gara) estar a la o en cabeza; **~ o croce?** ¿cara o cruz? ► **testa d'aglio** cabeza de ajo

testamento [testa'mento] sm testamento

testardo, -a [tes'tardo] agg testarudo(-a), terco(-a)

testata [tes'tata] sf (colpo) cabezazo; (di letto, giornale) cabecera; (giornale) periódico; (di missile) cabeza

testicolo [tes'tikolo] sm testículo

testimone [testi'mɔne] sm/f (DIR, di nozze) testigo m/f ► **testimone oculare** testigo ocular ❑ **testimoniare** [testimo'njare] vt, vi atestiguar

testo ['tɛsto] sm texto

testuggine [tes'tuddʒine] sf tortuga

tetano ['tɛtano] sm (MED) tétanos m inv

tetto ['tetto] sm tejado; (di automobile, treno) techo ❑ **tettoia** [tet'tɔja] sf marquesina

tettuccio [tet'tuttʃo] sm: **~ apribile** (AUT) techo solar

Tevere ['tevere] sm Tíber m inv

TG, Tg [ti'dʒi] *sigla m* (= telegiornale) TD *m*, telediario

thermos® ['termos] *sm inv* termo

ti [ti] (*dav lo, la, li, le, ne diventa* **te**) *pron* (oggetto, complemento di termine) te; **vestiti!** ¡vístete!; **cosa ti ha detto?** ¿qué te ha dicho?; **te lo ha dato?** ¿te lo ha dado?; **ti sei lavato?** ¿has lavado?

tibia ['tibja] *sf* tibia

tic [tik] *sm inv*: **~ nervoso** tic *m* nervioso

ticchettio [tikket'tio] *sm* repiqueteo

ticket [tikit] *sm inv* (MED) ver nota en el recuadro

TICKET

El **ticket** es la cantidad debida en Italia por algún servicio médico y sanitario, así como por un servicio de urgencia, y por la compra de medicamentos tras previa presentación de la receta médica.

tiepido, -a ['tjepido] *agg* tibio(-a), templado(-a)

tifo ['tifo] *sm* (MED) tifus *m inv*; **fare il ~ per** (SPORT) ser hincha de

tifone [ti'fone] *sm* tifón *m*

tifoso, -a [ti'foso] *sm/f* (SPORT) hincha *m/f*

tiglio ['tiʎʎo] *sm* tilo, tila

tigre ['tigre] *sf* tigre(sa)

timbrare [tim'brare] *vt* (documento, francobollo) timbrar, sellar; **~ il cartellino** fichar

timbro ['timbro] *sm* sello; (di voce, musica) timbre *m*

timido, -a ['timido] *agg* tímido(-a); (domanda) vacilante

timo ['timo] *sm* tomillo

timone [ti'mone] *sm* timón *m*

timore [ti'more] *sm* temor *m*

timpano ['timpano] *sm* (ANAT, ARCHIT) tímpano

tingere ['tindʒere] *vt* teñir

tinta ['tinta] *sf* (materia colorante) pintura; (colore) color *m*; **in ~ a** juego

tintinnare [tintin'nare] *vi* tintinear

tintoria [tinto'ria] *sf* tintorería, tinte *m*

tintura [tin'tura] *sf* tintura
▶ **tintura di iodio** tintura de yodo

tipico, -a, -ci, -che ['tipiko] *agg* típico(-a)

tipo ['tipo] *sm* (modello, esemplare) tipo; (fam: persona) tipo, tío(-a); **che ~ di ...?** ¿qué tipo de ...?

tipografia [tipogra'fia] *sf* tipografía; (laboratorio: tipografia) imprenta

TIR [tir] *sm inv* (autoveicolo) camión *m* trailer

tirare [ti'rare] *vt* (porta, slitta, fune) tirar de; (chiudere: tende) correr; (distendere: corda, molla) estirar; (lanciare, sparare) tirar ♦ *vi* (fare fuoco) tirar; (vento) soplar, correr; **tirarsi** *vpr*: **tirarsi indietro** echarse atrás; **~ a indovinare** tratar de adivinar; **~ sul prezzo** regatear el precio; **~ avanti** (fig) tirar para adelante; **si tira avanti** vamos tirando; **tirar dritto** (camminare) seguir derecho; **~ fuori** (estrarre) sacar; **~ giù** (abbassare) bajar; (buttare in basso) tirar; **~ su** (alzare) subir; (capelli) recogerse; (fig: col naso) sorber; **~ via** quitar; **tirati su!** ¡anímate! ❑ **tiratura** [tira'tura] *sf* tirada

tirchio, -a ['tirkjo] *agg* tacaño(-a), agarrado(-a)

tiro ['tiro] *sm* tiro; **giocare un brutto ~ a qn** jugar una mala pasada a algn; **da ~** (*cavallo*) de tiro ▶ **tiro a segno** tiro al blanco ▶ **tiro con l'arco** tiro con arco

tirocinio [tiro'tʃinjo] *sm* práctica

tiroide [ti'rɔide] *sf* tiroides *f inv*

Tirreno [tir'rɛno] *sm*: **il (mar) ~** el (mar) Tirreno

tisana [ti'zana] *sf* tisana

titolare [tito'lare] *sm/f* (*di ufficio, squadra*) titular *m/f*; (*di locale, negozio, attività*) propietario(-a)

titolo ['titolo] *sm* título ▶ **titoli di stato** títulos públicos ▶ **titoli di testa** (*CINE*) ficha *sg* artística

titubante [titu'bante] *agg* titubeante, vacilante

toast ['toust] *sm inv* (*farcito*) sándwich *m* (tostado)

toccante [tok'kante] *agg* conmovedor(a)

toccare [tok'kare] *vt* tocar; (*sfiorare*) rozar; (*fig: persona: riguardare*) concernir ♦ *vi*: **~ a** (*accadere, spettare*) tocar a; **~ il fondo** (*in acqua*) hacer pie; **a chi tocca?** ¿a quién le toca?; **tocca a te giocare** te toca jugar; **mi toccò pagare** me tocó pagar

togliere ['tɔʎʎere] *vt* quitar; **~ qc a qn** quitar algo a algn

toilette [twa'let] *sf inv* (*stanza da bagno*) servicio, (cuarto de) baño o aseo; **dov'è la ~?** ¿dónde está el servicio o baño?

tollerare [tolle'rare] *vt* tolerar

tomba ['tomba] *sf* tumba

tombino [tom'bino] *sm* (boca de) alcantarilla

tombola ['tombola] *sf* (*gioco*) bingo (casero)

tondo, -a ['tondo] *agg* redondo(-a)

tonfo ['tonfo] *sm* batacazo

tonificare [tonifi'kare] *vt* tonificar

tonnellata [tonnel'lata] *sf* tonelada

tonno ['tonno] *sm* atún *m*

tono ['tɔno] *sm* tono

tonsilla [ton'silla] *sf* amígdala, tonsila

tonto, -a ['tonto] *agg* tonto(-a); **fare il finto ~** hacerse el tonto

topazio [to'pattsjo] *sm* topacio

topo ['tɔpo] *sm* ratón

> ⚠ **topo** non si traduce mai con la parola spagnola *topo*.

toppa ['tɔppa] *sf* (*pezza*) parche *m*; (*serratura*) bocallave *f*

torace [to'ratʃe] *sm* tórax *m inv*

torba ['tɔrba] *sf* turba

torbido, -a ['tɔrbido] *agg* (*anche fig: losco*) turbio(-a)

torcere ['tɔrtʃere] *vt* torcer; **torcersi** *vpr* (*contorcersi*) retorcerse

torcia, -ce ['tɔrtʃa] *sf* (*pila*) linterna; (*fiaccola*) antorcha, hacha

torcicollo [tortʃi'kɔllo] *sm* tortícolis *m o f inv*

tordo ['tordo] *sm* tordo

Torino [to'rino] *sf* Turín *m*

tormenta [tor'menta] *sf* ventisca

tormentare [tormen'tare] *vt* atormentar; **tormentarsi** *vpr* atormentarse

tornado [tor'nado] *sm* tornado

tornante [tor'nante] *sm* curva cerrada (*en ascenso*)

tornare [tor'nare] *vi* volver; (*ridiventare*) volver a ser; **torno a casa martedì** vuelvo o regreso a casa el martes

torneo [tor'neo] *sm* torneo

tornio ['tornjo] *sm* torno

toro ['tɔro] *sm* toro; (*ZODIACO*) **T~ Tauro**; **essere del T~** ser Tauro

torre ['torre] *sf* torre *f*

torrente [tor'rente] *sm* torrente *m*

torrione [tor'rjone] *sm* (*di castello*) torreón *m*

torrone [tor'rone] *sm* turrón *m*

torsione [tor'sjone] *sf* torsión *f*

torso ['torso] *sm* (*busto*) torso *m*

torsolo ['torsolo] *sm* (*di frutta*) corazón *m*

torta ['torta] *sf* tarta

tortellini [tortel'lini] *smpl* tortellini *mpl*

torto, -a ['tɔrto] *pp di* **torcere ♦** *sm* (*ingiustizia*) injusticia *f*; **avere ~** estar equivocado

tortora ['tortora] *sf* tórtola

tortura [tor'tura] *sf* tortura
□ **torturare** [tortu'rare] *vt* torturar

tosare [to'zare] *vt* (*animale*) esquilar; (*fam*: *persona*) rapar; (*siepi*) podar

Toscana [tos'kana] *sf* Toscana

tosse ['tosse] *sf tos f*; **ho la ~** tengo tos

tossicodipendente [tossikodipen'dɛnte] *sm/f* toxicómano(-a)

tossire [tos'sire] *vi* toser

tostapane [tosta'pane] *sm inv* tostador *m*

totale [to'tale] *agg, sm* total (*m*)

totocalcio [toto'kaltʃo] *sm* quiniela

tovaglia [to'vaʎʎa] *sf* mantel *m*.
□ **tovagliolo** [tovaʎ'ʎɔlo] *sm* servilleta

tra [tra] *prep* (*due o più persone, cose*) entre; (*tempo*) dentro de; **prendere qn ~ le braccia** coger a algn entre los brazos; **litigano ~ (di) loro** discutir entre sí; **~ 5 giorni** dentro de cinco días; **~ breve** o **poco** dentro de poco; **~ sé e sé** (*parlare ecc*) para sus adentros; **detto ~ noi** entre nosotros

traboccare [trabok'kare] *vi* (*liquido, recipiente*) rebosar

trabocchetto [trabok'ketto] *sm* trampa

traccia, -ce ['trattʃa] *sf* rastro, señal *f* □ **tracciare** [trat'tʃare] *vt* trazar

trachea [tra'kea] *sf* tráquea

tracolla [tra'kɔlla] *sf* (*anche*: **borsa a ~**) (*bolsa*) bandolera

tradimento [tradi'mento] *sm* (*di amico, paese*) traición *f*; (*di coniuge*) infidelidad *f*

tradire [tra'dire] *vt* traicionar; **tradirsi** *vpr* traicionarse

tradizionale [tradittsjo'nale] *agg* tradicional

tradizione [tradit'tsjone] *sf* tradición *f*

tradurre [tra'durre] *vt* traducir; **me lo può ~?** ¿me lo puede traducir? □ **traduzione** [tradut'tsjone] *sf* traducción *f*

trafficante [traffi'kante] *sm/f* traficante *m/f*

trafficare [traffi'kare] *vi* trajinar; **~ (in)** (*commerciare*) comerciar (con) □ **traffico, -ci** ['traffiko] *sm* tráfico
▸ **traffico di armi/droga** tráfico de armas/droga(s)

tragedia [tra'dʒɛdja] *sf* tragedia

traghetto [tra'getto] *sm* transbordador *m*

tragico, -a, -ci, -che [tradʒiko] *agg* trágico(-a)

tragitto [tra'dʒitto] *sm* trayecto

traguardo [tra'gwardo] *sm* (*SPORT, fig*) meta

traiettoria [trajet'tɔrja] *sf* trayectoria

trainare [trai'nare] *vt* (*rimorchiare*) remolcar

tralasciare [tralaʃ'ʃare] *vt* (*particolari, dettagli*) omitir; ~ **qc** dejar a medias algo

traliccio [tra'littʃo] *sm* (*ELETTR*) poste *m*

tram [tram] *sm inv* tranvía *m*

trama ['trama] *sf* trama

tramandare [traman'dare] *vt* transmitir

trambusto [tram'busto] *sm* trasiego, tumulto

tramezzino [tramed'dzino] *sm* emparedado

tramite ['tramite] *prep* por medio de, a través de

tramontare [tramon'tare] *vi* (*sole, luna*) ponerse ◻ **tramonto** [tra'monto] *sm* (*di sole, luna*) ocaso, puesta (de sol)

trampolino [trampo'lino] *sm* trampolín *m*

tranello [tra'nɛllo] *sm* trampa, truco

tranne ['tranne] *prep* excepto, salvo; ~ **che** a menos que, a no ser que

tranquillante [trankwil'lante] *sm* (*MED*) tranquilizante *m*

tranquillità [trankwilli'ta] *sf* tranquilidad *f*

tranquillizzare [trankwillid'dzare] *vt* tranquilizar

tranquillo, -a [tran'kwillo] *agg* tranquilo(-a); **sta'** ~ (*non preoccuparti*) quédate tranquilo(-a); (*stai buono*) sé bueno(-a)

transazione [transat'tsjone] *sf* transacción *f*

transenna [tran'senna] *sf* (*barriera*) barrera

transgenico, -a, -ci, -che [trans'dʒɛniko] *agg* transgénico(-a)

transigere [tran'sidʒere] *vi* transigir

transitabile [transi'tabile] *agg* (*strada*) transitable

transitare [transi'tare] *vi* transitar

transitivo, -a [transi'tivo] *agg* transitivo(-a)

transito ['transito] *sm* tránsito; **divieto di** ~ prohibida la circulación

trapano ['trapano] *sm* taladro

trapelare [trape'lare] *vi* (*notizia*) filtrarse

trapezio [tra'pɛttsjo] *sm* trapecio

trapiantare [trapjan'tare] *vt* (*pianta, organo*) trasplantar ◻ **trapianto** [tra'pjanto] *sm* trasplante *m* ▸ **trapianto cardiaco** trasplante de corazón

trappola ['trappola] *sf* trampa

trapunta [tra'punta] *sf* edredón *m*

trarre ['trarre] *vt* sacar; ~ **esempio da qn** tomar como ejemplo a algn; ~ **qn d'impaccio** sacar a algn de un apuro; ~ **in inganno** engañar; ~ **origine da** tener origen en; ~ **in salvo** poner a salvo

trasalire [trasa'lire] *vi* sobresaltarse

trasandato, -a [trazan'dato] agg (persona, aspetto) dejado(-a), desaliñado(-a)

trascinare [traʃʃi'nare] vt arrastrar; **trascinarsi** vpr arrastrarse

trascorrere [tras'korrere] vt pasar ♦ vi transcurrir

trascrivere [tras'krivere] vt transcribir

trascurare [trasku'rare] vt descuidar

trasferimento [trasferi'mento] sm (di dipendente, sede) traslado; (di somme) transferencia
▶ **trasferimento di chiamata** (TEL) desvío de llamada

trasferire [trasfe'rire] vt (dipendente, sede) trasladar; (somma, titolo) transferir; **trasferirsi** vpr trasladarse □ **trasferta** [tras'fɛrta] sf (di impiegato) viaje m de trabajo; (SPORT) partido a domicilio

trasformare [trasfor'mare] vt transformar; **trasformarsi** vpr transformarse, convertirse □ **trasformatore** [trasforma'tore] sm (ELETTR) transformador m

trasfusione [trasfu'zjone] sf (MED) transfusión f

trasgredire [trazgre'dire] vt transgredir

traslocare [trazlo'kare] vi mudarse □ **trasloco, -chi** [traz'lɔko] sm mudanza

trasmettere [traz'mettere] vt transmitir □ **trasmissione** [trazmis'sjone] sf (RADIO, TV, MED) transmisión f; (programma) programa m

trasparente [traspa'rɛnte] agg (anche fig) transparente

trasportare [traspor'tare] vt transportar □ **trasporto** [tras'pɔrto] sm transporte m

trattamento [tratta'mento] sm trato; **~ economico** sueldo, retribución f

trattare [trat'tare] vt tratar ♦ vi (avere per argomento) tratar; (contrattare) negociar; **~ bene/male qn** tratar bien/mal a algn; **~ con qn** tratar o negociar con algn; **si tratta di ...** se trata de ...

trattenere [tratte'nere] vt retener; (lacrime) contener; (impulso) frenar; **trattenersi** vpr (soffermarsi) quedarse; **trattenersi (da)** (frenarsi) contenerse (de)

trattino [trat'tino] sm guión m

tratto, -a [tratto] pp di **trarre** ♦ sm rasgo; (di strada, costa) tramo, trecho; **a un ~ o d'un ~** de repente

trattore [trat'tore] sm tractor m

trattoria [tratto'ria] sf mesón m

trauma, -i ['trauma] sm (MED) traumatismo; (PSIC) trauma m

travaglio [tra'vaʎʎo] sm (angoscia) sufrimiento; (del parto) dolor m

travasare [trava'zare] vt transvasar, trasegar

traversa [tra'vɛrsa] sf (via) bocacalle f; (CALCIO) travesaño, larguero

traversata [traver'sata] sf (NAUT) travesía; **quanto dura la ~?** ¿cuánto dura la travesía?

traversie [traver'sie] sfpl (fig) adversidades fpl

traverso, -a [tra'vɛrso] agg: **andare di ~** (cibo) atragantarse

travestimento [travesti'mento] sm disfraz m

travestirsi [traves'tirsi] *vpr* disfrazarse

travolgere [tra'vɔldʒere] *vt* arrollar, atropellar; (*sogg: passione*) arrastrar

tre [tre] *agg inv, sm inv* tres (*m*); *vedi anche* **cinque**

treccia, -ce ['trettʃa] *sf* trenza

trecento [tre'tʃɛnto] *agg inv, sm inv* trescientos(-as) ♦ *sm:* **il T~** el siglo XIV

tredici ['treditʃi] *agg inv, sm inv* trece (*m*); *vedi anche* **cinque**

tregua ['tregwa] *sf* tregua; **senza ~** (*fig*) sin tregua

tremare [tre'mare] *vi* temblar

tremendo, -a [tre'mɛndo] *agg* (*grande, esagerato*) tremendo(-a); (*terribile*) terrible

tremito ['tremito] *sm* tiritón *m*

treno ['treno] *sm* tren *m*; **è questo il ~ per …?** ¿este tren va a …? ► **treno merci** tren de mercancías

trenta ['trenta] *agg inv, sm inv* treinta (*m*); *vedi anche* **cinque** ❑ **trentesimo, -a** [tren'tɛzimo] *agg, sm/f* trigésimo(-a) ❑ **trentina** [tren'tina] *sf*: **una trentina di** unos(-as) treinta; **essere sulla trentina** tener unos treinta años

trepidante [trepi'dante] *agg* ansioso(-a)

triangolo [tri'angolo] *sm* (*anche AUT*) triángulo

tribù [tri'bu] *sf inv* tribu *f*

tribuna [tri'buna] *sf* (*SPORT*) tribuna

tribunale [tribu'nale] *sm* tribunal *m*

triciclo [tri'tʃiklo] *sm* triciclo

trifoglio [tri'fɔʎʎo] *sm* trébol *m*

triglia ['triʎʎa] *sf* salmonete *m*

trimestre [tri'mɛstre] *sm* trimestre *m*

trincea [trin'tʃɛa] *sf* trinchera

trionfare [trion'fare] *vi*: **~ (su)** triunfar (sobre) ❑ **trionfo** [tri'onfo] *sm* triunfo *m*

triplicare [tripli'kare] *vt* triplicar

triplo, -a ['triplo] *agg* triple ♦ *sm:* **il ~ di** el triple de

trippa ['trippa] *sf* (*CUC*) callos *mpl*

triste ['triste] *agg* triste

tritare [tri'tare] *vt* picar

trofeo [tro'fɛo] *sm* trofeo

tromba ['tromba] *sf* trompeta ► **tromba d'aria** manga de viento, torbellino ► **tromba delle scale** ojo de la escalera ► **tromba marina** tromba de agua ❑ **trombone** [trom'bone] *sm* trombón *m*

trombosi [trom'bɔzi] *sf inv* trombosis *f inv*

troncare [tron'kare] *vt* (*anche fig: carriera*) truncar; (: *discorso, relazione*) cortar

tronco, -chi ['tronko] *sm* (*BOT, ANAT*) tronco

trono ['trɔno] *sm* trono; **salire al ~** subir al trono

tropicale [tropi'kale] *agg* tropical

troppo, -a ['trɔppo] *agg, pron* demasiado(-a) ♦ *avv* demasiado; **c'era troppa gente** había demasiada gente; **costa ~** cuesta demasiado

trota ['trɔta] *sf* trucha

trottola ['trɔttola] *sf* trompo, peón *m*

trovare [tro'vare] *vt* encontrar; **trovarsi** *vpr* (*essere situato*) encontrarse, hallarse; (*reciproco: incontrarsi*) encontrarse; **andare a ~ qn** ir a visitar a algn; **non trovo più il portafoglio** no consigo encontrar mi cartera; **trovarsi bene/male** (*in un luogo*) encontrarse bien/mal; **trovarsi bene/male con qn** llevarse bien/mal con algn

truccare [truk'kare] *vt* (*attore*) caracterizar; (*volto, occhi*) maquillar, pintar; **truccarsi** *vpr* maquillarse, pintarse ♦ **trucco, -chi** ['trukko] *sm* (*inganno*) truco, treta; (*cosmetico*) maquillaje *m*

truffa ['truffa] *sf* timo, estafa ❏ **truffare** [truf'fare] *vt* timar, estafar ❏ **truffatore, -trice** [truffa'tore] *sm/f* timador(a), estafador(a)

truppa ['truppa] *sf* tropa

tu [tu] *pron* (*soggetto*) tú; **tu stesso/a** tú mismo/a; **dare del tu a qn** tutear a algn

tubo ['tubo] *sm* tubo, caño ▸ **tubo di scappamento** (*AUT*) tubo de escape ▸ **tubo digerente** tubo digestivo

tuffarsi [tuf'farsi] *vpr*: ~ (**in**) (*acqua*) tirarse (a), zambullirse (en); (*vuoto*) arrojarse (a); (*lavoro, studio*) sumirse (en) ❏ **tuffo** ['tuffo] *sm* salto

⚠ **tuffo** non si traduce mai con la parola spagnola **tufo**.

tulipano [tuli'pano] *sm* tulipán *m*

tumore [tu'more] *sm* (*MED*) tumor *m*

Tunisia [tuni'zia] *sf* Túnez

tuo ['tuo] (*pl* **tuoi, tue**) *agg*: (**il**) ~, (**la**) **tua** tu; (*dopo un sostantivo*) tuyo(-a) ♦ *pron*: **il ~, la tua** el tuyo, la tuya, lo tuyo neutro; **i tuoi, le tue** los tuyos, las tuyas; **i tuoi** (*genitori*) tus padres; **una tua amica** una amiga tuya; **i tuoi guanti** tus guantes; **le tue scarpe** tus zapatos

tuonare [two'nare] *vb impers* tronar

tuono ['twono] *sm* trueno

tuorlo ['tworlo] *sm* yema

turbante [tur'bante] *sm* turbante *m*

turbare [tur'bare] *vt* turbar

turbolenza [turbo'lentsa] *sf* (*METEOR*) turbulencia

turchese [tur'kese] *agg* (*colore*) turquesa *inv* ♦ *sm* (*colore*) turquesa *m*; (*minerale*) turquesa *f*

Turchia [tur'kia] *sf* Turquía ❏ **turco, -a, -chi, -che** ['turko] *agg, sm/f* turco(-a) ♦ *sm* (*lingua*) turco; **per me parla turco** para mí, habla en chino; **fumare come un turco** fumar como un carretero o una chimenea

turismo [tu'rizmo] *sm* turismo ❏ **turista, -i, -e** [tu'rista] *sm/f* turista *m/f* ❏ **turistico, -a, -ci, -che** [tu'ristiko] *agg* turístico(-a)

turno ['turno] *sm* (*di lavoro*) turno; **a ~** (*rispondere, lavorare*) por turno; **di ~** (*soldato, medico*) de turno; (*farmacia*) de guardia; **è il mio ~** es mi turno

turpe ['turpe] agg obsceno(-a)

tuta ['tuta] sf (da lavoro) mono; (da ginnastica) chándal m

tutela [tu'tela] sf (anche DIR) tutela; (di interesse) defensa

tuttavia [tutta'via] cong sin embargo

tutto, -a

PAROLA CHIAVE

['tutto] agg

1 (intero) todo(-a); **tutti/tutte** todos/todas; **tutta la notte** toda la noche; **in tutto il mondo** en todo el mundo; **tutti e due** ambos

2 (completamente): **era tutta sporca** estaba completamente sucia; **è tutta sua madre** es idéntica a su madre

♦ pron todo(-a); (ogni cosa) todo; **tutti/tutte** todos/todas; **ha mangiato tutto** se lo ha comido todo; **tutto considerato** teniendo en cuenta todo; **in tutto** en total; **tutti sanno che** todos saben que; **vengono tutti** vienen todos

♦ avv (completamente) todo(-a); **è tutto il contrario** es todo lo contrario; **tutt'al più** a lo sumo, como mucho; **tutt'altro** todo lo contrario; **ti dispiace? - no, tutt'altro** ¿te importa? - no, todo lo contrario; **è tutt'altro che felice** no es en absoluto feliz; **tutt'a un tratto** de repente, de golpe y porrazo

tuttora [tut'tora] avv todavía, aún

TV [ti'vu] sigla f inv (= televisione) tele f

Uu

ubbidiente [ubbi'djɛnte] agg obediente

ubbidire [ubbi'dire] vi: ~ **(a)** obedecer (a)

ubriacare [ubria'kare] vt emborrachar, embriagar; **ubriacarsi** vpr emborracharse, embriagarse
□ **ubriaco, -a, -chi, -che** [ubri'ako] agg, sm/f borracho(-a)

uccello [ut'tʃɛllo] sm ave f, pájaro

uccidere [ut'tʃidere] vt matar; **uccidersi** vpr matarse

udito [u'dito] sm oído

UE [ue] sigla f (= Unione europea) UE f

UEM [uem] sigla f (= Unione Economica e Monetaria) UEM f

uffa ['uffa] escl (di impazienza) ¡jo va!; (di noia) ¡uf!

ufficiale [uffi'tʃale] agg oficial; (fidanzamento) oficializado(-a) ♦ sm (MIL) oficial m/f; (AMM) funcionario(-a); **in forma ~** de forma oficial

ufficio [uf'fitʃo] sm (posto di lavoro) oficina, despacho; **d'~** (difensore, provvedimento) de oficio ▸ **ufficio (del) personale** sección f de personal ▸ **ufficio di collocamento** oficina de empleo ▸ **ufficio informazioni** oficina de información ▸ **ufficio oggetti smarriti** sección de objetos perdidos ▸ **ufficio postale** oficina de correos □ **ufficioso, -a** [uffi'tʃoso] agg oficioso(-a), extraoficial

uguaglianza [ugwaʎˈʎantsa] sf igualdad f

uguagliare [ugwaʎˈʎare] vt igualar

uguale [u'gwale] agg, avv igual; **~ a** (cosa, persona) igual que; **per me è ~** me da igual o lo mismo

UIL [wil] *sigla f* (= Unione Italiana del Lavoro) *sindicato de trabajadores italiano*

ulcera ['ultʃera] *sf* úlcera

ulivo [u'livo] *sm vedi* **olivo**; (*POL*): **U~** *coalición de partidos políticos de centro-izquierda*

ulteriore [ulte'rjore] *agg* ulterior; **per ulteriori informazioni ...** para más información ...

ultimamente [ultima'mente] *avv* últimamente

ultimare [ulti'mare] *vt* ultimar

ultimo, -a ['ultimo] *agg* último(-a) ♦ *sm/f* último(-a); **fino all'~** hasta el final; **all'~ piano** en la última planta; **per ~** (*entrare, arrivare*) el último/la última

ululare [ulu'lare] *vi* aullar

umanità [umani'ta] *sf* (*anche bontà*) humanidad *f*

umano, -a [u'mano] *agg* humano(-a)

umidità [umidi'ta] *sf* humedad *f*

umido, -a ['umido] *agg* húmedo(-a) ♦ *sm* humedad *f*; **in ~** (*CUC*) estofado(-a)

umile ['umile] *agg* (*persona, famiglia*) humilde; (*lavoro, casa*) modesto(-a)

umiliare [umi'ljare] *vt* humillar; **umiliarsi** *vpr*: **umiliarsi (a)** humillarse (a)

umore [u'more] *sm* (*stato d'animo*) humor *m*; **di buon/cattivo ~** de buen/mal humor

umorismo [umo'rizmo] *sm* humorismo
□ **umoristico, -a, -ci, -che** [umo'ristiko] *agg* humorístico(-a)

unanime [u'nanime] *agg* unánime

uncinetto [untʃi'netto] *sm* ganchillo; **all'~** de ganchillo

uncino [un'tʃino] *sm* garfio

undicenne [undi'tʃenne] *agg* de once años

undicesimo, -a [undi'tʃezimo] *agg, sm/f* undécimo(-a)

undici ['unditʃi] *agg inv, sm inv* once (*m*); *vedi anche* **cinque**

ungere [un'dʒere] *vt* (*teglia*) untar; (*ingranaggio*) engrasar

ungherese [unge'rese] *agg, sm/f* húngaro(-a) ♦ *sm* (*lingua*) húngaro

Ungheria [unge'ria] *sf* Hungría

unghia ['ungja] *sf* uña

unguento [un'gwento] *sm* ungüento

unico, -a, -ci, -che ['uniko] *agg, sm/f* único(-a); **figlio ~** hijo único

unificare [unifi'kare] *vt* unificar
□ **unificazione** [unifikat'tsjone] *sf* unificación *f*

uniforme [uni'forme] *agg* uniforme ♦ *sf* (*divisa*) uniforme *m*

unione [u'njone] *sf* unión *f*
▸ **Unione europea** Unión Europea ▸ **ex Unione Sovietica** ex Unión Soviética

unire [u'nire] *vt* unir; **unirsi** *vpr*: **unirsi (a)** unirse (a)

unità [uni'ta] *sf inv* unidad *f* ▸ **unità di misura** unidad de medida

unito, -a [u'nito] *agg* (*famiglia, paese*) unido(-a); **in tinta unita** de un solo color

universale [univer'sale] *agg* universal

università [universi'ta] *sf inv* universidad *f*

universo [uni'verso] *sm* universo

uno, -a

PAROLA CHIAVE

[ˈuno] (*dav sm* **un** + C, V, **uno** + *s impura, gn, pn, ps, x, z; dav sf* **un'** + V, **una** + C) *art indet*

1 un (una); **un bambino** un niño; **una strada** una carretera; **uno zingaro** un gitano

2 (*intensivo*): **ho avuto una paura!** ¡he tenido un miedo!

♦ *pron*

1 uno (una); **su, prendine uno** venga, coge uno; **l'uno e l'altro** uno u otro; **l'uno e l'altro** uno y otro; **aiutarsi l'un l'altro** ayudarse uno a otro; **sono entrati l'uno dopo l'altro** han entrado uno tras otro; **a uno a uno** uno a uno

2 (*un tale, con valore impersonale*) uno (una); **ho incontrato uno che ti conosce** he encontrado a uno que te conoce; **se uno vuole può andarci** si uno quiere puede ir

unto, -a [ˈunto] *pp di* **ungere** ♦ *agg* grasiento(-a)

uomo [ˈwɔmo] (*pl* **uomini**) *sm* (*maschio*) hombre *m*, varón *m*; (*genere umano*) hombre; **da ~** (*abito, scarpe*) de caballero ▸ **uomo d'affari/d'azione** hombre de negocios/de acción ▸ **uomo politico** político

uovo [ˈwɔvo] (*pl(f)* **uova**) *sm* huevo ▸ **uova al tegame** huevos fritos ▸ **uova strapazzate** huevos revueltos ▸ **uovo alla coque** huevo pasado por agua ▸ **uovo di Pasqua** huevo de Pascua ▸ **uovo sodo** huevo duro

uragano [uraˈgano] *sm* huracán *m*

urbanistica [urbaˈnistika] *sf* urbanística

urbano, -a [urˈbano] *agg* urbano(-a)

urgente [urˈdʒɛnte] *agg* urgente ▫ **urgenza** [urˈdʒɛntsa] *sf* urgencia; **d'urgenza** de urgencia

urlare [urˈlare] *vi* gritar, chillar ▫ **urlo** [ˈurlo] (*pl(m)* **urli**, *pl(f)* **urla**) *sm* grito

urrà [urˈra] *escl* ¡hurra!

U.R.S.S. [urs] *sigla f* = **Unione delle Repubbliche Socialiste Sovietiche**; **l'~** la URSS

urtare [urˈtare] *vt* dar a; (*auto*) chocar con; (*irritare*) irritar ♦ *vi*: **~ contro** chocar con; **urtarsi** *vpr* (*reciproco*) chocar; (*irritarsi*) irritarse; **~ i nervi** crispar los nervios

⚠ **urtare** non si traduce mai con la parola spagnola *hurtar*.

Uruguay [uruˈgwai] *sm* Uruguay *m*

usanza [uˈzantsa] *sf* (*costume*) uso, costumbre *f*

usare [uˈzare] *vt* usar; (*astuzia*) recurrir a, servirse de ♦ *vb impers*: **qui usa così** aquí se estila así ▫ **usato, -a** [uˈzato] *agg* (*non nuovo*) usado(-a)

uscire [uʃˈʃire] *vi* (*anche giornale, libro*) salir; **~ da** salir de; **~ da o di casa** salir de casa; **~ di strada** (*macchina*) salirse de la carretera ▫ **uscita** [uʃˈʃita] *sf* salida; (*di libro*) publicación *f*; (*di film*) estreno; **libera uscita** (*MIL*) de permiso; **dov'è l'uscita?** ¿dónde está la salida? ▸ **uscita di sicurezza** salida de emergencia

usignolo [uziɲˈɲɔlo] *sm* ruiseñor *m*

uso [ˈuzo] *sm* (*anche usanza*) uso; **fuori ~** fuera de uso; **per ~ esterno** para uso externo

ustione [us'tjone] *sf* quemadura

usuale [uzu'ale] *agg* usual

usura [u'zura] *sf* (*logoramento*) deterioro; (*per prestito*) usura

usuraio, -a [uzu'rajo] *sm/f* usurero(-a)

utensile [uten'sile] *sm* utensilio
▸ **utensili da cucina** utensilios de cocina

utente [u'tente] *sm/f* usuario(-a)

utero ['utero] *sm* útero, matriz *f*

utile ['utile] *agg* útil ♦ *sm* (*vantaggio*) provecho; (ECON) ganancia, beneficio ▢ **utilizzare** [utilid'dzare] *vt* utilizar

UVA [uvi'a] *sigla mpl, adj inv* (= *ultravioletto prossimo*) UVA; **gli** – los rayos UVA

uva ['uva] *sf uva* ▸ **uva passa** pasas *fpl*

UVB [uvi'bi] *sigla mpl, adj inv* (= *ultravioletto remoto*) UVB; **gli** – los rayos UVB

Vv

v. *abbr* (= *vedi*) v., ver; (= *verso*) V., v.

vacante [va'kante] *agg* vacante

vacanza [va'kantsa] *sf* vacaciones *fpl*; **vacanze** *sfpl* (*estive*, SCOL) vacaciones; **un giorno di** – un día de asueto; **essere/andare in** – estar/ir de vacaciones; **siamo qui in** – estamos aquí de vacaciones ▸ **vacanze natalizie** vacaciones de Navidad

vacca, -che ['vakka] *sf* vaca

vaccinare [vattʃi'nare] *vt* vacunar

vaccino [vat'tʃino] *sm* vacuna

vacillare [vatʃil'lare] *vi* (*barcollare*, *essere incerto*) vacilar; (*fig*: *governo*,

peligrar; (: *fede*) tambalearse; (: *memoria*) flaquear

vacuo, -a ['vakuo] *agg* (*fig*) vacuo(-a)

vagabondo, -a [vaga'bondo] *sm/f* vagabundo(-a)

vagare [va'gare] *vi* vagar

vagina [va'dʒina] *sf* vagina

vaglia ['vaʎʎa] *sm inv*: – **postale** giro postal

vagliare [vaʎ'ʎare] *vt* (*valutare*) valorar, examinar

vago, -a, -ghi, -ghe ['vago] *agg* vago(-a)

vagone [va'gone] *sm* vagón *m*
▸ **vagone letto** coche *m* cama
▸ **vagone ristorante** vagón restaurante

vaiolo [va'jɔlo] *sm* viruela

valanga, -ghe [va'langa] *sf* (*anche fig*) avalancha; **c'è pericolo di valanghe?** ¿hay peligro de avalanchas?

valere [va'lere] *vi* (*essere valido*, *costare*) valer; (*documento*) tener validez, ser válido(-a); **vale a dire** es decir; – **la pena** valer la pena; **tanto vale non farlo** es lo mismo no hacerlo

valicare [vali'kare] *vt* pasar

valico, -chi ['valiko] *sm* (*passo*) paso ▸ **valico di frontiera** paso fronterizo

valido, -a ['valido] *agg* (*biglietto*, *documento*) válido(-a); (*rimedio*, *aiuto*) eficaz; (*contributo*) positivo(-a)

valigia, -gie o **-ge** [va'lidʒa] *sf* maleta; **fare le valigie** preparar la maleta

valle ['valle] *sf* valle *m*; (*zona paludosa*) laguna

valore [va'lore] *sm* (*di persona*: *qualità*) valía, (: *coraggio*) valentía, coraje *m*; (*importanza, costo*) valor *m*; **valori** *smpl* (*oggetti preziosi*) joyas *fpl*, (*morali*) valores *mpl*; **di ~** (*quadro*) de valor; (*medico*) de valía

valorizzare [valorid'dzare] *vt* (*mettere in risalto*) valorizar

valuta [va'luta] *sf* (*moneta*) moneda, (*estera*) divisa; (*BANCA: di interessi*) valor *m*

valutare [valu'tare] *vt* (*casa, gioiello, terreno*) valorar; (*danno*) evaluar; (*fig: possibilità, capacità*) examinar

valvola ['valvola] *sf* (*TECN, ANAT*) válvula

valzer ['valtser] *sm inv* vals *m*

vampata [vam'pata] *sf* (*di calore*) vaharada

vampiro [vam'piro] *sm* vampiro

vandalismo [vanda'lizmo] *sm* vandalismo

vandalo ['vandalo] *sm* vándalo(-a)

vaneggiare [vaned'dʒare] *vi* desvariar

vanga, -ghe ['vanga] *sf* azada

vangelo [van'dʒelo] *sm* evangelio

vaniglia [va'niʎʎa] *sf* vainilla

vanità [vani'ta] *sf* vanidad *f*; (*futilità*) futilidad *f* ♦ **vanitoso, -a** [vani'toso] *agg* vanidoso(-a)

vano, -a ['vano] *agg* vano(-a) ♦ *sm* (*di porta, finestra*) vano; (*stanza, locale*) habitación *f*, cuarto

vantaggio [van'taddʒo] *sm* ventaja; **essere in ~** (*in gara*) ir por delante ♦ **vantaggioso, -a** [vantad'dʒoso] *agg* ventajoso(-a)

vantarsi [van'tarsi] *vpr*: **~ (di qc/di aver fatto qc)** alardear *o* jactarse (de algo/de haber hecho algo)

vanvera ['vanvera] *sf*: **parlare a ~** hablar sin ton ni son

vapore [va'pore] *sm* vapor *m*, vaho; **al ~** (*CUC*) al vapor

varare [va'rare] *vt* (*NAUT*) botar; (*legge*) sancionar; (*provvedimento*) aprobar; (*presentare: iniziativa*) presentar; (: *prodotto*) lanzar

varcare [var'kare] *vt* (*soglia, confine*) cruzar, pasar; (*fig: limiti*) pasarse de

varco, -chi ['varko] *sm* (*passaggio*) paso, pasaje *m*

varechina [vare'kina] *sf* lejía

variabile [va'rjabile] *agg* (*tempo*) variable; (*umore*) inestable, cambiante

varicella [vari'tʃella] *sf* varicela

varicoso, -a [vari'koso] *agg*: **vene varicose** venas *fpl* varicosas

varietà [varje'ta] *sf inv* (*diversità*) variedad *f* ♦ *sm inv* variétés *fpl*, espectáculo de variedades

vario, -a ['varjo] *agg* variado(-a); **varie persone** varias personas

varo ['varo] *sm* (*NAUT*) botadura; (*fig: di legge*) sanción *f*; (: *di provvedimento, progetto*) aprobación *f*

vasaio [va'zajo] *sm* alfarero

vasca, -sche ['vaska] *sf* (*recipiente*) pila ► **vasca da bagno** bañera

vaschetta [vas'ketta] *sf* (*per gelato*) recipiente *m*; (*per sviluppare fotografie*) cubeta

vaselina [vaze'lina] *sf* vaselina

vaso ['vazo] *sm* (*per pianta*) macetero; (*per fiori*) florero; (*ANAT*) vaso

vassoio [vas'sojo] *sm* bandeja

vasto, -a ['vasto] *agg* vasto(-a); **di vaste proporzioni** (*incendio*) de grandes proporciones; (fenomeno, rivolta) de gran alcance; **su vasta scala** a gran escala

Vaticano [vati'kano] sm Vaticano

ve [ve] pron vedi **vi** ♦ avv vedi **vi**

vecchiaia [vek'kjaja] sf vejez f

vecchio, -a ['vekkjo] agg viejo(-a); (antico: chiesa) antiguo(-a) ♦ sm/f viejo(-a); **i vecchi** (gli anziani) los ancianos, las personas mayores

vedere [ve'dere] vt ver; **vedersi** vpr verse; **non ~ l'ora di fare qc** no ver la hora de hacer algo; **ci vediamo!** ¡nos vemos!, ¡ya nos veremos!; **ci vediamo domani!** ¡nos vemos mañana!

vedovo, -a ['vedovo] sm/f viudo(-a)

veduta [ve'duta] sf (panorama) vista; **vedute** sfpl (fig: opinioni) opiniones fpl

vegetale [vedʒe'tale] agg, sm vegetal (m)

vegetariano, -a [vedʒeta'rjano] agg, sm/f vegetariano(-a); **avete piatti vegetariani?** ¿tienen platos vegetarianos?

vegetazione [vedʒetat'tsjone] sf vegetación f

vegeto, -a ['vedʒeto] agg: **essere vivo e ~** estar vivito y coleando

veglia ['veʎʎa] sf vela, vigilia; (a malato, salma, MIL) vela

veglione [veʎ'ʎone] sm velada ▸ **veglione di Capodanno** cotillón m de fin de año

veicolo [ve'ikolo] sm vehículo

vela ['vela] sf vela

veleno [ve'leno] sm veneno □ **velenoso, -a** [vele'noso] agg venenoso(-a)

veliero [ve'ljero] sm velero

velluto [vel'luto] sm terciopelo ▸ **velluto a coste** pana

velo ['velo] sm velo; (fig: di polvere ecc) capa

veloce [ve'lotʃe] agg veloz ♦ avv rápido, rápidamente □ **velocità** [velotʃi'ta] sf inv velocidad f; **alta velocità** (FERR) alta velocidad

vena ['vena] sf (ANAT, poetica) vena

venale [ve'nale] agg venal

vendemmia [ven'demmja] sf vendimia

vendere ['vendere] vt vender; **"vendesi"** "se vende"

vendetta [ven'detta] sf venganza

vendicarsi [vendi'karsi] vpr: ~ **(di)** vengarse (de)

vendita [ven'dita] sf venta; **essere in ~** estar en venta

venerare [vene'rare] vt venerar

venerdì [vener'di] sm inv viernes m inv; vedi anche **martedì**

venereo, -a [ve'nɛreo] agg venéreo(-a)

Venezia [ve'nettsja] sf Venecia

veniale [ve'njale] agg (peccato) venial

venire [ve'nire] vi (avvicinarsi) venir; (giungere, capitare) llegar; (riuscire: dolce, fotografia) salir; (come ausiliare: essere) ser; **quanto viene?** ¿cuánto cuesta o vale?; **viene 2 euro al chilo** (cuesta o vale) 2 euros el kilo; ~ **giù** (scendere: neve) caer; (cadere: neve) caer; ~ **meno** (svenire) desmayarse; ~ **meno a qc** (a promessa, impegno) faltar a algo; ~ **su** (salire) subir; (crescere) crecer, criarse; ~ **via** (allontanarsi) irse, marcharse; (staccarsi) despegarse; ~ **a trovare**

qn pasar a ver a algn; **"Sara!"** - **"Vengo subito"** ¡Sara! - "Voy ahora mismo"

ventaglio [ven'taʎʎo] sm abanico

ventata [ven'tata] sf ventada; **una ~ di allegria** una explosión de alegría

ventenne [ven'tɛnne] agg de veinte años

ventesimo, -a [ven'tezimo] agg, sm/f vigésimo(-a)

venti ['venti] agg inv, sm inv veinte (m); vedi anche **cinque**

ventilare [venti'lare] vt (stanza) ventilar, airear; (fig: proposta) plantear ◆ **ventilatore**

[ventila'tore] sm ventilador m

ventina [ven'tina] sf: **una ~ di** unos(-as) veinte; **essere sulla ~** tener unos veinte años

vento ['vento] sm viento; **c'è ~** hace aire; **contro ~** contra viento

ventola [ven'tola] sf (TECN) rotor m; (AUT) ventilador m

ventosa [ven'tosa] sf ventosa

ventoso, -a [ven'toso] agg ventoso(-a)

ventre ['ventre] sm vientre m

vera ['vera] sf (anello) alianza

veramente [vera'mente] avv (realmente) verdaderamente; (ma, tuttavia) sin embargo, pero; **~?** ¿de verdad?

veranda [ve'randa] sf (di condominio) galería, veranda

verbale [ver'bale] agg (a parole) verbal ◆ sm (di riunione, DIR) acta

verbo ['verbo] sm verbo

verde ['verde] agg (anche tenero, non maturo) verde; (benzina) sin plomo ◆ sm (colore) verde m ◆ sm/f (POL)

verde m/f; **essere al ~** (fig) estar sin blanca

verdetto [ver'detto] sm veredicto

verdura [ver'dura] sf verdura

vergine [ver'dʒine] agg virgen ◆ sf (giovane illibata) virgen f; (REL): **V~** Virgen; (ZODIACO): **V~** Virgo; **essere della V~** ser Virgo; **pura lana ~** pura lana virgen; **olio ~ d'oliva** aceite de oliva virgen

vergogna [ver'goɲɲa] sf vergüenza ❑ **vergognarsi** [vergoɲ'narsi] vpr: **vergognarsi (di)** avergonzarse (de)
❑ **vergognoso, -a** [vergoɲ'ɲoso] agg vergonzoso(-a)

verifica, -che [ve'rifika] sf verificación f, comprobación f

verificare [verifi'kare] vt verificar; **verificarsi** vpr verificarse

verità [veri'ta] sf inv verdad f

verme ['verme] sm gusano

vermiglio [ver'miʎʎo] sm (colore) bermellón m

vernice [ver'nitʃe] sf barniz m; **scarpe di ~** zapatos de charol; **"~ fresca"** "recién pintado"
❑ **verniciare** [verni'tʃare] vt barnizar

vero, -a ['vero] agg verdadero(-a); (fatti) cierto(-a); (autentico: quadro, perle) auténtico(-a) ◆ sm (verità) verdad f, verdadero; **dire il ~** decir la verdad; **a dire il ~** a decir verdad

verosimile [vero'simile] agg verosímil

verruca, -che [ver'ruka] sf verruga

versamento [versa'mento] sm (in banca) imposición f; (MED) derrame m

versante [ver'sante] *sm* (GEO) vertiente *f*

versare [ver'sare] *vt* echar; (*rovesciare*) verter, derramar; (*somma, denaro*) ingresar

versatile [ver'satile] *agg* (fig) versátil

versione [ver'sjone] *sf* versión *f*; (*traduzione*) traducción *f*

verso[1] ['verso] *sm* (*di poesia*) verso; (*di animale*) sonido; (*di uccello*) canto; (*direzione*) dirección *f*, lado; (*modo*) manera; **versi** *smpl* (*poesia*) versos

verso[2] ['verso] *prep* hacia; (*nei pressi di*) cerca de; ~ **di me** hacia mí; ~ **l'alto/il basso** hacia o para arriba/ abajo; **guarda** ~ **di qua/di là** mira hacia aquí/allí; **mira para acá/allá;** ~ **le nove** a eso de las nueve, hacia las nueve

vertebra ['vɛrtebra] *sf* vértebra

vertebrale [verte'brale] *agg* vertebral; **colonna** ~ columna vertebral

verticale [verti'kale] *agg* vertical

vertice [ver'titʃe] *sm* vértice *m*; (*punto massimo, riunione*) cumbre *f*

vertigini [ver'tidʒini] *sfpl*: **soffrire di** ~ padecer vértigo

vescica, -che [veʃ'fika] *sf* (ANAT, *lesione*) vejiga

vescovo ['veskovo] *sm* obispo

vespa ['vɛspa] *sf* (ZOOL) avispa

vestaglia [ves'taʎʎa] *sf* bata

vestire [ves'tire] *vt* vestir; **vestirsi** *vpr* vestirse ❑ **vestito, -a** [ves'tito] *agg* vestido(-a) ♦ *sm* (*da donna*) vestido; (*da uomo*) traje *m*; **vestiti** *smpl* (*indumenti, abiti*) ropa *sg*

veterinario [veteri'narjo] *sm* veterinario(-a)

veto ['vɛto] *sm inv* veto

vetraio [ve'trajo] *sm* vidriero(-a)

vetrata [ve'trata] *sf* vidriera

vetrato, -a [ve'trato] *agg* (*porta, finestra*) acristalado(-a); **carta vetrata** papel *m* de lija

vetrina [ve'trina] *sf* (*di negozio*) escaparate *m*; (*mobile*) vitrina ❑ **vetrinista, -i, -e** [vetri'nista] *sm/f* escaparatista *m/f*

vetro ['vɛtro] *sm* (*materiale*) vidrio; (*lastra: per finestre, porte*) cristal *m*

vetta ['vɛtta] *sf* (*di monte*) cumbre *f*; **in ~ alla classifica** en lo más alto de la clasificación

vettura [vet'tura] *sf* (*autovettura*) automóvil *m*, coche *m*; (*ferroviaria*) coche, vagón *m*

vezzeggiativo [vettseddʒa'tivo] *sm* diminutivo afectivo

vi [vi] (*dav lo, la, li, le, ne diventa* **ve**) *pron* os; (*forma di cortesia*) les ♦ *avv* (*qui*) aquí, acá; (*lì*) ahí, allí, allá; **vi è** o **vi sono** hay

via ['via] *sf* (*di città*) calle *f*; (*percorso, fig*) camino ♦ *avv*: **andare** ~ irse, marcharse ♦ *prep* (*passando per*) vía ♦ *escl*: ~**!** (*per allontanare*) ¡fuera!; (SPORT) ¡ya!; (*per incoraggiare*) ¡vamos! ♦ *sm* (*segnale di partenza*; SPORT) salida; **essere** ~ estar fuera; **per** ~ **aerea** por vía aérea; **dare il** ~ **(a)** (*in gara*) dar la salida (a); (*fig*) iniciar ♦ **via d'uscita** (*fig*) salida

viadotto [via'dotto] *sm* viaducto

viaggiare [viad'dʒare] *vi* viajar ❑ **viaggiatore, -trice** [viaddʒa'tore] *sm/f* viajero(-a)

viaggio [vi'addʒo] *sm* viaje *m*; **buon ~!** ¡buen viaje!; **ci sono due ore di**

el viaje dura dos horas; **com'è andato il ~?** ¿cómo fue el viaje?
▶ **viaggio di nozze** viaje de luna de miel

viale [vi'ale] sm avenida, bulevar m

viavai [via'vai] sm inv vaivén m

vibrare [vi'brare] vt (colpo) largar, soltar ♦ vi vibrar

vice [vitʃe] sm/f inv vice m/f

vicenda [vi'tʃenda] sf (evento) caso, acontecimiento, hecho; **a ~** (a turno) por turno; (reciprocamente) recíprocamente

viceversa [vitʃe'vɛrsa] avv (al contrario) viceversa ♦ cong (invece) pero, sin embargo

vicinanza [vitʃi'nantsa] sf cercanía; **nelle vicinanze** en las cercanías

vicino, -a [vi'tʃino] agg (nello spazio) cercano(-a); (nel tempo) próximo(-a) ♦ sm/f (anche: ~ di casa) vecino(-a) ♦ avv cerca; **da ~** de cerca; **~ a** (non lontano) cerca de; **essere ~ alla meta** estar cerca de la meta; **c'è una banca qui ~?** ¿hay algún banco cercano?

vicolo [vikolo] sm callejón m
▶ **vicolo cieco** (anche fig) callejón sin salida

video [video] sm inv (schermo) pantalla ▫ **videocamera** [video'kamera] sf cámara de vídeo ▫ **videocassetta** [videokas'setta] sf cinta de vídeo ▫ **videoclip** [video'klip] sm inv videoclip m ▫ **videogioco, -chi** [video'dʒɔko] sm videojuego ▫ **videoregistratore** [videoredʒistra'tore] sm vídeo ▫ **videotelefono** [videote'lefono] sm videoteléfono, videófono

vietare [vje'tare] vt prohibir; **~ qc a qn** prohibir algo a algn

vietato, -a [vje'tato] agg prohibido(-a); **"~ fumare"** "prohibido fumar"; **"~ l'ingresso"** "prohibido entrar"; **"sosta vietata"** (AUT) "prohibido aparcar"

vigente [vi'dʒente] agg (norma ecc) vigente ▫ **vigile** [vidʒile] agg vigilante, atento(-a) ♦ sm: ▶ **vigile (urbano)** guardia m/f municipal ▶ **vigile del fuoco** bombero

VIGILI URBANI

Los **Vigili urbani** son un cuerpo de policía municipal que depende de el **Comune**, y cuya competencia es primordialmente la de regular el tráfico de automóviles en las ciudades y de controlar los servicios públicos y comercios.

vigilia [vi'dʒilja] sf víspera

vigliacco, -a, -chi, -che [viʎ'ʎakko] agg, sm/f cobarde m/f, bellaco(-a)

vigneto [viɲ'ɲeto] sm viña, viñedo

vignetta [viɲ'ɲetta] sf viñeta

vigore [vi'gore] sm vigor m; **essere/ entrare in ~** estar/entrar en vigor

vile [vile] agg (spregevole) vil; (codardo) cobarde

villa [villa] sf chalet m, chalé m

villaggio [vil'laddʒo] sm (paesino) aldea ▶ **villaggio turistico** centro turístico

villano, -a [vil'lano] agg villano(-a), grosero(-a)

villeggiatura [villeddʒa'tura] sf veraneo

villetta [vil'letta] sf chalet m, chalé m

vimini ['vimini] *smpl*: **di ~ de** mimbre

vincere ['vintʃere] *vt* vencer, ganar; *(fig: difficoltà ecc)* vencer ♦ *vi* vencer, ganar; **vinca il migliore!** ¡que gane el mejor! □ **vincitore, -trice** [vintʃi'tore] *sm/f* vencedor(a), ganador(a)

vinicolo, -a [vi'nikolo] *agg* vinícola

vino ['vino] *sm* vino ▸ **vino bianco/ rosato/rosso** vino blanco/rosado/ tinto

---

VINO

Junto a Francia, Italia es el mayor productor mundial de vino. Los vinos de calidad llevan un sello con la marca D.O.C. (denominación de origen controlado).

---

viola [vi'ɔla] *sf (BOT)* violeta; *(MUS: strumento)* viola; *(chi suona la viola)* viola *m/f* ♦ *agg inv (colore)* morado(-a) ♦ *sm inv (colore)* morado

violare [vio'lare] *vt* violar

violentare [violen'tare] *vt* violar

violento, -a [vio'lento] *agg, sm/f* violento(-a) □ **violenza** [vio'lentsa] *sf* violencia ▸ **violenza carnale** violación *f*

violetta, -a [vio'letta] *sf (BOT)* violeta

violetto, -a [vio'letto] *agg* violeta *inv* ♦ *sm (colore)* violeta *m*

violinista, -i, -e [violi'nista] *sm/f* violinista *m/f*

violino [vio'lino] *sm* violín *m*

violoncello [violon'tʃɛllo] *sm* violonchelo, violoncelo

viottolo [vi'ɔttolo] *sf* senda

vip [vip] *sigla m (= very important person)* VIP *m/f*

vipera ['vipera] *sf (ZOOL, fig)* víbora

virgola ['virgola] *sf* coma □ **virgolette** [virgo'lette] *sfpl* comillas *fpl*; **tra virgolette** *(anche fig)* entre comillas

virile [vi'rile] *agg* viril, varonil

virtù [vir'tu] *sf inv* virtud *f*

virtuale [virtu'ale] *agg* virtual

virus ['virus] *sm inv (MED, INFORM)* virus *m inv*

viscere ['viʃʃere] *sfpl (anche fig)* entrañas *fpl*

vischio ['viskjo] *sm* muérdago

viscido, -a ['viʃʃido] *agg (sostanza, pelle)* viscoso(-a); *(strada)* resbaladizo(-a); *(fig: individuo)* asqueroso(-a)

visibile [vi'zibile] *agg* visible

visibilità [vizibili'ta] *sf* visibilidad *f*

visiera [vi'zjera] *sf* visera

visione [vi'zjone] *sf* visión *f*; **prendere ~ di qc** examinar algo; **film in prima ~** película de estreno; **film in seconda ~** segundo pase *(de una película)*

visita [vizita] *sf* visita; **avere visite** tener visitas; **a che ora comincia la ~ guidata?** ¿a qué hora empieza la visita guiada? ▸ **visita medica** visita médica, reconocimiento médico □ **visitare** [vizi'tare] *vt (persona, luogo)* visitar; *(paziente)* visitar, reconocer □ **visitatore, -trice** [vizita'tore] *sm/f* visitante *m/f*

visivo, -a [vi'zivo] *agg* visual

viso [vizo] *sm* rostro

visone [vi'zone] *sm (ZOOL, pelliccia)* visón *m*

vispo, -a ['vispo] *agg* avispado(-a)

vista ['vista] *sf* **vista; a ~** (*anche COMM*) a (la) vista; **a prima ~** (*fig: sulle prime*) a primera vista; **perdere di ~** perder de vista; **in ~** (*personaggio ecc*) muy conocido

visto, -a ['visto] *pp di* **vedere ♦** *sm* (*permesso d'entrata*) visado; (*approvazione*) conformidad *f*; **che ... visto o dado que ...**

vistoso, -a [vis'toso] *agg* (*appariscente*) vistoso(-a)

visuale [vizu'ale] *sf* vista

vita ['vita] *sf* (*esistenza*) vida; (*ANAT*) cintura

vitale [vi'tale] *agg* (*essenziale*) vital

vitamina [vita'mina] *sf* vitamina

vite ['vite] *sf* (*BOT*) vid *f*; (*TECN*) tornillo; **a ~** (*tappo, chiusura*) torculado(-a); **dare un giro di ~** (*fig*) apretar las clavijas a

vitello [vi'tɛllo] *sm* (*ZOOL*) becerro; (*carne*) ternera

vittima ['vittima] *sf* víctima; **fare la ~** hacerse la víctima

vitto ['vitto] *sm* comida ▶ **vitto e alloggio** alojamiento y comida

vittoria [vit'tɔrja] *sf* victoria

viva ['viva] *escl* ¡arriba!, ¡viva!

vivace [vi'vatʃe] *agg* (*persona*) vivaracho(-a); (*colore*) vivo(-a), llamativo(-a)

vivaio [vi'vajo] *sm* (*PESCA, AGR*) vivero

vivente [vi'vɛnte] *agg* viviente

vivere ['vivere] *vi, vt* vivir

viveri ['viveri] *smpl* víveres *mpl*

vivido, -a ['vivido] *agg* vivo(-a)

vivisezione [viviset'tsjone] *sf* vivisección *f*

vivo, -a ['vivo] *agg* (*in vita, intenso*) vivo(-a). ♦ *sm*: **pungere qn nel ~** (*fig*) herir a algn en lo más profundo; **i vivi** los vivos; **farsi ~** (*fig*) dejarse ver; **a viva voce** de viva voz

viziare [vit'tsjare] *vt* (*bambino*) mimar, consentir □ **viziato, -a** [vit'tsjato] *agg* (*bambino*) mimado(-a), consentido(-a); (*aria*) viciado(-a)

vizio ['vittsjo] *sm* vicio

V.le *abbr* (= *viale*) Avda., Av.

vocabolario [vokabo'larjo] *sm* vocabulario

vocabolo [vo'kabolo] *sm* vocablo

vocale [vo'kale] *agg* (*della voce*) vocal ♦ *sf* (*LING*) vocal *f*

vocazione [vokat'tsjone] *sf* vocación *f*

voce ['votʃe] *sf* (*anche diceria*) voz *f*; (*di dizionario*) entrada; (*di elenco*) punto

voga ['voga] *sf* (*NAUT*) boga; **essere in ~** (*fig*) estar en boga

vogare [vo'gare] *vi* bogar

voglia ['vɔʎʎa] *sf* gana, ganas *fpl*; **aver ~ di qc/di fare qc** tener ganas de algo/de hacer algo; **fare qc contro ~** hacer algo de mala gana

voi ['voi] *pron* vosotros(-as); (*forma di cortesia*) ustedes

volante [vo'lante] *agg* (*che vola*) volante, volador(a) ♦ *sm* (*sterzo*) volante *m* ♦ *sf* (*anche*: **squadra ~**) brigada móvil; **otto ~** montaña rusa

volantino [volan'tino] *sm* (*politico*) octavilla; (*pubblicitario*) volante *m*

volare [vo'lare] *vi* volar; **~ via** volar lejos; **il tempo vola** el tiempo vuela

volatile [vo'latile] *agg* (*CHIM*) volátil ♦ *sm* (*ZOOL*) ave *f*

volenteroso, -a [volente'roso] *agg* voluntarioso(-a)

volentieri [volen'tjeri] *avv* con mucho gusto, de buena gana

volere

PAROLA CHIAVE

[vo'lere] *vt*

1 *(esigere, desiderare)* querer; **volete del caffè?** ¿queréis o quieren café?; **vorrei questo** querría esto; **come vuoi** como quieras; **senza volere** o **volerlo** sin querer

2 *(consentire)*: **vogliate attendere, per piacere** presten atención, por favor; **vogliamo andare?** ¿quieres que vayamos?

3 *(volerci (essere necessario)* hacer falta; **è quel che ci vuole** es lo que hace falta

4 *(voler bene a qn (amore)* querer o amar a algn; *(affetto)* querer a algn; **voler male a qn** tener manía a algn; **voler dire** *(significare)* querer decir

♦ *sm* voluntad *f*, deseo; **contro il volere di** contra la voluntad o el deseo de

volgare [vol'gare] *agg* vulgar

voliera [vo'ljera] *sf* pajarera

volitivo, -a [voli'tivo] *agg* volitivo(-a)

volo ['volo] *sm* vuelo; **prendere al** ~ *(autobus ecc)* coger de milagro; *(palla)* coger al vuelo; *(occasione)* coger sin ni siquiera pensar; **capire al** ~ coger al vuelo ► **volo charter** vuelo chárter ► **volo di linea** vuelo regular o de línea

volontà [volon'ta] *sf inv* voluntad *f*; **buona/cattiva** ~ buena/mala voluntad

volontario, -a [volon'tarjo] *agg, sm/f* voluntario(-a)

volpe ['volpe] *sf (anche fig)* zorro(-a), raposo(-a)

volta ['volta] *sf vez; (ARCHIT)* bóveda; **a mia/tua** ~ yo/tú también; **due volte** dos veces; **una** ~ una vez; *(nel passato)* en tiempos; **molte volte** muchas veces; **a volte** a veces; **di** ~ **in** ~ en su momento; **3 volte 4 fa 12** 3 por 4, 12

⚠ **volta** non si traduce mai con la parola spagnola **vuelta**.

voltafaccia [volta'fattʃa] *sm inv (tradimento)* cambio de chaqueta

voltaggio [vol'taddʒo] *sm* voltaje *m*

voltare [vol'tare] *vt (faccia)* volver; *(foglio, quadro)* dar la vuelta a ► *vi (girare)* doblar; **voltarsi** *vpr* volverse; ~ **l'angolo** doblar la esquina

voltastomaco [volta'stomako] *sm* náusea

volto ['volto] *sm* rostro

volubile [vo'lubile] *agg* voluble

volume [vo'lume] *sm (anche libro)* volumen *m*

vomitare [vomi'tare] *vt, vi* vomitar □ **vomito** ['vomito] *sm* vómito

vongola ['vongola] *sf* almeja

vorace [vo'ratʃe] *agg* voraz

voragine [vo'radʒine] *sf (nel terreno)* barranco

vortice ['vortitʃe] *sm* vórtice *m*, torbellino

vostro, -a ['vostro] *agg*: **(il)** ~, **(la) vostra** vuestro(-a); *(forma di cortesia: anche:* **V~)** su ♦ *pron*: **il** ~, **la vostra** el vuestro, la vuestra, lo vuestro *neutro*; **i vostri** *(genitori)* vuestros padres; **una vostra amica** una amiga vuestra; **i vostri libri** vuestros libros

votante [vo'tante] *sm/f* votante *m/f*

votare [vo'tare] *vt, vi* votar

voto ['voto] *sm* (POL, REL) voto; (SCOL) calificación *f*, nota

vs. *abbr* (= *vostro*) vuestro

vulcano [vul'kano] *sm* volcán *m*

vulnerabile [vulne'rabile] *agg* vulnerable

vuotare [vwo'tare] *vt* vaciar; **vuotarsi** *vpr* vaciarse

vuoto, -a ['vwɔto] *agg* (*anche fig*: *persona, discorso*) vacío(-a); (*fig*: *minacce*) vano(-a) ♦ *sm* (*spazio*) vacío; (*recipiente*) envase *m*; (*fig*: *mancanza*) falta; **a mani vuote** con las manos vacías; **a ~** (*assegno*) sin fondo ▶ **vuoto d'aria** bache *m*

Ww

wafer ['vafer] *sm inv* (CUC) galleta "wafer", barquillo relleno de crema o chocolate

water ['vater] *sm inv* váter *m*, inodoro

watt [vat] *sm inv* (ELETTR) vatio *m*

W.C. [vi'tʃi] *abbr m* WC *m inv*

Web [web] *nm* web *m o f*; **pagina web** web; **sito web** web site, sitio web

webcam ['wɛbkæm] *sf inv* webcam *f*

weekend [wi'kend] *sm inv* fin *m* de semana

western ['western] *agg inv* (CINE) del oeste *m* ♦ *sm inv* (CINE) western *m*, película del oeste

whisky ['wiski] *sm inv* whisky *m*, güisqui *m*

windsurf ['windsə:f] *sm inv* (SPORT) windsurf *m*; (*tavola*) tabla de windsurf

würstel ['vyrstəl] *sm inv* salchicha de Frankfurt

Xx

xenofobo, -a [kse'nɔfobo] *agg, sm/f* xenófobo(-a)

xilofono [ksi'lɔfono] *sm* xilófono *m*

Yy

yacht [jɔt] *sm inv* yate *m*

yoga ['jɔga] *agg inv, sm* yoga (*m*)

yogurt ['jɔgurt] *sm inv* yogur *m*

Zz

zabaione [dzaba'jone] *sm* sabayón *m*

zaffata [tsaf'fata] *sf* tufarada, vaharada

zafferano [dzaffe'rano] *sm* azafrán *m*

zaffiro [dzaf'firo] *sm* (*pietra*) zafiro *m*

zaino ['dzaino] *sm* mochila

zampa ['tsampa] *sf* pata; **a quattro zampe** (*carponi*) a gatas, a cuatro patas

zampillare [tsampil'lare] *vi* surtir

zanzara [dzan'dzara] *sf* mosquito *m* ❑ **zanzariera** [dzandza'rjera] *sf* mosquitero

zappa ['tsappa] *sf* azada

zapping ['dzapping] *sm inv* zapping *m inv*, zapeo

zar [tsar] *sm inv* zar *m*

zarina [tsa'rina] *sf* zarina

zattera ['tsattera] *sf* balsa

zebra ['dzɛbra] *sf* cebra; **zebre** *sfpl* (AUT) paso de cebra

zecca, -che ['tsekka] *sf* (ZOOL) garrapata; (fabbrica di monete) ceca; **nuovo di ~** (fig) flamante

zelo ['dzɛlo] *sm* celo

zenzero ['dzendzero] *sm* jengibre m

zeppa ['tseppa] *sf* cuña

zeppo, -a ['tseppo] *agg:* **~ di** abarrotado(-a) de, atestado(-a) de; **pieno ~** hasta los topes

zerbino [dzer'bino] *sm* felpudo

zero ['dzɛro] *sm* cero

zia ['tsia] *sf* tía

zibellino [dzibel'lino] *sm* marta cebellina

zigomo ['dzigomo] *sm* malar m, pómulo

zigzag [dzig'dzag] *sm inv* zigzag m; **andare a ~** zigzaguear

zinco ['tsinko] *sm* zinc m inv, cinc m inv

zingaro, -a ['tsingaro] *sm/f* gitano(-a)

zio ['tsio] (pl **zii**) *sm* tío; **gli zii** (zio e zia) los tíos

zippare [dzip'pare] *vt* (INFORM) comprimir

zitella [tsi'tɛlla] *sf* solterona

zitto, -a ['tsitto] *agg* callado(-a); **sta' ~!** ¡cállate!

zoccolo ['tsɔkkolo] *sm* (ZOOL) casco, pezuña; (calzatura) zueco; (basamento: di marmo, pietra) zócalo m; (di armadio) rodapié m

zodiacale [dzodia'kale] *agg* zodiacal; **segno ~** signo zodiacal o del zodiaco

zodiaco, -ci [dzo'diako] *sm* Zodiaco

zolfo ['tsolfo] *sm* azufre m

zolla ['dzɔlla] *sf* terrón m

zolletta [dzol'letta] *sf* terrón m

zona ['dzɔna] *sf* zona ▶ **zona industriale** zona industrial ▶ **zona pedonale** zona peatonal

zonzo ['dzondzo]: **a ~** *avv:* **andare a ~** callejear

zoo ['dzɔo] *sm inv* zoo

zoologia [dzoolo'dʒia] *sf* zoología

zoppicare [tsoppi'kare] *vi* cojear; (fig: in matematica ecc) renquear

zoppo, -a ['tsoppo] *agg* cojo(-a)

zucca, -che ['tsukka] *sf* (BOT) calabaza; (scherzoso: testa) tarro, mollera

zuccherare [tsukke'rare] *vt* azucarar □ **zuccherato, -a** [tsukke'rato] *agg* azucarado(-a)

zuccheriera [tsukke'rjera] *sf* azucarero

zucchero ['tsukkero] *sm* azúcar m o f ▶ **zucchero di canna** azúcar moreno(-a) ▶ **zucchero filato** algodón m dulce

zucchina [tsuk'kina] *sf* calabacín m

zuffa ['tsuffa] *sf* pelea, riña; (mischia) pugna, batalla

zuppa ['tsuppa] *sf* sopa ▶ **zuppa inglese** (CUC) dulce hecho a base de bizcocho mojado en licor, y relleno de crema y chocolate

zuppo, -a ['tsuppo] *agg* empapado(-a)

ESPAÑOL - ITALIANO
SPAGNOLO - ITALIANO

Aa

a

PALABRA CLAVE

(a + el = al) prep

1 (dirección: ciudad) a; (: estado, región) in; **fueron a Madrid** sono andati a Madrid; **fue a Grecia** è andato in Grecia; **caerse al río** cadere nel fiume; **subirse al autobús** salire sull'autobus; **bajar a la calle** scendere in strada; **me voy a casa** vado a casa

2 (distancia): **está a 15 km de aquí** è a 15 km da qui

3 (posición): **estar a la derecha** stare a destra; **al lado de** accanto a

4 (tiempo): **a las 10/a medianoche** alle 10/a mezzanotte; **a la mañana siguiente** la mattina dopo; **a los pocos días** dopo pochi giorni

5 (manera): a; **a la francesa** alla francese; **a caballo** a cavallo; **a oscuras** al buio

6 (medio, instrumento) a; **a lápiz** a matita; **a mano** a mano

7 (razón) a; **a 1 euro el kilo** a 1 euro al chilo; **a más de 50 km/h** a più di 50 km/h

8 (complemento directo: no se traduce): **vi a Juan/a tu padre** ho visto Juan/tuo padre

9 (dativo): **se lo di a Pedro** l'ho dato a Pedro

10 (verbo + a + infin) a; **empezó a trabajar** ha iniziato a lavorare; **voy a verle** vado a trovarlo

11 (simultaneidad): **al verle, le reconocí inmediatamente** quando l'ho visto, l'ho riconosciuto subito

12 (n + a + infin) da; **el camino a recorrer** la strada da percorrere

13 (imperativo): **¡a callar!** (tú) sta' zitto!; (vosotros) state zitti!; **¡a comer!** si mangia!

abad, esa nm/f abate (badessa)
❑ **abadía** nf abbazia

abajo

PALABRA CLAVE

adv

1 (posición) sotto, giù; **allí abajo** lì sotto; **la parte de abajo** la parte di sotto; **más abajo** più giù; (en texto) più avanti; **desde abajo** da sotto; **abajo del todo** in fondo; **Pedro está abajo** Pedro è di sotto; **el abajo firmante** il sottoscritto; **de seis euros para abajo** sotto i sei euro

2 (dirección) giù; **calle abajo** camminare giù per la strada; **río abajo** giù per il fiume

♦ prep: **abajo de** (LAm) sotto; **abajo de la mesa** sotto la tavola

♦ excl: **¡abajo! abbasso!; ¡abajo el gobierno!** abbasso il governo!

abalanzarse vpr: **~ sobre/contra** scagliarsi su/contro

abandonado, -a adj abbandonato(-a)

abandonar vt abbandonare; (INFORM) chiudere; **abandonarse** vpr (desculdarse) lasciarsi andare; **~se a** (desesperación, dolor) abbandonarsi a □ **abandono** nm abbandono

abanico nm ventaglio

abarcar vt (temas, período) abbracciare; (rodear con los brazos) abbracciare, prendere

abarrotado, -a adj: **~ (de)** pieno(-a) zeppo(-a) (di)

abarrotar vt (de cosas) riempire; (local, teatro) gremire

abarrotero, -a (MÉX) nm/f (tendero) droghiere(-a)

abarrotes (MÉX) nmpl (ultramarinos) emporio

abastecer vt: **~ (de)** rifornire (di); **abastecerse** vpr: **~se (de)** rifornirsi (di) □ **abastecimiento** nm approvvigionamento

abasto nm (provisión) rifornimento; **~s** nmpl generi mpl di prima necessità; **no dar ~/para hacer** non farcela con/a fare

abatido, -a adj (deprimido) abbattuto(-a), avvilito(-a)

abatir vt abbattere; (asiento) abbassare; **abatirse** vpr abbattersi

abdicar vt: **~ (en algn)** abdicare (a favore di qn)

abdomen nm addome m

abdominal adj addominale; **~es** nmpl (tb: **ejercicios ~es**) addominali mpl

abecedario nm (alfabeto) alfabeto; (libro) abbecedario

abedul nm betulla

abeja nf ape f

abejorro nm calabrone m

abertura nf apertura; (en falda) spacco

abeto nm abete m

abierto, -a pp de **abrir** ♦ adj aperto(-a); (en campo) ~ in aperta campagna; **¿está ~ al público?** è aperto al pubblico?

abismal adj (diferencia) abissale

abismo nm abisso

ablandar vt ammorbidire; (persona) ammansire; (carne) rendere più tenero(-a); **ablandarse** vpr ammorbidirsi

abochornar vt mettere in imbarazzo; **abochornarse** vpr vergognarsi

abofetear vt schiaffeggiare

abogado, -a nm/f avvocato ► **abogado defensor** avvocato difensore

abogar vi: **~ por** difendere

abolir vt abolire

abollar vt ammaccare; **abollarse** vpr ammaccarsi

abominable adj abominevole

abonado, -a adj (deuda etc) saldato(-a) ♦ nm/f abbonato(-a)

abonar vt (deuda etc) saldare; (terreno) concimare; **abonarse** vpr: **~se a** abbonarsi a; **~ a algn a** abbonare qn a □ **abono** nm (fertilizante) concime m; (suscripción) abbonamento

abordar vt abbordare

aborigen nm/f aborigeno(-a)

aborrecer vt detestare

abortar vi abortire; (huelga, golpe de estado) far fallire □ **aborto** nm aborto

abrasar vt bruciare ♦ vi scottare; **abrasarse** vpr: ~se de calor soffocare dal caldo

abrazar vt abbracciare; **abrazarse** vpr abbracciarsi

abrazo nm abbraccio; "un ~" (en carta) "un abbraccio"

abrebotellas nm inv apribottiglie m inv

abrecartas nm inv tagliacarte m inv

abrelatas nm inv apriscatole m inv

abreviatura nf abbreviazione f

abridor nm (de botellas) apribottiglie m inv; (de latas) apriscatole m inv

abrigar vt proteggere; (suj: ropa) proteggere, coprire ♦ vi (ropa) tenere caldo; **abrigarse** vpr coprirsi

abrigo nm (prenda) cappotto; (lugar) riparo; **al ~ de** al riparo da

abril nm aprile m; ver tb **julio**

abrillantar vt lucidare

abrir vt, vi aprire; **abrirse** vpr aprirsi; ¿**a qué hora abren?** a che ora aprite?; **al ~** farsi largo

abrochar vt (con botones) abbottonare; (con hebilla) allacciare; **abrocharse** vpr (zapatos, cinturón) allacciarsi; (abrigo) abbottonarsi

abrupto, -a adj ripido(-a), scosceso(-a)

absoluto, -a adj assoluto(-a); **en ~** per niente

absolver vt (REL, JUR) assolvere

absorbente adj assorbente

absorber vt assorbire

abstemio, -a adj astemio(-a)

abstención nf astensione f

abstenerse vpr astenersi; ~ **de algo** astenersi da qc; ~ **de hacer** astenersi dal fare

abstinencia nf astinenza

abstracto, -a adj astratto(-a)

abstraer vt (problemas, cuestión) astrarre; **abstraerse** vpr: ~**se (de)** astrarsi (da)

abstraído, -a adj assorto(-a)

absuelto pp de **absolver**

absurdo, -a adj assurdo(-a)

abuchear vt fischiare

abuelo, -a nm/f nonno(-a); ~**s** nmpl nonni mpl

abultar vi ingombrare ♦ vt (fig: noticias) gonfiare

abundancia nf abbondanza □ **abundante** adj abbondante

abundar vi abbondare

aburrido, -a adj (hastiado) annoiato(-a); (que aburre) noioso(-a) □ **aburrimiento** nm noia

aburrir vt annoiare; **aburrirse** vpr annoiarsi

abusar vi: ~ **de** abusare di □ **abusivo, -a** adj abusivo(-a)

abuso nm abuso

acá adv (LAm: lugar) qui; **de junio ~** da giugno

acabado, -a adj (mueble, obra, persona) finito(-a) ♦ nm rifinitura

acabar vt, vi finire; (destruir) distruggere; **acabarse** vpr finire; ~ **con** fare fuori; ~ **en** terminare con; ~ **de hacer** aver appena finito di; ~ **haciendo** o **por hacer** finire per fare; ¿**cuándo acaba el espectáculo?** quando finisce lo spettacolo?; ¡**se acabó!** è finita!; ¡**basta!** basta!

acabóse nm: **esto es el ~** questo è il colmo

academia

academia *nf* accademia; *(de enseñanza)* scuola

ACADEMIAS

Le **academias** spagnole sono scuole private frequentate da studenti di tutte le età e di tutti i livelli al di fuori del normale orario di studio o di lavoro. Alcune sono specializzate in materie quali l'informatica, le lingue o il cucito, altre forniscono un sostegno supplementare agli studenti nelle materie scolastiche. Per coloro che sperano di passare gli esami chiamati *oposiciones* e ottenere un posto di lavoro nel settore pubblico esistono **academias** particolari con corsi di preparazione a questi esami, notoriamente difficili.

académico, -a *adj, nm/f* accademico(-a)

acalorado, -a *adj* accalorato(-a)

acampada *nf:* **ir de ~** andare in campeggio

acampar *vi* accamparsi

acantilado *nm* scogliera

acaparar *vt (alimentos, gasolina)* fare scorta di; *(atención)* monopolizzare

acariciar *vt* accarezzare

acarrear *vt* trasportare; *(fig)* portare

acaso *adv* forse; **por si ~** casomai; **si ~ se per caso; ¿~ es mi culpa?** allora, è colpa mia?

acatar *vt* osservare, rispettare

acatarrarse *vpr* raffreddarsi

acceder *vi:* **~ a** accedere a; *(INFORM)* avere accesso a

accesible *adj* accessibile

acceso *nm (tb MED, INFORM)* accesso; **tener ~ a** avere accesso a

accesorio, -a *adj* accessorio(-a); **~s** *nmpl (prendas de vestir, &c)* accessori *mpl*; *(de cocina)* utensili *mpl*

accidentado, -a *adj (terreno)* accidentato(-a); *(viaje, día)* movimentato(-a) ♦ *nm/f* infortunato(-a)

accidental *adj* accidentale

accidente *nm* incidente *m*; **tener o sufrir un ~** subire un incidente; **tuve un ~** ho avuto un incidente ▶ **accidente laboral o de trabajo** infortunio sul lavoro ▶ **accidente de tráfico** incidente stradale

acción *nf* azione *f* ❏ **accionar** *vt* azionare; *(INFORM)* avviare

accionista *nm/f* azionista *m/f*

acebo *nm* agrifoglio

acechar *vt* pedinare ❏ **acecho** *nm:* **estar al acecho** appostarsi

aceite *nm* olio ❏ **aceitera** *nf* oliera

⚠ **aceite** no se traduce nunca por la palabra italiana *aceto*.

aceitoso, -a *adj* oleoso(-a)

aceituna *nf* oliva ▶ **aceituna rellena** oliva ripiena

acelerador *nm* acceleratore *m*

acelerar *vt, vi* accelerare

acelga *nf* bietola

acento *nm* accento

acentuar *vt* accentare; *(recalcar, resaltar)* accentuare; **acentuarse** *vpr* accentuarsi

acepción *nf* accezione *f*

aceptable *adj* accettabile

aceptación nf accettazione f;
tener gran ~ avere grande
successo

aceptar vt accettare; **~ hacer algo**
accettare di fare qc; **¿aceptan
tarjetas de crédito?** accettate carte
di credito?

acequia nf canale m d'irrigazione

acera nf marciapiede m

acerca: ~ de prep su, di

acercar vt avvicinare; **acercarse** vpr
avvicinarsi; **nos ~on al aeropuerto**
ci hanno accompagnato
all'aeroporto; **¿puede ~me a la
estación?** può darmi un passaggio
in stazione?

⚠ acercar no se traduce nunca
por la palabra italiana **cercare**.

acero nm acciaio ▶ **acero
inoxidable** acciaio inossidabile

⚠ acero no se traduce nunca
por la palabra italiana **acero**.

acérrimo, -a adj acerrimo(-a)

acertado, -a adj (respuesta)
giusto(-a), esatto(-a); (medida)
opportuno(-a); (color)
indovinato(-a)

acertar vt (blanco) colpire; (solución,
adivinanza) indovinare ♦ vi fare
centro; **~ a hacer algo** far bene a
fare qc; **~ con** azzeccare,
imbroccare; (camino, calle) trovare

acertijo nm indovinello

achacar vt: **~ algo a** attribuire qc a

achacoso, -a adj malaticcio(-a), .
cagionevole

achantar (fam) vt (acobardar)
spaventare, fare paura a;
achantarse vpr (fam) tirarsi indietro

achaque vb ver **achacar** ♦ nm
acciacco

achicar vt rimpicciolire; (NÁUT)
ridurre

achicharrar vt (comida)
bruciacchiare; **achicharrarse** vpr
(comida) bruciacchiarsi; (planta)
bruciarsi; (persona) scottarsi

achicoria nf cicoria

acicate nm incentivo, stimolo

acidez nf acidità f inv

ácido, -a adj acido(-a) ♦ nm (tb fam:
droga) acido

acierto vb ver **acertar** ♦ nm (al
adivinar) soluzione f; (éxito, logro)
successo; (habilidad) abilità f inv; **fue
un ~ invitarlos** è stata un'ottima
idea invitarli

aclamar vt (aplaudir, proclamar)
acclamare

aclaración nf chiarimento

aclarar vt schiarire; (ropa)
sciacquare; (dudas) chiarire ♦ vi
(tiempo) schiarire; **aclararse** vpr
(persona) raccapezzarsi; (asunto)
chiarirsi; **~se la garganta** schiarirsi
la gola

aclimatar vt acclimatare;
aclimatarse vpr acclimatarsi

acné nm o f acne f

acobardar vt spaventare;
acobardarse vpr spaventarsi

acogedor, a adj accogliente

acoger vt accogliere

acogida nf accoglienza

acometer vt (empresa, tarea)
intraprendere ♦ vi: **~ contra** assalire
▶ **acometida** nf assalto, attacco;
(de gas, agua) allacciamento

acomodado, -a adj agiato(-a),
facoltoso(-a)

acomodador, a nm/f maschera f

acomodar vt (*paquetes, maletas, personas*) sistemare; **acomodarse** vpr accomodarsi; (*conformarse*) adeguarsi

acompañar vt accompagnare; **¿quieres que te acompañe?** vuoi che ti accompagni?; ~ **a algn a la puerta** accompagnare qn alla porta; **le acompaño en el sentimiento** le faccio le mie più sentite condoglianze

acondicionar vt climatizzare; ~ (**para**) allestire (per)

aconsejar vt consigliare; ~ **a algn hacer** o **que haga algo** consigliare a qn di fare qc

acontecer vi accadere, avvenire □ **acontecimiento** nm avvenimento

acopio nm: **hacer** ~ rifornirsi

acoplar vt: ~ (**a**) adattare (a)

acordar vt concordare; (*poner de acuerdo*) conciliare; **acordarse** vpr: ~**se de** (*hacer*) ricordarsi di (fare); ~ **hacer algo** (*resolver*) decidere di fare qc □ **acorde** adj concorde ♦ nm (*MÚS*) accordo

acordeón nm fisarmonica

acorralar vt (*confundir*) mettere alle strette

acortar vt accorciare; **acortarse** vpr accorciarsi

acosar vt braccare; (*fig*) tormentare, assillare

acoso nm inseguimento ▸ **acoso sexual** molestie fpl sessuali

acostar vt mettere a letto; **acostarse** vpr (*para descansar*) stendersi; (*para dormir*) coricarsi, andare a letto

acostumbrar vt: ~ **a algn a hacer algo** abituare qn a fare qc;

acostumbrarse vpr: ~**se a** abituarsi a; ~ (**a**) **hacer algo** essere solito(-a) fare qc

acre adj acre, aspro(-a) ♦ nm acro

acreditar vt accreditare; **acreditarse** vpr (*buen médico*) accreditarsi

acreedor, a adj: ~ (*respeto*) degno(-a) di ♦ nm/f creditore(-trice)

acribillar vt: ~ **a balazos** crivellare di pallottole

acróbata nm/f acrobata m/f

acta nf (*de reunión*) verbale m; **las ~s del congreso** gli atti del congresso ▸ **acta notarial** atto notarile

actitud nf atteggiamento

⚠ **actitud** no se traduce nunca por la palabra italiana *attitudine*.

activar vt (*mecanismo*) attivare, mettere in funzione; (*economía, comercio*) rilanciare

actividad nf attività f inv

activo, -a adj attivo(-a) ♦ nm (*COM*) attivo

acto nm atto; (*ceremonia*) cerimonia; **en el** ~ immediatamente; ~ **seguido** subito dopo

actor nm attore m

actriz nf attrice f

actuación nf condotta, comportamento; (*TEATRO*) recitazione f

actual adj attuale □ **actualidad** nf attualità f inv; **en la actualidad** attualmente

actualizar vt aggiornare

actualmente adv attualmente

actuar vi (*comportarse*) agire, comportarsi; (*actor*) recitare; ~ **de** fare la parte di

acuarela nf acquerello

acuario nm acquario; (ASTROL): **A~** Acquario; **ser A~** essere (dell')Acquario

acuático, -a adj acquatico(-a)

acudir vi accorrere; **~ a** (amistades etc) rivolgersi a; (clases) frequentare; **~ a una cita** andare a un appuntamento

 acudir no se traduce nunca por la palabra italiana *accudire*.

acuerdo vb ver **acordar** ♦ nm accordo; (decisión) decisione f; **¡de ~!** d'accordo!; **de ~ con** in accordo con; **de común** di comune accordo; **estar de ~** essere d'accordo; **llegar a un ~** giungere a un accordo

acumular vt accumulare

acuñar vt (moneda, expresión) coniare

acupuntura nf agopuntura

acurrucarse vpr rannicchiarsi

acusación nf accusa

acusado, -a nm/f (JUR) imputato(-a)

acusar vt accusare; (revelar) rivelare; **acusarse** vpr: **~se de algo** accusarsi di qc; (REL) confessare qc

acuse nm: **~ de recibo** ricevuta di ritorno

acústico, -a adj acustico(-a) ♦ nf acustica

adaptación nf adattamento

adaptador nm adattatore m

adaptar vt: **~ (a)** adattare a

adecuado, -a adj adatto(-a), adeguato(-a)

a. de J.C. abr (= antes de Jesucristo) a. C.

adelantado, -a adj (niño) precoce; **el reloj está ~** l'orologio va avanti; **tener ~ algo** essere a buon punto con qc; **pagar por ~** pagare in anticipo

adelantamiento nm (AUTO) sorpasso

adelantar vt (dinero, noticias) anticipare; (mover) spostare avanti; (AUTO) sorpassare ♦ vi avanzare; **adelantarse** vpr andare avanti; (anticiparse) essere in anticipo

adelante adv avanti ♦ excl (incitando a seguir, autorizando a entrar) avanti; **(de hoy) en ~** d'ora in poi; **más ~** (después) più in là; (más allá) più avanti

adelanto nm progresso; (de dinero, hora) anticipo

adelgazar vt (persona) snellire ♦ vi dimagrire

ademán nm gesto; **ademanes** nmpl modi mpl; **hacer ~ de** fare il gesto di

además adv inoltre; **~ de** oltre a

adentrarse vpr: **~ en** addentrarsi in

adentro adv dentro; **mar ~** al largo; **tierra ~** nell'entroterra; **para sus ~s** nel suo intimo; **~ de** (LAm: dentro de) dentro

adepto, -a nm/f adepto(-a)

aderezar vt condire

adeudar vt dovere; (en una cuenta) addebitare; **adeudarse** vpr indebitarsi (persona)

adherir vt: **~ algo a** incollare qc a; **adherirse** vpr (a propuesta) aderire

adhesión nf adesione f

adhesivo, -a adj adesivo(-a)

adicción nf (a drogas etc) dipendenza

adicto, -a adj (a persona) fedele ♦ nm/f (MED) tossicodipendente m/f;

(*partidario*) sostenitore(-trice); **ser ~ a la heroína** essere dipendente da eroina

adiestrar vt addestrare

adinerado, -a adj danaroso(-a)

adiós excl (*despedida*) addio; (*al pasar*) salve

aditivo nm additivo

adivinanza nf indovinello

adivinar vt (*pensamientos*) indovinare; (*el futuro*) predire

adivino, -a nm/f indovino(-a)

adj abr = **adjunto; adjetivo**

adjetivo nm aggettivo

adjudicar vt aggiudicare; **adjudicarse** vpr: **~se algo** aggiudicarsi qc

adjuntar vt allegare

adjunto, -a adj (*documento*) allegato(-a); (*médico, director etc*) aggiunto(-a) ♦ adv in allegato

administración nf amministrazione f; **A~ pública** Pubblica amministrazione

administrador, a nm/f amministratore(-trice)

administrar vt (*tb sacramento*) amministrare; (*medicamento*) somministrare

administrativo, -a adj, sm/f amministrativo(-a)

admirable adj ammirevole

admiración nf (*estimación*) ammirazione f; (*asombro*) stupore m; (*LING*) esclamazione f

admirar vt (*estimar*) ammirare; (*asombrar*) stupire; **admirarse** vpr: **~se de** stupirsi di

admisión nf ammissione f; (*de razones etc*) accoglimento

admitir vt (*dar entrada*) ammettere; (*regalos, críticas*) accettare

adobar vt (*CULIN*) marinare

adoctrinar vt indottrinare

adolecer vi: **~ de** soffrire di

adolescente adj, nm/f adolescente m/f

adonde conj dove

adónde adv dove

adopción nf adozione f

adoptar vt adottare

adoptivo, -a adj adottivo(-a)

adoquín nm sampietrino

adorar vt adorare

adornar vt ornare; (*habitación, mesa*) decorare

adorno nm ornamento

adosado, -a adj: **chalet ~** villetta a schiera

adquiera etc vb ver **adquirir**

adquirir vt acquistare

adquisición nf acquisto

adrede adv apposta, di proposito

aduana nf dogana

aduanero, -a adj doganale ♦ nm/f doganiere(-a)

adueñarse vpr: **~ de** impadronirsi di

adular vt adulare

adulterar vt (*alimentos, vino*) adulterare

adulterio nm adulterio

adúltero, -a adj, nm/f adultero(-a)

adulto, -a adj, nm/f adulto(-a)

adverbio nm avverbio

adversario, -a nm/f avversario(-a)

adversidad nf avversità f inv

adverso, -a adj avverso(-a)

advertencia nf avvertimento

advertir vt (observar) notare; **~ a algn de algo** avvertire qn di qc; **~ a algn que ...** avvertire qn che ...

advierta etc vb ver **advertir**

aéreo, -a adj aereo(-a); **por vía aérea** per via aerea

aerobic etc nf inv aerobica

aerodinámico, -a adj aerodinamico(-a)

aeromoza (LAm) nf (AER) hostess f inv

aeronave nf aeronave f

aeroplano nm aeroplano

aeropuerto nm aeroporto; **al ~ por favor** all'aeroporto per favore

aerosol nm aerosol m inv

afán nm (ahínco) impegno; (deseo) desiderio; **con ~** con zelo

afanar (fam) vt (robar) fregare; **afanarse** vpr (atarearse) darsi da fare; **~se por hacer** affannarsi a fare

afear vt imbruttire

afección nf affezione f

afectado, -a adj affettato(-a)

afectar vt (fingir: elegancia) affettare; (: cariño, tranquilidad) fingere; (concernir) riguardare; (impresionar) colpire; (perjudicar) danneggiare

afectísimo, -a adj: **suyo ~** suo devotissimo

afectivo, -a adj (problema) affettivo(-a)

afecto nm (cariño) affetto; **tenerle ~ a algn** provare affetto per qn

afectuoso, -a adj affettuoso(-a); **"un saludo ~"** (en carta) "un caro saluto"

afeitar vt radere; **afeitarse** vpr radersi

afeminado, -a adj effeminato(-a)

Afganistán nm Afghanistan m

afianzar vt (objeto, conocimientos) consolidare; (salud) migliorare; **afianzarse** vpr consolidarsi

afiche (RPl) nm (cartel) manifesto

afición nf passione f; **la ~** (fútbol) la tifoseria o i tifosi

aficionado, -a adj, nm/f appassionato(-a); (DEPORTE, TEATRO, MÚS) dilettante m/f; (fútbol) tifoso(-a); **ser ~ a algo** essere appassionato di qc

⚠ **aficionado** no se traduce nunca por la palabra italiana **affezionato**.

aficionar vt: **~ a algn a algo** far appassionare qn a qc; **aficionarse** vpr: **~se a algo** appassionarsi a qc

afilado, -a adj (cuchillo) affilato(-a); (lápiz) temperato(-a)

afilar vt (cuchillo) affilare; (lápiz) temperare

afiliarse vpr: **~ (a)** iscriversi (a)

afín adj (carácter) simile; (ideas, opiniones) affine

afinar vt (tb metales) affinare; (MÚS) accordare; (puntería) aggiustare ♦ vi (MÚS) essere intonato(-a)

afincarse vpr stabilirsi

afirmación nf affermazione f

afirmar vt affermare; (objeto) rinsaldare ♦ vi confermare

afirmativo, -a adj affermativo(-a)

afligir vt affliggere; **afligirse** vpr affliggersi

aflojar vt allentare ♦ vi (tormenta, viento) calmarsi; **aflojarse** vpr (pieza) allentarsi

aflorar vi affiorare

afluente nm affluente m

afmo., -a. *abr* = **afectísimo, a**

afónico, -a *adj*: **estar ~** essere afono(-a)

aforo *nm* (*de teatro*) capienza

afortunado, -a *adj* (*persona*) fortunato(-a)

África *nf* Africa

africano, -a *adj, nm/f* africano(-a)

afrontar *vt* affrontare

afuera *adv* fuori; **~s** *nfpl* dintorni *mpl*

agachar *vt* abbassare; **agacharse** *vpr* chinarsi

agalla *nf* (*ZOOL*) branchia; **tener ~s** (*fam*) aver fegato

agarradera (*MÉX*) *nf* (*asa*) manico

agarrado, -a *adj* tirchio(-a)

agarrar *vt* afferrare, prendere; (*LAm*: *coger*) prendere; (*fam*: *enfermedad*) prendersi ♦ *vi* (*planta*) attecchire; **agarrarse** *vpr* (*comida*) attaccarsi; **~se (a)** aggrapparsi (a)

agencia *nf* agenzia

agenciarse *vpr* procurarsi; **agenciárselas para hacer algo** cavarsela a fare qc

agenda *nf* agenda

agente *nm* agente *m/f*▸ **agente de policía** agente di polizia

ágil *adj* agile ❑ **agilidad** *nf* agilità *f inv*

agilizar *vt* sveltire

agitación *nf* agitazione *f*

agitado, -a *adj* (*día, viaje, vida*) agitato(-a)

agitar *vt* agitare; (*fig*) turbare, mettere in agitazione; **agitarse** *vpr* (*tb fig*) agitarsi

aglomeración *nf*: **~ de gente** folla; **~ de tráfico** ingorgo di traffico

agnóstico, -a *adj, nm/f* agnostico(-a)

agobiar *vt* (*suj: trabajo*) sfiancare; (: *calor*) soffocare

agolparse *vpr* (*personas*) accalcarsi

agonía *nf* agonia

agonizante *adj* agonizzante

agonizar *vi* agonizzare

agosto *nm* agosto; *ver tb* **julio**

agotado, -a *adj* esaurito(-a); (*sin fuerzas*) esausto(-a), sfinito(-a)

agotador, a *adj* stancante, spossante

agotamiento *nm* esaurimento; (*cansancio*) sfinimento

agotar *vt* esaurire; (*extenuar*) sfinire; **agotarse** *vpr* sfinirsi; (*libro*) esaurirsi

agraciado, -a *adj* grazioso(-a) ♦ *nm/f* (*en sorteo, lotería*) fortunato(-a)

agradable *adj* gradevole, piacevole

agradar *vi* piacere; **esto no me agrada** questo non mi piace; **le agrada estar en su compañía** gli fa piacere stare con lui

agradecer *vt* ringraziare di; **te agradezco que hayas venido** ti ringrazio di essere venuto ❑ **agradecido, -a** *adj* grato(-a); **¡muy agradecido!** grazie infinite! ❑ **agradecimiento** *nm* gratitudine *f*, riconoscenza ❑ **agradezca** *etc vb ver* **agradecer**

agrado *nm* piacere *m*; (*amabilidad*) affabilità *f inv*; **ser de tu etc ~** essere di tuo *ecc* gradimento

agrandar *vt* ingrandire

agrario, -a *adj* agrario(-a)

agravante *nm o f* aggravante *f*; **con el o la ~ de que ...** con l'aggravante che ...

agravar vt aggravare; **agravarse** vpr aggravarsi

agredir vt aggredire

agregar vt: ~ **(a)** aggiungere (a); **agregarse** vpr unirsi

agresión nf aggressione f

agresivo, -a adj aggressivo(-a)

agriar vt inacidire, inasprire; **agriarse** vpr inasprirsi; (leche) inacidirsi

agrícola adj agricolo(-a)

agricultor, a nm/f agricoltore(-trice)

agricultura nf agricoltura

agridulce adj agrodolce

agrietarse vpr (tb piel) screpolarsi

agrio, -a adj aspro(-a), acido(-a); (carácter) aspro(-a); ~**s** nmpl agrumi mpl

agrupación nf raggruppamento, gruppo

agrupar vt (personas) raggruppare; **agruparse** vpr raggrupparsi, radunarsi

agua nf acqua; **hacer ~** (embarcación) fare acqua; **se me hace la boca ~** mi viene l'acquolina in bocca; ~**s abajo** a valle; ~**s arriba** a monte ▸ **agua caliente/ corriente** acqua calda/corrente ▸ **agua de colonia** acqua di colonia ▸ **agua mineral (con/sin gas)** acqua minerale (liscia/ gassata)

aguacate nm avocado m inv

aguacero nm acquazzone m, rovescio

aguado, -a adj (leche, vino) annacquato(-a)

aguafiestas nm/f inv guastafeste m/f inv

aguanieve nf nevischio

aguantar vt reggere; (soportar) sopportare; (contener) trattenere ♦ vi resistere; (ropa) durare; **aguantarse** vpr (persona) accontentarsi □ **aguante** nm (paciencia) pazienza; (resistencia) resistenza

> ⚠ **aguantar** no se traduce nunca por la palabra italiana **agguantare**.

aguar vt (leche, vino) annacquare

aguardar vt, vi aspettare; ~ **a que** aspettare che

> ⚠ **aguardar** no se traduce nunca por la palabra italiana **guardare**.

aguardiente nm acquavite f

aguarrás nm acquaragia

agudeza nf (de oído, olfato) finezza; (de dolor, sonido) acutezza; (fig: ingenio) acume m

agudo, -a adj (tb sonido, dolor, vista) acuto(-a); (cuchillo) affilato(-a); (oído, olfato) fine

agüero nm: **ser de buen/mal ~** essere di buon/cattivo augurio

aguijón nm (de insecto) aculeo, pungiglione m; (fig: estímulo) pungolo

águila nf aquila

aguileño, -a adj (nariz) aquilino(-a)

aguinaldo nm mancia natalizia

aguja nf ago; (para hacer ganchillo) uncinetto; (de reloj) lancetta

agujerear vt (perforar) forare

agujero nm buco, foro

agujetas nfpl indolenzimento

aguzar vt (herramientas) aguzzare, appuntire; (ingenio, entendimiento) aguzzare; ~ **el oído/la vista** aguzzare le orecchie/gli occhi

ahí adv (lugar) lì; **de ~ que** ecco perché; **~ está el problema** il problema sta qui; **~ llega** eccolo che arriva; **por ~** di là o da quella parte; (lugar indeterminado) da qualche parte; **200 o por ~** più o meno 200

ahijado, -a nm/f figlioccio(-a)

ahogar vt soffocare; (en el agua) affogare; (coche) ingolfare; **ahogarse** vpr (en el agua) affogare, annegare; (por asfixia) soffocare, soffocarsi

ahondar vt scavare; (fig) approfondire ♦ vi: **~ en** (problema) approfondire

ahora adv ora, adesso; (hace poco) un momento fa; **~ bien** ma, però; **~ mismo** subito; (hace poco) proprio adesso; **~ voy** arrivo; **¡hasta ~!** a tra poco!; **por ~** per ora

ahorcar vt impiccare; **ahorcarse** vpr impiccarsi

ahorita (LAm: fam) adv subito

ahorrar vt risparmiare; **~ a algn algo** risparmiare qc a qn □ **ahorro** nm risparmio; **ahorros** nmpl risparmi mpl

ahumar vt affumicare

ahuyentar vt (ladrón, fiera) mettere in fuga; (fig) scacciare

aire nm aria; **~s** nmpl: **darse ~s** darsi arie; **al ~ libre** all'aria aperta; **cambiar de ~** cambiare aria; **estar en el ~** (RADIO) essere in onda; (fig) essere in sospeso; **tener un ~ con** o **darse un ~ a** assomigliare a; **tomar el ~** prendere aria ▶ **aire acondicionado** aria condizionata

airearse vpr prendere aria

airoso, -a adj: **salir ~ de algo** terminare con successo qc

aislado, -a adj isolato(-a)

aislar vt isolare

ajedrez nm scacchi mpl

ajeno, -a adj altrui inv; (distante, extraño) estraneo(-a); **estar ~ a algo** essere all'oscuro di qc

ajetreado, -a adj (día) indaffarato(-a)

ajetreo nm trambusto

ají (CS) nm peperoncino; (salsa) salsa al peperoncino

ajo nm aglio

ajuar nm (de casa) mobilia, arredo; (de novia) corredo

ajustado, -a adj (ropa) attillato(-a); (resultado) risicato(-a)

ajustar vt adattare, adeguare; (TEC, reloj) regolare; (cuenta, deuda) saldare; (acordar) concordare ♦ vi adattarsi; **ajustarse** vpr: **~se a** adeguarsi a; **hemos ajustado el precio en 500 euros** abbiamo fissato il prezzo a 500 euro; **~ algo a algo** adattare qc a qc; **~ cuentas con algn** regolare i conti con qn

⚠ **ajustar** no se traduce nunca por la palabra italiana **aggiustare**.

ajuste nm (FIN) adeguamento; (acuerdo) accomodamento; **~ económico** manovra economica

al (= a + el) prep + art ver **a**

ala nf ala; (de sombrero) tesa, falda

alabanza nf lode f

alabar vt lodare

alacena nf credenza

alacrán nm scorpione m

alambrada nf recinzione f di filo spinato

alambre nm filo metallico; **~ de púas** filo spinato

alameda nf pioppeto; (lugar de paseo) viale m

álamo nm pioppo

alarde nm: **hacer ~ de** fare sfoggio di

alargador nm (ELEC) prolunga

alargar vt allungare; (estancia, vacaciones) prolungare; (brazo) stendere; **alargarse** vpr (días) allungarsi

⚠ **alargar** no se traduce nunca por la palabra italiana **allargare**.

alarma nf allarme m

alarmante adj allarmante

alarmar vt allertare; (asustar) allarmare; **alarmarse** vpr allarmarsi

alba nf alba

albahaca nf basilico

Albania nf Albania

albañil nm muratore m

albarán nm bolla di consegna

albaricoque nm albicocca

albedrío nm: **libre ~** libero arbitrio

alberca nf cisterna; (MÉX) piscina

albergar vt ospitare; (esperanza) nutrire; **albergarse** vpr alloggiare

albergue vb ver **albergar** ♦ nm rifugio; (alojamiento) alloggio
▸ **albergue juvenil** o **de juventud** ostello della gioventù

⚠ **albergue** no se traduce nunca por la palabra italiana **albergo**.

albóndiga nf polpetta

albornoz nm (para el baño) accappatoio

alborotar vt agitare; (amotinar) mettere in subbuglio ♦ vi fare chiasso; **alborotarse** vpr agitarsi

◻ **alboroto** nm chiasso, confusione f

álbum (pl ~s o ~es) nm album m inv

alcachofa nf carciofo; (de regadera) cipolla

alcalde, -esa nm/f sindaco

alcance vb ver **alcanzar** ♦ nm portata; **al ~ de la mano** a portata di mano

alcantarilla nf (subterránea) fogna; (en la calle) canaletto di scolo

alcanzar vt raggiungere; (autobús) prendere; (LAm: entregar) passare ♦ vi essere sufficiente, bastare; **~ a hacer** riuscire a fare

alcaparra nf cappero

alcayata nf (clavo) rampino

alcázar nm fortezza; (casa real) reggia

alcohol nm alcol m; (tb: **~ metílico**) alcol metilico

alcohólico, -a adj alcolico(-a) ♦ nm/f alcolista m/f, alcolizzato(-a)

alcoholímetro nm alcolimetro

alcoholismo nm alcolismo

alcornoque nm quercia da sughero; (fam) zuccone(-a)

alcurnia nf lignaggio

aldea nf villaggio

aleación nf lega

aleatorio, -a adj aleatorio(-a)

aleccionar vt istruire

alegar vt addurre ♦ vi (LAm) discutere; **~ que** dichiarare che

alegoría nf allegoria

alegrar vt rallegrare; (casa) ravvivare; (fiesta) animare; **alegrarse** vpr (fam) diventare brillo(-a); **~se de** essere contento(-a) di

alegre adj allegro(-a); (color) vivace; (fam: con vino) brillo(-a), alticcio(-a) □ **alegría** nf (satisfacción) gioia; (euforia, regocijo) allegria

alejar vt allontanare; **alejarse** vpr allontanarsi

alemán, -ana adj, nm/f tedesco(-a) ♦ nm (LING) tedesco

Alemania nf Germania ▶ **Alemania Occidental/Oriental** (HISTORIA) Germania dell'Ovest/dell'Est

alentar vt incoraggiare; (sentimiento) nutrire, provare

alergia nf allergia □ **alérgico, -a** adj allergico(-a); **soy alérgico a la penicilina** sono allergico alla penicillina

alero nm gronda

alerta adv all'erta ♦ nf allerta f inv ♦ adv: **estar** o **mantenerse ~** stare all'erta

aleta nf (pez, foca, DEPORTE) pinna; (nariz) ala; (AUTO) parafango

aletear vi (ave) battere le ali; (pez) muovere le pinne

alevín nm (fig) novellino(-a)

alfabeto nm alfabeto

alfalfa nf erba medica

alfarería nf terracotta; (tienda) vasaio

alfarero, -a nm/f vasaio(-a)

alférez nm (MIL) sottotenente m

alfil nm (AJEDREZ) alfiere m

alfiler nm spillo; (broche) spilla ▶ **alfiler de gancho** (CS: imperdible grande) spilla di sicurezza

alfombra nf tappeto □ **alfombrilla** nf tappetino

alforja nf bisaccia

algas nfpl alghe fpl

álgebra nf algebra

algo pron qualcosa; (una cantidad pequeña) un po' ♦ adv un po'; **~ así como** più o meno; **~ es ~** meglio poco che niente; **¿~ más?** qualcos'altro?; **por ~ será** un motivo ci sarà

algodón nm cotone m ▶ **algodón de azúcar** zucchero filato ▶ **algodón hidrófilo** cotone idrofilo

alguien pron qualcuno

alguno, -a adj (delante de nm: algún) alcuno(-a); (indeterminado) qualche inv ♦ pron qualcuno(-a); **no tiene talento** ~ non ha alcun talento; **~ de ellos** qualcuno di loro; **algún que otro libro** qualche libro; **algún día iré** un giorno ci andrò; **~s piensan** alcuni pensano

alhaja nf gioiello

alhelí nm violacciocca

aliado, -a adj, nm/f alleato(-a)

alianza nf alleanza

aliarse vpr: **~ (con/a)** allearsi (con/a)

alias adv alias

alicates nmpl pinza

aliciente nm incentivo; (atractivo) attrattiva

alienación nf alienazione f

aliento vb ver **alentar** ♦ nm alito; (respiración) fiato; **sin ~** senza fiato

aligerar vt alleggerire; **~ el paso** affrettare il passo

alijo nm merce f di contrabbando

alimaña nf animale m nocivo

alimentación nf alimentazione f; **tienda de ~** negozio di alimentari

alimentar vt alimentare; (suj: alimento) nutrire

alimenticio, -a adj (sustancia) alimentare; (nutritivo) nutriente

alimento nm alimento; **~s** nmpl (JUR) alimenti mpl

alineación nf allineamento; (DEPORTE) formazione f

alinear vt allineare; (DEPORTE) schierare; **alinearse** vpr allinearsi; (DEPORTE) schierarsi

aliñar vt condire ▫ **aliño** nm condimento

alisar vt lisciare; (madera) levigare

alistarse vpr mettersi in lista; (MIL) arruolarsi

aliviar vt (carga) alleggerire; (dolor) alleviare; **me alivia saber que me comprendes** mi dà sollievo sapere che mi capisci

alivio nm sollievo

aljibe nm cisterna

allá adv lì, là; (por ahí) di là; **~ abajo/ arriba** laggiù/lassù; **hacia ~** da quella parte; **más ~** più in là; **más ~ de** oltre; **~ por** verso; **¡~ tú!** vedi tu!

allanamiento nm: **~ de morada** violazione f di domicilio

allanar vt spianare; (muro) demolire

allegado, -a adj stretto(-a) ♦ nm/f congiunto(-a)

⚠ **allegado** no se traduce nunca por la palabra italiana *allegato*.

allí adv (lugar) lì, là; **~ mismo** proprio lì; **por ~** di là

alma nf (tb TEC) anima; **agradecer con toda el ~** ringraziare infinitamente

almacén nm magazzino; (al por mayor) negozio all'ingrosso; (CS: de comestibles) negozio di alimentari; **(grandes) almacenes** grandi

magazzini ▫ **almacenaje** nm immagazzinamento, stoccaggio

almacenar vt immagazzinare

almanaque nm almanacco

almeja nf vongola

almendra nf mandorla ▫ **almendro** nm mandorlo

almíbar nm sciroppo; **en ~** in sciroppo

almidón nm amido

almirante nm ammiraglio

almohada nf cuscino; (funda) federa ▫ **almohadilla** nf (para sentarse) cuscinetto; (para alfileres) puntaspilli m inv

almohadón nm cuscino; (funda de almohada) federa

almorranas nfpl emorroidi fpl

almorzar vt: **~ una tortilla** mangiare una frittata per pranzo ♦ vi pranzare ▫ **almuerzo** vb, nm pranzo

alocado, -a adj, nm/f sventato(-a), sconsiderato(-a)

alojamiento nm alloggio

alojar vt alloggiare; **alojarse** vpr: **~se en** (persona) alloggiare in, prendere alloggio in; (bala, proyectil) penetrare in

alondra nf allodola

alpargata nf espadrille f

Alpes nmpl: **los ~** le Alpi fpl

alpinismo nm alpinismo ▫ **alpinista** nm/f alpinista m/f

alpiste nm scagliola

alquilar vt affittare; (coche) noleggiare; **"se alquila casa"** "affittasi casa"; **quisiera ~ un coche** vorrei noleggiare una macchina

alquiler nm noleggio; (de vivienda) affitto; **de ~** in affitto ▶ **alquiler de**

coches o **automóviles** autonoleggio

alquimia nf alchimia

alquitrán nm catrame m

alrededor adv intorno; **~es** nmpl dintorni mpl; **~ de** intorno a; (aproximadamente) verso; **a su ~** intorno a lui (o lei); **mirar a su ~** guardarsi intorno

alta nf: **dar a algn el ~** (MED) dimettere qn; (en empleo) assumere in servizio; **darse de ~** (en club, asociación) iscriversi

altar nm altare m

altavoz nm altoparlante m

alteración nf alterazione f; (agitación) nervosismo, turbamento
▸ **alteración del orden público** turbamento dell'ordine pubblico

alterar vt alterare, cambiare; (persona) turbare; (alimentos, medicinas) alterare; **alterarse** vpr (persona) alterarsi

altercado nm alterco

alternar vt alternare ♦ vi frequentare persone; **alternarse** vpr alternarsi

alternativa nf alternativa; **no tener otra ~** non avere alternativa

alternativo, -a adj alternativo(-a); (hojas) alterno(-a)

alterno, -a adj (días) alterno(-a); (ELEC) alternato(-a)

alteza nf altezza

altibajos nmpl (del terreno) saliscendi m inv; (fig) alti mpl e bassi

altiplano nm altipiano

altisonante adj altisonante

altitud nf altitudine f

altivo, -a adj altezzoso(-a)

alto, -a adj alto(-a); (sonido) acuto(-a); (río) in piena ♦ nm sosta, fermata; (CS) mucchio, cumulo ♦ adv alto ♦ excl alt! m; **la pared tiene 2 metros de ~** la parete è alta 2 metri; **alta fidelidad/frecuencia** alta fedeltà/alta frequenza; **en alta mar** in alto mare; **alta tensión** alta tensione; **a altas horas de la noche** a notte inoltrata; **en lo ~ de** in cima a; **hacer un ~** fare una sosta; **por todo lo ~** alla grande; **declarar/ respetar el ~ el fuego** dichiarare/ rispettare il cessate il fuoco

altoparlante (LAm) nm altoparlante m

altura nf altezza, altura; (AER) quota; (altitud) altitudine f; (aguas) profondità f inv; **la pared tiene 1,80 de ~** la parete misura 1,80 in altezza; **a estas ~s** a questo punto

alubias nfpl fagioli mpl

alucinación nf allucinazione f

alucinar vt allucinare

alud nm valanga

aludir vi: **~ a** alludere o accennare a; **darse por aludido** darsi per inteso

alumbrado nm illuminazione f

alumbrar vt illuminare; (MED) partorire

aluminio nm alluminio

alumno, -a nm/f alunno(-a)

alusión nf allusione f; **hacer ~ a** fare allusione a

aluvión nm (de agua) alluvione f; (de noticias, gente) valanga

alverja (LAm) nf pisello

alza nf rialzo; **estar en ~** (precio) essere in rialzo

alzamiento nm (rebelión) rivolta, insurrezione f; (de muro) innalzamento

alzar vt alzare, muro, monumento, innalzare; (precio) rialzare; **alzarse** vpr alzarsi; (rebelarse) ribellarsi; **~ la voz** alzare la voce

ama nf padrona (di casa), proprietaria ▶ **ama de casa** casalinga, massaia ▶ **ama de llaves** governante f

amabilidad nf cortesia, gentilezza

amable adj cortese, gentile; **es Vd. muy ~** è molto gentile da parte Sua

amaestrado, -a adj ammaestrato(-a)

amaestrar vt ammaestrare

amago nm minaccia; (de saludo) accenno; (MED) sintomo

amainar vi placarsi

amamantar vt allattare

amanecer vi: amanece spunta il giorno ♦ nm alba; **el niño amaneció con fiebre** il bambino si è svegliato con la febbre

amanerado, -a adj manierato(-a), lezioso(-a); (lenguaje) artificioso(-a)

amante adj: **~ de** amante di ♦ nm/f amante m/f

amapola nf papavero

amar vt amare

amargar vt (persona) amareggiare ♦ vi (comida) essere amaro(-a); **amargarse** vpr amareggiarsi

amargo, -a adj amaro(-a) ❏ **amargura** nf (tristeza) amarezza

amarillo, -a adj (color) giallo(-a) ♦ nm giallo

amarra nf cima di ormeggio; **~s** nfpl agganci mpl; **soltar ~s** mollare gli ormeggi

amarrar vt (NÁUT) ormeggiare; (atar) legare

amasar vt (masa, yeso) impastare

amazona nf amazzone f

Amazonas nm: **el (Río) ~** il Rio delle Amazzoni

ámbar nm ambra; (semáforo) giallo

ambición nf ambizione f ❏ **ambicionar** vt ambire a; **ambicionar hacer** ambire a fare

ambicioso, -a adj ambizioso(-a)

ambidextro, -a adj ambidestro(-a)

ambientación nf (CINE, TEATRO, TV) ambientazione f

ambiente nm (aire) aria; (entorno) ambiente m; **tener ~** riscuotere successo; **me fui porque no había ~** me ne sono andato perché non c'era l'atmosfera giusta

ambigüedad nf ambiguità f inv

ambiguo, -a adj ambiguo(-a)

ámbito nm ambito

ambos, -as adj pl entrambi(-e), tutti(-e) e due ♦ pron pl entrambi(-e), tutti(-e) e due

ambulancia nf ambulanza; **llamen a una ~** chiamate un'ambulanza

ambulante adj ambulante

ambulatorio nm ambulatorio

amén excl amen; **~ de** oltre a

amenaza nf minaccia

amenazar vt minacciare; **~ con (hacer)** minacciare di (fare); **~ de muerte** minacciare di morte

ameno, -a adj ameno(-a), piacevole

América nf America ▶ **América Central/Latina** America Centrale/Latina ▶ **América del Norte/del Sur** Nord America m/Sud America m

americana nf giacca

americano, -a adj, nm/f americano(-a)

ametralladora nf mitragliatrice f

amigable adj amichevole

amígdala nf tonsilla
□ **amigdalitis** nf tonsillite f

amigo, -a adj amico(-a) ♦ nm/f (persona) amico(-a); (amante) compagno(-a); **ser ~ de algo** essere amante di qc

aminorar vt (velocidad etc) ridurre

amistad nf amicizia; **~es** nfpl (amigos) amicizie fpl

amistoso, -a adj (tb partido) amichevole

amnesia nf amnesia

amnistía nf amnistia

amo nm padrone, proprietario; **hacerse el ~** farla da padrone

⚠ **amo** no se traduce nunca por la palabra italiana **amo**.

amoldarse vpr: **~ (a)** adattarsi (a)

amonestación nf ammonizione f, rimprovero; **amonestaciones** nfpl (REL) pubblicazioni fpl matrimoniali

amonestar vt ammonire

amontonar vt ammucchiare; (riquezas etc) accumulare; **amontonarse** vpr (gente) ammassarsi; (hojas, nieve etc) ammucchiarsi; (trabajo) accumularsi

amor nm amore m; **de mil ~es** volentieri; **hacer el ~** fare l'amore; **tener ~es con algn** avere una relazione con qn; **¡por (el) ~ de Dios!** per l'amor di Dio! ▸ **amor propio** amor proprio

amordazar vt imbavagliare

amorfo, -a adj amorfo(-a)

amoroso, -a adj amoroso(-a); **carta amorosa** lettera d'amore

amortiguador nm (dispositivo) ammortizzatore m; (parachoques) paracolpi m inv

amortiguar vt attutire; (dolor) attenuare; (color) sbiadire; (luz) abbassare

amotinar vt incitare alla rivolta; **amotinarse** vpr ammutinarsi

amparar vt proteggere, tutelare; (asistir) assistere; **ampararse** vpr ripararsi, cercare rifugio; **~se en** (ley, costumbre) avvalersi di □ **amparo** nm sostegno, protezione f; **al amparo de** sotto la protezione di

amperio nm ampere m inv

ampliación nf ampliamento; (de capital) aumento; (de estudios) approfondimento; (de foto) ingrandimento

ampliar vt ampliare; (plazo) prorogare; (foto) ingrandire; (estudios) approfondire

amplificador nm amplificatore m

amplificar vt amplificare

amplio, -a adj ampio(-a); (habitación) spazioso(-a); (ropa, difusión, uso, calle) largo(-a) □ **amplitud** nf ampiezza, vastità f inv; **de gran amplitud** di grande portata ▸ **amplitud de miras** larghezza di vedute

ampolla nf ampolla; (MED) vescica

amputar vt amputare

amueblar vt ammobiliare

amuleto nm amuleto

anales nmpl annali mpl

analfabetismo nm analfabetismo

analfabeto, -a adj, nm/f analfabeta m/f

analgésico nm analgesico

análisis nm inv analisi f inv

analista nm/f analista m/f

analizar vt analizzare

analógico, -a adj (semejante) analogo(-a); (aparato) analogico(-a)

anarquista nm/f anarchico(-a)

anatomía nf anatomia

anca nf (de animal) anca; (de caballo) groppa

ancho, -a adj largo(-a); (cuarto) spazioso(-a); (satisfecho) soddisfatto(-a) ♦ nm larghezza; **a lo ~** in larghezza; **me está** o **queda ~ el vestido** il vestito mi va largo; **estar a sus anchas** essere a proprio agio; **ir muy ~s** stare comodi

anchoa nf acciuga

anchura nf larghezza

anciano, -a adj, nm/f anziano(-a)

ancla nf ancora

Andalucía nf Andalusia

andaluz, a adj, nm/f andaluso(-a)

andamio nm impalcatura

---

andar

PALABRA CLAVE

vt percorrere, fare

♦ vi

1 (persona, animal) camminare; (coche) correre, andare

2 (funcionar: máquina, reloj) funzionare, andare

3 (estar) stare; **¿qué tal andas?** come stai?; **andar mal de dinero/ de tiempo** essere a corto di soldi/di tempo; **andar haciendo algo** fare qc; **anda (metido) en asuntos sucios** è implicato in affari loschi; **anda por los cuarenta** va per i quaranta; **no sé por dónde anda**

---

non so dov'è

4 (revolver): **no andes ahí/en mi cajón** non frugare lì/nel mio cassetto

5 (obrar): **andar con cuidado** fare attenzione; **andar con pies de plomo** andare o procedere con i piedi di piombo

♦ **andarse** vpr: **andarse con rodeos** o **por las ramas** menare il can per l'aia; **andarse con historias** raccontare storie

♦ nm: **andares** andatura

---

andén nm (FERRO) banchina, marciapiede m; (NÁUT) banchina, molo; (CAm: acera) marciapiede m; **¿desde qué ~ sale el tren a Roma?** da che binario parte il treno per Roma?

Andes nmpl: **los ~** le Ande fpl

Andorra nf Andorra

anduve etc vb ver **andar**

anduviera etc vb ver **andar**

anécdota nf aneddoto

anegar vt (lugar) inondare, allagare; **anegarse** vpr essere inondato(-a)

anemia nf anemia

anestesia nf anestesia
  ▶ **anestesia general/local** anestesia generale/locale

anexión nf annessione f
  ❑ **anexo, -a** adj annesso(-a) ♦ nm allegato

anfibio, -a adj anfibio(-a) ♦ nm anfibio

anfiteatro nm anfiteatro

anfitrión, -ona nm/f anfitrione m; **el equipo ~** (DEPORTE) i padroni di casa

ángel *nm* angelo ▸ **ángel de la guarda** angelo custode □ **angelical** *adj* angelico(-a)

angina *nf*: **tener ~s** avere un'angina ▸ **angina de pecho** angina pectoris

anglicano, -a *adj, nm/f* anglicano(-a)

anglosajón, -ona *adj, nm/f* anglosassone *m/f*

anguila *nf* anguilla

angula *nf* (*pescado*) ceca

ángulo *nm* angolo; (*punto de vista*) angolazione *f*

angustia *nf* angoscia; (*agobio*) ansia

anhelar *vt* anelare, agognare a; **~ hacer** desiderare fare □ **anhelo** *nm* anelito

anidar *vi* nidificare

anillo *nm* anello ▸ **anillo de boda** fede *f* ▸ **anillo de compromiso** anello di fidanzamento

animación *nf* animazione *f*

animado, -a *adj* (*tb fig*) animato(-a); (*alegre*) gioioso(-a)

animador, a *nm/f* animatore(-trice); (*de espectáculo*) presentatore(-trice)

animal *adj* animale ♦ *nm* animale *m*; **ser un ~** (*fig*) essere una bestia

animar *vt* animare; (*dar ánimo a*) incoraggiare; (*habitación*) vivacizzare; (*fuego*) ravvivare; **animarse** *vpr* animarsi; **~ a algn a hacer/para que haga** incoraggiare qc a fare; **~se a hacer** decidersi a fare

ánimo *nm* animo ♦ *excl* animo!; **tener ~(s) (para)** avere il coraggio (di); **con/sin ~ de hacer** con/senza l'intenzione di fare

animoso, -a *adj* coraggioso(-a)

aniquilar *vt* annientare; (*salud*) rovinare

anís *nm* anice *m*; (*licor*) liquore *m* all'anice

aniversario *nm* anniversario

anoche *adv* ieri sera; **antes de ~** l'altro ieri sera

anochecer *vi* farsi sera ♦ *nm* imbrunire *m*; **al ~** all'imbrunire

anomalía *nf* anomalia

anonadado, -a *adj* (*pasmado*) sconcertato(-a)

anonimato *nm* anonimato

anónimo, -a *adj* anonimo(-a) ♦ *nm* (*carta*) lettera anonima

anorexia *nf* anoressia

anormal *adj* anormale ♦ *nm/f* handicappato(-a)

anotar *vt* annotare

ansia *nf* ansia □ **ansiar** *vt* smaniare per; **ansiar hacer** smaniare di fare

ansiedad *nf* ansietà *f inv*

ansioso, -a *adj* ansioso(-a); **~ por (hacer)** ansioso di (fare)

antaño *adv* una volta, un tempo

Antártico *nm*: **el ~** l'Antartico

ante *prep* davanti a; (*enemigo, peligro*) di fronte a; (*datos, cifras*) in presenza di ♦ *nm* alce *m*; (*piel*) camoscio; **~ todo** innanzitutto

anteanoche *adv* l'altro ieri sera

anteayer *adv* l'altro ieri

antebrazo *nm* avambraccio

antecedente *adj* antecedente ♦ *nm* antecedente *m*; **estar en ~s** essere al corrente; **poner a algn en ~s** mettere qn al corrente ▸ **antecedentes penales** precedenti *mpl* penali

antecesor, a nm/f predecessore(-a)

antelación nf: **con ~** in anticipo; **¿debo hacer la reserva con ~?** occorre che prenoti in anticipo?

antemano: de ~ adv in anticipo

antena nf antenna ▶ **antena parabólica** antenna parabolica

anteojo nm cannocchiale m; **~s** nmpl (LAm) occhiali mpl

antepasados nmpl antenati mpl

anteponer vt: **~ algo a algo** anteporre qc a qc

anterior adj: **~ (a)** precedente (a), anteriore (a) ▢ **anterioridad** nf: **con anterioridad a** precedentemente a

antes adv prima; (primero) per prima cosa; (hace tiempo) prima, una volta ♦ prep: **~ de** (antiguamente) prima di ♦ conj: **~ de ir/de que te vayas** prima di andare via/che tu vada via; **~ bien** anzi; **~ de nada** prima di tutto; **dos días ~** due giorni prima; **la tarde de ~** la sera prima; **tomo el avión ~ que el barco** preferisco l'aereo invece che la nave; **~ que yo** prima di me

antibalas adj inv: **chaleco ~** giubbotto antiproiettile

antibiótico nm antibiotico

anticiclón nm anticiclone m

anticipación nf anticipo; **con 10 minutos de ~** con 10 minuti di anticipo; **hacer algo con ~** fare qc in anticipo

anticipado, -a adj anticipato(-a); **por ~** in anticipo

anticipar vt anticipare; **anticiparse** vpr (estación) arrivare in anticipo; **~se a** (adelantarse) precedere, anticipare; (prever) prevenire

anticipo nm anticipo

anticonceptivo, -a adj contraccettivo(-a) ♦ nm contraccettivo

anticongelante nm (AUTO) anticongelante m

anticuado, -a adj antiquato(-a)

anticuario nm/f antiquario(-a)

anticuerpo nm anticorpo

antídoto nm antidoto

antiestético, -a adj antiestetico(-a)

antifaz nm maschera

antiglobalización nf antiglobalizzazione f ▢ **antiglobalizador, a** adj antiglobal inv

antiguamente adv anticamente; (hace tiempo) in passato

antigüedad nf antichità f inv; (en empleo) anzianità f inv; **~es** nfpl antichità fpl

antiguo, -a adj antico(-a); (pey) antiquato(-a); (cliente etc) vecchio(-a) ♦ nm: **los ~s** gli antichi mpl; **su ~ novio** il suo ex fidanzato; **a la antigua** all'antica

Antillas nfpl: **las ~** le Antille fpl

antílope nm antilope f

antinatural adj (perverso) contro natura; (afectado) forzato(-a)

antipatía nf antipatia

antipático, -a adj antipatico(-a)

antirrobo adj inv antifurto inv

antisemita adj, nm/f antisemita m/f

antiséptico, -a adj antisettico(-a) ♦ nm antisettico

antojarse vpr: **se me antoja comprarlo** mi viene voglia di comprarlo; **se me antoja que** credo o ho idea che

antojo nm capriccio; (ANAT, de embarazada, lunar) voglia; **a mi (tu etc) ~** come mi (ti ecc) pare

antología nf antologia

antorcha nf torcia

antro nm antro

antropología nf antropologia

anual adj annuale

anuario nm annuario

anulación nf annullamento; (de ley) abrogazione f

anular vt annullare; (ley) abrogare ♦ nm (tb: **dedo ~**) dito anulare; **quisiera ~ la reserva** vorrei disdire la mia prenotazione

anunciar vt annunciare; (COM) pubblicizzare

anuncio nm annuncio; (COM) annuncio pubblicitario, pubblicità f inv; (en televisión) spot m inv pubblicitario; (cartel) cartellone m pubblicitario ▸ **anuncios por palabras** annunci economici

anzuelo nm amo; (fig) esca

añadir vt aggiungere; (prenda) allungare

añejo, -a adj (vino) invecchiato(-a); (pey: tocino, jamón) stagionato(-a)

añicos nmpl pezzi mpl, cocci mpl; **hacer ~** (cosa) fare a pezzi; **hacerse ~** andare in mille pezzi; (cristal) andare in frantumi

año nm anno; **los ~ 80** gli anni '80; **¡Feliz A~ Nuevo!** Buon anno!; **tener 15 ~s** avere 15 anni ▸ **año-luz** luce

añoranza nf nostalgia

apabullar vt umiliare, disorientare

apacible adj tranquillo(-a); (clima) mite; (lluvia) fine

apaciguar vt calmare; **apaciguarse** vpr calmarsi

apadrinar vt (REL) fare da padrino a

apagado, -a adj (persona) scialbo(-a); (color) smorto(-a), spento(-a); (sonido) sordo(-a); **estar ~** essere spento

apagar vt spegnere; (sed) togliere; **apagarse** vpr spegnersi; **no puedo ~ la calefacción** non riesco a spegnere il riscaldamento; **¿podría ~ la luz?** può spegnere le luce?

apagón nm black out m inv

apalear vt bastonare

apañar (fam) vt (arreglar: vestido) aggiustare; **apañarse** vpr: **~se** o **apañárselas (para hacer)** cavarsela (a fare)

⚠ **apañar** no se traduce nunca por la palabra italiana *appannare*.

aparador nm credenza

aparato nm apparato; (RADIO, TV) apparecchio; **~s** nmpl (de gimnasia) attrezzi mpl ▸ **aparatos de mando** (AER etc) comandi mpl

aparatoso, -a adj spettacolare; (traje, sombrero) vistoso(-a)

aparcamiento nm (lugar) parcheggio

aparcar vt, vi parcheggiare; **¿se puede ~ aquí?** posso parcheggiare qui?

aparearse vpr accoppiarsi

aparecer vi apparire, comparire; (publicarse) uscire; (ser encontrado) saltare fuori; **aparecerse** vpr apparire

aparejador, a nm/f (ARQ) geometra m/f

aparejo nm (de pesca) attrezzatura; (NÁUT) alberatura

aparentar vt (edad) dimostrare ♦ vi fingere; ~ **hacer** fingere di fare

aparente adj apparente

aparezca etc vb ver **aparecer**

aparición nf apparizione f; (de libro) uscita

apariencia nf apparenza; ~s nfpl (aspecto) apparenze fpl; **en** o **al** all'apparenza; **tener (la) ~ de** aver l'aria di; **guardar las ~s** salvare le apparenze

apartado, -a adj (lugar) appartato(-a) ♦ nm paragrafo; (JUR) comma m ▸ **apartado (de correos)** casella postale

apartamento nm appartamento

apartar vt separare; (alejar) allontanare; (comida, dinero) mettere da parte; (vista, atención) distogliere; **apartarse** vpr scostarsi

aparte adv (en otro sitio) a parte; (en sitio retirado) da parte; (además) inoltre ♦ prep: ~ **de** a parte ♦ adj a parte; ~ **de que** senza contare che; **punto y** ~ punto e a capo

aparthotel nm residence m inv

apasionado, -a adj appassionato(-a); ~ **de/por** appassionato di

apasionar vt: **le apasiona el fútbol** è un(-a) fanatico(-a) del calcio; **apasionarse** vpr appassionarsi; ~**se por** appassionarsi a; (persona) essere perdutamente innamorato(-a) di

apatía nf apatia

apático, -a adj apatico(-a)

Apdo. abr (= Apartado (de Correos)) C.P., casella postale

apeadero nm (FERRO) fermata

apearse vpr: ~ **(de)** scendere (da)

apechugar vi: ~ **con algo** sobbarcarsi qc

apegarse vpr: ~ **a** (a persona) essere affezionato(-a) a; (a cargo) prendere a cuore ❑ **apego** nm: **tener apego a** essere affezionato(-a) a

apelar vi (justicia) ricorrere in appello; ~ **a** fare appello a

apellidarse vpr: **se apellida Pérez** di cognome fa Pérez

apellido nm cognome m

apenar vt addolorare; (LAm: avergonzar) mettere in imbarazzo; **apenarse** vpr rattristarsi; (LAm) vergognarsi

apenas adv appena ♦ conj appena; ~ **si podía levantarse** riusciva a stento ad alzarsi; **no le he visto ~** non l'ho quasi visto

apéndice nm appendice f ❑ **apendicitis** nf appendicite f

aperitivo nm aperitivo

aperos nmpl (utensilios) attrezzi mpl, arnesi mpl

apertura nf apertura; (de curso) inaugurazione f

apestar vt appestare ♦ vi: ~ a puzzare (di); **estar apestado de** essere pieno zeppo di

apetecer vt: ¿te apetece una tortilla? ti va una tortilla? □ **apetecible** adj (mujer) desiderabile; (comida) appetibile; (olor) invitante

apetito nm appetito □ **apetitoso, -a** adj appetitoso(-a), invitante

apiadarse vpr: ~ de impietosirsi per

ápice nm (fig) apice m; (fam) briciolo

apilar vt accatastare, ammucchiare

apiñarse vpr accalcarsi, ammucchiarsi

apio nm sedano

apisonadora nf rullo compressore

aplacar vt calmare, placare; (entusiasmo) spegnere; **aplacarse** vpr calmarsi, placarsi; (entusiasmo) spegnersi

aplastante adj schiacciante

aplastar vt schiacciare

aplaudir vt, vi applaudire

aplauso nm applauso

aplazamiento nm rinvio

aplazar vt (reunión) rinviare

aplicación nf applicazione f

aplicado, -a adj diligente

aplicar vt applicare; (inyección) fare; **aplicarse** vpr applicarsi

aplique vb ver **aplicar** ♦ nm applique f inv

aplomo nm aplomb m inv

apoderado nm (JUR, COM) procuratore(-trice)

apoderarse vpr: ~ de impossessarsi di

apodo nm soprannome m

apogeo nm apice m

aporrear vt picchiare; (puerta) battere

aportar vt (datos) fornire; (dinero) contribuire con; **aportarse** vpr (LAm) arrivare

aposta adv apposta

apostar vt (dinero) scommettere; (tropas) appostare ♦ vi scommettere; **apostarse** vpr appostarsi; ¿qué te apuestas a que ...? scommettiamo che ...?

apóstol nm apostolo

apóstrofo nm apostrofo

apoyar vt appoggiare; (confirmar) confermare; **apoyarse** vpr: ~se en (fig) basarsi su □ **apoyo** nm appoggio; (base) fondamento

apreciable adj apprezzabile

apreciar vt apprezzare

aprecio nm stima; **tener ~ a** o **sentir ~ por algn** tenere qn in grande considerazione

aprehender vt (armas, drogas) sequestrare; (persona) prendere, acciuffare

 aprehender no se traduce nunca por la palabra italiana **apprendere**.

aprender vt, vi imparare; ~ **de memoria** o **de carretilla** imparare a memoria

aprendiz, a nm/f apprendista m/f □ **aprendizaje** nm apprendistato

aprensión nm apprensione f; (escrúpulo) senso, ribrezzo

aprensivo, -a adj apprensivo(-a)

apresar vt afferrare; (*delincuente*) catturare; (*contrabando*) sequestrare

apresurado, -a adj (*decisión*) affrettato(-a); (*persona*) frettoloso(-a)

apresurarse vpr affrettarsi; ~ (**a hacer**) affrettarsi a (fare)

apretado, -a adj stretto(-a); (*difícil*) difficile; (*programa*) fitto(-a); **vivir** ~ vivere in grandi ristrettezze

apretar vt stringere; (*gatillo, botón*) premere ♦ vi (*calor etc*) intensificarsi; (*zapatos, ropa*) stringere; ~ **el paso** affrettare il passo

apretón nm: ~ **de manos** stretta di mano; **apretones** nmpl bisogno sg urgente

aprieto vb ver **apretar** ♦ nm guaio, difficoltà f inv; **estar en un** ~ essere in difficoltà; **estar en** ~s attraversare momenti difficili

aprisa adv in fretta

aprisionar vt (*poner en prisión*) mettere in prigione; (*sujetar*) bloccare, imprigionare

aprobar vt (*decisión*) approvare; (*examen, materia*) passare ♦ vi (*en examen*) essere promosso(-a); ~ **por mayoría/por unanimidad** approvare a maggioranza/ all'unanimità

apropiado, -a adj adatto(-a), appropriato(-a)

apropiarse vpr: ~ **de** appropriarsi di

aprovechado, -a adj (*estudiante*) diligente; (*día, viaje*) ben speso(-a) ♦ nm/f (*pey: persona*) profittatore(-trice)

aprovechar vt approfittare di; (*tela, comida, ventaja*) sfruttare ♦ vi

servire; **aprovecharse** vpr: ~**se de** (*pey*) approfittarsi di; **¡que aproveche!** buon appetito!; ~ **la ocasión para hacer** approfittare dell'occasione per fare

aproximarse vpr avvicinarsi

apruebe etc vb ver **aprobar**

aptitud nf attitudine f

apto, -a adj idoneo(-a); (*apropiado*) adatto(-a)

apuesta nf scommessa

⚠ **apuesta** no se traduce nunca por la palabra italiana **apposta**.

apuntar vt (*tb fig*) puntare, mirare; (*con dedo*) indicare; (*datos*) appuntare; (*TEATRO*) suggerire; **apuntarse** vpr (*tanto, victoria*) ottenere; (*en lista, registro*) iscriversi

apunte nm nota; (*dibujo*) schizzo; ~**s** nmpl (*ESCOL*) appunti mpl

apuñalar vt pugnalare

apurado, -a adj (*necesitado*) al verde; (*situación*) difficile; **estar** ~ (*avergonzado*) essere imbarazzato; (*LAm: con prisa*) avere fretta

apurar vt (*bebida, cigarrillo*) finire; (*recursos*) esaurire; (*persona: agobiar*) assillare; (: *causar vergüenza a*) mettere in imbarazzo; (*agotar la paciencia*) esasperare; **apurarse** vpr preoccuparsi; (*LAm: darse prisa*) sbrigarsi

⚠ **apurar** no se traduce nunca por la palabra italiana **appurare**.

apuro nm (*aprieto, vergüenza*) imbarazzo; (*LAm: prisa*) fretta; **estar en** ~**s** (*dificultades*) essere nei guai; (*falta de dinero*) essere al verde

aquejado, -a adj: ~ **de** (*MED*) sofferente di

aquel, aquella (*mpl* ~los, *fpl* ~las) *adj* quel, quello(-a); (*pl*) quelli(-e)

aquél, aquélla (*mpl* ~los, *fpl* ~las) *pron* quello(-a); (*pl*) quelli(-e)

aquello *pron* quello, ciò; ~ **que hay allí** quello che sta lì

aquí *adv* qui, qua; ~ **abajo/arriba** qui sotto/sopra; ~ **mismo** proprio qui; **de ~ en adelante** d'ora in poi; **de ~ a siete días** entro sette giorni; **hasta ~** fin qui; **por ~** per di qua

aras *nfpl*: **en ~ de** in onore di

árabe *adj, nm/f* arabo(-a) ♦ *nm* (LING) arabo

Arabia *nf* Arabia; ~ **Saudí** o **Saudita** Arabia Saudita

arado *nm* aratro

Aragón *nm* Aragona

aragonés, -esa *adj, nm/f* aragonese *m/f* ♦ *nm* (LING) aragonese *m*

arancel *nm* (*tb*: ~ **de aduanas**) tariffa doganale

arandela *nf* rondella

araña *nf* ragno; (*lámpara*) lampadario

arañar *vt* (*herir*) graffiare; (*raspar*) rigare, graffiare; **arañarse** *vpr* graffiarsi

arañazo *nm* graffio

arbitrar *vt, vi* arbitrare

arbitrario, -a *adj* arbitrario(-a)

árbitro, -a *nm/f* arbitro(-a)

árbol *nm* (BOT, TEC, NÁUT) albero ▸ **árbol de Navidad** albero di Natale

arboleda *nf* boschetto

arbusto *nm* arbusto

arca *nf* cassa

arcada *nf* arcata; ~**s** *nfpl* (MED) conati *mpl* di vomito

arcaico, -a *adj* arcaico(-a)

arce *nm* acero

arcén *nm* (*de carretera*) banchina

archipiélago *nm* arcipelago

archivador *nm* (*mueble*) schedario

archivar *vt* archiviare □ **archivo** *nm* archivio

arcilla *nf* argilla

arco *nm* (*tb* MÚS) arco; (LAm: DEPORTE) porta ▸ **arco iris** arcobaleno

arder *vi* ardere, bruciare; **estar que arde** (*fam*) è furibondo

ardid *nm* trucco, stratagemma *m*

ardiente *adj* ardente

ardilla *nf* scoiattolo

ardor *nm* ardore *m* ▸ **ardor de estómago** bruciore *m* di stomaco

arduo, -a *adj* arduo(-a)

área *nf* area ▸ **área de castigo** area di rigore

arena *nf* sabbia ▸ **arenas movedizas** sabbie *fpl* mobili

arenal *nm* arenile *m*

arenisca *nf* arenaria

arenoso, -a *adj* sabbioso(-a)

arenque *nm* aringa

Argel *n* Algeri *f* □ **Argelia** *nf* Algeria

argelino, -a *adj, nm/f* algerino(-a)

Argentina *nf* Argentina

argentino, -a *adj, nm/f* argentino(-a)

argolla *nf* anello; (LAm: *anillo de matrimonio*) fede *f*

argot (*pl* ~**s**) *nm* gergo

argumentar *vt* argomentare; ~ **que** (*alegar*) sostenere che

argumento *nm* argomento; (CINE, TV) trama

aria *nf* (MÚS) aria

aridez nf aridità f inv

árido, -a adj arido(-a)

Aries nm (ASTROL) Ariete m; **ser ~** essere (dell')Ariete

arisco, -a adj (persona) scontroso(-a), intrattabile

aristocracia nf aristocrazia

aristócrata nm/f aristocratico(-a)

arma nf arma; **~s** nfpl (MIL) armi fpl
▶ **arma blanca** arma bianca
▶ **arma de doble filo** (fig) arma a doppio taglio ▶ **arma de fuego** arma da fuoco

armada nf marina militare; (flota) armata

armadillo nm armadillo

armado, -a adj armato(-a)

armadura nf (MIL, TEC, FÍS) armatura; (tejado) orditura; (de gafas) montatura

armamento nm armamento

armar vt armare; (MEC, TEC) montare; (ruido, escándalo) dare; **armarse** vpr: **~se (con/de)** armarsi (di); **~la** scatenare il finimondo; **se ha armado un lío tremendo** è scoppiato un casino incredibile

armario nm armadio ▶ **armario de cocina** dispensa ▶ **armario empotrado** armadio a muro

armatoste nm (fam) catafalco

armazón nf, nm impalcatura; (ARQ) ossatura; (AUTO) telaio

armiño nm ermellino

armisticio nm armistizio

armonía nf armonia

armónica nf armonica

armonizar vt armonizzare ♦ vi: **~ con** (fig) essere in armonia con

arneses nmpl (para caballerías) finimenti mpl

aro nm cerchio, anello; (juguete) cerchio; (CS: pendiente) orecchino ad anello

aroma nm profumo; (de comida) aroma m

aromaterapia nf aromaterapia

aromático, -a adj aromatico(-a)

arpa nf arpa

arpía nf (fig) arpia

arpón nm fiocina

arqueología nf archeologia

arqueólogo, -a nm/f archeologo(-a)

arquetipo nm archetipo

arquitecto, -a nm/f architetto
❑ **arquitectura** nf architettura

arrabal nm sobborgo; **~es** nmpl (afueras) sobborghi mpl, periferia

arraigar vi (tb ideas, costumbres) attecchire; (persona) stabilirsi, mettere radici; **arraigarse** vpr (costumbre) radicarsi; (persona) stabilirsi

arrancar vt (tb fig) strappare; (árbol) sradicare; (carteles, colgaduras, esparadrapo) togliere; (AUTO) mettere in moto; (INFORM) avviare ♦ vi (máquina, coche) partire, mettersi in moto; **~ de raíz** sradicare

⚠ **arrancar** no se traduce nunca por la palabra italiana **arrancare**.

arranque vb ver **arrancar** ♦ nm (AUTO) avviamento; (fig: arrebato) attacco; (decisión) energia

arrasar vi (fig) stravincere

arrastrar vt trascinare; (suj: agua, viento) trasportare; (impulsar) spingere ♦ vi trascinarsi;
arrastrarse vpr strisciare; **llevar**

algo arrastrando (fig) trascinarsi dietro qc da lungo tempo

arrear vt incitare; (fam) mollare, dare

arrebatar vt strappare; **arrebatarse** vpr arrabbiarsi, andare su tutte le furie

arrebato nm impeto, accesso; **~ de entusiasmo** slancio di entusiasmo

arrecife nm scogliera; (tb: **~ de coral**) barriera corallina

arreglado, -a adj (persona) curato(-a); (vida) posato(-a); (habitación) ordinato(-a)

arreglar vt sistemare; (persona) preparare; (algo roto) riparare; (problema) risolvere; (entrevista) fissare; **arreglarse** vpr sistemarsi; (acicalarse) prepararsi; **¿dónde me lo pueden ~?** dove lo posso portare a riparare?; **arreglárselas** (fam) cavarsela; **~se el pelo/las uñas** aggiustarsi i capelli/farsi le unghie; **después de la pelea se han arreglado** dopo aver litigato hanno fatto pace

arreglo nm ordine m; (acuerdo) accordo; (MÚS) arrangiamento; (de algo roto) riparazione f; **con ~ a** in conformità con

arremangar vt rimboccare; **arremangarse** vpr rimboccarsi

arremeter vi: **~ contra** scagliarsi contro

arrendamiento nm affitto, locazione f; (precio) pigione f, affitto
  ❏ **arrendar** vt affittare
  ❏ **arrendatario, -a** nm/f locatario(-a)

arreos nmpl finimenti mpl

arrepentimiento nm pentimento

arrepentirse vpr: **~ (de)** pentirsi (di); **~ de haber hecho algo** pentirsi di aver fatto qc

arresto nm arresto, detenzione f; **~s** nmpl (audacia) coraggio sg
  ▶ **arresto domiciliario** arresti domiciliari

arriar vt ammainare

---

arriba

PALABRA CLAVE

adv

1 (posición) su, sopra; **allí arriba** lassù; **el piso de arriba** l'appartamento al piano di sopra; **la parte de arriba** la parte di sopra; **desde arriba** da su; **arriba del todo** in cima; **Juan está arriba** Juan è su; **lo arriba mencionado** quanto detto sopra

2 (dirección): **ir calle arriba** andare su per la strada; **río arriba** a monte del fiume

3 **mirar a algn de arriba abajo** guardare qn dall'alto in basso

♦ prep: **arriba de** (LAm) sopra; **arriba de 5 euros** più di 5 euro

♦ excl: **¡arriba!** (¡levanta!) sveglia!; **¡manos arriba!** mani in alto!; **¡arriba España!** Forza Spagna!

---

arribar vi approdare, arrivare

arriendo vb ver **arrendar** ♦ nm = **arrendamiento**

arriesgado, -a adj (peligroso) rischioso(-a); (audaz: persona) audace

arriesgar vt rischiare; **arriesgarse** vpr rischiare; **~se a hacer algo** arrischiarsi a fare qc

arrimar vt (acercar): **~ a** accostare a; **arrimarse** vpr: **~se a** (acercarse) avvicinarsi a; (*apoyarse*) appoggiarsi a

arrinconar vt (*algo viejo*) mettere da parte; (*enemigo*) mettere alle strette

arrodillarse vpr inginocchiarsi

arrogante adj arrogante; (*valioso*) valoroso(-a)

arrojar vt (*piedras, pelota*) lanciare; (*basura*) gettare; (*humo*) buttare; (*persona*) cacciare (via); (*COM*) dare; **arrojarse** vpr gettarsi

arrojo nm audacia, ardimento

arrollador, a adj (*éxito, fuerza*) travolgente; (*mayoría, victoria*) schiacciante

arrollar vt (*suj: vehículo*) travolgere, investire; (*DEPORTE*) sconfiggere

arropar vt coprire; **arroparse** vpr coprirsi

arroyo nm ruscello; (*de la calle*) canaletto di scolo

arroz nm riso ▶ **arroz blanco** (*CULIN*) riso in bianco ▶ **arroz con leche** riso al latte

arruga nf ruga; (*en ropa*) sgualcitura

arrugar vt (*ropa, papel*) sgualcire; (*ceño, frente*) corrugare; **arrugarse** vpr corrugarsi; (*ropa*) sgualcirsi

arruinar vt mandare in rovina; (*ocasionar ruina*) rovinare; **arruinarse** vpr andare in rovina; (*estropearse*) rovinarsi

arsenal nm arsenale m

arte nm (*gen m en sg y siempre f en pl*) arte f; (*maña*) abilità f inv; **por amor al ~** per amore dell'arte; **por ~ de magia** come per incanto o magia; **Bellas A~s** Belle Arti

artefacto nm apparecchio, macchina; **~ explosivo** ordigno esplosivo

arteria nf arteria

artesanía nf artigianato; **de ~** artigianale

artesano, -a nm/f artigiano(-a)

ártico, -a adj artico(-a) ♦ nm: **el Á~** l'Artico

articulación nf articolazione f

artículo nm articolo; **~s** nmpl (*COM*) articoli mpl ▶ **artículos de tocador** (prodotti mpl) cosmetici mpl

artífice nm/f artefice m/f

artificial adj artificiale; (*fig*) forzato(-a)

artillería nf artiglieria

artilugio nm marchingegno

artimaña nf (*ardid*) sotterfugio, stratagemma m

artista nm/f artista m/f ▶ **artista de cine/de teatro** attore(-trice) (di cinema)/(di teatro)

artístico, -a adj artistico(-a)

artritis nf artrite f

arveja (*LAm*) nf (*guisante*) pisello

arzobispo nm arcivescovo

as nm asso; **ser un as (de)** (*fig*) essere un asso (di)

asa nf manico

asado nm (*carne*) arrosto; (*LAm: barbacoa*) barbecue m inv

asaduras nfpl (*CULIN*) frattaglie fpl

asalariado, -a adj, nm/f salariato(-a), stipendiato(-a)

asaltar vt (*banco etc*) assaltare, rapinare; (*MIL*) assaltare; (*persona, fig*) assalire ▢ **asalto** nm (*a banco*) rapina, assalto; (*a persona, MIL*) assalto; (*BOXEO*) ripresa

asamblea nf assemblea

asar vt arrostire; **asarse** vpr (*fig*) soffocare, morire di caldo

ascendencia nf ascendenza; **de ~ francesa** di origine francese

ascender vi salire; (en puesto de trabajo) essere promosso(-a) ♦ vt promuovere; **a** ~ ammontare a
□ **ascendiente** nm ascendente m; **tener mucho ascendiente sobre algn** avere un grande ascendente su qn

ascensión nf ascensione f; **la A~** (REL) l'Ascensione

ascenso nm promozione f

ascensor nm ascensore m; (para mercancías) montacarichi m inv

asco nm: **¡qué ~!** che schifo!; **el ajo me da ~** l'aglio mi fa schifo; **estar hecho un ~** essere ridotto uno schifo; **ser un ~** (libro, película) essere una boiata, fare schifo

ascua nf tizzone m; **~s** nfpl brace f; **estar en o sobre ~s** essere o stare sulle spine

asear vt (casa) rassettare; **asearse** vpr (persona) rassettarsi

asediar vt (tb fig) assediare
□ **asedio** nm assedio

asegurado, -a adj, nm/f assicurato(-a)

asegurar vt assicurare; (cuerda, clavo) fissare; (maleta) chiudere; **asegurarse** vpr accertarsi, assicurarsi; **~se (contra)** (COM) assicurarsi (contro)

asemejarse vpr somigliarsi

asentado, -a adj sensato(-a); **estar ~ en** essere situato su; (persona: región, Estado) essersi stabilito in

asentar vt (instalar) posare; (asegurar) consolidare; (alisar) appiattire, spianare; **asentarse** vpr (pueblo) insediarsi, stanziarsi; (líquido, polvo) depositarsi

asentir vi acconsentire; **~ con la cabeza** acconsentire con un cenno del capo

aseo nm igiene f, pulizia; **~s** nmpl (servicios) servizi m pl igienici

aséptico, -a adj asettico(-a)

asequible adj (precio) accessibile; **~ a** (comprensible) accessibile a, alla portata di

asesinar vt assassinare
□ **asesinato** nm assassinio

asesino, -a nm/f assassino(-a)

asesor, a nm/f consulente m/f
► **asesor fiscal** commercialista m/f

asesorar vt (JUR, COM) consigliare, dare consulenza a; **asesorarse** vpr: **~se con** o **de** consultarsi con
□ **asesoría** nf (cargo) consulenza; (oficina) ≈ studio del commercialista

asestar vt (golpe) assestare; (apuntar) puntare

asfalto nm asfalto

asfixia nf asfissia

asfixiar vt (persona) asfissiare; (suj: calor) soffocare; **asfixiarse** vpr asfissiarsi; **~se de calor** soffocare dal caldo

así adv (de esta manera) così ♦ conj (aunque) se anche; **~ de grande** così grande; **~ llamado** cosiddetto; **y ~ sucesivamente** e così di seguito; **~ y todo** malgrado tutto; **¿no es ~?** non è così?; **seis unos o ~** più o meno sei euro; **~ como** (también) così come; **~ pues** per cui; **~ que** (en cuanto) (non) appena; **~ que** (por consiguiente) e così, perciò

Asia nf Asia

asiático, -a adj, nm/f asiatico(-a)

asiduo, -a adj assiduo(-a) ♦ nm/f habitué m/f inv

asiento vb ver asentar; asentir ♦ nm (tb de cine, tren) posto; (de coche) sedile m; (POL) seggio; (COM) voce f, registrazione f; **quisiera un ~ junto al pasillo** vorrei un posto sul corridoio ► **asiento delantero/ trasero** sedile anteriore/ posteriore

asignación nf assegnazione f; (paga) stipendio

asignar vt assegnare

asignatura nf materia

asilo nm asilo; **pedir ~** chiedere asilo; **dar ~ a algn** dare asilo a qn ► **asilo político** asilo politico

asimilar vt assimilare; **asimilarse** vpr: **~se a** somigliare a

asimismo adv anche

asistencia nf assistenza; (tb: ~ médica) assistenza sanitaria ► **asistencia social/técnica** assistenza sociale/tecnica

asistenta nf donna delle pulizie

⚠ **asistenta** no se traduce nunca por la palabra italiana *assistente*.

asistente nm/f assistente m/f; **los ~s** i presenti ► **asistente social** assistente sociale

asistido, -a adj assistito(-a); **~ por ordenador** assistito al computer; **dirección asistida** servosterzo

asistir vt assistere ♦ vi: **~ (a)** (ceremonia) assistere (a); (clases) frequentare

asma nf asma

asno nm asino

asociación nf associazione f ► **asociación de ideas** associazione di idee

asociado, -a adj associato(-a) ♦ nm/f socio(-a)

asociar vt associare; **asociarse** vpr: **~se (a)** associarsi (a)

asomar vt sporgere ♦ vi (sol) spuntare; (barco) apparire; **asomarse** vpr: **~se a** o **por** affacciarsi a

asombrar vt (causar asombro) spaventare; (causar admiración) stupire; **asombrarse** vpr: **~se (de)** (sorprenderse) stupirsi (di) ❑ **asombro** nm (sorpresa) stupore m ❑ **asombroso, -a** adj stupefacente

asomo nm segno, indizio; **ni por ~** per niente al mondo

aspa nf (de molino) pala

aspaviento nm smanceria; **hacer ~s** fare storie

aspecto nm aspetto; (fig) aspetto, lato; **tener buen/mal ~** (persona) avere una bella/brutta cera

áspero, -a adj ruvido(-a); (sabor) aspro(-a)

aspersión nf: **riego por ~** irrigazione f a pioggia

aspiración nf aspirazione f

aspirador nm = aspiradora

aspiradora nf aspirapolvere m inv

aspirante nm/f aspirante m/f

aspirar vt aspirare ♦ vi: **~ a (hacer)** aspirare a (fare)

aspirina nf aspirina

asqueroso, -a adj, nm/f (que causa asco) schifoso(-a); (que tiene asco) schifiltoso(-a)

asta nf asta; **~s** nfpl (ZOOL) corna fpl; **a media ~** a mezz'asta

asterisco nm asterisco

astigmatismo nm astigmatismo

astilla nf scheggia

astilleros nmpl cantieri mpl navali

astro nm astro

astrología nf astrologia

astronauta nm/f astronauta m/f

astronomía nf astronomia

astucia nf astuzia

astuto, -a adj astuto(-a)

asumir vt accettare; (mando) assumere

asunción nf assunzione f; **la A~** l'Assunzione

asunto nm fatto, faccenda; (argumento) soggetto, argomento; (negocio) affare m

asustar vt spaventare; **asustarse** vpr: **~se (de** o **por)** spaventarsi (di o per)

atacar vt attaccare

atadura nf legatura; (fig) legame m

atajar vt (interrumpir) interrompere; (cortar el paso a) tagliare la strada a, bloccare; (enfermedad) arrestare; (riada, sublevación) contenere; (incendio) fermare ♦ vi: **~** tagliare

atajo nm scorciatoia; (ESGRIMA) finta

atañer vi: **~ a** (persona) riguardare; (gobierno) spettare a

ataque vb ver **atacar** ♦ nm (MIL, DEPORTE, MED) attacco; (de nervios, risa) crisi f inv; (de ira) scoppio ▶ **ataque cardíaco** attacco cardiaco

atar vt legare; **atarse** vpr (zapatos) allacciarsi; (corbata) fare il nodo a; **~ cabos** trarre conclusioni

atardecer vi: **atardece a las 8** si fa buio alla 8 ♦ nm imbrunire m

atareado, -a adj indaffarato(-a)

atascar vt intasare, otturare; (fig) ostacolare; **atascarse** vpr intasarsi;

(coche) impantanarsi; (motor) incepparsi; (fig: al hablar) impappinarsi; **el lavabo está atascado** il lavandino è ostruito ❑ **atasco** nm ostruzione f; (AUTO) ingorgo

ataúd nm bara

ataviar vt abbigliare; **ataviarse** vpr agghindarsi

atemorizar vt intimorire, spaventare; **atemorizarse** vpr: **~se (de** o **por)** intimorirsi (per)

Atenas n Atene f

atención nf attenzione f ♦ excl attenzione!; **atenciones** nfpl (amabilidad) attenzioni fpl; **llamar la ~ a algn** (despertar curiosidad) colpire qn, meravigliare qn; (reprender) sgridare qn

atender vt (consejos) dare retta a; (enfermo, niño) accudire; (petición) esaudire, soddisfare; (en un bar, tienda) servire ♦ vi: **~ a** fare attenzione a; (considerar) prendere in considerazione; **~ al teléfono** rispondere al telefono; **~ a la puerta** stare attento alla porta

atenerse vpr: **~ a** attenersi a; **~ a las consecuencias** accettare le conseguenze

atentado nm attentato; (delito) offesa; **~ contra la vida de algn** attentato alla vita di qn ▶ **atentado contra el pudor** offesa al pudore

atentamente adv attentamente; **"le saluda ~"** (en carta) "distinti saluti"

atentar vi: **~ contra** (seguridad) attentare a; (moral, derechos) offendere, calpestare; (POL) compiere un attentato contro

atento, -a adj attento(-a); (cortés) gentile; **~ a** attento a

atenuar vt attenuare; **atenuarse** vpr attenuarsi

ateo, -a adj, nm/f ateo(-a)

aterrador, a adj terrificante

aterrizaje nm (AER) atterraggio ▸ **aterrizaje forzoso** atterraggio di fortuna

aterrizar vi atterrare

aterrorizar vt terrorizzare; **aterrorizarse** vpr: **~se (de o por)** spaventarsi (di o per)

atesorar vt accumulare; (fig) possedere

atestar vt colmare, riempire; (JUR) testimoniare

atestiguar vt (JUR) testimoniare; (fig: dar prueba de) provare

atiborrar vt riempire; **atiborrarse** vpr: **~se (de)** riempirsi (di)

ático nm attico

atinado, -a adj riuscito(-a); (apropiado) opportuno(-a)

atinar vi riuscire; (fig) azzeccare, indovinare; **~ con o en** (solución) trovare

atizar vt (fuego, fig) attizzare; (fam: golpe) mollare

atlántico, -a adj atlantico(-a) ♦ nm: **el (Océano) A~** l'(Oceano) Atlantico

atlas nm atlante m

atleta nm/f atleta m/f
❑ **atlético, -a** adj (competición) di atletica; (persona) atletico(-a)
❑ **atletismo** nm atletica leggera

atmósfera nf atmosfera

atolladero nm (fig) vicolo cieco

atómico, -a adj atomico(-a)

átomo nm atomo

atónito, -a adj attonito(-a)

atontado, -a adj frastornato(-a) ♦ nm/f rimbambito(-a)

atormentar vt tormentare; **atormentarse** vpr tormentarsi

atornillar vt avvitare

atosigar vt ossessionare, assillare; **atosigarse** vpr innervosirsi, inquietarsi

atracador, a nm/f rapinatore(-trice)

atracar vt (NÁUT) attraccare; (atacar) rapinare ♦ vt attaccare; **atracarse** vpr: **~se (de)** abbuffarsi (di)

atracción nf attrazione f; **sentir ~ por** provare attrazione per; **parque de atracciones** parco di divertimenti

atraco nm rapina; (NÁUT) attracco

atracón nm: **darse o pegarse un ~ (de)** (fam) farsi una scorpacciata (di)

atractivo, -a adj attraente ♦ nm fascino, attrattiva

atraer vt attrarre; **atraerse** vpr attrarsi

atragantarse vpr: **~ (con)** strozzarsi (con); **se me ha atragantado el chico ése** non lo posso vedere, quello; **se me ha atragantado el inglés** l'inglese mí sta sullo stomaco

atrancar vt (puerta) barricare; (desagüe) intasare; **atrancarse** vpr (desagüe) intasarsi; (mecanismo) incepparsi

atrapar vt accuffare

atrás adv (posición) dietro; (dirección) indietro; **~ de** prep (LAm: detrás de) dietro; **años/meses ~** anni/mesi fa; **días ~** giorni fa; **asiento/parte de ~** posto/parte posteriore; **marcha ~** marcia indietro; **ir hacia ~** (movimiento) andare indietro;

(*dirección*) tornare indietro; **estar ~** trovarsi indietro

atrasado, -a *adj* (*pago*) in ritardo; (*país, trabajo*) arretrato(-a); **el reloj está o va ~** l'orologio va indietro; **poner fecha atrasada a** retrodatare

atrasar *vi, vt* ritardare; **atrasarse** *vpr* (*persona*) rimanere indietro; (*tren*) ritardare; (*reloj*) andare indietro □ **atraso** *nm* ritardo; **atrasos** *nmpl* (COM) arretrati *mpl*

atravesar *vt* attraversare; (*poner al través*) mettere di traverso; **atravesarse** *vpr* (*fig*) ostacolare

atraviese *etc vb ver* **atravesar**

atreverse *vpr*: **~ a (hacer)** osare (fare) □ **atrevido, -a** *adj* (*persona, moda, escote*) audace; (*descarado*) sfacciato(-a) □ **atrevimiento** *nm* (*audacia*) audacia; (*descaro*) sfacciataggine *f*

atribuirse *vpr* attribuirsi; (*responsabilidad*) assumersi

atributo *nm* attributo

atril *nm* leggio

atropellar *vt* investire; **atropellarse** *vpr* ingarbugliarsi □ **atropello** *nm* (AUTO) investimento; (*contra propiedad, derechos*) violazione *f*

atroz *adj* atroce; (*frío, hambre*) terribile, tremendo(-a); (*sueño, comida*) terribile; (*película*) orrendo(-a)

A.T.S. *sigla m/f* (= *Ayudante Técnico Sanitario*) infermiere(-a)

atuendo *nm* abbigliamento

atún *nm* tonno

aturdir *vt* (*tb vino, ruido*) stordire; (: *droga*) inebetire; (: *noticia*) lasciare senza parole; **aturdirse** *vpr* stordirsi;

(*por órdenes contradictorias*) confondersi

audacia *nf* audacia □ **audaz** *adj* audace, coraggioso(-a)

audición *nf* concerto, recital *m inv*; (*prueba*) audizione *f*

audiencia *nf* udienza; (*oyentes*) pubblico; (TV) audience *f inv*

audífono *nm* apparecchio acustico

audiovisual *adj* audiovisivo(-a)

auditorio *nm* uditorio; (*sala*) auditorium *m inv*

auge *nm* (COM, ECON) boom *m inv*

augurar *vt* (*suj: hecho*) lasciar presagire; (: *persona*) prevedere

> ⚠ **augurar** no se traduce nunca por la palabra italiana *augurare*.

augurio *nm* augurio

aula *nf* aula

aullar *vi* (*tb viento*) ululare

aullido *nm* ululato

aumentar *vt* aumentare; (*vigilancia*) raddoppiare; (FOTO) ingrandire ♦ *vi* aumentare; (*vigilancia*) raddoppiare □ **aumento** *nm* aumento; (*vigilancia*) raddoppio; **en aumento** (*precios*) in aumento

aun *adv, conj* anche; **~ así no llegáis a tiempo** non arriverete in tempo lo stesso; **~ cuando** anche se

aún *adv* (*todavía*) ancora; **~ no** non ancora; **~ más** ancora di più; **¿no ha venido ~?** non è ancora venuto?

aunque *conj* anche se

aúpa *adj*: **de ~** (*fam: catarro*) violento(-a); (: *chica, espectáculo*) mozzafiato *inv*

auricular *nm* (TELEC) ricevitore *m*; **~es** *nmpl* auricolari *mpl*

aurora nf aurora

ausencia nf assenza

ausentarse vpr: **~ (de)** assentarsi (da)

ausente adj assente

austero, -a adj austero(-a); (lenguaje) disadorno(-a)

austral adj australe

Australia nf Australia

australiano, -a adj, nm/f australiano(-a)

Austria nf Austria

austriaco, -a, austríaco, -a adj, nm/f austriaco(-a)

auténtico, -a adj autentico(-a); (cuero) vero(-a); **es un ~ campeón** è un vero campione

auto nm (coche) auto f inv, macchina; (JUR) ordinanza; **~s** nmpl (JUR) atti mpl

autoadhesivo, -a adj autoadesivo(-a)

autobiografía nf autobiografia

autobús nm autobus m inv; **¿a qué hora sale el ~?** a che ora parte l'autobus? ▸ **autobús de línea** autobus di linea

autocar nm pullman m inv

autóctono, -a adj autoctono(-a)

autodefensa nf autodifesa

autodidacta adj, nm/f autodidatta m/f

autoescuela nf autoscuola

autógrafo nm autografo

autómata nm (persona) automa m

automático, -a adj automatico(-a) ♦ nm (bottone m) automatico

automóvil nm automobile f
□ **automovilismo** nm

automobilismo □ **automovilista** nm/f automobilista m/f

autonomía nf autonomia; (territorio) regione f autonoma □ **autonómico, -a** (ESP) adj (elecciones) regionale; (política) autonomistico(-a) □ **autónomo, -a** adj (ESP: POL) autonomo(-a); (INFORM) off line inv

autopista nf autostrada ▸ **autopista de peaje** autostrada a pedaggio

autopsia nf autopsia

autor, a nm/f autore(-trice)

autoridad nf autorità f inv; (POL) autorità fpl; **tener ~ sobre algn** avere ascendente su qn

autoritario, -a adj autoritario(-a)

autorización nf autorizzazione f

autorizado, -a adj autorizzato(-a)

autorizar vt autorizzare; **~ a hacer** autorizzare a fare

autoservicio nm (tienda, restaurante) self-service m inv

autostop nm autostop m inv; **hacer ~** fare l'autostop □ **autostopista** nm/f autostoppista m/f

autovía nf superstrada

auxiliar vt soccorrere, aiutare ♦ adj ausiliario(-a); (verbo) ausiliare; (profesor) supplente ♦ nm/f: **~ de vuelo** assistente m/f di volo; **~ técnico sanitario** infermiere(-a) professionale □ **auxilio** nm aiuto, soccorso; **primeros auxilios** pronto soccorso

Av. abr (= Avenida) Viale m

aval nm avallo

avalancha nf (tb fig) valanga; **¿hay peligro de ~s?** c'è pericolo di valanghe?

avance vb ver **avanzar** ♦ nm (de tropas) avanzata; (de la ciencia) progresso; (pago) anticipo; (TV: de noticias) flash m inv; (del tiempo) previsioni fpl (del tempo)

avanzar vt avanzare; (noticia) anticipare ♦ vi avanzare; (alumno) fare progressi

avaricia nf avarizia

avaricioso, -a adj avaro(-a)

avaro, -a adj, nm/f avaro(-a)

Avda. abr (= Avenida) Viale m

AVE sigla m (= Alta Velocidad Española) treno ad alta velocità spagnolo

ave nf uccello ► **ave de rapiña** uccello rapace

avellana nf nocciola □ **avellano** nm nocciolo

avemaría nm avemaria f inv

avena nf avena

avenida nf viale m, corso; (de río) piena

aventajar vt: ~ a algn (en algo) superare qn (in qc)

aventura nf avventura

aventurero, -a adj amante dell'avventura ♦ nm/f avventuriero(-a)

avergonzar vt far vergognare; **avergonzarse** vpr: ~se de algo/de hacer vergognarsi di qc/a fare

avería nf (TEC) avaria; (AUTO) guasto □ **averiarse** vpr (coche, motor etc) guastarsi; **se me ha averiado el coche** la mia macchina ha avuto un guasto

averiguar vt ricercare, indagare su; (descubrir) scoprire

avestruz nm struzzo

aviación nf aviazione f

aviador, a nm/f aviatore(-trice)

ávido, -a adj: ~ **de** o **por** avido(-a) di

avinagrado, -a adj aspro(-a)

avión nm aereo

avioneta nf aereo da turismo

avisar vt (ambulancia, médico, fontanero) chiamare; ~ **(de)** avvertire (di), avvisare (di) □ **aviso** nm avviso; **hasta nuevo aviso** fino a nuovo avviso; **sin previo aviso** senza preavviso

avispa nf vespa

avispado, -a adj vispo(-a), sveglio(-a)

avivar vt ravvivare; (paso) affrettare; **avivarse** vpr ravvivarsi

axila nf ascella

ay excl ahi!; **¡ay de mí!** ahimè!

ayer adv ieri; **antes de** ~ l'altro ieri

ayote (CAm) nm (calabaza) zucca

ayuda nf aiuto; (socorro) soccorso

ayudante, -a nm/f aiutante m/f

ayudar vt aiutare; ~ **a algn a hacer algo** aiutare qn a fare qc; **¿puede ~me?** può aiutarmi?

ayunar vi digiunare □ **ayunas** nfpl: **estar en ayunas** essere a digiuno □ **ayuno** nm digiuno

ayuntamiento nm (concejo) giunta comunale; (edificio) municipio

azafata nf hostess f inv

azafrán nm zafferano

azahar nm fiore m d'arancio

azar nm (casualidad) caso; **al** o **por** ~ a caso

Azores nfpl: **las (Islas)** ~ le Azzorre fpl

azotar vt frustare ❑ **azote** nm frusta; (a niño) sculacciata; (fig) flagello

 azote no se traduce nunca por la palabra italiana *azoto*.

azotea nf tetto, terrazza; **anda o está mal de la ~** gli manca qualche rotella

azteca adj, nm/f azteco(-a)

azúcar nm o f zucchero ▸ **azúcar glaseado** zucchero a velo

azucarado, -a adj zuccherato(-a)

azucarero, -a adj (industria) zuccheriero(-a); (comercio) dello zucchero ♦ nm zuccheriera

azucena nf giglio

azufre nm zolfo

azul adj azzurro(-a) ♦ nm azzurro ▸ **azul celeste/marino** celeste m/ blu marino

azulejo nm piastrella

azuzar vt aizzare

Bb

baba nf bava; **se le cayó la ~** (fig) è rimasto a bocca aperta

babero nm bavaglino

babor nm: **a o por ~** a babordo

baboso, -a (fam) adj, nm/f (fig) viscido(-a); (LAm: fam) tonto(-a)

baca nf (AUTO) portapacchi m inv

bacalao nm baccalà m inv

bache nm buca; (fig) periodo difficile

bachillerato nm scuola media superiore frequentata dai ragazzi tra 16 e 18 anni

bacteria nf batterio

Bahama nfpl: **las (Islas) ~s** le Bahamas

bahía nf baia

bailar vi ballare; (peonza) girare ♦ vt ballare; (peonza) far girare ❑ **bailarín, -ina** nm/f ballerino(-a) ❑ **baile** nm ballo ▸ **baile de disfraces** ballo in maschera

baja nf diminuzione f, calo; (MIL) perdita; (por enfermedad etc) congedo; **dar de ~** (por enfermedad) dare un congedo; (club, institución) accettare le dimissioni; **darse de ~** (de club, institución) dimettersi

bajada nf (de temperatura etc) calo; (declive, camino) discesa

bajar vi scendere; (temperatura, precios) calare, abbassarsi ♦ vt (precio, voz) abbassare; (llevar abajo) portare giù; **bajarse** vpr: **~se de** scendere da; **~ las escaleras** scendere le scale; **¿dónde he de ~me?** dove devo scendere?

bajío (LAm) nm bassopiano

bajo, -a adj (persona, cabeza, sonido) basso(-a) ♦ adv (hablar) piano; (volar) basso ♦ prep sotto ♦ sm (en edificio) piano terra; **en voz baja** a voce bassa

bajón nm (de precios) calo; (de salud) crollo; **dar o pegar un ~** (fam) avere un calo (o un crollo)

bakalao nm (fam) musica f techno inv

bala nf (proyectil) pallottola; **como una ~** come un razzo

balance nm (COM) bilancio; **hacer ~ de** fare un bilancio di

balancear vt dondolare; **balancearse** vpr dondolarsi

balanza nf bilancia ▸ **balanza comercial** bilancia commerciale

balazo nm (disparo) sparo; (herida) ferita

balbucear vi, vt balbettare

balcón nm balcone m; ¿tienen una habitación con ~? avete una camera con balcone?

balde nm (LAm) secchio; **de ~** gratis; **en ~** invano

baldosa nf mattonella

baldosín nm piccola mattonella

Baleares nfpl: **las (Islas) ~** le Baleari

baliza nf (AER) luce f di segnalazione; (NÁUT) boa

ballena nf balena

ballet (pl ~s) nm balletto

balneario nm terme fpl

balón nm pallone m

baloncesto nm pallacanestro f inv

balonmano nm pallamano f inv

balsa nf (NÁUT) zattera; (charca) stagno

bálsamo nm balsamo

bambolearse vpr oscillare; (persona) barcollare

bambú nm bambù m inv

banana (LAm) nf banana
❏ **banano** (LAm) nm banano

banca nf (LAm: asiento) panca; (en un juego de azar) banco; **la ~** (institución) le banche; **trabajar en la ~** lavorare nel settore finanziario

bancario, -a adj bancario(-a)

bancarrota nf fallimento; **declararse en ~** andare in fallimento

banco nm panchina; (en un juego de azar, de iglesia) banco; (COM) banca ▸ **banco de arena** banco di sabbia ▸ **banco de crédito**

istituto di credito ▸ **banco de datos** (INFORM) banca f dati inv

---

BANCOS

In Spagna le banche, **bancos**, e le "cajas de ahorros" sono aperte dal lunedì al venerdì dalle 8.30 alle 14.00. I **bancos** aprono anche di sabato dalle 9.00 alle 13.00 mentre le "cajas de ahorros" aprono tutti i giovedì dalle 17.00 alle 19.30.

---

banda nf (tira, faja) fascia; (de ladrones, MÚS) banda; (NÁUT) fiancata; **fuera de ~** (DEPORTE) fallo laterale ▸ **banda sonora** (CINE) colonna sonora

bandada nf (de pájaros) stormo; (de peces) banco

bandazo nm: **dar ~s** (coche) sbandare

bandeja nf vassoio

bandera nf bandiera

banderilla nf (TAUR) banderilla

bandido nm bandito

bando nm (edicto) bando; (facción) fazione f

bandolera nf (bolso) borsa a tracolla; **llevar en ~** portare a tracolla

banquero nm banchiere(-a)

banqueta nf sgabello; (MÉX) marciapiede m

banquete nm banchetto ▸ **banquete de bodas** banchetto di nozze

banquillo nm (DEPORTE) panchina ▸ **banquillo de los acusados** (JUR) banco degli imputati

bañador nm costume m (da bagno)

bañar vt bagnare; **bañarse** vpr bagnarsi; (en el mar, en la bañera) fare il bagno; **~ en** *(galleta etc)* inzuppare in; **~ de** *(chocolate)* ricoprire di

bañera *nf* vasca da bagno

bañero *(cs) nm* bagnino

bañista *nm/f* bagnante *m/f*

baño *nm (tb cuarto)* bagno; *(bañera)* vasca da bagno; *(capa)* strato; **¿dónde está el ~?** dov'è la toilette?; **darse o tomar un ~** fare un bagno; **al ~ (de) María** a bagnomaria

bar *nm* bar *m inv*; **ir de ~es** fare il giro dei bar

BARES

In tutti i **bares** spagnoli è possibile consumare bevande calde e fredde di tutti i tipi e mangiare qualcosa. Vengono serviti i "pinchos" e le "tapas" (stuzzichini), le "raciones" (porzioni) e i "bocadillos" (panini), e a mezzogiorno talvolta c'è anche un menù del giorno. I **bares** aprono al mattino presto, per colazione, e chiudono a tarda notte.

---

barahúnda *nf* baraonda

baraja *nf* mazzo di carte ▸ **barajar** *vt (cartas)* mescolare; *(fig: posibilidades)* esaminare, vagliare; *(datos)* esaminare

baranda, barandilla *nf (en escalera)* corrimano; *(en balcón)* ringhiera

baratillo *nm* mercatino

barato, -a *adj* a buon mercato, economico(-a) ♦ *adv* a buon mercato; **allí se come bien y ~** lì si mangia bene e si spende poco; **¿podría indicarme un restaurante ~?** potrebbe indicarmi un ristorante economico?

barba *nf* barba; *(mentón)* mento; **salir a 5 euros por ~** costare 5 euro a testa; **en las ~s** sotto il naso

barbacoa *nf (parrilla)* griglia; *(comida asada)* grigliata

barbaridad *nf* atrocità *f inv*; **come una ~** *(fam)* mangia un sacco; **¡qué ~!** *(fam)* mamma mia!; **decir ~es** *(disparates)* dire stupidaggini

bárbaro, -a *adj (fam: estupendo)* stupendo(-a); *(éxito)* strepitoso(-a); *(población)* barbaro(-a) ♦ *nm/f (pey: salvaje)* barbaro(-a) ♦ *adv:* **lo pasamos ~** *(fam)* ci siamo divertiti da matti; **¡qué ~!** fantastico!

barbero *nm* barbiere

barbilla *nf* mento

barbudo, -a *adj* barbuto(-a)

barca *nf* barca ▸ **barca pesquera** peschereccio ▫ **barcaza** *nf* chiatta

Barcelona ▫ Barcellona

barco *nm* battello; *(buque)* nave *f* ▸ **barco de carga** nave da carico ▸ **barco de guerra** nave da guerra ▸ **barco de vela** barca a vela

baremo *nm* criterio (di valutazione)

barítono *nm* baritono

barman *nm inv* barman *m inv*, barista *m*

barniz *nm* vernice *f* ▫ **barnizar** *vt* verniciare

barómetro *nm* barometro

barquillo *nm (de helado)* cialda

barra *nf* barra, sbarra; *(de un bar, café)* banco; *(de pan)* filone *m* ▸ **barra de labios** rossetto ▸ **barra libre** *(en fiestas etc)* consumazioni *fpl* gratuite

barraca *nf* baracca; *(en feria)* baraccone *m*

barranco *nm* burrone *m*

barrena *nf* trapano

barrer *vt* spazzare, scopare

barrera *nf* barriera; (*obstáculo*) ostacolo ▸ **barrera del sonido** barriera del suono

barriada *nf* quartiere *m*

barricada *nf* barricata

barriga *nf* (*fam*) pancia; **rascarse o tocarse la ~** (*fam*) grattarsi la pancia; **echar ~** mettere su pancia

barrigón, -ona, barrigudo, -a *adj* con la pancia

barril *nm* barile *m*; **cerveza de ~** birra alla spina

barrio *nm* quartiere *m*; (*en las afueras*) periferia ▸ **barrio chino** quartiere a luci rosse

barro *nm* fango; (*arcilla*) creta

barroco, -a *adj* barocco(-a) ♦ *nm* barocco

barrote *nm* (*de ventana*) sbarra

bartola: a la ~ *adv*: **tirarse o tumbarse a la ~** prendersela comoda

bártulos *nmpl* arnesi *mpl*

barullo *nm* confusione *f*; (*desorden*) disordine *m*

basar *vt* basare; **basarse** *vpr*: **~se en** basarsi su; **~ algo en** (*fig*) basare qc su

báscula *nf* bilancia

base *nf* base *f* ♦ *adj* (*color, salario*) base *inv*; **a ~ de** receta, dieta, a base di; (*mediante*) per mezzo di ▸ **base de datos** (*INFORM*) database *m inv*

básico, -a *adj* (*elemento, norma, condición*) basilare

basílica *nf* basilica

bastante *adj, adv* abbastanza; **~ dinero/libros** abbastanza soldi/ libri; **¿hay ~?** ce n'è abbastanza?; **~** rico abbastanza ricco; **voy a tardar ~** impiegerò molto tempo

bastar *vi* bastare; **¡basta!** basta!; **me basta con 5** 5 mi bastano; **me basta con ir** mi basta andare; **basta (ya) de ...** ora basta con ...

bastardo, -a *adj, nm/f* bastardo(-a)

bastidor *nm* (*para bordar*) telaio (da ricamo); (*de coche*) scocca; **entre ~es** (*TEATRO*) dietro le quinte

basto, -a *adj* rozzo(-a); (*tela*) grezzo(-a); **~s** *nmpl* (*NAIPES*) bastoni *mpl*

bastón *nm* (*cayado*) bastone *m*; (*tb: ~ de esquí*) bastoncino (da sci)

bastoncillo *nm* (*de algodón*) Cotton fioc® *m inv*

basura *nf* spazzatura, immondizia; (*tb: cubo de la ~*) secchio della spazzatura

basurero *nm* (*persona*) spazzino *m*; (*lugar*) discarica

bata *nf* vestaglia; (*MED, TEC*) camice *m*; (*ESCOL*) grembiule *m*

batalla *nf* battaglia; **de ~** da battaglia

batallón *nm* battaglione *m*

batata *nf* patata dolce

batería *nf* (*MÚS, MIL, ELEC*) batteria ♦ *nm/f* (*persona*) batterista *m/f*; **aparcar/estacionar en ~** parcheggiare/sostare à pettine ▸ **batería de cocina** batteria da cucina

batido, -a *adj* (*camino*) battuto(-a) ♦ *nm* (*de chocolate*) latte *m* al cioccolato; (*de frutas*) frappè *m inv*

batidora *nf* frullatore *m*

batir *vt* battere; (*huevos, alas*) sbattere ♦ *vi*: **~ (contra)** battere (su); **~ palmas** battere le mani

batuta nf (MÚS) bacchetta; **llevar la ~** comandare a bacchetta

baúl nm baule m

bautismo nm (REL) battesimo

bautizar vt battezzare ❑ **bautizo** nm battesimo

bayeta nf (para limpiar) straccio

baza nf (NAIPES) mano f; **meter ~** ficcare il naso

bazar nm (comercio) bazar m inv

bazofia nf: **es una ~** è una schifezza

beato, -a adj, nm/f (pey) bigotto(-a)

> ⚠ **beato** no se traduce nunca por la palabra italiana **beato**.

bebé (pl ~s) nm bebè m inv

bebedor, a adj, nm/f bevitore(-trice)

beber vt, vi bere; **¿quieres algo de ~?** vuoi qualcosa da bere?

bebida nf bevanda

bebido, -a adj brillo(-a)

beca nf borsa di studio

becario, -a nm/f borsista m/f

béisbol nm baseball m inv

Belén n Betlemme f ❑ **belén** nm presepio

belga adj, nm/f belga m/f

Bélgica nf Belgio

bélico, -a adj (armamento, preparativos, conflicto) bellico(-a); (actitud) bellicoso(-a)

belleza nf bellezza

bello, -a adj bello(-a)

bellota nf ghianda

bendecir vt benedire

bendición nf benedizione f; **ser una ~** essere una benedizione

bendito, -a pp de **bendecir** ♦ adj benedetto(-a) ♦ nm/f sempliciotto(-a)

beneficencia nf beneficenza

beneficiario, -a nm/f beneficiario(-a)

beneficio nm (bien) beneficio; (ganancia) utile m; **a o en ~ de** a vantaggio di; **sacar ~ de** trarre beneficio (o vantaggio) da

beneficioso, -a adj benefico(-a); (ECON) vantaggioso(-a)

benéfico, -a adj (organización, festival) benefico(-a)

benévolo, -a adj benevolo(-a)

benigno, -a adj (tb MED) benigno(-a); (clima) mite

berberecho nm tellina

berenjena nf melanzana

Berlín n Berlino f

Bermudas nfpl: **las (Islas) ~** le Bermude

bermudas nfpl o nmpl bermuda mpl

berrido nm (de becerro) muggito; (de ciervo) bramito; (de niño) strillo

berrinche (fam) nm bizze fpl; **coger un ~** fare le bizze

berro nm crescione m

berza nf verza

besamel nf besciamella

besar vt baciare; **besarse** vpr baciarsi ❑ **beso** nm bacio

bestia nf (tb fig) bestia; **mala ~** brutta bestia ▸ **bestia de carga** bestia da soma

bestial adj (fam: calor, velocidad etc) bestiale; (muy grande) enorme; (error) madornale ❑ **bestialidad** nf bestialità f inv; **una bestialidad de** (fam) un sacco di

besugo nm occhialone m; (fam) cretino(-a)

betún nm lucido da scarpe

biberón nm biberon m inv

Biblia nf Bibbia

bibliografía nf bibliografia

biblioteca nf biblioteca

bibliotecario, -a nm/f
bibliotecario(-a)

bicarbonato nm bicarbonato

bicho nm animaletto; (fam: niño)
peste f

bici (fam) nf bici f inv

bicicleta nf bicicletta

bidé nm bidè m inv

bidón nm bidone m

---

bien

PALABRA CLAVE

nm

1 bene; **el bien y el mal** (moral) il
bene e il male

2 (posesiones) **bienes** nmpl beni
mpl

♦ adv

1 (de manera satisfactoria, correcta)
bene; **trabaja/come bien** lavora/
mangia bene; **huele bien** ha un
buon profumo; **sabe bien** è buono;
contestó bien ha risposto bene; **lo
pasamos muy bien** ci siamo
divertiti molto; **no me siento bien**
non mi sento bene

2 estar bien: **estoy muy bien
aquí** sto benissimo qui; **¿estás
bien?** stai bene?; **ese libro está
muy bien** questo libro è molto
bello; **está bien que vengan** fanno
bene a venire; **¡está bien!, lo haré**
va bene, lo farò!

3 (de buena gana): **yo bien que iría
pero ...** ci andrei volentieri, ma ...

4 (valor intensivo): **se levantarán
bien temprano** se alzeranno molto

presto

5: no quiso o bien no pudo venir
non ha voluto o meglio non ha
potuto venire

♦ excl (aprobación) bene; **¡muy
bien!** molto bene!

♦ adj inv (matiz despectivo): **niño
bien** figlio di papà; **gente bien**
gente bene

♦ conj

**1: bien ... bien: bien en coche
bien en tren** sia in macchina sia in
treno

2: no bien (LAm): **no bien llegue te
llamaré** ti chiamo appena arrivo

3: si bien anche se; ver tb **más**

---

bienal adj biennale

bienestar nm benessere m

bienvenida nf benvenuto; **dar la ~
a algn** dare il benvenuto a qn

bienvenido, -a adj: **~ a (Madrid/a
España)** benvenuto (a Madrid/in
Spagna)

bife (CS) nm bistecca (di manzo)

bifurcación nf biforcazione f

bigote nm (tb: **~s**) baffi mpl

bigotudo, -a adj baffuto(-a)

bikini nm bikini m inv

bilateral adj bilaterale

bilingüe adj bilingue

billar nm miliardo

billete nm (de autobús, avión, cine
etc) biglietto; **medio ~** biglietto a
tariffa ridotta; **un ~ de a ...** un
biglietto di sola andata per ...
▶ **billete de ida** biglietto di
andata ▶ **billete de ida y vuelta**
biglietto di andata e ritorno

billetera nf portafoglio

billetero nm = **billetera**

billón nm bilione m

bimensual adj bimensile

bimestral adj bimestrale

bingo nm bingo m inv

biodegradable adj biodegradabile

biodiversidad nf biodiversità f inv

biografía nf biografia

biología nf biologia

biológico, -a adj (tb cultivo, producto) biologico(-a)

biólogo, -a nm/f biologo(-a)

biombo nm paravento

biopsia nf biopsia

bioterrorismo nm bioterrorismo

biquini nm = **bikini**

birria nf (película, libro) boiata; (coche) catorcio; (persona) mezza calzetta

bis adv bis; **artículo 47 ~** articolo 47 bis

bisabuelo, -a nm/f bisnonno(-a)

bisagra nf cardine m

bisiesto, -a adj ver **año**

bisonte nm (ZOOL) bisonte m

bisté nm = **bistec**

bistec (pl ~s) nm fettina

bisturí (pl ~es) nm bisturi m inv

bisutería nf bigiotteria

bit nm (INFORM) bit m inv

bizco, -a adj, nm/f guercio(-a)

bizcocho nm pandispagna m inv

blanca nf: **estar sin ~** essere al verde

blanco, -a adj bianco(-a) ♦ nm/f (individuo) bianco(-a) ♦ nm (color) bianco; (MIL) bersaglio; **cheque en ~** assegno in bianco; **noche en ~** notte in bianco; **dar en el ~** fare centro; **quedarse en ~** (mentalmente) avere un vuoto di memoria; **ser el ~ de las burlas** essere messo alla berlina

blandir vt brandire

blando, -a adj molle, morbido(-a); (carácter) mite; (padre, profesor) indulgente; (carne, fruta) tenero(-a)

blanquear vt (valla, pared) imbiancare; (fig: dinero) riciclare

blasfemar vi: **~ (contra alguien)** bestemmiare (qn)

bledo nm: **(no) me importa un ~** non me ne importa un fico secco

blindado, -a adj blindato(-a); **coche** (ESP) o **carro** (LAm) **~** automobile blindata

bloc (pl ~s) nm bloc-notes m inv, blocco

bloque nm blocco; (de noticias) rubrica; **en ~** in blocco

bloquear vt bloccare □ **bloqueo** nm blocco; (ECON) embargo

blusa nf blusa

boa nf boa m inv

bobada nf stupidaggine f; **decir ~s** dire stupidaggini

bobina nf bobina

bobo, -a adj, nm/f (tonto) sciocco(-a); (cándido) ingenuo(-a); **hacer el ~** fare il pagliaccio

boca nf (de persona, animal) bocca; (de vasija, cueva, túnel) imboccatura; **~ abajo** bocconi; **~ arriba** supino; **hacerle a algn el ~ a ~** fare a qn la respirazione bocca a bocca; **se me hace la ~ agua** mi viene l'acquolina in bocca; **quedarse con la ~ abierta** rimanere a bocca aperta ► **boca de incendios** idrante m ► **boca de metro** entrata (o uscita) della metropolitana

bocacalle nf laterale f

bocadillo nm panino imbottito; **quisiera un ~ de jamón/queso** vorrei un panino con il prosciutto/formaggio

bocado nm boccone m; (mordisco) morso

bocajarro: a ~ adv a bruciapelo

bocanada nf boccata; (de líquido) sorso

bocata (fam) nm panino

boceto nm bozzetto, schizzo; (plano) abbozzo

bochorno nm (vergüenza) imbarazzo, vergogna; (calor): **hace ~** c'è afa

bocina nf (AUTO) clacson m inv; **tocar la ~** suonare il clacson

boda nf (tb: ~s) matrimonio, nozze fpl ▶ **bodas de oro/de plata** nozze d'oro/d'argento

bodega nf (de vino) cantina; (establecimiento) enoteca; (de barco) stiva

bodegón nm osteria, trattoria; (ARTE) natura morta

BOE sigla m (= Boletín Oficial del Estado) gazzetta ufficiale

bofetada nf schiaffo

boga nf: **en ~** in voga

bohemio, -a adj, nm/f bohemien m/f

boicot (pl ~s) nm boicottaggio; **hacer el ~ a algn/algo** boicottare qn/qc □ **boicotear** vt boicottare

boina nf basco

bola nf palla; (canica) biglia; (de fútbol) pallone m; (fam) frottola, balla ▶ **bola de nieve** (fig) effetto valanga ▶ **bola del mundo** globo terrestre

bolera nf bowling m inv

boleta (LAm) nf (factura) fattura; (billete) biglietto; (vale) buono

boletería (LAm) nf (taquilla) biglietteria

boletín nm bollettino ▶ **boletín informativo** o **de noticias** notiziario

boleto nm schedina; (en un sorteo) biglietto

boli (fam) nm biro f inv

bolígrafo nm penna a sfera, biro f inv

bolívar nm bolivar m inv (moneda del Venezuela)

Bolivia nf Bolivia

boliviano, -a adj, nm/f boliviano(-a)

bollería nf forno, panetteria

bollo nm panino; (de bizcocho) brioche f inv; (abultamiento) bernoccolo; (en un objeto) ammaccatura

⚠ **bollo** no se traduce nunca por la palabra italiana **bomba**

bolo nm birillo ♦ adj (CAm, MÉX) ubriaco(-a); (juego de) **~s** birilli

bolsa nf borsa; (de la basura) sacchetto; (CAm, MÉX: bolsillo) tasca ▶ **bolsa de agua caliente** borsa dell'acqua calda

bolsillo nm tasca; **de ~** tascabile

bolso nm borsa; (de mujer) borsa, borsetta

bomba nf (MIL) bomba; (TEC) pompa ♦ adj (fam): **noticia ~** notizia f inv bomba inv ♦ adv (fam): **pasarlo ~** divertirsi un sacco ▶ **bomba atómica** bomba atomica ▶ **bomba de gasolina** pompa di benzina ▶ **bomba de incendios** pompa antincendio

bombardear vt bombardare; **~ a preguntas** tempestare di domande ▫ **bombardeo** nm bombardamento

bombear vt (agua) pompare; (DEPORTE) dare un colpo da sotto a

bombero nm pompiere m

bombilla nf lampadina

bombo nm (MÚS) grancassa; **dar ~ a** (a persona) elogiare; (asunto) strombazzare

bombón nm (CULIN) cioccolatino

bombona nf bombola

bonachón, -ona adj, nm/f bonaccione(-a)

bonanza nf (NÁUT) bonaccia

bondad nf bontà; **tenga la ~ de** abbia la cortesia di

bonito, -a adj bello(-a) ♦ nm (pez) alalonga

bono nm buono

bonobús (ESP) nm abbonamento per autobus

boquerón nm alice f

boquete nm crepa

boquiabierto, -a adj: **quedarse ~** rimanere a bocca aperta; **nos dejó ~s** ci lasciò a bocca aperta

boquilla nf (para cigarro, MÚS) bocchino

borbotón nm: **salir a borbotones** uscire a fiotti

borda nf (NÁUT) bordo

bordado nm ricamo

bordar vt ricamare

borde nm bordo, orlo; **al ~ de** (fig) sull'orlo di; **ser ~** (ESP; fam) essere un bastardo

bordear vt fiancheggiare, costeggiare

bordillo nm (en acera) bordo; (en carretera) cordolo

borracho, -a adj (persona) ubriaco(-a); (: por costumbre) ubriacone(-a) ♦ nm/f (habitualmente) ubriacone(-a); **bizcocho ~** babà m inv al rum

borrador nm (de escrito, carta) brutta copia, bozza; (goma) gomma

borrar vt cancellare; (de lista) depennare, cancellare; **borrarse** vpr: **~se de** (de club, asociación) lasciare, dimettersi da

borrasca nf temporale m; (en el mar) burrasca

borrico, -a nm/f asinello(-a); (fig) asino(-a)

borrón nm macchia

borroso, -a adj sfumato(-a); (escritura) illeggibile

bosnio, -a nm/f, adj bosniaco(-a)

bosque nm bosco

bostezar vi sbadigliare ▫ **bostezo** nm sbadiglio

bota nf stivale m; (de vino) fiasco ▸ **botas de agua** o **goma** stivali mpl di gomma

botánica nf botanica

botánico, -a adj, nm/f botanico(-a)

botar vt (balón) far rimbalzare; (NÁUT) varare; (fam) buttare fuori; (LAm: fam: echar) buttare ♦ vi (persona) saltare; (balón) rimbalzare

bote nm balzo, salto; (tarro, lata) barattolo; (embarcación) canotto; **en ~** in scatola; **de ~ en ~** strapieno; **dar un ~** fare un salto ▸ **bote de la basura** (MÉX) cestino della spazzatura ▸ **bote salvavidas** scialuppa di salvataggio

⚠ **bote** no se traduce nunca por la palabra italiana *botte*.

botella nf bottiglia ▸ **botella de oxígeno** bombola d'ossigeno

botellín nm bottiglietta

botijo nm giara

botín nm (calzado) stivaletto; (MIL, de atraco, robo) bottino

botiquín nm armadietto per medicinali; (portátil) valigetta dei medicinali; (enfermería) pronto soccorso

botón nm bottone m; (en radio, televisión etc) pulsante m; (BOT) bocciolo ▸ **botón de arranque** (AUTO) dispositivo d'avviamento

botones nm inv fattorino

bóveda nf (ARQ) volta ▸ **bóveda celeste** volta celeste

boxeador, a nm/f pugile m/f

boxeo nm pugilato, boxe f inv

boya nf (NÁUT) boa; (en red) galleggiante m

boyante adj (negocio) prospero(-a)

bozal nm (de perro) museruola

bragas nfpl mutandine fpl

bragueta nf patta

brasa nf brace f; **a la ~** (carne, pescado) alla brace

brasero nm (para los pies) braciere m

Brasil nm Brasile m

brasileño, -a adj, nm/f brasiliano(-a)

bravo, -a adj (soldado) coraggioso(-a); (animal: feroz) feroce; (: salvaje) selvatico(-a); (toro) indomito(-a); (mar) agitato(-a);

(terreno) accidentato(-a); (bueno) buono(-a) ♦ excl bravo(-a)! □ **bravura** nf (de persona) coraggio; (de animal) fierezza

braza nf: **nadar a (la) ~** nuotare a stile libero

brazalete nm braccialetto; (banda) bracciale m

brazo nm braccio; **ir del ~ (con)** andare a braccetto (con); **tener/ llevar en ~s a algn** tenere/portare qn in braccio

brebaje nm intruglio

brecha nf breccia; (en la cabeza) ferita; **hacer o abrir ~ en** fare breccia in

breva nf fico fiorone

breve adj (pausa, encuentro, discurso) breve; **en ~** tra poco; (en pocas palabras) in breve □ **brevedad** nf brevità

brezo nm erica

bribón, -ona nm/f mascalzone(-a); (pillo) birbante m/f

bricolaje nm bricolage m inv, fai da te m inv

brida nf briglia; **a toda ~** a briglia sciolta

brigada nf brigata

brillante adj, nm brillante (m)

brillar vi brillare

brillo nm lucentezza; **dar o sacar ~ a** lucidare

brincar vi (persona, animal) saltare, balzare

brinco nm salto, balzo; **dar o pegar un ~** avere un sussulto

brindar vi: **~ a o por** brindare a ♦ vt (oportunidad, amistad) offrire; **brindarse** vpr: **~se a hacer algo** offrirsi di fare qc

brindis nm inv brindisi m inv

brío nm (tb: ~s: pujanza) risolutezza; (garbo) brio; **con** ~ con brio

brisa nf brezza

británico, -a adj, nm/f britannico(-a)

brizna nf (paja) filo

broca nf (TEC) punta da trapano

brocha nf pennello

broche nm (en vestido) gancio; (joya) spilla

broma nf scherzo; **de** o **en** ~ per scherzo; **gastar una** ~ **a algn** fare uno scherzo a qn ▶ **broma pesada** scherzo pesante
▫ **bromear** vi scherzare

bromista adj, nm/f burlone(-a)

bronca nf (enfrentamiento) rissa; (amonestación) sgridata; (desaprobación) protesta; **buscar** ~ cercare rogna

bronce nm bronzo

bronceado, -a adj (de piel) abbronzato(-a) ♦ nm abbronzatura

bronceador, a adj, nm abbronzante (m)

broncearse vpr abbronzarsi

bronquio nm bronco

bronquitis nf inv bronchite f

brotar vi (BOT) germogliare; (aguas, sangre) sgorgare; (fig) nascere

brote nm (BOT) germoglio; (de enfermedad) insorgenza; (de insurrección) scoppio

bruces: **de** ~ bocconi; **darse de** ~ **con algn** trovarsi faccia a faccia con qn

brujería nf stregoneria

brujo, -a nm/f stregone(-a) ♦ nf (pey) strega

brújula nf bussola

brusco, -a adj brusco(-a)

Bruselas n Bruxelles f

brutal adj brutale; (fam: tremendo) incredibile, straordinario(-a)

brutalidad nf brutalità f inv

bruto, -a adj (persona) brutale; (estúpido) sciocco(-a); (metal, piedra) grezzo(-a); (peso, sueldo) lordo(-a) ♦ nm lordo; **en** ~ al grezzo

bucal adj orale; **por vía** ~ per via orale

bucear vi nuotare sott'acqua; ~ **en** (documentos) frugare in; (pasado) scavare in ▫ **buceo** nm immersione f

bucle nm boccolo

buen adj ver **bueno**

buenamente adv (de buena gana) volentieri; **hazlo como** ~ **puedas** fallo come meglio puoi

buenaventura nf sorte f; **decir** o **echar la** ~ predire la sorte

---

bueno, -a

PALABRA CLAVE

adj (antes de nmsg: **buen**)

1 (excelente etc) bello(-a); **es un libro bueno** o **un buen libro** è un bel libro; **tiene buena voz** ha una bella voce; **hace bueno/buen tiempo** è bello/bel tempo; **ya está bueno** (de salud) ora sta bene

2 (bondadoso) buono(-a); **es buena persona** è una brava persona; **el bueno de Paco** il buon Paco; **fue muy bueno conmigo** è stato molto gentile con me

3 (apropiado): **ser bueno para** essere buono per; **creo que vamos por buen camino** credo che siamo sulla strada giusta

4 (grande) bello(-a); **un buen trozo**

un bel pezzo; **le di un buen rapapolvo** gli ho fatto una bella lavata di capo

5 (*irónico*): **¡buen conductor estás hecho!** come guidi bene!; **¡estaría bueno que ...!** ci mancherebbe solo che ...!

6 (*sabroso o no deteriorado*) buono(-a); **está bueno este bizcocho** è buono questo pandispagna; **esta leche ya no está buena** questo latte non è più buono

7 (*saludos*): **¡buenos días!** buongiorno!; **¡buenas tardes!** buon pomeriggio!; (*más tarde*) buonasera!; **¡buenas noches!** buonanotte!; **¡buenas!** ciao!

8 (*otras locuciones*): **un buen día** un bel giorno; **estar de buenas** essere di buon umore; **por las buenas o por las malas** con le buone o con le cattive; **de buenas a primeras** all'improvviso

♦ *excl* bene!; **bueno, ¿y qué?** vabbè, e allora?

Buenos Aires *n* Buenos Aires *f*
buey *nm* bue *m*
búfalo *nm* bufalo
bufanda *nf* sciarpa
bufé *nm* buffet *m inv*
bufete *nm* studio
buhardilla *nf* soffitta, mansarda
búho *nm* gufo
buitre *nm* avvoltoio
bujía *nf* (*tb AUTO*) candela
bula *nf* bolla
bulbo *nm* (*BOT*) bulbo
bulevar *nm* viale *m*
Bulgaria *nf* Bulgaria

búlgaro, -a *adj, nm/f* bulgaro(-a)
bulla *nf* baccano; (*bullaje*) folla
bullicio *nm* frastuono; (*movimiento*) confusione *f*
bulto *nm* collo, pacco; (*en superficie*) rigonfiamento; (*silueta*) ombra; **hacer ~** fare numero
buñuelo *nm* frittella
buque *nm* nave *f* ▸ **buque de guerra** nave da guerra
burbuja *nf* bolla
burdel *nm* bordello
burgués, -esa *adj, nm/f* borghese *m/f* ❏ **burguesía** *nf* borghesia
burla *nf* raggiro; (*broma*) burla, scherzo; **hacer ~ a algn de algo** farsi beffe di qn/di qc; **hacer ~ a algn** fare una smorfia a qn
burlar *vt* (*persona*) raggirare; (*vigilancia*) eludere; **burlarse** *vpr*: **~se (de)** prendersi gioco (di)
burlón, -ona *adj* burlone(-a)
burocracia *nf* burocrazia
burrada (*fam*) *nf*: **decir/hacer/soltar ~s** dire/fare bestialità; **una ~ (de)** (*mucho*) un sacco (di)
burro -a *nm/f* asino(-a); (*fig: ignorante*) somaro(-a); (: *bruto*) bestia ▸ **burro de carga** (*fig*) gran lavoratore(-trice)

⚠ **burro** no se traduce nunca por la palabra italiana *burro*.

bursátil *adj* borsistico(-a)
bus *nm* bus *m inv*
busca *nf*: **en ~ de** in cerca di ♦ *nm* (*TELEC*) cercapersone *m inv*
buscar *vt* cercare; **se busca secretaria** cercasi segretaria; **estamos buscando un hotel/restaurante** stiamo cercando un hotel/ristorante

busque etc vb ver **buscar**

búsqueda nf ricerca

busto nm (ANAT, ARTE) busto

butaca nf poltrona ▶ **butaca de patio** poltrona di platea

butano nm butano; **bombona de ~** bombola di gas

buzo nm/f (persona) sub m/f inv

buzón nm cassetta della posta

Cc

C abr (= centígrado) C

C/ abr = **calle**

cabal adj (honrado) onesto(-a), per bene

cábala nf cabala; **~s** nfpl (suposiciones): **hacer ~s** fare congetture

cabalgar vt montare ♦ vi cavalcare

cabalgata nf sfilata a cavallo; **~ de los Reyes Magos** sfilata che si svolge la vigilia dell'Epifania in alcune città spagnole

caballa nf sgombro

caballería nf (MIL) cavalleria

caballeriza nf scuderia

caballero nm gentiluomo; (de la orden de caballería) cavaliere m; (en trato directo) signore m; **de ~** da uomo

caballete nm (de pintor) cavalletto

caballitos nmpl giostra sg

caballo nm (tb AJEDREZ, NAIPES) cavallo; **a ~** a cavallo ▶ **caballo de carreras** cavallo da corsa ▶ **caballo de vapor** cavallo m vapore inv

cabaña nf capanna

cabecera nf (de mesa) capotavola inv; (de cama) testiera; (en libro)

frontespizio; (periódico) testata; (película) titoli mpl di testa; **médico de ~** medico curante

cabecilla nm capo

cabellera nf chioma

cabello nm capello; (cabellera) capelli mpl ▶ **cabello de ángel** dolce di zucca candita e sciroppo

caber vi entrare, starci; **caben 3 más** ce ne stanno ancora 3; **no cabe duda** non c'è dubbio

cabestrillo nm: **en ~** al collo

cabeza nf testa, capo; **~ abajo/arriba** testa in giù/in su; **a la ~ de** (de pelotón) alla testa di; (de empresa) a capo di; **tirarse de ~** tuffarsi di testa; **tocamos a 3 por ~** fanno 3 a testa; **se me va la ~** perdo la testa ▶ **cabeza atómica/nuclear** testata atomica/nucleare ▶ **cabeza de ajo** testa di aglio ▶ **cabeza de familia** capofamiglia m/f inv ▶ **cabeza de partido** capoluogo ☐ **cabezada** nf capocciata, testata; **dar cabezadas** appisolarsi; **dar una cabezada** fare un pisolino ☐ **cabezón, -ona** adj cocciuto(-a); (vino) che dà alla testa ♦ nm/f testone(-a)

cabida nf capienza, capacità f inv

cabildo nm (POL) consiglio comunale

cabina nf cabina ▶ **cabina de mandos** cabina di pilotaggio ▶ **cabina telefónica** cabina telefonica

cabizbajo, -a adj a testa bassa

cable nm cavo

cabo nm capo, estremità f inv; (MIL) caporale m; (GEO) capo, promontorio; **al ~ de 3 días** dopo 3

cabra | giorni; **al fin y al ~** alla fin fine; **llevar a ~** portare a termine

cabra nf capra ▶ **cabra montés** capra selvatica

cabré etc vb ver **caber**

cabrear (fam) vt far incazzare; **cabrearse** vpr (fam) incazzarsi

cabriola nf capriola; (danza) piroetta

cabrito nm capretto

cabrón, -ona (fam!) nm/f bastardo(-a); (cornudo) cornuto(-a)

caca (fam) nf cacca

cacahuete (ESP) nm arachide f

cacao nm cacao; (tb: **crema de ~**) burro di cacao

cacería nf partita di caccia

cacerola nf casseruola

cachalote nm capodoglio

cacharro nm ciotola; (trasto) cianfrusaglia; (aparato viejo) catorcio

cachear vt perquisire

cachemir nm cachemire m inv; **de ~** di cachemire

cachemira nf = **cachemir**

cachete nm schiaffo

cachiporra nf bastone m

cacho, -a nm pezzo; (LAm) corno

cachondeo (fam) nm baldoria; **irse de ~** fare baldoria

cachondo, -a (fam) adj (burlón) mattacchione(-a); (fam!) arrapato(-a)

cachorro, -a nm/f cucciolo(-a); (de león) leoncino(-a)

cacique nm (POL) barone m

caco nm ladro

cacto nm = **cactus**

cactus nm inv cactus m inv

cada adj inv ogni inv; **~ día** ogni giorno; **~ dos días** ogni due giorni; **~ uno** ognuno; **~ vez más/menos** sempre più/meno; **~ vez que** ogni volta che

cadáver nm cadavere m

cadena nf catena; (TV, RADIO) canale m; **~s** nfpl (AUTO) catene fpl ▶ **cadena de montaje** catena di montaggio ▶ **cadena perpetua** (JUR) ergastolo

cadera nf anca

cadete nm cadetto

caducar vi scadere

caer vi cadere; **caerse** vpr cadere; **dejar ~** lasciar cadere; **¡no caigo!** non mi viene!; **¡ya caigo!** ora mi ricordo!; **me cae bien/mal** (persona) mi è simpatico/antipatico; (vestido) mi sta bene/male; **su cumpleaños cae en viernes** il suo compleanno cade di venerdì; **se me cayó el libro** mi è caduto il libro

café (pl **~s**) nm caffè m inv ▶ **café con leche** caffellatte m ▶ **café solo** o **negro** caffè nero

cafetera nf caffettiera

cafetería nf bar m inv, buffet m inv

CAFETERÍAS

Le **cafeterías** sono locali pubblici dove ci si può sedere e prendere un caffè o un'altra bevanda calda mangiando una pasta o uno stuzzichino. Normalmente si paga un supplemento per sedersi al tavolo. Rispetto ai **bares** sono più eleganti ed offrono una scelta maggiore.

cagar (fam!) vi cacare; **cagarse** vpr farsela sotto

caída nf (tb fig) caduta; (declive) pendio; (de agua) cascata; (de precios, moneda) calo

caído, -a adj cadente; (hombros) spiovente

caiga etc vb ver **caer**

caimán nm caimano

caja nf cassa; (de colores, bombones) scatola ▸ **caja de ahorros** cassa di risparmio ▸ **caja de cambios** cambio ▸ **caja fuerte** o **de caudales** cassaforte f; **¿podría guardarlo en la caja fuerte?** lo potrebbe mettere nella cassaforte? ▸ **caja negra** scatola nera

cajero, -a nm/f cassiere(-a) ▸ **cajero automático** bancomat m inv

cajetilla nf pacchetto

cajón nm cassa; (de mueble) cassetto

cal nf calce f▸ **cal viva** calce viva

cala nf cala; (fruta) assaggio

calabacín nm zucchina

calabacita (MÉX) nf zucchina

calabaza nf zucca

calada nf tiro, boccata

calado, -a adj inzuppato(-a) ♦ nm (de barco) pescaggio; (de las aguas) profondità f inv; **estoy ~ (hasta los huesos)** sono bagnato fradicio

calamar nm calamaro; **~es a la romana** calamari fritti

calambre nm crampo; **tengo un ~ en la pierna** ho un crampo alla gamba; **dar ~** prendere la scossa

calar vt (persona) capire; (pared) infiltrarsi in; (melón) assaggiare; (AUTO) bloccare; **calarse** vpr (motor) bloccarsi; (mojarse) inzupparsi; (sombrero) calcarsi

calavera nf teschio ♦ nm scapestrato

calcar vt ricalcare; (imitar) imitare

calcetín nm calzino

calcio nm calcio

calcomanía nf decalcomania

calculador, a adj calcolatore(-trice)

calculadora nf calcolatrice f

calcular vt calcolare; **calculo que ...** penso che ... ❏ **cálculo** nm calcolo; **según mis cálculos** secondo i miei calcoli

caldera nf (TEC) caldaia

calderilla nf spiccioli mpl

caldo nm brodo; (vino) vino

⚠ **caldo** no se traduce nunca por la palabra italiana **caldo**.

calefacción nf riscaldamento ▸ **calefacción central** riscaldamento centralizzato

calendario nm calendario

calentador nm scaldabagno

calentamiento nm riscaldamento

calentar vt scaldare; (habitación) riscaldare; (pegar) picchiare ♦ vi scaldare; **calentarse** vpr (tb ánimos, discusión) riscaldarsi; (motor) scaldare

calentura nf (tb de boca) febbre f

calibre nm calibro; (fig) importanza

calidad nf qualità f inv; **de ~** di qualità; (persona) di prestigio; **en ~ de** in qualità di

cálido, -a adj caldo(-a); (aplausos) caloroso(-a); (palabras) affettuoso(-a)

caliente vb ver **calentar** ♦ adj caldo(-a); **estar/ponerse ~** (fam!) essere eccitato(-a)/eccitarsi

calificación nf qualifica; (en examen) voto

calificar vt giudicare; ~ **como/de** qualificare (come), giudicare

calima, calina nf foschia

cáliz nm (tb BOT) calice m

caliza nf roccia calcarea

callado, -a adj: **estar ~** stare in silenzio; **ser ~** essere taciturno

callar vt tacere; (persona, oposición) mettere a tacere ♦ vi tacere; **callarse** vpr restare zitto(-a); **¡cállate!** zitto!

calle nf via, strada; (DEPORTE) corsia ▶ **calle peatonal** via pedonale

callejero, -a adj di strada; (perro) randagio(-a) ♦ nm guida stradale

callejón nm stradina, viuzza ▶ **callejón sin salida** (tb fig) vicolo cieco

callo nm callo; **~s** nmpl (CULIN) trippa

calma nf calma; **hacer algo con ~** fare qc con calma

calmante nm (para el dolor) analgesico

calmar vt calmare ♦ vi (tempestad, viento) calmarsi; **calmarse** vpr calmarsi

calor nm calore m; **entrar en ~** riscaldarsi; **tener ~** avere caldo; **tengo ~** ho caldo

caloría nf caloria

calumnia nf calunnia

caluroso, -a adj caloroso(-a); (METEO) caldo(-a)

calvario nm calvario

calvicie nf calvizie

calvo, -a adj, nm/f calvo(-a)

calzada nf carreggiata

calzado, -a adj calzato(-a) ♦ nm calzatura

calzar vt calzare; (TEC) rincalzare; **calzarse** vpr: **~se los zapatos** mettersi le scarpe; **¿qué (número) calza?** che misura porta?

calzón nm calzoncino; (LAm: de hombre) slip m inv; (: de mujer) mutandine fpl

calzoncillos nmpl mutande fpl

cama nf letto ▶ **cama individual/ de matrimonio** letto singolo/ matrimoniale

camaleón nm camaleonte m

cámara nf camera; (CINE) macchina da presa; (TV) telecamera; (fotográfica) macchina fotografica; (de vídeo) videocamera ♦ nm/f (CINE) operatore(-trice); (TV) cameraman m inv; **música de ~** musica da camera ▶ **cámara de comercio** camera di commercio ▶ **cámara de gas** camera a gas ▶ **cámara frigorífica** cella frigorifera

camarada nm/f compagno(-a); (de trabajo) collega m/f

camarera nf (en hotel) cameriera; ver tb **camarero**

camarero, -a nm/f cameriere(-a); **¡~, por favor!** senta, cameriere!

camarón nm gamberetto

camarote nm cabina

cambiante adj variabile; (humor) mutevole

cambiar vt, vi cambiare; **cambiarse** vpr (de casa) cambiare; (de ropa) cambiarsi; **~ algo por algo** cambiare qc per qc; **~ de coche/de idea/de trabajo** cambiare macchina/idea/lavoro; **¿dónde puedo ~ dinero?** dove posso cambiare dei soldi?; **¿podría ~ esto, por favor?** posso cambiarlo, per favore?; **~(se) de sitio** cambiare posto

cambio nm cambio; (de tiempo) cambiamento; (de impresiones) scambio; (dinero menudo) spiccioli mpl; **a ~ de (algo)** in cambio di (qc); **a ~ de que ...** a patto che ...; **en ~** (por otro lado) invece; (en lugar de eso) in cambio; **¿tiene ~?** ha da cambiare? ► **cambio de divisas** cambio di valuta

camello nm cammello; (fam) spacciatore(-trice)

camerino nm camerino

camilla nf barella; (mesa) tavolino

caminar vi camminare ♦ vt percorrere

caminata nf camminata

camino nm strada; **a medio ~** a metà strada; **en el ~** lungo il tragitto; **~ de** in direzione di; **ir por buen/mal ~** (fig) essere sulla buona/cattiva strada ► **Camino de Santiago** vedi nota nel riquadro ► **camino particular** strada privata

---

CAMINO DE SANTIAGO

Il **Camino de Santiago** è un percorso medievale di pellegrinaggio che parte dai Pirenei per arrivare a Santiago di Compostela, nella Spagna nordorientale. Qui, secondo la tradizione, è seppellito il corpo dell'apostolo Giacomo. Oggi Santiago di Compostela è un'importante meta turistica oltre che religiosa.

---

camión nm camion m inv ► **camión cisterna** camion cisterna ◻ **camionero** nm

camionista m/f ◻ **camioneta** nf camioncino, furgone m

camisa nf camicia ► **camisa de fuerza** camicia di forza

camiseta nf (con mangas) maglietta; (sin mangas) canottiera

⚠ **camiseta** no se traduce nunca por la palabra italiana **camicetta**.

camisón nm camicia da notte

campamento nm campeggio; (MIL) accampamento

campana nf campana ► **campana de cristal** campana di vetro ► **campana extractora** cappa di aspirazione ◻ **campanario** nm campanile m

campanilla nf campanella; (BOT) campanula

campaña nf campagna ► **campaña electoral/publicitaria** campagna elettorale/pubblicitaria

campeón, -ona nm/f campione(-essa) ◻ **campeonato** nm campionato

campesino, -a adj, nm/f contadino(-a)

campestre adj campestre

camping (pl ~s) nm campeggio; **ir de** o **hacer ~** andare in campeggio

campo nm campo; (terreno no urbano) campagna; **a ~ traviesa** o **través** attraverso i campi ► **campo de concentración** campo di concentramento ► **campo de deportes/de golf** campo sportivo/da golf

camuflaje nm camuffamento; (MIL) mimetizzazione f

cana nf capello bianco; ver tb **cano**

Canadá nm Canada m
□ **canadiense** adj, nm/f canadese m/f

canal nm (tb de televisión) canale m; (de tejado) gronda ▶ **Canal de Panamá** Canale di Panama

canalizar vt incanalare

canalla nm canaglia

canapé (pl ~s) nm tartina

Canarias nfpl: **las (Islas) ~** le Canarie

canario, -a adj delle Canarie ♦ nm/f abitante m/f delle Canarie ♦ nm (ZOOL) canarino; **amarillo ~** giallo canarino

canasta nf cesto, paniere m; (en baloncesto) canestro; (NAIPES) canasta

canasto nm cesto

cancela nf cancello

cancelación nf (de vuelo) cancellazione f; (de contrato, visita) annullamento; (de permiso) ritiro; (de deuda) saldo; (de cuenta) estinzione f

cancelar vt (vuelo) cancellare; (contrato, visita) annullare; (permiso) ritirare; (deuda) saldare; (cuenta) estinguere

cáncer nm cancro; (ASTROL): **C~** Cancro; **ser C~** essere (del) Cancro

cancha nf (DEPORTE) campo ♦ excl (CS) sgombrare!

canciller nm cancelliere m; (de asuntos exteriores) ministro degli esteri

canción nf canzone f ▶ **canción de cuna** ninna nanna

candado nm lucchetto

candente adj incandescente; (tema, problema) scottante

candidato, -a nm/f candidato(-a)

cándido, -a adj candido(-a); (ingenuo) ingenuo(-a)

canela nf cannella

cangrejo nm granchio; (de río) gambero

canguro nm canguro; **hacer de ~** fare da baby-sitter

caníbal adj, nm/f cannibale m/f

canica nf biglia

canijo, -a adj mingherlino(-a)

canjear vt: ~ (por) scambiare (con)

cano, -a adj persona from capelli bianchi

canoa nf canoa

canon nm canone m

canonizar vt canonizzare

canoso, -a adj canuto(-a); (pelo) bianco(-a)

cansado, -a adj stanco(-a), affaticato(-a); (viaje, trabajo) faticoso(-a)

cansancio nm stanchezza; (aburrimiento) noia

cansar vt stancare; (aburrir) annoiare; (hartar) seccare; **cansarse** vpr: **~se (de hacer)** stancarsi (di fare)

cantábrico, -a adj della Cantabria; **Mar C~** Golfo di Guascogna

cantante nm/f cantante m/f

cantar vt, vi cantare ♦ nm canto; **estaba cantado** era scontato

cántaro nm orcio

cante nm: ~ **jondo** canto popolare andaluso

cantera nf (lugar) cava

cantidad nf quantità f inv; **gran ~ de** una grande quantità di

cantimplora nf borraccia

cantina nf cantina; (de estación) bar m inv, buffet m inv; (LAm: taberna) osteria

canto nm canto; (de mesa, moneda) bordo; **faltó el ~ de un duro** ci è mancato un pelo; **de ~** di lato
▶ **canto rodado** ciottolo

canturrear vi canticchiare

canuto nm (per filo) rocchetto; (fam: droga) spinello, canna

caña nf (BOT) fusto; (: especie) canna; (tb: ~ de cerveza) birra alla spina; (CS: aguardiente) alcol m inv di canna da zucchero; **dar** o **meter ~ a algn** pungolare qn; **dale ~ al coche o llegaremos tarde** vai a tavoletta o faremo tardi ▶ **caña de azúcar** canna da zucchero ▶ **caña de pescar** canna da pesca

cáñamo nm canapa

cañería nf tubature fpl

caño nm tubo; (chorro) getto

cañón nm canna; (arma) cannone m; (GEO) gola

caoba nf mogano

caos nm caos m inv

C.A.P. sigla m (= Certificado de Aptitud Pedagógica) certificato di abilitazione all'insegnamento

capa nf (prenda) mantello; (CULIN, GEO, de polvo) strato; (de nieve) manto ▶ **capa de ozono** strato di ozono

capacidad nf (tb JUR) capacità f inv; (de teatro etc) capienza; **tener ~ para los idiomas/las matemáticas** essere portato per le lingue/la matematica

caparazón nm (de ave) carcassa; (de tortuga) guscio

capataz nm caposquadra m

capaz adj capace; **ser ~ de (hacer)** essere capace di (fare); **es ~ que venga mañana** (CS) è probabile che venga domani

capellán nm cappellano

capilla nf cappella

capital adj fondamentale; (sentencia) capitale ◆ nm capitale m ◆ nf capitale f ▶ **capital autorizado** o **social** capitale sociale

capitalismo nm capitalismo □ **capitalista** adj, nm/f capitalista m/f

capitán nm capitano

capítulo nm capitolo

capó nm cofano

capón nm cappone m; (golpe) pugno

capota nf (de coche) capote f inv

capote nm (de militar) cappotto; (de torero) cappa

capricho nm capriccio

caprichoso, -a adj capriccioso(-a)

Capricornio nm (ASTROL) Capricorno; **ser ~** essere (del) Capricorno

cápsula nf capsula

captar vt captare; (atención) catturare

captura nf cattura □ **capturar** vt catturare

capucha nf cappuccio

capuchón nm = **capucha**

capullo nm (ZOOL) bozzolo; (BOT) bocciolo

caqui adj inv cachi inv ◆ nm (fruta) cachi m inv

cara nf faccia; (aspecto) aspetto; (de edificio, papel) facciata; (fam: descaro) faccia tosta ◆ adv: **(de) ~** di fronte a; **de** ~ di fronte; **decir algo** ~ **a** ~ dire qc in faccia; **mirar** ~ **a** ~ guardare in faccia; **dar la** ~ rispondere in prima persona; **echar algo en** ~ **a algn** rinfacciare qc a qn; **¿~ o cruz?** testa o croce?; **¡qué** ~ **más dura!** che faccia tosta!; **poner** ~ **de perro** fare la faccia feroce; **tener buena/mala** ~ avere una bella/brutta cera; *(guiso)* avere/non avere un bell'aspetto; **tener mucha** ~ avere una bella faccia tosta

Caracas n Caracas f

caracol nm *(ZOOL)* chiocciola; *(LAm: concha)* conchiglia

carácter *(pl* caracteres*)* nm carattere m; **tener buen/mal** ~ avere un buon/brutto carattere

característica nf caratteristica

característico, -a adj caratteristico(-a)

caradura nm/f: **es un** ~ ha faccia tosta

carajillo nm caffè m inv corretto

carajo *(fam!)* nm: **¡~!** cazzo!

caramba excl caspita!

caramelo nm caramella; *(azúcar fundido)* caramello

caravana nf carovana; *(de vehículos)* coda; *(AUTO)* camper m inv; *(remolque)* roulotte f inv

carbón nm carbone m; **papel** ~ carta carbone

carbono nm carbonio

carburador nm carburatore m

carburante nm carburante m

carcajada nf risata; **reír(se) a** ~**s** ridere a crepapelle

cárcel nf carcere m

carcoma nf tarlo

cardenal nm cardinale m; *(MED)* livido

cardíaco, -a adj cardiaco(-a)

cardíaco, -a adj = **cardíaco**

cardinal adj *(número)* cardinale; **puntos** ~**es** punti cardinali

cardo nm cardo

carecer vi: ~ **de** mancare di, essere privo(-a) di

careta nf maschera ▶ **careta antigás** maschera antigas

carga nf *(de barco, camión)* carico; *(de bolígrafo, pluma)* ricarica; *(de arma)* carica; **de** ~ *(animal)* da carico; **buque de** ~ cargo, nave f da carico ▶ **carga explosiva** carica esplosiva

cargado, -a adj carico(-a); *(café, té)* forte; *(ambiente)* soffocante

cargamento nm carico

cargar vt caricare; *(COM)* addebitare ♦ vi *(ARQ)* poggiare; **cargarse** vpr *(fam: estropear)* rompersi; *(: matar)* fare fuori; *(: ley, proyecto, suspender)* bocciare; *(ELEC)* ricaricarsi; ~ **(contra)** caricare (contro); ~ **con** accollarsi; *(responsabilidad)* assumersi; **los indiecios me cargan** gli indiecisi mi danno sui nervi; ~ **a** o **en la espalda** caricare a spalla; ~**se de** *(frutas)* essere carico(-a) di

cargo nm *(COM etc)* addebito; *(puesto)* lavoro, incarico; *(gubernamental)* carica; ~**s** nmpl *(JUR)* capi mpl d'accusa; **estar a(l)** ~ **de** essere a carico di; **hacerse** ~ **de** farsi carico di *(de deudas, poder)*

carguero nm *(tren)* treno merci; *(avión)* aereo da carico

Caribe nm: **el** ~ i Caraibi

caribeño, -a adj caraibico(-a)

caricatura nf caricatura

caricia nf carezza

caridad nf carità f inv; **obras de ~** opere fpl pie; **vivir de la ~** vivere di elemosina

caries nf inv carie f inv

cariño nm affetto; **sí, ~** sì, amore; **sentir ~ por/tener ~ a** provare o sentire affetto per

cariñoso, -a adj affettuoso(-a); **"saludos ~s"** "saluti affettuosi"

carisma nm carisma m

caritativo, -a adj caritatevole

cariz nm (de los acontecimientos) aspetto, piega

carmín nm carminio ► **carmín (de labios)** rossetto

carnal adj carnale; **primo ~** cugino di primo grado

carnaval nm carnevale m

CARNAVAL

Il **Carnaval** è il tradizionale periodo di festa che si celebra durante i tre giorni che precedono la Quaresima. In declino durante gli anni di Franco, ha di recente riacquistato popolarità in Spagna. Cádiz e Tenerife sono rinomate per le loro manifestazioni, feste in maschera, sfilate e fuochi d'artificio.

---

carne nf carne f; **no como ~** non mangio carne; **metido en ~s** bene in carne; **~ viva** carne viva ► **carne de gallina** pelle d'oca ► **carne de membrillo** cotognata ► **carne picada** carne macinata

carnero nm montone m

carnet (pl ~s) nm: **~ de conducir** patente f di guida ► **carnet de identidad** carta di identità ► **carnet de socio** tessera di socio

carnicería nf macelleria

carnicero, -a adj (animal) predatore(-trice) ♦ nm/f macellaio(-a)

carnívoro, -a adj carnivoro(-a)

caro, -a adj caro(-a), costoso(-a) ♦ adv caro; **es demasiado ~** è troppo caro

carpa nf carpa f; (de circo) tendone m; (LAm: tienda de campaña) tenda (da campeggio)

carpeta nf (tb INFORM) cartella; (tb: **~ de anillas**) raccoglitore m ad anelli

carpintería nf (taller) falegnameria; (ARQ) carpenteria
☐ **carpintero** nm falegname m

carraspear vi (toser) schiarirsi la voce

carrera nf corsa; (UNIV) studi mpl; (profesión) carriera; (en las medias) smagliatura; **echar** o **pegar una ~** fare una corsa; **de ~s** di corsa; **en una ~** in un baleno ► **carrera de armamentos** corsa agli armamenti ► **carrera de obstáculos** corsa a ostacoli

carrete nm (FOTO) rullino m; (TEC) bobina; **quisiera un ~ de 36 fotos** vorrei un rullino da 36 pose

carretera nf strada; **me equivoqué de ~** ho sbagliato strada
► **carretera de circunvalación** circonvallazione f ► **carretera nacional/secundaria** strada statale/secondaria

---

CARRETERAS

La qualità e il tipo delle **carreteras** spagnole sono indicati da una lettera seguita da un numero. "A" seguita da un numero indica un'autostrada (per esempio A-1) o una superstrada (per esempio

A-92). Lungo alcune autostrade vi sono caselli dove si può pagare un pedaggio. Alcune di queste autostrade sono segnalate dalla lettera "E". "N", seguita da un numero romano o arabo, indica le strade statali, che possono avere una o due corsie per ciascuna direzione di marcia. Le strade secondarie e quelle locali sono indicate con le lettere "D", "C" ed "L".

carril nm (de puerta, cortina) guida; (de autopista) corsia; (FERRO) rotaia

carril-bici nm pista ciclabile

carrito nm carrello

carro nm carrello; (con dos ruedas) carro; (LAm) macchina, automobile f; ¡para el ~! piantala!, basta! ► **carro blindado** o **de combate** carro armato

carrocería nf carrozzeria

carroña nf carogna

carroza nf carrozza; (en desfile) carro

carta nf lettera; (GEO, NAIPES) carta; **a la ~** alla carta; **dar ~ blanca a algn** dare carta bianca a qc; **echar una ~ (al correo)** imbucare una lettera ► **carta certificada** (lettera) raccomandata ► **carta marítima** carta nautica

cartabón nm squadra

cartel nm manifesto; (de film, teatro) locandina; **en ~** in cartellone ❏ **cartelera** nf tabellone m; (en periódico) pagina degli spettacoli; **lleva mucho/poco tiempo en cartelera** è in cartellone da parecchio/poco tempo

cartera nf (tb: **~ de bolsillo**) portafoglio; (de cobrador) borsello; (de colegial) cartella; (LAm: de mujer)

borsetta; **ocupa la ~ de Agricultura** è ministro dell'Agricoltura; ver tb **cartero**

carterista nm/f borseggiatore(-trice)

cartero, -a nm/f postino(-a)

cartilla nf sillabario ► **cartilla de ahorros** libretto di risparmio

cartón nm cartone m; (de tabaco) stecca ► **cartón piedra** cartongesso

cartucho nm cartuccia; (cucurucho) cartoccio

cartulina nf cartoncino; **~ amarilla/roja** (SPORT) cartellino giallo/rosso

⚠ **cartulina** no se traduce nunca por la palabra italiana **cartolina**.

casa nf casa; **sentirse como en su ~** sentirsi come a casa propria ► **casa de campo** casa di campagna ► **casa de huéspedes** pensione f ► **casa de socorro** pronto soccorso

casado, -a adj sposato(-a)

casar vt sposare ♦ vi: **~ (con)** sposarsi (con); **casarse** vpr: **~se (con)** sposarsi (con); **~se por lo civil/por la Iglesia** sposarsi con rito civile/in chiesa

cascabel nm sonaglio

cascada nf cascata

cascanueces nm inv schiaccianoci m inv

cascar vt rompere; (fam: golpear) riempire di botte ♦ vi (fam) ciarlare; **cascarse** vpr rompersi

cáscara nf (de huevo) guscio; (de fruta, patata) buccia

casco nm (de soldado, minero, obrero) elmetto; (de motorista) casco; (NÁUT) scafo; (ZOOL) zoccolo; (pedazo roto) coccio; (auriculares) cuffia; **el ~ antiguo** il centro storico; **el ~ urbano** la cinta urbana; **los ~s azules** i caschi blu

caserío nm frazione f; (casa) casale m

casero, -a adj (cocina, remedio) casalingo(-a); (trabajos) domestico(-a) ♦ nm/f padrone(-a) di casa; **"comida casera"** "cucina casalinga"; **pan ~** pane casereccio; **ser muy ~** essere un tipo casalingo

caseta nf (tb de perro) casetta; (para bañista) cabina; (de feria) baracca

casette nm mangianastri m inv, registratore m

casi adv quasi; **~ nunca/nada** quasi mai/niente; **~ te caes** per poco non cadevi

casilla nf (tb AJEDREZ) casella
▸ **casilla de correos** (CS) casella postale

casillero nm casellario; (DEPORTE) tabellone m

casino nm casinò m inv

caso nm caso; (acontecimiento) fatto; **en ~ de ...** in caso di ...; **en ~ (de) que venga** nel caso venisse; **el ~ es que** il fatto è che; **en ese ~** in questo caso; **en todo ~** in ogni caso; **¡eres un ~!** sei un personaggio!; **(no) hacer ~ a algo/algn** (non) fare caso a qc/qn; **venir al ~** venire a proposito

caspa nf (en pelo) forfora

castaña nf castagna; (fam: tb: **castañazo**) cazzotto; (: AUT) botta

castaño, -a adj marrone; (pelo) castano(-a) ♦ nm castagno
▸ **castaño de Indias** ippocastano

castañuelas nfpl nacchere fpl

castellano, -a adj, nm/f castigliano(-a) ♦ nm (LING) castigliano

castigar vt castigare, punire
❑ **castigo** nm castigo, punizione f

Castilla nf Castiglia

castillo nm castello

castizo, -a adj (LING) puro(-a); (auténtico) autentico(-a)

casto, -a adj casto(-a)

castor nm castoro

castrar vt castrare

casual adj casuale ❑ **casualidad** nf casual, casualità f inv; **se da la casualidad que ...** si dà il caso che ...; **por casualidad** per caso; **¡qué casualidad!** che coincidenza!

cataclismo nm cataclisma m

catalán, -ana adj, nm/f catalano(-a) ♦ nm (LING) catalano

catalizador nm catalizzatore m

catalogar vt catalogare; **~ a algn de** etichettare qn come

catálogo nm catalogo

Cataluña nf Catalogna

catar vt (comida) assaggiare

catarata nf cascata

catarro nm catarro

catástrofe nf catastrofe f

catastrófico, -a adj catastrofico(-a)

catear (fam) vt bocciare

cátedra nf cattedra

catedral nf cattedrale f

catedrático, -a nm/f cattedratico(-a)

categoría nf categoria; **de ~** di classe; **de segunda ~** di seconda categoria

cateto, -a nm (pey) cafone(-a) ♦ nm (GEOM) cateto

catolicismo nm cattolicesimo

católico, -a adj, nm/f cattolico(-a)

catorce adj inv, nm inv quattordici (m) inv

cauce nm (de río) letto

caucho nm cauccù m inv

caudal nm (de río) portata; (fortuna) patrimonio

caudillo nm capo

causa nf causa; (motivo) motivo; **a/ por ~ de** a causa di

causar vt causare

cautela nf cautela

cautivar vt catturare; (fig) affascinare; (atención) attirare

cautivo, -a adj, nm/f prigioniero(-a)

cauto, -a adj cauto(-a)

cava nm spumante m ♦ nf cantina

cavar vt, vi (AGR) zappare

caverna nf caverna

cavidad nf cavità f inv

cavilar vi: ~ (sobre) scervellarsi (su)

cayendo etc vb ver **caer**

caza nf caccia; (CULIN) selvaggina, cacciagione f ♦ nm (AER) caccia m inv; **dar ~** dare la caccia a; **ir de ~** andare a caccia ▶ **caza mayor** caccia grossa

cazador, a adj, nm/f cacciatore (-trice)

cazadora nf giubbotto

cazar vt (animales) cacciare; (conseguir) procurarsi; (coger, sorprender) acciuffare, prendere

cazo nm (cacerola) pentolino; (cucharón) mestolo

cazuela nf (vasija) tegame m; (guisado) stufato

CE sigla f (= Comunidad Europea) CE f

CD sigla m CD m inv

CD-ROM sigla m CD-ROM m inv

CE sigla f (= Comunidad Europea) CE f

cebada nf orzo

cebar vt (animal) ingrassare; (persona) ingozzare; (anzuelo) innescare; **cebarse** vpr ingozzarsi; **~se en/con** infierire contro

cebo nm (en pesca, tb fig) esca; (para animales) mangime m; (fomento) stimolo

cebolla nf cipolla

cebolleta nf cipollotto; (en vinagre) cipollina

cebra nf zebra; **paso de ~** strisce fpl pedonali

ceder vt cedere ♦ vi cedere; (viento, lluvia) calmarsi; (muelle, correa) allentarsi; "**ceda el paso**" "dare la precedenza"

cedro nm cedro

cédula nf certificato, documento ▶ **cédula de identidad** (LAm) carta d'identità

cegar vt accecare; (tubería, ventana) chiudere; **cegarse** vpr otturarsi

ceguera nf cecità f inv

ceja nf sopracciglio

cejar vi: (no) ~ en su empeño/
propósito (non) desistere dai
propri propositi

celador, a nm/f (de hospital)
guardiano(-a); (de cárcel) guardia
carceraria

celda nf cella

celebración nf celebrazione f

celebrar vt celebrare ♦ vi (REL)
servire messa; **celebrarse** vpr
tenersi; **celebro que sigas bien**
sono felicissimo che tu stia bene

célebre adj celebre

celebridad nf celebrità f inv

celeste adj celeste

celestial adj celestiale

celo nm zelo, impegno; (tb: papel
~®) scotch® tm, nastro adesivo;
~s nmpl (de niño, amante) gelosia sg;
tener ~s de algn essere geloso(-a)
di qn; **estar en ~** essere in calore

celofán nm cellofan tm inv

celoso, -a adj geloso(-a);
(concienzudo) zelante

célula nf cellula

celulitis nf cellulite f

cementerio nm cimitero

cemento nm cemento; (LAm: cola)
colla

cena nf cena

cenar vt: ~ algo mangiare qc per
cena ♦ vi cenare

cenicero nm portacenere m inv

ceniza nf cenere f; ~s nfpl (de
persona) ceneri fpl

censo nm censimento ▸ **censo
electoral** liste fpl elettorali

censura nf censura

censurar vt censurare

centella nf scintilla; (rayo) fulmine
m; **como una ~** come un fulmine

centenar nm centinaio

centenario, -a adj centenario(-a)
♦ nm centenario

centeno nm segale f

centígrado adj centigrado(-a)

centímetro nm centimetro

céntimo nm centesimo

centinela nm sentinella

centollo nm grancevola

central adj centrale ♦ nf (de
empresa, nuclear etc) centrale f

centralita nf centralino

centralizar vt centralizzare; (reunir)
raccogliere

centrar vt centrare; (interés,
atención) attirare; (FÚTBOL) crossare;
centrarse vpr ambientarsi; (estudio)
incentrarsi

céntrico, -a adj centrale

centrifugar vt centrifugare

centro nm centro ▸ **centro
comercial** centro commerciale
▸ **centro de salud** centro medico
▸ **centro turístico** centro
turistico

centroamericano, -a adj
centroamericano(-a) ♦ nm/f abitante
m/f dell'America centrale

ceñido, -a adj (ropa) attillato(-a)

ceño nm cipiglio; **fruncir el ~**
accigliarsi

cepillar vt spazzolare; (madera)
piallare ♦ vpr (dientes) lavarsi

cepillo nm spazzola; (para madera)
pialla ▸ **cepillo de dientes**
spazzolino da denti

cera nf cera; (del oído) cerume m

cerámica nf ceramica

cerca nf recinto ♦ adv vicino ♦ prep:
~ **de** (cantidad, distancia) circa, più o
meno; **de ~** da vicino; **ya estamos ~**

de la ciudad ormai siamo vicini alla città

cercanía nf vicinanza; **~s** nfpl (de ciudad) dintorni mpl; **tren de ~s** treno locale

cercano, -a adj vicino(-a); **¿hay algún banco ~?** c'è una banca qui vicino?

cercar vt recintare; (manifestantes) circondare; (MIL) assediare

cerco nm cerchio; (LAm: valla) recinto; (MIL) assedio

Cerdeña nf Sardegna

cerdo, -a nm/f maiale (scrofa); (fam: persona sucia) sozzone(-a)

cereal nm cereale m; **~es** nmpl (CULIN) cereali mpl

cerebral adj cerebrale

cerebro nm cervello

ceremonia nf cerimonia
❏ **ceremonial** adj (traje) di cerimonia ♦ nm cerimoniale m

cereza nf ciliegia

cerilla nf cerino

cerillo (MÉX) nm cerino

cero nm zero; **8 grados bajo ~** 8 gradi sotto zero

cerrado, -a adj (tb bruto, poco sociable) chiuso(-a); (acento) stretto(-a); (curva) a gomito

cerradura nf serratura

cerrajero, -a nm/f fabbro

cerrar vt chiudere; (paso, entrada) sbarrare ♦ vi chiudere; **cerrarse** vpr chiudersi; **~ con llave** chiudere a chiave; **~ un trato** concludere un accordo; **¿a qué hora cierran?** a che ora chiudete?

cerro nm colle m

cerrojo nm catenaccio, chiavistello; (FÚTBOL) catenaccio

certamen nm concorso

certero, -a adj riuscito(-a); (juicio) azzeccato(-a)

certeza, certidumbre nf certezza; **tener la ~ de que** avere la certezza che

certificado, -a adj (carta) raccomandato(-a) ♦ nm certificato
▶ **certificado médico** certificato medico

certificar vt certificare; (CORREOS) fare una raccomandata

cervatillo nm cerbiatto(-a)

cervecería nf birreria

cerveza nf birra

cesar vi cessare ♦ vt (funcionario, ministro) destituire; **sin ~** senza sosta; **~ en un cargo** lasciare un incarico

cesárea nf (taglio) cesareo

cese nm cessazione f; (despido) licenziamento

césped nm prato

cesta nf cesta

cesto nm cesto

chabacano, -a adj grossolano(-a)

chabola nf baracca; **~s** nfpl (zona) baraccopoli f inv

chacal nm sciacallo

chacha nf (niñera) tata

cháchara nf: **estar de ~** chiacchierare

chacra (CS) nf fattoria

chafar vt (pelo) schiacciare; (hierba, planes) rovinare; (ropa) sgualcire

chal nm scialle m

chalado, -a (fam) adj fuori di testa; **estar ~ por algn** essere innamorato pazzo di qn

chalé nm villetta

chaleco nm gilet m inv ▶ **chaleco salvavidas** giubbotto di salvataggio

champán, **champaña** nm champagne m inv

champú (pl ~es, ~s) nm shampoo m inv

chamuscar vt bruciacchiare

chance (LAm) nm chance f inv, opportunità f inv

chancho, -a (LAm) nm/f maiale (scrofa)

chanchullo (fam) nm intrallazzo

chancleta nf ciabatta

chandal nm tuta (da ginnastica)

chantaje nm ricatto

chapa nf (de metal) lastra, lamiera; (de madera) pannello; (de botela) tappo; (LAm: cerradura) serratura ▶ **chapa (de matrícula)** (RPI) targa

chaparrón nm acquazzone m

chapurr(e)ar vt (idioma) biascicare, masticare

chapuza nf lavoretto; (pey) pastrocchio

chapuzón nm: **darse un ~** fare un , tuffo

chaqueta nf giacca

chaquetón nm giaccone m

charca nf stagno

charco nm pozza

charcutería nf salumeria

charla nf chiacchierata; (conferencia) incontro

charlar vi chiacchierare

charlatán, -ana adj chiacchierone(-a) ♦ nm/f chiacchierone(-a); (estafador) ciarlatano(-a)

charol nm vernice f; (CAm: bandeja) vassoio

chárter adj inv: **vuelo ~** volo m charter inv

chasco nm (desengaño) delusione f; **me llevé un ~** sono rimasto deluso

chasis nm inv telaio

chasquido nm schiocco; (de madera) crepitio

chatarra nf rottame m, ferraglia

chato, -a adj (nariz) schiacciato(-a); **es un poco ~** (persona) ha il naso un po' schiacciato

chaval, a nm/f ragazzo(-a)

chepa (fam) nf gobba

cheque nm assegno; **¿puedo pagar con un ~?** posso pagare con un assegno? ▶ **cheque de viaje** traveller's cheque m inv

chequeo nm (MED, AUTO) check-up m inv

chequera (LAm) nf libretto di assegni

chícharo (CAm, MÉX) nm (guisante) pisello

chichón nm bernoccolo

chicle nm gomma da masticare

chico, -a adj (LAm) piccolo(-a) ♦ nm/f ragazzo(-a)

chiflado, -a (fam) adj fuori di testa

chiflar vi fischiare; **le chiflan los helados** va matto per i gelati; **nos chifla montar en moto** ci piace da matti andare in moto

Chile nm Cile m

chile nm peperoncino

chileno, -a adj, nm/f cileno(-a)

chillar vi (persona) strillare

chillido nm (de persona) strillo

chimenea nf camino; (de fábrica) ciminiera

chimpancé (pl ~s) nm scimpanzé m inv

China nf Cina

chinche nf cimice f ♦ nm/f seccatore(-trice); **morirse como ~s** morire come mosche

chincheta nf puntina

chino, -a adj, nm/f cinese m/f ♦ nm (LING) cinese m ♦ nm/f (LAm: indio) indio(-a)

chip (pl ~es) nm chip m inv

chipirón nm calamaretto

Chipre nf Cipro □ **chipriota** adj, nm/f cipriota m/f

chiquillo, -a (fam) nm/f bambino(-a)

chirimoya nf (fruta) anona

chiringuito nm chiosco

chiripa nf: **por** o **de ~** per un colpo di fortuna

chirriar vi (goznes) cigolare

chirrido nm cigolio

chisme nm pettegolezzo; (fam) aggeggio

chismoso, -a adj, nm/f pettegolo(-a)

chispa nf scintilla; **una ~** (fam) una sbornia

chispear vi scintillare; (lloviznar) piovigginare

chiste nm barzelletta

⚠ **chiste** no se traduce nunca por la palabra italiana **cisti**.

chistoso, -a adj (situación) buffo(-a); (persona) spiritoso(-a)

chivo, -a nm/f capretto(-a) ▶ **chivo expiatorio** capro espiatorio

chocante adj (sorprendente) scioccante

chocar vi (coches etc) scontrarsi; (sorprender) stupire; **~ con** sbattere contro, urtare; (fig) litigare con; **¡chócala!** qua la mano!

chochear vi rimbambire

chocho, -a adj rimbambito(-a); **estar ~ por algn/algo** stravedere per qn/qc

chocolate nm cioccolata ♦ adj (color) inv cioccolata inv

chocolatina nf tavoletta di cioccolata

chofer, chófer nm autista m/f

chollo (fam) nm affarone m

choque vb ver **chocar** ♦ nm (tb fig, MIL) scontro; (fig: disputa) lite f; (MED) shock m inv

chorizo nm salame m affumicato; (fam) ladruncolo(-a)

chorrear vi scorrere, colare; (gotear) gocciolare; **estar chorreando** essere inzuppato

chorro nm (de líquido) getto; (fig) sfilza; **salir a ~s** uscire a fiotti

choza nf capanna

chubasco nm piovasco, acquazzone m

chubasquero nm impermeabile m

chuchería nf stuzzichino

chuleta nf costoletta; (ESCOL etc: fam) appunti mpl per copiare

chulo, -a adj (fam: vestido, zapatos) di classe; (CAm, MÉX) bello(-a); (pey) presuntuoso(-a) ♦ nm sfacciato(-a); (matón) sbruffone(-a); (tb: **~ de putas**) magnaccia m

chupar vt succhiare; (absorber) assorbire; **chuparse** vpr (dedo) succhiarsi; (fig) sorbirsi

chupete nm ciuccio

chupito (fam) nm bicchierino; **un ~ de whisky por favor** un bicchierino di whisky per favore

churro nm = frittella

chusma (pey) nf marmaglia

chutar vi (DEPORTE) calciare

Cía abr (= compañía) compagnia

cianuro nm cianuro

cibercafé nm cybercaffè m inv

cibernauta nm/f navigatore(-trice) del ciberspazio

ciberterrorista nm/f ciberterrorista m/f

cicatriz nf cicatrice f

ciclismo nm ciclismo

ciclista adj, nm/f ciclista m/f; **vuelta ~** giro ciclistico

ciclo nm ciclo

ciclomotor nm ciclomotore m

ciclón nm ciclone m

ciego, -a vb ver **cegar** ♦ adj, nm/f cieco(-a); **a ciegas** alla cieca

cielo nm cielo; (ARQ: tb: **~ raso**) soffitto; **¡~s!** oddio!

ciempiés nm inv millepiedi m inv

cien adj inv, nm inv cento inv

ciencia nf scienza
   ❑ **ciencia-ficción** nf fantascienza

científico, -a adj scientifico(-a) ♦ nm/f scienziato(-a)

ciento adj, nm inv cento inv; **el diez por ~** il dieci per cento

cierre vb ver **cerrar** ♦ nm chiusura; (pulsera) fermaglio ► **cierre de cremallera** chiusura f lampo inv, zip f inv ► **cierre relámpago** (cs) chiusura lampo

cierto, -a adj vero(-a); **~ hombre/ día** una certa persona/un certo giorno; **ciertas personas** certe

persone; **sí, es ~** sì, è vero; **por ~** a proposito

ciervo nm cervo(-a)

cifra nf cifra ► **cifra global** cifra complessiva

cigala nf scampo

cigarra nf cicala

cigarrillo nm sigaretta

cigarro nm sigaro; (puro) avana m inv

cigüeña nf cicogna

cilindro nm cilindro

cima nf cima; (apogeo) culmine m

cimentar vt (edificio) gettare le fondamenta di; (consolidar) cementare; **cimentarse** vpr: **~se en** fondarsi su

cimientos nmpl fondamenta fpl

cinco adj inv, nm inv cinque (m) inv; **tener ~ años** avere cinque anni; **el ~ de diciembre de 2002** il cinque dicembre 2002; **a las ~** alle cinque; **somos ~** siamo in cinque

cincuenta adj inv, nm inv cinquanta (m) inv

cine nm cinema m inv

cinematográfico, -a adj cinematografico(-a)

cínico, -a adj (MED) cinico(-a); (desvergonzado) sfacciato(-a)

cinismo nm (ver adj) cinismo, sfacciataggine f

cinta nf nastro ► **cinta adhesiva/ aislante** nastro adesivo/isolante ► **cinta de vídeo** videocassetta ► **cinta métrica** metro

cintura nf vita

cinturón nm cintura ► **cinturón de seguridad** cintura di sicurezza

ciprés nm cipresso

circo nm circo

circuito nm circuito; **TV por ~ cerrado** TV a circuito chiuso

circulación nf circolazione f

circular adj, nf circolare (f) ♦ vi circolare

círculo nm circolo ► **círculo vicioso** circolo vizioso

circunferencia nf circonferenza

circunstancia nf circostanza

circunvalación nf circonvallazione f

cirio nm cero

ciruela nf prugna, susina ► **ciruela claudia** regina Claudia ► **ciruela pasa** prugna secca

cirugía nf chirurgia ► **cirugía estética/plástica** chirurgia estetica/plastica

cirujano, -a nm/f chirurgo

cisne nm cigno

cisterna nf cisterna, serbatoio

cita nf appuntamento; (referencia) citazione f

citación nf citazione f

citar vt dare un appuntamento a; (nombrar) citare; (JUR) convocare; **citarse** vpr: **~se (con)** fissare un appuntamento (con)

cítrico, -a adj citrico(-a) ♦ nm: **~s** agrumi mpl

ciudad nf città f inv; **la C~ Condal** Barcellona ► **Ciudad del Cabo** Città del Capo ► **ciudad perdida** (MEX) bidonville f ► **ciudad universitaria** città universitaria

ciudadano, -a adj, nm/f cittadino(-a)

cívico, -a adj civico(-a); (persona) civile

civil adj civile ♦ nm = carabiniere m

civilización nf civiltà f inv; (educación) civilizzazione f

civilizar vt civilizzare

cizaña nf: **meter** o **sembrar ~** mettere zizzania

clamor nm clamore m

clandestino, -a adj clandestino(-a)

clara nf (de huevo) chiara, albume m

claraboya nf lucernario

clarear vi farsi giorno; (cielo) schiarire

claridad nf chiarezza; (luminosidad) luminosità f inv

clarificar vt chiarificare; (explicar) chiarire

clarinete nm clarinetto

claro, -a adj chiaro(-a); (habitación) luminoso(-a) ♦ nm (METEO) schiarita; (de bosque) radura ♦ adv chiaro ♦ excl certo; **estar ~** essere chiaro; **~ que sí/no** certo/no di certo

clase nf genere m, categoria; (aula, grupo) classe f; (lección) lezione f; **dar ~(s)** (profesor) fare lezione; **tener ~** avere lezione ► **clase media/ obrera/social** classe media/ operaia/sociale ► **clases particulares** lezioni private

clásico, -a adj classico(-a)

clasificación nf classificazione f; (de cartas) smistamento; (DEPORTE) classifica

clasificar vt classificare; (cartas) smistare; **clasificarse** vpr classificarsi

claustro nm chiostro; (UNIV, ESCOL) collegio docenti; (: junta) consiglio

cláusula nf clausola

clausura nf chiusura; (REL) clausura

clavar vt conficcare; (asegurar con clavos) inchiodare; (clavo) piantare;

(alfiler) appuntare; *(mirada)* fissare; *(fam: cobrar caro)* fregare; **clavarse** *vpr* piantarsi

clave *nf* chiave *f*, codice *m* ♦ *adj inv* chiave *inv*; **en ~** *(mensaje)* in codice

clavel *nm* garofano

clavícula *nf* clavicola

clavija *nf* tassello; *(ELEC)* spina

clavo *nm* chiodo; *(BOT, CULIN)* chiodo di garofano; **dar en el ~** cogliere nel segno

claxon *(pl ~s)* *nm* clacson *m inv*

clérigo *nm* ecclesiastico

clero *nm* clero

cliché *nm* cliché *m inv*

cliente, -a *nm/f* cliente *m/f*; *(INFORM)* client *m inv*

clientela *nf* clientela

clima *nm* clima *m*

climatizado, -a *adj* climatizzato(-a)

clínica *nf* clinica

clínico, -a *adj* clinico(-a)

clip *(pl ~s)* *nm* fermaglio

clítoris *nm inv* clitoride *m* o *f*

cloaca *nf* fogna

cloro *nm* cloro

club *(pl ~s* o *~es)* *nm* club *m inv*

cm. *abr (= centímetro(s))* cm

coágulo *nm* coagulo

coalición *nf* coalizione *f*

coartada *nf* alibi *m inv*

coba *nf*: **dar ~ a algn** lisciare qn

cobarde *adj, nm/f* codardo(-a), vigliacco(-a) □ **cobardía** *nf* codardia, vigliaccheria

cobaya *nm* o *f* cavia

cobertizo *nm* tettoia

cobertura *nf* copertura

cobija *(LAm)* *nf* coperta

cobijar *vt* offrire rifugio (a); **cobijarse** *vpr*: **~se (de)** ripararsi (da) □ **cobijo** *nm* rifugio, riparo

cobra *nf* cobra *m inv*

cobrador, a *nm/f* esattore(-trice)

cobrar *vt (cheque)* incassare; *(sueldo, deuda, alquiler)* riscuotere; *(precio)* far pagare ♦ *vi* essere pagato(-a); **cobro mil euros al mes** guadagno mille euro al mese; **cantidades por ~** somme dovute

cobre *nm* rame *m*; **sin un ~** *(LAm: fam)* senza un soldo

cobro *nm (de cheque)* incasso; *(pago)* pagamento; **llamar a ~ revertido** chiamare a carico del ricevente

cocaína *nf* cocaina

cocción *nf* cottura

cocer *vt* cuocere ♦ *vi* cuocere; *(agua)* bollire; **cocerse** *vpr* cuocere

coche *nm* auto *f inv*, macchina, *(FERRO)* vagone *m*, carrozza; *(para niños)* carrozzina ▶ **coche de bomberos** camion *m inv* dei pompieri ▶ **coche de carreras** macchina da corsa

coche-cama *(pl coches-cama)* *nm* vagone *m* letto *inv*

cochera *nf* garage *m inv*; *(de autobuses)* deposito

cochino, -a *adj* sporco(-a) ♦ *nm/f* maiale (scrofa); *(persona)* sudicione(-a)

cocido, -a *adj (patatas)* lesso(-a); *(huevos)* bollito(-a) ♦ *nm (CULIN)* lesso, stufato di ceci, verdure e carne

cocina *nf* cucina; *(aparato)* cucina ▶ **cocina eléctrica/de gas** cucina elettrica/a gas □ **cocinar** *vt, vi* cucinare □ **cocinero, -a** *nm/f* cuoco(-a)

coco *nm* cocco

cocodrilo nm coccodrillo

cocotero nm cocco

cóctel nm cocktail m inv ▸ **cóctel molotov** bomba molotov

codazo nm: **dar un ~ a algn** dare una gomitata a qn

codicia nf cupidigia, bramosia ❑ **codiciar** vt bramare

código nm codice m ▸ **código de (la) circulación** codice della strada

codillo nm (TEC) gomito

codo nm gomito

codorniz nf quaglia

coexistir vi: **~ (con)** coesistere (con)

cofradía nf confraternita

cofre nm cassa; (de joyas) scrigno

coger vt prendere; (objeto caído) raccogliere; (frutas, sentido, indirecta) cogliere; (tomar prestado) pendere in prestito; (LAm: fam!: joder) scopare; **cogerse** vpr prendersi; **~ cariño a algn** affezionarsi a qn; **~ celos de algn** essere geloso di qn; **~ manía a algn** prendere in antipatia qn; **iban cogidos de la mano** camminavano tenendosi per mano; **¿dónde se puede ~ el ferry para ...?** dove si prende il traghetto per ...?; **~se a** afferrarsi a

cogollo nm cuore m

cogote nm nuca

coherente adj coerente

cohesión nf coesione f

cohete nm razzo (tb: **~ espacial**) razzo vettore

cohibido, -a adj (tímido) timido(-a); **estar/sentirse ~** essere/ sentirsi imbarazzato(-a)

coincidencia nf coincidenza

coincidir vi (en lugar) incontrare; **coincidimos en ideas** abbiamo le stesse idee; **~ con** coincidere con

coito nm coito

cojear vi zoppicare; (mueble) traballare

cojera nf zoppia

cojín nm cuscino

cojo, -a vb ver **coger** ♦ adj zoppo(-a); (mueble) traballante ♦ nm/f (persona) zoppo(-a)

cojón (fam!) nm coglione m; **¡cojones!** cazzo!

cojonudo, -a (ESP: fam!) adj con le palle

col nf cavolo ▸ **coles de Bruselas** cavolino di Bruxelles

cola nf coda; (para pegar) colla; **hacer ~** fare la coda

colaborar vi: **~ con** collaborare con

colada nf: **hacer la ~** fare il bucato

colador nm (de té) colino; (para verduras etc) colapasta m inv

colapso nm collasso; (en producción) crollo

colar vt colare; **colarse** vpr (en cola) passare davanti; (viento, lluvia) infiltrarsi; **~se en** (concierto, cine) intrufolarsi in

colcha nf coperletto m inv

colchón nm materasso ▸ **colchón inflable** o **neumático** materasso gonfiabile

colchoneta nf materassino

colección nf collezione f ❑ **coleccionar** vt collezionare ❑ **coleccionista** nm/f collezionista m/f

colecta nf colletta

colectivo, -a adj collettivo(-a) ♦ nm collettivo; (CS: taxi) taxi m inv

colega nm/f collega m/f; (amigo) amico(-a)

colegial, a adj collegiale ♦ nm/f scolaro(-a)

colegio nm collegio, scuola; (de abogados, médicos) ordine m; **ir al ~** andare a scuola ▸ **colegio concertado** vedi nota nel riquadro ▸ **colegio electoral** collegio elettorale ▸ **colegio mayor** collegio universitario

cólera nm (MED) colera m inv ♦ nf collera, rabbia

colesterol nm colesterolo

coleta nf codino

colgante adj sospeso(-a) ♦ nm ciondolo

colgar vt appendere; (teléfono) riagganciare; (ahorcar) impiccare ♦ vi pendere; **~ de** essere appeso a

cólico nm colica

coliflor nf cavolfiore m

colilla nf mozzicone m

colina nf collina

colirio nm collirio

colisión nf collisione f

collar nm collana; (de animal) collare m

colmar vt colmare

colmena nf alveare m

colmillo nm canino; (de elefante, perro) zanna

colmo nm: **ser el ~** essere il colmo; **para ~ (de desgracias)** come se non bastasse

colocación nf (de piedra) posa; (de persona) sistemazione f; (empleo) posto, impiego; (disposición) collocazione f

colocar vt (piedra) posare; (cuadro) mettere, sistemare; (poner en empleo) sistemare; **colocarse** vpr sistemarsi; (conseguir trabajo) ~**se (de)** trovare lavoro (come)

Colombia nf Colombia

colombiano, -a adj, nm/f colombiano(-a)

colonia nf colonia; (tb: **agua de ~**) acqua di colonia; (MÉX: barrio) quartiere m ▸ **colonia proletaria** (MÉX) bidonville f inv

colonización nf colonizzazione f

colonizador, a adj, nm/f colonizzatore(-trice)

coloquial adj colloquiale

coloquio nm colloquio; (debate) dibattito

color nm colore m; **de ~** (persona) di colore; (ropa) colorato(-a); **me gustaría un ~ diferente** vorrei un colore diverso

colorado, -a adj colorato(-a); (rojo) rosso(-a); (MÉX: chiste) spinto(-a)

colorante nm colorante m

colorar, colorear vt colorare

colorete nm fard m inv

columna nf columna ► **columna vertebral** colonna vertebrale

columpiar vt dondolare; **columpiarse** vpr dondolarsi □ **columpio** nm altalena

coma nf virgola ♦ nm (MED) coma m

comadrona nf ostetrica

comandante nm comandante m

comarca nf zona, area

comba nf corda; **saltar a la** ~ saltare la corda; **no pierde** ~ non se ne lascia scappare una

combate nm combattimento

combatir vt, vi combattere

combinación nf combinazione f

combinar vt combinare; (esfuerzos) coordinare

combustible adj, nm combustibile (m)

comedia nf commedia

comedido, -a adj misurato(-a)

comedor nm sala da pranzo; (de colegio, universidad) mensa

comensal nm/f commensale m/f

comentar vt commentare

comentario nm commento; ~s nmpl (chismes) commenti mpl; **dar lugar a ~s** suscitare commenti

comentarista nm/f commentatore(-trice)

comenzar vt, vi cominciare; **~ a/ por hacer** cominciare a/col fare; **¿a qué hora comienza la película?** a che ora comincia il film?

comer vt (tb DAMAS, AJEDREZ) mangiare; (gastar) sperperare; (corroer) smangiare ♦ vi mangiare; (almorzar) pranzare; **comerse** vpr

mangiarsi; **¿podemos ~ algo?** potremo mangiare qualcosa?; **está para comérsela** (fam) è splendida; **~se el coco** (fam) scervellarsi

comercial adj commerciale

comerciar vi: **~ en** commerciare in

comercio nm commercio; (tienda) negozio ► **comercio al por mayor/menor** commercio all'ingrosso/al dettaglio ► **comercio electrónico** e-commerce m

---

COMERCIOS

In genere in Spagna i negozi più piccoli sono aperti dal lunedì al venerdì dalle 10.00 alle 13.00 e dalle 17.00 alle 20.00. Sabato sono aperti solo di mattina. I grandi supermercati osservano invece un orario continuato, e sono aperti dalle 10.00 alle 22.00. Va detto che l'orario dei negozi tende ad allungarsi e che può variare a seconda del periodo dell'anno e del tipo di attività. I grandi ipermercati sono aperti, a turno, anche la domenica.

---

comestible adj commestibile ♦ nmpl: **~s alimentari** mpl

cometa nm cometa ♦ nf aquilone m

cometer vt commettere

cometido nm incarico; (deber) missione f

cómic nm fumetto

comicios nmpl elezioni fpl

cómico, -a adj, nm/f comico(-a)

comida nf cibo, mangiare m; (ESP, MÉX: almuerzo) pranzo; (LAm: cena) cena

comidilla nf: ser la ~ del barrio essere sulla bocca di tutti

comienzo vb ver **comenzar** ♦ nm inizio; (origen) causa; **a ~s de año** all'inizio dell'anno

comillas nfpl virgolette fpl

comilona (fam) nf abbuffata

comino nm cumino; (no) me **importa un ~** non me ne importa niente

comisaría nf (tb: ~ de Policía) commissariato di Polizia

comisario nm commissario

comisión nf commissione f ► **comisión mixta/permanente** commissione paritetica/permanente ► **comisiones bancarias** commissioni bancarie ► **Comisiones Obreras** (ESP) sindacato operaio spagnolo

comité (pl ~s) nm comitato

comitiva nf comitiva

como adv come; (en calidad de) come, da ♦ conj (condición) se; (causa) siccome, poiché; **lo hace ~ yo** lo fa come me; **tan grande ~** grande come; **~ si estuviese ciego** come se fosse ceco

cómo adv come ♦ excl come!; ¿~ (ha **dicho)?** come (ha detto)?; **¡~ no!** come no!; (LAm: ¡claro!) certo!; **¡~ corre!** come corre!

cómoda nf cassettiera

comodidad nf comodità f inv; **las ~es** nfpl le comodità

comodín nm (NAIPES) jolly m inv

⚠ **comodín** no se traduce nunca por la palabra italiana **comodino**.

cómodo, -a adj comodo(-a); **estar/ponerse ~** stare/mettersi comodo

compact disc nm compact disc m inv

compacto, -a adj compatto(-a)

compadecer vt compatire; **compadecerse** vpr: **~se de** compatire

compadre nm compare m

compañero, -a nm/f compagno(-a)

compañía nf compagnia; (empresa) compagnia, società f inv; **en ~ de** in compagnia di; **hacer ~ a algn** fare compagnia a qn ► **compañía afiliada** filiale f ► **compañía concesionaria/inversionista** concessionaria/azionista ► **compañía (no) cotizable** società (no) quotata in Borsa

comparación nf confronto; **en ~ con** in confronto a

comparar vt: ~ **a** o **con** confrontare con

comparecer vi comparire

comparsa nm/f (TEATRO, CINE) comparsa ♦ nf (de carnaval etc) mascherata

compartimento, compartimiento nm scompartimento; **un ~ para fumadores** uno scompartimento per fumatori

compartir vt condividere; (piso, habitación) dividere

compás nm (MÚS) battuta; (: ritmo) tempo, ritmo; (para dibujo) compasso; **al ~** all'unisono

compasión nf compassione f; **sin ~** senza pietà

compatible adj: ~ **(con)** compatibile (con)

compatriota nm/f compatriota m/f

compenetrarse vpr (personas) intendersi

compensar vt (persona) risarcire; (contrarrestar: pérdidas) compensare ♦ vi (esfuerzos, trabajo) valere la pena

competencia nf concorrenza; (JUR, habilidad) competenza; **~s** nfpl (POL) competenze fpl; **la ~** (COM) la concorrenza; **hacer la ~ a** fare concorrenza a; **ser de la ~ de algn** essere di competenza di qn

competente adj competente

competición nf competizione f

competir vi competere; **~ en** (fig) rivaleggiare in; **~ por** gareggiare per

complacer vt compiacere; **complacerse** vpr: **~se en** (hacer) avere il piacere di (fare)

complejo, -a adj complesso(-a) ♦ nm (PSICO) complesso ▶ **complejo deportivo/industrial** complesso sportivo/industriale

complemento nm complemento

completar vt completare

completo, -a adj completo(-a); (fracaso) totale; **al ~** al completo; **por ~** completamente

complicado, -a adj complicato(-a)

complicar vt complicare; **complicarse** vpr complicarsi

cómplice adj, nm/f complice m/f

complot (pl **~s**) nm complotto

componer vt comporre; (algo roto) aggiustare; **~se de** componersi di; **componérselas** arrangiarsi

comportamiento nm comportamento

comportar vt comportare; **comportarse** vpr comportarsi

composición nf composizione f

compositor, a nm/f (MÚS) compositore(-trice)

compostura nf contegno

compra nf acquisto; **hacer/ir a la ~** fare/andare a fare la spesa; **ir de ~s** fare acquisti ▶ **compra a plazos** acquisto a rate

comprador, a nm/f acquirente m/f, compratore(-trice)

comprar vt comprare; **comprarse** vpr comprarsi; **¿dónde puedo ir a ~ unos sellos?** dove posso comperare le cartoline?

comprender vt capire, comprendere; (incluir) comprendere

comprensivo, -a adj comprensivo(-a)

compresa nf (tb: **~ higiénica**) assorbente m igienico

comprimido, -a adj compresso(-a) ♦ nm (MED) compressa

comprimir vt (tb INFORM) comprimere

comprobante nm (COM) ricevuta

comprobar vt verificare

comprometer vt compromettere; **comprometerse** vpr impegnarsi; **~ a algn a hacer** obbligare qn a fare; **~se a hacer** impegnarsi a fare

compromiso nm (acuerdo) compromesso; (situación difícil) guaio; (obligación) impegno

compuesto, -a pp de **componer** ♦ adj composto(-a); (preparado) pronto(-a) ♦ nm composto

comulgar vt (REL) comunicarsi; **~ con** (con ideas, valores) condividere

común adj comune; **en ~** in comune

comunicación nf comunicazione f; **comunicaciones** nfpl (*transportes, TELEC*) comunicazioni fpl; **se ha cortado la ~** (*TELEC*) è caduta la linea

comunicado nm comunicato
▶ **comunicado de prensa** comunicato stampa

comunicar vt comunicare ♦ vi (*teléfono*) essere occupato; **comunicarse** vpr comunicare; (*extenderse*) estendersi; **~ con** mettersi in contatto con; **está comunicando** (*TELEC*) è occupato

comunidad nf comunità f inv
▶ **comunidad autónoma** (*POL*) regione f autonoma ▶ **comunidad de vecinos** condomini mpl
▶ **Comunidad (Económica) Europea** Comunità (Economica) Europea

COMUNIDADES AUTÓNOMAS

Le **comunidades autónomas** spagnole sono 19 regioni, costituite da una o più province, con poteri autonomi, come sancito dalla Costituzione del 1978. Hanno i loro parlamenti, eletti democraticamente, formano i loro governi e decidono e applicano le loro politiche in alcuni settori come l'edilizia ad uso abitativo, le infrastrutture, la salute e l'istruzione. Madrid, invece, mantiene la giurisdizione in tutti i settori di interesse nazionale come la difesa, gli affari esteri e la giustizia. Tra le **Comunidades Autónomas** vi sono l'Andalusia, la Catalogna, la Galizia e i Paesi Baschi.

comunión nf comunione f

comunismo nm comunismo
❏ **comunista** adj, nm/f comunista m/f

con

PALABRA CLAVE

prep

1 (*medio, compaña, modo*) con; **comer con cuchara** mangiare con il cucchiaio; **vive con sus padres** vive con i genitori; **con habilidad** con abilità

2 (*actitud, situación*): **piensa con los ojos cerrados** pensa con gli occhi chiusi; **estoy con un catarro** ho il raffreddore

3 (*a pesar de*): **con todo, merece nuestros respetos** nonostante tutto, merita il nostro rispetto

4 (*relación, trato*): **es muy bueno (para) con los niños** ci sa fare con i bambini

5 (+ *Infin*): **con llegar tan tarde se quedó sin comer** siccome è arrivato tardi è rimasto senza mangiare; **con estudiar un poco aprueba** basta studiare un po' e passerai l'esame

6 (*queja*): **¡con las ganas que tenía de hacerlo!** con la voglia che avevo di farlo!

♦ conj

1: **con que**: **será suficiente con que le escribas** basterà che tu le scriva

2: **con tal (de) que** a patto che

conceder vt concedere; (*premio*) conferire; **concedo que ...** ammetto che ...

concejal, -a nm/f consigliere comunale che può avere responsabilità simili a quelle di un assessore

concentración nf concentrazione f; (DEPORTE) ritiro

concentrar vt concentrare; **concentrarse** vpr concentrarsi; **~se (en)** concentrarsi (su)

concepto nm (idea) concetto; **tener buen/mal ~ de algn** avere una buona/cattiva opinione di qn

concernir vi spettare; **en lo que concierne a** per quanto riguarda

concertar vt (precio) concordare; (entrevista) fissare; (tratado, paz) concludere; (esfuerzos) unire

concesión nf (COM: adjudicación) concessione f; **hacer concesiones** fare concessioni; **sin concesiones** senza concessioni

concesionario, -a nm/f (COM) concessionario(-a)

concha nf (de molusco) conchiglia; (de tortuga) corazza

conciencia nf coscienza; **hacer algo a ~** fare qc a dovere; **tomar ~ de** prendere coscienza di

concienciar vt sensibilizzare; **concienciarse** vpr prendere coscienza

concienzudo, -a adj scrupoloso(-a)

concierto nm (MÚS: acto, obra) concerto; (convenio) accordo

conciliar vt (tb sueño) conciliare

concilio nm concilio

conciso, -a adj conciso(-a)

concluir vt concludere ♦ vi concludersi

conclusión nf conclusione f

concordia nf concordia

concretar vt concretizzare; **concretarse** vpr: **~se a (hacer)** limitarsi a (fare)

concreto, -a adj concreto(-a); (determinado) preciso(-a) ♦ nm (LAm: hormigón) calcestruzzo; **en ~** in concreto; (especificamente) in particolare; **un día ~** un dato giorno

concurrido, -a adj frequentato(-a)

concursante nm/f concorrente m/f; (en oposiciones) candidato(-a)

concurso nm concorso

conde nm conte m

condecoración nf onorificenza

condena nf condanna

condenar vt condannare; (REL) essere dannato(-a); **~ (a)** condannare (a)

condesa nf contessa

condición nf condizione f; (modo de ser) carattere m; **condiciones** nfpl qualità fpl; **a ~ de que ...** a condizione o patto che ...
❏ **condicional** adj condizionale

condimento nm condimento

condón nm preservativo, profilattico

conducir vt condurre; (vehículo) guidare ♦ vi (AUTO) guidare; (suj: camino, escalera) portare; **conducirse** vpr comportarsi; **esto no conduce a nada** o **ninguna parte** questo non serve a nulla

conducta nf condotta

conducto nm condotto; **por ~ oficial** per via ufficiale

conductor, a adj (FÍS, ELEC) conduttore(-trice) ♦ nm (FÍS, ELEC) conduttore m ♦ nm/f conduttore(-trice); (de vehículo) autista m/f, conducente m/f

conduje etc vb ver **conducir**

conduzca etc vb ver **conducir**

conectar vt collegare ♦ vi: **~ (con)** (TV, RADIO) collegarsi (con)

conejillo nm: ~ **de Indias** porcellino d'India; (fig) cavia

conejo nm coniglio

conexión nf collegamento; (fig) nesso

confección nf confezione f; (de guiso, plan) preparazione f

conferencia nf conferenza; (TELEC) chiamata ► **conferencia a cobro revertido** (TELEC) chiamata a carico del ricevente ► **conferencia de prensa** conferenza stampa

conferir vt conferire

confesar vt confessare; **confesarse** vpr confessarsi

confesión nf confessione f

confesionario nm (REL) confessionale m

confeti nm coriandoli mpl

confianza nf fiducia; (familiaridad) confidenza; **de ~** fidato; (íntimo) di famiglia; (alimento) di qualità; **tener ~ con algn** essere in confidenza con qn; **tomarse ~s con algn** (pey) prendersi delle confidenze con qn

confiar vt affidare; **confiarse** vpr fidarsi troppo; **~ en algn** avere fiducia in qn; **~ en hacer/que** sperare di fare/che

confidencial adj confidenziale; "~" (en sobre) "riservato"

confidente nm/f confidente m/f; (policial) informatore (-trice)

configurar vt delineare

confín nm confine m

confirmar vt confermare; **confirmarse** vpr rafforzarsi; (REL) cresimarsi

confiscar vt confiscare

confitería nf (tienda) pasticceria; (RPI: café) caffè m inv

confitura nf confettura

conflictivo, -a adj conflittuale

conflicto nm conflitto; (fig: problema) difficoltà f inv

confluir vi confluire

conformar vt formare; (poner de acuerdo) mettere d'accordo; **conformarse** vpr: **~se con** accontentarsi di

conforme adj conforme; (de acuerdo) d'accordo; (satisfecho) soddisfatto(-a) ♦ conj (tal como) come; (a medida que) man mano che ♦ excl d'accordo! ♦ prep: **~ a** secondo; **~ con** d'accordo con

confortable adj confortevole

confortar vt confortare

confrontar vt confrontare; (JUR) mettere a confronto; **confrontarse** vpr confrontarsi

confundir vt confondere; **confundirse** vpr confondersi; **~ algo/a algn con** confondere qc/qn con

confusión nf confusione f; (desconcierto) imbarazzo

confuso, -a adj confuso(-a)

congelado, -a adj (carne, pescado) congelato(-a); **~s** nmpl (CULIN) surgelati mpl □ **congelador** nm congelatore m

congelar vt (tb COM, FIN) congelare; **congelarse** vpr congelarsi

congeniar vi: **~ (con)** intendersi (con)

congestión nf (de tráfico, MED) congestione f

congestionar vt congestionare; **congestionarse** vpr congestionarsi

congraciarse vpr: **~ con** ingraziarsi

congratularse vpr: **~ de** o **por** congratularsi di o per; **me**

congratulo de que ... sono lieto che ...

congregar vt riunire; **congregarse** vpr riunirsi

congreso nm congresso

conjetura nf congettura

conjunción nf (LING) congiunzione f

conjunto, -a adj congiunto(-a) ♦ nm (tb MAT) insieme m; (de prendas de vestir) completo; (de música pop) gruppo; **de ~** (visión, estudio) di gruppo; **en ~** nell'insieme

conmemoración nf commemorazione f

conmemorar vt commemorare

conmigo pron con me

conmoción nf commozione f; (en sociedad, costumbres) rivoluzione f, sconvolgimento; **~ cerebral** (MED) commozione cerebrale

conmovedor, a adj commovente

conmover vt commuovere; (suj: terremoto, estrépito) scuotere; **conmoverse** vpr commuoversi

conmutador nm (LAm: TELEC) centralino

cono nm (GEOM) cono ► **Cono Sur** (GEO) Cile, Argentina e Uruguay

conocedor, -a adj, nm/f conoscitore(-trice)

conocer vt conoscere; (reconocer) riconoscere, distinguere; **conocerse** vpr conoscersi; **se conoce que ...** si vede che ...

conocido, -a adj conosciuto(-a), noto(-a) ♦ nm/f (persona) conoscente m/f

conocimiento nm conoscenza; **~s** nmpl (saber) conoscenze fpl; **poner en ~ de algn** portare a conoscenza

di qn; **tener ~ de** essere a conoscenza di

conozca etc vb ver **conocer**

conque conj quindi

conquista nf conquista

conquistador, a adj, nm/f conquistatore(-trice) ♦ nm (de América) conquistador m; (seductor) seduttore(-trice)

conquistar vt (tb enamorar) conquistare; (puesto) ottenere

consagrar vt consacrare

consciente adj cosciente; **estar ~** essere cosciente; **ser ~ de** essere consapevole di

consecuencia nf conseguenza; **a ~ de** in conseguenza di; **en ~** di conseguenza

consecuente adj: **~ (con)** conseguente (a)

consecutivo, -a adj consecutivo(-a)

conseguir vt ottenere; (sus fines) raggiungere; **~ hacer** riuscire a fare

consejero, -a nm/f consigliere(-a); (POL) consigliere m

consejo nm consiglio ► **consejo de administración** (COM) consiglio di amministrazione

consentimiento nm consenso

consentir vt consentire; (mimar) viziare ♦ vi: **en hacer** acconsentire a fare; **~ a algn algo/que algn haga algo** consentire a qn di fare qc/che qn faccia qc

conserje nm portiere m, custode m

conserva nf conserva; **~s** nfpl conserve fpl; **en ~** (atún etc) in scatola

conservación nf conservazione f

conservador, a adj, nm/f conservatore(-trice)

conservante nm conservante m

conservar vt (gen) conservare; (costumbre) mantenere; **conservarse** vpr: **~se bien** (comida etc) conservarsi bene; **~se joven** mantenersi giovane

conservatorio nm (MÚS) conservatorio

considerado, -a adj (atento) rispettoso(-a); (respetado) stimato(-a)

considerar vt considerare; **considero que no tienes razón** credo che tu non abbia ragione

consigna nf (para equipajes) deposito bagagli; (orden) ordine m

consigo vb ver **conseguir ♦** pron con sé; (usted(es)) con sé/voi; **~ mismo** con se stesso

consiguiendo etc vb ver **conseguir**

consiguiente adj conseguente; **por ~** quindi, di conseguenza

consistente adj consistente; (material, pared, teoría) solido(-a); **~ en** composto(-a) di

consistir vi: **~ en** consistere in

consolación nf consolazione f

consolidar vt consolidare

consomé (pl **~s**) nm (CULIN) consommé m inv

consonante nf consonante f

conspirar vi cospirare

constancia nf costanza; (certeza) certezza; **dejar ~ de algo** mettere qc per iscritto

constante adj costante ♦ nf (MAT, fig) costante f

constar vi: **~ (en)** figurare (in); **~ de** constare di; **me consta que ...** mi risulta che ...; **(que) conste que lo**

hice por ti non dimenticare che l'ho fatto per te

constipado, -a adj: **estar ~** essere raffreddato(-a) ♦ nm raffreddore m

constitución nf costituzione f; (de equipo) formazione f

constituir vt costituire

construcción nf costruzione f; (técnica) edilizia

constructor, a adj, nm/f costruttore(-trice)

construir vt costruire; (teoría) elaborare

construyendo etc vb ver **construir**

consuelo vb ver **consolar ♦** nm consolazione f

cónsul nm console m
□ **consulado** nm consolato

consulta nf (MED) visita; (MED: consultorio) ambulatorio, studio; **horas de ~** orario delle visite

consultar vt consultare; **~ algo con algn** esaminare qc con qn

consultorio nm (MED) studio, ambulatorio

consumición nf (en bar etc) consumazione f

consumidor, a nm/f consumatore(-trice)

consumir vt consumare; **consumirse** vpr consumarsi; **~se (de celos etc)** rodersi (dalla gelosia ecc)

consumo nm consumo; **bienes de ~** beni di consumo

contabilidad nf contabilità f inv
□ **contable** nm/f contabile m/f

contacto nm contatto; **estar/ ponerse en ~ con algn** essere/ mettersi in contatto con qn

contado, -a adj: **en casos ~s** in pochissimi casi ♦ nm: **al ~** in contanti; **pagar al ~** pagare in contanti

contador, a nm/f (LAm: contable) contabile m/f ♦ nm (aparato) contatore m

contagiar vt (enfermedad) trasmettere; (persona) contagiare

contagio nm contagio

contagioso, -a adj contagioso(-a)

contaminación nf (de alimentos) contaminazione f; (del agua, ambiente) inquinamento

contaminar vt (aire, agua) inquinare

contante adj: **dinero ~** denaro contante; **dinero ~ y sonante** moneta sonante

contar vt (dinero etc) contare; (historia etc) raccontare ♦ vi contare; **~ con** (persona) contare su; (disponer de: plazo etc) avere; (: habitantes) contare

contemplar vt contemplare

contemporáneo, -a adj, nm/f contemporaneo(-a)

contenedor nm contenitore m

contener vt contenere; (risa, caballo etc) trattenere; **contenerse** vpr trattenersi, contenersi

contenido, -a adj contenuto(-a) ♦ nm contenuto

contentar vt accontentare; **contentarse** vpr: **~se (con algo)** accontentarsi (di qc); **~se con hacer** accontentarsi di fare

contento, -a adj contento(-a); **~ (con/de)** contento (di)

contestación nf risposta

contestador nm: **~ automático** segreteria telefonica

contestar vt, vi rispondere; **~ a una pregunta/a un saludo** rispondere a una domanda/a un saluto

contexto nm contesto

contigo pron con te

contiguo, -a adj contiguo(-a)

continente nm continente m

continuación nf (de trabajo, obras, calle) prosecuzione f; (de novela, película) seguito m; **a ~** successivamente

continuar vt continuare ♦ vi (permanecer) rimanere; (mantenerse, prolongarse) continuare; (telenovela etc) riprendere, proseguire; **~ haciendo** continuare a fare; **~ siendo** continuare ad essere

continuo, -a adj continuo(-a)

contorno nm (silueta) profilo; **~s** nmpl (alrededores) dintorni mpl

contra prep contro ♦ adv: **en ~ (de)** contro ♦ nf: **la C~** (nicaragüense) i contras ♦ nm ver **pro**

contraataque nm contrattacco

contrabajo nm contrabbasso

contrabandista nm/f contrabbandiere(-a)

contrabando nm contrabbando; **de ~** di contrabbando

contracción nf contrazione f

contracorriente: **a ~** adv controcorrente

contradecir vt contraddire; **contradecirse** vpr contraddirsi; **esto se contradice con ...** questo è in contraddizione con ...

contradicción nf contraddizione f; **en ~ con** in contraddizione con

contradictorio, -a adj contraddittorio(-a)

contraer vt contrarre; **contraerse** vpr contrarsi; **~ matrimonio con** contrarre matrimonio con

contraluz nm (FOTO) fotografia in controluce; **a ~** controluce

contrapelo: **a ~** adv contropelo

contrapeso nm contrappeso

contrario, -a adj contrario(-a); (equipo etc) avversario(-a) ♦ nm/f avversario(-a); **por el ~** al contrario; **ser ~ a** essere contrario a; **llevar la contraria** contraddire; **de lo ~** altrimenti

contrarrestar vt compensare

contraseña nf contrassegno; (palabra) parola d'ordine

contrastar vi: **~ (con)** contrastare (con)

contraste nm contrasto

contratar vt assumere; (servicios) dare in appalto

contratiempo nm contrattempo

contratista nm/f appaltatore(-trice)

contrato nm contratto

contraventana nf controfinestra

contribución nf contributo

contribuir vi: **~ (a/con)** contribuire (a/con)

contribuyente nm/f contribuente m/f

contrincante nm concorrente m/f

control nm controllo; **llevar/ perder el ~** avere/perdere il controllo ▸ **control de (la) natalidad** controllo delle nascite ▸ **control de pasaportes** controllo dei passaporti

controlador, a nm/f: **~ aéreo** controllore m di volo

controlar vt controllare; **controlarse** vpr controllarsi

contundente adj (prueba) decisivo(-a); (fig: argumento etc) schiacciante

contusión nf contusione f

convalecencia nf convalescenza

convalidar vt convalidare

convencer vt convincere; **convencerse** vpr: **~se (de)** convincersi (di); **~ a algn de/que haga algo** convincere qn di/a fare qc; **~ a algn para que haga** convincere qn a fare; **esto no me convence (nada)** la cosa non mi convince (per niente)

convención nf convenzione f

conveniente adj conveniente; (adecuado) adatto(-a)

convenio nm accordo

⚠ **convenio** no se traduce nunca por la palabra italiana **convegno**.

convenir vi convenire; **~ en** concordare di; **no te conviene salir** non dovresti uscire

convento nm convento

convenza etc vb ver **convencer**

conversación nf conversazione f

conversar vi conversare

conversión nf conversione f

convertir vt convertire, trasformare; (REL): **~ a algn a** convertire qn a

convidar vt: **~ (a)** invitare (a)

convincente adj convincente

convite nm (banquete) banchetto; (invitación) invito

convivencia nf convivenza

convivir vi convivere

convocar vt convocare; (*huelga*) indire; ~ **(a)** (*personas*) convocare (per)

convocatoria nf convocazione f; (*de examen*) appello; (*de oposiciones*) bando

cónyuge nm/f coniuge m/f

coñac (*pl* ~s) nm cognac m inv

coño (*fam!*) nm fica ♦ excl cazzo!

cooperación nf cooperazione f

cooperar vi cooperare

cooperativa nf cooperativa

coordinador, a nm/f coordinatore(-trice) ♦ nf coordinamento

coordinar vt coordinare

copa nf bicchiere m; (*de champán*, *DEPORTE*) coppa; (*de árbol*) chioma; ~s nfpl (*NAIPES*) coppe fpl; **tomar una** ~ bere un bicchiere

copia nf copia; (*de llave*) duplicato ▶ **copia de respaldo** o **de seguridad** (*INFORM*) copia di backup ❏ **copiar** vt copiare

copla nf canzone f

copo nm: ~ **de nieve** fiocco di neve; ~**s de avena** fiocchi d'avena

coqueta nf (*mujer*) civetta; (*mueble*) (tavolino da) toilette f inv ❏ **coquetear** vi civettare

coraje nm coraggio; (*fam*: *rabia*) rabbia

coral adj (*MÚS*) corale ♦ nf (*MÚS*) coro ♦ nm (*ZOOL*) corallo

coraza nf (*tb ZOOL*) corazza

corazón nm cuore m; (*de frutas*) torsolo

corazonada nf presentimento

corbata nf cravatta

Córcega nf Corsica

corchete nm bottone m automatico

corcho nm sughero; (*tapón*) turacciolo

cordel nm spago

cordero nm agnello

cordial adj cordiale

cordillera nf cordigliera

Córdoba n Cordova

cordón nm (*cuerda*) corda; (*de zapatos*) laccio; (*ELEC, policial, sanitario*) cordone m; (*RPl*: *bordillo*) bordo del marciapiede ▶ **cordón umbilical** cordone ombelicale

cordura nf buon senso; (*MED*) salute f mentale

córner (*pl* ~s) nm (*DEPORTE*) calcio d'angolo, corner m inv

corneta nf (*MÚS*) cornetta; (*MIL*) trombettiere m

cornisa nf cornicione m

coro nm coro

corona nf corona

coronel nm colonnello

coronilla nf: **estar hasta la** ~ **(de)** averne fin sopra i capelli (di)

corporal adj (*temperatura*) corporeo(-a); (*castigo*) corporale; (*higiene*) personale

corpulento, -a adj robusto(-a)

corral nm (*de animales*) cortile m

correa nf cinghia; (*cinturón*) cintura; (*de reloj*) cinturino; (*de perro*) guinzaglio

corrección nf correzione f ❏ **correccional** nm riformatorio

correcto, -a adj corretto(-a)

corredor, a nm/f corridore(-trice) ♦ nm (*pasillo*) corridoio; (*balcón corrido*) galleria; (*COM*) mediatore(-trice), agente m/f

▶ **corredor de bolsa** agente *m/f* di borsa

corregir *vt* correggere; **corregirse** *vpr* correggersi

correo *nm* posta; **C~s** *nmpl* (*servicio*) Poste *fpl*; (*edificio*) ufficio postale; **a vuelta de ~** a giro di posta; **echar al ~** imbucare; **¿tengo ~?** c'è posta per me? ▶ **correo aéreo** posta aerea ▶ **correo electrónico** posta elettronica

correr *vt* (*mueble etc*) spostare; (*riesgo*) correre; (*cortinas, cerrojo: cerrar*) chiudere; (*cortinas: abrir*) aprire ♦ *vi* (*persona, rumor, coche*) correre; (*agua*) scorrere; (*viento*) soffiare; **correrse** *vpr* (*persona, terreno*) spostarsi; (*colores*) sbavare; **echar a ~** mettersi a correre

correspondencia *nf* corrispondenza

corresponder *vi* (*dinero, tarea*) spettare, toccare ♦ *vt* (*favor*) contraccambiare; **~ a** (*invitación*) contraccambiare; (*sentimiento*) ricambiare; (*descripción*) corrispondere a; (*pertenecer*) appartenere a; **al gobierno le corresponde ...** al governo spetta ...; **~se con** corrispondere a

correspondiente *adj* (*respectivo*) rispettivo(-a); **~ (a)** (*adecuado*) corrispondente (a)

corresponsal *nm/f* corrispondente *m/f*, inviato(-a)

corrida *nf* corrida

corrido, -a *adj* spostato(-a) ♦ *nm* (*MÉX*) ballata messicana; **de ~** di corsa; **un kilo ~** un chilo abbondante

corriente *adj* (*fecha*) corrente; (*suceso, costumbre*) normale; (*común*) banale, mediocre ♦ *nf* corrente *f*; (*tb:* **~ de aire**) corrente d'aria ♦ *nm:* **el 16 del ~** il 16 del corrente mese; **estar al ~ de** essere al corrente di; **seguir la ~ a algn** dare retta a qn; **poner/tener al ~** mettere/tenere al corrente; **¿hay fuertes ~s?** ci sono forti correnti?

corrija *etc vb ver* **corregir**

corro *nm* gruppo, capannello; **jugar al ~** fare il girotondo

corromper *vt* guastare; (*fig: costumbres, moral*) corrompere; **corromperse** *vpr* guastarsi; (*fig: costumbres*) corrompersi; (*persona, justicia*) lasciarsi corrompere

corrosivo, -a *adj* corrosivo(-a)

corrupción *nf* corruzione *f*

corsé *nm* busto

cortacésped *nm* tosaerba *m inv*

cortado, -a *adj* (*leche*) cagliato(-a); (*piel, labios*) screpolato(-a) ♦ *nm* caffè *m inv* macchiato; **estar ~** essere imbarazzato; **quedarse ~**

(*estupefacto*) rimanere interdetto; (*callado*) ammutolire

cortar *vt* tagliare ♦ *vi* tagliare; (*CS: TELEC*) riagganciare; **cortarse** *vpr* (*turbarse*) essere in imbarazzo; (*leche*) cagliarsi; **hace un viento que corta** c'è un vento tagliente; **~se el pelo** tagliarsi i capelli; **me he cortado** mi sono tagliato; **se le cortan los labios** gli si screpolano le labbra; **se cortó la comunicación** è caduta la linea

cortaúñas *nm inv* tagliaunghie *m inv*

corte *nm* taglio; (*ARQ*) sezione *f* ♦ *nf* (*real*) corte *f*; **las C~s Generales** il Parlamento

---

CORTES GENERALES

Il parlamento spagnolo, chiamato **Cortes Generales** è bicamerale ed è costituito dal "Congreso de los Diputados" e dal "Senado".

---

cortejo *nm* corteggiamento ▶ **cortejo fúnebre** corteo funebre

cortés *adj* cortese

cortesía *nf* cortesia

corteza *nf* (*de árbol*) corteccia; (*de pan, queso*) crosta; (*de fruta*) buccia ▶ **corteza terrestre** crosta terrestre

cortina *nf* tenda

corto, -a *adj* corto(-a); (*tiempo*) breve; (*tímido*) timido(-a); (*tonto*) ottuso(-a) ♦ *nm* (*CINE*) cortometraggio; **~ de vista** miope; **quedarse ~** (*decir poco*) non avere detto tutto □ **cortocircuito** *nm* cortocircuito ▶ **cortometraje** *nm* cortometraggio

cosa *nf* cosa; (*asunto*) faccenda; **es ~ de una hora** ci vorrà solo un'ora; **eso es ~ mía** questi sono affari miei; **lo que son las ~s** guarda un po'; **las ~s como son** sia ben chiaro

coscorrón *nm* scappellotto; **darse un ~** dare una testata

cosecha *nf* raccolto; (*de vino*) annata

cosechar *vt* raccogliere ♦ *vi* fare la raccolta

coser *vt*, *vi* cucire; **~ algo a algn** cucire qc a qn

cosmético, -a *adj* cosmetico(-a) ♦ *nm* cosmetico ♦ *nf* cosmesi *f inv*

cosquillas *nfpl*: **hacer ~** fare il solletico; **tener ~** soffrire il solletico

costa *nf* (*GEO*) costa; **a ~ de** a spese di; (*trabajo*) a forza di; (*grandes esfuerzos*) a prezzo di; **a toda ~** a tutti i costi ▶ **Costa Brava/del Sol** Costa Brava/del Sol

costado *nm* fianco; **de ~** (*dormir etc*) sul fianco

costar *vt*, *vi* costare; **¿cuánto cuesta?** quanto costa?; **cuesta demasiado** costa troppo

costarricense *adj*, *nm/f* costaricano(-a)

costarriqueño, -a *adj*, *nm/f* = **costarricense**

costear *vt* pagare; (*dificultad, peligro*) scansare

costero, -a *adj* costiero(-a)

costilla *nf* (*ANAT*) costola; (*CULIN*) costoletta

costo *nm* costo

costra *nf* (*tb MED*) crosta

costumbre *nf* abitudine *f*; (*tradición*) tradizione *f*, usanza

costura *nf* cucitura

costurera *nf* sarta

costurero nm cestino del cucito

cotidiano, -a adj quotidiano(-a)

cotilla nm/f pettegolo(-a)

cotillear vi spettegolare

cotizar vt (COM) quotare; (pagar) versare; **cotizarse** vpr (COM, tb fig) essere quotato(-a)

coto nm (tb: **~ de caza**) riserva di caccia

cotorra nf (loro) pappagallino; (fam: persona) chiacchierone(-a)

coyote nm coyote m inv

coz nf calcio

cráneo nm cranio

cráter nm cratere m

creación nf creazione f

creador, a adj, nm/f creatore(-trice)

crear vt creare

creativo, -a adj creativo(-a)

crecer vi crescere

creces: con ~ adv (pagar) più del dovuto

crecido, -a adj: **estar ~** essere cresciuto(-a)

crecimiento nm crescita

credenciales nfpl credenziali fpl

crédito nm credito; **a ~** a credito; **dar ~ a** fare credito a

credo nm credo

creencia nf credenza

creer vt, vi credere; **creerse** vpr (considerarse) credersi; (aceptar) credere; **~ en** credere in; **¡ya lo creo!** altroché!; **creo que no/sí** credo di no/sì; **no se lo cree** non ci crede

creído, -a adj vanitoso(-a)

crema nf crema; (de la leche) panna; (para zapatos) lucido; **quisiera una ~ con factor de protección 6** vorrei una crema solare con fattore di protezione 6 ▶ **crema de afeitar** schiuma da barba ▶ **crema pastelera** crema pasticcera

cremallera nf cerniera f lampo inv

cresta nf cresta

creyendo etc vb ver **creer**

creyente nm/f credente m/f

creyó etc vb ver **creer**

crezca etc vb ver **crecer**

cría vb ver **criar** ♦ nf (de animales) allevamento; (cachorro) cucciolo; ver tb **crío**

criada nf donna di servizio; ver tb **criado**

criadero nm allevamento

criado, -a nm/f domestico(-a)

crianza nf allattamento; (formación) educazione f

criar vt allattare; (educar) crescere; (animales) allevare ♦ vi fare i cuccioli

criatura nf creatura; (niño) bambino(-a)

cribar vt vagliare

crimen nm crimine m, delitto

criminal adj, nm/f criminale m/f

crin nf (tb: **~es**) crine m

crío, -a (fam) nm/f bambino(-a)

crisis nf inv crisi f inv ▶ **crisis nerviosa** crisi nervosa

cristal nm cristallo; (de ventana) vetro; (de gafas) lente f; **~es** nmpl (trozos rotos) pezzi mpl di vetro; **de ~** di vetro

cristalino, -a adj cristallino(-a)

cristianismo nm cristianesimo

cristiano, -a adj, nm/f cristiano(-a)

Cristo nm Cristo; (crucifijo) crocifisso

criterio nm criterio; (discernimiento) giudizio

crítica nf critica

criticar vt criticare; (novela, película) recensire

crítico, -a adj critico(-a) ♦ nm/f
critico m

Croacia n Croazia

cromo nm cromo; (para niños)
figurina

crónica nf cronaca

crónico, -a adj cronico(-a)

cronómetro nm cronometro

croqueta nf crocchetta

cruce vb ver **cruzar** ♦ nm incrocio;
(TELEC) interferenza ▸ **cruce de
peatones** passaggio pedonale

crucificar vt crocifiggere

crucifijo nm crocifisso

crucigrama nm cruciverba m inv

crudo, -a adj (tb imagen) crudo(-a);
(petróleo, lana) greggio(-a);
(invierno etc) rigido(-a) ♦ nm greggio

cruel adj crudele □ **crueldad** nf
crudeltà f inv

crujiente adj (galleta, pan)
croccante

crujir vi scricchiolare; (dientes)
stridere

cruz nf croce f ▸ **cruz gamada**
croce uncinata ▸ **Cruz Roja** Croce
Rossa

cruzado, -a adj (chaqueta)
doppiopetto inv; (en calle, carretera)
di traverso ♦ nm crociato

cruzar vt incrociare; (calle, desierto)
attraversare; (cheque) sbarrare;
cruzarse vpr incrociarsi; (en calle,
carretera) mettersi di traverso; **~se
con algn** incontrare qn; **~se de
brazos** incrociare le braccia

cuaderno nm quaderno

cuadra nf stalla; (de caballos)
scuderia; (LAm: entre calles) isolato

cuadrado, -a adj quadrato(-a)
♦ nm (MAT) quadrato; **metro/**

kilómetro ~ metro/chilometro
quadrato

cuadrar vt far quadrare; **cuadrarse**
vpr (soldado) mettersi sull'attenti; **~
(con)** (informaciones) corrispondere
(a); (cuentas) quadrare (con), tornare
(con)

cuadrilátero nm (DEPORTE) ring m
inv; (GEOM) quadrilatero

cuadrilla nf (de obreros etc) squadra;
(de ladrones) banda; (de amigos)
gruppo

cuadro nm quadro; **a o de ~s** a
quadretti; **~ de mandos** quadro dei
comandi

cuajar vt (leche) cagliare; (sangre)
coagulare; (huevo) rassodare ♦ vi
(CULIN, nieve) solidificarsi; (fig: planes,
idea) concretizzarsi; **cuajarse** vpr
(leche) cagliarsi

cuajo nm: **de ~** (arrancar etc) alla
radice

cual adv quale ♦ pron: **el/la ~** il/la
quale; **los/las ~es** i/le quali; **lo ~** il
che; **cada ~** ognuno; **con o por lo ~**
per cui; **tal ~** tale e quale; **el poeta
del ~ te hablé** il poeta di cui ti ho
parlato

cuál pron (interrogativo) quale m/f

cualesquiera pl de **cualquier(a)**

cualidad nf proprietà f inv,
caratteristica; (virtud) qualità f inv

cualquier(a) (pl **cualesquiera**) adj
(indefinido) qualunque m/f inv; (tras
sustantivo) qualsiasi m/f inv ♦ pron:
(persona) chiunque m/f inv; (cosa)
uno(-a) qualunque; **cualquier día
de estos** uno di questi giorni; **no es
un hombre ~** non è un uomo
qualsiasi; **eso ~ lo sabe hacer**
questo lo saprebbe fare chiunque;
es un ~ è una persona qualsiasi

cuando *adv* quando ♦ *conj* quando; (*puesto que*) dato che; (*si*) se ♦ *prep*: **yo, ~ niño ...** io da bambino ...; **aun ~** anche se; **~ más** tutt'al più; **~ menos** come minimo; **de ~ en ~** di quando in quando

cuándo *adv* quando; **¿desde ~?, ¿de ~ acá?** da quando?

---

cuanto, -a

PALABRA CLAVE

adj

1 (*todo*): **tiene todo cuanto desea** ha tutto quello che desidera; **le daremos cuantos ejemplares necesite** le daremo quante copie le occorrono

2: **unos cuantos** diversi *mpl*; **había unos cuantos periodistas** c'erano diversi giornalisti

3 (+ *más*): **cuanto más vino bebas peor te sentirás** più vino berrai, più ti sentirai male

♦ *pron*

1 quanto(-a); **tome cuanto/cuantos quiera** ne prenda quanto/quanti ne vuole

2: **unos cuantos** alcuni *mpl*

♦ *adv*: **en cuanto** come; **en cuanto profesor es excelente** come professore è eccellente; **en cuanto a mí** quanto a me; *ver tb* **antes**

♦ *conj*

1: **cuanto más lo pienso menos me gusta** più ci penso, meno mi piace

2: **en cuanto** appena; **en cuanto llegue/llegué** appena arrivo/sono arrivato

---

cuánto, -a *adj* (*exclamativo, interrogativo*) quanto(-a) ♦ *pron, adv*

quanto; **¿~ cuesta?** quanto costa?; **¿a ~s estamos?** quanti ne abbiamo oggi?

cuarenta *adj inv, nm inv* quaranta (*m*) *inv*

cuarentena *nf* quarantina; (*MED*) quarantena

cuaresma *nf* quaresima

cuarta *nf* palmo; *ver tb* **cuarto**

cuartel *nm* caserma ▶ **cuartel general** quartier *m* generale

cuarteto *nm* (*MÚS*) quartetto; (*LIT*) quartina

cuarto, -a *adj* quarto(-a) ♦ *nm* (*MAT*) quarto; (*habitación*) stanza ▶ **cuarto de baño/de estar** bagno/soggiorno ▶ **cuartos de final** (*DEPORTE*) quarti di finale ▶ **cuarto de hora** quarto d'ora

cuarzo *nm* quarzo

cuatro *adj inv, nm inv* quattro *inv*

cuatrocientos, -as *adj* quattrocento *inv*; *ver tb* **seiscientos**

Cuba *nf* Cuba

cuba *nf* botte *f*; (*tina*) secchio

cubano, -a *adj, nm/f* cubano(-a)

cúbico, -a *adj* cubico(-a)

cubierta *nf* copertura; (*de libro*) copertina; (*neumático*) copertone *m*; (*NÁUT*) coperta

cubierto, -a *pp de* **cubrir** ♦ *adj* coperto(-a) ♦ *nm* coperto; (*comida*) menù *m inv* fisso; **~ de** ricoperto di; **a** o **bajo** **~** al coperto

cubito *nm*: **~ de hielo** cubetto di ghiaccio

cubo *nm* (*MAT*, *GEOM*) cubo; (*recipiente*) secchio ▶ **cubo de la basura** pattumiera

cubrir *vt* coprire; (*esconder*) nascondere; **cubrirse** *vpr* coprirsi; **~**

de coprire di; **el agua casi me cubría** non toccavo quasi più

cucaracha *nf* scarafaggio

cuchara *nf* cucchiaio
  ❑ **cucharada** *nf* cucchiaiata
  ❑ **cucharilla** *nf* cucchiaino

cucharón *nm* mestolo

cuchilla *nf (de afeitar)* lametta

cuchillo *nm* coltello

cuchitril *(pey) nm* topaia

cuclillas *nfpl:* **en ~** accovacciato(-a)

cuco, -a *adj (astuto)* furbo(-a) ♦ *nm* cuculo

cucurucho *nm* cartoccio; *(de helado)* cono

cuello *nm (tb de ropa, botella)* collo

cuenca *nf (tb: ~ del ojo)* orbita (oculare); *(GEO)* valle *f*

cuenco *nm* ciotola

cuenta *vb ver* **contar** ♦ *nf* conto, calcolo; *(en restaurante)* conto; *(de collar)* perlina; **a fin de ~** in fin dei conti; **caer en la ~** accorgersi; **darse ~ de algo** rendersi conto di qc; **echar ~s** fare i conti; **perder la ~** perdere il conto di; **tener en ~** prendere in considerazione; **trabajar por su ~** lavorare per conto proprio; **la ~, por favor** il conto, per favore; **cárguelo en mi ~** lo metta sul mio conto ► **cuenta atrás** conto alla rovescia ► **cuenta corriente** conto corrente ❑ **cuentakilómetros** *nm inv* contachilometri *m inv*

cuento *vb ver* **contar** ♦ *nm* racconto, storia; *(patraña)* scusa, frottola; **eso no viene a ~** questo non è pertinente ► **cuento chino** panzana ► **cuento de hadas** fiaba

cuerda *nf (gruesa, de guitarra)* corda; *(fina)* spago; **dar ~ a un reloj**

caricare un orologio ► **cuerdas vocales** corde vocali; *ver tb* **cuerdo**

cuerdo, -a *adj* sano(-a) di mente; *(prudente)* sensato(-a)

cuerno *nm* corno; **ponerle los ~s a algn** mettere le corna a qn

cuero *nm* cuoio; **en ~s** completamente nudo ► **cuero cabelludo** cuoio capelluto

cuerpo *nm* corpo; **a ~** senza giacca *(o* cappotto)

cuervo *nm* corvo

cuesta *vb ver* **costar** ♦ *nf* pendio; **ir ~ arriba/abajo** salire/scendere; **a ~s** a spalla

cuestión *nf* questione *f; (en examen)* quesito; **en ~ de** *(en materia di); (tiempo)* nel giro di; **es ~ de** è questione di; **será ~ de prepararse** forse è il caso di prepararci

cueva *nf* grotta

cuidado, -a *adj* curato(-a) ♦ *nm* attenzione *f; (de ancianos, enfermos)* assistenza; *(de la casa)* cura ♦ *excl* attenzione!; **estar al ~ de algo** occuparsi di qc; **tener ~** fare attenzione

cuidadoso, -a *adj* meticoloso(-a); *(prudente)* cauto(-a)

cuidar *vt* fare attenzione a; *(niños, casa)* badare a; *(enfermos)* assistere; curare; *(suj: perro)* fare la guardia a ♦ *vi:* **~ de** prendersi cura di; **cuidarse** *vpr* curarsi

culebra *nf* biscia

culebrón *nm (fam)* telenovela, soap opera *f inv*

culo *(fam!) nm* culo

culpa *nf (tb JUR)* colpa; **echar la ~ a algn** incolpare qn; **por ~ de** a causa di; **tengo la ~** è colpa mia; **no es**

mía non è colpa mia □ **culpable**
adj, nm/f colpevole m/f

culpar vt incolpare

cultivar vt coltivare

cultivo nm coltivazione f, coltura

culto, -a adj colto(-a) ♦ nm culto;
rendir ~ a (REL, fig) venerare

cultura nf cultura

culturismo nm culturismo

cumbre nf cima; (reunión) vertice m

cumpleaños nm inv compleanno;
¡feliz ~! auguri!

cumplimiento nm (de norma)
osservanza; (de deber)
adempimento

cumplir vt eseguire; (ley) osservare,
rispettare; (promesa) mantenere;
(años) compiere; **cumplirse** vpr
(plazo) scadere; (deseos, pronósticos)
avverarsi; **~ con** (deber) compiere;
(persona) ricambiare; **hoy cumple
dieciocho años** oggi compie
diciotto anni

cuna nf culla

cundir vi (rumor, pánico) diffondersi;
(trabajo) andare avanti; (dar de sí)
rendere

cuneta nf cunetta

cuña nf (TV, RADIO) spot m inv; (TEC)
zeppa

cuñado, -a nm/f cognato(-a)

cuota nf quota

cupo vb ver **caber** ♦ nm quota; (MIL)
contingente m

cupón nm biglietto, tagliando

cúpula nf cupola

cura nf guarigione f; (tratamiento)
cura ♦ nm parroco

curación nf guarigione f;
(tratamiento) cura

curandero, -a nm/f
guaritore(-trice)

curar vt (enfermo, enfermedad)
curare; (herida: con apósitos)
medicare; (CULIN) stagionare; (: con
humo) affumicare; (cuero) conciare;
curarse vpr (persona) guarire;
(herida) medicarsi

curiosear vt curiosare tra ♦ vi
curiosare

curiosidad nf curiosità f inv; **sentir
o tener ~ por o de (hacer)** essere
curioso(-a) di (fare)

curioso, -a adj (tb raro) curioso(-a)
♦ nm/f (pey) curioso(-a)

currante nm/f (fam) stacanovista
m/f

currar, currelar vi (fam) sgobbare

currículo, currículum nm (tb:
currículum vitae) curriculum vitae
m

curro nm (fam) lavoro

cursi adj pacchiano(-a), kitsch inv;
(afectado) lezioso(-a)

cursillo nm corso

cursiva nf corsivo

curso nm (tb ESCOL, UNIV) corso; **en ~**
(año, proceso) in corso; **en el ~ de** nel
corso di

cursor nm (INFORM) cursore m

curva nf (tb MAT) curva

custodia nf (tb de hijos) custodia

cutis nm inv pelle f

cutre (fam) adj squallido(-a);
(tacaño) tirchio(-a)

cuyo, -a pron (singular) il (la) cui;
(plural) i (le) cui

C.V. abr (= caballos de vapor) CV mpl

Dd

D. *abr* (= *Don*) Sig. m

dado, -a *pp de* **dar ♦** *adj*: **en un momento ~** in un dato momento **♦** *nm* (*para juego*) dado; **~s** *nmpl* (*juego*) dadi *mpl*; **~ que** visto che, dato che

daltónico, -a *adj, nm/f* daltonico(-a)

dama *nf* dama; **~s** *nfpl* (*juego*) dama; **~s y caballeros ... ► dama de honor** (*de novia*) damigella d'onore

danés, -esa *adj, nm/f* danese *m/f*

danza *nf* danza

dañar *vt* danneggiare, rovinare; **dañarse** *vpr* (*persona*) farsi male; (*cosecha*) danneggiarsi

dañino, -a *adj* nocivo(-a)

daño *nm* (*a mueble, máquina*) danno; (*a persona, animal*) male *m*; **~s y perjuicios** (*JUR*) danni *mpl*; **hacer ~** (*alimento*) fare male; **hacer ~ a algn** (*producir dolor*) far male a qn; (*fig: ofender*) ferire qn, offendere qn; **eso me hace ~** questo mi fa male; **hacerse ~** farsi male

---

dar

PALABRA CLAVE

vt

1 dare; **dar algo a algn** dare qc a qn; **dar de beber a algn** dare da bere a qn

2 (*causar: problemas, alegría*) dare; (: *susto*) fare

3 (+ *n* = *perífrasis de verbo*): **me da pena/asco** mi fa pena/schifo; **da gusto escucharlo** è un piacere ascoltarlo; *ver tb* **más**

4 (*dar a + infin*): **dar a conocer** far conoscere

♦ *vi*

1: **dar a** (*ventana, habitación*) dare a; (*botón etc*) premere

2: **dar con** trovare; **dimos con él dos horas más tarde** lo abbiamo trovato due ore dopo; **al final di con la solución** alla fine ho trovato la soluzione

3: **dar en** (*blanco*) colpire; **dar en el suelo** cadere a terra; **el sol me da en la cara** ho il sole in faccia

4: **dar de sí** (*zapatos, ropa*) allargarsi

♦ *darse vpr*

1 darsi; **darse un baño** farsi un bagno

2 (*ocurrir*) verificarsi; **se han dado muchos casos** si sono verificati molti casi

3: **darse a: darse a la bebida** darsi all'alcol

4: **darse por: darse por vencido** darsi per vinto; **darse por satisfecho** ritenersi soddisfatto

5: **se me dan bien/mal las ciencias** sono molto portato/non sono per niente portato per le scienze

6: **dárselas de: se las da de experto** si vanta di essere un esperto

dardo *nm* (*de juego*) freccetta

dátil *nm* dattero

dato *nm* elemento, dato; **~s** *nmpl* (*información, INFORM*) dati *mpl*; **~s personales** dati personali

dcha. *abr* (= *derecha*) destra

de

PALABRA CLAVE

(de + el = **del**) prep

1 (gen: complemento de n) di; **la casa de Isabel/de los Álvarez** la casa di Isabel/degli Álvarez; **una copa de vino** un bicchiere di vino; **clases de inglés** lezioni di inglese

2 (posesión: con ser): **es de ellos** è loro

3 (origen, distancia) da; **salir del cine/de la casa** uscire dal cinema/di casa; **soy de Gijón** sono di Gijón; **de lado** di lato; **de atrás/delante** di dietro/davanti

4 (procedencia, complemento agente) da; **llegó un paquete de Madrid** è arrivato un pacco da Madrid; **es querido de todos** è benvoluto da tutti

5 (materia) di; **un abrigo de lana** un cappotto di lana; **temblar de miedo/de frío** tremare di paura/di freddo; **de un trago** in un sorso

6 (condicional + infin): **de no ser así** se non è o fosse così; **de ser posible** se è o fosse possibile

7: **de no** (LAm: si no) se no; **¡hazlo, de no ...!** fallo, se no ...!

dé vb ver **dar**

debajo adv sotto; **~ de** sotto di; **por ~ de** al disotto di

debate nm dibattito ▫ **debatir** vt dibattere ♦ vi discutere; **debatirse** vpr (forcejear) dibattersi

deber nm (obligación) dovere m ♦ vt dovere; **~es** nmpl (ESCOL) compiti mpl; **deberse** vpr: **~se a** essere dovuto(-a) a; **debo hacerlo** devo farlo; **debe (de) ser canadiense**

deve essere canadese; ¿cuánto le debo? quanto le devo?

debido, -a adj (cuidado, respeto) dovuto(-a); **~ a** a causa di; **a su ~ tiempo** a tempo debito; **como es ~** come si deve

débil adj debole ▫ **debilidad** nf debolezza; **tener debilidad por qn/qc** ▫ **debilitar** vt indebolire; **debilitarse** vpr indebolirsi

debutar vi (en actuación) debuttare

década nf decennio

decadencia nf decadenza

decaído, -a adj: **estar ~** (desanimado) essere abbattuto(-a)

decano, -a nm/f (UNIV) preside m

decena nf: **una ~** una decina

decente adj decente; (honesto) onesto(-a)

decepción nf delusione f

decepcionar vt deludere

decidir vt, vi decidere; **decidirse** vpr: **~se (a hacer algo)** decidersi (a fare qc)

décima nf (MAT) decimo; **tengo unas ~s de fiebre** ho qualche linea di febbre

decimal adj decimale

décimo, -a adj decimo(-a) ♦ nm decimo; **~ de lotería** decima parte di un biglietto di lotteria

DÉCIMO DE LOTERÍA

I biglietti della lotteria sono molto cari in Spagna e vengono venduti in quote più piccole.

decir vt dire; **decirse** vpr: **se dice que ...** si dice che ...; **~ para sí** dire tra sé e sé; **querer ~** voler dire; **es ~** cioè; **¡diga!, ¡dígame!** (TELEC)

pronto!; **por no ~** per non dire;
¿cómo se dice "cursi" en italiano?
come si dice "cursi" in italiano?

decisión nf decisione f; **tomar una ~** prendere una decisione

decisivo, -a adj decisivo(-a)

declaración nf dichiarazione f; (JUR) deposizione f; **prestar ~** (JUR) deporre ► **declaración de la renta** dichiarazione dei redditi

declarar vt dichiarare ♦ vi (para la prensa, en público) rilasciare una dichiarazione; (JUR) deporre; **declararse** vpr (a una chica) dichiararsi; (guerra, incendio) scoppiare; **~ culpable** dichiarare colpevole

declive nm pendenza f; (fig) decadenza, tramonto

decoración nf decorazione f

decorado nm scenografia

decorar vt decorare

decorativo, -a adj decorativo(-a)

decrecer vi diminuire; (nivel de agua) scendere

decreto nm decreto

dedal nm (para costura) ditale m

dedicación nf dedizione f; (de fondos) destinazione f; **~ exclusiva/ parcial** tempo pieno/parziale

dedicar vt dedicare; **dedicarse** vpr: **~se a** dedicarsi a ❑ **dedicatoria** nf dedica

dedo nm dito; **a ~** (entrar, nombrar) per raccomandazione; **hacer ~** (fam) fare l'autostop ► **dedo anular** anulare m ► **dedo corazón, dedo gordo** pollice m; (en pie) alluce m ► **dedo índice** indice m ► **dedo meñique** mignolo

deducción nf deduzione f

deducir vt dedurre

defecto nm difetto

defectuoso, -a adj difettoso(-a)

defender vt difendere; **defenderse** vpr: **~se de** difendersi da

defensa nf difesa ♦ nm (DEPORTE) difensore m

defensivo, -a adj (movimiento, actitud) difensivo(-a)

defensor, a adj (persona) difensore (difenditrice) ♦ nm/f (tb: **~ abogado**) avvocato difensore m

deficiente adj (trabajo) insufficiente; (salud) scarso(-a) ♦ nm/f: **ser un ~ mental/físico** essere un handicappato psichico/ fisico

definición nf definizione f

definir vt definire

definitivo, -a adj definitivo(-a); **en definitiva** in definitiva

deformación nf deformazione f

deformar vt deformare; **deformarse** vpr deformarsi ❑ **deforme** adj deforme

defraudar vt (a personas) deludere; (a Hacienda) frodare

defunción nf decesso

degenerar vi degenerare

degradar vt degradare; **degradarse** vpr degradarsi

degustación nf degustazione f

dejar vt lasciare ♦ vi: **~ de** smettere di; **~ a algn (hacer algo)** lasciare qn (fare qc); **no dejes de visitarlos** non mancare di fargli visita; **¡déjame en paz!** lasciami in pace!; **~ atrás** lasciare indietro qn; **~ entrar/ salir** lasciar entrare/uscire; **~ pasar** lasciar passare

del (= de + el) prep + art ver **de**

delantal nm grembiule m

delante adv davanti; **~ de** davanti a

delantera nf davanti m inv, parte f anteriore; (DEPORTE) vantaggio; **llevar la ~ (a algn)** essere in vantaggio (su qn)

delantero, -a adj anteriore; (vagón) di testa ♦ nm (DEPORTE) attaccante m

delatar vt denunciare

delator, a nm/f delatore(-trice)

delegación nf delegazione f; **por ~** su delega

delegado, -a nm/f rappresentante m/f

delegar vt: **~ algo en algn** delegare qc a qn

deletrear vt compitare

delfín nm delfino

delgado, -a adj magro(-a); (fino) sottile

deliberar vi: **~ (sobre)** deliberare (su)

delicadeza nf delicatezza

delicado, -a adj delicato(-a)

delicia nf delizia

delicioso, -a adj delizioso(-a)

delimitar vt delimitare

delincuencia nf delinquenza
  ▶ **delincuencia juvenil** delinquenza minorile
  ❏ **delincuente** nm/f delinquente m/f

delineante nm/f disegnatore(-trice)

delirar vi delirare

delirio nm delirio ▶ **delirios de grandeza** manie fpl di grandezza

delito nm delitto, reato

delta nm delta m inv

demacrado, -a adj emaciato(-a)

demanda nf richiesta, domanda; **en ~ de** in cerca di

demandar vt chiedere; (JUR) querelare

demarcación nf demarcazione f; (zona) zona; (jurisdicción) circoscrizione f

demás adj: **los ~ niños** gli altri bambini ♦ pron: **los/las ~** gli altri/le altre; **lo ~** il resto; **por lo ~** per il resto

demasiado, -a adj troppo(-a) ♦ adv troppo; **~ vino** troppo vino; **~s libros** troppi libri; **¡es ~!** questo è troppo!; **es ~ pesado** è troppo pesante

demencia nf demenza

democracia nf democrazia

demócrata adj, nm/f democratico(-a)

democrático, -a adj democratico(-a)

demolición nf demolizione f

demonio nm demonio; **¡~s!** caspita!

demora nf ritardo

demos vb ver **dar**

demostración nf (tb afecto, funcionamiento) dimostrazione f

demostrar vt dimostrare

den vb ver **dar**

denegar vt negare

densidad nf densità f inv

denso, -a adj denso(-a); (bosque, niebla) fitto(-a)

dentadura nf dentatura
  ▶ **dentadura postiza** dentiera

dentífrico nm dentifricio

dentista nm/f dentista m/f

dentro adv dentro ♦ prep: **~ de** dentro; **mirar por ~** guardare all'interno; **~ de tres meses** entro tre mesi; **~ de poco** tra non molto

denuncia nf denuncia

❑ **denunciar** vt (tb en la prensa) denunciare; **quisiera denunciar un robo** vorrei denunciare un furto

departamento nm (de tren) scompartimento; (administración, universidad) dipartimento; (LAm: apartamento) appartamento

depender vi: **~ de** dipendere da; **no depende de mí** non dipende da me

dependiente, -a nm/f commesso(-a)

depilar vt depilare; **depilarse** vpr depilarsi

deportar vt deportare

deporte nm sport m inv

❑ **deportista** adj, nm/f sportivo(-a)

⚠ **deporte** no se traduce nunca por la palabra italiana **diporto**.

deportivo, -a adj sportivo(-a)
♦ nm automobile f sportiva

depositar vt depositare; (confianza) riporre; **depositarse** vpr depositarsi

depósito nm deposito; (de agua, gasolina etc) serbatoio ▶ **depósito de cadáveres** obitorio

depredador, -a adj predatore(-trice) ♦ nm predatore

depresión nf depressione f ▶ **depresión nerviosa** depressione

deprimido, -a adj depresso(-a)

deprimir vt deprimere; **deprimirse** vpr deprimersi

deprisa adv in fretta

depurar vt depurare

derecha nf (tb POL) destra; **a la ~** a destra

derecho, -a adj destro(-a) ♦ nm diritto; (lado) diritto; **~s** nmpl diritti mpl; **a mano derecha** a destra; **Facultad de D~** Facoltà di Giurisprudenza; **estudiante de D~** studente di giurisprudenza; **¡no hay ~!** non è giusto!; **tener ~ a algo** avere diritto a qc; **tener ~ a hacer algo** avere il diritto di fare qc ▶ **derecho a voto** diritto di voto ▶ **derechos civiles/humanos** diritti civili/umani ▶ **derechos de autor** diritti d'autore

deriva nf: **ir/estar a la ~** andare alla deriva

derivado, -a nm derivato

derivar vt (conversación) deviare ♦ vi derivare; **derivarse** vpr: **~se de** derivare da

derramamiento nm: **~ de sangre** spargimento di sangue

derramar vt (verter) versare; (esparcir) spargere; **derramarse** vpr spargersi; **~ lágrimas** versare lacrime

derrame nm (de líquido) fuoriuscita; (MED) emorragia

derretir vt sciogliere; **derretirse** vpr sciogliersi; **~se de calor** essere in un bagno di sudore

derribar vt (con un puño) atterrare; (construcción) abbattere; (gobierno, político) rovesciare

derrocar vt abbattere; (gobierno) rovesciare

derrochar vt (dinero) sperperare; (energía, gasolina) sprecare ❑ **derroche** nm spreco; (de alegría) esplosione f

derrota nf (DEPORTE, POL, MIL) sconfitta □ **derrotar** vt sconfiggere, battere

derrotero nm percorso; **tomar otros ~s** prendere un'altra strada

derrumbar vt abbattere; **derrumbarse** vpr crollare

des vb ver **dar**

desabrochar vt slacciare; **desabrocharse** vpr (cinturón) slacciarsi

desacato nm (JUR) oltraggio

desacertado, -a adj sbagliato(-a); (inoportuno) inopportuno(-a)

desacierto nm sbaglio, errore m

desaconsejar vt: ~ **algo a algn** sconsigliare qc a qn

desacreditar vt screditare

desacuerdo nm disaccordo; (disconformidad) contrasto

desafiar vt sfidare; ~ **a algn a hacer** sfidare qn a fare

desafinado, -a adj: **estar ~** essere scordato(-a)

desafinar vi stonare; **desafinarse** vpr scordarsi

desafío nm sfida

desagradable adj sgradevole; **es ~ tener que hacerlo** è spiacevole doverlo fare

desagradecido, -a adj ingrato(-a)

desagrado nm dispiacere m, fastidio; **con ~** di malavoglia

desagüe nm scolo; (de lavadora) scarico; **tubo de ~** tubo di scarico

desahogar vt sfogare; **desahogarse** vpr sfogarsi

desahogo nm sfogo; (alivio) sollievo; **vivir con ~** vivere agiatamente

desahuciar vt (enfermo) dichiarare inguaribile; (inquilino) sfrattare

desaliño nm trascuratezza

desalmado, -a adj crudele, spietato(-a)

desalojar vt (salir de) evacuare; (expulsar) cacciare

desamparado, -a adj (persona) diseredato(-a); (lugar: expuesto) abbandonato(-a); (: desierto) deserto(-a)

desangrar vt (tb fig) dissanguare; **desangrarse** vpr dissanguarsi

desanimado, -a adj abbattuto(-a); (fiesta) noioso(-a)

desanimar vt scoraggiare; (deprimir) abbattere; **desanimarse** vpr avvilirsi

desapacible adj sgradevole; (tiempo) brutto(-a); (carácter) scorbutico(-a)

desaparecer vi scomparire, sparire ♦ vt (LAm: POL) far sparire □ **desaparecido, -a** adj scomparso(-a) ♦ nm/f (POL) desaparecido(-a); **desaparecidos** nmpl desaparecidos mpl □ **desaparición** nf scomparsa

desapego nm mancanza d'affetto

desapercibido, -a adj: **pasar ~** passare inosservato(-a)

desaprensivo, -a adj senza scrupoli

desaprobar vt disapprovare

desaprovechar vt sprecare, sciupare

desarmar vt disarmare; (mueble, máquina) smontare □ **desarme** nm disarmo

desarraigo nm (tb fig) sradicamento

desarrollar vt sviluppare; (planta, semilla) far crescere; (plan etc) realizzare; **desarrollarse** vpr svilupparsi; (hechos, reunión) svolgersi ❏ **desarrollo** nm sviluppo; (de acontecimientos) svolgimento; **país en vías de desarrollo** paese in via di sviluppo

desarticular vt (mecanismo, bomba) disattivare; (grupo terrorista) sgominare

desasosegar vt preoccupare, inquietare; **desasosegarse** vpr preoccuparsi

desasosiego vb ver **desasosegar** ♦ nm inquietudine f; (POL) agitazione f

desastre nm disastro, sciagura; (fam: persona) disastro

desastroso, -a adj disastroso(-a)

desatar vt (nudo) sciogliere; (cuerda, perro, prisionero) slegare; **desatarse** vpr slegarsi; (tormenta) scatenarsi

desatascar vt (cañería) sturare

desatender vt (consejos) disattendere; (súplicas) non ascoltare; (trabajo, hijo) trascurare

desatino nm sproposito; **decir ~s** dire sciocchezze

desatornillar vt (tornillo) svitare; (estructura) smontare; **desatornillarse** vpr (ver vt) svitarsi; smontarsi

desatrancar vt (puerta) togliere la sbarra a; (cañería) sturare

desautorizar vt (oficial) esautorare; (informe, declaraciones) smentire; (huelga, manifestación) vietare

desayunar vt: **~ algo** mangiare qualcosa per colazione ♦ vi fare colazione ❏ **desayuno** nm

colazione f; **¿a qué hora se sirve el desayuno?** a che ora si può fare colazione?

desazón nf dispiacere m; (MED) malessere m

desbarajuste nm caos m inv, disordine m

desbaratar vt rovinare; (plan) mandare all'aria

desbloquear vt sbloccare

desbordar vt traboccare da; **desbordarse** vpr traboccare; (río) straripare; (entusiasmo) esplodere; **el trabajo me desborda** sono oberato(-a) di lavoro

descabellado, -a adj strampalato(-a), balzano(-a)

descafeinado, -a adj decaffeinato(-a) ♦ nm decaffeinato

descalabro nm (de partido político) crollo

descalificar vt (DEPORTE) squalificare; (desacreditar) screditare

descalzar vt togliere le scarpe a; **descalzarse** vpr togliersi le scarpe

descalzo, -a adj (persona) scalzo(-a); **estar/ir (con los pies) ~(s)** stare/camminare a piedi nudi

descambiar vt (COM) cambiare

descaminado, -a adj: **estar** o **ir ~** essere fuori strada

descampado nm spiazzo

descansado, -a adj riposante; (oficio, actividad) facile; **estar/sentirse ~** essere/sentirsi riposato

descansar vt dare sollievo a; (apoyar) poggiare ♦ vi (reposar, dormir) riposare

descansillo nm pianerottolo

descanso nm riposo; (en el trabajo) pausa; (TEATRO, CINE, DEPORTE) intervallo; ¡qué ~! che sollievo!

descapotable nm (tb: **coche ~**) (auto f inv) decappottabile f

descarado, -a adj sfacciato(-a), sfrontato(-a)

descarga nf (de camión) scarico; (MIL, FÍS) scarica

descargar vt (tb golpe, INFORM) scaricare ♦ vi (tormenta) scaricarsi; **descargarse** vpr scaricarsi; ~ **en** (río) sfociare in

descaro nm sfacciataggine f

descarriar vt (fig) traviare; **descarriarse** vpr traviarsi

descarrilamiento nm deragliamento

descarrilar vi deragliare

descartar vt scartare

descendencia nf (hijos) discendenza

descender vt, vi scendere; ~ **de** discendere da; ~ **de categoría** declassarsi

descendiente nm/f discendente m/f

descenso nm discesa; (de temperatura, fiebre) calo, abbassamento

descifrar vt decifrare

descolgar vt staccare, sganciare; (bajar) calare; **descolgarse** vpr (por una cuerda) calarsi; (lámpara, cortina, de un grupo) staccarsi

descolorido, -a adj (tela, cuadro) scolorito(-a); (persona) pallido(-a)

descomponer vt scomporre; (desordenar) scompigliare; (estropear) rompere; (facciones, alimentos) alterare; **descomponerse** vpr decomporsi

(encolerizarse) alterarsi; (LAm: TEC) rompersi

descomposición nf scomposizione f; (alteración) decomposizione f
▶ **descomposición de vientre** diarrea

descompuesto, -a pp de **descomponer** ♦ adj (alimento) andato(-a) a male; (persona, rostro) alterato(-a); (con diarrea) disturbato(-a)

desconcertado, -a adj sconcertato(-a)

desconcertar vt sconcertare; **desconcertarse** vpr sconcertarsi

desconcierto vb ver **desconcertar** ♦ nm sconcerto

desconectar vt sconnettere; (desenchufar) disinserire

desconfianza nf diffidenza, sfiducia

desconfiar vi: ~ **de algn/algo** diffidare di qn/qc; ~ **de que algn/ algo haga algo** (dudar) dubitare che qn/qc faccia qc

descongelar vt scongelare; (POL, COM) sbloccare; **descongelarse** vpr scongelarsi; (POL, COM) sbloccarsi

descongestionar vt decongestionare

desconocer vt (dato) ignorare; (persona) disconoscere

desconocido, -a adj, nm/f sconosciuto(-a); **está ~** (persona, lugar) è irriconoscibile

desconsiderado, -a adj irriguardoso(-a)

desconsuelo nm sconforto, afflizione f

descontado, -a adj scontato(-a); **dar por ~ (que)** dare per scontato (che)

descontar vt (deducir) detrarre; (rebajar) scontare

descontento, -a adj scontento(-a) ♦ nm scontento

descorchar vt stappare

descorrer vt (cortina, cerrojo) tirare

descortés adj scortese; (grosero) maleducato(-a)

descosido, -a adj scucito(-a) ♦ nm (en prenda) scucitura

descremado, -a adj scremato(-a)

describir vt descrivere
❑ **descripción** nf descrizione f

descuartizar vt (CULIN: cerdo) squartare; (: pollo) tagliare a pezzi

descubierto, -a pp de **descubrir** ♦ adj scoperto(-a); (lugar) aperto(-a) ♦ nm (COM: en el presupuesto) disavanzo; (: bancario) scoperto; **al ~** allo scoperto; **poner al ~** rivelare

descubrimiento nm scoperta

descubrir vt scoprire; (secreto) rivelare; **descubrirse** vpr togliersi il cappello

descuento vb ver **descontar** ♦ nm sconto; **¿hay ~ para niños?** ci sono riduzioni per i bambini?; **¿hay ~s para estudiantes?** ci sono sconti per studenti?

descuidado, -a adj trascurato(-a); (desordenado) distratto(-a); **estar ~** essere distratto; **coger** o **pillar a algn ~** cogliere qn alla sprovvista

descuidar vt trascurare ♦ vi non preoccuparsi; **descuidarse** vpr trascurarsi; (despistarse) distrarsi; **¡descuida!** non ti preoccupare!
❑ **descuido** nm distrazione f; (negligencia) trascuratezza; **al**

menor descuido alla minima distrazione; **con descuido** con disattenzione; **en un descuido** in un momento di distrazione

desde prep da ♦ conj: **~ que:** ~ **que recuerdo** da quando ricordo; **~ Burgos hasta mi casa hay 30 km** da Burgos a casa mia sono 30 km; **~ niño** sin da piccolo; **nos conocemos ~ 1987/~ hace 20 años** ci conosciamo dal 1987/da 20 anni; **~ luego (que no/sí)** certo (che no/sì)

desdén nm disprezzo

desdeñar vt disdegnare; (persona) disprezzare

desdicha nf sfortuna

desdichado, -a adj (sin suerte) sfortunato(-a); (infeliz) disgraziato(-a), sventurato(-a) ♦ nm/f poveraccio(-a)

desear vt desiderare

desechar vt (oferta, proyecto) rifiutare; (objeto) mettere via; (temor) scacciare

desecho nm rifiuto; **~s** nmpl rifiuti mpl; **de ~** (materiales) di scarto; (ropa) da buttare

desembalar vt disimballare

desembarazar vt sgombrare; **desembarazarse** vpr: **~se de** sbarazzarsi di

desembarcar vt, vi sbarcare

desembocadura nf (de río) foce f

desembocar vi: **~ en** (río, calle, discusión) sfociare in

desembrollar vt sbrogliare

desempaquetar vt spacchettare

desempate nm (FÚTBOL) spareggio; (TENIS) tie-break m inv

desempeñar vt (cargo) ricoprire; (función) svolgere; (papel) recitare;

(*deber*) compiere; (*lo empeñado*)
disimpegnare; ~ **un papel** (*fig*)
svolgere un ruolo

desempleado, -a *adj*
disoccupato(-a) □ **desempleo** *nm*
disoccupazione f

desencadenar *vt* (*ira, conflicto*)
scatenare; **desencadenarse** *vpr*
(*conflicto, tormenta*) scatenarsi

desencajar *vt* staccare; (*hueso*)
slogare; **desencajarse** *vpr* (*ver vt*)
staccarsi; slogarsi

desencanto *nm* disincanto

desenchufar *vt* disinserire

desenfadado, -a *adj*
disinvolto(-a) □ **desenfado** *nm*
disinvoltura

desenfocado, -a *adj* (*FOTO*)
sfocato(-a)

desenfreno *nm* (*libertinaje*)
dissolutezza; (*falta de control*)
sfrenatezza

desenganchar *vt* sganciare;
desengancharse *vpr* (*fam: de
drogas*) smettere

desengañar *vt* disingannare;
desengañarse *vpr* **~se (de)**
disilludersi (su); **¡desengáñate!** non
farti illusioni! □ **desengaño** *nm*
delusione f; **llevarse un desengaño
(con algn)** rimanere deluso(-a) (da
qn)

desenlace *nm* conclusione f

desenmascarar *vt* (*fig*)
smascherare

desenredar *vt* sbrogliare

desenroscar *vt* svitare; (*extender*)
srotolare

desenterrar *vt* dissotterrare

desentonar *vi* stonare

desentrañar *vt* (*misterio*)
penetrare; (*sentido*) interpretare

desenvoltura *nf* disinvoltura,
spigliatezza

desenvolver *vt* (*regalo*) scartare;
desenvolverse *vpr* svolgersi; **~se
bien/mal** cavarsela bene/male; **~se
en la vida** sapersela cavare

deseo *nm* desiderio; **~ de (hacer)**
desiderio di (fare)

deseoso, -a *adj*: **estar ~ de (hacer)**
essere desideroso di (fare)

desequilibrado, -a *adj, nm/f*
squilibrato(-a)

desertar *vi* (*soldado*) disertare

desértico, -a *adj* desertico(-a)

desesperación *nf* disperazione f;
(*irritación*) esasperazione f

desesperar *vt* far disperare;
(*exasperar*) esasperare;
desesperarse *vpr* disperarsi

desestabilizar *vt* destabilizzare

desestimar *vt* (*menospreciar*)
disdegnare; (*rechazar*) respingere

desfachatez *nf* sfacciataggine f;
tener la ~ de hacer avere la
sfacciataggine di fare

desfalco *nm* appropriazione f
indebita

desfallecer *vi* svenire

desfasado, -a *adj* sfasato(-a);
(*costumbres*) anacronistico(-a)
□ **desfase** *nm* (*tb fig*) sfasamento

desfavorable *adj* sfavorevole

desfigurar *vt* sfigurare; (*voz,
intenciones*) camuffare

desfiladero *nm* gola, passo

desfilar *vi* sfilare □ **desfile** *nm*
(*MIL*) parata; **desfile de modelos**
sfilata di moda

desgana *nf* (*falta de apetito*)
inappetenza; (*falta de entusiasmo*)
malavoglia, svogliatezza; **lo hace
con ~** lo fa di malavoglia

desganado, -a adj: estar ~ (sin apetito) non avere appetito; (sin entusiasmo) essere annoiato(-a)

desgarrar vt strappare; (carne) fare a brandelli; **desgarrarse** vpr (prenda) strapparsi; **se me desgarra el corazón** mi si spezza il cuore

desgastar vt consumare, logorare; **desgastarse** vpr logorarsi □ **desgaste** nm usura, logoramento; **desgaste físico** logorio fisico

desglosar vt scindere

desgracia nf disgrazia; **por ~** disgraziatamente

desgraciado, -a adj, nm/f disgraziato(-a), sventurato(-a); (infeliz) infelice m/f

desgravar vt sgravare

deshabitado, -a adj disabitato(-a)

deshacer vt disfare; (destruir) distruggere; (trato) mandare a monte; (disolver) sciogliere; **deshacerse** vpr disfarsi; **~se de** liberarsi di; **~se en atenciones** essere prodigo di attenzioni; **~se en lágrimas** sciogliersi in lacrime

deshecho, -a pp de **deshacer** ♦ adj disfatto(-a); (roto) rotto(-a); **estoy ~** (cansado) sono esausto; (deprimido) sono a terra

desheredar vt diseredare

deshidratar vt disidratare; **deshidratarse** vpr disidratarsi

deshielo nm disgelo

deshonesto, -a adj disonesto(-a)

deshonor nm disonore m

deshonra nf = **deshonor**

deshora: a ~(s) adv (llegar, hablar) nel momento sbagliato; (acostarse, comer) tardissimo

deshuesar vt (carne) disossare; (fruta) snocciolare

desierto, -a adj deserto(-a) ♦ nm deserto; **declarar ~ un premio** non assegnare un premio

designar vt designare; **~ (para)** (nombrar) designare (come), nominare

desigual adj disuguale; (terreno) accidentato(-a); (tiempo) variabile; (tamaño, escritura) irregolare

desilusión nf delusione f

desinfectar vt disinfettare

desinflar vt sgonfiare; **desinflarse** vpr sgonfiarsi

desintegración nf disintegrazione f

desinterés nm disinteresse m

desintoxicarse vpr disintossicarsi

desistir (de) vi desistere (da); **~ hacer** rinunciare a fare

desleal adj sleale □ **deslealtad** nf slealtà f inv

desligar vt (separar) scindere

desliz nm (fig) errore m

deslizar vt far scivolare; **deslizarse** vpr scivolare; (aguas mansas, lágrimas) scorrere

deslumbrar vt accecare

desmadrarse (fam) vpr scatenarsi

desmán nm eccesso

desmantelar vt smantellare; (casa, fábrica) demolire

desmayarse vpr svenire, perdere i sensi □ **desmayo** nm (MED) svenimento; (desaliento) scoraggiamento

desmemoriado, -a adj smemorato(-a)

desmentir vt smentire

desmenuzar vt sminuzzare, sbriciolare; (roca) sgretolare; (carne) tagliare a pezzetti; (asunto, teoría) esaminare con attenzione

desmesurado, -a adj (ambición, egoísmo) smisurato(-a); (habitación, gafas) enorme

desmontable adj (que se quita) smontabile; (que se puede plegar) pieghevole

desmontar vt, vi smontare; ~ **de** smontare da

desmoralizar vt demoralizzare; **desmoralizarse** vpr demoralizzarsi

desmoronar vt sgretolare; (persona) abbattere; **desmoronarse** vpr sgretolarsi, crollare

desnatado, -a adj scremato(-a)

desnivel nm (de terreno) dislivello

desnudar vt spogliare, svestire; **desnudarse** vpr spogliarsi, svestirsi

desnudo, -a adj nudo(-a); (árbol) spoglio(-a) ♦ nm (ARTE) nudo

desnutrición nf denutrizione f

desnutrido, -a adj denutrito(-a)

desobedecer vt, vi disubbidire

desobediente adj disubbidiente

desocupado, -a adj (persona: ocioso) indolente; (sin trabajo) disoccupato(-a); (asiento, servicios) libero(-a)

desodorante nm deodorante m

desolación nf desolazione f

desorbitado, -a adj (deseos) smodato(-a); (precio) esorbitante

desorden nm disordine m; **desórdenes** nmpl (POL) disordini mpl

desordenado, -a adj disordinato(-a)

desorganización nf disorganizzazione f

desorientado, -a adj (tb fig) disorientato(-a)

desorientar vt (fig) disorientare; **desorientarse** vpr perdere l'orientamento

despabilado, -a adj sveglio(-a)

despachar vt (negocio) concludere; (correspondencia) sbrigare; (en tienda: cliente) servire; (entradas) distribuire; (empleado) licenziare ♦ vi (en tienda) servire

despacho nm studio, ufficio; (envío) spedizione f; (COM) bottega; (comunicación oficial) dispaccio
   ▸ **despacho de billetes** tabaccheria

despacio adv lentamente; (CS: en voz baja) piano

desparpajo nm (desenvoltura) spigliatezza

desparramar vt spargere

despecho nm dispetto, risentimento; **a ~ de** a dispetto di

despectivo, -a adj (tono, modo) spregiativo(-a)

despedida nf (adiós) addio; **regalo/cena de ~** regalo/cena di addio; **hacer su ~ de soltero/ soltera** dare l'addio al celibato/ nubilato

despedir vt (decir adiós a) salutare; (empleado) licenziare; (olor, calor) sprigionare; **despedirse** vpr salutare; **fuimos a ~lo a la estación** l'abbiamo accompagnato alla stazione; **~se de algn** congedarsi da qn

despegar vt staccare ♦ vi (avión) decollare; **despegarse** vpr staccarsi

despegue *vb ver* **despegar** ♦ *nm* decollo

despeinar *vt* spettinare; **despeinarse** *vpr* spettinarsi

despejado, -a *adj* ampio(-a); (*persona*) sveglio(-a), intelligente

despejar *vt* sgombrare; (*misterio, situación*) chiarire; (*mente*) rinfrescare ♦ *vi* (FÚTBOL) liberare; **despejarse** *vpr* (*tiempo*) rasserenarsi; (*persona*) distrarsi

despensa *nf* (*lugar*) dispensa *f*; (*comestibles*) provviste *fpl*

despeñarse *vpr* precipitare

desperdiciar *vt* sprecare

desperdicio *nm* spreco; **~s** *nmpl* avanzi *mpl*; **el libro no tiene** ~ il libro è bello dalla prima all'ultima pagina

desperezarse *vpr* stiracchiarsi

desperfecto *nm* (*deterioro*) lieve danno; (*defecto*) difetto

despertador *nm* sveglia

despertar *vt* svegliare; (*sospechas, admiración*) destare; (*recuerdo*) risvegliare; (*apetito*) stimolare ♦ *vi* svegliarsi ♦ *nm* (*de persona*) risveglio; (*día, era*) alba; **despertarse** *vpr* svegliarsi; **¿podría ~me a las 7, por favor?** potrei essere svegliato alle 7, per favore?

despido *vb ver* **despedir** ♦ *nm* (*de trabajador*) licenziamento

despierto, -a *vb ver* **despertar** ♦ *adj* (*tb fig*) sveglio(-a)

despilfarro *nm* spreco, sperpero

despistado, -a *adj* (*distraído*) distratto(-a)

despistar *vt* (*perseguidor*) depistare; **despistarse** *vpr* (*distraerse*) distrarsi; (*perderse*) perdersi

despiste *nm* distrazione *f*; (*fallo*) errore *m*

desplazamiento *nm* spostamento; (*INFORM*) scorrimento; **gastos de ~** indennità *f inv* di trasferta

desplazar *vt* spostare; (*fig*) sostituire; (*INFORM*) far scorrere; **desplazarse** *vpr* spostarsi

desplegar *vt* spiegare; (*tela, papel*) distendere; **desplegarse** *vpr* (*MIL*) schierarsi □ **despliegue** *vb ver* **desplegar** ♦ *nm* spiegamento

desplomarse *vpr* crollare

desplumar *vt* (*ave, tb fam*) spennare

despoblado, -a *adj* (*sin habitantes*) spopolato(-a) ♦ *nm* luogo abbandonato

despojar *vt* spogliare; **despojarse** *vpr*: **~se de** (*ropa*) spogliarsi di; **~ de** privare di

despojo *nm* (*de banquete*) avanzo

desposado, -a *adj* sposino(-a)

despreciar *vt* disprezzare; (*oferta, regalo*) disdegnare □ **desprecio** *nm* disprezzo; **me ha hecho un desprecio** mi ha fatto uno sgarbo

desprender *vt* staccare; (*olor, calor*) sprigionare; **desprenderse** *vpr* staccarsi; (*olor, perfume*) sprigionarsi; **~ (de)** (*separar*) staccare (da); **~se de algo** rinunciare a qc; **de ahí se desprende que** da questo si deduce che

desprendimiento *nm* distacco ▸ **desprendimiento de tierras** smottamento

despreocupado, -a *adj*: **estar ~** (*sin preocupación*) non preoccuparsi; **ser ~** essere spensierato

despreocuparse vpr: ~ **(de)** (dejar de inquietarse) smettere di preoccuparsi (di); (desentenderse) disinteressarsi (di)

desprestigiar vt screditare; **desprestigiarse** vpr screditarsi

desprevenido, -a adj impreparato(-a); **coger a algn** ~ prendere qn alla sprovvista

desproporcionado, -a adj sproporzionato(-a)

desprovisto, -a adj: ~ **de** sprovvisto(-a) di

después adv dopo ♦ prep: ~ **de** dopo ♦ conj: ~ **(de) que** dopo che; **un año** ~ un anno dopo; ~ **de comer** dopo mangiato; ~ **de todo** dopotutto

desquiciar vt (puerta) scardinare; (persona) far uscire dai gangheri

destacar vt (ARTE) mettere in risalto; (fig) sottolineare; (MIL) distaccare ♦ vi (sobresalir: montaña, figura) risaltare, spiccare; **destacarse** vpr distinguersi

destajo nm: **trabajar a** ~ (por pieza) lavorare a cottimo; (mucho) lavorare sodo

destapar vt (botella) stappare; (cacerola) scoperchiare; **destaparse** vpr (en la cama) scoprirsi

destartalado, -a adj malandato(-a); (coche) scassato(-a)

destello nm (de diamante, estrella) luccichio; (de faro) lampeggiamento

destemplado, -a adj (MÚS) scordato(-a); (voz) stridulo(-a); (METEO) cattivo(-a); **estar/sentirse** ~ (MED) non stare/sentirsi bene

desteñir vi (sol, lejía) scolorire, stingere ♦ vt (tejido) sbiadire; **desteñirse** vpr sbiadire, stingersi

desternillarse vpr: ~ **de risa** sbellicarsi dalle risa

desterrar vt esiliare

destiempo: a ~ adv nel momento sbagliato

destierro vb ver **desterrar** ♦ nm (expulsión) espulsione f; (exilio) esilio

destilar vt, vi distillare
❏ **destilería** nf distilleria

destinar vt (funcionario, militar) destinare; (habitación, tarea) assegnare; ~ **a** o **para** (fondos) destinare a

destinatario, -a nm/f destinatario(-a)

destino nm (suerte) destino; (de viajero, funcionario, militar) destinazione f; (empleo) posto; **con** ~ **a** diretto(-a)

destituir vt: ~ **(de)** destituire (da)

destornillador nm cacciavite m inv

destornillar vt = **desatornillar**

destreza nf destrezza

destrozar vt (romper) distruggere; (deteriorar) rovinare; (adversario) travolgere; (persona) abbattere; (nervios) far saltare

destrozo nm rottura; ~**s** nmpl (daños) danni mpl

destrucción nf distruzione f

destructivo, -a adj distruttivo(-a)

destruir vt (tb ilusiones, personas) distruggere; (argumentos) demolire; (negocio) mandare a monte

desuso nm disuso; **en** ~ in disuso

desvalijar vt (persona) rapinare; (lugar) svaligiare

desván nm soffitta

desvariar vi delirare

desvelar vt (suj: café, preocupación) tener sveglio(-a); **desvelarse** vpr fare grandi sacrifici

desvelo nmpl insonnia; (esfuerzo) sacrificio

desventaja nf svantaggio; **estar en o llevar ~** essere in svantaggio

desvergonzado, -a adj, nm/f svergognato(-a); (descarado) sfrontato(-a)

desvestir vt svestire; **desvestirse** vpr svestirsi

desviación nf deviazione f

desviar vt deviare; (mirada, persona) distogliere; **desviarse** vpr (apartarse del camino) allontanarsi; (rumbo) deviare

desvío vb ver **desviar** ♦ nm (AUTO) deviazione f

desvivirse vpr: ~ **por algo/algn** stravedere per qc/qn; ~ **por hacer** farsi in quattro per fare

detalle nm dettaglio; **¡qué ~!** che gentilezza!; **al ~** (COM) al dettaglio

detallista adj (persona) meticoloso(-a) ♦ nm/f (COM) dettagliante m/f

detective nm/f investigatore(-trice), detective m/f
▸ **detective privado** investigatore privato

detener vt fermare; **detenerse** vpr fermarsi; (demorarse) soffermarsi

detenido, -a adj (minucioso) minuzioso(-a); (preso) detenuto(-a) ♦ nm/f detenuto(-a)

detenimiento nm: **con ~** con attenzione

detergente nm detersivo

deteriorar vt deteriorare; **deteriorarse** vpr deteriorarsi

determinación nf determinazione f; (decisión) decisione f

determinado, -a adj determinato(-a)

determinar vt determinare; (fecha) fissare, stabilire; **determinarse** vpr: ~se **a hacer** decidersi a fare

detestar vt detestare

detrás adv dietro; (en sucesión temporal) dopo ♦ prep: ~ **de** dietro; ~ **mío/nuestro** (LAm) dietro di me/noi

detrimento nm: **en ~ de** a scapito di

deuda nf debito; **estar en ~ con algn** (fig) essere in debito con qn
▸ **deuda exterior/pública** debito estero/pubblico

devaluación nf svalutazione f

devaluar vt svalutare

devastar vt devastare

devoción nf devozione f; **sentir ~ por algn/algo** essere devoto(-a) a qn/qc

devolución nf restituzione f; (de dinero) rimborso

devolver vt restituire; (a su sitio) rimettere; (fam: vomitar) vomitare ♦ vi (fam) vomitare; **devolverse** vpr (LAm: regresar) tornare; **pagué y me devolvieron 2 euros** ho pagato e mi hanno dato 2 euro di resto

⚠ **devolver** no se traduce nunca por la palabra italiana **devolvere**.

devorar vt divorare

devoto, -a (REL, fig) adj, nm/f devoto(-a)

devuelto pp de **devolver**

devuelva etc vb ver **devolver**

di vb ver **dar**; **decir**

día *nm* (24 horas) giorno, giornata; (*lo que no es noche*) giorno; **¿qué ~ es (hoy)?** che giorno è oggi?; **estar/ poner al ~** (*cuentas*) essere aggiornato/aggiornare; (*persona*) essere/mettere al corrente; **el ~ de mañana** domani; **al ~ siguiente** il giorno dopo; **vivir al ~** vivere alla giornata; **es de ~** è giorno; **en pleno ~** in pieno giorno; **¡buenos ~s!** buongiorno!; **~ domingo/lunes** *etc* (*LAm*) domenica/lunedì *ecc* ► **Día de Reyes** Epifania ► **día festivo** *o* (*LAm*) **feriado** giorno festivo ► **día laborable** giorno feriale ► **día lectivo/libre** giorno di scuola/ libero

diabetes *nf* diabete *m*

diabético, -a *nm/f* diabetico(-a)

diablo *nm* diavolo; **¿cómo/qué ~s ...?** come/che diavolo ...? ❑ **diablura** *nf* birichinata

diadema *nf* diadema *m*

diafragma *nm* diaframma *m*

diagnóstico *nm* diagnosi *f inv*; (*ciencia*) diagnostica

diagonal *adj, nf* diagonale (*f*)

diagrama *nm* diagramma *m*; **~ de flujo** (*INFORM*) diagramma di flusso

dial *nm* (*de radio*) (scala di) sintonia

dialecto *nm* dialetto

dialogar *vi* dialogare, conversare; **~ con** (*POL*) dialogare con

diálogo *nm* dialogo

diamante *nm* diamante *m*; **~s** *nmpl* (*NAIPES*) quadri *mpl*

diámetro *nm* diametro

diana *nf* (*MIL*) sveglia; (*de blanco*) centro (del bersaglio)

diapositiva *nf* (*FOTO*) diapositiva

diario, -a *adj* giornaliero(-a) ♦ *nm* quotidiano; (*para memorias*) diario; **a ~** ogni giorno

diarrea *nf* diarrea

dibujar *vt, vi* disegnare ❑ **dibujo** *nm* disegno ► **dibujos animados** cartoni *mpl* animati ► **dibujo lineal/técnico** disegno geometrico/tecnico

diccionario *nm* dizionario

dicho, -a *pp de* **decir** ♦ *adj*: **en ~s países** in tali paesi ♦ *nm* detto; **o mejor ~** o piuttosto

dichoso, -a *adj* felice; **¡~ ruido!** maledetto rumore!

diciembre *nm* dicembre *m; ver tb* **julio**

dictado *nm* dettato

dictador *nm* dittatore(-trice) ❑ **dictadura** *nf* dittatura

dictar *vt* dettare; (*decreto, ley*) promulgare, varare; (*LAm: clase*) tenere

didáctico, -a *adj* didattico(-a); (*educativo*) educativo(-a)

diecinueve *adj inv, nm inv* diciannove (*m*) *inv; ver tb* **cinco**

dieciocho *adj inv, nm inv* diciotto *inv; ver tb* **cinco**

dieciséis *adj inv, nm inv* sedici (*m*) *inv; ver tb* **cinco**

diecisiete *adj inv, nm inv* diciassette (*m*) *inv; ver tb* **cinco**

diente *nm* dente *m*; **hablar entre ~s** borbottare ► **diente de ajo** spicchio d'aglio

diera *etc vb ver* **dar**

diesel *adj*: **motor ~** (motore *m*) diesel *m inv*

diestro, -a *adj* destro(-a); (*hábil*) abile ♦ *nm* (*TAUR*) torero

dieta nf dieta; **~s** nfpl (de viaje, hotel) diaria sg; **estar a ~** essere a dieta

diez adj inv, nm inv dieci (m) inv; ver tb **cinco**

diferencia nf differenza; **~s** nfpl (desacuerdos) differenze fpl; **a ~ de** a differenza di ▫ **diferenciar** vt: **diferenciar** (de) differenziare (da); **diferenciarse** vpr: **diferenciarse** (de) distinguersi (da); **diferenciar entre A y B** distinguere A da B

diferente adj diverso(-a), differente

diferido nm: **en ~** (TV) in differita

difícil adj difficile; **ser ~ de hacer/ entender** essere difficile da fare/ capire

dificultad nf difficoltà f inv; **~es** nfpl (problemas) difficoltà fpl; **poner ~es (a algn)** creare delle difficoltà (a qn)

dificultar vt (explicación, labor) rendere difficile, ostacolare

difundir vt (tb doctrina, rumores) diffondere; **difundirse** vpr diffondersi

difunto, -a adj, nm/f defunto(-a)

difusión nf diffusione f

diga etc vb ver **decir**

digerir vt digerire

digestión nf digestione f

digestivo, -a adj digestivo(-a)

digital adj digitale

dignarse vpr: **~ a hacer** degnarsi di fare

dignidad nf dignità f inv

digno, -a adj (sueldo, nivel de vida) decente; (comportamiento, actitud) degno(-a), rispettabile; **~ de** (mención) degno di

dije vb ver **decir**

dilatar vt dilatare; (prolongar) prolungare; (aplazar) rinviare; **dilatarse** vpr dilatarsi

dilema nm dilemma m

diluir vt diluire

diluvio nm diluvio

dimensión nf dimensione f; (de catástrofe) proporzioni fpl; **dimensiones** nfpl (tamaño) dimensioni fpl

diminuto, -a adj minuscolo(-a)

dimitir vi: **~ (de)** dimettersi (da)

dimos vb ver **dar**

Dinamarca nf Danimarca

dinámico, -a adj dinamico(-a)

dinamita nf dinamite f

dinamo, dínamo nf o (LAm) m dinamo f inv

dineral nm fortuna, patrimonio

dinero nm denaro, soldi mpl; **no tengo ~** non ho soldi; **no tengo ~ en efectivo** non ho contanti ▶ **dinero contante (y sonante)** denaro in contanti ▶ **dinero efectivo** o **en metálico** liquido ▶ **dinero suelto** spiccioli mpl

dinosaurio nm dinosauro

dio vb ver **dar**

diócesis nf inv diocesi f inv

Dios nm Dio; **¡~ mío!** Dio mio!; **¡por ~!** per l'amor di Dio!; **si ~ quiere** se Dio vuole

dios nm dio

diosa nf dea

diploma nm diploma m

diplomacia nf diplomazia

diplomado, -a adj, nm/f diplomato(-a)

diplomático, -a adj diplomatico(-a) ♦ nm/f diplomatico m

diptongo nm dittongo

diputación nf ≈ consiglio provinciale

diputado, -a nm/f deputato(-a)

dique nm diga

diré etc vb ver **decir**

dirección nf direzione f; (señas) indirizzo; (CINE, TEATRO) regia; **mi ~ es ...** il mio indirizzo è ...
▶ **dirección prohibida/única** senso vietato/unico

directa nf (AUTO) marcia più alta

directiva nf consiglio direttivo

directo, -a adj diretto(-a);
transmitir en ~ (TV) trasmettere in diretta

director, a adj, nm/f
direttore(-trice); (CINE, TV) regista m/f
▶ **director general** o **gerente** direttore generale

dirigente adj, nm/f dirigente m/f

dirigir vt dirigere; (carta, pregunta, esfuerzos) indirizzare; **dirigirse** vpr:
~se a rivolgersi a; **~ a** o **hacia** dirigere verso; **no ~ la palabra a algn** non rivolgere la parola a qn

dirija etc vb ver **dirigir**

disciplina nf disciplina

discípulo, -a nm/f discepolo(-a)

disco nm (tb DEPORTE) disco; (AUTO) semaforo ♦ **disco compacto** compact disc m inv♦ **disco duro** o **rígido** disco rigido ♦ **disco flexible** o **floppy** floppy disk m inv

disconforme adj difforme; **estar ~ (con)** essere in disaccordo (con)

discordia nf discordia

discoteca nf discoteca

discreción nf discrezione f

discreto, -a adj discreto(-a);
(sensato) sensato(-a)

discriminación nf discriminazione f

disculpa nf scusa; **pedir ~s a algn por algo** chiedere scusa a qn per qc □ **disculpar** vt discolpare;
(perdonar) perdonare; **disculparse** vpr: **disculparse (de/por)** scusarsi (di/per); **¡disculpe!** mi scusi!

discurso nm discorso

discusión nf discussione f

discutir vt, vi discutere

disecar vt (animal) imbalsamare;
(planta) seccare

diseñar vt progettare; (prendas de vestir) disegnare

diseño nm (TEC) design m inv;
(proyecto) progetto; (boceto) schizzo

disfraz nm costume m □ **disfrazar** vt mascherare; **disfrazarse** vpr:
disfrazarse de mascherarsi da

disfrutar vi divertirsi; **~ de** godere di

disgustar vt (comida) disgustare;
disgustarse vpr irritarsi; (dos personas) litigare

disgusto nm fastidio; (pesadumbre) dispiacere m; (riña) diverbio;
llevarse un ~ rimanere male; **estar a ~** non essere a proprio agio

⚠ **disgusto** no se traduce nunca por la palabra italiana **disgusto**.

disimular vt dissimulare; (algo material) nascondere ♦ vi fingere

dislocar vt (articulación) slogare;
dislocarse vpr slogarsi

disminución nf diminuzione f

disminuido, -a nm/f: **~ mental/ físico** minorato(-a) fisico/mentale

disminuir vt diminuire; (*gastos, cantidad, velocidad*) ridurre; (*temperatura*) abbassare ♦ vi diminuire; (*precios, temperatura*) calare

disolver vt (*tb fig: manifestación, contrato*) sciogliere; **disolverse** vpr sciogliersi; (*manifestantes*) disperdersi

dispar adj (*distinto*) diverso(-a)

disparar vt, vi tirare; (*con arma de fuego*) sparare; **dispararse** vpr (*precios*) andare alle stelle

disparate nm assurdità f inv; **decir ~s** dire sproposti; **cuesta un ~** costa una follia

disparo nm sparo

dispersar vt disperdere; **dispersarse** vpr disperdersi

disponer ♦ vt (*poner, mandar*) disporre ♦ vi: **~ de** disporre di; **disponerse** vpr: **~se a** o **para hacer** prepararsi a fare; **la ley dispone que ...** la legge stabilisce che ...

disponible adj disponibile; **no estar ~ (para)** non essere disponibile (a)

disposición nf disposizione f; **no tengo la ~ necesaria para ...** non mi sento nella disposizione giusta per ...; **a (la) ~ de** a disposizione di; **a su ~** a sua disposizione

dispositivo nm dispositivo

dispuesto, -a pp de **disponer** ♦ adj preparato(-a); (*listo*) pronto(-a); **estar ~ a hacer** essere disposto a fare

disputar vt (*DEPORTE, derecho*) disputare ♦ vi: **~ (por)** litigare (per); **disputarse** vpr disputarsi

disquetera nf (*INFORM*) drive m inv

distancia nf distanza; **a ~** a distanza; **¿qué ~ hay de aquí al centro?** quanto dista il centro da qui?

distanciar vt distanziare; **distanciarse (de)** vpr allontanarsi (da)

distante adj distante

diste, disteis vb ver **dar**

distinción nf distinzione f; **sin ~** senza distinzione

distinguir vt distinguere; **distinguirse** vpr distinguersi

distintivo, -a adj distintivo(-a), caratteristico(-a) ♦ nm (*insignia*) distintivo

distinto, -a adj: **~ a** o **de** diverso (da)

distracción nf distrazione f

distraer vt distrarre; **distraerse** vpr distrarsi

distraído, -a adj distratto(-a), sbadato(-a)

distribuidor, a nm/f (*persona*) distributore(-trice) ♦ nf (*COM*) distributore m; (*CINE*) distributore cinematografico

distribuir vt (*COM, cartas*) distribuire; (*riqueza, beneficio*) ripartire

distrito nm distretto ▸ **distrito electoral** circoscrizione elettorale ▸ **distrito postal** zona postale

disturbio nm tumulto ▸ **disturbio de orden público** disturbo della quiete pubblica

disuadir vt: **~ (de)** dissuadere (da)

disuelto pp de **disolver**

DIU sigla m (= *dispositivo intrauterino*) spirale f

diurno, -a adj diurno(-a)

divagar vi divagare

diván nm divano

diversidad nf diversità f inv

diversión nf svago, divertimento

diverso, -a adj (variado) vario(-a); **~s libros** diversi libri; **~s colores** vari colori

divertido, -a adj divertente

divertir vt divertire; **divertirse** vpr divertirsi

dividendo nm (COM): **~s** dividendi mpl

dividir vt dividere; (repartir) ripartire; (MAT): **~ (por o entre)** dividere (per)

divierta etc vb ver **divertir**

divino, -a (REL, fam) adj divino(-a)

divirtiendo etc vb ver **divertir**

divisa nf divisa; **~s** nfpl (COM) valuta

división nf divisione f; (de herencia) spartizione f

divorciar vt concedere il divorzio a; **divorciarse** vpr: **~se (de)** divorziare (da) □ **divorcio** nm divorzio

divulgar vt divulgare

DNI (ESP) sigla m = **Documento Nacional de Identidad**; ver **documento**

Dña. abr (= Doña) Sig.ra

do nm (MÚS) do m inv

D.O. sigla f (= Denominación de Origen) vedi nota nel riquadro

---

D.O.

Il marchio **D.O.**, "Denominación de Origen", certifica gli alti standard qualitativi di alcuni prodotti alimentari come vini, formaggi e salumi.

---

dobladillo nm orlo

doblar vt piegare; (cantidad) raddoppiare; (CINE) doppiare; **doblarse** vpr (tb fig) piegarsi; **~ la esquina** girare l'angolo; **~ a la derecha/izquierda** svoltare a destra/sinistra

doble adj doppio(-a) ♦ nm: **el ~** il doppio ♦ nm/f (TEATRO, CINE) controfigura; **~s** nmpl (DEPORTE): **partido de ~s** doppio; **con ~ sentido** a doppio senso

doce adj inv, nm inv dodici (m) inv □ **docena** nf dozzina

docente adj docente; **centro ~** centro d'insegnamento; **personal/ cuerpo ~** personale/corpo docente

dócil adj docile, mite

doctor, a nm/f (médico) dottore(-essa); (UNIV) dottore m di ricerca

doctorado nm dottorato

doctrina nf dottrina

documentación nf documentazione f; (documentos) documenti mpl

documental adj documentale ♦ nm documentario

documento nm (tb INFORM, histórico) documento; (fig: testimonio) testimonianza ► **documento nacional de identidad** carta d'identità

dólar nm dollaro

doler *vi* fare male; (*fig*) amareggiare; **dolerse** *vpr* dolersi; (*compadecerse*) compatire; **me duele el brazo** mi fa male il braccio

dolor *nm* dolore *m* ▸ **dolor de cabeza/estómago/muelas** mal di testa/stomaco/denti

domar *vt* domare

domesticar *vt* addomesticare

doméstico, -a *adj, nm/f* domestico(-a); **economía doméstica** economia domestica

domicilio *nm* (ADMIN) residenza; **servicio a ~** servizio a domicilio; **sin ~ fijo** senza fissa dimora ▸ **domicilio particular** domicilio privato ▸ **domicilio social** (COM) domicilio fiscale

dominante *adj* (*tb* BIO, MÚS) dominante; (*persona*) dominatore(-trice)

dominar *vt* dominare; (*idioma*) avere una buona padronanza di ♦ *vi* dominare; **dominarse** *vpr* dominarsi, controllarsi

domingo *nm* domenica; **D~ de Ramos/de Resurrección** domenica delle Palme/di Pasqua; *ver tb* **martes**

dominicano, -a *adj, nm/f* dominicano(-a)

dominio *nm* dominio; (*de idioma*) padronanza; **~s** *nmpl* (*tierras*) domini *mpl*

dominó *nm* domino

don *nm* dono; (*tratamiento: con apellido*) signor *m*; (: *sólo con nombre*) don *m*, signor; **D~ Juan Gómez** il signor Juan Gómez; **tener ~ de gentes** saperci fare con le persone; **un ~ de la naturaleza** un dono della natura; **tener un ~ para el**

dibujo/la música essere portato per il disegno/la musica

donar *vt* (*tb* sangre) donare

donativo *nm* donazione *f*

donde *adv* dove; (*fam*): **se fue ~ sus tíos** è andato dagli zii; **por ~** per dove

dónde *adv* dove; **¿a ~ vas?** dove vai?; **¿de ~ vienes?** da dove vieni?; **¿por ~?** per dove?

dondequiera *adv* dovunque ♦ *conj*: **~ que** dovunque

doña *nf* (*tratamiento: con apellido*) signora; (: *sólo con nombre*) donna, signora

dorado, -a *adj* dorato(-a) ♦ *nm* doratura

dormir *vt* addormentare ♦ *vi* dormire; **dormirse** *vpr* addormentarsi; **~ la siesta** fare la pennichella; **se me ha dormido el brazo/la pierna** mi si è addormentato il braccio/la gamba

dormitorio *nm* camera da letto; (*en una residencia*) dormitorio

dorsal *adj* dorsale ♦ *nm* (DEPORTE) numero

dorso *nm* dorso

dos *adj inv, nm inv* due (*m) inv;* **los ~** entrambi; **de ~ en ~** a due a due; *ver tb* **cinco**

doscientos, -as *adj* duecento *inv; ver tb* **seiscientos**

dosis *nf inv* dose *f*

dotado, -a *adj* dotato(-a); **~ de** dotato di

dotar *vt* dotare; **~ de** o **con** (*proveer: de inteligencia, personal, maquinaria*) dotare di; (: *de dinero*) assegnare

dote *nf* dote *f;* **~s** *nfpl* (*aptitudes*) attitudine *f*

doy *vb ver* **dar**

drama *nm* dramma *m*

dramático, -a *adj* drammatico(-a)

dramaturgo, -a *nm/f* drammaturgo(-a)

drástico, -a *adj* drastico(-a)

drenaje *nm* drenaggio

droga *nf* droga

drogadicto, -a *nm/f* drogato(-a)

droguería *nf* emporio (*che vende prodotti di pulizia, pittura ecc*)

ducha *nf* doccia

ducharse *vpr* farsi la doccia

duda *nf* dubbio; **sin ~** senza dubbio; **no cabe ~** non c'è dubbio; **para salir de ~s** per vederci chiaro ☐ **dudar** *vt, vi* dubitare; **dudar (de)** dubitare (di); **dudó si comprarlo o no** non sapeva se comprarlo o no; **lo dudo** ne dubito ☐ **dudoso, -a** *adj* dubbioso(-a)

duelo *vb ver* **doler** ♦ *nm* (*luto*) lutto; (*enfrentamiento*) duello

duende *nm*: **tener ~** avere attrattiva

dueño, -a *nm/f* (*propietario*) proprietario(-a); (*empresario*) padrone(-a)

duerme *etc vb ver* **dormir**

dulce *adj* dolce ♦ *nm* dolce *m;* (*pastel*) pasta

dulzura *nf* dolcezza

duplicar *vt* (*llave, documento*) duplicare; (*cantidad*) raddoppiare; **duplicarse** *vpr* raddoppiarsi

duque *nm* duca *m* ☐ **duquesa** *nf* duchessa

duración *nf* durata

duradero, -a *adj* (*material*) durevole, duraturo(-a)

durante *adv* durante; **habló ~ una hora** ha parlato per un'ora

durar *vi* durare; (*persona: en cargo*) rimanere

durazno (*LAm*) *nm* pesca; (*árbol*) pesco

duro, -a *adj* duro(-a); (*resistente*) resistente ♦ *adv* duramente ♦ *nm* moneta da 5 pesetas; **a duras penas** a fatica; **es ~ de pelar** è un osso duro

Ee

E *abr* (= *este*) E

e *conj* (*delante de i- e hi-, pero no hie-*) e; *ver tb* **y**

ébano *nm* ebano

ebrio, -a *adj* ebbro(-a)

ebullición *nf* ebollizione *f*

eccema *nm* eczema *m*

echar *vt* (*lanzar*) lanciare; (*verter*) versare; (*gasolina, azúcar, hojas, freno*) mettere; (*expulsar*) cacciare; (*empleado*) licenziare; (*despedir: humo, agua*) gettare; (*película, cartas*) dare; (*a la basura*) buttare; **echarse** *vpr* gettarsi; **~ a andar** cominciare a camminare; **~ a cara o cruz algo** decidere qc a testa o croce; **~ abajo**

(gobierno) far cadere; (edificio) demolire; **~ una carrera/una siesta** fare una corsa/pisolino; **~ un trago** bere un bicchierino; **~ de menos** sentire la mancanza di; **¿dónde puedo ~ estas postales?** dove posso imbucare queste cartoline?; **~se atrás** indietreggiare; (fig) tirarsi indietro; **~se a llorar/reír** mettersi a piangere/ridere

eclesiástico, -a adj ecclesiastico(-a)

eclipse nm eclissi f inv

eco nm eco m o f

ecología nf ecologia

ecológico, -a adj ecologico(-a)

ecologista adj, nm/f ecologista m/f, ambientalista m/f

economía nf (tb ahorro) economia

económico, -a adj economico(-a)

economista nm/f economista m/f

ecuación nf equazione f

ecuador nm equatore m; **(el) E~** (l')Ecuador m

ecuatoriano, -a adj, nm/f ecuadoregno(-a)

ecuestre adj equestre

eczema nm = **eccema**

edad nf età f inv; **¿qué ~ tienes?** quanti anni hai?; **ser de mediana ~** essere di mezz'età; **ser de ~ avanzada** essere d'età avanzata; **ser mayor/menor de ~** essere maggiorenne/minorenne; **la E~ Media** il Medioevo; **tercera ~** terza età; **la ~ del pavo** l'età critica

edición nf edizione f

edificar vt edificare

edificio nm edificio

editar vt stampare; (preparar textos) fare l'editing di

editorial adj, nm editoriale (m) ♦ nf (tb: casa ~) casa editrice

edredón nm trapunta, piumino

educación nf educazione f; **ser de buena/mala ~** essere educato(-a)/ maleducato(-a)

educar vt educare

EE.UU. sigla mpl (= Estados Unidos) USA mpl

efectivamente adv effettivamente

efectivo, -a adj (real) effettivo(-a); (eficaz) efficace ♦ nm (COM) in contanti; **hacer ~ un cheque** incassare un assegno

efecto nm effetto; **~s** nmpl (tb: **~s personales**) effetti mpl personali; (COM) titolo di credito; **hacer o surtir ~ (medida)** dare risultati; (medicamento) fare effetto; **al o a tal ~** a tale scopo; **en ~** effettivamente ▶ **efectos especiales** effetti speciali ▶ nm: **efectos secundarios** (MED) effetti collaterali ▶ **efectos sonoros** effetti sonori

efectuar vt effettuare

eficacia nf efficacia

eficaz adj efficace

eficiente adj efficiente

efusivo, -a adj espansivo(-a)

egipcio, -a adj, nm/f egiziano(-a)

Egipto nm Egitto

egoísmo nm egoismo

egoísta adj, nm/f egoista m/f

Eire nm Eire f

ej. abr (= ejemplo) es.

eje nm asse m

ejecución nf esecuzione f

ejecutar vt eseguire; (ajusticiar) giustiziare

ejecutivo, -a adj esecutivo(-a)
 ♦ nm/f manager m/f, dirigente m/f
 ♦ nf comitato esecutivo

ejemplar adj esemplare ♦ nm (ZOOL etc) esemplare m; (de libro, periódico) copia

ejemplo nm esempio; **por ~** per esempio; **dar ~** dare l'esempio

ejercer vt esercitare ♦ vi: **~ de** esercitare la professione di

ejercicio nm esercizio; **hacer ~** fare esercizio ▶ **ejercicio comercial** esercizio commerciale

ejército nm esercito ▶ **Ejército del Aire/de Tierra** Aeronautica militare/Esercito

ejote (MÉX) nm fagiolino

el

PALABRA CLAVE

(f **la**, *pl* **los** *o* **las**) *art def*

1 il/la; **los/las** i/le; **el libro/la mesa** il libro/la tavola; **los estudiantes/las flores** gli studenti/i fiori; **el amor/la juventud** l'amore/la gioventù

2 (*con días*): **me iré el viernes** andrò via venerdì; **los domingos suelo ir a nadar** la domenica di solito vado a nuotare

 ♦ *pron demos*: quello(-a); **las de Pepe son mejores** quelle di Pepe sono migliori; **mi libro y el de usted** il mio libro e il suo

 ♦ *pron rel*

1: **el/la/los/las que** (*suj, objeto*) quello/quella/quelli/quelle che; **el** (*o* **la**) **que quiera que se vaya** chi vuole se ne può andare; **el que sea** chiunque sia; **llévese el que más le guste** prenda quello che più le piace; **la que está debajo** quella di

sotto

2 (*con prep*): **el/la que** cui, il/la quale; **los/las que** cui, i/le quali; **la persona con quien o con la que hablé** la persona con cui o con la quale ho parlato

 ♦ *conj*: **el que sea tan vago me molesta** mi dà fastidio che sia così pigro

él pron pers (*suj*) lui, egli; (*con prep*) lui; **para él** per lui; **es él** è lui

elaborar vt elaborare; (*guiso*) preparare

elástico, -a adj elastico(-a) ♦ nm elastico

elección nf elezione f; (*selección*) scelta; (*alternativa*) alternativa; **elecciones** nfpl elezioni fpl ▶ **elecciones generales** elezioni politiche

electricidad nf elettricità f inv

electricista nm/f elettricista m/f

eléctrico, -a adj elettrico(-a)

electro... pref elettro...
 ❑ **electrocardiograma** nm elettrocardiogramma m

electrocutar vt giustiziare sulla sedia elettrica; **electrocutarse** vpr rimanere fulminato(-a)

electrodo nm elettrodo

electrodoméstico nm elettrodomestico

electrónica nf elettronica

electrónico, -a adj elettronico(-a)

elefante nm elefante m

elegancia nf eleganza

elegante adj elegante

elegir vt scegliere; (*por votación*) eleggere

elemental adj elementare

elemento nm elemento; ~s nmpl (de una ciencia) fondamenti mpl

elepé (pl ~s) nm LP m inv

elevar vt alzare; (petición) avanzare; **elevarse** vpr (precios, avión) salire; (edificio) ergersi

eligiendo etc vb ver **elegir**

elija etc vb ver **elegir**

eliminar vt eliminare

eliminatoria nf prova eliminatoria; (DEPORTE) eliminatorie fpl

élite nf élite f inv

ella pron lei

ellas pron ver **ellos**

ello pron questo

ellos, -as pron loro, essi(-e); (después de prep) loro

elogiar vt elogiare □ **elogio** nm elogio; **hacer elogios a** o **de** tessere le lodi di

elote (MÉX) nm pannocchia

eludir vt sottrarsi a, eludere; (invitación) rifiutare

email, e-mail nm e-mail f inv

embajada nf ambasciata

embajador, a nm/f ambasciatore(-trice)

embalaje nm imballaggio

embalar vt imballare; **embalarse** vpr partire in quarta

embalse nm bacino

embarazada adj f incinta ♦ nf donna incinta

embarazo nm (de mujer) gravidanza; (falta de soltura) imbarazzo

embarazoso, -a adj imbarazzante

embarcación nf imbarcazione f

embarcadero nm imbarcadero

embarcar vt imbarcare; **embarcarse** vpr imbarcarsi; ~(se) **en** (tren, avión) salire su

embargo nm (JUR) sequestro; (COM, POL) embargo; **sin ~** ciò nonostante

embarque vb ver **embarcar** ♦ nm imbarco; **tarjeta/sala de ~** carta/sala d'imbarco

embellecer vt abbellire; **embellecerse** vpr abbellirsi

embestida nf carica

embestir vt urtare; (acometer) caricare ♦ vi caricare; (olas) infrangersi

emblema nm emblema m

embobado, -a adj imbambolato(-a)

embolia nf embolia

émbolo nm stantuffo

emborrachar vt ubriacare; (suj: perfume) dare alla testa; **emborracharse** vpr ubriacarsi, sbronzarsi

emboscada nf imboscata

embotar vt (sentidos) intorpidire; (facultades) offuscare

embotellamiento nm (tb atasco) imbottigliamento

embotellar vt imbottigliare; **embotellarse** vpr ingorgarsi

embrague nm frizione f

embrión nm embrione m

embrollo nm groviglio; (fig: lío) imbroglio

embrujado, -a adj stregato(-a)

embrutecer vt abbrutire; **embrutecerse** vpr abbrutirsi

embudo nm imbuto

embuste nm frottola

embustero, -a adj, nm/f bugiardo(-a)

embutido nm (CULIN) insaccato

emergencia nf emergenza; (surgimiento) emersione f

emerger vi emergere

emigración nf emigrazione f

emigrante adj, nm/f emigrante m/f

emigrar vi emigrare

eminente adj eminente

emisión nf emissione f

emisor nm trasmettitore m

emisora nf emittente f

emitir vt emettere

emoción nf emozione f

emocionante adj emozionante; (conmovedor) toccante

emocionar vt emozionare; (conmover) turbare; **emocionarse** vpr emozionarsi

emoticón, emoticono nm emoticona, faccina

emotivo, -a adj (escena) commovente; (persona) emotivo(-a)

empalagoso, -a adj (alimento) nauseante; (fig: persona) melliflu(a)-(a); (: estilo) sdolcinato(-a)

empalmar vt (cable) congiungere; (carretera) collegare ♦ vi (dos caminos) congiungersi; **~ con** (tren) avere la coincidenza con ☐ **empalme** nm (TEC) giuntura; (de carreteras) raccordo; (de trenes) coincidenza

empanada nf sorta di calzone ripieno di carne o pesce variamente conditi

empañar vt appannare; (nombre) macchiare; **empañarse** vpr appannarsi

empapar vt inzuppare, bagnare; (suj: toalla, esponja etc) asciugare; **empaparse** vpr: **~se (de)** (persona) inzupparsi (di)

empapelar vt tappezzare

empaquetar vt impacchettare

empastar vt (diente) otturare

empaste nm (de diente) otturazione f

empatar vi pareggiare; **~on a 1** hanno pareggiato 1 a 1 ☐ **empate** nm pareggio

empecé etc vb ver **empezar**

empecemos etc vb ver **empezar**

empedernido, -a adj (fumador) incallito(-a); (lector) avido(-a)

empeine nm (de pie) collo (del piede); (de zapato) tomaia

empeñado, -a adj (persona) indebitato(-a); (objeto) impegnato(-a); **~ en** (obstinado) accanito in

empeñar vt impegnare; (dedicar) dedicare; **empeñarse** vpr impegnarsi; **~se en hacer** ostinarsi a fare

empeño nm impegno; (cosa prendada) pegno; **casa de ~s** banco dei pegni; **poner ~ en hacer algo** applicarsi a qc con impegno; **tener ~ en hacer algo** volere assolutamente fare qc

empeorar vt, vi peggiorare

empezar vt, vi iniziare, cominciare; **~ a hacer** cominciare a fare; **~ por (hacer)** cominciare col (fare); **¿a**

qué hora empieza la película? a che ora comincia il film?

empiece etc vb ver **empezar**

empiezo etc vb ver **empezar**

emplazar vt collocare, posizionare; (JUR) citare in giudizio; (citar) convocare

empleado, -a adj, nm/f impiegato(-a); **le está bien** ~ gli sta bene

emplear vt impiegare, adoperare; **emplearse** vpr: ~**se de** o **como** essere assunto(-a) come

empleo nm utilizzo; (trabajo) impiego, occupazione f; **dar (un)** ~ dare impiego

empollar vt, vi (ZOOL) covare; (ESCOL: fam) sgobbare (sui libri)

empollón, -ona (fam) nm/f (ESCOL) secchione(-a)

emporio nm emporio; (CAm: centro comercial) centro commerciale

empotrado, -a adj ver **armario**

emprender vt intraprendere

empresa nf impresa

empresario, -a nm/f (COM) imprenditore(-trice); (MÚS, TEATRO) impresario(-a)

empujar vt spingere; ~ **a algn a hacer** spingere qn a fare

empujón nm spintone m; **abrirse paso a empujones** farsi largo a spintoni

empuñar vt impugnare

---

en

PALABRA CLAVE

prep

1 (posición) in; (: sobre): **en la mesa** sul tavolo; (: dentro): **está en el cajón** è nel cassetto; **en el periódico** sul giornale; **en el suelo**

a terra; **en Argentina/España** in Argentina/Spagna; **en La Paz/ Londres** a La Paz/Londra; **en la oficina/el colegio** in ufficio/a scuola; **en el quinto piso** al quinto piano

2 (dirección) in; **entró en el aula** è entrato in classe

3 (tiempo) in; **en 1605/invierno** nel 1605/in inverno; **en el mes de enero** nel mese di gennaio; **en aquella ocasión/época** in quell'occasione/a quell'epoca; **en tres semanas** in tre settimane; **en la mañana** (LAm) di mattina

4 (manera): **en avión/autobús** in aereo/autobus; **viajar en tren** viaggiare in treno; **escrito en inglés** scritto in inglese

5 (forma): **en espiral** a spirale; **en punta** a punta

6 (tema, ocupación): **experto en la materia** esperto della materia; **trabaja en la construcción** lavora nell'edilizia

7 (precio) per; **lo vendió en 20 dólares** lo ha venduto per 20 dollari

8 (diferencia) di; **aumentar en una tercera parte/en un 20 por ciento** aumentare di un terzo/del 20 per cento

9 (después de vb que indica gastar etc) in; **se le va la mitad del sueldo en comida** spende metà dello stipendio per comprare da mangiare

10 (adj + en + infin): **lento en reaccionar** lento a reagire

11: **¡en marcha!** in marcia!

enaguas nfpl sottoveste f

enajenación nf (tb mental) alienazione f

enamorado, -a adj, nm/f innamorato(-a); **estar ~ (de)** essere innamorato (di)

enamorar vt conquistare; **enamorarse** vpr: **~se (de)** innamorarsi (di)

enano, -a adj, nm/f nano(-a)

encabezar vt (movimiento, clasificación) guidare; (lista) aprire; (carta) intestare

encadenar vt incatenare; (bicicleta) legare

encajar vt inserire, incastrare; (fam: golpe) mollare; (: acusación, mala noticia) incassare ♦ vi entrare, inserirsi; **encajarse** vpr (mecanismo) bloccarsi; (piezas) incastrarsi; (un sombrero) mettersi; **~ con** (fig) coincidere con

encaje nm incasso; (labor) merletto

encallar vi (NÁUT) incagliarsi

encaminar vt: **~ (a)** dirigere; **encaminarse** vpr: **~se a** o **hacia** avviarsi a o verso

encantado, -a adj incantato(-a); **¡~!** piacere!; **estar ~ con algn/algo** essere soddisfatto di qn/qc

encantador, -a adj incantevole ♦ nm/f incantatore(-trice)

encantar vt incantare; (gustar) piacere a; **me encantan los animales** adoro gli animali; **le encanta esquiar** gli piace sciare ▫ **encanto** nm (atractivo) fascino; **como por encanto** come per incanto; **es un encanto** è un incanto

encarcelar vt arrestare

encarecer vt rendere più caro; (alabar) lodare ♦ vi rincarare; **encarecerse** vpr rincarare

encargado, -a adj incaricato(-a) ♦ nm/f (gerente) gestore(-trice); (responsable) incaricato(-a), addetto(-a)

encargar vt incaricare; (pedir) ordinare; **encargarse** vpr: **~se de** incaricarsi di; **~ a algn que haga algo** incaricare qn di fare qc

encargo nm incarico; (COM) ordinazione f

encariñarse vpr: **~ con** affezionarsi a

encasillar vt classificare; (pey) etichettare

encendedor nm accendino

encender vt accendere; **encenderse** vpr accendersi; **no puedo ~ la calefacción** non riesco ad accendere il riscaldamento

encendido, -a adj acceso(-a) ♦ nm accensione f

encerado, -a nm (ESCOL) lavagna

encerrar vt (persona, animal) rinchiudere; (entre comas, paréntesis) mettere; (fig) racchiudere; **encerrarse** vpr rinchiudersi

encharcar vt allagare; **encharcarse** vpr allagarsi

enchufado, -a (fam) nm/f raccomandato(-a)

enchufar vt (ELEC) inserire la spina di; (TEC) collegare; (fam) raccomandare ▫ **enchufe** nm (ELEC: clavija) spina; (: toma) presa; (TEC) giuntura; (fam: recomendación) raccomandazione f

encía nf gengiva

enciclopedia nf enciclopedia

encienda etc vb ver **encender**

encierro vb ver **encerrar** ♦ nm reclusione f; (TAUR) corsa dei tori per le vie di una città prima della corrida

encima adv (a la parte de arriba) sopra; (además) per di più; (sobre sí) addosso; ~ de (sobre) sopra; (además de) oltre a; por ~ de al di sopra di; leer/mirar algo por ~ leggere/guardare algo distrattamente; ¿llevas dinero ~? hai con te un po' di soldi?; se me vino ~ si è presentato all'improvviso; ~ mío/nuestro etc (CS: fam) addosso a me/noi ecc

encina nf quercia

encinta adj f incinta

enclenque adj gracile

encoger vt (ropa) restringere; (piernas) spostare; (músculos) contrarre ♦ vi restringersi; **encogerse** vpr restringersi; (fig) intimidirsi; ~se de hombros alzare le spalle

encomendar vt affidare; **encomendarse** vpr: ~se a raccomandarsi a

encomienda vb ver **encomendar** ♦ nf (LAm) pacco; ~ postal pacco postale

encontrar vt trovare; **encontrarse** vpr (reunirse) incontrarsi; (estar) trovarsi; (sentirse) sentirsi; no consigo ~ mi cartera non trovo più il portafoglio; ~se con algn/algo imbattersi in qn/qc; ~se bien (de salud) stare bene (in salute)

encrucijada nf incrocio

encuadernación nf rilegatura

encuadrar vt incorniciare; (FOTO) inquadrare

encubrir vt nascondere; (delincuente) coprire

encuentro vb ver **encontrar** ♦ nm (tb DEPORTE) incontro; ir al ~ de algn andare incontro a qn

encuesta nf inchiesta; (cuestionario) questionario ▸ **encuesta de opinión** sondaggio d'opinione ▸ **encuesta judicial** inchiesta giudiziaria

endeble adj (argumento, persona) debole

endemoniado, -a adj (tb fig: travieso) indemoniato(-a)

enderezar vt raddrizzare; **enderezarse** vpr raddrizzarsi

endeudarse vpr indebitarsi

endiablado, -a adj (hum: genio, carácter) indiavolato(-a); (: problema) diabolico(-a)

endiñar (fam) vt mollare

endosar vt (COM) girare; ~ algo a algn (fam) affibbiare qc a qn

endulzar vt (café) zuccherare; (salsa, fig) addolcire; **endulzarse** vpr addolcirsi

endurecer vt (tb fig) indurire; (robustecer) irrobustire; **endurecerse** vpr (ver vt) indurirsi, irrobustirsi

enema nm clistere m

enemigo, -a adj, nm/f nemico(-a)

enemistad nf inimicizia

enemistar vt inimicare; **enemistarse** vpr: ~se con inimicarsi

energía nf energia ▸ **energía atómica/nuclear/solar** energia atomica/nucleare/solare

enérgico, -a adj energico(-a)

enero nm gennaio; ver tb **julio**

enfadado, -a adj arrabbiato(-a)

enfadar vt fare arrabbiare; **enfadarse** vpr arrabbiarsi

enfado nm rabbia

énfasis nm enfasi f inv; **con ~** con enfasi; **poner ~ en** dare enfasi a

enfático, -a adj enfatico(-a)

enfermar vi ammalarsi; **enfermarse** vpr (LAm) ammalarsi

enfermedad nf malattia

enfermería nf infermeria

enfermero, -a nm/f infermiere(-a)
▸ **enfermera jefa** caposala f inv

enfermizo, -a adj malaticcio(-à); (aire, clima) malsano(-a)

enfermo, -a adj malato(-a) ♦ nm/f malato(-a); (en hospital) paziente m/f; **caer o ponerse ~** ammalarsi

enfocar vt (luz, foco) illuminare; (FOTO, problema) mettere a fuoco

enfoque vb ver **enfocar** ♦ nm (FOTO, fig) messa a fuoco

enfrentar vt (peligro) affrontare; (contendientes) mettere a confronto; **enfrentarse** vpr affrontarsi; **~se a o con** affrontare

enfrente adv di fronte; **~ de** di fronte a; **la casa de ~** la casa di fronte; **~ mío/nuestro** etc (CS: fam) di fronte a me/noi ecc

enfriamiento nm raffreddamento; (MED) raffreddore m

enfriar vt raffreddare; **enfriarse** vpr (tb MED) raffreddarsi

enfurecer vt fare infuriare; **enfurecerse** vpr infuriarsi; (mar) agitarsi

enganchar vt (persona, dos vagones) agganciare; (teléfono, electricidad) allacciare; (fam: persona) accalappiare; (pez) uncinare; **engancharse** vpr (MIL) arruolarsi; **~se (en)** (ropa) impigliarsi (in)

enganche nm (TEC) gancio

engañar vt ingannare; (estafar) abbindolare; **engañarse** vpr ingannarsi

engaño nm inganno; (infidelidad) infedeltà f inv; **estar en o padecer un ~** essere vittima di un inganno

engatusar (fam) vt abbindolare

engendro (pey) nm aborto

engordar vt, vi ingrassare

engorroso, -a adj seccante, fastidioso(-a)

engranaje nm ingranaggio

engrasar vt ingrassare

engreído, -a adj presuntuoso(-a)

enhebrar vt infilare

enhorabuena nf: **dar la ~ a algn** fare le congratulazioni a qn; **¡~!** congratulazioni!

enigma nm enigma m

enjambre nm (tb fig) sciame m

enjaular vt ingabbiare; (fam: persona) mettere in gabbia

enjuagar vt sciacquare; **enjuagarse** vpr sciacquarsi

enjuague vb ver **enjuagar**

enlace vb ver **enlazar** ♦ nm (relación) legame m; (tb: ~ matrimonial) matrimonio; (de trenes) coincidenza; (INFORM) collegamento ▸ **enlace sindical** rappresentante m/f sindacale

enlatado, -a adj (comida) in scatola

enlazar vt legare; (conceptos, organizaciones) collegare; (carreteras) raccordare; (LAm: caballo) prendere al lasso ♦ vi: **~ con** avere la coincidenza con

enloquecer vt fare impazzire ♦ vi impazzire

enmarañar vt (tb fig) aggrovigliare, ingarbugliare; **enmarañarse** vpr ingarbugliarsi; (pelo) scompigliarsi

enmarcar vt incorniciare

enmascarar vt mascherare; **enmascararse** vpr mascherarsi

enmendar vt (escrito) correggere; (constitución, ley) emendare; (daño) risarcire; **enmendarse** vpr (persona) migliorarsi ♦ **enmienda** vb ver **enmendar** ♦ nf rettifica; (POL) emendamento

enmudecer vi ammutolire

ennoblecer vt nobilitare

enojar vt far arrabbiare; (disgustar) irritare; **enojarse** vpr arrabbiarsi; (disgustarse) irritarsi

enorgullecer vt inorgoglire; **enorgullecerse** vpr inorgoglirsi

enorme adj enorme

enrarecido, -a adj rarefatto(-a)

enredadera nf rampicante m

enredar vt ingarbugliare; (fig: asunto) complicare ♦ vi (molestar) fare confusione; (crear discordias) mettere zizzania; **enredarse** vpr (tb fig) ingarbugliarsi; ~ a algn en (fig: implicar) coinvolgere qn in; ~ con giocherellare con; **~se en** (fig) impigliarsi in; (fig) invischiarsi in

enredo nm groviglio; (fig: lío) pasticcio; (LIT) intreccio

enrevesado, -a adj confuso(-a); (camino) tortuoso(-a)

enriquecer vt arricchire ♦ vi prosperare; **enriquecerse** vpr arricchirsi

enrojecer vt colorare di rosso ♦ vi arrossire; **enrojecerse** vpr arrossarsi

enrolar vt arruolare; **enrolarse** vpr arruolarsi

enrollar vt avvolgere; **enrollarse** vpr (fam: al hablar) farla lunga

enroscar vt (tornillo, tuerca) avvitare; **enroscarse** vpr (serpiente) arrotolarsi; (planta) attorcigliarsi

ensalada nf insalata □ **ensaladilla** nf (tb: **ensaladilla rusa**) insalata russa

ensalzar vt elogiare

ensanchar vt allargare; **ensancharse** vpr allargarsi □ **ensanche** nm ampliamento; (zona) zona d'espansione urbana

ensangrentar vt insanguinare

ensañarse vpr: **~ con** infierire su o contro

ensartar vt infilare

ensayar vt, vi provare; (TEC) collaudare

ensayo nm (tb TEATRO, MÚS) prova; (QUÍM, MED) esperimento; **~ general** prova generale

enseguida adv = **en seguida**

ensenada nf insenatura

enseñanza nf insegnamento ▸ **enseñanza primaria/media** scuola elementare/media ▸ **enseñanza superior** istruzione f superiore

---

ENSEÑANZA

La riforma del sistema scolastico spagnolo è iniziata durante I primi anni '90 e ha introdotto la distinzione tra la scuola "Primaria" (6 anni), la "Secundaria" (4 anni) e il "Bachillerato" (2 anni). La frequenza alla Primaria e alla Secundaria è obbligatoria, mentre il Bachillerato è necessario a chi vuole proseguire gli studi.

enseñar vt insegnare; (mostrar) mostrare; ~ **a algn a hacer** insegnare a qn a fare

enseres nmpl arnesi mpl, attrezzi mpl

ensimismarse vpr astrarsi; ~ **en** rimanere assorto(-a) in

ensombrecer vt ombreggiare; **ensombrecerse** vpr (fig: rostro) rabbuiarsi

ensuciar vt sporcare; (honor) macchiare; **ensuciarse** vpr sporcarsi

ensueño nm sogno; **de** ~ da sogno

entablar vt avviare; (negociaciones) intavolare

entablillar vt steccare

entallar vt (traje) stringere

ente nm ente m; (ser) essere m

entender vt, vi capire; **entenderse** vpr (a sí mismo) conoscersi; (2 personas) capirsi; ~ **de** intendersi di; ~ **algo de** sapere qc di; **no entiendo** non capisco; **dar a** ~ **que ...** dare a intendere che ...; **~se bien/mal (con algn)** capirsi bene/non capirsi (con qn)

entendido, -a adj (experto) esperto(-a); (informado) informato(-e) ♦ nm/f intenditore(-trice) ♦ excl d'accordo! ▢ **entendimiento** nm intesa; (inteligencia) intelletto

enterado, -a adj esperto(-a); **estar** ~ **de** essere al corrente di

enteramente adv interamente

enterarse vpr: ~ **(de)** venire a sapere (di); (darse cuenta) accorgersi (di)

enternecer vt intenerire; **enternecerse** vpr intenerirsi

entero, -a adj (íntegro) intero(-a); (no roto, fig) íntegro(-a) ♦ nm (COM) punto; **por** ~ interamente

enterrar vt seppellire

entidad nf (tb FILOS) entità f inv; (empresa) impresa

entienda etc vb ver **entender**

entierro vb ver **enterrar** ♦ nm sepoltura

entonación nf intonazione f

entonar vt (tb colores) intonare; (MED) tonificare ♦ vi (al cantar) essere intonato(-a); **entonarse** vpr (MED) tonificarsi; ~ **con** (colores) essere intonato a

entonces adv allora; **desde** ~ da allora; **en aquel** ~ a quel tempo; **(pues)** ~ e allora

entornar vt (puerta, ventana, ojos) socchiudere

entorno nm ambiente m

entorpecer vt intorpidire; (dificultar) ostacolare

entrada nf (ingreso, COM) entrata; incasso; (afluencia) affluenza; **~s** nfpl (COM) entrate fpl; **¿dónde está la ~?** dov'è l'entrata?; **~s y salidas** entrate e uscite; **~ de aire** (TEC) presa d'aria; **de ~** tanto per cominciare

entrado, -a adj: **en años** avanti negli anni; **(una vez) ~ el verano** in estate inoltrata

entramparse vpr cadere in trappola

entrante adj prossimo(-a), entrante ♦ nm rientranza; (CULIN) antipasto

entrañable adj (amigo) fraterno(-a); (trato) affettuoso(-a)

entrañas nfpl viscere fpl; **sin** ~ (fig) senza cuore

entrar vt mettere dentro; (INFORM) inserire ♦ vi entrare; (caber: anillo, zapato) entrare, andare; (estar incluido) essere compreso(-a); **me entró sueño/frío** mi è venuto sonno/freddo; **~ en acción** entrare in azione; (entrar en funcionamiento) entrare in funzione; **~ a** (LAm) entrare in

entre prep tra; fra; **lo haremos ~ todos** lo faremo tutti insieme; **más estudia, más aprende** (LAm: fam) più studia, più impara

entreabrir vt socchiudere

entrecejo nm: **fruncir el ~** aggrottare le sopracciglia

entrega nf (de mercancias, premios) consegna; (de novela, serial) puntata; (dedicación) dedizione f

entregar vt consegnare; (confiar) affidare; **entregarse** vpr consegnarsi; (rendirse) arrendersi; **~se a** (al trabajo, vicio) darsi a

entremeses nmpl antipasti mpl

entremeterse vpr
= **entrometerse**

entremetido, -a adj
= **entrometido**

entremezclar vt mescolare; **entremezclarse** vpr mescolarsi

entrenador, a nm/f allenatore(-trice)

entrenar vt allenare ♦ vi (DEPORTE) allenarsi; **entrenarse** vpr allenarsi

entrepierna nf (de pantalón) cavallo

entresuelo nm ammezzato, mezzanino

entretanto adv nel frattempo, frattanto

entretener vt intrattenere; (retrasar) trattenere; (distraer)

distrarre; **entretenerse** vpr intrattenersi; (retrasarse) trattenersi; (distraerse) distrarsi; **~ la espera** ingannare l'attesa
❏ **entretenido, -a** adj divertente
❏ **entretenimiento** nm svago; **espectáculo de entretenimiento** spettacolo di intrattenimento

entrever vt intravedere

entrevista nf colloquio; (para periódico, TV) intervista
❏ **entrevistar** vt intervistare; **entrevistarse** vpr: **entrevistarse (con)** avere un colloquio (con)

entristecer vt intristire; **entristecerse** vpr intristirsi

entrometerse vpr: **~ (en)** intromettersi (in)

entrometido, -a adj, nm/f impiccione(-a)

entumecer vt intorpidire; **entumecerse** vpr intorpidirsi

enturbiar vt (agua) intorbidire; (alegría) turbare; **enturbiarse** vpr intorbidirsi; (alegría) perturbarsi

entusiasmar vt entusiasmare; **entusiasmarse** vpr: **~se (con o por)** entusiasmarsi (per)

entusiasmo nm: **~ (por)** entusiasmo (per)

entusiasta adj, nm/f entusiasta m/f; **~ de** entusiasta de

enumerar vt enumerare

envainar vt rinfoderare

envalentonar (pey) vt imbaldanzire; **envalentonarse** vpr imbaldanzirsi

envasar vt confezionare; (en botella) imbottigliare

envase nm (recipiente) contenitore m; (botella) bottiglia; (acción) travaso

envejecer vt, vi invecchiare

envenenar vt avvelenare

envergadura nf (de ave, avión) apertura alare; (fig) importanza

enviar vt inviare

enviciarse vpr: ~ (con) prendere il vizio (di)

envidia nf invidia; **dar** ~ fare invidia ◻ **envidiar** vt invidiare

envío nm invio

enviudar vi rimanere vedovo(-a)

envoltorio nm confezione f

envolver vt avvolgere; (enemigo) circondare; **envolverse** vpr: ~**se en** avvolgersi in; ~ **a algn en** (implicar) coinvolgere qn in; **¿puede ~ el regalo, por favor?** mi fa un pacchetto regalo, per favore?

envuelto etc vb ver **envolver**

envuelva etc vb ver **envolver**

enyesar vt ingessare

enzarzarse vpr: ~ **en** impelagarsi in

épica nf epica

epidemia nf epidemia

epilepsia nf epilessia

epílogo nm epilogo

episodio nm episodio

época nf epoca; **hacer** ~ fare epoca

equilibrar vt equilibrare ◻ **equilibrio** nm equilibrio; **mantener/perder el equilibrio** mantenere/perdere l'equilibrio ◻ **equilibrista** nm/f equilibrista m/f

equipaje nm bagaglio; **hacer el** ~ fare i bagagli; **nuestro ~ no ha llegado** i nostri bagagli non sono arrivati; **¿podría enviar a alguien a recoger nuestro ~?** potrebbe mandare qualcuno a prendere i nostri bagagli; ▸ **equipaje de mano** bagaglio a mano

⚠ **equipaje** no se traduce nunca por la palabra italiana *equipaggio*.

equipar vt: ~ **(con** o **de)** equipaggiare (con)

equiparar vt: ~ **algo** o **algn a** o **con** (igualar) equiparare qc/qn a; (comparar) paragonare; **equipararse** vpr: ~**se con** paragonarsi a

equipo nm (grupo) équipe f inv, gruppo; (DEPORTE) squadra; (instrumentos) equipaggiamento; **trabajo en** ~ lavoro d'équipe

equis nf (letra) ics f inv

equitación nf equitazione f

equivalente adj, nm equivalente (m)

equivaler vi: ~ **a (hacer)** equivalere a (fare)

equivocación nf sbaglio, errore m

equivocado, -a adj (decisión, camino) sbagliato(-a)

equivocarse vpr sbagliare, sbagliarsi; ~ **de camino/número** sbagliare strada/numero

era vb ver **ser ♦** nf era

erais vb ver **ser**

éramos vb ver **ser**

eran vb ver **ser**

eras vb ver **ser**

erección nf erezione f

eres vb ver **ser**

erigir vt erigere

erizo nm riccio; (tb: ~ **de mar**) riccio di mare

ermita nf eremo

ermitaño, -a nm/f eremita m/f

erosión nf erosione f

erosionar vt erodere

erótico, -a adj erotico(-a)
□ **erotismo** nm erotismo

errata nf refuso

erróneo, -a adj erroneo(-a)

error nm errore m; **estar en un ~** essere in errore; **debe haber un ~** ci dev'essere un errore ► **error judicial** errore giudiziario

eructar vi ruttare

erudito, -a adj, nm/f erudito(-a); **los ~s en esta materia** gli esperti della materia

erupción nf eruzione f

es vb ver **ser**

esa adj demos ver **ese**

ésa pron ver **ése**

esbelto, -a adj snello(-a)

esbozo nm abbozzo

escabeche nm marinata; **en ~** marinato(-a)

escabullirse vpr svignarsela, andarsene alla chetichella; (de entre los dedos) sfuggire

escafandra nf (tb: ~ **autónoma**) scafandro ► **escafandra espacial** tuta spaziale

escala nf scala; (AER, NÁUT) scalo; **en gran/pequeña ~** su larga scala/ scala ridotta; **hacer ~ en** fare scalo a ► **escala móvil** scala mobile

escalafón nm organico

escalar vt scalare ♦ vi (fig) avanzare di grado

escalera nf (tb NAIPES) scala ► **escalera de caracol/de incendios** scala a chiocciola/ antincendio ► **escalera de tijera** scala a libretto ► **escalera mecánica** scala mobile

escalfar vt (huevo) affogare

escalinata nf scalinata

escalofriante adj da brivido

escalofrío nm brivido; **~s** nmpl (fig): **dar** o **producir ~s a algn** dare i brividi a qn

escalón nm scalino, gradino; (fig) grado

escalope nm cotoletta alla milanese

escama nf squama; (de jabón) scaglia

escampar vi schiarire

escandalizar vt scandalizzare; **escandalizarse** vpr scandalizzarsi

escándalo nm scandalo

escandaloso, -a adj scandaloso(-a); (niño) chiassoso(-a)

escandinavo, -a adj, nm/f scandinavo(-a)

escaño nm seggio

escapar vi: **~ (de)** (de encierro) fuggire (da), scappare (da); (de peligro) sfuggire (a); (DEPORTE) andare in fuga; **escaparse** vpr: **~se (de)** scappare (da); (agua, gas) fuoriuscire (da); **se le escapó el secreto** si è lasciato scappare il segreto; **se le escapó la risa** gli è scappato da ridere

escaparate nm vetrina

escaquearse vpr squagliarsela

escape nm (de agua, gas) perdita, fuoriuscita; (tb: **tubo de ~**) tubo di scappamento

escarabajo nm scarabeo; (coche) maggiolino

escaramuza nf scaramuccia

escarbar vt (gallina) raspare ♦ vi frugare; **~ en** (en asunto) scavare in

escarceos nmpl (fig) divagazione fsg; **~ amorosos** avventura sg

escarcha nf brina

escarchado, -a adj coperto(-a) di brina

escarlatina nf scarlattina

escarmentar vt punire ♦ vi imparare

escarmiento vb ver **escarmentar** ♦ nm punizione f; (aviso) monito

escarola nf scarola

escarpado, -a adj ripido(-a)

escasear vi scarseggiare

escasez nf (falta) scarsità f inv; (pobreza) miseria

escaso, -a adj scarso(-a); **estar ~ de algo** essere a corto di qc

escatimar vt (sueldo, tela) risparmiare; (elogios, esfuerzos) lesinare

escayola nf ingessatura

escena nf scena; **poner en ~** mettere in scena ☐ **escenario** nm scenario ☐ **escenografía** nf scenografia

escéptico, -a adj, nm/f scettico(-a)

esclarecer vt chiarire

esclavitud nf schiavitù f inv

esclavizar vt schiavizzare

esclavo, -a adj, nm/f schiavo(-a)

escoba nf scopa

escocer vi bruciare; **escocerse** vpr irritarsi

escocés, -esa adj, nm/f scozzese m/f

Escocia nf Scozia

escoger vt scegliere

escogido, -a adj scelto(-a)

escolar adj scolastico(-a) ♦ nm/f scolaro(-a); **edad ~** età scolare

escollo nm scoglio

escolta nf scorta; (persona) guardaspalle m inv ☐ **escoltar** vt scortare

escombros nmpl macerie fpl

esconder vt nascondere; **esconderse** vpr nascondersi ☐ **escondidas** nfpl (LAm) nascondino; **a escondidas** di nascosto ☐ **escondite** nm nascondiglio; (juego) nascondino ☐ **escondrijo** nm nascondiglio

escopeta nf fucile m ► **escopeta de aire comprimido** fucile ad aria compressa

escoria nf (fig) feccia

Escorpio nm (ASTROL) Scorpione m; **ser ~** essere (dello) Scorpione

escorpión nm scorpione m

escotado, -a adj scollato(-a)

escote nm scollatura; **pagar a ~** pagare alla romana

escotilla nf (NÁUT) boccaporto

escozor nm bruciore m

escribir vt, vi scrivere; **escribirse** vpr scriversi; **~ a máquina** scrivere a macchina; **¿cómo se escribe?** come si scrive?

escrito, -a pp de **escribir** ♦ adj scritto(-a) ♦ nm scritto; **por ~** per iscritto

escritor, a nm/f scrittore(-trice)

escritorio nm scrittoio

escritura nf (tb JUR) scrittura

escrúpulo nm: **me da ~ (hacer)** mi faccio scrupolo di (fare); **~s** nmpl (dudas) scrupoli mpl

escrupuloso, -a adj scrupoloso(-a)

escrutinio nm scrutinio

escuadra nf (tb NÁUT) squadra; (MIL) pattuglia ☐ **escuadrilla** nf

squadriglia □ **escuadrón** *nm*
squadrone *m*

escuálido, -a *adj* squallido(-a)

escuchar *vt, vi* ascoltare

escudo *nm* scudo; (*insignia*)
stemma *m*

escuela *nf* scuola ▶ **Escuela
Oficial de Idiomas** *vedi nota nel
riquadro*

ESCUELA OFICIAL DE IDIOMAS

Le **Escuelas Oficiales** sono scuole
statali dove si studiano svariate
lingue straniere. Il diploma che
rilasciao è tenuto in grande
considerazione.

escueto, -a *adj* (*estilo*) spoglio(-a);
(*explicación*) conciso(-a)

esculpir *vt* scolpire □ **escultor, a**
nm/f scultore(-trice) □ **escultura**
nf scultura

escupidera *nf* sputacchiera;
(*orinal*) orinale *m*

escupir *vt, vi* sputare

escurreplatos *nm inv* scolapiatti
m inv

escurridizo, -a *adj* scivoloso(-a)

escurridor *nm* colapasta *m inv*

escurrir *vt* (*ropa*) strizzare; (*verduras,
platos*) scolare ♦ *vi* (*ropa, botella,
líquido*) gocciolare; (*resbalar*)
scivolare; **escurrirse** *vpr* (*deslizar*)
scivolare; (*escaparse*) svignarsela

ese, esa (*mpl* **esos**, *fpl* **esas**) *adj*
(*demos: sg*) quello(-a); (: *pl*) quelli(-e)

ése, ésa (*mpl* **ésos**, *fpl* **ésas**) *pron*
(*sg*) quello(-a); (*pl*) quelli(-e); **~ ...**
éste ... quello (lì) ... questo (qui) ...

esencia *nf* (*tb fig*) essenza
□ **esencial** *adj* essenziale

esfera *nf* sfera; (*de reloj*) quadrante
m

esférico, -a *adj* sferico(-a)

esforzarse *vpr* sforzarsi; **~ por
hacer** sforzarsi di fare

esfuerzo *vb ver* **esforzarse** ♦ *nm*
sforzo; **hacer un ~ (para hacer)** fare
uno sforzo (per fare); **con/sin ~** con/
senza sforzo

esfumarse *vpr* (*persona*)
svignarsela; (*esperanzas*) andare in
fumo

esgrima *nf* scherma

esguince *nm* storta, slogatura

eslabón *nm* (*tb fig*) anello

eslavo, -a *adj, nm/f* slavo(-a) ♦ *nm*
(LING) slavo

eslip *nm* slip *inv*

eslovaco, -a *adj, nm/f* slovacco(-a)
♦ *nm* (LING) slovacco

Eslovaquia *nf* Slovacchia

esmalte *nm* smalto ▶ **esmalte de
uñas** smalto per unghie

esmeralda *nf* smeraldo

esmerarse *vpr*: **~ (en)** impegnarsi
(in)

esmero *nm* attenzione *f*,
accuratezza; **con mucho ~** con
estrema accuratezza

esnob *adj inv, nm/f* snob *m/f inv*

ESO *sigla f* = **Enseñanza
Secundaria obligatoria**

ESO

L'**ESO** è il corso di istruzione
secondaria obbligatoria per
ragazzi tra i 12 e 16 anni.

eso *pron* questo, ciò; **~ de su coche**
questa storia della sua macchina; **~
de ir al cine** il fatto di andare al
cinema; **a ~ de las cinco** verso le

cinque; **por ~** per questo; **~ es è**
così; **~ mismo** proprio così; **y ~ que**
llovía anche se pioveva

esos adj demos ver **ese**

ésos pron ver **ése**

espabilar vt = **despabilar**

espacial adj spaziale

espaciar vt separare

espacio nm spazio ▶ **espacio**
aéreo/exterior spazio aereo/
esterno

espacioso, -a adj spazioso(-a)

espada nf spada; **~s** nfpl (NAIPES)
spade fpl

espaguetis nmpl spaghetti mpl

espalda nf schiena; (NATACIÓN)
dorso; **a ~s de algn** alle spalle di qn;
estar de ~s stare di spalle; **por la ~**
(atacar, disparar) alle spalle;
tenderse de ~s sdraiarsi supino;
volver la ~ a algn voltare le spalle a
qn

espantajo nm = **espantapájaros**

espantapájaros nm inv
spaventapasseri m inv

espantar vt (persona) spaventare;
(animal) scacciare; **espantarse** vpr
spaventarsi

espanto nm (terror) spavento

espantoso, -a adj (tb desmesurado)
spaventoso(-a)

España nf Spagna; **me gusta ~** mi
piace la Spagna

español, a adj, nm/f spagnolo(-a)
♦ nm (LING) spagnolo

esparadrapo nm cerotto

esparcir vt spargere; (noticia)
diffondere; **esparcirse** vpr spargersi

espárrago nm asparago

esparto nm sparto

espasmo nm spasmo

espátula nf spatola

especia nf spezia

especial adj speciale
❑ **especialidad** nf specialità f inv;
(ESCOL) specializzazione f; **quisiera**
probar una especialidad de la
casa vorrei assaggiare una
specialità della casa
❑ **especialista** nm/f specialista m/f

especie nf specie f inv; **una ~ de** una
specie di; **pagar en ~** pagare in
natura

especificar vt specificare

específico, -a adj specifico(-a)

espécimen (pl **especímenes**) nm
campione m; (ejemplar) esemplare
m

espectáculo nm spettacolo

espectador, a nm/f
spettatore(-trice); (de incidente)
testimone m/f

especular vi (meditar): **~ sobre**
speculare su; **~ (en)** (COM) speculare
(in)

espejismo nm miraggio

espejo nm specchio; **mirarse al ~**
guardarsi allo specchio ▶ **espejo**
retrovisor specchietto retrovisore

espeluznante adj raccapricciante

espera nf attesa; **a la** o **en ~ de** in
attesa di

esperanza nf speranza
▶ **esperanza de vida** aspettativa
di vita

esperar vt aspettare; (desear,
confiar) sperare ♦ vi aspettare; **~ un**
bebé aspettare un bambino; **es de**
~ que ~ si deve sperare che; **espere,**
por favor mi aspetti, per favore;
espere un momento, por favor
(TELEC) attenda in linea, per favore

esperma nf sperma m

espeso, -a adj denso(-a); (muro) spesso(-a) ❑ **espesor** nm spessore m; (densidad) densità f inv

espía nm/f spia ❑ **espiar** vt spiare
♦ vi: **espiar para** essere una spia al soldo di

espiga nf spiga

espina nf (tb BOT, de pez) spina
▶ **espina dorsal** spina dorsale

espinaca nf spinacio

espinazo nm spina dorsale

espinilla nf (ANAT) stinco; (MED) brufolo

espinoso, -a adj (tb fig) spinoso(-a)

espionaje nm spionaggio

espiral nf spirale f

espirar vt, vi espirare

espíritu nm spirito ▶ **espíritu de equipo** spirito di squadra
▶ **espíritu de lucha** temperamento battagliero
▶ **Espíritu Santo** Spirito Santo ❑ **espiritual** adj spirituale

espléndido, -a adj (magnífico) splendido(-a); (generoso) generoso(-a)

esplendor nm splendore m

espolvorear vt spolverizzare

esponja nf spugna ▶ **esponja de baño** spugna da bagno

esponjoso, -a adj spugnoso(-a)

espontaneidad nf spontaneità f inv

espontáneo, -a adj spontaneo(-a)

esposar vt ammanettare

esposo, -a nm/f sposo(-a); **esposas** nfpl (para detenidos) manette fpl

espuela nf sperone m

espuma nf schiuma ▶ **espuma de afeitar** schiuma da barba

espumadera nf schiumaiola

espumoso, -a adj schiumoso(-a); (vino) spumante

esqueleto nm scheletro

esquema nm schema m

esquí (pl ~s) nm sci m inv ▶ **esquí acuático** sci nautico ❑ **esquiar** vi sciare

esquilar vt tosare

esquimal adj, nm/f eschimese m/f

esquina nf angolo; **doblar la ~** voltare l'angolo

esquinazo nm: **dar ~ a algn** piantare in asso qn

esquirol nm crumiro(-a)

esquivar vt schivare

esta adj ver **este²**

está vb ver **estar**

ésta pron ver **éste**

estable adj stabile

establecer vt stabilire; **establecerse** vpr stabilirsi ❑ **establecimiento** nm stabilimento; (comercial) negozio

establo nm stalla

estaca nf palo; (bastón) bastone m

estación nf stazione f; (del año) stagione f ▶ **estación de radio** stazione radio(fonica) ▶ **estación de servicio** stazione di servizio

estacionamiento nm sosta; (lugar) parcheggio

estacionar vt (AUT) parcheggiare; **estacionarse** vpr (AUT) parcheggiare; (MED) stabilizzarsi

estadio nm stadio

estadista nm (POL) statista m/f

estadística nf statistica

estado nm stato; **el E~** lo Stato; **estar en ~** (de buena esperanza) essere in stato interessante

▸ **estado civil** stato civile
▸ **estado de ánimo** stato d'animo
▸ **estado de emergencia** o **excepción** stato d'emergenza
▸ **Estados Unidos** Stati Uniti mpl

estadounidense adj, nm/f statunitense m/f, americano(-a)

estafa nf truffa ❑ **estafar** vt truffare; **le estafó 8 millones** lo hanno truffato di 8 milioni

estáis vb ver **estar**

estallar vi (bomba) scoppiare ❑ **estallido** nm (tb de guerra) scoppio

estampa nf stampa; (porte) aspetto

estampado, -a adj stampato(-a) ♦ nm (dibujo) stampa

estampar vt stampare

estampida nf fuga

estampido nm scoppio

están vb ver **estar**

estancado, -a adj stagnante

estancar vt (líquido) raccogliere; (ventas) bloccare; **estancarse** vpr ristagnare; (fig) arenarsi

⚠ **estancar** no se traduce nunca por la palabra italiana *stancare*.

estancia nf soggiorno; (sala) stanza; (RPl: AGR) tenuta ❑ **estanciero** (RPl) nm (AGR) proprietario (di una tenuta)

estanco, -a nm tabaccheria

⚠ **estanco** no se traduce nunca por la palabra italiana *stanco*.

Si può acquistare sigarette e tabacchi anche nei bar e nei chioschi, ma in genere a prezzi più alti.

estándar adj, nm standard (m) inv

estandarte nm stendardo

estanque vb ver **estancar** ♦ nm stagno

estanquero, -a nm/f tabaccaio(-a)

estante nm (de mueble) ripiano; (adosado) scaffale m; (LAm: soporte) puntello ❑ **estantería** nf scaffale m

---

estar

PALABRA CLAVE

vi

1 (posición) essere; **está en la Plaza Mayor** è in Plaza Mayor; **¿está Juan?** c'è Juan?; **estamos a 30 km de Junín** siamo a 30 km da Junín

2 (+ adj o adv: estado) essere; **estar enfermo** essere malato; **estar lejos** essere lontano; **está muy elegante** è molto elegante; **¿cómo estás?** come stai?; ver tb **bien**

3 (+ gerundio) stare; **estoy leyendo** sto leggendo

4 (uso pasivo): **está condenado a muerte** è condannato a morte; **está envasado en ...** è avvolto in ...

5 (tiempo): **estamos en octubre/en el 2003** siamo in ottobre/nel 2003

6 (estar listo): **¿está la comida?** è pronto da mangiare?; **¿estará para mañana?** è pronto per domani?; **ya está** ecco qui

7 (sentar) stare; **el traje le está bien** il vestito le sta bene

8: **estar a** (con fechas): **¿a cuántos**

estamos? quanti ne abbiamo oggi?; **estamos a 5 de mayo** è il 5 di maggio; (con precios): **las manzanas están a un euro** le mele sono a un euro; (con grados): **estamos a 25°** siamo a 25°

9: estar de (ocupación): **estar de vacaciones/viaje** essere in vacanza/in viaggio; (trabajo): **está de camarero** lavora come cameriere

10: estar en (consistir) consistere di

11: estar para (a punto de): **está para salir** sta per uscire; (con humor de): **no estoy para bromas** non sono in vena di scherzi

12: estar por (a favor de) essere per; **estoy por empezar** sto per cominciare; (sin hacer): **está por limpiar** è da pulire

13: estar que: **¡está que trina!** ha un diavolo per capello!

14: estar sin: **estar sin dinero** essere senza soldi; **la casa está sin terminar** la casa non è ancora finita

15 (locuciones): **¡ya estuvo!** (LAm: fam) basta così!; **¿estamos?** (¿de acuerdo?) siamo d'accordo?; **¡ya está bien!** basta!

♦ **estarse** vpr: **se estuvo en la cama toda la tarde** se n'è stato a letto tutto il pomeriggio

estas adj demos ver **este²**

éstas pron ver **éste**

estatal adj statale

estatua nf statua

estatura nf statura

este¹ adj, nm est (m) inv

este², **esta** (mpl estos, fpl estas) adj (demos: sg) questo(-a); (: pl) questi(-e)

esté vb ver **estar**

éste, **ésta** (mpl éstos, fpl éstas) pron (sg) questo(-a); (pl) questi(-e); **ése ... ~ ...** quello ... questo ...

estén vb ver **estar**

estepa nf steppa

estera nf stuoia

estéreo adj inv, nm stereo (m) inv

estereotipo (pey) nm stereotipo

estéril adj sterile

esterilizar vt sterilizzare

esterlina adj: **libra ~** lira sterlina

estés vb ver **estar**

estético, -a adj estetico(-a)

estiércol nm sterco

estilo nm stile m; **por el ~** di simile

estima nf stima

estimar vt stimare; **te estimas en poco** hai poca stima di stesso

estimulante adj, nm stimolante (m)

estimular vt stimolare

estímulo nm stimolo

estirar vt tendere, tirare; (brazo, pierna) stirare; (fig: dinero) far durare
♦ vi allungarsi; **estirarse** vpr allungarsi; **~ las piernas** (fig) sgranchirsi le gambe

estirón nm strappo, strattone m; **dar o pegar un ~** allungarsi

estirpe nf stirpe f

estival adj estivo(-a)

esto pron questo; **~ de la boda** questa storia del matrimonio; **por ~** per questo

Estocolmo n Stoccolma

estofado, -a adj stufato(-a) ♦ nm stufato

estómago nm stomaco

estorbar vt dare fastidio; (paso, planes) intralciare □ **estorbo** nm fastidio; (obstáculo) intralcio

estornudar vi starnutire

estos adj ver **este²**

éstos pron ver **éste**

estoy vb ver **estar**

estrado nm palco

estrafalario, -a adj stravagante, strampalato(-a)

estrago nm strage f; **hacer** o **causar ~s en** provocare una strage in

estrambótico, -a adj strambo(-a)

estrangular vt strangolare, strozzare

Estrasburgo n Strasburgo f

estratagema nf stratagemma m

estrategia nf strategia

estratégico, -a adj strategico(-a)

estrato nm strato ► **estrato social** ceto sociale

estrechar vt stringere; (relación) rinsaldare; **estrecharse** vpr stringersi

estrechez nf strettezza; (de miras) ristrettezza; **estrecheces** nfpl (apuros) ristrettezze fpl

estrecho, -a adj (tb colaboración etc) stretto(-a) ♦ nm stretto; **~ de miras** di vedute ristrette; **estar/ir muy ~s** stare molto stretti

estrella nf (tb CINE etc) stella; **ver las ~s** (fam) vedere le stelle ► **estrella de mar** stella di mare ► **estrella fugaz** stella cedente

estrellar vt scagliare; **estrellarse** vpr schiantarsi; (fracasar) fallire

estremecer vt far tremare; (impresionar) scuotere; (suj: miedo, frío) far tremare; **estremecerse** vpr

tremare; **~se de miedo/frío** tremare per la paura/il freddo

estrenar vt inaugurare; (película, obra de teatro) dare la prima di; **estrenarse** vpr: **~se como** (persona) esordire come □ **estreno** nm (CINE, TEATRO) prima; **traje de estreno** vestito nuovo

estreñido, -a adj stitico(-a)

estreñimiento nm stitichezza

estrés nm stress m inv

estría nf stria, scanalatura; **~s** (en la piel) smagliatura

estribar vi: **~ en** fondarsi su; (consistir) consistere in

estribillo nm ritornello

estribo nm (de jinete) staffa; (de tren) predellino; (de puente, cordillera) contrafforte m; **perder los ~s** (fig) perdere le staffe

estribor nm (NÁUT) dritta

estricto, -a adj rigoroso(-a)

estridente adj stridente

estropajo nm strofinaccio

estropear vt rovinare; (máquina, coche) rompere; (planes) mandare all'aria; **estropearse** vpr guastarsi; (negocio) andare a monte; (envejecer) invecchiare

estructura nf struttura

estrujar vt (limón, naranja, tb fig) spremere; (bayeta) strizzare; (persona: entre brazos) stringere; **estrujarse** vpr (personas) andare a vicenda

estuario nm estuario

estuche nm astuccio

estudiante nm/f studente(-essa) □ **estudiantil** adj studentesco(-a)

estudiar vt, vi studiare

estudio nm (tb RADIO, TV etc) studio; **~s** nmpl studi mpl

estudioso, -a *adj, nm/f* studioso(-a)

estufa *nf* stufa

estupefaciente *adj* stupefacente ♦ *nm (droga)* stupefacente *m*

estupefacto, -a *adj* stupefatto(-a); **quedarse ~** rimanere stupefatto

estupendo, -a *adj* stupendo(-a); **¡~!** magnifico!

estupidez *nf* stupidità *f inv*

estúpido, -a *adj* stupido(-a)

estuve *etc vb ver* **estar**

ETA *sigla f* (POL: Euskadi Ta Askatasuna) ETA *m*

etapa *nf* tappa; **por ~s** a tappe

etarra *adj* dell'ETA ♦ *nm/f* membro dell'ETA

etc. *abr* (= etcétera) ecc.

eternidad *nf* eternità *f inv*

eterno, -a *adj* (tb fig) eterno(-a)

ética *nf* etica ► **ética profesional** etica professionale

ético, -a *adj* etico(-a)

Etiopía *nf* Etiopia

etiqueta *nf* (tb ceremonial) etichetta; **traje de ~** abito da cerimonia

étnico, -a *adj* etnico(-a)

Eucaristía *nf* Eucarestia

euro *nm* euro *m inv*

eurodiputado, -a *nm/f* eurodeputato(-a)

Europa *nf* Europa

europeo, -a *adj, nm/f* europeo(-a)

Euskadi *nm* Paesi Baschi *mpl*

euskera *nm* basco

eutanasia *nf* eutanasia

evadir *vt* eludere; *(impuesto)* evadere; **evadirse** *vpr* evadere

evaluar *vt* valutare

evangelio *nm* vangelo

evaporar *vt* far evaporare; **evaporarse** *vpr* evaporare; *(fam: persona)* volatilizzarsi

evasión *nf* evasione *f*; **de ~** *(novela, película)* d'evasione ► **evasión de capitales** fuga di capitali

evasiva *nf* pretesto, scusa

evento *nm* evento

eventual *adj* *(circunstancias)* eventuale; *(trabajo)* provvisorio(-a)

evidencia *nf* evidenza; **poner en ~** *(a algn)* mettere in ridicolo; *(algo)* mettere in evidenza

evidente *adj* evidente

evitar *vt* evitare; **~ hacer** evitare di fare

evocar *vt* evocare

evolución *nf* evoluzione *f* ❏ **evolucionar** *vi* evolversi; *(persona)* cambiare; *(avión)* fare evoluzioni

ex *prep* ex; **el ex ministro** l'ex ministro

exactitud *nf* esattezza; *(fidelidad)* precisione *f*, fedeltà *f inv*

exacto, -a *adj* esatto(-a); *(fiel)* fedele; **¡~!** esatto!

exageración *nf* esagerazione *f*

exagerar *vt, vi* esagerare

exaltar *vt* esaltare; **exaltarse** *vpr* esaltarsi

examen *nm* esame *m* ► **examen de conducir/de ingreso** esame di guida/d'ammissione

examinar *vt* (tb ESCOL) esaminare; **examinarse** *vpr:* **~se (de)** sostenere un esame (di)

excavadora *nf* (TEC) escavatrice *f*

excavar *vt, vi* scavare

excedencia nf: **estar en ~** essere in aspettativa; **pedir** o **solicitar la ~** chiedere aspettativa

⚠️ **excedencia** no se traduce nunca por la palabra italiana *eccedenza*.

excedente adj (producto, dinero) eccedente; (funcionario) in aspettativa ♦ nm eccedenza

exceder vt eccedere; **excederse** vpr eccedere

excelencia nf eccellenza; **E~** (tratamiento) Eccellenza; **por ~** per eccellenza ◻ **excelente** adj eccellente

excéntrico, -a adj, nm/f eccentrico(-a)

excepción nf eccezione f; **ser** o **hacer una ~** essere/fare un'eccezione; **a** o **con ~ de** a eccezione di; **sin ~** senza eccezione ◻ **excepcional** adj eccezionale

excepto adv eccetto

exceptuar vt eccettuare

excesivo, -a adj eccessivo(-a)

exceso nm eccesso; (COM) eccedenza; **~s** nmpl (desórdenes) eccessi mpl; **con** o **en ~** in eccesso ▶ **exceso de velocidad** eccesso di velocità

excitar vt eccitare; **excitarse** vpr eccitarsi

exclamación nf esclamazione f

exclamar vt, vi esclamare

excluir vt (descartar) escludere; (no incluir): **~ (de)** escludere (da)

exclusiva nf esclusiva

exclusivo, -a adj esclusivo(-a)

Excmo. abr (= Excelentísimo) ≈ Preg.mo

excomulgar vt scomunicare

excomunión nf scomunica

excursión nf escursione f, gita; **ir de ~** andare in gita ◻ **excursionista** nm/f (por campo) escursionista m/f

excusa nf scusa

excusar vt scusare; **excusarse** vpr scusarsi; **~ (de hacer)** (eximir) esentare (dal fare)

exhaustivo, -a adj esaustivo(-a), esauriente

exhausto, -a adj esausto(-a)

exhibición nf esibizione f

exhibir vt esibire; **exhibirse** vpr esibirsi

exigencia nf esigenza; **~s del trabajo** esigenze di servizio ◻ **exigente** adj esigente

exigir vt (reclamar) esigere; (necesitar) richiedere

exiliado, -a adj, nm/f esiliato(-a), esule m/f

exilio nm esilio

eximir vt: **~ a algn (de)** esonerare o esimere qn (da)

existencia nf esistenza; **~s** nfpl (artículos) giacenze fpl; **en ~** (COM) in magazzino

existir vi esistere

éxito nm successo; **tener ~** avere successo

exorbitante adj esorbitante

exótico, -a adj esotico(-a)

expandirse vpr espandersi; (noticia) diffondersi

expansión nf espansione f; (propagación) diffusione f; (diversión) svago ▶ **expansión económica** espansione economica

expansivo, -a adj (tb carácter) espansivo(-a)

expatriarse vpr espatriare

expectativa nf (tb ECON) aspettativa; (perspectiva) possibilità f inv

expedición nf spedizione f

expediente nm (JUR: procedimiento) procedimento, processo; (: papeles) documentazione f; (ESCOL: tb: ~ académico) curriculum m universitario; **abrir** o **formar ~ a algn** adottare un provvedimento disciplinare contro qc

⚠ **expediente** no se traduce nunca por la palabra italiana *espediente*.

expedir vt (carta, mercancías) spedire; (documento) rilasciare

expensas nfpl (JUR) spese fpl legali; **a ~ de** a spese di

experiencia nf esperienza

experimentado, -a adj esperto(-a); (medicamento) sperimentato(-a)

experimentar vt (en laboratorio) sperimentare; (deterioro, aumento) subire; (sensación) provare □ **experimento** nm esperimento

experto, -a adj, nm/f esperto(-a)

expirar vi spirare

explanada nf spiazzo

explayarse vpr dilungarsi; (divertirse: svagarsi): **~ con algn** sfogarsi con qn

explicación nf spiegazione f

explicar vt spiegare; **explicarse** vpr spiegarsi; **~se algo** spiegarsi o capire qc

explícito, -a adj esplicito(-a)

explique etc vb ver **explicar**

explorador, a nm/f (tb MIL) esploratore(-trice)

explorar vt esplorare

explosión nf esplosione f

explosivo, -a adj esplosivo(-a) ♦ nm esplosivo

explotación nf sfruttamento; (industria) impianto; (AGR) coltivazione f

explotar vt sfruttare ♦ vi esplodere

exponer vt esporre; **exponerse** vpr: **~se a (hacer) algo** esporsi a (fare) qc

exportación nf esportazione f

exportar vt esportare

exposición nf esposizione f ▶ **Exposición Universal** Esposizione universale

exprés adj inv (café) espresso

expresamente adv espressamente

expresar vt esprimere; **expresarse** vpr esprimersi □ **expresión** nf espressione f

expresivo, -a adj (vivo) espressivo(-a); (cariñoso) affettuoso(-a)

expreso, -a adj (explícito) esplicito(-a); (tren) espresso(-a) ♦ nm (FERRO) espresso

exprimidor nm spremifrutta m inv

exprimir vt spremere

expuesto, -a pp de **exponer** ♦ adj (peligroso) pericoloso(-a), arrischiato(-a)

expulsar vt espellere; (humo) emettere □ **expulsión** nf espulsione f; (de humo) emissione f

exquisito, -a adj squisito(-a)

éxtasis nm estasi f inv

extender vt (tb documento) stendere; (esparcir) spargliare; (propagar) diffondere; (mantequilla, pintura) spalmare; (cheque, recibo) emettere; **extenderse** vpr (llanura, ciudad etc) estendersi; (esparcirse) sparpagliarsi; (propagarse) diffondersi; (al hablar) dilungarsi

extendido, -a adj esteso(-a); (tendido) steso(-a); (costumbre, creencia) diffuso(-a)

extensión nf estensione f; (difusión) diffusione f; (TELEC) interno; **por ~** per estensione

extenso, -a adj esteso(-a)

exterior adj esterno(-a), esteriore; (extranjero) estero(-a) ♦ nm esterno; (aspecto) aspetto; (países extranjeros) estero; **al ~** all'esterno; **en el ~** all'estero

exterminar vt sterminare

externo, -a adj esterno(-a); **de uso ~** (MED) per uso esterno

extinguir vt (fuego) spegnere, estinguere; (raza) provocare l'estinzione di; **extinguirse** vpr estinguersi

extintor nm (tb: ~ de incendios) estintore m

extirpar vt (mal) estirpare; (MED) asportare

extra adj inv (tiempo, paga) straordinario(-a); (chocolate, calidad) extra inv ♦ nm/f (CINE) comparsa ♦ nm (bono) buono; (de menú, cuenta) extra m inv

extracción nf estrazione f

extracto nm estratto

extraer vt estrarre; (conclusión) trarre

extraescolar adj: **actividad ~** attività f inv extrascolastica

extranjero, -a adj, nm/f straniero(-a) ♦ nm estero; **en el ~** all'estero

extrañar vt stupire, meravigliare; (Lam: echar de menos) sentire la mancanza di; (algo nuevo) non essere abituato(-a) a; **te extraño mucho** mi manchi molto

extraño, -a adj estraneo(-a); (raro) strano(-a) ♦ nm/f estraneo(-a); **... lo que por ~ que parezca** ... per quanto strano possa sembrare

extraordinario, -a adj (tb edición) straordinario(-a) ♦ nm (de periódico) numero speciale; **horas extraordinarias** ore di straordinario

extrarradio nm hinterland m inv

extravagante adj stravagante

extraviar vt (objeto) smarrire; **extraviarse** vpr smarrirsi

extremar vt spingere all'estremo

extremaunción nf estrema unzione f

extremeño, -a adj dell'Estremadura

extremidad nf estremità f inv; **~es** nfpl (ANAT) arti mpl

extremo, -a adj estremo(-a) ♦ nm (punta) estremità f inv; (fig) punto estremo; **en último ~** all'estremo
► **Extremo Oriente** Estremo Oriente m

extrovertido, -a adj, nm/f estroverso(-a)

exuberante adj esuberante

eyacular vi eiaculare

Ff

fa nm fa m inv

fábrica nf fabbrica; **de ~** (ARQ) in muratura; **marca/precio de ~** marchio/prezzo di fabbrica

fabricación nf fabbricazione f; **de ~ casera** fatto(-a) in casa ▸ **fabricación en serie** fabbricazione in serie

fabricante nm/f fabbricante m/f

fabricar vt fabbricare; (edificio) costruire

fábula nf favola; (mentira) frottola ❑ **fabuloso, -a** adj favoloso(-a)

faceta nf sfaccettatura, aspetto

facha (fam) adj, nm/f (pey) fascista m/f ✦ nf (aspecto) aspetto; **estar hecho una ~** sembrare uno spaventapasseri

fachada nf facciata

fácil adj facile

facilidad nf facilità f inv; **~es** nfpl (condiciones favorables) facilitazioni fpl

facilitar vt facilitare; (proporcionar) procurare

factor nm fattore m

factoría nf (fábrica) fabbrica

⚠ **factoría** no se traduce nunca por la palabra italiana **fattoria**.

factura nf fattura ❑ **facturar** vt (COM) fatturare; (equipaje) fare il check-in

facultad nf facoltà f inv

faena nf lavoro; **~s domésticas** lavori domestici; **hacerle una ~ a algn** (fam) giocare un brutto scherzo a qn

faisán nm fagiano

faja nf (para la cintura) fascia; (de mujer) busto; (de libro) fascetta

fajo nm fascio; (de billetes) mazzetta

falda nf gonna; (GEO) falda ▸ **falda pantalón** gonna f pantalone m

falla nf (GEO) faglia; **las F~s** vedi nota nel riquadro

fallar vt (JUR) pronunciarsi per ✦ vi mancare; (no acertar) fallire, sbagliare; (cuerda, rama) cedere; (motor) andare in panne; **le falló la memoria** ha avuto un vuoto di memoria; **le ~on las piernas** si è sentito mancare le gambe; **estaré allí a las siete sin ~** sarò senz'altro lì alle sette

fallecer vi morire ❑ **fallecimiento** nm decesso

fallo nm (JUR) sentenza, verdetto; (defecto) difetto; (error) errore m, sbaglio ▸ **fallo cardíaco** crisi f inv cardiaca

falsificar vt falsificare

falso, -a adj falso(-a); **declarar en ~** dichiarare il falso

falta nf (carencia) mancanza; (defecto, en comportamiento) difetto; (ausencia) assenza; (en examen, ejercicio) fallo; (DEPORTE) fallo; **echar en ~** (persona, clima) sentire la mancanza di; **hacerlo ~ hacerlo** bisogna farlo; **me hace ~ un lápiz** mi serve una matita; **por ~ de** per mancanza di ▸ **falta de educación** mancanza di educazione ▸ **falta de ortografía** errore m di ortografia

faltar vi mancare; **faltan 2 horas para llegar** mancano 2 ore all'arrivo; **¡no faltaba o ~ía más!** ci mancherebbe altro!

fama nf fama; **tener ~ de** avere fama di

familia nf famiglia

familiar adj familiare ♦ nm/f familiare m/f, parente m/f; **nos dieron un trato ~** ci hanno trattato con familiarità

famoso, -a adj famoso(-a)

fanático, -a adj, nm/f fanatico(-a); **ser un ~ de** essere un fanatico o un patito di

fanfarrón, -ona adj, nm/f fanfarone(-a)

fango nm fango

fantasía nf fantasia; **~s** nfpl (ilusiones) fantasticherie fpl; **joyas de ~** bigiotteria sg

fantasma nm fantasma m

fantástico, -a adj fantastico(-a)

farmacéutico, -a adj farmaceutico(-a) ♦ nm/f farmacista m/f

farmacia nf farmacia ▸ **farmacia de guardia** farmacia di turno

fármaco nm farmaco

faro nm (NÁUT, AUTO) faro ▸ **faros antiniebla/delanteros/traseros** fari antinebbia/anteriori/posteriori

farol nm lanterna; **echarse o tirarse un ~** (fam) fare lo (la) sbruffone(-a)

farola nf lampione m

farsa nf farsa

farsante nm/f commediante m/f

fascículo nm fascicolo

fascinar vt affascinare

fascismo nm fascismo ◻ **fascista** adj, nm/f fascista m/f

fase nf fase f

fastidiar vt (molestar) dare fastidio, seccare; (estropear) rovinare; **fastidiarse** vpr portare pazienza; **¡qué ~!** che seccatura!

fastidio nm fastidio, seccatura; **¡qué ~!** che seccatura!

fatal adj fatale; (fam: malo) orrendo(-a) ♦ adv molto male ◻ **fatalidad** nf fatalità f inv

fatiga nf fatica; (al respirar) affanno; (sufrimiento) sofferenza

fatigar vt stancare; **fatigarse** vpr affaticarsi

favor nm favore m; **haga el ~ de ...** abbia la cortesia di ...; **por ~** per favore; **a ~ de** a favore di ◻ **favorable** adj favorevole; **ser favorable a algo** essere favorevole a qc

favorecer vt aiutare; (suj: vestido, peinado) donare

favorito, -a adj (preferido) preferito(-a); (DEPORTE: al título) favorito(-a)

fax nm fax m inv; **¿cuál es el número de ~?** qual è il numero di fax?

fe nf fede f; (confianza) fiducia; **buena/mala fe** buona/mala fede; **dar fe de** testimoniare; **tener fe en**

algo/algn avere fede in qc/qn ► **fe de bautismo/de vida** certificato di battesimo/di esistenza in vita

fealdad nf bruttezza

febrero nm febbraio; ver tb **julio**

fecha nf data; **en ~ próxima** prossimamente; **hasta la ~** fino a oggi ► **fecha de caducidad** (de alimentos) data di scadenza ► **fecha límite** scadenza

fecundar vt fecondare

federación nf federazione f

federal adj federale

felicidad nf felicità f inv; (contento) gioia; **~es** (por cumpleaños) auguri mpl; (enhorabuena) congratulazioni fpl

felicitación nf (enhorabuena) congratulazioni fpl; (tarjeta) auguri mpl

felicitar vt: **~ (por)** congratularsi (per); **me felicitó por mi cumpleaños** mi ha fatto gli auguri di compleanno

feliz adj felice

felpudo nm zerbino

femenino, -a adj (tb LING) femminile; (ZOOL) femmina inv

feminista adj, nm/f femminista m/f

fenomenal adj (fam: enorme) enorme; (: estupendo) sensazionale ♦ adv magnificamente

fenómeno nm fenomeno ♦ adv: **lo pasamos ~** ci siamo divertiti un sacco ♦ excl benissimo!

feo, -a adj brutto(-a); **esto se está poniendo ~** la faccenda si sta facendo brutta

féretro nm feretro

feria nf fiera; (CS: mercado de pueblo) mercato; (MÉX: cambio) spiccioli mpl; **~s** nfpl (fiestas) festa sg

fermentar vi fermentare

feroz adj feroce

férreo, -a adj (tb fig) ferreo(-a)

ferretería nf ferramenta m inv

ferrocarril nm ferrovia; **viajar en ~** viaggiare in treno

ferroviario, -a adj ferroviario(-a)

fértil adj (tb fig) fertile

fervor nm fervore m

festejar vt festeggiare

festejo nm festa; **~s** nmpl (fiestas) festeggiamenti mpl

festín nm banchetto

festival nm festival m inv

festividad nf festività f inv

festivo, -a adj festivo(-a); (alegre) allegro(-a); **día ~** giorno festivo

fétido, -a adj puzzolente

feto nm feto

fiable adj affidabile

fiambre nm (CULIN) affettato

fianza nf cauzione f; **libertad bajo ~** (JUR) libertà su cauzione

fiar vi fare credito ♦ vt vendere a credito; **fiarse** vpr: **~se de algn/algo** fidarsi di qn/qc; **es de ~** è affidabile

fibra nf fibra ► **fibra óptica** (INFORM) fibra ottica

ficción nf finzione f; **~ literaria** invenzione letteraria

ficha nf scheda; (en casino) fiche f inv; (de dominó) tessera ☐ **fichar** vt schedare; (DEPORTE) ingaggiare; (fig) catalogare ♦ vi (trabajador) timbrare il cartellino; **estar fichado** essere schedato ☐ **fichero** nm schedario; (INFORM) file m inv

ficticio, -a adj fittizio(-a)

fidelidad nf fedeltà f inv; **alta ~** alta fedeltà

fideos nmpl (CULIN) vermicelli mpl

fiebre nf febbre f; **tener ~** avere la febbre ▸ **fiebre amarilla** febbre gialla ▸ **fiebre del heno** raffreddore m da fieno ▸ **fiebre palúdica** malaria

fiel adj fedele; **los ~es** (REL) i fedeli

fieltro nm feltro

fiera nf belva

fiero, -a adj feroce; (fig) terribile

fiesta nf festa; (vacaciones: tb: **~s**) feste fpl ▸ **fiesta de guardar** (REL) festa comandata

FIESTAS

Le **Fiestas** sono giorni di festa nazionale o locale, che in genere coincidono con le festività religiose. In tutta la Spagna si festeggiano anche i patroni delle città e la Vergine Maria. Le **Fiestas** possono durare diversi giorni con celebrazioni come processioni religiose, sfilate in maschera, corride e balli.

figura nf figura ♦ nm/f grosso nome m

figurar vt fingere ♦ vi figurare; **figurarse** vpr figurarsi; **¡figúrate!** figurati!

fijador nm (de pelo) fissatore m

fijar vt (tb mirada, fecha) fissare; (sellos) incollare; (cartel) affiggere; **fijarse** vpr: **~se (en)** fare attenzione (a); **~ algo a** attaccare qc a; **¡fíjate!** guarda!

fijo, -a adj fisso(-a); (sujeto): **~ (a)** fissato(-a) (a) ♦ adv: **mirar ~** guardare fisso; **de ~** con certezza

fila nf fila; **~s** nfpl (MIL) file fpl; **ponerse en ~** mettersi in fila ▸ **fila india** fila indiana

filatelia nf filatelia

filete nm filetto

filial adj, nf filiale (f)

Filipinas nfpl: **las (Islas) ~** le Filippine fpl

filipino, -a adj, nm/f filippino(-a)

filmar vt filmare

filo nm (de navaja, espada etc) filo; **sacar ~ a** affilare; **arma de doble ~** (fig) arma a doppio taglio

filón nm filone m; (fig) miniera

filosofía nf filosofia

filósofo, -a nm/f filosofo(-a)

filtrar vt, vi filtrare; **filtrarse** vpr (luz, líquido) filtrare ▭ **filtro** nm filtro ▸ **filtro de aceite** (AUTO) filtro dell'olio

fin nm (término) fine f; (objetivo) fine m, scopo; **al ~** finalmente; **al ~ y al cabo** alla fin fine; **a ~ de (que)** con lo scopo di; **a ~es de** verso la fine di; **en ~** insomma; **por ~** finalmente ▸ **fin de semana** fine settimana m inv

final adj finale ♦ nm fine f, finale m; (de calle, tarde) fine ♦ nf (DEPORTE) finale f; **al ~** alla fine ▭ **finalidad** nf finalità f inv ▭ **finalista** nm/f finalista m/f ▭ **finalizar** vt finire, portare a termine ♦ vi finire

financiar vt finanziare

financiero, -a adj finanziario(-a) ♦ nm/f finanziere m

finca nf (rústica) proprietà f inv, terreno; (urbana) casa

fingir vt, vi fingere; **fingirse** vpr: **~se dormido** far finta di dormire

finlandés, -esa adj, nm/f finlandese m/f ♦ nm (LING) finlandese m

Finlandia nf Finlandia

fino, -a adj sottile; (oído) fine; (de buenas maneras) educato(-a)

firma nf firma; (COM) ditta

firmamento nm firmamento

firmar vt, vi firmare; ¿dónde he de ~? dove devo firmare?

firme adj (tb fig) saldo(-a) ♦ nm massicciata; **mantenerse ~** (fig) rimanere saldo(-a) □ **firmeza** nf stabilità f inv; (perseverancia) fermezza, risolutezza

fiscal adj fiscale ♦ nm (JUR) pubblico ministero

fisgonear vt ficcare il naso in, curiosare in ♦ vi ficcanasare

física nf fisica

físico, -a adj fisico(-a) ♦ nm (cuerpo) fisico ♦ nm/f fisico

fisura nf fessura; (fig) frattura

flác(c)ido, -a adj flaccido(-a)

flaco, -a adj (delgado) magro(-a); **punto ~** punto debole

flagrante adj flagrante; **en ~ delito** in flagrante

flamante (fam) adj (vistoso) fiammante; (nuevo) nuovo(-a)

flamenco, -a adj (de Flandes) fiammingo(-a); (baile, música) flamenco ♦ nm flamenco

---

FLAMENCO

In Spagna il **flamenco** si esprime in tre forme: chitarra, canto e ballo. Il **flamenco** è di origine gitana e molti dei "cantaores" (cantanti) e "bailaores" (ballerini) più bravi sono zingari. La musica e le canzoni sono tradizionalmente improvvisate, ma oggi, data la popolarità del flamenco, è più facile vedere uno spettacolo organizzato piuttosto che qualcosa di improvvisato.

---

flan nm budino

flash (pl ~es) nm (FOTO) flash m inv

flauta nf flauto; (persona) flautista m/f

flecha nf freccia

flechazo nm (enamoramiento) colpo di fulmine

fleco nm frangia

flema nm (calma) flemma

flequillo nm frangetta

flexible adj (tb fig) flessibile

flexión nf flessione f

flexo nm lampada da tavolo

flojera nf debolezza; (falta de ánimo) spossatezza; **me da ~ (hacer)** non ho nessuna voglia di (fare)

flojo, -a adj (cuerda, nudo) allentato(-a); (persona, COM: sin fuerzas) fiacco(-a); (perezoso) pigro(-a); (viento, vino) leggero(-a)

flor nf fiore m; **en ~** in fiore; **la ~ de la vida** nel fiore degli anni □ **florecer** vi fiorire □ **florero** nm fioriera □ **floristería** nf fioreria

flota nf flotta

flotador nm galleggiante m; (para nadar) salvagente m

flotar vi galleggiare □ **flote** nm: **a flote** a galla

fluidez nf fluidità f inv; **los vehículos circulan con ~** il traffico è scorrevole

fluido, -a adj fluido(-a); (circulación) scorrevole ♦ nm fluido

fluir vi fluire, scorrere

flujo nm flusso; **~ y reflujo** flusso e riflusso

fluvial adj fluviale

foca nf foca

foco nm (lampara) riflettore m; (de luz) sorgente f; (de cultura) centro

fofo, -a adj molle; (carnes) flaccido(-a)

fogata nf fuoco

fogón nm (de cocina) fornello

folclore nm folclore m

folio nm foglio

folletín nm (tb fig) feuilleton m inv, romanzo d'appendice

folleto nm (de propaganda) opuscolo

follón (fam) nm casino; **armar un ~** fare un casino

fomentar vt promuovere; (odio, envidia) fomentare

fonda nf pensione f

fondo nm fondo; (profundidad) profondità nf inv; **~s** nmpl (COM) fondi mpl; (de biblioteca) raccolta; **a ~** a fondo; **en el ~** in fondo ▸ **fondo común** fondo comune

fontanería nf tubature fpl; (tienda) negozio di materiale idraulico

fontanero nm idraulico

footing nm jogging m inv

forastero, -a nm/f forestiero(-a)

forcejear vi dibattersi; (oponerse) opporsi

forense nm/f (tb: **médico ~**) medico legale

forma nf forma; (manera) modo; **en (plena) ~** in piena forma; **guardar las ~s** comportarsi educatamente; **de todas ~s** ad ogni modo

formación nf formazione f ▸ **formación profesional** formazione professionale

formal adj (defecto) formale; (persona: de fiar) serio(-a) ❑ **formalidad** nf serietà f inv; (trámite) formalità f inv ❑ **formalizar** vt formalizzare; **formalizarse** vpr (contrato,

situación) essere formalizzato; (persona) responsabilizzarsi

formar vt formare; (hacer) creare; **formarse** vpr formarsi; **~ parte de** fare parte di

formatear vt (INFORM) formattare

formato nm formato

formidable adj formidabile

fórmula nf formula ▸ **fórmula de cortesía** formula di cortesia ▸ **fórmula uno** (AUTO) formula uno

formulario nm modulo, formulario

fornido, -a adj robusto(-a)

forrar vt (abrigo, libro, sofá) foderare; **forrarse** vpr arricchirsi ❑ **forro** nm fodera

fortalecer vt (tb músculos) rafforzare

fortaleza nf (MIL) fortezza; (fuerza) forza

fortuito, -a adj fortuito(-a)

fortuna nf fortuna; **por ~** per fortuna

forzar vt forzare; **~ a algn a hacer algo** costringere qn a fare qc

forzoso, -a adj: **es ~ que** è necessario che

fosa nf fossa ▸ **fosas nasales** fosse nasali

fósforo nm fosforo; (cerilla) fiammifero

fósil adj, nm fossile (m)

foso nm (hoyo, AUTO) buca; (TEATRO) fossa; (de castillo) fossato

foto nf foto f inv; **sacar o hacer una ~** fare una foto; **¿puede hacernos una ~, por favor?** può farci una foto, per favore? ❑ **fotocopia** nf fotocopia ❑ **fotocopiadora** nf fotocopiatrice f ❑ **fotocopiar** vt

fotocopiar ▢ **fotografía** nf
fotografia ▢ **fotógrafo, -a** nm/f
fotografo(-a)

fracasar vi fallire ▢ **fracaso** nm (de
libro, película) insuccesso; (de
proyecto, negocio) fallimento

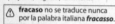

⚠ **fracaso** no se traduce nunca
por la palabra italiana *fracasso*.

fracción nf frazione f; (POL) corrente
f

fraccionamiento (MÉX) nm
lottizzazione f

fractura nf frattura

fragancia nf fragranza

frágil adj fragile

fragmento nm frammento

fragua nf fucina

fraile nm frate m

frambuesa nf lampone m

francés, -esa adj, nm/f francese
m/f ♦ nm (LING) francese m

Francia nf Francia

franco, -a adj franco(-a) ♦ nm
franco

franela nf flanella

franja nf (en vestido, bandera) banda;
(de tierra, luz) striscia

franquear vt (paso, entrada)
sgombrare; (carta etc) affrancare;
(obstáculo) superare

franqueo nm affrancatura

franqueza nf franchezza

frasco nm boccetta, flacone m

frase nf frase f ▸ **frase hecha**
modo di dire; (despectivo) frase fatta

fraude nm frode f

frazada nf coperta pelosa

frecuencia nf frequenza; **con ~** di
frequente

frecuentar vt frequentare

frecuente adj frequente; (habitual)
comune

fregadero nm lavello

fregado, -a (fam) adj (LAm: molesto)
seccante ♦ nm rissa

fregar vt lavare; (LAm: fam: fastidiar)
seccare

⚠ **fregar** no se traduce nunca
por la palabra italiana *fregare*.

fregona nf spazzolone m; (pey:
sirvienta) sguattera

freír vt friggere

frenar vt, vi frenare

frenazo nm frenata

freno nm freno ▸ **freno de mano**
freno a mano

frente nm (ARQ) facciata; (MIL) fronte
m ♦ nf fronte f ♦ adv: **~ a** di fronte a;
chocar ~ scontrarsi
frontalmente; **hacer ~** fare fronte
a; **ir/ponerse al ~ de** andare/
mettersi alla testa di

fresa nf fragola

fresco, -a adj fresco(-a); (ropa)
leggero(-a); (descarado)
sfacciato(-a) ♦ nm (aire) fresco; (ARTE)
affresco; (LAm: bebida) bibita fresca
♦ nm/f (fam: descarado) sfacciato(-a);
hace ~ fa fresco; **estar ~** stare
fresco; **tomar el ~** prendere il fresco
▢ **frescura** nf frescura; (descaro)
sfacciataggine f

frialdad nf freddo; (indiferencia)
freddezza

frigidez nf frigidità f inv

frigorífico, -a adj frigorifero(-a)
♦ nm frigorifero

frijol (LAm) nm fagiolo; (verde)
fagiolino

frío, -a adj (tb fig) freddo(-a) ♦ nm freddo; **tener ~** avere freddo; **hace ~** fa freddo

frito, -a pp de freír ♦ adj (CULIN) fritto(-a) ♦ nm: **~s** (CULIN) frittura sg; **me tiene** o **trae ~ ese hombre** (fam) mi ha stufato questo tizio

frívolo, -a adj frivolo(-a)

frontal adj frontale

frontera nf frontiera, confine m; **sin ~s** senza limiti

fronterizo, -a adj (pueblo, paso) di confine

frontón nm (cancha) campo (da gioco); (juego) pelota

frotar vt strofinare ♦ vi sfregare; **frotarse** vpr: **~se las manos** strofinarsi le mani

fructífero, -a adj fruttuoso(-a)

fruncir vt aggrottare; (tela) piegare

frustrar vt frustrare

fruta nf frutta □ **frutería** nf fruttivendolo □ **frutero, -a** adj frutticolo(-a) ♦ nm/f fruttivendolo(-a) ♦ nm fruttiera

frutilla nf (CS) fragola

fruto nm frutto ► **frutos secos** frutta secca sg (noci ecc)

fue vb ver **ser**; **ir**

fuego nm fuoco; **prender ~** dare fuoco a; **¿tienes ~?** mi fai accendere?; **¡~!** al fuoco! ► **fuegos artificiales** o **de artificio** fuochi mpl d'artificio

fuente nf (tb fig) fonte f; (construcción) fontana; (bandeja) vassoio ► **fuente de soda** (LAm) bar m inv

fuera vb ver **ser**; **ir** ♦ adv fuori; (de viaje) fuori, via ♦ prep: **~ de** fuori di; (fig) eccetto; **por ~** dal di fuori

fueraborda nm inv fuoribordo m inv

fuerte adj forte ♦ adv forte; (sujetar) saldamente

fuerza vb ver **forzar** ♦ nf forza; (MIL: tb: **~s**) forze fpl; **a ~ de** a forza di; **cobrar ~s** recuperare le forze; **tener ~ para hacer** avere la forza di fare; **a la ~** per forza; **por ~** per forza ► **fuerzas aéreas/armadas** forze aeree/armate ► **fuerza de voluntad** forza di volontà

fuga nf (tb de gas, agua) fuga

fugarse vpr fuggire, scappare

fugaz adj fugace

fugitivo, -a adj, nm/f fuggiasco(-a)

fui etc vb ver **ser**; **ir**

fulano, -a nm/f tizio(-a)

fulminante adj (MED, fig) fulminante; (fam: éxito) folgorante

fumador, -a nm/f fumatore(-trice)

fumar vt, vi fumare; **fumarse** vpr fumarsi; (fam: herencia) dilapidare; (: clases, trabajo) mancare a; **~ en pipa** fumare la pipa; **¿le molesta que fume?** le dà fastidio se fumo?

función nf funzione f; (TEATRO etc) spettacolo; **entrar en funciones** entrare in carica; **~ de tarde/de noche** spettacolo pomeridiano/serale; **en ~ de** in funzione di; **presidente/director en funciones** vicepresidente/vicedirettore

funcionar vi funzionare; **"no funciona"** "guasto"; **¿cómo funciona?** come funziona?

funcionario, -a nm/f impiegato(-a) statale

funda nf custodia; (de almohada) federa

fundamental adj fondamentale

fundamento nm fondamento

fundar vt fondare; (fig: basar): ~ **en** basare su; **fundarse** vpr: ~**se en** fondarsi su

fundición nf (fábrica) fonderia

fundir vt fondere; **fundirse** vpr fondersi

fúnebre adj funebre

funeral nm funerale m

funeraria nf impresa di pompe funebri

furgón nm (camión) furgone m; (FERRO) vagone m merci inv □ **furgoneta** nf furgoncino

furia nf furia

furioso, -a adj furioso(-a)

furtivo, -a adj furtivo(-a); (cazador) di frodo

fusible nm fusibile m

fusil nm fucile m □ **fusilar** vt fucilare

fusión nf fusione f

fútbol nm calcio □ **futbolista** nm/f calciatore(-trice)

futuro, -a adj futuro(-a) ♦ nm futuro

Gg

gabardina nf impermeabile m; (tela) gabardine f inv

gabinete nm gabinetto; (de abogados) studio

gafas nfpl occhiali mpl; (de nadar) occhialini mpl ▶ **gafas de sol** occhiali da sole

gafe adj: **ser ~** portare iella

gaita nf cornamusa

gajes nmpl: ~ **del oficio** i rischi mpl del mestiere

gajo nm (de naranja) spicchio

gala nf gala; ~**s** nfpl (atuendo) abbigliamento elegante; **fiesta de ~** festa di gala; **vestir de ~** mettersi in ghingheri; **hacer ~ de** (presumir) vantarsi di; (lucir) fare mostra di

galápago nm testuggine f

galaxia nf galassia

galera nf (nave) galera

galería nf galleria ▶ **galería comercial** centro commerciale

Gales nm: (**el País de**) ~ Galles m

galés, -esa adj, nm/f gallese m/f ♦ nm (LING) gaelico

galgo, -a nm/f levriere m

Galicia nf Galizia

gallego, -a adj, nm/f galiziano(-a) ♦ nm (LING) galiziano

galleta nf biscotto; ~ **salada** cracker m inv

gallina nf gallina ♦ nm (fam) coniglio; **carne de ~** pelle d'oca

gallinero nm pollaio

gallo nm gallo

galopar vi galoppare

gama nf gamma

gamba nf gambero

<table>
<tr><td>⚠</td><td>**gamba** no se traduce nunca por la palabra italiana **gamba**.</td></tr>
</table>

gamberro, -a nm/f vandalo(-a)

gamuza nf (bayeta) straccio

gana nf (deseo) voglia; **de buena/ mala ~** volentieri/controvoglia; **me dan ~s de ...** mi viene voglia di ...; **tener ~s de (hacer)** avere voglia di (fare); **no me da la (real) ~** non ne ho (nessuna) voglia

ganadería nf bestiame m; (cría) allevamento

ganado nm bestiame m ▶ **ganado bovino** bovini mpl

ganador, a adj, nm/f vincitore(-trice)

ganancia nf guadagno

ganar vt guadagnare; (fama, atención, trabajo) ottenere; (MIL) conquistare; (premio) vincere ♦ vi (DEPORTE) vincere; **ganarse** vpr: **~se la vida** guadagnarsi da vivere; **nos gana en eficacia** ci supera in efficienza

ganchillo nm uncinetto; **hacer ~** lavorare all'uncinetto

gancho nm gancio

gandul, a adj, nm/f fannullone(-a)

ganga nf (COM) affare m

gangrena nf cancrena

gángster (pl ~s) nm gangster m inv

ganso, -a nm/f (ZOOL) oca; (fam: patoso) maldestro(-a)

ganzúa nf grimaldello

garabato nm scarabocchio; **~s** nmpl (escritura) zampe fpl di gallina

garaje nm garage m inv

garantía nf garanzia

garantizar vt garantire

garbanzo nm cece m

garfio nm (TEC) uncino

garganta nf gola □ **gargantilla** nf collana

gárgara nf gargarismo; **hacer ~s** fare gargarismi

garita nf garitta

garra nf unghia; (de ave) artiglio; **caer en las ~s de algn** cadere nelle grinfie di qn

garrafa nf caraffa

garrapata nf zecca

garrote nm (palo) bastone m; (porra) clava

garza nf airone m

⚠ **garza** no se traduce nunca por la palabra italiana **garza**.

gas nm gas m inv; **~es** nmpl (MED) flatulenza sg; **a todo ~** a tutto gas; **huelo a ~** sento odore di gas
▸ **gases lacrimógenos** gas lacrimogeni

gasa nf garza; (pañal) pannolino

gaseoso, -a adj gassoso(-a)

gasoil, gasóleo nm gasolio

gasolina nf benzina; **me he quedado sin ~** sono rimasto senza benzina □ **gasolinera** nf distributore m di benzina

gastado, -a adj (ropa, mechero, bolígrafo) consumato(-a)

gastar vt spendere; (malgastar) sprecare; (desgastar) consumare; (llevar) portare; **gastarse** vpr logorarsi, consumarsi; **~ bromas** fare scherzi; **¿qué número gastas?** che numero porti?

gasto nm consumo; (de dinero) spesa; **~s** nmpl (desembolsos) spese fpl

gastritis nf gastrite f

gastronomía nf gastronomia

gata nf ver **gato**

gatillo nm grilletto

gato, -a nm/f gatto(-a) ♦ nm (para coche) cric m inv; **andar a gatas** camminare gattoni; **dar a algn ~ por liebre** dare un bidone a qn

gaviota nf gabbiano

gay adj, nm gay m inv

gazpacho nm gazpacho m inv, minestra rinfrescante a base di pomodoro, olio e aceto che viene servita fredda

gel nm gel m inv; (de baño) bagnoschiuma m inv

gelatina nf gelatina

gema nf gemma

gemelo, -a adj, nm/f gemello(-a); **~s** nmpl (de camisa) gemelli mpl; (anteojos) binocolo sg

gemido nm gemito

Géminis nm (ASTROL) Gemelli mpl; **ser ~** essere (dei) Gemelli

gemir vi gemere

gen nm gene m

generación nf generazione f

general adj generale ♦ nm (MIL) generale m; **por lo ~** generalmente

Generalitat nf governo della Catalogna

género nm genere m; (COM) articolo; **~s** nmpl (productos) prodotti mpl ▶ **géneros de punto** (articoli mpl di) maglieria sg ▶ **género humano** genere umano

generosidad nf generosità f inv

generoso, -a adj generoso(-a)

genial adj (artista, obra, idea) geniale

genio nm genio; (carácter) indole f, temperamento; **tener mal ~** avere un brutto carattere; **está del mal ~** è di cattivo umore

genital adj genitale ♦ nm: **~es** genitali mpl

gente nf gente f; (fam: familia) famiglia ▶ **gente de la calle** gente comune ▶ **gente menuda** bambini mpl

genuino, -a adj genuino(-a)

geografía nf geografia

geología nf geologia

geometría nf geometria

geranio nm geranio

gerente nm/f (supervisor) amministratore(-trice); (jefe) direttore(-trice)

geriatría nf geriatria

germen nm germe m

gesticular vi gesticolare

gestión nf gestione f; (trámite) pratica

gesto nm gesto; (mueca) smorfia

gestoría nf agenzia privata che sbriga pratiche amministrative

Gibraltar nm Gibilterra

gibraltareño, -a adj di Gibilterra ♦ nm/f abitante m/f di Gibilterra

gigante adj, nm/f gigante m/f

gigantesco, -a adj gigantesco(-a)

gilipollas (fam!) adj inv, nm/f inv testa di cazzo m/f (fam!)

gimnasia nf ginnastica
  ❑ **gimnasio** nm palestra
  ❑ **gimnasta** nm/f ginnasta m/f

ginebra nf gin m inv

ginecólogo, -a nm/f ginecologo(-a)

gira nf gita; (de grupo) tournée f inv

girar vt (hacer girar, dar la vuelta) girare; (giro postal, letra de cambio) emettere ♦ vi girare, ruotare; **girarse** vpr girarsi; **~ a (a o hacia)** (torcer) girare (a), svoltare (a); **en el próximo cruce gire a la izquierda/derecha** al prossimo incrocio giri a sinistra/destra; **~ en torno a** (conversación) vertere su

girasol nm girasole m

giro nm giro; (COM) emissione f; (tb: **~ postal**) vaglia m inv postale; **dar un ~** fare un giro ▶ **giro bancario** bonifico

gis (MÉX) nm gesso

gitano, -a adj gitano(-a) ♦ nm/f zingaro(-a)

glacial adj (zona, frío, fig) glaciale

glaciar nm ghiacciaio

glándula nf ghiandola

global adj globale
□ **globalización** nf globalizzazione f

globo nm globo; (para volar) mongolfiera; (juguete) palloncino ► **globo terráqueo** o **terrestre** globo terrestre

glóbulo nm: ~ **blanco/rojo** globulo bianco/rosso

gloria nf gloria; **estar en la ~** sentirsi in paradiso; **es una ~** (fam) è un piacere

glorieta nf (de jardín) pergolato; (AUTO, plaza) rotonda

glorioso, -a adj glorioso(-a)

glosario nm glossario

glotón, -ona adj, nm/f ghiottone m

glucosa nf glucosio

gobernador, a nm/f governatore(-trice) ► **Gobernador civil** ≈ prefetto

gobernante, -a nm/f governante m/f

gobernar vt (país) governare; (nave) pilotare ♦ vi governare

gobierno vb ver **gobernar** ♦ nm (tb NÁUT) governo

goce vb ver **gozar**

gol nm goal m inv; **meter un ~** segnare un goal

golf nm (DEPORTE) golf m inv

golfa (fam) nf battona

golfo¹ nm golfo

golfo², -a nm/f mascalzone(-a); (gamberro) vizioso(-a); (hum: pillo) monello(-a)

golondrina nf rondine f

golosina nf leccornia

goloso, -a adj goloso(-a)

golpe nm colpo; **no dar ~** non fare un bel niente; **de un ~** in una volta
□ **golpear** vt colpire; (puerta) bussare a ♦ vi sbattere; **golpear contra/en** (lluvia, pelota) battere contro/su

goma nf gomma; (gomita, COSTURA) elastico ► **goma de pegar** colla

gordo, -a adj grasso(-a); (tela) spesso(-a); (jersey) pesante; (fam: problema) grosso(-a); (accidente) catastrofico(-a) ♦ nm/f grassone(-a) ♦ nm (tb: premio ~) primo premio; (de la carne) grasso; **ese tipo me cae ~** quel tipo non mi va a genio

---

EL GORDO

Il termine **El Gordo** indica un grosso premio, ed in particolare quello che viene assegnato a Natale tramite la "Lotería Nacional". L'estrazione straordinaria avviene il 22 dicembre ed il premio ammonta a diversi milioni di euro. Dato che i biglietti vengono molto spesso acquistati a gruppi di persone.

---

gorila nm (tb guardaespaldas) gorilla m inv; (CS: fam: jefe militar) generale m; **gobierno de ~s** (CS) governo dei generali

gorra nf berretto; **de ~** (sin pagar) a sbafo

gorrión² nm passero

gorro nm berretto

gorrón, -ona nm/f scroccone-a

gota nf goccia □ **gotear** vi gocciolare; (*lloviznar*) piovviginare; **el grifo gotea** il rubinetto perde □ **gotera** nf infiltrazione f

gozar vi godere, provare piacere; **~ de** godere di

gr. abr (= *gramo(s)*) g

grabación nf registrazione f

grabado, -a adj (*MÚS*) registrato-a) ♦ nm incisione f

grabadora nf registratore m

grabar vt (*en piedra, ARTE*) incidere; (*discos, en vídeo, INFORM*) registrare

gracia nf grazia; (*humor*) battuta; **¡muchas ~s!** mille grazie!; **~s a** grazie a; **tener ~** (*chiste etc*) far ridere; (*irónico*) essere proprio divertente; **no me hace ~ (hacer)** non mi diverte proprio (fare); **dar las ~s a algn por algo** ringraziare qn di qc

gracioso, -a adj divertente; (*agradable*) grazioso-a)

grada nf (*de escalera*) gradino; **~s** nfpl (*de estadio*) gradinata, spalti mpl

grado nm grado; (*ESCOL, UNIV*) titolo di studio; **de buen ~** di buon grado ▶ **grado centígrado/Fahrenheit** grado centigrado/Fahrenheit

graduación nf (*del alcohol*) gradazione f; (*del termómetro*) graduazione f; (*MIL*) grado

graduado, -a adj graduato-a) ♦ nm/f (*UNIV*) laureato-a) ♦ nm: **~ escolar** diploma m di scuola media ▶ **graduado social** laurea in servizi sociali

gradual adj graduale

graduar vt graduare; (*volumen*) regolare; (*MIL*): **~ a algn de** conferire

a qn il grado di; **graduarse** vpr (*UNIV*) laurearsi; **~se de** (*MIL*) ottenere il grado di; **~se la vista** farsi misurare la vista

gráfica nf curva

gráfico, -a adj grafico-a); (*revista*) d'arte grafica ♦ nm diagramma m; **~s** nmpl grafica sg ▶ **gráfico de barras** (*COM*) diagramma a barre

gragea nf (*MED*) capsula

grajo nm cornacchia

gramática nf grammatica

gramatical adj grammaticale

gramo nm grammo

gran adj ver **grande**

granada nf melagrana ▶ **granada de mano** bomba a mano

granate adj granata inv

Gran Bretaña nf Gran Bretagna

grande adj grande ♦ nm/f grande m/f; **estar o quedar ~** andare o stare largo

granel nm: **a ~** (*COM*) sfuso-a); (*en gran cantidad*) in abbondanza

granero nm granaio

granito nm granito

granizado nm granita

granizar vi grandinare □ **granizo** nm grandine f

granja nf fattoria ▶ **granja avícola** azienda avicola

granjero, -a nm/f fattore-essa)

grano nm (*de café, trigo*) chicco; (*de arena*) granello; (*MED*) foruncolo; **ir al ~** arrivare al punto

grapa nf graffa; (*para papel*) graffetta

grapadora nf cucitrice f

grasa nf grasso

grasiento, -a adj grasso-a); (*sucio*) unto-a)

graso, -a adj grasso(-a)

gratis adj inv, adv gratis inv

grato, -a adj piacevole, gradevole

gravamen nm onere m

grave adj grave ▸ **gravedad** nf gravità f inv

Grecia nf Grecia

gremio nm corporazione f

griego, -a adj, nm/f greco(-a) ♦ nm (LING) greco

grieta nf (en pared, madera) crepa; (MED) screpolatura

grifo nm rubinetto

grillo nm grillo

gripe nf influenza

gris adj grigio(-a) ♦ nm grigio

gritar vt gridare, strillare; (regañar) sgridare ♦ vi gridare, strillare ❏ **grito** nm grido, urlo; **a gritos** a squarciagola; **dar gritos** lanciare urla

grosella nf ribes m inv ▸ **grosella negra** ribes nero

grosero, -a adj scortese; (vulgar) rozzo(-a)

grúa nf gru f inv

grueso, -a adj grosso(-a); (persona) grasso(-a) ♦ nm spessore m; **el ~ de** il grosso di

grulla nf gru f inv

grumo nm grumo

gruñido nm grugnito

grupo nm gruppo ▸ **grupo de presión** gruppo di pressione ▸ **grupo de sanguíneo** gruppo di sanguigno

gruta nf grotta

guante nm guanto ▸ **guantes de goma** guanti di gomma

guantera nf (AUTO) vano portaoggetti

guapo, -a adj bello(-a); **estar ~** essere bello

guarda nm/f guardiano(-a) ♦ nf (cuidado) tutela ▸ **guarda forestal** guardia forestale ▸ **guarda jurado** guardia giurata ❏ **guardabosques** nm/f inv guardaboschi m/f inv ❏ **guardacostas** nm inv guardacoste m inv ❏ **guardaespaldas** nm inv guardaspalle m inv ❏ **guardameta** nm portiere m ❏ **guardar** vt conservare; (poner: en su sitio) mettere a posto; (: en sitio seguro) custodire; (ahorrar) mettere da parte; (cuidar) sorvegliare; **guardarse (de)** vpr guardarsi (da); **guardar cama/silencio** rimanere a letto/in silenzio; **guardar un secreto** mantenere un segreto; **se la tengo guardada** me la pagherà; **guardarse de hacer** (abstenerse) guardarsi dal fare ❏ **guardarropa** nm (en establecimiento público) guardaroba m inv

guardería nf asilo

guardia nf guardia ♦ nm/f (de tráfico) vigile m urbano; (policía) agente m/f; **estar de ~** essere di guardia; **estar/ponerse en ~** stare/ mettersi in guardia; **montar ~** montare di guardia ▸ **Guardia Civil** forza di pubblica sicurezza con funzioni analoghe a quelle della polizia ▸ **guardia civil** agente della Guardia civile

GUARDIA CIVIL

La **Guardia Civil**, comunemente detta "la Benemérita", è la più antica delle polizie spagnole. Sotto Franco fu considerata da molti come una forza oppressiva e reazionaria, e fu odiata in particolare nei Paesi Baschi. Con il ritorno della democrazia, la disprezzata "Policía Armada" di Franco è stata riformata e il suo ruolo è stato ridefinito. La **Guardia Civil** si trova principalmente nelle aree rurali ed ha il compito di pattugliare le autostrade e sorvegliare le frontiere, oltre a quello di partecipare ad azioni antiterroristiche.

guardián, -ana *nm/f* guardiano(-a)

guarida *nf* tana

guarnición *nf* (*de vestimenta*) ornamento *m*; (*de piedra preciosa*) castone *m*; (*CULIN*) guarnizione *f*; (*MIL*) guarnigione *f*

guarro, -a *adj* (*fam*) sporco(-a), sudicio(-a) ♦ *nm/f* maiale (scrofa); (*fam: persona*) farabutto(-a)

guasa *nf* scherzo; **con o de ~** con tono scherzoso

guasón, -ona *adj, nm/f* burlone(-a)

Guatemala *nf* Guatemala *m*

guerra *nf* guerra; **Primera/ Segunda G~ Mundial** Prima/ Seconda guerra mondiale; **dar ~** infastidire

guerrero, -a *adj* guerriero(-a); (*carácter*) turbolento(-a) ♦ *nm/f* guerriero(-a)

guerrilla *nf* milizia irregolare; (*forma de combate*) guerriglia

guerrillero, -a *nm/f* guerrigliero(-a)

guía *vb ver* **guiar** ♦ *nm/f* (*persona*) guida *f* ♦ *nf* (*libro*) guida; **¿hay algún ~ que hable español?** c'è una guida che

parla spagnolo? ► **guía de ferrocarriles** orario ferroviario ► **guía telefónica** elenco telefonico

guiar *vt* (*tb AUTO*) guidare; **guiarse** *vpr*: **~se por** lasciarsi guidare da

guinda *nf* amarena

guindilla *nf* peperoncino

guiñar *vt* (*ojos*) strizzare

guión *nm* (*LING*) trattino; (*esquema*) scaletta; (*CINE*) sceneggiatura, copione *m* □ **guionista** *nm/f* sceneggiatore(-trice)

guirnalda *nf* ghirlanda

guisado *nm* stufato

guisante *nm* pisello

guisar *vt* cucinare; (*fig*) preparare ♦ *vi* cucinare □ **guiso** *nm* stufato

guitarra *nf* chitarra

gula *nf* ingordigia

gusano *nm* (*ZOOL, pey*) verme *m*; (*de mariposa*) larva ► **gusano de seda** baco da seta

gustar *vi* piacere ♦ *vt* assaggiare, provare; **me gustan las uvas** mi piace l'uva; **le gusta nadar** gli piace nuotare

gusto *nm* gusto; (*placer*) piacere *m*; **a su** *etc* **~** a suo *etc* gusto; **dar ~ a algn** compiacere qn; **de buen/mal ~** di buon/cattivo gusto; **estar/ sentirse a ~** essere/sentirsi a proprio agio; **estamos a ~ juntos** stiamo bene insieme; **¡mucho o tanto ~ (en conocerle)!** piacere (di conoscerla)!; **coger o tomar ~ a algo** prendere gusto a qc

Hh

ha *vb ver* **haber**

haba *nf* fava

Habana nf: **la** ~ l'Avana

habano nm avana m inv

habéis vb ver **haber**

---

haber

PALABRA CLAVE

vb aux

1 (tiempos compuestos) avere; (con verbos pr. y muchos intr.) essere; **he/había comido** ho/avevo mangiato; **antes de haberlo visto** prima di averlo visto; **había vuelto** ero tornato

2: **haber de** (+ infin): **he de hacerlo** devo farlo; **ha de llegar mañana** deve arrivare domani; **no ha de tardar** (LAm) arriverà presto; **has de estar loco** (LAm) devi essere pazzo

♦ vb impers

1 (existencia) esserci; **hay un hermano** c'è un fratello; **hay dos hermanos** ci sono due fratelli; **¿cuánto hay de aquí a Sucre?** quanto dista Sucre?

2 (tener lugar): **¿hay partido mañana?** domani c'è la partita?

3: **¡no hay de** o (LAm) **por qué!** non c'è di che!

4: **¿qué hay?** (¿qué pasa?) che c'è?; (¿qué tal?) come va?; **¿qué hubo?** (MÉX: fam: ¿qué tal?) come va?

5: **haber que** (+ infin) bisognare; **¡habrá que decírselo!** bisognerà dirglielo!

6: **¡hay que ver!** che roba!

7: **he aquí las pruebas** ecco le prove

♦ **haberse** vpr: **voy a habérmelas con él** me la vedrò con lui

♦ nm

1 (COM) avere m, credito; **¿cuánto tengo en el haber?** a quanto ammonta il mio credito?; **tiene varias novelas en su haber** al suo attivo ha diversi romanzi

2: **haberes** nmpl averi mpl

habichuela nf fagiolo

hábil adj abile; **día** ~ giorno feriale
▫ **habilidad** nf abilità f inv

habitación nf stanza, camera; (dormitorio) camera da letto; **quisiera una** ~ **de matrimonio** vorrei una camera matrimoniale
▸ **habitación doble** o **de matrimonio** camera doppia o matrimoniale ▸ **habitación sencilla** o **individual** camera singola

habitante nm/f abitante m/f

habitar vt (país, edificio) abitare in; (ciudad) abitare a

habitar vi abitare

hábito nm (costumbre) abitudine f; (REL) abito talare

habitual adj abituale

habla nf (capacidad de hablar) parola; (forma de hablar) lingua, linguaggio; (dialecto) parlata; **perder el** ~ perdere l'uso della parola; **de** ~ **italiana/española** di lingua italiana/spagnola; **ponerse al** ~ prendere la parola; **estar al** ~ (TELEC) essere in linea; **¡González al** ~! (TELEC) parla González!

hablador, a adj, nm/f chiacchierone(-a)

habladuría nf diceria; ~**s** nfpl (chismes) pettegolezzi mpl, dicerie

hablante adj (LING) parlante m/f; **los** ~**s de catalán** i parlanti in catalano

hablar vt, vi parlare; **hablarse** vpr parlarsi; ~ **con** parlare con; **¡ni** ~!

neanche a parlarne!; **~ de** parlare di; **"se habla italiano"** "parliamo italiano"; **no hablo italiano** non parlo italiano; **¿hablas español?** parla spagnolo?; **¿puedo ~ con ...?** posso parlare con ...?

habré etc vb ver **haber**

hacendoso, -a adj diligente

hacer

PALABRA CLAVE

vt fare; **hacer una película/un ruido** fare un film/un rumore; **hacer la comida** far da mangiare; **¿qué haces?** che fai?; **eso no se hace** questo non si fa; **¡bien hecho!** bravo!; **hacer español/económicas** fare spagnolo/economia; **hacer ilusión** far piacere; **hacer gracia** far ridere; **hacer amigos** farsi degli amici; **les hice venir** li feci venire; **hacer reparar algo** far riparare qualcosa

♦ vi: **hacer de** (objeto) fare da; **hacer de Otelo** fare Otello; **no le hace** (RPl: no importa) non fa niente

♦ vb impers
1: **hace calor/frío** fa caldo/freddo; ver tb **bueno, sol, tiempo**

2 (tiempo): **hace 3 años** 3 anni fa; **hace un mes que me voy/no voy** vado/non ci vado da un mese

♦ **hacerse** vpr
1 (volverse) farsi, diventare; **hacerse viejo** farsi vecchio; **se hicieron amigos** sono diventati amici

2 (resultar): **se me hizo muy duro el viaje** il viaggio è stato molto faticoso

3 (acostumbrarse): **hacerse a** abituarsi a

4 (obtener): **hacerse de** o **con algo** procurarsi qc

5 (fingir): **hacerse el sordo** o **el sueco** fare orecchie da mercante

6: **hacerse idea de algo** farsi un'idea di qc

7: **se me hace que** (LAm: me parece que) ho l'impressione che

hacha nf ascia

hachís nm hascish m inv

hacia prep verso; (actitud) nei confronti di; **~ adelante/atrás/dentro/fuera** avanti/indietro/dentro/fuori; **~ abajo/arriba** verso giù/su; **mira ~ acá** guarda di qua; **~ mediodía/finales de mayo** verso mezzogiorno/a fine di maggio

hacienda nf (propiedad) proprietà f inv; (finca) fattoria; **(Ministerio de) H~** (Ministero del) Tesoro
► **hacienda pública** erario

hada nf fata

haga etc vb ver **hacer**

Haití nm Haiti f

halagar vt lusingare; (agradar) far piacere a

halago nm lusinga

halcón nm falco

hallar vt trovare; **hallarse** vpr trovarsi

halterofilia nf sollevamento pesi

hamaca nf amaca; (asiento) sedia a sdraio

hambre nf fame f; **tener ~** avere fame

hambriento, -a adj, nm/f affamato(-a)

hamburguesa nf hamburger m inv

hamburguesería nf hamburgeria

han vb ver **haber**

harapos nmpl stracci mpl

haré etc vb ver **hacer**

harina nf farina ▶ **harina de maíz/ de trigo** farina di mais/di grano

hartar vt (de comida) riempire; (fastidiar) stufare; **hartarse** vpr (cansarse) stancarsi; (de comida): **~se (de)** abbuffarsi (di); **~se de leer/reír** stancarsi di leggere/ridere

harto, -a adj: **~ de** (sazio(-a) di); (cansado) stanco(-a) di); **estar ~ de hacer/algn** averne abbastanza di fare/qn; **¡estoy ~ de decírtelo!** mi sono stancato di ripetertelo!

has vb ver **haber**

hasta adv perfino ♦ prep fino a ♦ conj: **~ que** finché; **no ... ~: no viene ~ las cuatro** (CAm, MÉX) non viene prima delle quattro; **~ luego** o **ahora** ci vediamo; **~ mañana/el sábado** a domani/sabato; **¿~ qué punto?** fino a che punto?; **~ tal punto que ...** a tal punto che ...; **~ ayer empezó** (LAm) è iniziato solo ieri

hay vb ver **haber**

Haya nf: **la ~** L'Aia

haya vb ver **haber** ♦ nf faggio

haz vb ver **hacer** ♦ nm (tb de luz) fascio

hazaña nf prodezza

hazmerreír nm inv: **ser/ convertirse en el ~ de** essere/ diventare lo zimbello di

he vb ver **haber**

hebilla nf fibbia

hebra nf filo

hebreo, -a adj ebreo(-a), ebraico(-a) ♦ nm/f ebreo(-a) ♦ nm (LING) ebraico

hechizar vt incantare

hechizo nm stregoneria; (encantamiento) incantesimo

hecho, -a pp de **hacer** ♦ adj fatto(-a); (hombre, mujer) maturo(-a); (vino) invecchiato(-a); (ropa) confezionato(-a) ♦ nm fatto; (factor) fattore m ♦ excl fatto!; **¡bien ~!** ben fatto!; **muy/poco ~** (CULIN) molto/ poco cotto; **bien/mal ~** fatto bene/ male; **de ~** di fatto; **el ~ es que ...** il fatto è che ...

hechura nf (confección) fattura; (corte, forma) taglio

hectárea nf ettaro

helada nf gelata

heladera (LAm) nf frigorifero

helado, -a adj ghiacciato(-a), gelato(-a) ♦ nm gelato; **quedarse ~** rimanere di sasso

helar vt congelare; (dejar atónito, BOT) gelare ♦ vi gelare; **helarse** vpr ghiacciarsi; **~se de frío** congelarsi

helecho nm felce f

hélice nf elica

helicóptero nm elicottero

hembra nf femmina

hemorragia nf emorragia ▶ **hemorragia nasal** emorragia nasale

hemorroides nfpl emorroidi fpl

hemos vb ver **haber**

heno nm fieno

heredar vt ereditare

heredero, -a nm/f erede m/f

hereje nm/f eretico(-a)

herencia nf (tb BIO) eredità f inv

herida nf ferita

herido, -a adj, nm/f ferito(-a)

herir vt ferire

hermana nf sorella ▶ **hermana política** cognata

hermanastro, -a nm/f fratellastro (sorellastra)

hermandad nf (solidaridad) fratellanza; (asociación) confraternita

hermano nm fratello ► **hermano político** cognato

hermético, -a adj ermetico(-a)

hermoso, -a adj bello(-a); (espacioso) ampio(-a) □ **hermosura** nf bellezza

hernia nf ernia ► **hernia discal** ernia del disco

héroe nm eroe m

heroína nf (mujer, droga) eroina

herradura nf ferro di cavallo

herramienta nf arnese m, attrezzo

herrero nm fabbro

hervidero nm (fig) brulichio; (POL etc) calderone m

hervir vt, vi bollire; (fig): ~ **de** bollire di □ **hervor** nm: **dar un hervor a** far bollire

hice etc vb ver **hacer**

hidratante adj: **crema** ~ crema idratante

hidratar vt idratare

hidrato nm: ~**s de carbono** carboidrati mpl

hidráulico, -a adj idraulico(-a)

hidroeléctrico, -a adj idroelettrico(-a)

hidrógeno nm idrogeno

hiedra nf edera

hiel nf fiele m

hielo vb ver **helar** ♦ nm ghiaccio; ~**s** nmpl (escarcha) gelata sg

hiena nf iena

hierba nf erba; **mala** ~ gramigna □ **hierbabuena** nf menta

hierro nm (material, trozo) ferro; **de** ~ (fig: persona) forte come un toro; (: voluntad, salud) di ferro

hígado nm fegato

higiene nf igiene f

higiénico, -a adj igienico(-a)

higo nm fico ► **higo seco** fico secco □ **higuera** nf fico

hija nf figlia ► **hija política** nuora

hijastro, -a nm/f figliastro(-a)

hijo nm (retoño) figlio; ~**s** nmpl (hijos e hijas) figli mpl ► **hijo adoptivo** figlio adottivo ► **hijo de mamá/ papá** figlio di mammà/papà ► **hijo de puta** (fam!) figlio di puttana ► **hijo político** genero

hilera nf fila

hilo nm (tb de agua, voz) filo; **perder/ seguir el** ~ (de relato, pensamientos) perdere/seguire il filo

hilvanar vt (COSTURA) imbastire

himno nm inno ► **himno nacional** inno nazionale

hincapié nm: **hacer** ~ **en** mettere l'accento su

hincar vt piantare, conficcare; (apoyar) appoggiare; ~**le el diente a** (comida) dare un morso a; (fig: asunto) affrontare; ~**se (de rodillas)** inginocchiarsi

hincha nm/f (fam: DEPORTE) tifoso m

hinchado, -a adj gonfio(-a)

hinchar vt (tb fig) gonfiare; **hincharse** vpr (MED) gonfiarsi; ~**se de dulces** abbuffarsi di dolci □ **hinchazón** nf gonfiore m

hinojo nm finocchio

hipermercado nm ipermercato

hípico, -a adj (concurso) ippico(-a); (carrera) di cavalli

hipnotismo nm ipnotismo
❑ **hipnotizar** vt ipnotizzare

hipo nm singhiozzo; **me ha entrado ~** mi è venuto il singhiozzo; **tener ~** avere il singhiozzo

hipocresía nf ipocrisia
❑ **hipócrita** adj, nm/f ipocrita m/f

hipódromo nm ippodromo

hipopótamo nm ippopotamo

hipoteca nf ipoteca; (de la casa) mutuo

hipótesis nf inv ipotesi f inv

hispánico, -a adj ispanico(-a)

hispano, -a adj, nm/f spagnolo(-a); (en EE.UU.) ispano-americano(-a)
❑ **Hispanoamérica** nf America ispanica
❑ **hispanoamericano, -a** adj, nm/f ispanoamericano(-a)

histeria nf isteria

historia nf storia; **~s** nfpl (chismes) dicerie fpl; **déjate de ~s** vieni al sodo; **pasar a la ~** passare alla storia

historiador, a nf/f storico(-a)

historial nm (profesional) curriculum m inv; (MED) anamnesi f inv

histórico, -a adj storico(-a)

historieta nf (tebeo) fumetto

hito nm (fig) pietra miliare

hizo vb ver hacer

hocico nm muso

hockey nm hockey m inv ♦ **hockey sobre hielo/patines** hockey su ghiaccio/pista

hogar nm focolare m; (fig) casa, famiglia

hogareño, -a adj (ambiente) familiare; (persona) casalingo(-a)

hoguera nf faló m inv

hoja nf foglia; (de papel) foglio; (de cuchillo) lama ► **hoja de afeitar** lametta da barba ► **hoja de pedido** buono d'ordine ► **hoja de servicios** stato di servizio ► **hoja informativa** circolare f

hojalata nf latta

hojaldre nm pasta sfoglia

hojear vt sfogliare

hola excl ciao

Holanda nf Olanda

holandés, -esa adj, nm/f olandese m/f ♦ nm (LING) olandese m

holgado, -a adj (prenda) largo(-a); (rico) agiato(-a); **vamos ~s de tiempo** abbiamo tutto il tempo che vogliamo

holgar vi: **huelga decir que** è inutile dire che

holgazán, -ana adj, nm/f fannullone(-a)

hollín nm fuliggine f

hombre nm uomo; (raza humana): **el ~** l'uomo ♦ excl ehilà; **buen ~** brav'uomo; **pobre ~** pover'uomo; **¡sí, ~!** ma sì! ► **hombre de mundo** uomo di mondo ► **hombre de negocios** uomo d'affari

hombrera nf spallina

hombre-rana (pl **hombres-rana**) nm uomo m rana inv

hombro nm spalla; **al ~** sulle spalle; **encogerse de ~s** alzare le spalle; **llevar/traer a ~s** portare a spalla

homenaje nm omaggio

homicida adj, nm/f omicida m/f; **~ arma ~** arma del delitto
❑ **homicidio** nm omicidio

homologar vt omologare
❑ **homólogo, -a** nm/f omologo(-a)

homosexual *adj, nm/f* omosessuale *m/f*

hondo, -a *adj* profondo(-a); **en lo ~ de** nel fondo di □ **hondonada** *nf* avvallamento

Honduras *nf* Honduras *m*

hondureño, -a *adj, nm/f* honduregno(-a)

honestidad *nf* onestà *f inv*

honesto, -a *adj* onesto(-a)

hongo *nm* fungo; **~s** *nmpl* (MED) fungo, micosi *f inv*

honor *nm* onore *m*; **en ~ a la verdad ...** a onor del vero ...; **en ~ de** algn in onore di qn □ **honorable** *adj* onorevole

honorario, -a *adj* onorario(-a) ♦ *nm*: **~s** onorario *sg*

honra *nf* onore *m*; (*de mujer*) virtù *f inv* ► **honras fúnebres** onoranze *fpl* funebri □ **honradez** *nf* onestà *f inv*; (*de mujer*) virtù *f inv* □ **honrado, -a** *adj* onesto(-a) □ **honrar** *vt* onorare

hora *nf* ora; **¿qué ~ es?** che ora è? o che ore sono?; **¿a qué ~?** a che ora?; **¿a qué ~ abre el museo/la tienda?** a che ora apre il museo/negozio?; **media ~** mezzora; **a la ~ de comer** all'ora dei pasti; **a primera ~** di buon'ora; **a última ~** all'ultimo minuto; **a altas ~s (de la noche)** a tarda ora (della notte); **entre ~s** (*comer*) fuori dai pasti; **me han dado ~ para mañana** mi hanno dato un appuntamento per domani; **dar la ~** battere l'ora; **pedir ~** chiedere un appuntamento; **poner el reloj en ~** regolare l'orologio ► **horas de oficina/de trabajo/de visita** orario d'ufficio/di lavoro/di visita ► **horas extraordinarias** straordinari *mpl*

horario, -a *adj* orario(-a) ♦ *nm* orario ► **horario comercial** orario d'apertura

horca *nf* forca

horcajadas: a ~ *adv* a cavalcioni

horchata *nf* orzata

horizontal *adj* orizzontale

horizonte *nm* orizzonte *m*

horma *nf* forma

hormiga *nf* formica

hormigón *nm* calcestruzzo; **~ armado** cemento armato

hormigueo *nm* (*de gente*) brulichio; (*sensación*) formicolio

hormona *nf* ormone *m*

hornillo *nm* fornello ► **hornillo de gas** fornello a gas

horno *nm* (*tb* CULIN) forno; **alto ~/ altos ~s** altoforno/altiforni ► **horno crematorio** forno crematorio ► **horno microondas** forno a microonde

horóscopo *nm* oroscopo

horquilla *nf* forcina; (AGR) forcone *m*

horrendo, -a *adj* orrendo(-a)

horrible *adj* orribile

horripilante *adj* orripilante

horror *nm* orrore *m*; **~es** *mpl* (*atrocidades*) orrori *mpl*; **¡qué ~!** (*fam*) che orrore!; **me da ~** mi fa orrore; **tener ~ a (hacer)** odiare (fare) □ **horrorizar** *vt* spaventare; **horrorizarse** *vpr*: **se horrorizó de pensarlo** si spaventò al solo pensiero □ **horroroso, -a** *adj* orrendo(-a), orribile; (*hambre, sueño*) tremendo(-a)

hortaliza *nf* ortaggio

hortelano, -a *nm/f* ortolano(-a)

hortera (fam) adj orrendo(-a)
♦ nm/f cafone(-a)

hospedar vt ospitare; **hospedarse**
vpr alloggiare

hospital nm ospedale m; ¿**dónde
está el ~ más cercano?** dov'è
l'ospedale più vicino?

hospitalario, -a adj ospitale; (del
hospital) ospedaliero(-a)
□ **hospitalidad** nf ospitalità f inv

hostal nm pensione f

hostelería nf servizi mpl
alberghieri

hostia nf (REL) ostia; (fam) sberla
♦ excl: **¡~(s)!** (fam!) porca puttana!

hostil adj ostile

hotel nm hotel m inv

HOTEL

In Spagna è possibile scegliere tra
le seguenti strutture ricettive, in
ordine decrescente di qualità e
prezzo: gli **hoteles** (da 5 a 1 stella),
gli "**hostales**", le "**pensiones**", le
"**casas de huéspedes**" e le "**fondas**".
Vi sono infine alberghi di lusso
gestiti dallo stato che si chiamano
paradores.

---

hotelero, -a adj alberghiero(-a)
♦ nm/f albergatore(-trice)

hoy adv oggi; **de ~ en adelante** da
oggi in avanti

hoyo nm buco

hoz nf falce f

hube etc vb ver **haber**

hucha nf salvadanaio

hueco, -a adj vuoto(-a) ♦ nm buco;
(espacio) posto; **hacerle (un) ~ a
algn** fare posto a qn ▸ **hueco de la
escalera/del ascensor** tromba
delle scale/dell'ascensore

huela etc vb ver **oler**

huelga vb ver **holgar** ♦ nf sciopero;
declararse/estar en ~ mettersi/
essere in sciopero ▸ **huelga de
brazos caídos** o **de celo** sciopero
bianco ▸ **huelga de hambre**
sciopero della fame ▸ **huelga
general** sciopero generale
□ **huelguista** nm/f scioperante m/f

huella nf impronta ▸ **huella
dactilar** o **digital** impronta
digitale

huérfano, -a adj: **~ (de)** orfano(-a)
(di) ♦ nm/f orfano(-a); **quedar(se) ~**
rimanere orfano

huerta nf orto; (en Murcia, Valencia)
campo

huerto nm (de verduras) orto; (de
árboles frutales) frutteto

hueso nm osso; (de fruta) nocciolo

huésped, a nm/f ospite m/f; (en
hotel) ospite, cliente m/f

huevas nfpl uova fpl di pesce

huevera nf (para servir) portauovo
m inv; (para transportar) portauova m
inv

huevo nm uovo ▸ **huevo a la
copa** (CS) uovo alla coque ▸ **huevo
duro/frito** uovo sodo/fritto
▸ **huevo pasado por agua** uovo
alla coque ▸ **huevo tibio** (MÉX)
uovo alla coque ▸ **huevos
revueltos** uova strapazzate

huida nf fuga

huir vt, vi fuggire; **~ de las
tentaciones** fuggire le tentazioni

hule nm tela cerata

humanidad nf umanità f inv

humanitario, -a adj
umanitario(-a)

humano, -a adj umano(-a) ♦ nm: **los ~s** gli uomini, gli esseri umani; **ser ~** essere umano

humareda nf nuvola di fumo

humedad nf umidità f inv; **a prueba de ~** a prova di umidità ❏ **humedecer** vt inumidire; **humedecerse** vpr inumidirsi

húmedo, -a adj umido(-a)

humilde adj umile

humillación nf umiliazione f

humillar vt umiliare; **humillarse** vpr: **~se (ante)** umiliarsi (di fronte a)

humo nm fumo; **echar ~** fumare di rabbia; **me molesta el ~** il fumo mi dà fastidio; **bajar los ~ a algn** far abbassare la cresta a qn

humor nm umore m; **de buen/mal ~** di buon/cattivo umore ❏ **humorista** nm/f umorista m/f ❏ **humorístico, -a** adj umoristico(-a)

hundimiento nm (de barco) affondamento; (de edificio) crollo; (de tierra) sprofondamento

hundir vt (barco, negocio) affondare; (edificio, fig: persona) abbattere; **hundirse** vpr: (barco, negocio) affondare; (edificio) crollare

húngaro, -a adj, nm/f ungherese m/f ♦ nm (LING) ungherese m

Hungría nf Ungheria

huracán nm uragano

huraño, -a adj (poco sociable) scontroso(-a)

hurgar vt tastare ♦ vi: **~ (en)** frugare (in); **hurgarse** vpr: **~se (las narices)** mettersi le dita nel naso

hurón nm (fig fam) ficcanaso m/f

hurtadillas: a ~ adv di nascosto

hurtar vt rubare ❏ **hurto** nm furto

⚠ **hurtar** no se traduce nunca por la palabra italiana **urtare**.

husmear vt fiutare, annusare ♦ vi ficcare il naso; **~ en** (fam) impicciarsi di

huyendo etc vb ver **huir**

Ii

iba etc vb ver **ir**

ibérico, -a adj iberico(-a)

iberoamericano, -a adj, nm/f latino-americano(-a)

Ibiza nf Ibiza

iceberg (pl ~s) nm iceberg m inv

icono nm (tb COMPUT) icona

ida nf andata; **de ~ a ...** un biglietto di sola andata per ...; **~ y vuelta** andata e ritorno

idea nf idea; **no tengo la menor ~** non ne ho la più pallida idea; **cambiar de ~** cambiare idea; **¡ni ~!** non ne ho idea!

ideal adj, nm ideale (m) ❏ **idealista** adj, nm/f idealista m/f ❏ **idealizar** vt idealizzare

idear vt ideare

ídem pron idem

idéntico, -a adj: **~ (a)** identico(-a) (a)

identidad nf identità f inv

identificación nf identificazione f

identificar vt identificare; **identificarse** vpr: **~se (con)** identificarsi (con)

ideología nf ideologia

idilio nm idillio

idioma nm lingua; **¿qué ~s habla?** che lingue parla?

idiota adj, nm/f idiota m/f

ídolo nm idolo

idóneo, -a adj idoneo(-a),
adatto(-a); (oportuno)
opportuno(-a)

iglesia nf chiesa

ignorante adj, nm/f ignorante m/f

ignorar vt ignorare

igual

PALABRA CLAVE

adj

1 (idéntico) uguale; **Pedro es igual
que tú** Pedro è uguale a te; **X es
igual a Y** (MAT) X è uguale a Y; **son
iguales** sono uguali; **van iguales**
(en carrera, competición) sono pari;
**él, igual que tú, está convencido
de que ...** lui, come te, è convinto
che ...; **¡es igual!** (no importa) non fa
niente!; **me da igual** per me è lo
stesso

2 (liso: terreno, superficie) uniforme;
(: persona) pari m/f inv; **sin igual**
senza uguali

♦ adv

1 (de la misma manera) allo stesso
modo; **visten igual** si vestono allo
stesso modo

2 (fam: a lo mejor) magari; **igual no
lo saben todavía** magari non lo
sanno ancora

3 (CS: fam: a pesar de todo) lo stesso;
**era inocente pero me expulsaron
igual** ero innocente ma mi hanno
espulso lo stesso

igualar vt uguagliare; (superficie)
livellare; (sueldos) equiparare;
igualarse vpr (diferencias)
appianarsi; **~se (con)** (compararse)
essere uguale (a)

igualdad nf uguaglianza; **en ~ de
condiciones** a parità di condizioni

igualmente adv allo stesso modo;
(además) inoltre; **¡felices
vacaciones! - ~** buone vacanze! -
altrettanto

ilegal adj illegale

ilegible adj illeggibile

ilegítimo, -a adj illegittimo(-a)

ileso, -a adj: **resultar** o **salir ~ (de)**
uscire illeso(-a) (da)

ilimitado, -a adj illimitato(-a)

ilógico, -a adj illogico(-a)

iluminación nf (tb fig)
illuminazione f

iluminar vt illuminare; (colorear:
ilustración) miniare

ilusión nf illusione f; (alegría) gioia,
piacere m; (esperanza) speranza;
hacerle ~ a algn far piacere a qn;
hacerse ilusiones farsi illusioni

ilusionado, -a adj: **estar ~ (con)**
essere entusiasta (di)

ilusionar vt far piacere; **ilusionarse**
vpr: **~se (con)** entusiasmarsi (per)

ilusionista nm/f illusionista m/f

iluso, -a adj, nm/f illuso(-a)

ilustración nf illustrazione f; **la ~**
l'Illuminismo

ilustrado, -a adj illustrato(-a);
(persona) istruito(-a) ♦ nm/f
illuminista m/f

ilustrar vt illustrare

ilustre adj illustre

imagen nf immagine f

imaginación nf immaginazione f;
imaginaciones nfpl (suposiciones)
fantasie fpl

imaginar vt immaginare; (idear)
ideare, creare; **imaginarse** vpr
immaginarsi

imaginario, -a adj
immaginario(-a)

imaginativo, -a *adj* fantasioso(-a)

imán *nm* calamita

imbécil *adj, nm/f* imbecille *m/f*

imitación *nf* (*tb parodia*) imitazione f; **de ~** d'imitazione

imitar *vt* imitare; (*parodiar*) imitare, fare la parodia di

impaciente *adj* impaziente; **estar ~ (por hacer)** essere impaziente (di fare)

impacto *nm* impatto; (*huella*) segno; (*fig*) risonanza

impar *adj* dispari *inv*

imparcial *adj* imparziale

impartir *vt* (*clases, órdenes*) impartire

impecable *adj* impeccabile

impedimento *nm* impedimento, ostacolo

impedir *vt* (*imposibilitar*) impedire; (*estorbar*) ostacolare; **~ a algn hacer o que haga algo** impedire a qn di fare qc

impenetrable *adj* impenetrabile

imperativo, -a *adj* imperativo(-a)

imperdible *nm* spilla di sicurezza

imperdonable *adj* imperdonabile

imperfección *nf* difetto, imperfezione f

imperfecto, -a *adj* imperfetto(-a); (*tarea*) incompleto(-a) ♦ *nm* (*LING*) imperfetto

imperio *nm* impero

impermeable *adj, nm* impermeabile (*m*)

impersonal *adj* impersonale

impertinente *adj* impertinente

ímpetu *nm* impeto; (*energía*) energia

implacable *adj* implacabile

implantar *vt* (*costumbres, leyes*) introdurre; (*MED*) impiantare; **implantarse** *vpr* (*moda*) affermarsi

implicar *vt* comportare; **~ a algn en algo** coinvolgere qn in qc

implícito, -a *adj* implicito(-a); **llevar ~** comportare

imponente *adj* imponente; (*fam*) magnifico(-a)

imponer *vt* imporre; (*respeto*) incutere; (*nombre*) dare; **imponerse** *vpr* (*moda, costumbre*) imporsi; **~se (a)** imporsi (su); **~se (hacer)** imporsi (di fare) □ **imponible** *adj* (*COM*) imponibile

impopular *adj* impopolare

importación *nf* importazione f

importancia *nf* importanza; **darse ~** darsi delle arie; **sin ~** senza importanza □ **importante** *adj* importante

importar *vt* importare; (*ascender a: cantidad*) ammontare a ♦ *vi* importare; **me importa un bledo** o **rábano** non me ne importa un accidente; **¿le importa que fume?** le spiace se fumo?; **¿y a ti qué te importa?** e a te che importa?; **no importa** non importa o non fa niente

importe *nm* (*coste*) importo

imposible *adj* impossibile; **hacer lo ~ por** fare l'impossibile per

imposición *nf* imposizione f; (*de sanción*) applicazione f; (*COM: impuesto*) imposta; (: *depósito*) versamento

impostor, a *nm/f* imbroglione(-a)

impotencia *nf* impotenza □ **impotente** *adj, nm* impotente (*m*)

impreciso, -a *adj* impreciso(-a)

impregnar vt impregnare; **impregnarse** vpr impregnarsi

imprenta nf stampa; (taller) tipografia; **letra de ~** stampatello

imprescindible adj indispensabile

impresión nf stampa; (sensación) impressione f; (opinión) opinione f

impresionante adj impressionante

impresionar vt registrare; (película, conmover) impressionare; **impresionarse** vpr impressionarsi

impreso, -a pp de **imprimir** ♦ adj stampato(-a) ♦ nm (formulario) modulo; **~s** nmpl (material impreso) stampe fpl ◻ **impresora** nf (INFORM) stampante f

imprevisto, -a adj imprevisto(-a), inaspettato(-a) ♦ nm imprevisto

imprimir vt stampare; (huella, velocidad) imprimere

improbable adj improbabile

impropio, -a adj improprio(-a); **es ~ de él** non è da lui

improvisado, -a adj improvvisato(-a)

improvisar vt, vi improvvisare

improviso adv: **de ~** all'improvviso

imprudencia nf imprudenza ◻ **imprudente** adj imprudente

impuesto, -a pp de **imponer** ♦ nm imposta, tassa; **libre de ~s** esente da imposte ▸ **impuesto al valor añadido** (LAm) imposta sul valore aggiunto ▸ **impuesto directo/indirecto** imposta diretta/indiretta ▸ **impuesto sobre el valor añadido** imposta sul valore aggiunto ▸ **impuesto sobre la renta** imposta sul reddito

impulsar vt spingere; (economía) stimolare; **él me impulsó a hacerlo o a que lo hiciera** mi ha spinto lui a farlo

impulsivo, -a adj impulsivo(-a)

impulso nm spinta; (fuerza) impulso; **dar ~** dare impulso a; **tomar ~** prendere lo slancio

impureza nf impurità f inv

impuro, -a adj impuro(-a)

inaccesible adj inaccessibile

inaceptable adj inaccettabile

inactivo, -a adj inattivo(-a)

inadvertido, -a adj: **pasar ~** passare inosservato(-a)

inaguantable adj insopportabile

inanimado, -a adj inanimato(-a)

inaudito, -a adj inaudito(-a)

inauguración nf inaugurazione f

inaugurar vt inaugurare

inca adj, nm/f inca m/f inv

incalculable adj incalcolabile; (valor) inestimabile

incandescente adj incandescente

incansable adj instancabile

incapacidad nf incapacità f inv ▸ **incapacidad física** inidoneità fisica

incapacitar vt: **~ (para)** (inhabilitar) inabilitare (a)

incapaz adj incapace

incautarse vpr: **~ de** sequestrare

incauto, -a adj (imprudente) incauto(-a)

incendiar vt incendiare; **incendiarse** vpr incendiarsi

incendiario, -a adj incendiario(-a)

incendio nm incendio

incentivo nm incentivo

incertidumbre nf incertezza

incesante adj incessante

incesto nm incesto

incidencia nf (repercusión) incidenza

incidente nm incidente m

incidir vi: ~ **en** incidere su; ~ **en un error** commettere un errore

incienso nm incenso

incineración nf (de cadáveres) cremazione f; (de basuras) incenerimento

incinerar vt (cadáveres) cremare; (basuras) incenerire

incisión nf incisione f

incisivo, -a adj (fig) incisivo(-a) ♦ nm incisivo

incitar vt incitare

inclemencia nf inclemenza; ~**s** nfpl (del tiempo) rigore msg

inclinación nf inclinazione f; (saludo) inchino; (fig) inclinazione, propensione f

inclinar vt inclinare; **inclinarse** vpr essere propenso(-a) a; (persona) inchinarsi; **me inclino a pensar que ...** propendo a credere che ...

incluir vt includere; (abarcar) comprendere; **¿está el servicio incluido?** il servizio è compreso?

inclusive adv (incluido) incluso(-a); (incluso) perfino

incluso, -a adv, prep perfino

incógnito adv: de ~ in incognito

incoherente adj incoerente

incomodar vt infastidire; **incomodarse** vpr arrabbiarsi

incomodidad nf scomodità f inv

incómodo, -a adj scomodo(-a); (molesto) fastidioso(-a); **sentirse ~** sentirsi a disagio

incomparable adj incomparabile

incompatible adj: ~ **(con)** incompatibile (con)

incompetente adj incompetente

incompleto, -a adj incompleto(-a)

incomprensible adj incomprensibile

incomunicado, -a adj (persona, pueblo) isolato(-a); (preso) in isolamento

incondicional adj (amor, apoyo) incondizionato(-a); (partidario) fedelissimo(-a) ♦ nm/f fedelissimo(-a)

inconfundible adj inconfondibile

incongruente adj incongruente

inconsciente adj incosciente; ~ **de** inconsapevole di

inconsecuente nm/f persona incoerente

inconstante adj incostante

incontable adj incalcolabile

inconveniencia nf inopportunità f inv; (hecho, dicho) sconvenienza ❑ **inconveniente** adj sconveniente ♦ nm inconveniente m; **el inconveniente es que ...** il problema è che ...

incordiar (fam) vt dare fastidio a

incorporar vt (agregar) incorporare; (enderezar) alzare; **incorporarse** vpr alzarsi; ~**se** (a puesto de trabajo) prendere servizio

incorrecto, -a adj scorretto(-a), sbagliato(-a)

incorregible adj incorreggibile

incrédulo, -a adj incredulo(-a)

increíble adj incredibile

incremento nm incremento

increpar vt sgridare

incubar vt incubare

inculcar vt inculcare

inculto, -a adj incolto(-a) ♦ nm/f ignorante m/f

incumplimiento nm (de ley) inosservanza ▸ **incumplimiento de contrato** inadempienza contrattuale

incurrir vi: **~ en** incorrere in

indagar vt indagare

indecente adj indecente

indeciso, -a adj indeciso(-a)

indefenso, -a adj (animal, persona) indifeso(-a)

indefinido, -a adj indefinito(-a), indeterminato(-a); (LING) indefinito(-a)

indemne adj: **salir ~** uscire indenne da

indemnizar vt indennizzare

independencia nf indipendenza

independiente adj indipendente

India nf: **la ~** l'India

indicación nf indicazione f; (señal: de persona) segno; **indicaciones** nfpl (instrucciones) istruzioni fpl

indicador nm indicatore m

indicar vt indicare; **¿puede ~me dónde está, por favor?** può mostrarmi dov'è, per favore?

índice nm indice m ▸ **índice de materias** indice degli argomenti

indicio nm indizio

indiferencia nf indifferenza ❏ **indiferente** adj: **indiferente (a)** indifferente (a); **a Alfonso le era indiferente Carmen** Alfonso si mostrava indifferente verso Carmen

indígena adj, nm/f indigeno(-a)

indigestión nf indigestione f

indigesto, -a adj (tb fig) indigesto(-a)

indignación nf indignazione f

indignar vt indignare; **indignarse** vpr: **~se (por)** indignarsi (per)

indigno, -a adj: **~ (de)** indegno(-a) (di)

indio, -a adj, nm/f (de la India) indiano(-a); (de América) indio(-a); **hacer el ~** fare il pagliaccio

indirecta nf allusione f

indirecto, -a adj indiretto(-a)

indiscreción nf indiscrezione f

indiscreto, -a adj indiscreto(-a)

indiscutible adj indiscutibile

indispensable adj indispensabile

indistinto, -a adj indistinto(-a)

individual adj individuale; (habitación) singolo(-a) ♦ nm (DEPORTE) singolare m

individuo nm individuo

índole nf indole f

inducir vt indurre; **~ a algn a hacer** indurre qn a fare

indudable adj indubbio

indulto nm indulto

industria nf industria ❏ **industrial** adj industriale

inédito, -a adj inedito(-a)

ineficaz adj inefficace

inepto, -a adj, nm/f inetto(-a)

inequívoco, -a adj inequivocabile

inercia nf inerzia

inerte adj inerte

inesperado, -a adj inaspettato(-a), inatteso(-a)

inestable adj instabile

inevitable adj inevitabile

inexacto, -a adj inesatto(-a)

inexperto, -a adj inesperto(-a)

infalible adj infallibile

infame adj infame

infancia nf infanzia

infantería nf fanteria

infantil adj (tb pey) infantile; (programa, juego) per bambini; (sonrisa) da bambino

infarto nm (tb: ~ de miocardio) infarto (del miocardio)

infatigable adj infaticabile

infección nf infezione f

infeccioso, -a adj (MED) infettivo(-a)

infectar vt infettare; **infectarse** vpr infettarsi

infeliz adj, nm/f infelice m/f

inferior adj, nm/f inferiore m/f; ~ (a) inferiore a

inferir vt dedurre; (daño) provocare

⚠ **inferir** no se traduce nunca por la palabra italiana **inferire**.

infidelidad nf infedeltà f inv
▶ **infidelidad conyugal** infedeltà coniugale

infiel adj, nm/f infedele m/f

infierno nm (REL) inferno

infiltrarse vpr infiltrarsi

ínfimo, -a adj infimo(-a)

infinidad nf infinità f inv; **una ~ de** un'infinità di

infinito, -a adj infinito(-a) ♦ nm infinito

inflación nf (ECON) inflazione f

inflamar vt infiammare; **inflamarse** vpr infiammarsi; (hincharse) gonfiarsi

inflar vt (tb fig) gonfiare; **inflarse** vpr gonfiarsi; **~se de** (chocolate etc) abbuffarsi di

inflexible adj (material) rigido(-a); (persona) inflessibile, irremovibile

influencia nf influenza

influir vt influenzare ♦ vi influire; ~ en o sobre influire su

influjo nm influsso

influyendo etc vb ver **influir**

influyente adj influente

información nf informazione f; (noticias, informe) informazioni fpl; **I~** (mostrador) (sportello) informazioni

informal adj (persona) inaffidabile; (estilo, lenguaje) informale

informar vt informare ♦ vi (dar cuenta de): ~ de/sobre dare notizie su; **informarse** vpr: ~se (de) informarsi (su)

informática nf informatica

informe adj informe ♦ nm rapporto

infracción nf infrazione f

infringir vt infrangere

infundado, -a adj infondato(-a)

infundir vt: ~ ánimo o valor infondere coraggio; ~ respeto/miedo incutere rispetto/timore

infusión nf infusione f

ingeniería nf ingegneria

ingeniero, -a nm/f ingegnere m
▶ **ingeniero de caminos** ingegnere civile ▶ **ingeniero de sonido** tecnico del suono

ingenio nm ingegno

ingenioso, -a adj (hábil) ingegnoso(-a); (divertido) spiritoso(-a)

ingenuo, -a adj ingenuo(-a)

ingerir vt ingerire

Inglaterra nf Inghilterra

ingle nf inguine m

inglés, -esa adj, nm/f inglese m/f
♦ nm (LING) inglese m

ingrato, -a adj ingrato(-a)

ingrediente nm ingrediente m

ingresar vt (dinero) depositare;
(enfermo) ricoverare ♦ vi: ~ **(en)** (en
facultad, escuela) essere
ammesso(-a) (a); (en club etc)
iscriversi (a); (en ejército) arruolarsi
(in); (en hospital) ricoverarsi (in)

ingreso nm ammissione f; **~s** nmpl
(dinero) entrate fpl; (: COM) incasso sg

inhabitable adj inabitabile

inhalar vt inalare

inhibir vt (MED) inibire; **inhibirse**
vpr: **~se (de hacer)** astenersi (dal
fare)

inhóspito, -a adj inospitale

inhumano, -a adj disumano(-a)

inicial adj, nf iniziale (f)

iniciar vt iniziare; **~ en** (persona)
iniziare a

iniciativa nf iniziativa f; **tomar la ~**
prendere l'iniziativa

inicio nm inizio

ininterrumpido, -a adj
ininterrotto(-a)

injertar vt innestare

injuria nf ingiuria

injusticia nf ingiustizia

injusto, -a adj ingiusto(-a)

inmadurez nf immaturità f inv

inmediaciones nfpl dintorni mpl,
vicinanze fpl

inmediato, -a adj immediato(-a);
(contiguo) attiguo(-a); **~ a** attiguo a;
de ~ immediatamente

inmejorable adj insuperabile

inmenso, -a adj immenso(-a)

inmigración nf immigrazione f

inmigrante adj, nm/f immigrante
m/f

inmobiliaria nf (tb: **agencia ~**)
agenzia immobiliare

inmoral adj immorale

inmortal adj immortale
❏ **inmortalizar** vt immortalare

inmóvil adj immobile

inmueble adj: **bienes ~s** beni
immobili mpl ♦ nm immobile m

inmundo, -a adj (lugar)
immondo(-a), lurido(-a)

inmune adj: **~ (a)** immune (da)

inmunidad nf immunità f inv

inmutarse vpr alterarsi

innato, -a adj innato(-a)

innecesario, -a adj non
necessario(-a)

innovación nf innovazione f

inocencia nf innocenza

inocentada nf (broma) ≈ pesce m
d'aprile

inocente adj, nm/f innocente m/f;
Día de los (Santos) I~s vedi nota nel
riquadro

DÍA DE LOS SANTOS INOCENTES

Il 28 dicembre, **Día de los (Santos)
Inocentes**, la Chiesa commemora
il massacro dei bambini ebrei
innocenti perpetrato da Erode. Nel
corso della giornata gli spagnoli si
fanno scherzi (gli "inocentadas")
simili ai nostri pesci d'aprile.

---

inocuo, -a adj innocuo(-a)

inodoro, -a adj inodore ♦ nm
water m inv

inofensivo, -a adj inoffensivo(-a)

inolvidable adj indimenticabile

inoportuno, -a adj
inopportuno(-a)

inoxidable adj inossidabile; **acero ~** acciaio inossidabile

inquietar vt inquietare, preoccupare; **inquietarse** vpr preoccuparsi ❑ **inquieto, -a** adj inquieto(-a); (niño) irrequieto(-a) ❑ **inquietud** nf inquietudine f

inquilino, -a nm/f inquilino(-a)

inscribir vt scrivere; **inscribirse** vpr (ESCOL etc) iscriversi

inscripción nf iscrizione f

insecticida nm insetticida m

insecto nm insetto

inseguridad nf insicurezza
▶ **inseguridad ciudadana** criminalità f nru metropolitana

inseguro, -a adj (persona, escalera etc) insicuro(-a); (lugar) poco sicuro(-a); (terreno) malsicuro(-a); **sentirse ~** sentirsi insicuro

insensato, -a adj insensato(-a)

insensible adj insensibile

insertar vt inserire

inservible adj inservibile

insignia nf (emblema) distintivo; (estandarte) insegna; **buque ~** nave ammiraglia

insignificante adj insignificante

insinuar vt insinuare

insípido, -a adj insipido(-a)

insistir vi: **~ (sobre)** insistere (su)

insolación nf insolazione f

insolente adj insolente

insólito, -a adj insolito(-a)

insoluble adj (problema) insolubile; **~ en** (sustancia) non solubile in

insomnio nm insonnia

insonorizar vt insonorizzare

insoportable adj insopportabile

inspección nf ispezione f; (lugar) ispettorato ❑ **inspeccionar** vt ispezionare

inspector, a nm/f ispettore(-trice)

inspiración nf ispirazione f; (de aire) inspirazione f

inspirar vt ispirare; (aspirar) inspirare; **inspirarse** vpr: **~se en** ispirarsi a

instalación nf installazione f; (acomodo) sistemazione f; **instalaciones** nfpl (de centro deportivo, hotel) attrezzature fpl
▶ **instalación eléctrica** impianto elettrico

instalar vt installare; (persona) sistemare; **instalarse** vpr sistemarsi

instancia nf istanza; **en última ~** ultima istanza

instantáneo, -a adj istantaneo(-a); **café ~** caffè solubile

instante nm istante m; **a cada ~** continuamente; **al ~** all'istante

instar vt: **~ a algn a hacer** o **para que haga** chiedere insistentemente a qn di fare qc

instaurar vt instaurare

instigar vt: **~ a algn a (hacer)** istigare qn a (fare)

instinto nm istinto; **por ~** d'istinto

institución nf istituzione f; **instituciones** nfpl (de un país) istituzioni fpl

instituir vt istituire ❑ **instituto** nm (ESCOL) scuola superiore; (de investigación, cultural etc) istituto, centro; **Instituto de Bachillerato** (ESP) ≈ liceo

institutriz nf istitutrice f

instruir vt (JUR) istruire

instrumento nm strumento

insubordinarse vpr: ~ **(contra)** ribellarsi (a); (MIL, NÁUT) ammutinarsi (contro)

insuficiente adj insufficiente ♦ nm (ESCOL) insufficienza

insular adj insulare

insultar vt insultare □ **insulto** nm insulto

insuperable adj insuperabile

insurrección nf insurrezione f

intachable adj irreprensibile

intacto, -a adj intatto(-a)

integral adj integrale; (idiota) perfetto(-a); **pan ~** pane integrale

integrar vt integrare; (formar) formare; **integrarse** vpr integrarsi

integridad nf integrità f inv

íntegro, -a adj integro(-a)

intelectual adj, nm/f intellettuale m/f

inteligencia nf intelligenza □ **inteligente** adj intelligente

intemperie nf intemperie fpl; **a la ~** alle intemperie

intención nf intenzione f; **con segundas intenciones** con secondi fini; **buena/mala ~** buona/cattiva intenzione; **de buena/mala ~** in buonafede/malafede

intencionado, -a adj intenzionato(-a); **bien/mal ~** benintenzionato/malintenzionato

intensidad nf intensità f inv; **llover con ~** piovere a dirotto

intenso, -a adj intenso(-a)

intentar vt: ~ **(hacer)** tentare di (fare) □ **intento** nm tentativo

intercalar vt intercalare

intercambio nm scambio

interceder vi: ~ **(por)** intercedere (per)

interceptar vt intercettare; (obstruir) ostruire

interés nm interesse m; **intereses** nmpl (dividendos, aspiraciones) interessi; **sentir/tener ~** provare/avere interesse per; **tipo de ~** (COM) tasso di interesse ▶ **interés propio** interesse personale

interesado, -a adj, nm/f interessato(-a); ~ **en/por** interessato in/a

interesante adj interessante

interesar vt, vi interessare; **interesarse** vpr: ~**se en** o **por** interessarsi a o di

interferencia nf (RADIO, TV, TELEC) interferenza; ~ **(en)** (injerencia) interferenza (in)

interferir vt (TELEC) disturbare ♦ vi (persona): ~ **(en)** interferire (in)

interino, -a adj interinale ♦ nm/f sostituto(-a)

interior adj interno(-a); (espiritual) interiore ♦ nm interno; **Ministerio del I~** Ministero degli Interni; **ropa ~** indumenti intimi

interjección nf interiezione f

interlocutor, a nm/f interlocutore(-trice)

intermediario, -a adj, nm/f intermediario(-a)

intermedio, -a adj intermedio(-a) ♦ nm (TEATRO, CINE) intervallo

interminable adj interminabile

intermitente adj intermittente ♦ nm (AUTO) freccia

internacional adj internazionale

internado nm convitto, collegio

internar vt (en sanatorio) ricoverare; **internarse** vpr (penetrar): ~**se en** addentrarsi in

internauta nm/f internauta m/f

Internet nm Internet f inv

interno, -a adj interno(-a); (*espiritual*) interiore ♦ nm/f (*alumno*) interno(-a)

interponer vt (tb JUR: *apelación*) interporre; **interponerse** vpr interporsi; **~ (entre)** interporre (tra)

interpretación nf interpretazione f

interpretar vt interpretare □ **intérprete** nm/f interprete m/f; ¿**podría hacer de intérprete?** ci potrebbe fare da interprete?

interrogación nf interrogazione f; (*tb: signo de ~*) punto interrogativo

interrogar vt interrogare

interrumpir vt interrompere

interrupción nf interruzione f

interruptor nm (ELEC) interruttore m

intersección nf intersezione f

interurbano, -a adj interurbano(-a)

intervalo nm intervallo; **a ~s** a intervalli

intervención nf (tb MED) intervento

intervenir vt (MED) operare; (*suj: policía*) sequestrare; (*teléfono*) mettere sotto controllo; (*cuenta bancaria*) bloccare ♦ vi intervenire

interventor, a nm/f (*en elecciones*) rappresentante m/f di lista; (COM) controllore m

intestino nm intestino

intimar vt: **~ a algn a que ...** intimare a qn di ... ♦ vi diventare intimo(-a)

intimidad nf intimità f inv; **en la ~** nell'intimità

íntimo, -a adj intimo(-a)

intolerable adj intollerabile

intoxicación nf intossicazione f ▶ **intoxicación alimenticia** intossicazione alimentare

intranquilo, -a adj preoccupato(-a), in ansia

intransigente adj intransigente

intransitable adj intransitabile

intrépido, -a adj intrepido(-a)

intriga nf intrigo □ **intrigar** vt, vi intrigare

intrínseco, -a adj intrinseco(-a)

introducción nf introduzione f

introducir vt introdurre; **introducirse** vpr introdursi

intromisión nf intromissione f

introvertido, -a adj, nm/f introverso(-a)

intruso, -a nm/f intruso(-a)

intuición nf intuizione f

inundación nf inondazione f □ **inundar** vt inondare; **inundarse** vpr allagarsi

inusitado, -a adj (*espectáculo, hora*) insolito(-a)

inútil adj (tb esfuerzo) inutile; (*herramienta*) inutilizzabile; (*persona: minusválido*) inabile; (: pey) buono(-a) a nulla

inutilizar vt rendere inservibile

invadir vt invadere

inválido, -a adj, nm/f invalido(-a)

invasión nf invasione f

invasor, a adj invasore ♦ nm/f invasore m

invención nf invenzione f

inventar vt inventare

inventario nm inventario

invento nm invenzione f

inventor, a nm/f inventore(-trice)

invernadero nm serra

inverosímil adj inverosimile

inversión nf (COM) investimento

inverso, -a adj inverso(-a); **en orden ~** in ordine inverso; **a la inversa** al contrario

inversor, a nm/f (COM) investitore(-trice)

invertir vt (COM) investire; (poner del revés) invertire; (tiempo) dedicare

investigación nf ricerca; (policial) indagine f ▸ **investigación del mercado** ricerca di mercato

investigar vt (indagar) indagare su; (estudiar) studiare

invierno nm inverno

invisible adj invisibile

invitación nf invito

invitado, -a nm/f invitato(-a)

invitar vt invitare; **~ a algn a hacer algo** invitare qn a fare qc; **no pagues, que hoy invito yo** non pagare che oggi offro io

invocar vt invocare

involucrar vt: **~ a algn en** coinvolgere qn in; **involucrarse** vpr: **~se en** farsi coinvolgere in

involuntario, -a adj involontario(-a)

inyección nf iniezione f; **ponerse una ~** farsi un'iniezione

inyectar vt (MED) iniettare

ir

PALABRA CLAVE

vi

1 andare; **ir andando** camminare; **fui en tren** ci sono andato in treno; **¡(ahora) voy!** (adesso) vengo!

2 ir (a) por: **ir (a) por el médico**

andare a chiamare il dottore

3 (progresar) andare, procedere; **el trabajo va muy bien** il lavoro procede molto bene; **¿cómo te va?** come ti va?; **me va muy bien** mi va benissimo; **le fue fatal** gli è andata malissimo

4 (funcionar): **el coche no va muy bien** l'auto non va molto bene

5 (sentar): **me va estupendamente** (ropa, color) mi sta benissimo; (medicamento) è proprio quello che ci voleva

6 (aspecto): **ir con zapatos negros** portare scarpe nere; **iba muy bien vestido** era molto ben vestito

7 (combinar): **ir con algo** andare con qc

8 (excl): **¡qué va!** (no) ma no!; **vamos, no llores** su, non piangere; **vamos a ver** vediamo; **¡vaya coche!** (admiración, desprecio) che macchina!; **que le vaya bien** (LAm) (despedida) arrivederci; **¡vete a saber!** va' a sapere!

9: **no vaya a ser que: tienes que correr, no vaya a ser que pierdas el tren** devi correre, se no perdi il treno

♦ vb aux

1 ir: **voy/iba a hacerlo hoy** lo faccio/lo volevo fare oggi

2 (+ gerundio): **iba anocheciendo** cominciava a fare notte; **todo se me iba aclarando** la faccenda si faceva sempre più chiara

3 (+ pp = pasivo): **van vendidos 300 ejemplares** finora sono state vendute 300 copie

♦ **irse** vpr

1: ¿por dónde se va al parque? come si arriva al parco?

2: **irse (de)** (marcharse) andarsene (di); **ya se habrán ido** se ne saranno già andati; **¡vámonos!** andiamo!

ira nf ira

Irak nm = Iraq

Irán nm Iran m ❑ **iraní** adj, nm/f iraniano(-a)

Iraq nm Iraq m ❑ **iraquí** adj, nm/f iracheno(-a)

iris nm inv (ANAT) iride f

Irlanda nf Irlanda; **~ del Norte** Irlanda del Nord ❑ **irlandés, -esa** adj, nm/f irlandese m/f

ironía nf ironia

irónico, -a adj ironico(-a)

IRPF (ESP) sigla m (= Impuesto sobre la Renta de las Personas Físicas) ≈ IRPEF m

irreal adj irreale

irregular adj irregolare

irremediable adj irrimediabile

irreparable adj irreparabile

irrespetuoso, -a adj irrispettoso(-a)

irresponsable adj irresponsabile

irreversible adj irreversibile

irrigar vt irrigare

irrisorio, -a adj irrisorio(-a)

irritación nf irritazione f

irritar vt irritare; **irritarse** vpr irritarsi

irrupción nf irruzione f

isla nf isola

Islam nm Islam m

islandés, -esa adj, nm/f islandese m/f

Islandia nf Islanda

isleño, -a adj, nm/f isolano(-a)

Israel nm Israele m ❑ **israelí** adj, nm/f israeliano(-a)

istmo nm istmo

Italia nf Italia; **me gusta ~** mi piace l'Italia ❑ **italiano, -a** adj, nm/f italiano(-a)

itinerario nm itinerario

IVA (ESP) sigla m (COM: Impuesto sobre el Valor Añadido) IVA

izar vt issare

izdo. abr (= izquierdo) sinistro

izquierda nf sinistra; **a la ~** a sinistra

izquierdo, -a adj sinistro(-a)

Jj

jabalí nm cinghiale m

jabalina nf giavellotto

jabón nm sapone m ▸ **jabón en polvo** sapone in polvere

jaca nf cavalla

jacinto nm giacinto

jactarse vr ~ **(de)** vantarsi (di)

jadear vi ansimare

jaguar nm giaguaro

jalea nf gelatina

jaleo nm (barullo) confusione f; (riña) zuffa; **le armó un ~ por llegar tarde** gli ha fatto una scenata perché era in ritardo

jalón nm (LAm: estirón) strappo

jamás adv mai

jamón nm prosciutto; **un bocadillo de ~** un panino con il prosciutto ▸ **jamón serrano/de York** prosciutto crudo/cotto

Japón nm Giappone m
   □ **japonés, -esa** adj, nm/f giapponese m/f

jaque nm (AJEDREZ) scacco ▸ **jaque mate** scacco matto

jaqueca nf emicrania

jarabe nm sciroppo

jardín nm giardino ▸ **jardín de infancia** asilo ▸ **jardín de infantes** (RPl) asilo □ **jardinería** nf giardinaggio □ **jardinero, -a** nm/f giardiniere(-a)

jarra nf brocca; (de cerveza) boccale m

jarro nm brocca

jaula nf gabbia

jauría nf muta

jazmín nm gelsomino

jefa nf ver **jefe**

jefatura nf (liderato, sede) direzione f ▸ **jefatura de policía** commissariato di polizia

jefe, -a nm/f/sg; **ser el ~** (fig) comandare; **comandante en ~** comandante in capo ▸ **jefe de estación** capostazione m ▸ **jefe de estado** capo di stato ▸ **jefe de estudios** direttore m didattico ▸ **jefe de gobierno** capo di governo

jeque nm sceicco

jerárquico, -a adj gerarchico(-a)

jerez nm sherry m inv

jerga nf gergo

jeringa nf siringa; (LAm: fam: molestia) seccatura

jeringuilla nf siringa

jeroglífico nm geroglifico; (pasatiempo) rebus m inv

jersey (pl ~s o **jerséis**) nm maglione m; (con botones) golf m inv

Jerusalén n Gerusalemme f

Jesucristo nm Gesù Cristo

jesuita adj, nm gesuita (m)

Jesús nm Gesù m; **¡~!** (Gesù!; (al estornudar) salute!

jinete nm cavaliere m, cavallerizzo

jipijapa (LAm) nm panama m inv

jirafa nf giraffa

jirón nm brandello

jornada nf giornata; (de trabajo) giornata (lavorativa); (**trabajar a) ~ intensiva/partida** (fare l')orario continuato/spezzato

jornal nm giornata □ **jornalero** nm giornaliero

⚠ **jornal** no se traduce nunca por la palabra italiana **giornale**.

joroba nf gobba

jorobado, -a adj, nm/f gobbo(-a)

jota nf (letra) i lunga; (danza) specie di danza folcloristica spagnola; **no entiendo ni ~** non capisco un'acca; **no sabe ni ~** non sa un accidente; **no veo ni ~** non vedo un accidente

JOTA

La **Jota** è una canzone ed una danza tipica di alcune regioni spagnole. Viene accompagnata da strumenti a corda e a percussione.

joven adj giovane ♦ nm/f ragazzo(-a); **¡oiga, ~!** senta!

joya nf (tb fig) gioiello □ **joyería** nf gioielleria □ **joyero** nm gioielliere m; (caja) portagioie m inv

jubilación nf pensione f

jubilado, -a adj, nm/f pensionato(-a)

jubilar vt mettere in pensione; (fam: algo viejo) buttare; **jubilarse** vpr andare in pensione

júbilo nm gioia, giubilo

judía nf fagiolo ▶ **judía verde** fagiolino ▶ **judía blanca** fagiolo; ver tb **judío**

judicial adj giudiziario(-a)

judío, -a adj, nm/f ebreo(-a)

judo nm judo m inv

juego vb ver **jugar** ♦ nm gioco; (café) servizio; fare un gioco; **hacer ~ con** intonarsi con ▶ **juego de palabras** gioco di parole ▶ **Juegos Olímpicos** giochi olimpici

juerga nf baldoria; **estar de ~** fare baldoria

jueves nm inv giovedì m inv; ver tb **martes**

juez nm/f (t tb: jueza) giudice m ▶ **juez de instrucción** giudice istruttore ▶ **juez de línea** (DEPORTE) guardalinee m inv ▶ **juez de salida** starter m inv

jugada nf (en juego) giocata; (fig) carognata

jugador, a nm/f giocatore(-trice)

jugar vt, vi giocare; **jugarse** vpr giocarsi; **~ a** giocare a

jugo nm (de frutas) succo; (de carne etc) sugo ▶ **jugo de naranja/de piña** succo d'arancia/d'ananas

jugoso, -a adj (tb fig) succoso(-a)

juguete nm giocattolo □ **juguetear** vi giocherellare □ **juguetería** nf negozio di giocattoli □ **juguetón, -ona** adj giocherellone(-a)

juicio nm (tb JUR) giudizio; **a mi** etc **~** a mio ecc giudizio; **estar fuera de ~**

essere fuori di senno; **perder el ~** perdere la testa

julio nm luglio; **el uno de ~** il primo (di) luglio; **el dos/once de ~** il due/l'undici (di) luglio; **a primeros/finales de ~** all'inizio/alla fine di luglio

junco nm giunco

jungla nf giungla

junio nm giugno; ver tb **julio**

junta nf riunione f; (organismo) consiglio, assemblea; (TEC: punto de unión) giunto ▶ **junta directiva** consiglio direttivo

juntar vt (agrupar) raccogliere; (acercar) unire; **juntarse** vpr (ríos, carreteras) congiungersi; (personas) riunirsi; (: citarse) vedersi; (: acercarse) avvicinarsi; (: vivir juntos) convivere; **~se con algn** vedersi con qn

junto, -a adj insieme ♦ adv: **todo ~** tutto insieme; **~ a** (cerca de) vicino a; **~ con** insieme a; **~s** insieme; (próximos) vicini; (en contacto) giunti, uniti

jurado nm (JUR, de concurso) giuria

juramento nm giuramento; (maldición) imprecazione f; **prestar ~** prestare giuramento; **tomar ~ a** far fare il giuramento a

jurar vt, vi giurare; **~ en falso** giurare il falso; **jurársela(s) a algn** giurarla a qn

jurídico, -a adj giuridico(-a)

jurisdicción nf giurisdizione f

jurisprudencia...

justamente adv proprio, giusto

justicia nf giustizia; **en ~** secondo giustizia; **hacer ~ a algn** rendere giustizia a qn

justificación nf giustificazione f
□ **justificar** vt giustificare;
justificarse vpr giustificarsi

justo, -a adj giusto(-a); (preciso)
esatto(-a) ► adv giusto, proprio;
venir muy ~ (dinero, comida)
bastare appena

juvenil adj (aspecto, equipo)
giovanile; (club) per giovani

juventud nf gioventù f inv

juzgado nm tribunale m

juzgar vt giudicare; (opinar)
ritenere; **a ~ por ...** a giudicare da ...;
lo juzgo mi deber lo ritengo mio
dovere

Kk

karate, kárate nm karatè m inv

Kg., kg. abr (= kilogramo(s)) kg

kilo nm chilo □ **kilogramo** nm
chilogrammo □ **kilometraje** nm
chilometraggio □ **kilómetro** nm
chilometro ► **kilómetro**
cuadrado chilometro quadrato
□ **kilovatio** nm kilowatt m inv

kiosco nm = **quiosco**

km abr (= kilómetro(s)) km

kv abr (= kilovatio(s)) kW

Ll

l. abr (= litro(s)) l; (JUR) = **ley**

la art def la ♦ pron (tb usted) la ♦ nm
(MÚS) la m inv; **la del sombrero rojo**
quella con il cappello rosso

laberinto nm labirinto

labia (fam) nf parlantina

labio nm labbro

labor nf lavoro; **las ~es del campo** il
lavoro dei campi ► **labor de**
equipo lavoro di squadra ► **labor**
de ganchillo uncinetto
► **labores domésticas** o **del**
hogar lavori domestici o di casa
□ **laborable** adj (AGR) lavorabile;
día laborable giorno lavorativo
□ **laboral** adj (derecho) del lavoro;
accidente laboral incidente sul
lavoro

laboratorio nm laboratorio

labrado, -a adj (campo)
coltivato(-a); (madera) lavorato(-a);
(metal, cristal) cesellato(-a)

labrador, a nm/f agricoltore m,
contadino(-a)

⚠ **labrador** no se traduce nunca
por la palabra italiana
lavoratore.

labrar vt (tierra) coltivare; (madera,
cuero etc) lavorare; (porvenir, ruina)
preparare

labriego, -a nm/f contadino(-a)

laca nf lacca

lacio, -a adj (cabello) liscio(-a);
(marchito) appassito(-a)

lacra nf (fig) piaga ► **lacra social**
piaga sociale

lacre nm ceralacca

lactancia nf allattamento

lácteo, -a adj latteo(-a); **productos**
~s prodotti caseari

ladear vt inclinare; **ladearse** vpr
inclinarsi

ladera nf versante m

lado nm lato; (de cuerpo) fianco; **al ~**
(de) al lato (di); **por un ~ ..., por**
otro ~ ... da un lato ..., dall'altro
lato ...

ladrar vi abbaiare, latrare
□ **ladrido** nm latrato

ladrillo nm mattone m

ladrón, -ona nm/f ladro(-a) ♦ nm (ELEC) presa multipla

lagartija nf lucertola

lagarto nm lucertola

lago nm lago

lágrima nf lacrima

laguna nf laguna

laico, -a adj, nm/f laico(-a)

lamentable adj deplorevole; (espectáculo, estado) penoso(-a)

lamentar vt (desgracia, pérdida) lamentare; **lamentarse** vpr: **~se (de)** lamentarsi (di); **lamento tener que decirle ...** mi spiace doverle dire ...; **lo lamento mucho** mi dispiace molto

lamer vt leccare

lámina nf (de metal) lamina; (ilustración, de madera) tavola

lámpara nf lampada; (mancha) macchia ▶ **lámpara de alcohol/ de gas/de pie** lampada a spirito/a gas/a stelo

lana nf lana

lancha nf lancia ▶ **lancha de socorro** lancia di salvataggio ▶ **lancha motora** motoscafo ▶ **lancha neumática** gommone m

langosta nf (insecto) cavalletta; (crustáceo) aragosta ☐ **langostino** nm gambero

lánguido, -a adj languido(-a)

lanza nf lancia

lanzamiento nm lancio ▶ **lanzamiento de pesos** lancio del peso

lanzar vt lanciare; **lanzarse** vpr: **~se a** lanciarsi in; (al vacío) buttarsi in; (fig) precipitarsi a/in; **~se contra algn/algo** scagliarsi contro qn/qc

lapa nf patella

lapicero nm portapenne m inv

lápida nf lapide f ▶ **lápida conmemorativa** lapide commemorativa

lápiz nm matita ▶ **lápiz de color** matita colorata ▶ **lápiz de labios/ de ojos** matita per le labbra/gli occhi

lapón, -ona adj, nm/f lappone m/f

lapso nm (tb: ~ **de tiempo**) lasso di tempo; (error) lapsus m inv

lapsus nm inv lapsus m inv

largar vt (NÁUT: cable) mollare; (fam: dinero) dare; (: bofetada) allungare, mollare; (: discurso) propinare; (: persona) licenziare; (CS, MÉX: fam: lanzar) lanciare ♦ vi (fam: hablar) cianciare; **largarse** vpr (fam) andarsene via; **~se a** (CS: empezar) mettersi a

⚠ **largar** no se traduce nunca por la palabra italiana *allargare*.

largo, -a adj lungo(-a) ♦ nm lunghezza; **dos horas largas** più di due ore; **tiene 9 metros de ~** è lungo 9 metri; **~ y tendido** (hablar) lungamente; **a lo ~ de** (espacio) lungo; (tiempo) durante; **a la larga** alla lunga, a lungo andare

⚠ **largo** no se traduce nunca por la palabra italiana *largo*.

largometraje nm lungometraggio

laringe nf laringe f ☐ **laringitis** nf laringite f

larva nf larva

las art def le ♦ pron quelle; **~ que cantan** quelle che cantano

lascivo, -a adj lascivo(-a)

láser nm laser m inv

lástima nf pena, compassione f; **dar ~** fare pena; **es una ~ que** è un peccato che; **¡qué ~!** che peccato!; **estar hecho una ~** essere in uno stato da far pena

lastimar vt (herir) far male; **lastimarse** vpr farsi male

lastre nm (TEC, NÁUT) zavorra; (fig) ostacolo

lata nf (metal) latta; (envase) lattina, barattolo; (fam) rottura (di scatole); **en ~** di latta; **dar la ~** scocciare, rompere (le scatole)

latente adj latente

lateral adj laterale ♦ nm lato; (DEPORTE) terzino

latido nm (del corazón) battito

latifundio nm latifondo

latigazo nm (tb fig) frustata

látigo nm frusta

latín nm (LING) latino

latino, -a adj latino(-a)

Latinoamérica nf America Latina

latinoamericano, -a adj, nm/f latino-americano(-a)

latir vi battere

latitud nf latitudine f

latón nm ottone m

laúd nm (MÚS) liuto

lava nf lava

lavabo nm lavabo, lavandino; (servicio) bagno

lavado nm lavaggio; (de cuerpo) lavata ► **lavado de cerebro** lavaggio del cervello

lavadora nf lavatrice f

lavanda nf lavanda

lavandería nf lavanderia ► **lavandería automática** lavanderia automatica o a gettone

lavaplatos nm inv lavastoviglie f inv

lavar vt lavare; **lavarse** vpr lavarsi; **~ y marcar** (pelo) fare shampoo e messa in piega; **~ en seco** lavare a secco; **~se las manos** lavarsi le mani

lavavajillas nm inv = **lavaplatos**

laxante nm lassativo

lazarillo nm: **perro ~** cane m guida inv

lazo nm fiocco; (para animales) laccio; (trampa) tranello; (vínculo) vincolo

le pron (directo) lo; (: usted) la; (indirecto) gli; (: usted) le

leal adj leale □ **lealtad** nf lealtà f inv

lección nf lezione f

leche nf latte m; **estar de mala ~** (fam) essere incazzato(-a); **tener mala ~** (fam) essere uno stronzo(-a) ► **leche condensada** latte condensato ► **leche descremada** o **desnatada** latte scremato ► **leche en polvo** latte in polvere

lecho nm (de río) letto

lechón nm maiale m da latte

lechoso, -a adj latteo(-a), lattiginoso(-a)

lechuga nf lattuga

lechuza nf civetta

lector, a nm/f lettore(-trice)

lectura nf lettura

leer vt leggere

legado nm (JUR, fig) lascito; (enviado) legato

legajo nm fascicolo, incartamento

legal adj legale □ **legalizar** vt legalizzare

legaña nf cispa

legión nf (MIL, fig) legione f

legionario nm legionario

legislación *nf* legislazione *f*

legislar *vi* legiferare

legislatura *nf* legislatura

legítimo, -a *adj* (genuino) autentico(-a); (legal) legittimo(-a)

legua *nf* lega

legumbres *nfpl* legumi *mpl*

leído, -a *adj* colto(-a), istruito(-a)

lejanía *nf* lontananza

lejano, -a *adj* lontano(-a) ▶ **Lejano Oriente** Estremo Oriente

lejía *nf* candeggina

lejos *adv* lontano; **a lo ~** in lontananza; **de** o **desde ~** da lontano; **~ de** invece di

lema *nm* motto; (POL) slogan *m inv*

lencería *nf* (ropa interior) biancheria intima

lengua *nf* lingua; **morderse la ~** (fig) mordersi la lingua ▶ **lenguas clásicas** lingue classiche ▶ **lenguas oficiales** vedi nota nel riquadro

lenguado *nm* sogliola

lenguaje *nm* linguaggio; **en ~ llano** in parole povere ▶ **lenguaje comercial** linguaggio commerciale ▶ **lenguaje de**

programación/máquina (INFORM) linguaggio di programmazione/macchina

lengüeta *nf* (de zapatos, MÚS) linguetta

lente *nf* lente *f*; **~s** *nmpl* (AM) occhiali *mpl* ▶ **lentes de contacto** lenti a contatto

lenteja *nf* lenticchia

lentejuela *nf* lustrino

lentilla *nf* lente *f* a contatto

lentitud *nf* lentezza; **con ~** lentamente

lento, -a *adj* lento(-a)

leña *nf* (para el fuego) legna

leñador, -a *nm/f* taglialegna *m/f inv*

leño *nm* legno

Leo *nm* (ASTROL) Leone *m*; **ser ~** essere (del) Leone

león *nm* leone *m* ▶ **león marino** leone marino

leopardo *nm* leopardo

leotardos *nmpl* calzamaglia

lepra *nf* lebbra

leproso, -a *nm/f* lebbroso(-a)

les *pron* (indirecto) gli, a loro; (: ustedes) vi

lesbiana *nf* lesbica

lesión *nf* lesione *f*

letal *adj* letale

letanía *nf* (REL) litania

letra *nf* lettera; (escritura) scrittura, calligrafia; (COM) tratta; (MÚS: de canción) parole *fpl*, testo; **L~s** *nfpl* (UNIV, ESCOL) Lettere ▶ **letra de cambio** (COM) cambiale *f* ▶ **letra de imprenta** o **de molde** stampatello ❑ **letrado, -a** *adj* istruito(-a) ♦ *nm/f* avvocato ❑ **letrero** *nm* insegna; (anuncio) cartello

letrina nf latrina

leucemia nf leucemia

levadura nf lievito ▸ **levadura de cerveza** lievito di birra

levantar vt sollevare; (mano, mirada, voz) alzare; (construir) costruire; **levantarse** vpr alzarsi; **~ el ánimo** sollevare il morale

levante nm (GEO) levante m; **el L~** il Levante

levar vt: **~ anclas** levare l'ancora

leve adj lieve

léxico, -a adj lessicale ♦ nm lessico

ley nf legge f; (de sociedad) regolamento

leyenda nf leggenda

leyendo etc vb ver **leer**

liar vt (atar) legare; (convencer) convincere; (cigarrillo) arrotolare; (envolver) avvolgere; **liarse** vpr (fam) confondersi; **~se a palos** fare a pugni

Líbano nm: **el ~** il Libano

libélula nf libellula

liberación nf liberazione f

liberal adj, nm/f (POL, ECON) liberale m/f

liberar vt liberare

libertad nf libertà f nf ▸ **libertad bajo fianza** libertà su cauzione ▸ **libertad condicional** libertà condizionale ▸ **libertad de culto/ expresión/prensa** libertà di culto/parola/stampa

libertar vt (preso) liberare

libertino, -a adj, nm/f libertino(-a)

libra nf (ASTROL): **L~** Bilancia; **ser L~** essere (della) Bilancia ▸ **libra esterlina** lira sterlina

librar vt (de obligación) liberare; (de peligro) sottrarre; (batalla)

ingaggiare; (JUR, cheque) emettere ♦ vi avere il giorno libero; **librarse** vpr: **~se de algn/algo** liberarsi di qn/qc

libre adj libero(-a); ¿está ~ este asiento? è libero questo posto?; **~ de impuestos** esente da imposta; **tiro ~** tiro libero; **los 100 metros ~s** i 100 metri a stile libero; **al aire ~** all'aria aperta

librería nf (tb mueble) libreria

librero, -a nm/f libraio(-a) ♦ nm (MÉX: mueble) libreria

libreta nf taccuino ▸ **libreta de ahorros** libretto di risparmio

libro nm ▸ **libro de bolsillo/ de texto** libro tascabile/di testo ▸ **libro de caja** (COM) libro di cassa

licencia nf (ADMIN, JUR) licenza ▸ **licencia de armas** porto d'armi ▸ **licencia de caza** licenza di caccia ▸ **licencia fiscal** tassa d'esercizio ❑ **licenciado, -a** adj (soldado) congedato(-a); (UNIV) laureato(-a) ♦ nm/f laureato(-a) ❑ **licenciar** vt (soldado) congedare; **licenciarse** vpr congedarsi; (UNIV) laurearsi

⚠ **licenciar** no se traduce nunca por la palabra italiana **licenziare**.

lícito, -a adj (legal) lecito(-a)

licor nm liquore m

licuadora nf centrifuga

líder nm/f leader m/f inv

liderazgo nm leadership f inv

lidia nf combattimento; (TAUR) corrida; **toros de ~** tori da combattimento ❑ **lidiar** vt toreare con ♦ vi: **lidiar con** (dificultades, enemigos) lottare con

liebre nf lepre f

lienzo nm tela

liga nf (de medias) elastico; (DEPORTE) campionato; (POL) lega

ligadura nf legatura; (cuerda) corda

ligamento nm legamento

ligar vt legare ♦ vi (fam: persona) rimorchiare; **ligarse** vpr (fig) allearsi

ligero, -a adj leggero(-a) ♦ adv (andar) a passo svelto; (moverse) veloce; **a la ligera** alla leggera

liguero nm reggicalze m inv

lija nf (pez) sagrino; (tb: **papel de ~**) carta vetrata

lila nf (BOT) lillà m inv

lima nf (herramienta) lima; (BOT) limetta ▶ **lima de uñas** lima da unghie ❑ **limar** vt limare

limitación nf limitazione f; **limitaciones** nfpl (carencias) limiti mpl ▶ **limitación de velocidad** limite m di velocità

limitar vt (terreno) limitare; (tiempo, gastos) ridurre ♦ vi: ~ **con** (GEO) confinare con; **limitarse** vpr: ~**se a (hacer)** limitarsi a (fare)

límite nm limite m; ~**s** nmpl (de finca, país) confini mpl; **fecha** ~ scadenza ▶ **límite de velocidad** limite di velocità

LÍMITE DE VELOCIDAD

Il limite di velocità in Spagna è di 120 Km/h sulle autostrade e le superstrade, di 100 Km/h sulle strade statali e di 90 Km/h sulle altre strade. La velocità massima consentita nei centri urbani è di 50 Km/h, come in Italia.

---

limítrofe adj limitrofo(-a), confinante

limón nm limone m ♦ adj: **amarillo** ~ giallo limone ❑ **limonada** nf limonata

limosna nf elemosina

limpiaparabrisas nm inv tergicristallo

limpiar vt pulire

limpieza nf pulizia; (POLICÍA, MIL) rastrellamento; (habilidad) precisione f ▶ **limpieza en seco** pulitura a secco ▶ **limpieza étnica** pulizia etnica

limpio, -a adj pulito(-a); (conducta, negocio) onesto(-a) ♦ adv: **jugar** ~ (fig) giocare pulito; **pasar a** ~ scrivere in bella copia

lince nm lince f

linchar vt linciare

lindar vi: ~ **con** essere adiacente a

lindo, -a adj carino(-a), grazioso(-a) ♦ adv (LAm) bene; **canta muy** ~ (LAm) canta benissimo; **de lo** ~ (fam: mucho) tantissimo

línea nf linea; **en** ~ (INFORM) on line ▶ **línea aérea** linea aerea ▶ **línea de meta** (DEPORTE) linea di meta ▶ **línea discontinua** (AUTO) striscia discontinua ▶ **línea recta** linea retta

lingote nm lingotto

lingüística nf linguistica

lino nm lino

linterna nf pila, torcia elettrica

lío nm fagotto; (desorden) confusione f; (fam: follón) casino; (: mentira) frottola; **hacerse un** ~ confondersi

liquen nm lichene m

liquidación nf (COM, ECON) liquidazione f

liquidar vt liquidare

líquido, -a adj liquido(-a); (ganancia) netto(-a) ♦ nm liquido

lira nf (MÚS, moneda) lira

lírico, -a adj lirico(-a)

lirio nm iris f inv

lirón nm ghiro

Lisboa n Lisbona

lisiar vt menomare

liso, -a adj (superficie, cabello) liscio(-a); (terreno) piano(-a); (tela, color) a tinta unita

lista nf lista; (franja) striscia; **pasar ~** passare in rassegna; **tela a ~s** tela a righe ▶ **lista de correos** fermo posta ▶ **lista de espera** lista d'attesa ▶ **lista de precios** listino dei prezzi

listo, -a adj sveglio(-a); (preparado) pronto(-a); **¿cuándo estarán listas las fotos?** quando saranno pronte le mie foto?

listón nm asse f

litera nf (en barco, tren) cuccetta; (en dormitorio) letto a castello

literal adj letterale

literario, -a adj letterario(-a)

literatura nf letteratura

litigio nm (JUR) lite f; (fig) litigio

litografía nf litografia

litoral adj costiero(-a) ♦ nm litorale m

litro nm litro

lívido, -a adj lívido(-a)

llaga nf (tb fig) piaga

llama nf fiamma; (ZOOL) lama m inv

llamada nf (telefónica) chiamata; **~ a cobro revertido** chiamata a carico del destinatario ▶ **llamada al orden** o **de atención** richiamo all'ordine

llamado (LAm), **llamamiento** nm appello

llamar vt chiamare; **llamarse** vpr chiamarsi; **por favor llame más tarde** la prego di richiamare più tardi; **¿puede ~ a un taxi, por favor?** può chiamarmi un taxi per favore?; **¿cómo te llamas?** come ti chiami?

llamativo, -a adj vistoso(-a); (persona) attraente

llano, -a adj (superficie) piano(-a); (persona) affabile; (estilo) chiaro(-a) ♦ nm piana

llanta nf cerchione m; (LAm: cámara) copertone m

llanto nm pianto

llanura nf pianura

llave nf chiave f; (del gas) rubinetto; (de la luz) interruttore m; **cerrar con ~** o **echar la ~** chiudere a chiave; **¿puede darme la ~?** mi dà la chiave? ▶ **llave de contacto** (AUTO) chiave d'accensione ▶ **llave inglesa** chiave inglese ▶ **llave maestra** passe-partout m inv ▶ **llave de paso** rubinetto d'arresto ▫ **llavero** nm portachiavi m inv

llegada nf arrivo

llegar vi arrivare; (ruido) giungere; (bastar) bastare; **llegarse** vpr: **~se a** avvicinarsi a; **~ a hacer** (lograr) riuscire a fare; **~ a ser** diventare; **¿a qué hora llega el tren de Roma?** a che ora arriva il treno da Roma?

llenar vt (tb formulario) riempire; (satisfacer) soddisfare; **llenarse** vpr: **~se (de)** riempirsi (di); **llénelo, por favor** il pieno, per favore

lleno, -a adj pieno(-a); (persona: de comida) sazio(-a) ♦ nm (TEATRO) pienone *m*; ~ **de polvo/gente** pieno di polvere/gente

llevar *vt (tb ropa)* portare; *(dinero, razón, prisa)* avere; *(ritmo, paso)* tenere; **llevarse** *vpr (estar de moda)* andare di moda; **llevamos dos días aquí** siamo qui da due giorni; **llevo un año estudiando** è da un anno che studio; ~ **hecho/vendido/ estudiado** aver fatto/venduto/ studiato; ~ **los libros** (COM) tenere i libri contabili; **me llevó una hora hacerlo** mi ci è voluta un'ora per farlo; ~**se un susto/disgusto/ sorpresa** spaventarsi/dispiacersi/ sorprendersi; ~**se bien/mal (con algn)** andare/non andare d'accordo (con qn)

llorar *vt, vi* piangere; ~ **de risa** ridere fino alle lacrime

llorón, -ona *adj* piagnucoloso(-a) ♦ *nm/f* piagnucolone(-a)

lloroso, -a *adj (ojos, historia)* lacrimoso(-a)

llover *vi* piovere

llovizna *nf* pioggerella ▫ **lloviznar** *vi* piovigginare

llueve *etc vb ver* **llover**

lluvia *nf* pioggia ▸ **lluvia radioactiva** pioggia radioattiva ▫ **lluvioso, -a** *adj* piovoso(-a)

---

lo

PALABRA CLAVE

art def

1: lo bueno/caro quello che è buono/caro; **lo mejor/peor** il meglio/peggio; **lo mío** le mie cose; **olvidaste lo esencial** ti sei dimenticato l'essenziale

2: lo de *(pron dem)*: **¿sabes lo del presidente?** hai saputo del presidente?

3: lo que *(pron rel)* quello che; **lo que yo pienso** quello che penso; **lo que más me gusta** quello che più mi piace; **lo que pasa es que ...** il fatto è che ...; **lo que sea** qualsiasi cosa; **(a) lo que** *(LAm: en cuanto)* non appena

4: lo cual il che; **lo cual es lógico** il che è logico

♦ *pron pers*

1 *(a él)* lo; **lo han despedido** lo hanno licenziato; **no lo conozco** non lo conosco

2 *(a usted)* la; **lo escucho, señor** la ascolto, signore

3 *(cosa, animal, concepto)* lo; **te lo doy** te lo do; **no lo sabía** non lo sapevo; **voy a pensarlo** ci penserò

loable *adj* lodevole

lobo *nm* lupo ▸ **lobo de mar** *(fig)* lupo di mare

lóbulo *nm* lobo

local *adj, nm* locale *(m)* ▫ **localidad** *nf* località *f inv*; *(TEATRO)* posto ▫ **localizar** *vt* localizzare; **localizarse** *vpr (dolor)* localizzarsi

loción *nf* lozione *f*

loco, -a *adj (MED)* pazzo(-a), folle; **estar ~ por algn** essere pazzo di qn; **estar ~ con algo** andare pazzo per qc; **me vuelve ~** mi fa impazzire

locomotora *nf* locomotiva

locuaz *adj* loquace

locución *nf* (LING) locuzione *f*

locura *nf* pazzia; **con ~** alla follia

locutor, a *nm/f* (RADIO, TV) annunciatore(-trice), speaker *m/f inv*

locutorio *nm* cabina telefonica

lodo nm fango

lógica nf logica

lógico, -a adj logico(-a); **es ~ que ...** è logico che ...

logística nf logistica

logotipo nm logo

logrado, -a adj riuscito(-a)

lograr vt ottenere; **~ hacer algo** riuscire a fare qc; **~ que algn venga** riuscire a far venire qn

logro nm ottenimento

loma nf collina

lombriz nf (ZOOL) lombrico; (MED) tenia

lomo nm (de animal, libro) dorso; (CULIN: de cerdo, vaca) lombata

lona nf tela

loncha nf fetta; (de piedra) lastra

lonchería (LAm) nf bar m inv

Londres n Londra

longaniza nf salsiccia

longitud nf lunghezza; (GEO) longitudine f; **tener 3 metros de ~** misurare 3 metri di lunghezza
▶ **longitud de onda** (FÍS) lunghezza d'onda

lonja nf (edificio) mercati mpl generali; (de jamón, embutido) fetta
▶ **lonja de pescado** mercato del pesce

loro nm pappagallo

los art def l, gli ♦ pron ls; (ustedes) vi; **~ que vinieron** quelli che sono venuti

losa nf lastra ▶ **losa sepulcral** pietra sepolcrale

lote nm lotto; (de comida) porzione f

lotería nf lotteria

loza nf (material) maiolica; (vajilla) piatti mpl, stoviglie fpl

lubricante adj, nm lubrificante (m)

lubricar vt lubrificare

luces nfpl de **luz**

lucha nf lotta; **~ contra/por** lotta contro/per ▶ **lucha de clases/libre** lotta di classe/libera
❑ **luchar** vi lottare; **luchar contra/por** (problema) lottare contro/per

lúcido, -a adj lucido(-a); **estar ~** essere lucido

luciérnaga nf lucciola

lucir vt (vestido, coche, conocimientos) sfoggiare ♦ vi brillare; (destacar) spiccare; (LAm: parecer) stare bene; **lucirse** vpr (presumir) mettersi in mostra; **¡te has lucido!** (irónico) che figuraccia!; **la casa luce limpia** (LAm) la casa brilla di pulito

lucro (pey) nm lucro

lúdico, -a adj ludico(-a)

luego adv (después) dopo; (más tarde) più tardi; (LAm: fam: en seguida) subito ♦ conj (consecuencia) quindi, per cui; **desde ~** certamente; **¡hasta ~!** arrivederci!

lugar nm luogo, posto; (en lista, carrera) posto; **en ~ de** invece di; **dar ~ a** dare luogo a; **fuera de ~** (comentario, comportamiento) fuori luogo; **tener ~** avere luogo ▶ **lugar común** luogo comune

lúgubre adj lugubre

lujo nm lusso; **de ~** di lusso

lujoso, -a adj lussuoso(-a)

lujuria nf lussuria

lumbre nf fuoco

luminoso, -a adj luminoso(-a)

luna nf luna; (vidrio) lastra; **estar en la ~** avere la testa tra le nuvole; **estamos de ~ de miel** siamo in luna di miele ▶ **luna de miel** luna di miele ▶ **luna llena/nueva** luna piena/nuova

lunar adj lunare ♦ nm neo; **tela de ~es** stoffa a pois

lunes nm inv lunedì m inv; ver tb **martes**

lupa nf lente f d'ingrandimento

⚠ **lupa** no se traduce nunca por la palabra italiana *lupa*.

lustre nm lucentezza; **dar ~ a algo** dar lustro a qc

luto nm lutto; **ir o vestirse de ~** tenere o portare il lutto

Luxemburgo nm Lussemburgo f

luz (pl **luces**) nf luce f; **dar a ~ a un niño** dare alla luce un bambino; **encender** (ESP) o **prender** (LAm)/**apagar la ~** accendere/spegnere la luce; **a todas luces** chiaramente; **se hizo la ~ sobre ...** è stata fatta luce su ...; **sacar a la ~** portare alla luce; **tener pocas luces** non essere un'aquila ▶ **luz larga** o **de carretera** abbaglianti mpl

Mm

m. abr (= metro(s), masculino) m; (= minuto(s)) min

macarrones nmpl (CULIN) maccheroni mpl

macedonia nf: **~ de frutas** macedonia di frutta

maceta nf vaso

machacar vt (ajos) pestare ♦ vi insistere

machete nm machete m inv

machismo nm maschilismo

machista adj, nm/f maschilista m/f

macho adj (BOT, ZOOL) maschio inv; (fam) macho inv ♦ nm maschio

macizo, -a adj massiccio(-a); (persona) robusto(-a) ♦ nm (GEO) massiccio; (de flores) aiuola

madeja nf (de lana) matassa

madera nf legno; **una ~** un pezzo di legno; **tiene ~ de profesor** ha la stoffa del professore

madrastra nf matrigna

madre adj (lengua) madre inv; (acequia) maestro(-a) ♦ nf madre f

Madrid n Madrid f

madriguera nf tana, covo

madrileño, -a adj, nm/f madrileno(-a)

madrina nf madrina; **~ de boda** testimone f

madrugada nf alba

madrugador, a adj (persona) mattiniero(-a)

madrugar vi alzarsi all'alba

madurar vt, vi maturare ☐ **madurez** nf maturazione f; (edad) maturità f inv ☐ **maduro, -a** adj (tb persona) maturo(-a)

maestra nf ver **maestro**

maestría nf maestria

maestro, -a adj maestro(-a) ♦ nm/f maestro(-a) ♦ nm (tb MÚS) maestro; **~ albañil** maestro muratore

magdalena nf maddalena

magia nf magia

mágico, -a adj magico(-a)

magisterio nm (enseñanza) magistero; (profesión) insegnamento

magistrado nm (JUR) magistrato

magnate nm magnate m

magnético, -a adj magnetico(-a)

magnífico, -a adj magnifico(-a)

magnitud nf (física) grandezza; (de problema etc) gravità f inv

mago, -a nm/f mago(-a); los Reyes M~s I Re Magi

magro, -a adj magro(-a) ♦ nm magro

magullar vt ammaccare

mahometano, -a adj, nm/f maomettano(-a)

mahonesa nf = **mayonesa**

maíz nm mais m inv, granturco

majestad nf: Su M~ Sua Maestà

majo, -a adj carino(-a)

mal adv male ♦ adj = **malo** ♦ nm: el ~ il male m; me entendió ~ mi ha capito male; haces ~ en callarte fai male a rimanere zitto; oler ~ puzzare; ¡menos ~! meno male

malabarista nm/f giocoliere(-a)

malaria nf malaria

malcriado, -a adj maleducato(-a)

maldad nf cattiveria, malvagità f inv

maldecir vt maledire; ~ de sparlare di

maldición nf maledizione f

maldito, -a adj maledetto(-a); ¡~ sea! (fam) maledizione!

maleducado, -a adj maleducato(-a)

malentendido nm malinteso; ha habido un ~ c'è stato un malinteso

malestar nm malessere m

maleta nf valigia; hacer la ~ fare la valigia □ **maletero** nm (AUTO) bagagliaio □ **maletín** nm ventiquattrore f inv, valigetta

maleza nf (arbustos) erbacce fpl

malgastar vt sprecare, sciupare

malhechor, a nm/f malvivente m/f

malhumorado, -a adj di malumore

maligno, -a adj (tb MED) maligno(-a)

malla nf (RPl: de baño) costume m da bagno; (tb: ~s) calzamaglia

Mallorca nf Maiorca

malo, -a (antes de nmsg **mal**) adj cattivo(-a); (feo) brutto(-a); **estar ~** (persona) essere malato(-a); (comida) essere guasto(-a); **lo ~ es que ...** la cosa brutta è che ...; **por las malas** con le cattive

malparado, -a adj: salir ~ uscire malconcio(-a)

malpensado, -a adj malpensante

maltratar vt maltrattare

maltrecho, -a adj malconcio(-a), malridotto(-a)

malvado, -a adj malvagio(-a)

Malvinas nfpl: las (Islas) ~ le (Isole) Malvine fpl

malvivir vi tirare avanti

mama nf mammella

mamá (fam) nf mamma

mamar vt, vi poppare; dar de ~ allattare

mamarracho nm (persona despreciable) buono(-a) a nulla

mamífero, -a adj, nm mammifero

mampara nf paravento

manada nf (de leones, lobos) branco; (de búfalos, elefantes) mandria

manantial nm sorgente f

manar vt gettare ♦ vi scaturire, sgorgare

mancha nf macchia □ **manchar** vt, vi macchiare; **mancharse** vpr macchiarsi

manchego, -a adj della Mancha

manco, -a adj monco(-a)

mandamiento nm (REL) comandamento; (judicial) mandato, ordine m

mandar vt (tb MIL) ordinare; (enviar) mandare ♦ vi comandare; **~ hacer un traje** farsi fare un vestito

mandarina nf mandarino

mandato nm (orden) ordine m; (POL) mandato; (INFORM) comando

mandíbula nf mandibola

mandil nm grembiule m

mando nm (MIL, TEC) comando; (de organización, país) guida; **al ~ de** al comando di ▸ **mando a distancia** telecomando

manejar vt (tb dinero) maneggiare; (máquina) manovrare; (pey: a personas) manipolare; (negocio) condurre; (idioma) padroneggiare; (LAm: AUTO) guidare; **manejarse** vpr cavarsela □ **manejo** nm maneggio (de máquinas) uso; (LAm: AUTO) conduzione f; **manejos** nmpl (pey) maneggi mpl

manera nf maniera, modo; **~s** nfpl (modales) maniere fpl; **¡de ninguna ~!** assolutamente no!; **de otra ~** diversamente; **de todas ~s** in ogni modo; **no hay ~ de persuadirle** non c'è modo di convincerla

manga nf manica ▸ **manga de riego** manichetta

mango nm manico; (BOT) mango

mangonear (pey) vt fare il prepotente con ♦ vi ficcare il naso

manguera nf manichetta

manía nf mania; **tener ~ a algn/ algo** avere qn/qc in antipatia

maníaco, -a adj, nm/f maniaco(-a)

maniático, -a adj, nm/f fissato(-a)

manicomio nm manicomio

manifestación nf manifestazione f; (declaración) dichiarazione f

manifestar vt manifestare; **manifestarse** vpr (POL) manifestare

manifiesto, -a pp de **manifestar** ♦ adj manifesto(-a) ♦ nm (ARTE, POL) manifesto

manillar nm manubrio

maniobra nf manovra; **~s** nfpl (MIL, pey) manovre fpl □ **maniobrar** vi (tb MIL) manovrare

manipulación nf manipolazione f

manipular vt manipolare

maniquí nm/f modello(-a) ♦ nm (de escaparate) manichino

manirroto, -a adj, nm/f spendaccione(-a)

manivela nf manovella

manjar nm manicaretto

mano nf (tb de pintura) mano f; (de reloj) lancetta; **a ~** a mano; **estar/ tener algo a ~** essere/tenere a portata di mano; **a ~ derecha/ izquierda** a destra/sinistra; **de segunda ~** di seconda mano; **darse la(s) ~(s)** darsi o stringersi la mano; **echar una ~** dare una mano ▸ **mano de obra** manodopera

manojo nm (de hierbas) fascio; (de llaves) mazzo

manopla nf (guante) manopola

manosear vt (fruta) toccare; (tema, asunto) logorare; (fam: una persona) palpeggiare

manotazo nm manata

mansalva: a ~ *adv* a frotte

mansión *nf* palazzo

manso, -a *adj* (persona) mite; (animal) docile

manta *nf* coperta

manteca *nf* (de cerdo) strutto; (CS: mantequilla) burro

mantel *nm* tovaglia

mantendré *etc vb ver* **mantener**

mantener *vt* mantenere; (TEC) provvedere alla manutenzione di; (edificio) sostenere; (conversación) continuare; **mantenerse** *vpr* mantenersi; (no ceder) rimanere; **~ el equilibrio** rimanere in equilibrio; **~se (de o con)** sostentarsi (con); **~se en pie** rimanere in piedi; **~se firme** rimanere saldo(-a)
  ❏ **mantenimiento** *nm* mantenimento; (TEC) manutenzione *f*

mantequilla *nf* burro

manto *nm* manto

mantuve *etc vb ver* **mantener**

manual *adj, nm* manuale (*m*)

manuscrito, -a *adj* manoscritto(-a) ◆ *nm* manoscritto

manutención *nf* (de persona) sostentamento; (de alimentos) conservazione *f*

manzana *nf* mela; (de edificios) isolato

manzanilla *nf* camomilla

manzano *nm* melo

maña *nf* abilità *f inv*; **~s** *nfpl* (artimañas) astuzie *fpl*

mañana *adv* domani ◆ *nm*: **(el)** ~ (il) domani *m inv* ◆ *nf* mattina; **de o por la** ~ di mattina; **¡hasta** ~! a domani!; **~ por la** ~ domani mattina

mapa *nm* mappa; **¿puede indicármelo en el** ~? può indicarmelo sulla cartina?

maqueta *nf* (plástico) modellino; (de vehículo) modellino

maquillaje *nm* trucco

maquillar *vt* truccare; **maquillarse** *vpr* truccarsi

máquina *nf* macchina; (de tren) motrice *f*; (CAm: coche) automobile *f*, macchina; **escrito a** ~ scritto a macchina ▸ **máquina de coser/ de escribir/de vapor** macchina per cucire/da scrivere/a vapore

maquinaria *nf* macchinari *mpl*

maquinilla *nf* (tb: ~ **de afeitar**) rasoio da barba

maquinista *nm* macchinista *m/f*

mar *nm o f* mare *m*; **~ adentro** al largo; **en alta** ~ in alto mare; **es la** ~ **de guapa** è bellissima; **el M~ Negro/Báltico** il Mar Nero/Baltico

maraña *nf* groviglio

maratón *nm* maratona

maravilla *nf* meraviglia
  ❏ **maravillar** *vt* meravigliare; **maravillarse** *vpr*: **maravillarse (de)** meravigliarsi (di)
  ❏ **maravilloso, -a** *adj* meraviglioso(-a)

marca *nf* marca; (señal) segno; (DEPORTE) record *m inv*; **de** ~ (COM) di marca ▸ **marca de fábrica** marchio di fabbrica

marcador, -a *nm/f* (fútbol) marcatore(-trice) ◆ *nm* (DEPORTE) tabellone *m*

marcapasos *nm inv* pacemaker *m inv*

marcar *vt* segnare; (ganado) marchiare; (número de teléfono) comporre ♦ vi (DEPORTE) segnare; (TELEC) comporre il numero

marcha nf (tb AUTO, MIL, MÚS) marcia; (salida) partenza; (fam: animación) movimento, animazione f; **dar ~ atrás** (ir, desarrollarse) andare; (MIL) marciare; **marcharse** vpr andare via

marchar vi (ir, desarrollarse) andare; (MIL) marciare; **marcharse** vpr andare via

marchitarse vpr avvizzire, appassire

marco nm cornice f; (moneda) marco

marea nf marea ▶ **marea negra** marea nera

marear vt (MED) provocare nausea; (fam) nauseare; **marearse** vpr avere la nausea; (desmayarse) svenire; (estar aturdido) essere stordito(-a)

maremoto nm maremoto

mareo nm nausea; (en barco) mal m di mare; (desmayo) svenimento; (aturdimiento) stordimento

marfil nm avorio

margarina nf margarina

margarita nf margherita

margen nm margine m ♦ nf (de río) riva; **dejar a algn al ~** lasciare qn al margine; **mantenerse al ~** tenersi in disparte

marginar vt (socialmente) emarginare

marica (fam!) nm (homosexual) checca, frocio; (cobarde) femminuccia

maricón (fam!) nm (homosexual) frocio, checca; (insulto) stronzo(-a)

marido nm marito

marihuana nf marijuana

marina nf (MIL) marina; **~ mercante** marina mercantile

marinero, -a adj marinaro(-a) ♦ nm marinaio

marino, -a adj marino(-a)

marioneta nf marionetta

mariposa nf farfalla

mariquita nf coccinella

marisco nm frutto di mare

marítimo, -a adj marittimo(-a)

mármol nm marmo

marqués, -esa nm/f marchese(-a)

marrón adj marrone

marroquí adj, nm/f marocchino(-a)

Marruecos nm Marocco

martes nm inv martedì m inv; **los ~** di o il martedì; **todos los ~** tutti i martedì; **hoy es ~ 3 de abril** oggi è martedì 3 aprile; **hasta el ~** a martedì; **M~ y Trece** vedi nota nel riquadro

MARTES Y TRECE

In Spagna chi è superstizioso crede che martedì sia un giorno sfortunato, tanto più se cade il giorno 13.

martillo nm martello

mártir nm/f martire m/f

❑ **martirio** nm martirio

marxismo nm marxismo

marzo nm marzo; ver tb **julio**

mas conj ma, però

más

PALABRA CLAVE

adv

1 (comparativo) più; **más grande/ inteligente** più grande/ intelligente; **trabaja más (que yo)** lavora di più (di me); **más de mil**

più di mille; **más de lo que yo creía** più di quanto credessi

2 (+ *sustantivo*) più; **más libros** più libri; **más tiempo** più tempo

3 (*tras sustantivo*) in più; **3 personas más (que ayer)** 3 persone in più (di ieri)

4 (*superl*): **el más ...** il più ...; **el más inteligente (de)** il più intelligente (di); **el coche más grande** l'auto più grande; **el que más corre** chi corre di più

5 (*adicional*): **deme una más** me ne dia ancora una; **un poco más** ancora un po'; **¿qué más?** che altro?; **¿quién más?** chi altro?; **¿quieres más?** ne vuoi ancora?

6 (*negativo*): **no tengo más dinero** non ho più soldi; **no viene más por aquí** da queste parti non viene più; **no sé más** non so altro; **nunca más** mai più; **no hace más que hablar** non fa altro che parlare; **no lo sabe nadie más que él** tranne lui non lo sa nessuno

7 (+ *adj*: *valor intensivo*): **¡qué perro más sucio!** che sporco questo cane!; **¡es más tonto!** è proprio stupido!

8 (*locuciones*): **más o menos** più o meno; **los más** la maggior parte; **es más, acabamos pegándonos** anzi, abbiamo fatto a botte; **más aún** specie; **más bien** piuttosto; *ver tb* **cada**

9: **de más** di troppo; **veo que aquí estoy de más** vedo che qui sono di troppo; **tenemos uno de más** ne abbiamo uno di troppo

10: **por más: por más que lo intento** per quanto ci provi; **por más que quisiera ...** anche se

volessi ...

11 (*MAT*) più; **2 más 2 son 4** 2 più 2 fa quattro

♦ *nm* (*MAT*: *signo*) più *m inv*; **este trabajo tiene sus más y sus menos** questo lavoro ha i suoi pro e i suoi contro

masa *nf* massa; (*de pan*) pasta; **las ~s** *nfpl* (*POL*) le masse; **en ~** in massa

masacre *nf* massacro

masaje *nm* massaggio

máscara *nf* maschera ▶ **máscara antigás/de oxígeno** maschera antigas/per l'ossigeno
❑ **mascarilla** *nf* (*MED*) mascherina; (*en cosmética*) maschera

masculino, -a *adj* maschile ♦ *nm* (*LING*) maschile *m*

masivo, -a *adj* massiccio(-a); (*manifestación*) di massa

masón *nm* massone *m*

masoquista *adj, nm/f* masochista *m/f*

máster *nm* (*ESCOL*) master *m inv*

masticar *vt, vi* masticare

mástil *nm* (*de barco*) albero; (*de tienda*) palo; (*de guitarra*) tastiera

mastín *nm* mastino

masturbación *nf* masturbazione *f*

masturbarse *vpr* masturbarsi

mata *nf* cespuglio; (*de perejil*) ciuffo

matadero *nm* macello, mattatoio

matamoscas *nm inv* insetticida *m*; (*utensilio*) acchiappamosche *m inv*

matanza *nf* (*de gente*) uccisione *f*; (*de cerdo*: *acción*) macellazione *f*

matar *vt* uccidere, ammazzare; (*hambre, sed*) placare; **matarse** *vpr* uccidersi, ammazzarsi

matasellos *nm inv* annullo

mate adj opaco(-a) ♦ nm (LAm: hierba, infusión) mate m inv

matemáticas nfpl matematica

matemático, -a adj, nm/f matematico(-a)

materia nf materia; **en ~ de** in materia di ▸ **materia prima** materia prima ❏ **material** adj materiale ♦ nm materiale m; (cuero) cuoio ❏ **materialista** adj materialista ❏ **materialmente** adv: **es materialmente imposible** è materialmente impossibile

maternal adj materno(-a)

materno, -a adj materno(-a)

matinal adj mattutino(-a)

matiz nm sfumatura ❏ **matizar** vt, vi precisare

matón nm bullo; (guardaespaldas) gorilla m inv

matorral nm cespuglio

matrícula nf (ESCOL, AUTO) immatricolazione f; (AUTO: placa) targa ▸ **matrícula de honor** ≈ lode f ❏ **matricular** vt (coche) immatricolare; (alumno) iscrivere; **matricularse** vpr iscriversi

matrimonio nm matrimonio; (pareja) coppia

matriz nf (ANAT) utero; (TEC, MAT) matrice f

maullar vi miagolare

máximo, -a adj massimo(-a) ♦ nm massimo; **al ~** al massimo

mayo nm maggio; ver tb **julio**

mayonesa nf maionese f

mayor adj (adulto) adulto(-a); (de edad avanzada) anziano(-a); (de tamaño, edad) maggiore, più grande; **~es** nmpl anziani mpl; **al por**

~ all'ingrosso ▸ **mayor de edad** maggiorenne m/f

mayordomo nm maggiordomo

mayoría nf maggioranza

mayorista nm/f grossista m/f

mayúscula nf (tb: **letra ~**) lettera maiuscola

mazapán nm marzapane m

mazo nm maglio; (de cartas) mazzo

me pron mi; **me odia** mi odia; **me lo dio** me l'ha dato; **¡dámelo!** dammelo!

mear (fam) vt, vi pisciare

mecánica nf meccanica

mecánico, -a adj, nm/f meccanico(-a); **¿puede enviar un ~?** può mandare un meccanico?

mecanismo nm meccanismo

mecanografía nf dattilografia

mecate (CAm, MÉX) nm spago

mecedora nf sedia a dondolo

mecer vt dondolare; **mecerse** vpr dondolarsi

mecha nf miccia; **~s** nfpl (en el pelo) mèche fpl

mechero nm accendino

mechón nm (de pelo) ciuffo, ciocca

medalla nf medaglia

media nf (MAT) media; (prenda de vestir) calza; (LAm: calcetín) calzino

mediano, -a adj medio(-a); **el ~** quello di mezzo

medianoche nf mezzanotte f

mediar vi (en una cuestión) mediare; **~ por algn** intercedere per qn

medicamento nm medicina, medicinale m

medicina nf (ciencia, medicamento) medicina

medición nf misurazione f

médico, -a adj medico(-a) ♦ nm/f medico; **llamen a un ~** chiamate un medico o dottore

medida nf misura; **~s** nfpl (de persona) misure fpl; **en cierta ~** in certa misura; **en gran ~** in larga misura; **un traje a la ~** un vestito su misura; **~ de cuello** misura di collo; **a ~ de mi** etc **capacidad/necesidad** secondo le mie ecc capacità/necessità; **a ~ que ...** man mano che ...

medio, -a adj mezzo(-a); (mediano, típico) medio(-a) ♦ adv a metà, mezzo(-a) ♦ nm (tb método) mezzo; **~s** nmpl mezzi; **a medias** a metà; **~ litro** mezzo litro; **media hora** mezz'ora; **media docena/manzana** mezza dozzina/mela; **las tres y media** le tre e mezza; **~ dormido** mezzo addormentato; **en ~** in mezzo; **por ~ de** per mezzo di, attraverso ▸ **medio ambiente** ambiente m ▸ **medios de comunicación/transporte** mezzi di comunicazione/trasporto

medioambiental adj ambientale

mediocre (pey) adj mediocre

mediodía nm mezzogiorno; **a ~ a** mezzogiorno

medir vt misurare; **¿cuánto mides?** - **mido 1,70 m** quanto sei alto? - sono alto 1,70 m

meditar vt meditare ♦ vi: **~ (sobre)** meditare (su)

mediterráneo, -a adj mediterraneo(-a) ♦ nm: **el (mar) M~** il (Mar) Mediterraneo

médula nf midollo ▸ **médula espinal** midollo spinale

medusa (ESP) nf medusa

megáfono nm megafono

mejilla nf guancia

mejillón nm cozza, mitilo

mejor adj migliore ♦ adv meglio; **será ~ que vayas** sarà meglio che tu vada; **a lo ~** forse; **~ dicho** o meglio, per meglio dire; **¡(tanto) ~!** tanto meglio!; **~ vámonos** (LAm: fam) andiamocene; **tú, ~ te callas** (LAm: fam) tu è meglio che stai zitto

❏ **mejorar** vt, vi migliorare
❏ **mejoría** nf miglioramento

melancólico, -a adj malinconico(-a)

melena nf (de persona) chioma; (de león) criniera

mellizo, -a adj, nm/f gemello(-a)

melocotón (ESP) nm pesca

melodía nf melodia

melodrama nm melodramma m

melón nm melone m

membrillo nm (fruto) cotogna; (tb: **carne de ~**) cotognata

memoria nf memoria; **~s** nfpl (de autor) memorie fpl; **aprender/saber/recitar algo de ~** imparare/sapere/recitare qc a memoria

❏ **memorizar** vt memorizzare

menaje nm (de cocina) articoli mpl per la cucina; (del hogar) articoli per la casa

mencionar vt menzionare

mendigo, -a nm/f mendicante m/f

menear vt agitare; **menearse** vpr agitarsi; (fam: darse prisa) sbrigarsi

menester nm: **es ~ hacer algo** è necessario fare qc; **~es** nmpl (fam) attrezzi mpl

menestra nf (tb: **~ de verduras**) verdure saltate in padella

⚠ **menestra** no se traduce nunca por la palabra italiana **minestra**.

menguar vt ridurre ♦ vi ridursi; (número) calare; (días) accorciarsi

meningitis nf meningite f

menopausia nf menopausa

menor adj (comparativo, superlativo, MÚS) minore; (más joven) minore, più giovane ♦ nm/f (tb: ~ **de edad**) minorenne m/f; **no tengo la ~ idea** non ne ho la minima idea; **al por ~** al dettaglio

Menorca nf Minorca

---

menos

PALABRA CLAVE

adv

1 (comparativo) meno; **me gusta menos (que el otro)** mi piace meno (dell'altro); **menos de 50** meno di 50; **menos de lo que esperaba** meno di quanto mi aspettassi; **menos coches** meno macchine

2 (tras sustantivo) in meno; **3 libros menos (que ayer)** 3 libri meno (di ieri)

3 (superlativo) **es la menos lista (de su clase)** è la meno sveglia (della sua classe); **lo menos que ...** il meno che ...

4 (locuciones) **no quiero verle y menos visitarle** non voglio vederlo e tantomeno andarlo a trovare; **menos aun cuando ...** tantomeno se ...; **¡menos mal (que ...)!** meno male (che ...)!; **al o por lo menos** per lo meno; **si al menos ...** se almeno ...

5 (MAT) meno; **5 menos 2** 5 meno 2

♦ prep (excepto) meno; **todos menos él** tutti meno lui

♦ conj: **a menos que: a menos que venga mañana** a meno che venga domani

---

menospreciar vt sottovalutare

mensaje nm messaggio; **¿podría dejar un ~?** potrei lasciare un messaggio?

mensajero, -a nm/f messaggero(-a); (profesión) pony-express m/f inv

menstruación nf mestruazione f

mensual adj mensile □ **mensualidad** nf mensilità f inv

menta nf menta

mental adj mentale □ **mentalidad** nf mentalità f inv

mentalizar vt far prendere coscienza a; **mentalizarse** vpr: ~**se (de/de que)** convincersi (di/che)

mentar vt nominare

mente nf mente f; **tener en ~ (hacer)** avere in mente (di fare)

mentir vi mentire

mentira nf bugia; **parece ~ ...** non sembra vero che ...

mentiroso, -a adj, nm/f bugiardo(-a)

menú nm (tb INFORM) menu m inv; **¿puedo ver el ~?** possiamo vedere il menu?

menudo, -a adj (muy pequeño) minuto(-a); **¡~ negocio!** bell'affare!; **¡~ lío!** bel casino!; **¡~ sitio/actor!** (pey) proprio un bel posto/ bell'attore!; **a ~** spesso

meñique nm (tb: **dedo ~**) dito mignolo

meollo nm: **el ~ del asunto** il nocciolo della questione

mercado nm mercato ▶ **Mercado Común** Mercato Comune

mercancía nf merce f, mercanzia

mercenario, -a adj, nm/f mercenario(-a)

mercería nf merceria

mercurio nm mercurio

merecer vt meritare; **merece la pena** vale la pena

merecido, -a adj meritato(-a); **recibió su ~** ha avuto la punizione che meritava

merendar vt mangiare per merenda ♦ vi fare merenda

merengue nm (dulce) meringa

meridiano nm meridiano

merienda vb ver **merendar** ♦ nf merenda; (en el campo) picnic m inv

mérito nm merito

merluza nf merluzzo

mermar vt ridurre ♦ vi calare

mermelada nf marmellata

mero, -a adj semplice; (CAm, MÉX: fam: verdadero) autentico(-a)

merodear vi: **~ por** (un lugar) girare intorno a (un luogo)

mes nm mese m

mesa nf tavolo; **poner/quitar la ~** apparecchiare/sparecchiare la tavola; **una ~ para 4 por favor** un tavolo per 4 per favore ♦ **mesa electoral** seggio elettorale ♦ **mesa redonda** tavola rotonda

mesero, -a nm/f (LAm) cameriere(-a)

meseta nf meseta

mesilla nf (tb: **~ de noche**) comodino

mesón nm locanda

mestizo, -a adj, nm/f meticcio(-a)

meta nf traguardo

metabolismo nm metabolismo

metáfora nf metafora

metal nm metallo; (MÚS) ottoni mpl

metálico, -a adj metallico(-a) ♦ nm: **en ~** in contanti

meteoro nm meteora

meteorología nf meteorologia

meter vt mettere; (involucrar) infilare; (COSTURA) accorciare; (paliza) mollare; **meterse** vpr: **~se en** (un lugar) entrare in; (negocios, política) mettersi in; (entrometerse) intromettersi in; **~ algo en** o (LAm) **a** mettere qc in; **~se a escritor** mettersi a fare lo scrittore; **~se con algn** prendersela con qn; (en broma) prendere in giro qn

meticuloso, -a adj meticoloso(-a)

metódico, -a adj metodico(-a)

método nm metodo

metodología nf metodologia

metralleta nf mitragliatrice f

metro nm metro; (tren: tb: **~politano**) metropolitana

mexicano, -a (LAm) adj, nm/f messicano(-a)

México (LAm) nm Messico; **Ciudad de ~** Città del Messico

mezcla nf miscuglio; (CINE, TV) missaggio ❑ **mezclar** vt mescolare, mischiare; (desordenar) scompigliare; **mezclarse** vpr mischiarsi; **mezclar a algn en** (pey) immischiare qn in; **mezclarse con algn** (pey) avere a che fare con qn

mezquino, -a adj meschino(-a)

mezquita nf moschea

mg. abr (= miligramo(s)) mg

mi adj mio(-a) ♦ nm (MÚS) mi m inv; **mi hijo** mio figlio; **mis hijos** i miei figli

mí pron me

michelín nm cuscinetto

micro nm microfono; (CS: microbús) minibus m inv

microbio nm microbo

micrófono nm microfono

microondas nm inv (tb: horno ~) forno a microonde

microscopio nm microscopio

miedo nm paura; **tener ~** avere paura; **tener ~ de que** temere o avere paura che

miedoso, -a adj fifone(-a)

miel nf miele m

miembro nm membro
 ▸ **miembro viril** membro virile

mientras conj mentre ♦ adv intanto; **~ viva/pueda** finché vivo/posso; **~ que** mentre; **~ tanto** nel frattempo

miércoles nm inv mercoledì m inv; ver tb **martes**

mierda (fam!) nf merda!

miga nf mollica; (una miga) briciola; **hacer buenas ~s** (fam) andare d'accordo

migración nf migrazione f

mil adj, nm mille (m); **dos ~ personas** duemila persone; **~es de** migliaia di

milagro nm miracolo; **de ~** per miracolo

milagroso, -a adj miracoloso(-a)

milésimo, -a adj, nm/f millesimo(-a)

mili nf: **la ~** (fam) il militare, la naia

milímetro nm millimetro

militante adj, nm/f militante m/f

militar adj, nm/f militare m/f ♦ vi: **~ en** (POL) militare in

millar nm migliaio

millón nm milione m

millonario, -a adj, nm/f milionario(-a)

mimbre nm o f vimini mpl

mímica nf mimica

mimo nm (gesto cariñoso) coccola; **ese niño tiene muchos ~s** questo bambino è molto viziato; (TEATRO) mimo

mina nf miniera; (yacimiento) giacimento; (bomba) mina

mineral adj, nm minerale (m)

minero, -a adj minerario(-a) ♦ nm/f minatore(-trice)

miniatura nf miniatura; **en ~** in miniatura

minifalda nf minigonna

mínimo, -a adj minimo(-a) ♦ nm minimo

ministerio nm ministero

ministro, -a nm/f ministro

minoría nf minoranza

minúscula nf minuscolo

minusválido, -a adj, nm/f disabile m/f

minuta nf (de abogado etc) parcella

minuto nm minuto

mío, -a adj mio(-a) ♦ pron il mio (la mia); **un amigo ~** un mio amico

miope adj miope

mira nf (de arma) mirino; **con la ~ de (hacer)** con l'intenzione di (fare); **con ~s a (hacer)** con il proposito di (fare)

mirada nf sguardo; (momentánea) occhiata; **echar una ~ a** dare un'occhiata a

mirado, -a adj accorto(-a), attento(-a); **estar bien/mal ~** essere ben/mal visto

mirador nm belvedere m inv; (balcón) veranda

mirar vt guardare; (considerar) considerare ♦ vi guardare; (suj:

ventana etc) affacciarsi; **mirarse** *vpr* guardarsi; **~ bien/mal a algn** guardare bene/male qn; **~ por algn/algo** prendersi cura di qn/qc; **mira dónde pone los pies** fa' attenzione a dove metti i piedi

 mirar no se traduce nunca por la palabra italiana *ammirare*.

mirilla *nf* spioncino

mirlo *nm* merlo

misa *nf* messa

miserable *adj, nm/f* miserabile *m/f*

miseria *nf* miseria; **una ~** (*muy poco*) una miseria

misericordia *nf* misericordia

misil *nm* missile *m*

misión *nf* (*tb* REL) missione *f*

misionero, -a *nm/f* missionario(-a)

mismo, -a *adj*: **el ~ libro/apellido** lo stesso libro/cognome; (*con pron pers*): **mi** *etc* **~ me** ecc stesso ♦ *adv*: **aquí/hoy ~** proprio qui/oggi stesso ♦ *conj*: **lo ~ que** come se; **el ~ color** lo stesso colore; **ayer ~** giusto ieri; **ahora ~** subito; **yo ~ lo vi** l'ho visto io stesso; **quiero lo ~** voglio lo stesso; **es** o **da lo ~** fa lo stesso; **~ que** (*MÉX: esp en prensa*) che

misterio *nm* mistero; **hacer algo con (mucho) ~** fare qc in (gran) segreto

misterioso, -a *adj* misterioso(-a)

mitad *nf* metà *f inv*; **a ~ de precio** a metà prezzo; **en** o **a ~ del camino** a metà strada; **cortar por la ~** tagliare a metà

mitigar *vt* mitigare

mitin *nm* (*esp* POL) riunione *f*, meeting *m inv*

mito *nm* mito

mixto, -a *adj* misto(-a)

mobiliario *nm* arredamento

mochila *nf* zaino

moco *nm* muco

moda *nf* moda; **estar de ~** essere di moda; **pasado de ~** passato di moda

modales *nmpl* modi *mpl*

modelar *vt* modellare

modelo *adj inv* modello *inv* ♦ *nm/f* (*tb en moda, publicitario*) modello(-a) ♦ *nm* (*a imitar*) modello

moderado, -a *adj* moderato(-a)

moderar *vt* moderare; **moderarse** *vpr*: **~se (en)** moderarsi (in)

moderno, -a *adj* moderno(-a)

modesto, -a *adj* modesto(-a)

modificar *vt* modificare

modisto, -a *nm/f* sarto(-a); (*moda*) stilista *m/f*

modo *nm* (*manera*) modo, maniera; **~s** *nmpl* (*modales*) maniere *fpl*; **buenos/malos ~s** buone/cattive maniere; **"~ de empleo"** "istruzioni per l'uso"; **de ningún ~** in nessun modo; **de todos ~s** ad ogni modo

modorra *nf* sonnolenza

mofarse *vpr*: **~ de** prendersi gioco di

moho *nm* (*en pan etc*) muffa

mojar *vt* bagnare; **mojarse** *vpr* bagnarsi

mojón *nm* cippo, pietra miliare

molde *nm* stampo, forma

mole *nf* mole *f* ♦ *nm* (*MÉX*) tipo di salsa piccante

moler *vt* macinare

molestar *vt* dare fastidio, disturbare; (*suj: zapato, herida*) fare male; **molestarse** *vpr* disturbarsi;

(*ofenderse*) offendersi; **~se (en)** prendersi il disturbo (di)

molestia *nf* fastidio, seccatura; (*MED*) disturbo, malessere *m*; **tomarse la ~ de** prendersi il disturbo di; **no es ninguna ~** non mi disturba affatto; **"perdonen las ~s"** "ci scusiamo per il disagio"

molesto, -a *adj* fastidioso(-a); **estar ~** (*MED*) sentirsi male; (*enfadado*) essere seccato; **estar ~ con algn** sentirsi a disagio con qn

molido, -a *adj:* **estar ~** essere stanco(-a) morto(-a)

molinillo *nm:* **~ de café** macinino del caffè

molino *nm* mulino

momentáneo, -a *adj* momentaneo(-a)

momento *nm* momento; **es/no es el ~ de (hacer)** è/non è il momento di (fare); **de ~** al momento; **espere un ~** aspetti un momento

momia *nf* mummia

monarca *nm* monarca *m* ❑ **monarquía** *nf* monarchia ❑ **monárquico, -a** *adj, nm/f* monarchico(-a)

monasterio *nm* monastero

mondar *vt* sbucciare; **mondarse** *vpr:* **~se de risa** (*fam*) sbellicarsi dalle risa

moneda *nf* moneta ❑ **monedero** *nm* portamonete *m inv*

monitor, a *nm/f* istruttore(-trice) ♦ *nm* (*TV, INFORM*) monitor *m inv*

monja *nf* monaca, suora

monje *nm* monaco, frate *m*

mono, -a *adj* carino(-a) ♦ *nm/f* scimmia ♦ *nm* (*prenda: entera*) tuta

monólogo *nm* monologo

monopolio *nm* monopolio ❑ **monopolizar** *vt* monopolizzare

monótono, -a *adj* monotono(-a)

monstruo *nm* mostro

monstruoso, -a *adj* mostruoso(-a)

montaje *nm* montaggio

montaña *nf* montagna ▶ **montaña rusa** montagne russe

montar *vt* montare; (*vivienda*) arredare; (*tienda*) aprire ♦ *vi* montare; **~ a caballo** montare a cavallo; **botas de ~** stivali da equitazione; **~ en cólera** montare in collera

monte *nm* monte *m*; (*área sin cultivar*) boscaglia ▶ **monte de piedad** monte di pietà

montón *nm* cumulo, ammasso; (*de gente, dinero*) sacco

monumento *nm* monumento

moño *nm* chignon *m inv*, crocchia

moqueta *nf* moquette *f inv*

mora *nf* (*BOT*) mora

morado, -a *adj* viola *inv* ♦ *nm* viola *m inv*

moral *adj* morale ♦ *nf* morale *f*; (*ánimo*) morale *m*, spirito ♦ *nm* (*BOT*) gelso

moraleja *nf* morale *f*

morboso, -a *adj* morboso(-a)

morcilla *nf* (*CULIN*) sanguinaccio

mordaz *adj* (*crítica*) mordace

mordaza *nf* bavaglio

morder *vt* mordere ❑ **mordisco** *nm* (*tb pedazo*) morso

moreno, -a *adj* bruno(-a); **estar ~** essere abbronzato; **ponerse ~** abbronzarsi

morfina *nf* morfina

moribundo, -a adj, nm/f
moribondo(-a)

morir vi morire; **morirse** vpr morire;
~se de envidia/vergüenza morire
di invidia/vergogna; **¡me muero de
ganas!** muoio dalla voglia!

moro, -a adj, nm/f moro(-a)

moroso, -a adj, nm/f moroso(-a)

morro nm (tb AUTO, AER) muso;
beber a ~ bere a canna; **estar de ~s**
avere il muso lungo; **tener mucho ~**
(fam) avere la faccia tosta

mortadela nf mortadella

mortal adj, nm/f mortale m/f
□ **mortalidad** nf mortalità f inv

mortero nm (CULIN, MIL) mortaio;
(CONSTR) malta

mosca nf mosca

Moscú n Mosca

mosquear (fam) vt (hacer
sospechar) insospettire; (fastidiar)
irritare; **mosquearse** vpr arrabbiarsi,
prendersela

mosquitero nm zanzariera

mosquito nm zanzara

mostaza nf senape f

mostrador nm banco

mostrar vt mostrare; **mostrarse**
vpr: **~se amable** mostrarsi cortese

mota nf (de polvo) granello; (en tela:
dibujo) pallino

mote nm soprannome m

motín nm rivolta

motivar vt motivare, incoraggiare;
(causar) causare □ **motivo** nm (tb
dibujo) motivo

moto, motocicleta nf moto f inv

motor, a adj, nm motore (m); **~ de
reacción/de explosión** motore
a reazione/a scoppio

motora nf motoscafo

movedizo, -a adj: **arenas
movedizas** sabbie fpl mobili

mover vt muovere; (mueble)
spostare; (máquina) mettere in
moto; **moverse** vpr muoversi;
(tierra) smottare; **~ a algn a hacer**
(inducir) spingere qn a fare; **~ la
cabeza** (para negar) scuotere la
testa; **¿puede ~ su coche, por
favor?** può spostare la macchina,
per favore?

móvil adj mobile ♦ nm (de crimen)
movente m; (teléfono) cellulare m

movimiento nm movimento

moza nf ragazza

mozo nm ragazzo; (en hotel)
fattorino; (camarero) cameriere m;
(MIL) recluta

muchacha nf ragazzina; (criada)
cameriera

muchacho nm ragazzino

muchedumbre nf folla

---

mucho, -a

PALABRA CLAVE

adj

1 (cantidad, número) molto(-a),
tanto(-a); **mucho dinero** tanti soldi;
hace mucho calor fa molto caldo

2 (sg: fam: grande): **ésta es mucha
casa para él** questa casa è grande
per lui

3 (sg: demasiados): **hay mucho
gamberro aquí** qui ci sono troppe
brutte facce

♦ pron molto(-a); **tengo mucho
que hacer** ho molto o parecchio da
fare; **muchos dicen que ...** molti
dicono che ...; ver tb **tener**

♦ adv

1 molto; **lo siento mucho** mi

dispiace molto; **mucho antes/ mejor** molto prima/meglio; **come mucho** mangia molto; **¿te vas a quedar mucho?** rimani parecchio (tempo)?; **te quiero mucho** ti amo tanto; **¿estás cansado? - ¡mucho!** sei stanco? - molto!

2 (locuciones): **leo como mucho un libro al mes** leggo al massimo un libro al mese; **el mejor con mucho** di gran lunga il migliore; **¡ni mucho menos!** neanche per sogno!; **él no es ni mucho menos trabajador** è tutt'altro che un gran lavoratore

3: **por mucho que: por mucho que le gustes** per quanto lo ami

muda nf (de ropa) cambio

mudanza nf trasloco; **de ~s** (camión) per traslochi; (empresa) di traslochi

mudar vt (tb ZOOL) cambiare, mutare; **mudarse** vpr: **~se (de ropa)** cambiarsi (i vestiti); **~ de** (opinión, color) cambiare; **la voz le está mudando** gli si sta cambiando la voce; **~se (de casa)** traslocare

mudo, -a adj muto(-a); (callado) zitto(-a)

mueble nm mobile m

mueca nf smorfia

muela vb ver **moler** ♦ nf (diente de atrás) molare m ▶ **muela del juicio** dente del giudizio

muelle nm molla; (NÁUT) molo

muera etc vb ver **morir**

muerte nf morte f; **dar ~** uccidere

muerto, -a pp de **morir** ♦ adj, nm/f morto(-a)

muestra vb ver **mostrar** ♦ nf (COM, de sangre, en estadística) campione m; (COSTURA) modello; (señal) segno

mueva etc vb ver **mover**

mugir vi muggire

mugre nf (suciedad) sporcizia; (: grasienta) unto

mujer nf donna ❑ **mujeriego** adj, nm donnaiolo

mula nf mula

muleta nf (para andar) stampella; (TAUR) muleta f inv

multa nf multa ❑ **multar** vt multare

multicines nmpl multisala m inv

multinacional adj, nf multinazionale (f)

múltiple adj multiplo(-a)

multiplicar vt moltiplicare; **multiplicarse** vpr moltiplicarsi; (para hacer algo) farsi in quattro

multitud nf moltitudine f

mundial adj mondiale

mundo nm mondo; **todo el ~** tutti; **tiene ~** sa stare al mondo

munición nf (carga) munizione f

municipal adj municipale ♦ nm/f (tb: **policía ~**) polizia municipale

municipio nm municipio

muñeca nf (ANAT) polso; (juguete, mujer) bambola

muñeco nm (juguete) bambolotto; (marioneta, fig) pupazzo

mural nm murale m

muralla nf muraglia

murciélago nm pipistrello

murmullo nm brusio ❑ **murmurar** vt, vi mormorare; **murmurar (de)** (criticar) sparlare (di)

muro nm muro

muscular adj muscolare

músculo nm muscolo

museo nm museo

musgo nm muschio

música *nf* musica

musical *adj* musicale

músico, -a *nm/f* musicista *m/f*

muslo *nm* coscia

musulmán, -ana *adj, nm/f* musulmano(-a)

mutación *nf* mutazione *f*

mutilar *vt* mutilare

mutismo *nm* mutismo

mutuo, -a *adj* reciproco(-a)

muy *adv* molto; **M~ Señor mío/ Señora mía** Gent.mo Signore/ Gent.ma Signora; **~ de noche** molto tardi

Nn

N *abr* (= *norte*) N

nabo *nm* rapa

nacer *vi* nascere; (*vegetal, barba, vello*) spuntare □ **nacido, -a** *adj*: **nacido en** nato(-a) a □ **naciente** *adj* (*sol*) nascente; **un interés naciente por...** un crescente interesse per... □ **nacimiento** *nm* nascita; (*de Navidad*) presepio; (*de río*) sorgente *f*

nación *nf* nazione *f* ▸ **Naciones Unidas** Nazioni Unite □ **nacional** *adj* nazionale □ **nacionalidad** *nf* nazionalità *f inv* □ **nacionalismo** *nm* nazionalismo

nada *pron, adv* nulla, niente; **como si ~ come** se niente fosse; **no decir ~** non dire niente; **de ~** di niente; (*respuesta a ¡gracias!*) di niente!; **por ~** per nulla

nadador, a *nm/f* nuotatore(-trice)

nadar *vi* nuotare

nadie *pron* nessuno; **no había ~** non c'era nessuno

nado *nm*: **a ~** a nuoto

nafta *nf* nafta; (*RPI: gasolina*) benzina

naipe *nm* carta (da gioco)

nalga *nf* natica

nana *nf* ninna nanna

naranja *adj inv* arancione *inv* ♦ *nm* (*color*) arancione *m* ♦ *nf* (*fruta*) arancia; **media ~** (*fam*) la mia dolce metà □ **naranjada** *nf* aranciata □ **naranjo** *nm* arancio

narciso *nm* narciso

narcótico, -a *adj* narcotico(-a) ♦ *nm* narcotico □ **narcotizar** *vt* narcotizzare

nardo *nm* (*BOT*) nardo

nariz *nf* naso; **narices** *nfpl* narici *fpl*; **delante de las narices de algn** sotto il naso di qn; **me tiene ~ estoy hasta las narices** ne ho fin sopra i capelli ▸ **nariz chata/respingona** naso camuso/all'insù

narración *nf* narrazione *f*

narrar *vt* narrare □ **narrativa** *nf* narrativa

nata *nf* panna ▸ **nata líquida** panna da cucina

natación *nf* nuoto

natal *adj* natale □ **natalidad** *nf* natalità *f inv*; **control de natalidad** controllo delle nascite

natillas *nfpl* crema pasticcera

nativo, -a *adj* (*país*) nativo(-a), natio(-a); (*población*) indigeno(-a); (*lengua*) madre *inv* ♦ *nm/f* nativo(-a)

natural *adj* naturale; (*flor, fruta*) vero(-a); **~ de** originario(-a) di; **los ~es de Madrid** gli abitanti di Madrid

naturaleza *nf* natura

⚠ **naturaleza** no se traduce nunca por la palabra italiana **naturalezza**.

naturalmente *adv* naturalmente; ¡~! certo!

naufragar *vi* naufragare
❏ **naufragio** *nm* naufragio
▪ **náufrago, -a** *nm/f* naufrago(-a)

náusea *nf* nausea; **me da ~s** mi dà la nausea

náutica *nf* nautica ❏ **náutico, -a** *adj* nautico(-a)

navaja *nf* coltello a serramanico; ~ **(de afeitar)** rasoio

naval *adj* navale

Navarra *nf* Navarra

nave *nf* (*barco*) nave *f*; (*ARQ*) navata
▶ **nave espacial** navicella spaziale
▶ **nave industrial** capannone *m* industriale

navegador *nm* (*INFORM*) browser *m*

navegante *nm/f* navigante *m/f*
❏ **navegar** *vi* navigare

navidad *nf* (*tb:* ~**es**: *período*) Natale *m*; **día de** ~ Natale ❏ **navideño, -a** *adj* natalizio(-a)

nazca *etc vb ver* **nacer**

nazi *adj, nm/f* nazista *m/f*

NE *abr* (= *nor(d)este*) NE

neblina *nf* foschia

necesario, -a *adj*: ~ **(para)** necessario(-a) (a); **(no) es** ~ **que** (non) è necessario che

neceser *nm* necessaire *m inv*

necesidad *nf* necessità *f inv*, bisogno; (*apuro*) difficoltà *f inv*; **en caso de** ~ in caso di bisogno; **hacer sus** ~**es** fare i propri bisogni

necesitado, -a *adj* bisognoso(-a); **estar** ~ **de** avere bisogno di

necesitar *vt* avere bisogno di ♦ *vi*: ~ **de** avere bisogno di; ~ **(hacer)** avere bisogno di (fare); **¿necesita algo?** ha bisogno di qualcosa?

necio, -a *adj, nm/f* tonto(-a)

néctar *nm* nettare *m*

nectarina *nf* pesca noce

negación *nf* negazione *f*

negar *vt* (*hechos, permiso, acceso*) negare; **negarse** *vpr*: ~**se a hacer algo** rifiutarsi di fare qc

negativa *nf* (*rechazo*) rifiuto

negativo, -a *adj* negativo(-a) ♦ *nm* (*FOTO*) negativa

negociación *nf* negoziato

negociado *nm* ripartizione *f*, ufficio

negociante *nm/f* (*COM*) uomo (donna) d'affari; (*pey*) affarista *m/f*

negociar *vt* negoziare ♦ *vi*: ~ **en** o **con** (*COM*) commerciare in

negocio *nm* affare *m*; (*tienda*) negozio; **los** ~**s** gli affari; **hacer** ~**s** fare affari; **¡eso es un** ~! quello è un affare!; ~ **sucio** affare sporco; **¡mal** ~! (*fam*) che cattivo affare!

negro, -a *adj* nero(-a) ♦ *nm* (*color*) nero ♦ *nf* sfortuna, scalogna ♦ *nm/f* (*persona*) nero(-a), negro(-a)

nene, -a *nm/f* bimbo(-a)

neón *nm*: **luz** o **lámpara de** ~ luce *f* o lampada al neon

neoyorquino, -a *adj, nm/f* newyorkese

nervio *nm* nervo; (*BOT, ARQ*) nervatura ❏ **nerviosismo** *nm* nervosismo ❏ **nervioso, -a** *adj* nervoso(-a)

neto, -a *adj* netto(-a)

neumático *nm* pneumatico
▶ **neumático de recambio** ruota di scorta

neurona *nf* neurone *m*

neurosis *nf* nevrosi *f inv*

neutral adj neutrale
  ❏ **neutralizar** vt neutralizzare

neutro, -a adj neutro(-a); (BIO) asessuato(-a)

neutrón nm neutrone m

nevada nf nevicata

nevar vi nevicare

nevera (ESP) nf frigorifero

nexo nm nesso, legame m

ni conj né; (tb: **ni siquiera**) neanche, nemmeno; **ni aunque** nemmeno se; **ni de día ni de noche** né di giorno né di notte

Nicaragua nf Nicaragua m
  ❏ **nicaragüense** adj, nm/f nicaraguense m/f

nicho nm nicchia

nicotina nf nicotina

nido nm nido

niebla nf nebbia

niego etc vb ver **negar**

niegue etc vb ver **negar**

nieto, -a nm/f nipote m/f (di nonni)

nieve vb ver **nevar** ♦ nf neve f; (MÉX: helado) ghiacciolo

ninfa nf ninfa

ningún adj ver **ninguno**

ninguno, -a adj, pron nessuno(-a); **de ninguna manera** niente affatto

niña nf (del ojo) pupilla; ver tb **niño**

niñería (pey) nf bambinata
  ❏ **niñez** nf infanzia

niño, -a adj piccolo(-a); (pey) infantile ♦ nm/f bambino(-a); (chico) ragazzo(-a); (bebé) bebè m inv

níquel nm nichel m

níspero nm nespolo

nítido, -a adj (imagen) nitido(-a); (cielo, atmósfera) limpido(-a)

nitrato nm nitrato

nitrógeno nm nitrogeno, azoto

nivel nm livello ▸ **nivel del aceite** livello dell'olio ▸ **nivel de vida** tenore m di vita ❏ **nivelar** vt livellare, pareggiare; (ingresos, categorías) pareggiare

NN. UU. abr fpl (= Naciones Unidas) ONU f inv

NO abr (= noroeste) NO

---

no

PALABRA CLAVE

adv

1 : ¡no! (en respuesta) no; **ahora no** non ora; **no mucho** non molto; ¡cómo no! come no!, certamente!

2 (con verbo) non; **no viene** non viene; **no es el mío** non è il mio

3 (no + sustantivo): **pacto de no agresión** patto di non aggressione; **los países no alineados** i paesi non allineati

4 : **no sea que haga frío** casomai facesse freddo

5 : **no bien hubo terminado se marchó** non appena ebbi finito, se ne andò via

6 : ¡a que no lo sabes! scommetto che non lo sai!

---

noble adj, nm/f nobile m/f
  ❏ **nobleza** nf nobiltà f inv

noche nf notte f; (la tarde) sera; **de ~, por la ~** di sera; (de madrugada) di notte; **se hace de ~** si fa notte; **es de ~** è notte; **N~ de San Juan** vedi nota nel riquadro

---

NOCHE DE SAN JUAN

La **Noche de San Juan**, il 24 giugno, è una **fiesta** che coincide con il solstizio d'estate e che ha preso il posto di altre antiche feste pagane. Tradizionalmente il fuoco ha un ruolo importante in queste feste e, nelle città e nei paesi di tutta la Spagna, i festeggiamenti e i balli hanno luogo attorno a falò.

Nochebuena *nf* notte *f* di Natale

Nochevieja *nf* notte *f* di San Silvestro

nocivo, -a *adj* nocivo(-a)

noctámbulo, -a *adj, nm/f* nottambulo(-a)

nocturno, -a *adj* notturno(-a); *(clases)* serale

nogal *nm* noce *m*

nómada *adj, nm/f* nomade *m/f*

nombrar *vt* nominare

nombre *nm* nome *m*; **~ y apellidos** nome e cognome ▶ **nombre de pila** nome di battesimo ▶ **nombre de soltera** nome da nubile

nómina *nf (de personal)* elenco; *(hoja de sueldo)* busta *f* paga *inv*

⚠ **nómina** no se traduce nunca por la palabra italiana *nomina*.

nominal *adj* nominale

nominar *vt* nominare

nominativo, -a *adj* (LING) nominativo(-a)

nordeste *nm* nordest *m inv*

nórdico, -a *adj* nordico(-a)

noreste *nm* = **nordeste**

noria *nf* (AGR) ruota ad acqua; *(de feria)* ruota panoramica

normal *adj* normale

normativa *nf* normativa

noroeste *nm* nordovest *m inv*; *(viento)* vento di nordovest

norte *nm* nord *m inv*; *(fig)* meta, obiettivo

norteamericano, -a *adj, nm/f* nordamericano(-a)

Noruega *nf* Norvegia

noruego, -a *adj, nm/f* norvegese *m/f* ♦ *nm (idioma)* norvegese *m*

nos *pron* ci; **~ levantamos a las 7** ci svegliamo alle 7

nosotros, -as *pron* noi

nostalgia *nf* nostalgia

nota *nf* nota; *(ESCOL)* voto; **~s** *nfpl (apuntes)* appunti *mpl*

notar *vt (darse cuenta de)* notare, accorgersi di; *(frío, calor)* sentire; **notarse** *vpr (efectos, cambios)* farsi sentire; **se nota que ...** si vede che ...; **todavía se nota la mancha** la macchia si vede ancora

notario *nm* notaio(-a)

noticia *nf* notizia; **las ~s** (TV) il telegiornale; **tener ~s de algn** avere notizie di qn ▫ **noticiario** *nm* notiziario

notificar *vt* notificare

notorio, -a *adj* notorio(-a)

novato, -a *adj, nm/f* principiante *m/f*

novecientos, -as *adj, pron* novecento *inv*

novedad *nf* novità *f inv*; *(noticia)* notizia fresca

novel *adj* esordiente

novela *nf* romanzo

noveno, -a *adj, nm/f* nono(-a)

noventa *adj inv, nm inv* novanta *(m) inv; ver tb* **cinco**

novia *nf ver* **novio**

novicio, -a *adj, nm/f* (REL) novízio(-a)

noviembre nm novembre m; ver tb **julio**

novillada nf (TAUR) corrida di torelli

novillero nm (TAUR) torero che affronta solo torelli

novillo nm torello; **hacer ~s** (fam) marinare la scuola

novio, -a nm/f (amigo íntimo) ragazzo(-a); (prometido) fidanzato(-a); (en boda) sposo(-a); **los ~s** i fidanzati; (en boda) gli sposi; **viaje de ~s** viaggio di nozze

nube nf nuvola, nube f; (de insectos) sciame m

nublado, -a adj nuvoloso(-a); (día) grigio(-a)

nublarse vpr rannuvolarsi

nubosidad nf nuvolosità f inv

nuca nf nuca

nuclear adj nucleare

núcleo nm nucleo ▸ **núcleo urbano** nucleo urbano

nudillo nm nocca

nudista adj, nm/f nudista m/f

nudo nm nodo ▸ **nudo de carreteras** nodo stradale

nuera nf nuora

nuestro, -a adj, pron nostro(-a); **~ padre** nostro padre; **un amigo ~** un nostro amico; **es el ~** il nostro

nuevamente adv nuovamente, di nuovo

Nueva York n New York f inv

Nueva Zelanda nf Nuova Zelanda

nueve adj inv, nm inv nove (m) inv; ver tb **cinco**

nuevo, -a adj nuovo(-a); **de ~** di nuovo

nuez (pl **nueces**) nf noce f ▸ **nuez (de Adán)** pomo d'Adamo ▸ **nuez moscada** noce moscata

nulo, -a adj nullo(-a); **soy ~ para la música** sono negato per la musica

núm. abr (= número) n.

numeral nm, adj numerale (m)

numerar vt numerare

número nm numero; **estar en ~s rojos** essere in rosso ▸ **número atrasado** numero arretrato ▸ **número de matrícula** (UNIV) numero di matricola; (AUTO) numero di targa ▸ **número de teléfono** numero di telefono

numeroso, -a adj numeroso(-a)

nunca adv mai; **~ he estado en Italia** non sono mai stato in Italia

nupcias nfpl: **en segundas ~** in seconde nozze

nutria nf nutria

nutrir vt nutrire; **nutrirse** vpr: **~se de** nutrirsi di

nutritivo, -a adj (valor) nutritivo(-a); (alimento) nutriente

nylon nm nylon m inv

Ññ

ñato, -a (LAm) adj (de nariz chata) camuso(-a)

ñoñería nf (de persona sosa) insulsaggine f

ñoño, -a adj (soso) scialbo(-a)

Oo

O abr (= oeste) O

o conj o

oasis nm inv oasi f inv

obedecer vt ubbidire a ♦ vi ubbidire; **~ a** (MED, fig) essere dovuto a ❑ **obediente** adj ubbidiente

obeso, -a adj obeso(-a)

obispo nm vescovo

objetar vt: ~ **que** obiettare che ♦ vi fare obiezione di coscienza

objetivo, -a adj obiettivo(-a) ♦ nm (FOTO, finalidad) obiettivo; (blanco) bersaglio

objeto nm oggetto; (finalidad) scopo, fine m; **ser ~ de algo** essere oggetto di qc

objetor nm (tb: **~ de conciencia**) obiettore m di coscienza

obligación nf obbligo; **obligaciones** fpl (ECON) obbligazioni fpl; **~ compiere il mio ecc dovere**

obligar vt obbligare

obligatorio, -a adj obbligatorio(-a)

oboe nm oboe m

obra nf opera; (CONSTR) cantiere m; (tb: **~ de teatro**) opera teatrale; **~s** nfpl lavori mpl; **ser ~ de algn** essere opera di qn; **por ~ de** per opera di
  ▶ **obra maestra** capolavoro
  ▶ **obras públicas** lavori pubblici
  ❑ **obrar** vi operare ❑ **obrero, -a** adj, nm/f operaio(-a); **clase obrera** classe operaia

obsceno, -a adj osceno(-a)

obsequiar vt: ~ **a algn con algo** dare in omaggio qc a qn
  ❑ **obsequio** nm (regalo) omaggio

observación nf (tb comentario) osservazione f

observador, -a adj, nm/f osservatore(-trice)

observar vt osservare

obsesión nf ossessione f
  ❑ **obsesivo, -a** adj ossessivo(-a)

obstáculo nm ostacolo

obstante adv: **no ~** tuttavia, ciò nonostante

obstinado, -a adj ostinato(-a)
  ❑ **obstinarse** vpr ostinarsi; **obstinarse en** ostinarsi a

obstruir vt ostruire; (plan, labor, proceso) ostacolare

obtener vt ottenere

obturador nm otturatore m

obvio, -a adj ovvio(-a)

ocasión nf occasione f; **¡~!** (COM) offerta speciale!; **de ~** (coche) d'occasione ❑ **ocasionar** vt provocare

ocaso nm (puesta de sol) tramonto

occidente nm occidente m; **el O~** l'Occidente

océano nm oceano

ochenta adj inv, nm inv ottanta (m) inv; ver tb **cinco**

ocho adj inv, nm inv otto inv; ver tb **cinco**

ochocientos, -as adj ottocento inv; ver tb **seiscientos**

ocio nm (tiempo) tempo libero

octavilla nf (esp POL) volantino

octavo, -a adj, nm/f ottavo(-a)

octubre nm ottobre m; ver tb **julio**

oculista nm/f oculista m/f

ocultar vt occultare

oculto, -a adj (puerta, persona) nascosto(-a); (razón) occulto(-a)

ocupación nf occupazione f; (quehacer) impegno

ocupado, -a adj occupato(-a); **¿está ~ este asiento?** è occupato questo posto?; **la línea está ocupada** (TELEC) la linea è occupata
  ❑ **ocupar** vt occupare; **ocuparse** vpr: **ocuparse de** occuparsi di

ocurrencia nf (idea) trovata; (: graciosa) battuta; **¡qué ~!** (pey) che idea (balzana)!

 ocurrencia no se traduce nunca por la palabra italiana *occorrenza*.

ocurrir vi (suceso) succedere, accadere; **ocurrirse** vpr: **se me ha ocurrido que ...** mi è venuto in mente che ...; **¿qué te ocurre?** che ti succede?; **¿qué ocurrió?** cos'è successo?; **¡qué cosas se te ocurren!** che ti salta in mente!

 ocurrir no se traduce nunca por la palabra italiana *occorrere*.

odiar vt odiare □ **odio** nm odio □ **odioso, -a** adj (persona) odioso(-a); (tiempo) orribile

odontólogo, -a nm/f odontoiatra m/f

oeste nm ovest m inv; **película del ~** film western m inv; ver tb **norte**

ofender vt offendere; **ofenderse** vpr offendersi □ **ofensa** nf offesa □ **ofensivo, -a** adj offensivo(-a)

oferta nf offerta; **la ~ y la demanda** la domanda e l'offerta; **artículos de o en ~** articoli in offerta

oficial adj ufficiale ♦ nm (MIL) ufficiale m ♦ nm/f (en un trabajo manual) operaio(-a) qualificato(-a); (en una oficina) funzionario(-a)

oficina nf ufficio ▸ **oficina de información** ufficio informazioni ▸ **oficina de turismo** ufficio del turismo □ **oficinista** nm/f impiegato(-a)

 oficina no se traduce nunca por la palabra italiana *officina*.

oficio nm lavoro; (función) funzione f

ofrecer vt offrire; **ofrecerse** vpr: **~se a o para hacer algo** offrirsi di fare qc; **le puedo ~ algo de beber?** posso offrirle qualcosa da bere?; **¿qué se le ofrece?** cosa desidera?; **¿se le ofrece algo?** desidera qualcosa?; **~se de** offrirsi come

ofrecimiento nm offerta

oftalmólogo, -a nm/f oculista m/f

oída nf: **de ~s** per sentito dire

oído nm (ANAT) orecchio; (sentido) udito

oiga etc vb ver **oír**

oír vt sentire; (atender a) ascoltare; **¡oye!** senti!; **¡oiga!** senta!

ojal nm asola

ojalá excl magari ♦ conj (tb: ~ que) speriamo che; **~ (que) venga hoy** speriamo che venga oggi

ojeada nf occhiata

ojera nf occhiaia; **tener ~s** avere le occhiaie

ojo nm occhio; (de puente) arco; (de cerradura) toppa; (de aguja) cruna ♦ excl attenzione!; **tener ~ para** avere occhio per

okupa (fam) nm/f squatter m/f inv

ola nf onda

olé excl olé!

oleada nf ondata

óleo nm: **un ~** un (dipinto a) olio; **al ~ a olio**

oleoducto nm oleodotto

oler vt annusare ♦ vi (despedir olor) odorare; **huele a tabaco** (ambiente) c'è odore di tabacco; (aliento, jersey) sa di tabacco; **~ bien/mal** avere buon/cattivo odore

olfatear vt (comida etc) annusare; (presa) fiutare □ **olfato** nm olfatto; (fig) fiuto

olimpíada nf olimpiade f; **~s** nfpl olimpiadi fpl

oliva nf oliva; **aceite de ~** olio d'oliva □ **olivo** nm ulivo

olla nf pentola; (comida) spezzatino; **~ a presión** pentola a pressione

olmo nm olmo

olor nm odore m

oloroso, -a adj profumato(-a)

olvidar vt dimenticare; **olvidarse** vpr: **~se (de)** dimenticarsi (di); **~ hacer algo** dimenticarsi di fare qc; **olvidé la llave/el pasaporte** ho dimenticato la chiave/il passaporto; **se me olvidó (hacerlo)** mi sono dimenticato (di farlo)

olvido nm (descuido) dimenticanza

ombligo nm ombelico

omiso, -a adj: **hacer caso ~ de** non fare caso a

omitir vt omettere

omnipotente adj onnipotente

omoplato nm scapola

ONCE sigla f (= Organización Nacional de Ciegos Españoles) ente di assistenza spagnolo per i disabili e in particolare per i non vedenti

once adj inv, nm inv undici (m) inv; ver tb **cinco**

onces (CS) nfpl (refrigerio) merenda, spuntino

onda nf (FÍS) onda ▸ **onda corta/larga/media** onda corta/lunga/media □ **ondear** vi ondeggiare; (bandera) sventolare

ONG sigla f (= Organización no gubernamental) ONG f

ONU sigla f (= Organización de las Naciones Unidas) ONU f

opaco, -a adj opaco(-a)

opción nf (elección) scelta; (COM) opzione f; **no hay ~** non c'è alternativa; **tener ~ a** avere diritto a

opcional adj opzionale

ópera nf opera (lirica)

operación nf operazione f

operar vt, vi operare; **operarse** vpr (MED) operarsi; (cambio) verificarsi; **~se de la rodilla** operarsi al ginocchio

opereta nf operetta

opinar vi esprimere un'opinione ♦ vt pensare; **~ que/de** pensare che/di □ **opinión** nf opinione f; **cambiar de opinión** cambiare idea

opio nm oppio

oponer vt opporre; **oponerse** vpr: **~se (a)** opporsi (a); **¡me opongo!** mi oppongo!

oportunidad nf opportunità f inv, occasione f; **~es** nfpl (COM) occasioni fpl

oportuno, -a adj opportuno(-a); **en el momento ~** al momento opportuno

oposición nf opposizione f; **oposiciones** nfpl (ESP) concorso sg; **la ~** (POL) l'opposizione

In Spagna essere impiegato statale significa avere un posto fisso a vita, ma chi aspira a un posto nel settore pubblico deve sostenere esami chiamati **oposiciones**. I candidati devono superare una serie di prove scritte e sostenere vari colloqui. Alcuni si preparano per anni a questi esami e si iscrivono anche alle apposite **academias** preparatorie. Tutti i concorsi per posti nel settore pubblico sono pubblicati nel "BOE", la gazzetta ufficiale.

opresor, a *nm/f* oppressore *m*

oprimir *vt* (*botón*) premere; (*suj: cinturón, ropa*) stringere; (*obrero, campesino*) opprimere

optar *vi*: ~ **por** optare per; ~ **a** aspirare a

optativo, -a *adj* (*asignatura*) facoltativo(-a)

óptica *nf* (*tienda, FÍS, TEC*) ottica

óptico, -a *adj* ottico(-a) ◆ *nm/f* ottico

optimismo *nm* ottimismo ❑ **optimista** *adj, nm/f* ottimista *m/f*

opuesto, -a *pp de* **oponer** ◆ *adj* opposto(-a)

oración *nf* (*REL*) preghiera; (*LING*) proposizione *f*

orador, a *nm/f* oratore(-trice)

oral *adj* orale

orangután *nm* orango

orar *vi* pregare

órbita *nf* (*ASTRON, ANAT*) orbita

orden *nm* ordine *m* ◆ *nf* (*mandato, REL*) ordine *m*; **por** ~ per ordine; **de primer** ~ di prim'ordine ▶ **orden del día** ordine del giorno ❑ **ordenado, -a** *adj* ordinato(-a)

ordenador *nm* (*INFORM*) computer *m inv*

ordenar *vt* (*mandar*) ordinare; (*habitación etc*) riordinare; **ordenarse** *vpr* (*REL*) essere ordinato(-a)

ordeñar *vt* mungere

ordinario, -a *adj* (*tb pey*) ordinario(-a)

orégano *nm* origano

oreja *nf* orecchio

orfanato *nm* orfanotrofio

orfebrería *nf* oreficeria

orgánico, -a *adj* organico(-a)

organismo *nm* organismo

organización *nf* organizzazione *f* ❑ **organizar** *vt* organizzare; **organizarse** *vpr* organizzarsi; (*escándalo*) scoppiare

órgano *nm* (*tb MÚS*) organo

orgasmo *nm* orgasmo

orgía *nf* orgia

orgullo *nm* orgoglio ❑ **orgulloso, -a** *adj* orgoglioso(-a)

orientación *nf* orientamento

orientar *vt* orientare; (*esfuerzos*) dirigere; ~**se** *vpr* orientarsi; ~**se hacia** orientarsi verso

oriente *nm* oriente *m*; O~ **Medio** o **Próximo** Medio Oriente; **Lejano** O~ Estremo Oriente

origen *nm* origine *f*; **de** ~ **español** di origine spagnola; **de** ~ **humilde** di umili origini

original *adj* originale; (*relativo al origen*) originario(-a) ❑ **originalidad** *nf* originalità *f inv*

originar *vt* originare; **originarse** *vpr*: ~**se (en)** originarsi (in)

originario, -a *adj* originario(-a); ~ **de** originario di

orilla *nf* riva; (*de mesa, camino*) bordo

orina *nf* urina ❑ **orinal** *nm* orinale *m* ❑ **orinar** *vi* orinare; **orinarse** *vpr* farsela addosso

oro *nm* oro; *ver tb* **oros**

oros *nmpl* (*NAIPES*) denari *mpl*

orquesta *nf* orchestra

orquídea *nf* orchidea

ortiga *nf* ortica

ortodoxo, -a *adj* ortodosso(-a)

ortografía nf ortografia

ortopedia nf ortopedia

ortopédico, -a adj ortopedico(-a)

oruga nf bruco; (de vehículo) cingolo

orzuelo nm orzaiolo

os pron vi

osa nf orsa

osadía nf audacia, temerarietà f inv

osar vi osare

oscilación nf oscillazione f

oscilar vi oscillare; (precio, temperatura) variare

oscurecer vt oscurare; (color) scurire ♦ vi farsi buio; **oscurecerse** vpr (color) scurirsi; (cielo) rannuvolarsi

oscuridad nf oscurità f inv

oscuro, -a adj (tb cielo) scuro(-a), buio(-a); (color etc) scuro(-a); (palabras, futuro) oscuro(-a); **a oscuras** al buio

óseo, -a adj osseo(-a)

oso nm orso ► **oso de peluche** orsacchiotto di peluche ► **oso hormiguero** formichiere m

ostentar vt sfoggiare; (título, récord) vantare; (superioridad) ostentare

ostra nf ostrica

OTAN sigla f (= Organización del Tratado del Atlántico Norte) NATO f

otitis nf otite f

otoñal adj autunnale

otoño nm autunno

otorgar vt concedere; (ley) promulgare

otro, -a adj (distinto, adicional: sg) un altro; (: pl) altri(-e) ♦ pron: **el ~/la otra** l'altro/l'altra; **otra persona** un'altra persona; **con ~s amigos** con altri amici; **el ~ día** l'altro giorno; **~s 10 días más** altri 10

giorni; **otra vez** un'altra volta; **~ tanto** altrettanto; **~s/otras** altri/altre; **los ~/las otras** gli altri/le altre; **que lo haga** ~ lo faccia qualcun altro; **se odian (la) una a (la) otra** si odiano l'un l'altra; **unos y ~s** gli uni e gli altri

ovación nf ovazione f

ovalado, -a adj ovale

óvalo nm ovale m

ovario nm ovaia

oveja nf pecora

overol (LAm) nm tuta da lavoro

ovillo nm gomitolo; **hacerse un ~** rannicchiarsi

OVNI sigla m (= objeto volante (o volador) no identificado) ufo m inv

ovulación nf ovulazione f
☐ **óvulo** nm ovulo

oxidar vt ossidare; **oxidarse** vpr ossidarsi ☐ **óxido** nm ossido; (sobre metal) ruggine f

oxigenado, -a adj (agua) ossigenato(-a)

oxígeno nm ossigeno

oyendo etc vb ver **oír**

oyente nm/f (de radio) ascoltatore(-trice); (de clase) uditore(-trice)

Pp

pabellón nm padiglione m; (bandera) bandiera

pacer vi pascolare

paciencia nf pazienza

paciente adj, nm/f paziente m/f

pacífico, -a adj pacifico(-a); **el (Océano) P~** l'Oceano Pacifico
☐ **pacifismo** nm pacifismo
☐ **pacifista** nm/f pacifista m/f

pacotilla nf: **de ~** da quattro soldi

pactar vt concordare ♦ vi scendere a patti

pacto nm patto

padecer vt (dolor, enfermedad) soffrire di; (injusticia, consecuencias) subire; (sequía) essere colpito(-a) da ♦ vi: **~** soffrire di
☐ **padecimiento** nm sofferenza

padrastro nm patrigno

padre nm padre m ♦ adj (fam): **una juerga ~** un gran casino; **~s** nmpl (padre y madre) genitori mpl
▶ **padre político** suocero

padrino nm padrino; **~s** nmpl appoggi mpl; **~ de boda** testimone m di nozze

padrón nm anagrafe f

⚠ **padrón** no se traduce nunca por la palabra italiana **padrone**.

paella nf paella

paga nf paga, stipendio; (paga extraordinaria) tredicesima

pagano, -a adj, nm/f pagano(-a)

pagar vt, vi pagare; **¿puedo ~ con tarjeta de crédito?** posso pagare con la carta di credito?

pagaré nm cambiale f

página nf pagina

pago nm pagamento; **~(s)** (CS) zona
▶ **pago a cuenta** acconto

pág(s). abr (= página(s)) pag(g).

pague etc vb ver **pagar**

país nm paese m; **los P~es Bajos** i Paesi Bassi; **el P~ Vasco** i Paesi Baschi

paisaje nm paesaggio

paisano, -a nm/f compaesano(-a); (RPI: campesino) contadino(-a) ♦ adj

(RPI) contadino(-a); **vestir de ~** essere in borghese

paja nf paglia; (fig) roba inutile

pajarita nf farfallino

pájaro nm uccello

pajita nf cannuccia

pala nf pala; (para tarta, basura etc) paletta; (de pimpón, frontón) racchetta

palabra nf (tb promesa, facultad) parola; **faltar a su ~** mancare alla sua parola; **no encuentro ~s para expresar ...** non trovo le parole per esprimere ...

palabrota nf parolaccia

palacio nm palazzo ▶ **palacio de justicia** palazzo di giustizia

paladar nm (tb fig) palato
☐ **paladear** vt assaporare

palanca nf leva ▶ **palanca de cambio** leva del cambio

palangana nf catino

palco nm (TEATRO) palco

Palestina nf Palestina

palestino, -a adj, nm/f palestinese m/f

paleta nf (de albañil) cazzuola; (ARTE) tavolozza; (CAm, MÉX: helado) ghiacciolo

palidecer vi impallidire ☐ **palidez** nf pallore m ☐ **pálido, -a** adj pallido(-a)

palillo nm (para tocar, comer) bacchetta; (para dientes) stuzzicadenti m inv

paliza nf botte fpl; (derrota) batosta; **dar una ~ a algn** dare un sacco di botte a qn

palma nf (de mano) palmo; (árbol) palma; **batir ~s** battere le mani
☐ **palmada** nf pacca, manata; **palmadas** nfpl battimani m inv

palmar (fam) vi (tb: **~la**) crepare

palmear vi battere le mani

palmera nf palma da datteri

palmo nm palmo; **a ~** palmo a palmo

palo nm (de madera) bastone m; (poste) palo; (golpe) bastonata, mazzata; (de golf) mazza; (NÁUT) albero; (NAIPES) seme m

paloma nf colomba; **la ~ de la paz** la colomba della pace

palomitas nfpl (tb: **~ de maíz**) popcorn m inv

palpar vt palpare

palpitar vi palpitare

palta (CS) nf avocado

pamela nf cappellino

pampa nf pampa

pan nm pane m; **un ~** un pezzo di pane; **barra de ~** filone di pane ▶ **pan de molde/integral/ rallado** pane a cassetta/integrale/ grattugiato

pana nf fustagno

⚠ **pana** no se traduce nunca por la palabra italiana *panna*.

panadería nf panetteria

Panamá nm Panama

panameño, -a adj, nm/f panamense m/f

pancarta nf striscione m

panda nm panda m inv

pandereta nf tamburello

pandilla nf compagnia, gruppo di amici

panel nm (de madera) pannello; (en carretera) cartello

panfleto nm (libelo) pamphlet m inv; (folleto) volantino

pánico nm panico

panorama nm panorama m

pantalla nf schermo; (de lámpara) paralume m

pantalón nm pantaloni mpl; **pantalones** nmpl pantaloni

pantano nm (ciénaga) palude f; (embalse) bacino artificiale

panteón nm: **~ familiar** tomba di famiglia

pantera nf pantera

pantis nmpl collant m inv

pantomima nf pantomima

pantorrilla nf polpaccio

panty(s) nm(pl) collant m inv

panza nf pancia

pañal nm pannolino

paño nm (tela) panno; (trapo) straccio; **en ~s menores** in mutande

pañuelo nm fazzoletto; (como adorno) foulard m inv

Papa nm Papa m

papa nf (LAm) patata

papá (fam) nm papà m inv; **~s** nmpl (padre y madre) genitori mpl

papada nf doppio mento

papagayo nm pappagallo

papaya nf papaia

papel nm carta; (TEATRO, fig) ruolo ▶ **papel de aluminio** carta stagnola ▶ **papel de lija** carta smerigliata ▶ **papel de envolver** carta da imballaggio ▶ **papel de estaño** o **plata** carta stagnola ▶ **papel higiénico** carta igienica ▶ **papel moneda** cartamoneta

papeleo nm pratiche fpl

papelera nf cestino

papelería nf cartoleria

papeleta nf (de rifa) biglietto; (POL) scheda; (ESCOL: calificación) pagella

paperas nfpl orecchioni mpl

papilla nf pappa

paquete nm pacco ♦ adj inv (RPI: fam: elegante) elegantone(-a); **un ~ de cigarrillos, por favor** un pacchetto di sigarette, per favore

par adj pari inv ♦ nm paio; **abrir ~ en ~** spalancare; **sin ~** senza pari

para prep per; **no es ~ comer** non è da mangiare; **decir ~ sí** dire tra sé e sé; **¿~ qué?** per fare che?; **¿~ qué quieres?** lo vuoi per fare cosa?; **~ entonces** per allora; **estará listo ~ mañana** sarà pronto per domani; **ir ~ casa** andare a casa; **tengo bastante ~ vivir** ho di che vivere; **~ el caso que me haces** visto che non mi ascolti

parábola nf parabola

parabólica nf (tb: **antena ~**) antenna parabolica

parabrisas nm inv parabrezza m inv

paracaídas nm inv paracadute m inv ❏ **paracaidista** nm/f paracadutista m/f

parachoques nm inv paraurti m inv

parada nf fermata; (de actividad, proceso) interruzione f; (militar, de balón) parata ▸ **parada de autobús** fermata dell'autobus ▸ **parada de taxis** posteggio di taxi

paradero nm recapito

parado, -a adj fermo(-a); (ESP: sin empleo) disoccupato(-a); (LAm: de pie) in piedi ♦ nm/f (ESP) disoccupato(-a)

paradoja nf paradosso

parador nm (tb: **~ de turismo**) hotel di prima categoria gestito dallo Stato situato in edifici di interesse storico-artistico

paraguas nm inv ombrello

Paraguay nm Paraguay m

paraguayo, -a adj, nm/f paraguaiano(-a)

paraíso nm paradiso

paraje nm zona

paralelo, -a adj parallelo(-a) ♦ nm parallelo

parálisis nf inv paralisi f inv

paralítico, -a adj, nm/f paralitico(-a)

paralizar vt paralizzare; **paralizarse** vpr paralizzarsi

paramilitar adj paramilitare

páramo nm terreno brullo

parangón nm: **sin ~** senza paragoni

paranoico, -a adj, nm/f paranoico(-a)

parar vt fermare; (balón) parare ♦ vi smettere; (tren, autobús) fermare; **pararse** vpr fermarsi; (LAm: ponerse de pie) alzarsi; **ha parado de llover** ha smesso di piovere; **fue a ~ a la comisaría** è finito in commissariato; **sin ~** senza sosta; **párese aquí/en la esquina por favor** si fermi qui/all'angolo per favore

pararrayos nm inv parafulmini m inv

parásito, -a adj, nm parassita (m)

parcela nf (de terreno) lotto

parche nm (de ropa, rueda) toppa

parcial adj (tb juicio) parziale

parecer nm parere m ♦ vi sembrare; (asemejarse a) somigliare a; **parecerse** vpr somigliarsi; **al ~** a quanto pare; **me parece bien/importante que ...** mi sembra giusto/importante che ...; **~se a** somigliare a

parecido, -a *adj* simile ♦ *nm* somiglianza

pared *nf* parete *f*

pareja *nf* coppia; *(persona)* compagno(-a), partner *m/f inv*; **una ~ de guardias** due poliziotti

parentela *nf* parentado

parentesco *nm* parentela; *(relación)* relazione *f*

paréntesis *nm inv* parentesi *f inv*

parezca *etc vb ver* **parecer**

pariente, -a *nm/f* parente *m/f*

parir *vt, vi* partorire

París *n* Parigi *f*

parking *nm* parcheggio

parlamentario, -a *adj, nm/f* parlamentare *m/f*

parlamento *nm* parlamento
▶ **Parlamento Europeo** Parlamento Europeo

parlanchín, -ina *adj, nm/f* chiacchierone(-a)

paro *nm* (*huelga*) sciopero; *(desempleo)* disoccupazione *f*; **estar en ~** essere disoccupato(-a); **cobrar el ~** prendere il sussidio di disoccupazione ▶ **paro cardíaco** arresto cardiaco

parodia *nf* parodia ◻ **parodiar** *vt* parodiare

parpadear *vi* battere le palpebre; *(luz)* lampeggiare

párpado *nm* palpebra

parque *nm* parco ▶ **parque de atracciones** luna park *m inv*
▶ **parque de bomberos** *complesso delle attrezzature dei vigili del fuoco in un dato ambito territoriale*

parquímetro *nm* parchimetro

parra *nf* pergolato

párrafo *nm* paragrafo

parrilla *nf* griglia; **carne a la ~** carne alla griglia ◻ **parrillada** *nf* grigliata

párroco *nm* parroco

parroquia *nf* parrocchia

parte *nm* (*METEO*) bollettino ♦ *nf* parte *f*; **por todas ~s** dappertutto; **en (gran) ~** in (gran) parte; **de ~ de** da parte di; **¿de ~ de quién?** (*TELEC*) chi lo (o la) desidera?; **por ~** da parte di; **yo, por mi ~,** da parte mia; **por una ~ ... por otra ~** da una parte ... dall'altra; **dar ~ a algn** notificare a qn; **formar ~ de** fare parte di; **tomar ~ (en)** partecipare (a) ▶ **parte meteorológico** bollettino meteorologico

partición *nf* spartizione *f*

participación *nf* partecipazione *f*; *(de lotería)* biglietto

participante *nm/f* partecipante *m/f*

participar *vt* comunicare, annunciare ♦ *vi*: **~ (en)** partecipare (a)

partícipe *nm/f*: **hacer ~ a algn de algo** rendere partecipe qn di qc

particular *adj (especial)* particolare; *(privado)* privato(-a), personale ♦ *nm (punto, asunto)* questione *f*; *(individuo)* privato; **clases ~es** lezioni private; **en ~** in particolare

partida *nf* partenza; *(juego, COM)* partita; *(de presupuesto)* voce *f*
▶ **partida de defunción/nacimiento** certificato di morte/nascita

partido *nm* partito; *(DEPORTE)* partita; **sacar ~ de** trarre vantaggio da; **tomar ~** schierarsi ▶ **partido judicial** distretto giudiziario

partir vt (dividir) dividere; (romper) spaccare; (rebanada, trozo) tagliare ♦ vi partire; **partirse** vpr spaccarsi; **a ~ de** a partire da

partitura nf partitura, spartito

parto nm (de una mujer) parto; **estar de ~** avere le doglie

pasa nf uva passa

pasada nf (con trapo, escoba) passata; **de ~** (leer, decir) di sfuggita; **mala ~** brutto tiro

pasadizo nm passaggio

pasado, -a adj passato(-a); (tejido) vecchio(-a), logoro(-a) ♦ nm passato; **~ mañana** dopodomani; **el mes ~** il mese scorso; **~ de moda** fuori moda

pasador nm (cerradura) chiavistello; (de pelo) fermaglio; (de seguridad) spilla

pasaje nm passaggio; (de barco, avión) biglietto; (los pasajeros) passeggeri mpl

pasajero, -a adj, nm/f passeggero(-a)

pasamontañas nm inv passamontagna m inv

pasaporte nm passaporto

pasar vt passare; (de un lugar a otro) spostare; (barrera, meta) oltrepassare; (atravesar) attraversare; (coche) sorpassare; (frío, calor, hambre) avere ♦ vi passare; (ocurrir) succedere; (entrar) entrare; **pasarse** vpr passare; (excederse) esagerare; (alimento) andare a male; **~ a hacer** cominciare a fare; **~ de (hacer) algo** (fam) fregarsene di (fare) qc; **¡pase!** avanti!; **~ por un sitio/una calle** passare per un sito/una strada; **~ por alto algo** sorvolare su qc; **sin**

algo farcela senza qc; **~lo bien** divertirsi; **¿qué te pasa?** che ti succede?; **¿qué pasó?** cos'è successo?; **pase lo que pase** a ogni costo; **se hace ~ por médico** si fa passare per un dottore; **pásate por casa/la oficina** passa a casa/in ufficio; **¿me pasa la sal/el aceite por favor?** mi passa il sale/l'olio per favore?; **~se al enemigo** passare al nemico; **~se de listo** fare il furbo; **me lo pasé bien/mal** me la sono passata bene/male; **se me pasó hacerlo** mi sono dimenticato di farlo

pasarela nf passerella

pasatiempo nm passatempo; **~s** nmpl (en revista) giochi mpl enigmistici

Pascua, pascua nf (tb: **~ de Resurrección**) Pasqua; **~s** nfpl feste fpl di Natale; **¡felices ~s!** buon Natale!; **de ~s a Ramos** ogni morte di papa

pase nm passi m inv; (de modas) sfilata; (CINE) proiezione f

pasear vt portare a spasso ♦ vi passeggiare; **pasearse** vpr fare una passeggiata □ **paseo** nm passeggiata; (distancia corta) breve tratto; **dar un paseo** fare una passeggiata ▶ **paseo marítimo** lungomare m

pasillo nm corridoio; **quisiera un asiento junto al ~** vorrei un posto sul corridoio

pasión nf passione f

pasivo, -a adj passivo(-a) ♦ nm (COM) passivo

paso nm passo; (tránsito) passaggio; (TELEC) scatto; **a ese ~** di questo passo; **salir al ~ de** replicare a; **salir al ~ de algn** (ir a buscar a algn) andare dietro a qn; **de ~,** visto che ci siamo, ...; **estar de ~** essere di passaggio; **prohibido el ~** divieto di transito; **ceda el ~** dare la precedenza ▶ **paso a nivel** passaggio a livello ▶ **paso de peatones** o **de cebra** passaggio pedonale ▶ **paso elevado** cavalcavia m inv ▶ **paso subterráneo** sottopassaggio

pasota (fam) adj, nm/f menefreghista m/f

pasta nf pasta; (tb: **~ de té**) pasticcini mpl da tè; (fam: dinero) grana; (encuadernación) rilegatura ▶ **pasta dentífrica** o **de dientes** dentifricio

pastar vi pascolare

pastel nm torta; (más pequeño) pasta; (ARTE) pastello □ **pastelería** nf pasticceria

pastilla nf (tb MED) pastiglia; (de jabón) pezzo; (de chocolate) tavoletta □ **pastillero, a** nm/f (fam) impasticciato(-a)

pasto nm pascolo; (hierba) erba

⚠ **pasto** no se traduce nunca por la palabra italiana **pasto**.

pastor, a nm/f pastore(-a) ♦ nm (REL) pastore m ▶ **pastor alemán** pastore m tedesco

pata nf zampa; (de mueble) gamba; **~s arriba** (caer) gambe all'aria; (revuelto) sottosopra; **meter la ~** fare una gaffe; **tener mala ~** avere sfortuna ▶ **patas de gallo** zampe fpl di gallina □ **patada** nf calcio, pedata

patata nf patata; **~s fritas** patatine fpl fritte

paté nm pâté m inv

paternal adj paterno(-a)

paterno, -a adj paterno(-a)

patético, -a adj patetico(-a)

patilla nf (de gafas) stanghetta; **~s** nfpl (de la barba) basette fpl

patín nm pattino □ **patinaje** nm pattinaggio □ **patinar** vi pattinare; (vehículo) scivolare; (fam: equivocarse) sbagliarsi

patio nm patio, cortile m ▶ **patio de butacas** (CINE, TEATRO) platea

pato nm anatra; **pagar el ~** (fam) andarci di mezzo

⚠ **pato** no se traduce nunca por la palabra italiana **patto**.

patoso, -a adj imbranato(-a), maldestro(-a)

patraña nf bugia, frottola

patria nf patria

patrimonio nm patrimonio

patriota nm/f patriota m/f

patrocinar vt (investigación, proyecto) patrocinare; (equipo) sponsorizzare

patrón, -ona nm/f padrone(-a); (santo) patrono(-a) ♦ nm (de vestido) cartamodello m

patrulla nf pattuglia

pausa nf pausa

pauta nf modello; (en cuaderno) riga

pavimento nm pavimento; (de carretera) manto (stradale)

pavo nm tacchino ▶ **pavo real** pavone m

payaso, -a nm/f pagliaccio(-a)

payo, -a nm/f: **es un ~** non è uno zingaro

paz (pl **paces**) nf pace f; **hacer las paces** fare pace

P.D. abr (= posdata) P.S.

peaje nm pedaggio

peatón nm pedone m

peca nf lentiggine f

pecado nm peccato

pecador, a adj, nm/f peccatore(-trice)

pecar vi peccare; **~ de generoso** essere troppo generoso(-a)

pecho nm (tb fig) petto; (mama) seno; **tomar algo a ~** prendere di petto qc; **tomarse algo a ~** (ofenderse) prendersela per qc

pechuga nf (de ave) petto

peculiar adj peculiare; (raro) singolare

pedal nm pedale m

pedante adj, nm/f pedante m/f

pedazo nm pezzo; **hacer ~s algo/a algn** fare a pezzi qc/qn; **caerse algo a ~s** cadere a pezzi; **ser un ~ de pan** (fig) essere un pezzo di pane

pediatra nm/f pediatra m/f

pedido nm ordine m; **¿puede tomar nota del ~ por favor?** posso ordinare per favore?

pedir vt chiedere; (requerir) richiedere; (COM) ordinare ♦ vi chiedere l'elemosina; **~ disculpas** chiedere scusa; **~ prestado** chiedere in prestito; **¿cuánto piden por el coche?** quanto vogliono per la macchina?

pedo (fam!) nm (ventosidad) scoreggia

pega nf (obstáculo) intralcio; (fam: pregunta) domanda difficile; **de ~** falso; **nadie me** etc **puso ~s** nessuno ha avuto da ridire

pegadizo, -a adj (canción) facile da ricordare

pegajoso, -a adj appiccicoso(-a)

pegamento nm colla

pegar vt (tb enfermedad) attaccare; (pegatina) incollare; (golpear) picchiare ♦ vi (adherirse) attaccarsi; (armonizar) andare bene; (el sol) picchiare; **pegarse** vpr attaccarsi; (enfermedad) trasmettersi; (dos personas) picchiarsi; **~ un grito** lanciare un grido; **~ un salto** fare un salto; **~ en** sbattere contro; **~se un tiro** spararsi

pegatina nf adesivo

pegote (fam) nm (mentira) balla; **tirarse un ~** (fam) fare lo (la) spaccone(-a)

peinado nm pettinatura

peinar vt pettinare; **peinarse** vpr pettinarsi

peine nm pettine m ❑ **peineta** nf fermaglio (per capelli)

p.ej. abr (= por ejemplo) ad es.

Pekín n Pechino f

pelado, -a adj (terreno) brullo(-a); (cabeza) pelato(-a); (fam) senza un soldo

pelar vt pelare; (fruta) sbucciare; **pelarse** vpr (la piel) spellarsi

peldaño nm gradino, scalino

pelea nf (lucha) lotta; (discusión) litigio

peleado, -a adj: **estar ~ (con algn)** essere in urto (con qn)

pelear vi lottare; (discutir) litigare; **pelearse** vpr litigare

peletería nf pelletteria

pelícano nm pellicano

película nf film m inv; (capa fina, FOTO) pellicola; **de ~** (fam) da favola
▶ **película de dibujos (animados)** cartone m animato
▶ **película del oeste** film western
▶ **película muda** film muto

peligro nm pericolo; **correr ~ de** correre il rischio di
❑ **peligroso, -a** adj pericoloso(-a)

pelirrojo, -a adj dai capelli rossi
♦ nm/f rosso(-a)

pellejo nm pelle f

pellizcar vt pizzicare

pellizco nm pizzicotto; (*pizca*) pizzico

pelma adj, nm/f = **pelmazo**

pelmazo, -a (*fam*) adj, nm/f rompiscatole m/f

pelo nm capelli mpl; (*un pelo*) capello; (: *en el cuerpo*) pelo; (: *el graso/seco* ho i capelli grassi/ secchi; **a ~** (*sin abrigo*) a testa nuda; **venir al ~** capitare a proposito; **por los ~s** per un pelo; **con s y señales** per filo e per segno; **no tener ~s en la lengua** non avere peli sulla lingua; **tomar el ~ a algn** prendere in giro qn

pelota nf palla f; (*tb*: **~ vasca**) pelota; **en ~(s)** (*fam*) completamente nudo(-a); **hacer la ~ (a algn)** lisciare il pelo (a qn)

pelotón nm plotone m

peluca nf parrucca f

peluche nm: **muñeco de ~** pupazzo di peluche

peludo, -a adj peloso(-a); (*con mucho cabello*) capellone(-a)

peluquería nf parrucchiere m

peluquero, -a nm/f parrucchiere(-a)

pelusa nf peluria; (*de tela*) peli mpl; (*de polvo*) polvere f

pelvis nf pelvi f inv

pena nf pena f; (*Lam: vergüenza*) vergogna; **~s** nfpl pene fpl; **merecer o valer la ~** valere la pena; **a duras ~s** a fatica; **me da ~** mi addolora;

¡**qué ~!** che peccato! ▸ **pena de muerte** pena di morte ❑ **penal** adj penale; **antecedentes penales** precedenti penali

penalti, penalty nm (calcio di) rigore m

pendiente adj (*asunto*) in sospeso; (*asignatura*) da recuperare; (*terreno*) inclinato(-a) ♦ nm orecchino, pendente m ♦ nf pendio; **estar ~ de algo/algn** (*vigilar*) stare attento(-a) a qc/qn

pene nm pene m

penetrante adj penetrante

penetrar vt, vi penetrare

penicilina nf penicillina

península nf penisola ❑ **peninsular** adj peninsulare

penoso, -a adj penoso(-a); (*trabajoso*) faticoso(-a)

pensador, -a nm/f pensatore(-trice)

pensamiento nm pensiero

pensar vt, vi pensare; **~ (hacer)** pensare di (fare); **~ en** pensare a; **he pensado que** ho pensato che; **~ mal de algn** pensare male di qn

pensativo, -a adj pensoso(-a)

pensión nf pensione f; **media ~** (*en hotel*) mezza pensione; **~ completa** pensione completa ❑ **pensionista** nm/f (*jubilado*) pensionato(-a)

penúltimo, -a adj, nm/f penultimo(-a)

penumbra nf penombra

peña nf masso; (*grupo*) gruppo

peñasco nm rupe f

peñón nm montagna rocciosa; **el P~** la Rocca di Gibilterra

peón nm operaio; (*Lam: AGR*) bracciante m/f; (*AJEDREZ*) pedone m

peor *adj (compar, superl)* peggiore
♦ *adv (compar, superl)* peggio; **de mal en ~** di male in peggio

pepinillo *nm* cetriolino (sott'aceto)

pepino *nm* cetriolo; **(no) me importa un ~** non me ne importa niente

pepita *nf* seme *m*; *(de mineral)* pepita

pequeño, -a *adj, nm/f* piccolo(-a)

pera *nf* pera; **niño ~** figlio di papà

percance *nm* contrattempo

percatarse *vpr:* **~ de** rendersi conto di

percepción *nf* percezione *f*

percha *nf* gruccia; *(en la pared)* attaccapanni *m inv*

percibir *vt* percepire

percusión *nf* percussione *f*

perdedor, a *adj, nm/f* perdente *m/f*

perder *vt, vi* perdere; **perderse** *vpr* perdersi; **echarse a ~** *(comida)* andare a male; **perdimos el tren** abbiamo perso il treno; **he perdido la cartera/el pasaporte** ho perso il portafoglio/passaporto; **me he perdido** mi sono perso

pérdida *nf* perdita; **~s** *nfpl (COM)* perdite *fpl*; **una ~ de tiempo** una perdita di tempo

perdido, -a *adj* perso(-a); **tonto ~** *(fam)* matto da legare

perdiz *nf* pernice *f*

perdón *nm* perdono; **¡~!** chiedo scusa! □ **perdonar** *vt* perdonare; *(eximir)* esonerare ♦ *vi* perdonare; **¡perdone (usted)!** scusi!

perecedero, -a *adj* deperibile

perecer *vi* perire

peregrino, -a *adj (idea)* peregrino(-a) ♦ *nm/f* pellegrino(-a)

perejil *nm* prezzemolo

perenne *adj* perenne; **tener hojas ~s** *(árbol)* essere un sempreverde

pereza *nf* pigrizia

perezoso, -a *adj* pigro(-a); **me da (mucha) pereza** non ho (nessuna) voglia

perfección *nf* perfezione *f* □ **perfeccionar** *vt* perfezionare

perfecto, -a *adj* perfetto(-a)

perfil *nm* profilo; **~es** *nmpl (de figura)* profilo, contorni *mpl*; **de ~** di profilo

perforación *nf* perforazione *f*

perforar *vt* perforare

perfume *nm* profumo

periferia *nf* periferia

periférico, -a *adj* periferico(-a) ♦ *nm (INFORM)* periferica

perímetro *nm* perimetro

periódico, -a *adj* periodico(-a) ♦ *nm* quotidiano

periodismo *nm* giornalismo □ **periodista** *nm/f* giornalista *m/f*

periodo, período *nm* periodo; *(menstruación)* mestruazioni *fpl*

perito, -a *nm/f* perito

perjudicar *vt* compromettere, pregiudicare □ **perjudicial** *adj* dannoso(-a) □ **perjuicio** *nm* danno

perla *nf* perla; **me viene de ~s** mi va benissimo

permanecer *vi* rimanere, restare

permanente *adj* permanente ♦ *nf (en pelo)* permanente

permiso *nm* permesso; *(MIL)* licenza; **con ~** con permesso; **estar de ~** essere in permesso
▶ **permiso de conducir** patente *f* di guida

permitir vt permettere

pero conj però, ma ♦ nm obiezione f; **¡~ bueno!** insomma!; **poner ~s a algo** trovare da ridire su qc

perpendicular adj perpendicolare

perpetuo, -a adj perpetuo(-a); (cargo) a tempo indeterminato

perplejo, -a adj perplesso(-a)

perra nf cagna

perrera nf canile m

perrito nm: **~ caliente** hot dog m inv

perro nm cane m

persa adj, nm/f persiano(-a)

persecución nf inseguimento; (REL, POL) persecuzione f

perseguir vt inseguire; (atosigar, REL, POL) perseguitare; (JUR) perseguire

persiana nf persiana

persistente adj persistente

persistir vi: **~ (en/en hacer)** insistere (in/a fare)

persona nf persona ▶ **persona jurídica** persona giuridica
□ **personaje** nm personaggio
□ **personal** adj, nm personale (m)
□ **personalidad** nf personalità f inv □ **personarse** vpr: personarse **(en)** presentarsi (in)
□ **personificar** vt personificare

perspectiva nf prospettiva; **~s** nfpl (de futuro) prospettive fpl

persuadir vt persuadere; **persuadirse** vpr persuadersi

pertenecer vi: **~ a** appartenere a
□ **perteneciente** adj: ser **perteneciente a** appartenere a
□ **pertenencia** nf (a organización, club) appartenenza; **pertenencias**

nfpl (posesiones) proprietà fpl, beni mpl

pertenezca etc vb ver **pertenecer**

pértiga nf asta; **salto de ~** salto con l'asta

perturbado, -a adj perturbato(-a), scosso(-a) ♦ nm/f (tb: **~ mental**) malato(-a) di mente

Perú nm Perù m

peruano, -a adj, nm/f peruviano(-a)

perversión nf perversione f

perverso, -a adj perverso(-a)

pervertido, -a adj, nm/f pervertito(-a)

pervertir vt depravare, corrompere; **pervertirse** vpr corrompersi

pesa nf peso; **hacer ~s** fare pesi

pesadez nf pesantezza; (fastidio) noia

pesadilla nf incubo

pesado, -a adj (tb broma, sueño, movimiento) pesante; (difícil, duro) faticoso(-a); (aburrido) pesante, noioso(-a) ♦ nm/f rompiscatole m/f; **es demasiado ~** è troppo pesante

pésame nm condoglianze fpl; **dar el ~** fare le condoglianze

pesar vt pesare ♦ vi pesare; (fig: opinión) avere molto peso ♦ nm (remordimiento) rimorso; (pena) dolore m; **a ~ de** malgrado; **a ~ de que** nonostante; **(no) me pesa haberlo hecho** non mi rincresce averlo fatto

pesca nf pesca; **ir de ~** andare a pesca

pescadería nf pescheria

pescadilla nf nasello

pescado nm pesce m

pescador, a nm/f pescatore(-trice)

pescar vt pescare; (fam: novio) accalappiare; (delincuente) beccare ♦ vi pescare

peseta nf peseta

pesimista adj, nm/f pessimista m/f

pésimo, -a adj pessimo(-a)

peso nm (moneda) peso; (balanza) bilancia ▸ **peso bruto/neto** peso lordo/netto ▸ **peso pesado/pluma** (BOXEO) peso massimo/piuma

pesquero, -a adj peschereccio(-a)

pestaña nf ciglio; (borde) bordo

peste nf peste f; (mal olor) puzza

pesticida nm pesticida m

pestillo nm chiavistello

petaca nf (para cigarros) portasigarette m inv; (para tabaco) tabacchiera; (para beber) fiaschetta

pétalo nm petalo

petardo nm petardo

petición nf richiesta; (JUR) istanza

petróleo nm petrolio

petrolero, -a adj petrolifero(-a) ♦ nm petroliera

peyorativo, -a adj peggiorativo(-a)

pez nm pesce m ▸ **pez espada** pesce m spada inv ▸ **pez gordo** (fig) pesce grosso

pezón nm capezzolo

pezuña nf (de animal) zoccolo

pianista nm/f pianista m/f

piano nm pianoforte m

pibe, -a (RPL) nm/f ragazzo(-a)

picadillo nm piatto a base di carne macinata o verdure sminuzzate

picado, -a adj tritato(-a); (cara) butterato(-a); (diente) cariato(-a);
(enfadado) risentito(-a) ♦ nm: **en ~** in picchiata

picador nm (TAUR) picador m inv; (minero) minatore m

picadura nf carie f inv

picante adj (tb comentario, chiste) piccante

picaporte nm maniglia

picar vt (con un pico) picconare; (suj: ave) beccare; (: insecto) pungere; (billete) timbrare; (CULIN) triturare, sminuzzare ♦ vi prudere; (el sol) picchiare; (pez) abboccare; (comida) essere piccante; **picarse** vpr (vino) inacidire; (muela) cariarsi; (ofenderse) offendersi; **me pica el brazo** mi prude il braccio

picardía nf (astucia) astuzia; (travesura) birichinata; (atrevimiento) malizia

pícaro, -a adj (gesto, mirada) malizioso(-a); (niño) birichino(-a) ♦ nm furfante m/f; (LIT) picaro

pichón, -ona (fam) nm/f piccioncino(-a)

pico nm becco; (de mesa, ventana) spigolo; (herramienta) piccone m; (GEO) picco

picudo, -a adj appuntito(-a); (zapato, tejado) a punta

pidiendo etc vb ver **pedir**

pie nm piede m; **ir a ~** andare a piedi; **al ~ de** accanto a; **estar de ~** stare in piedi; **ponerse de ~** mettersi in piedi; **al ~ de la letra** alla lettera; **dar ~ a** dare adito a; **hacer ~** (en el agua) toccare

piedad nf pietà f inv

piedra nf pietra ▸ **piedra preciosa** pietra preziosa

piel nf pelle f

pienso vb ver **pensar** ♦ nm (AGR) mangime m

pierda etc vb ver **perder**

pierna nf gamba; (de cordero) cosciotto

pieza nf pezzo ▶ **pieza de recambio** o **de repuesto** pezzo di ricambio

pigmeo, -a adj, nm/f pigmeo(-a)

pijama nm pigiama m

pila nf pila; (fregadero) lavandino

píldora nf pillola; **la ~ (anticonceptiva)** la pillola (anticonzezionale)

pileta (RPI) nf (fregadero) lavandino; (piscina) piscina

pillar vt prendere; (fam: coger, sorprender) pizzicare; (: conseguir) trovare; (: atropellar) acchiappare; (: alcanzar) acchiappare; **me pilla cerca/lejos** è vicino/fuori mano; **~ una borrachera** (fam) prendersi una sbronza; **~ un resfriado** (fam) beccarsi un raffreddore

pillo, -a adj, nm/f mascalzone(-a)

piloto nm/f pilota m/f ♦ nm (CS: prenda) impermeabile m ▶ **piloto automático** pilota m automatico

pimentón nm paprica

pimienta nf pepe m

pimiento nm peperone m

pinacoteca nf pinacoteca

pinar nm pineta

pincel nm pennello

pinchar vt pungere; (neumático) bucare; (teléfono) mettere sotto controllo; **pincharse** vpr pungersi

pinchazo nm puntura; (de rueda) foratura ▶ **pinchazo telefónico** intercettazione f telefonica

pincho nm spina; (CULIN) stuzzichino ▶ **pincho moruno** spiedino

pingüino nm pinguino

pino nm pino

pinta nf pallino; (de animal) chiazza; (aspecto) aria

pintar vt (tb fig) dipingere; (con lápices de colores) colorare ♦ vi dipingere; (fam) contare; **pintarse** vpr truccarsi; (uñas) smaltarsi

pintor, a nm/f pittore(-trice)

pintoresco, -a adj pittoresco(-a)

pintura nf pittura ▶ **pintura a la acuarela** acquerello ▶ **pintura al óleo** pittura a olio

pinza nf pinza; (para colgar ropa) molletta; **~s** nfpl (para depilar) pinzette fpl

piña nf (fruto del pino) pigna; (fruta) ananas m inv

piñón nm pinolo

piojo nm pidocchio

pipa nf pipa; (BOT) seme m; **~s** nfpl (de girasol) semi mpl; **pasarlo ~** (fam) divertirsi alla grande

pique vb ver **picar** ♦ nm rancore m; (rivalidad) rivalità f inv; **irse a ~** andare a picco; (familia, negocio) andare in malora

piragua nf piroga; (DEPORTE) cánoa ❑ **piragüismo** nm canottaggio

pirámide nf piramide f

pirata adj: **edición/disco ~** edizione/disco ♦ nm pirata m

Pirineo(s) nm(pl) Pirenei mpl

pirómano, -a nm/f piromane m/f

piropo nm complimento

pis (fam) nm pipì f inv; **hacer ~** fare pipì

pisar vt pestare; (apretar con el pie, fig) calpestare; (idea, puesto) fregare; **me has pisado** mi hai pestato un piede

piscina nf piscina

Piscis (ASTROL) Pesci mpl; **ser ~** essere (dei) Pesci

piso nm (planta) piano; (apartamento) appartamento; (suelo) pavimento; **primer ~** primo piano; (LAm: de edificio) pianterreno

pista nf pista ► **pista de aterrizaje** pista di atterraggio ► **pista de baile** pista da ballo ► **pista de carreras** pista automobilistica ► **pista de tenis** campo da tennis

pistola nf pistola

pistón nm pistone m

pitar vi fischiare; (AUTO) suonare il clacson; (fam) filare; (LAm: fumar) fumare

pitillo nm sigaretta

pito nm fischietto; (silbato) fischio; (de coche) clacson m inv

pitón nm pitone m

pitorreo nm burla; **estar de ~** essere in vena di scherzi

pizarra nf ardesia; (encerado) lavagna

pizca nf pezzettino; (de pan) briciola; (fig) briciolo; **ni ~** neanche un briciolo

pizza nf pizza

placa nf placca; (de hielo, FOTO) lastra ► **placa de matrícula** targa (d'immatricolazione)

placer nm piacere m; **ha sido un ~ conocerle** è stato un piacere conoscerla

plaga nf flagello

plagio nm plagio

plan nm piano; (idea) idea; **en ~ económico** (fam) al risparmio; **vamos en ~ de turismo** ci andiamo solo per turismo; **si te pones en ese ~ ...** se la metti su questo piano ...

plana nf pagina; **a toda ~** a caratteri cubitali; **la primera ~** la prima pagina ► **plana mayor** (MIL) stato maggiore

plancha nf (para planchar) ferro da stiro; (de metal, TIP) lastra; (de madera) tavola; **pescado a la ~** pesce alla griglia ❑ **planchar** vt, vi stirare

planear vt pianificare, programmare ♦ vi planare

planeta nm pianeta m

plano, -a adj piano(-a) ♦ nm piano; (de ciudad, terreno etc: plano): **primer ~** (CINE) primo piano; **caer de ~** cadere lungo disteso

planta nf (tb del pie) pianta; (TEC) impianto; (piso) piano; **¿en qué está?** a che piano si trova? ► **planta baja** pianoterra m

plantar vt (tb novio) piantare; (trabajo) abbandonare; **plantarse** vpr piantarsi

plantear vt esporre; (problema, cuestión) porre; (reforma) progettare; (discusión) sollevare; **plantearse** vpr considerare

plantilla nf (de zapato) soletta; (personal) organico

plástico, -a adj plastico(-a) ♦ nm plastica

plastilina® nf plastilina

plata nf (metal) argento; (dinero) denaro; (cosas de plata) argenteria

plataforma nf piattaforma

plátano nm banana; (árbol) platano

platea nf platea

platillo nm piatto ▶ **platillo volante** disco volante

platino nm platino; **~s** nmpl (AUTO) valvole fpl

plato nm piatto ▶ **plato combinado** piatto unico

playa nf spiaggia; **~ de estacionamiento** (CS) parcheggio

playera nf (MÉX) maglietta; **~s** nfpl sandali mpl

plaza nf piazza; (mercado) mercato; (empleo) posto ▶ **plaza de toros** arena

plazo nm termine nm, scadenza; (pago parcial) rata; **a corto/largo ~** a breve/lungo termine; **comprar a ~s** acquistare a rate

plegable adj pieghevole

pleito nm causa; (fig) litigio

pleno, -a adj pieno(-a) ♦ nm seduta plenaria; **en ~ día/verano** in pieno giorno/piena estate; **en plena cara** in pieno faccia

pliego nm (hoja) foglio ▶ **pliego de cargos** capi mpl d'accusa ▶ **pliego de condiciones** capitolato

pliegue nm piega

plomero (LAm) nm idraulico

plomo nm piombo; **~s** nmpl (ELEC) fusibile m; (gasolina) **sin ~** benzina senza piombo

pluma nf piuma ▶ **pluma (estilográfica)** stilografica ▶ **pluma fuente** (LAm) stilografica □ **plumón** nm (edredón) piumino

plural adj plurale (m)

pluriempleo nm doppio lavoro

población nf popolazione f; (pueblo, ciudad) centro (abitato)

poblado, -a adj popolato(-a) ♦ nm villaggio; **densamente ~** densamente popolato

poblar vt popolare

pobre adj, nm/f povero(-a); **los ~s** i poveri □ **pobreza** nf povertà f inv

pocilga nf porcile m

---

poco, -a

adj poco(-a); **pocos/as** pochi/che; **poco tiempo** poco tempo; **de poco interés** di scarso interesse; **pocas personas lo saben** lo sanno poche persone; **unos pocos libros** qualche libro

♦ adv (comer, trabajar) poco; **poco inteligente** poco intelligente; **cuesta poco** costa poco

♦ pron

1: **unos/as pocos/as** qualche

2 (casi): **por poco me caigo** per poco non cadevo

3 (locuciones de tiempo): **a poco de haberse casado** poco dopo essersi sposato; **poco después** poco tempo dopo

4: **poco a poco** poco a poco

♦ nm: **un poco** un po'; **un poco triste** un po' triste; **un poco de dinero** un po' di soldi

podar vt potare

---

poder

vb aux (capacidad, posibilidad, permiso) potere; **no puedo hacerlo** non posso farlo; **puede llegar mañana** potrebbe arrivare domani; **pudiste haberte hecho daño** avresti potuto farti male; **no se puede fumar en este hospital** in quest'ospedale non si può fumare; **podías habérmelo dicho** avresti potuto dirmelo

♦ vi

1 potere; **¿se puede?** si può?; **¡no puedo más!** non ne posso più!; **anduvimos hasta más no poder!** abbiamo camminato fino a non poterne più!

2: **¿puedes con eso?** ce la fai?; **no puedo con este crío** non lo sopporto questo bambino

3: **A le puede a B** (fam) A è più forte di B

♦ vb impers: **¡puede (ser)!** forse!; **¡no puede ser!** non può essere!; **puede que llueva** potrebbe piovere

♦ nm potere m; **ocupar/detentar el poder** prendere/detenere il potere; **estar en el poder** essere al potere; **en mi/tu poder** (posesión) in mio/tuo possesso; **en poder de** in possesso di; **por poderes** (JUR) per procura **▶** **poder adquisitivo** potere d'acquisto **▶** **poder ejecutivo/legislativo** (POL) potere esecutivo/legislativo

poderoso, -a adj potente

podio, podium nm podio

podrido, -a adj marcio(-a); (fig) marcio, corrotto(-a)

podrir vt = pudrir

poema nm poema m

poesía nf poesia

poeta nm/f poeta(-essa)

póker nm poker m inv

polaco, -a adj, nm/f polacco(-a)

polar adj polare

polea nf puleggia, carrucola

polémica nf polemica

polémico, -a adj polemico(-a)

polen nm polline m

policía nm/f poliziotto(-a) **♦** nf polizia

policíaco, -a, policial adj poliziesco(-a)

polideportivo nm centro polisportivo

polilla nf tarma

polio nf polio f inv

política nf politica **▶** **política agraria/económica** politica agricola/economica **▫** **político, -a** adj politico(-a) **♦** nm politico; **padre político** suocero; **hermano político** cognato; **madre política** suocera; **hermana política** cognata

póliza nf polizza; (sello) marca da bollo **▶** **póliza de seguro(s)** polizza di assicurazione

polizón nm (passeggero) clandestino

pollera (CS) nf gonna

pollo nm pollo

polo nm (tb DEPORTE) polo; (helado) ghiacciolo; (suéter) polo f inv **▶** **Polo Norte/Sur** Polo Nord/Sud

Polonia nf Polonia

polvo nm polvere f; **~s** nmpl (en cosmética) cipria; **en ~** in polvere; **estar hecho ~** (fam) essere a pezzi

pólvora nf polvere f da sparo

polvoriento, -a adj polveroso(-a)

pomada nf pomata

pomelo nm pompelmo

⚠ **pomelo** no se traduce nunca por la palabra italiana **pomello**.

pomo nm pomolo

pompa nf pompa; (de jabón) bolla

pómulo nm zigomo

pon vb ver **poner**

ponche nm punch m inv

poncho nm poncho

pondré etc vb ver **poner**

poner

PALABRA CLAVE

vt

1 (colocar) mettere, collocare; (ropa) mettere; (mesa) apparecchiare

2 (imponer: tarea, deberes) dare; (: multa) mettere

3 (obra de teatro, película) dare; **¿qué ponen en el Excelsior?** che danno oggi all'Excelsior?

4 (RADIO, TV) accendere; **ponlo más alto** alza un po' (il volume)

5 (suponer): **pongamos que ...** mettiamo che ...

6 (contribuir): **el gobierno ha puesto un millón** il governo ha messo a disposizione un milione

7 (escribir) scrivere

8 (+ adj) far diventare; **me estás poniendo nerviosa** mi stai facendo innervosire

9 (dar nombre): **al hijo le pusieron Diego** il figlio lo hanno chiamato Diego

10 (huevos) deporre

♦ vi (gallina) deporre le uova

♦ **ponerse** vpr

1 (colocarse) mettersi; **se puso a mi lado** si è messo accanto a me; **ponte en esa silla** mettiti su questa sedia

2 (vestido, cosméticos) mettersi; **¿por qué no te pones el vestido nuevo?** perché non ti metti il vestito nuovo?

3 (sol) tramontare

4 (+ adj) diventare; **se puso muy serio** si fece serio; **te pongo con Pedro** ti passo con Pedro

poniente nm ponente m

pontífice nm pontefice m

popa nf poppa

popular adj popolare
□ **popularidad** nf popolarità f inv

por

PALABRA CLAVE

prep

1 (objetivo, en favor de) per; **luchar por la patria** combattere per la patria; **hazlo por mí** fallo per me; **por no llegar tarde** per non arrivare tardi

2 (causa) per; **por escasez de fondos** per mancanza di fondi; **le castigaron por desobedecer** lo hanno punito per aver disobbedito

3 (agente) da; **escrito por él** scritto da lui

4 (tiempo): **por la mañana/Navidad** di mattina/a Natale

5 (lugar) per; **pasar por Madrid** passare per Madrid; **caminar por la calle/por las Ramblas** camminare per la strada/per le Ramblas; **por fuera/dentro** di fuori/di dentro; **vive por aquí** vive qui intorno; ver tb **todo**

6 (cambio, precio) per; **lo vendo por 10 euros** lo vendo per 10 euro; **te doy uno nuevo por el que tienes** te ne do uno nuovo al posto di quello che hai

7 (valor distributivo); **8 euros por hora/cabeza** 8 euro all'ora/a testa;

100 km por hora 100 km all'ora; **veinte por ciento** venti per cento; **caso por caso** caso per caso

9 (*modo, medio*) per; **por avión/correo** per via aerea/per posta; **por tamaños** in ordine di grandezza

10 (*MAT*) per; **25 por 4 son 100** 25 per 4 fa 100

11: **ir/venir (a) por algo/algn** andare/venire a prendere qc/qn; **estar/quedar por hacer** essere ancora da fare

12 (*evidencia*): **por lo que dicen** a quanto dicono

13: **por si (acaso)** nel caso

14: **¿por qué?** perché?; **¿por qué no?** perché no?

porcelana *nf* porcellana

porcentaje *nm* percentuale *f*

porción *nf* porzione *f*

pormenor *nm* dettaglio, particolare *m*

pornografía *nf* pornografia

poro *nm* poro

poroso, -a *adj* poroso(-a)

porque *conj* perché

porqué *nm* perché *m inv*, motivo

porquería *nf* porcheria; (*algo sin valor*) schifezza; **~s** *nfpl* (*comida*) schifezze *fpl*

porra *nf* manganello; **¡vete a la ~!** vai a quel paese!

porrazo *nm* botta

porrón *nm* brocca

portada *nf* copertina

portador, -a *nm/f* portatore(-trice)

portaequipajes *nm inv* portabagagli *m inv*

portal *nm* (*entrada*) atrio; (*puerta*) portone *m*; (*en internet*) portale *m*

portamaletas *nm inv* = **portaequipajes**

portarse *vpr* comportarsi; **~ bien/mal** comportarsi bene/male

portátil *adj* portatile

portavoz *nm/f* portavoce *m/f*

portazo *nm*: **dar un ~** sbattere la porta

porte *nm* (*COM*) trasporto

porteño, -a *adj* di Buenos Aires

portería *nf* portineria; (*DEPORTE*) porta

portero, -a *nm/f* (*tb DEPORTE*) portiere(-a) ► **portero automático** citofono

pórtico *nm* portico

portorriqueño, -a *adj* portoricano(-a)

Portugal *nm* Portogallo

portugués, -esa *adj, nm/f* portoghese *m/f* ♦ *nm* (*LING*) portoghese *m*

porvenir *nm* avvenire *m*

posar *vt, vi* posare; **posarse** *vpr* posarsi

posavasos *nm inv* sottobicchiere *m*

posdata *nf* poscritto

pose *nf* posa

poseedor, a *nm/f* possessore (posseditrice); (*di titolo, record*) detentore(-trice); (*padrone*) proprietario(-a)

poseer *vt* possedere; (*récord, título*) detenere

posesivo, -a *adj* possessivo(-a)

posibilidad *nf* possibilità *f inv*

posible *adj* possibile; **es ~ que** è possibile che

posición *nf* posizione *f*

positivo, -a adj positivo(-a) ♦ nf (FOTO) positivo

posponer vt posporre; (aplazar) posticipare, rimandare

posta nf: **a ~** apposta

postal adj postale ♦ nf cartolina

poste nm palo

póster nm poster m inv

posterior adj posteriore

postgrado nm specializzazione f post-laurea

postizo, -a adj posticcio(-a) ♦ nm toupet m inv

postre nm dolce m, dessert m inv

póstumo, -a adj postumo(-a)

postura nf posizione f; (ante hecho, idea) atteggiamento

potable adj potabile

potaje nm minestra

potencia nf potenza; **en ~** potenzialmente

potencial adj, nm potenziale (m)

potente adj potente

potro nm puledro; (DEPORTE) cavallo

pozo nm pozzo

práctica nf pratica; **~s** nfpl (ESCOL) lezioni fpl pratiche; (MIL) esercitazioni fpl; **en la ~** nella pratica

practicante adj (REL) praticante ♦ nm/f (MED) infermiere(-a) generico(-a)

practicar vt praticare; (ensayar) provare ♦ vi esercitarsi

práctico, -a adj pratico(-a)

practique etc vb ver **practicar**

pradera nf prato; (pasto) pascolo

prado nm parco

Praga n Praga

pragmático, -a adj pragmatico(-a)

precario, -a adj precario(-a)

precaución nf precauzione f, prudenza

precedente adj, nm precedente (m)

precepto nm precetto

precinto nm (COM: tb: **~ de garantía**) sigillo di garanzia

precio nm prezzo; **a ~ de saldo** in saldo ♦ **precio al detalle** o **al por menor** prezzo al dettaglio

precioso, -a adj (hermoso) bellissimo(-a); (de mucho valor) prezioso(-a)

precipicio nm precipizio

precisamente adv (con precisión) esattamente; (exactamente) precisamente, proprio

precisar vt (necesitar) avere bisogno di; (determinar, especificar) precisare

precisión nf precisione f; **de ~** di precisione

preciso, -a adj preciso(-a); (necesario) necessario(-a)

preconcebido, -a adj preconcetto(-a)

precoz adj precoce

predecir vt predire

predestinado, -a adj predestinato(-a)

predicar vt, vi predicare

predicción nf predizione f; (METEO) previsione f

predilecto, -a adj prediletto(-a)

predisposición nf predisposizione f

predominar vi predominare ❑ **predominio** nm predominio

preescolar adj prescolare

prefabricado, -a adj prefabbricato(-a)

prefacio nm prefazione f

preferencia nf (predilección) preferenza; (AUTO) precedenza

preferible adj preferibile

preferir vt preferire; ~ **hacer/que** preferire fare/che

prefiera etc vb ver **preferir**

prefijo nm (TELEC) prefisso; ¿**cuál es el ~ de Roma?** qual è il prefisso di Roma?

pregunta nf domanda; **hacer una ~** fare una domanda

preguntar vt, vi chiedere, domandare; **preguntarse** vpr domandarsi, chiedersi; ~ **por algn** chiedere di qn

prehistórico, -a adj preistorico(-a)

prejuicio nm pregiudizio

preludio nm preludio

premiar vt premiare

premio nm premio

prenatal adj prenatale

prenda nf (ropa) capo, indumento; (garantía) pegno

prender vt (sujetar) attaccare; (con alfiler) appuntare; (delincuente) arrestare; (LAm: encender) accendere ♦ vi (fuego, idea, miedo) propagarsi; (planta) attecchire; **prenderse** vpr prendere fuoco; (LAm: encenderse) accendersi; ~ **fuego a algo** dare fuoco a qc

prendido, -a (LAm) adj (luz etc) acceso(-a)

prensa nf stampa

preñado, -a adj: ~ **de** carico di; **preñada** (mujer) incinta

preocupación nf preoccupazione f

preocupado, -a adj preoccupato(-a)

preocupar vt preoccupare; **preocuparse** vpr (inquietarse) preoccuparsi; ~ **se de algo** (hacerse cargo) occuparsi di qc

preparación nf preparazione f

preparado, -a adj pronto(-a), preparato(-a); (estudiante) preparato(-a) ♦ nm (MED) preparato

preparar vt preparare; **prepararse** vpr prepararsi; ~ **se para hacer algo** prepararsi per fare qc
❏ **preparativos** nmpl preparativi mpl

presa nf preda; (construcción) diga

presagio nm presagio

prescindir vi: ~ **de** (privarse de) rinunciare a; (descartar) prescindere da

prescribir vt prescrivere

presencia nf presenza
❏ **presenciar** vt assistere a

presentación nf presentazione f

presentador, a nm/f presentatore(-trice)

presentar vt presentare; (JUR: pruebas) addurre; (documentos) produrre; **presentarse** vpr presentarsi

presente adj, nm presente (m); **tener ~** tenere presente

presentimiento nm presentimento

presentir vt avere un presentimento; ~ **que** avere il presentimento che

preservativo nm preservativo

presidencia nf presidenza

presidente nm/f presidente m/f

presidir vt (reunión) presiedere

presión nf pressione f; **cerrar a ~** chiudere a pressione ▶ **presión atmosférica** pressione atmosferica □ **presionar** vt (coaccionar) fare pressione su ♦ vi: **presionar para** fare pressione affinché

preso, -a adj: **~ de terror/pánico** in preda al terrore/panico ♦ nm/f (en la cárcel) detenuto/a

prestación nf (ADMIN) prestazione f; **prestaciones** nfpl (TEC, AUTO) prestazioni fpl

prestado, -a adj: **pedir ~** chiedere in prestito

préstamo nm prestito
▶ **préstamo hipotecario** mutuo ipotecario

prestar vt prestare; **¿puede ~me algo de dinero?** mi può prestare dei soldi?

prestigio nm prestigio

presumido, -a adj, nm/f presuntuoso/a); (preocupado de su aspecto) vanitoso/a)

presumir vt presumere ♦ vi (tener aires) vantarsi; **~ de listo** si vanta di essere furbo

presunto, -a adj presunto/a)

presuntuoso, -a adj presuntuoso/a)

presuponer vi presupporre

presupuesto pp de **presuponer** ♦ nm (FIN) bilancio (di previsione), budget m inv; (de costo, obra) preventivo

pretencioso, -a adj pretenzioso/a)

pretender vt pretendere; **~ que** pretendere che □ **pretendiente** nm pretendente m/f □ **pretensión**

nf pretesa; (aspiración) aspirazione f; **pretensiones** nfpl (pey) pretese fpl

pretexto nm (excusa) pretesto

prevención nf prevenzione f

prevenido, -a adj: (estar) (preparado) essere avvisato; (ser) ~ (cuidadoso) essere accorto

prevenir vt (avisar) avvisare; (evitar) prevenire; **prevenirse** vpr premunirsi; **~se contra** premunirsi contro

preventivo, -a adj preventivo/a)

prever vt prevedere

previo, -a adj (anterior) precedente; **~ pago de los derechos** previo pagamento dei diritti

previsión nf previsione f; **en ~ de** in previsione di

prima nf (COM, DEPORTE) premio; ver tb **primo**

primario, -a adj primario/a); (enseñanza) elementare

primavera nf primavera

primera nf prima; **a la ~** al primo colpo

primero, -a adj (delante de nmsg **primer**) adj primo/a) ♦ adv (en primer lugar) primo, per prima cosa; (más bien) piuttosto ♦ nm: **ser/ llegar el ~** essere/arrivare primo

primitivo, -a adj primitivo/a)

primo, -a adj (MAT) primo/a) ♦ nm/f cugino/a); (fam) scemo/a); **materias primas** materie prime ▶ **primo hermano** cugino di primo grado

primogénito, -a adj, nm/f primogenito/a)

princesa nf principessa

principal adj principale

príncipe nm principe m

principiante nm/f principiante m/f

principio nm (comienzo) principio, inizio; (fundamento, moral, tb QUÍM) principio; **en ~** in linea di massima

pringue nm (grasa) grasso

prioridad nf priorità f inv

prisa nf fretta; **correr ~** essere urgente; **darse ~** fare presto; **tener ~** avere fretta

prisión nf prigione f

prisionero, -a nm/f prigioniero(-a)

prismáticos nmpl binocolo

privado, -a adj privato(-a)

privar vt (despojar) privare; **privarse** vpr: **~se de** (abstenerse) rinunciare a

privilegio nm privilegio

pro nm pro m inv ♦ prep: **asociación ~ ciegos** associazione pro non vedenti ♦ pref: **~ soviético/ americano** filosovietico/ filoamericano; **en ~ de** a favore di; **los ~s y los contras** i pro e i contro

proa nf (NÁUT) prua

probabilidad nf probabilità f inv
❑ **probable** adj probabile

probador nm salottino di prova

probar vt provare; (comida) assaggiare ♦ vi provare; **probarse** vpr: **~se un traje** provarsi un vestito; **¿puedo ~lo?** potrei assaggiarlo?

probeta nf provetta; **bebé ~** bambino in provetta

problema nm problema m

proceder vi (actuar) agire; (ser correcto) essere opportuno ♦ nm (comportamiento) comportamento; **~ a** procedere a; **~ de** venire da
❑ **procedimiento** nm procedimento; (ADMIN) procedura; (JUR) processo

procesador nm: **~ de textos** (INFORM) programma m di videoscrittura

procesar vt (JUR) processare; (INFORM, TEC) elaborare

procesión nf processione f

proceso nm (tb JUR, INFORM) processo

proclamar vt proclamare

procrear vt, vi procreare

procurador, a nm/f (JUR) procuratore m

procurar vt (intentar) cercare di; (proporcionar) procurare; **procurarse** vpr procurarsi

prodigio nm prodigio

prodigioso, -a adj prodigioso(-a)

producción nf produzione f; **~ en serie** produzione in serie

producir vt produrre; **producirse** vpr (ocurrir) avvenire

productividad nf produttività f inv

producto nm prodotto

productor, a adj, nm/f produttore(-trice)

proeza nf prodezza

profano, -a adj, nm/f profano(-a)

profecía nf profezia

profesión nf professione f
❑ **profesional** adj professionale; (deporte) professionistico(-a) ♦ nm/f professionista m/f

profesor, a nm/f professore(-essa)

profeta nm profeta m

prófugo, -a nm/f latitante m/f ♦ nm (MIL) renitente m alla leva

⚠ **prófugo** no se traduce nunca por la palabra italiana **profugo**.

profundidad nf profondità f inv;
~es nfpl (de océano etc) profondità
fpl; ¿qué ~ tiene la piscina? quanto
è profonda la piscina?
□ **profundizar** vi: profundizar en
(fig) approfondire □ **profundo, -a**
adj profondo(-a)

programa nm programma m
□ **programación** nf
programmazione f
□ **programador, a** nm/f
programmatore(-trice)
□ **programar** vt programmare

progresar vi progredire
□ **progresista** adj, nm/f
progressista m/f □ **progresivo, -a**
adj progressivo(-a) □ **progreso** nm
progresso

prohibición nf divieto, proibizione
f

prohibir vt vietare, proibire;
"**prohibido fumar**" "vietato
fumare"; "**prohibida la entrada**" "è
vietato l'ingresso"

prójimo nm prossimo sg; (pey)
tizio(-a)

prólogo nm prologo

prolongar vt prolungare;
prolongarse vpr prolungarsi

promedio nm media

promesa nf promessa

prometer vt: ~ hacer algo
promettere di fare qc ♦ vi
promettere; **prometerse** vpr (dos
personas) fidanzarsi

prometido, -a nm/f fidanzato(-a)

prominente adj prominente;
(artista) di spicco

promiscuo, -a (pey) adj (persona)
di facili costumi

promoción nf promozione f

promotor, a nm/f
promotore(-trice)

promover vt promuovere;
(escándalo) provocare

promulgar vt promulgare

pronombre nm pronome m

pronosticar vt pronosticare
□ **pronóstico** nm pronostico; (MED)
prognosi f inv ▶ **pronóstico del
tiempo** previsioni fpl del tempo

pronto, -a adj (rápido) pronto(-a)
♦ adv subito; (dentro de poco,
temprano) presto ♦ nm (impulso)
impeto; (: de ira) scatto; **de ~**
all'improvviso; **por lo ~** per il
momento

pronunciar vt pronunciare;
pronunciarse vpr (MIL) ribellarsi,
insorgere; (declararse) pronunciarsi;
¿cómo se pronuncia? come si
pronuncia?

propaganda nf (POL) propaganda;
(en revistas, buzones) pubblicità f inv

propenso, -a adj: ~ a propenso(-a)
a; **ser ~ a hacer algo** essere
propenso a fare qc

propicio, -a adj propizio(-a)

propiedad nf proprietà f inv
▶ **propiedad particular**
proprietà privata
□ **propietario, -a** nm/f
proprietario(-a)

propina nf mancia; ¿cuánto he de
dejar de ~? quanto devo lasciare di
mancia?

propio, -a adj proprio(-a); (mismo:
in persona) lo (la) stesso(-a); **el ~
ministro** il ministro in persona; **es ~
de él** è caratteristico di lui; ¿tienes
casa propia? hai una casa tua?

proponer vt proporre; **proponerse**
vpr: ~se hacer proporsi di fare

proporción nf proporzione f;
 proporciones nfpl (dimensiones, tb
 fig) proporzioni fpl

proposición nf proposta; (LING)
 proposizione f

propósito nm proposito ♦ adv: **a ~**
 a proposito; (de forma deliberada) di
 proposito; **a ~ de** a proposito di

propuesta nf proposta

propulsar vt (impulsar) stimolare
 □ **propulsión** nf propulsione f

prórroga nf (de plazo) proroga;
 (DEPORTE) tempi mpl supplementari;
 (MIL) rinvio □ **prorrogar** vt (plazo)
 prorogare; (decisión) rinviare

prosa nf (LIT) prosa

proseguir vt, vi proseguire;
 (discusiones, obras etc) riprendere

prospecto nm (MED) foglio
 illustrativo

prosperar vi progredire,
 svilupparsi □ **prosperidad** nf
 prosperità f inv □ **próspero, -a** adj
 prospero(-a); **próspero año nuevo**
 felice anno nuovo

prostíbulo nm postribolo

prostitución nf prostituzione f

prostituir vt prostituire;
 prostituirse vpr prostituirsi

prostituta nf prostituta

protagonista nm/f protagonista
 m/f

protección nf protezione f

protector, a adj (barrera, gafas,
 crema) protettivo(-a) ♦ nm/f
 protettore(-trice)

proteger vt proteggere;
 protegerse vpr: **~se (de)**
 proteggersi (da)

proteína nf proteina

protesta nf protesta

protestante adj protestante

protestar vi protestare ♦ vt
 (cheque) protestare

protocolo nm protocollo

prototipo nm prototipo

provecho nm beneficio, profitto;
 ¡buen ~! buon appetito!; **en ~ de**
 a beneficio di; **sacar ~ de** trarre
 beneficio da

provenir vi provenire

proverbio nm proverbio

providencia nf provvidenza;
 (medida) provvedimento

provincia nf provincia

PROVINCIA

La Spagna, incluse le isole e i
territori nordafricani, è suddivisa
in 55 **provincias** amministrative.
Ogni provincia ha una capitale, che
generalmente ha lo stesso nome
della provincia stessa. Le
provincias sono raggruppate per
geografia, storia e cultura in
comunidades autónomas.

---

provisión nf (abastecimiento)
 provvista; **provisiones** nfpl (víveres)
 provviste fpl

provisional adj provvisorio(-a)

provocar vt provocare; **¿te
 provoca un café?** (CAm) ti va un
 caffè?

provocativo, -a adj
 provocatorio(-a); (belleza, risa)
 provocante

próximamente adv
 prossimamente

proximidad nf vicinanza,
 prossimità f inv; **~es** nfpl (cercanías)
 vicinanze fpl

próximo, -a adj (cercano) vicino(-a); (parada, año) prossimo(-a)

proyectar vt progettare; (luz, película etc) proiettare

proyectil nm proiettile m

proyecto nm progetto

proyector nm proiettore m

prudencia nf prudenza
❑ **prudente** adj prudente

prueba vb ver **probar** ♦ nf prova; ~ en prova; a ~ de a prova di; a ~ de agua a tenuta d'acqua; poner o someter a ~ mettere alla prova

psicología nf psicologia
❑ **psicológico, -a** adj psicologico(-a)

psicópata nm/f psicopatico(-a)

psicosis nf inv psicosi f inv

psiquiatra nm/f psichiatra m/f
❑ **psiquiátrico, -a** adj psichiatrico(-a)

PSOE sigla m = Partido Socialista Obrero Español

pta(s). abr = peseta(s)

pubertad nf pubertà f inv

publicación nf pubblicazione f

publicar vt pubblicare; (secreto) rivelare, rendere pubblico

publicidad nf pubblicità f inv

publicitario, -a adj pubblicitario(-a)

público, -a adj pubblico(-a) ♦ nm pubblico; en ~ in pubblico

puchero nm (CULIN: olla) pignatta; (: guiso) lesso; hacer ~s assumere l'espressione di chi sta per piangere

pudiendo etc vb ver **poder**

pudor nm pudore m

pudrir vt far marcire, imputridire; **pudrirse** vpr marcire

pueblo vb ver **poblar** ♦ nm popolo; (población pequeña) paese m

pueda etc vb ver **poder**

puente nm (gen) ponte m; hacer ~ (fam) fare ponte; ► **puente aéreo/colgante/levadizo** ponte aereo/sospeso/levatoio

puerco, -a adj sporcaccione(-a) ♦ nm/f (ZOOL) maiale (scrofa); (fam) porco(-a)

pueril adj puerile

puerro nm porro

puerta nf porta; (de coche) portiera; a ~ cerrada a porte chiuse ► **puerta giratoria** porta girevole

puerto nm porto; (de montaña) passo, valico

puertorriqueño, -a adj, nm/f portoricano(-a)

pues conj (en tal caso) allora; (puesto que) perché o (así que) quindi; ¡~ claro! ma certo!; ~ ... no sé bien ... non lo so

puesta nf: ► **puesta al día** aggiornamento ► **puesta a punto** messa a punto ► **puesta de sol** tramonto ► **puesta en marcha/en escena** messa in moto/in scena

puesto, -a pp de **poner**; ir muy ~ essere in ghingheri ♦ nm posto; (de policía) stazione f; (COM: en mercado) bancarella; (: periódicos) edicola ♦ conj: ~ que dato o visto che

pulga nf pulce f

pulgada nf (medida) pollice m

pulgar nm pollice m

pulir vt lucidare

 pulir no se traduce nunca por la palabra italiana *pulire*.

pulmón nm polmone m
□ **pulmonía** nf polmonite f

pulpa nf polpa

pulpería (LAm) nf drogheria

púlpito nm (REL) pulpito

pulpo nm polipo

pulsación nf pulsazione f; (en teclado) battuta

pulsar vt (tecla) battere; (botón) premere

pulsera nf bracciale m; **reloj de ~** orologio da polso

pulso nm polso; **ganar algo a ~** guadagnarsi qc a forza

pulverizador nm nebulizzatore m

pulverizar vt polverizzare; (líquido) spruzzare

puna (CAm) nf (MED) mal m di montagna

punta nf (tb fútbol) punta; **horas ~** ore di punta; **sacar ~** (lápiz) temperare

puntada nf (COSTURA) punto

puntal nm puntello

puntapié (pl ~s) nm calcio

puntería nf mira

puntero, -a adj (industria, país) di punta ♦ nm (vara) bacchetta

puntiagudo, -a adj appuntito(-a)

puntilla nf (COSTURA) merletto; **(andar) de ~s** (camminare) in punta di piedi

punto nm punto; **a ~** (listo) a punto; **estar a ~ de** essere sul punto di; **dos ~s** (TIP) due punti; **de ~** a maglia; **en ~** (horas) in punto; **estar en su ~** (CULIN) essere cotto a puntino; **hacer ~** lavorare a maglia ▶ **punto acápite** (LAm) punto e a capo
▶ **punto de vista** punto di vista
▶ **punto muerto** punto morto
▶ **punto y coma** punto e virgola
□ **puntocom, punto.com** nf inv società che opera in Internet ♦ adj inv che opera in Internet
□ **puntuación** nf (signos) punteggiatura; (puntos) punteggio

puntual adj puntuale
□ **puntualidad** nf puntualità f inv

puntuar vt (texto) inserire la punteggiatura in; (examen) valutare ♦ vi (DEPORTE) ottenere punti; (obtener puntos) ottenere punti

punzada nf (puntura) puntura
□ **punzar** vt (pinchar) pungere

puñado nm pugno

puñal nm pugnale m □ **puñalada** nf pugnalata

puñetazo nm pugno

puño nm (ANAT) pugno; (de ropa) polsino; (de herramienta) manico

pupila nf (ANAT) pupilla

pupitre nm banco

puré nm (CULIN) purè m inv

purga nf purga □ **purgante** nm lassativo, purgante m

purgatorio nm purgatorio

purificar vt purificare

puritano, -a adj, nm/f puritano(-a)

puro, -a adj puro(-a) ♦ nm (tabaco) sigaro; **de ~ cansado** talmente stanco; **por pura casualidad** per puro caso

púrpura nm (color) porpora m

pus nm pus m inv

puse etc vb ver **poner**

puta (fam!) nf puttana

putrefacción nf putrefazione f

PVP (ESP) sigla m (= Precio de Venta al Público) prezzo di vendita al pubblico

Qq

que

PALABRA CLAVE

pron rel

1 (*sujeto, objeto*) che; **el hombre que vino ayer** l'uomo che è venuto ieri; **el sombrero que te compraste** il cappello che ti sei comprata

2 (*circunstancia*): **el día que yo llegué** il giorno che sono arrivato

3 (*con prep*) cui; **el piano con que toca** il piano con cui suona; **el libro del que te hablé** il libro di cui ti ho parlato; **el día que yo llegué** il giorno in cui sono arrivato; *ver tb* **el**

♦ *conj*

1 (*con oración subordinada*) che; **dijo que vendría** ha detto che sarebbe venuto; **espero que lo encuentres** spero che lo trovi; **decir que sí/no** dire di sì/no; *ver tb* **el**

2 (*con verbo de mandato*): **dile que me llame** digli di chiamarmi

3 (*en oración independiente*): **¡que entre!** entri pure!; **¡que se mejore tu padre!** spero che tuo padre stia meglio!; **que lo haga él** lo faccia lui; **que yo sepa** che io sappia

4 (*enfático*): **¿me quieres? - ¡que sí!** mi ami? - certo che sì!

5 (*consecutivo*) che; **es tan grande que no lo puedo levantar** è così grande che non riesco a sollevarlo

6 (*en comparaciones*) di; **es más alto que tú** è più alto di te; **es más fuerte que inteligente** è più forte che intelligente; **ese libro es igual que el otro** questo libro è uguale all'altro; *ver tb* **más, menos, mismo**

7 (*porque*): **no puedo, que tengo que quedarme en casa** non posso perché devo rimanere a casa

8 (*valor condicional*): **que no puedes, no lo haces** se non ci riesci non lo fare

9 (*valor final*): **sal a que te vea** esci, così ti posso vedere

10: **todo el día toca que toca** tutto il giorno a suonare

qué *adj* che, quale ♦ *pron* che cosa; **¿~ edad tiene?** che età ha?; **¡~ divertido/asco!** che spasso/schifo!; **¡~ día más espléndido!** che splendida giornata!; **¿~?** che c'è?; **¿~ quieres?** che (cosa) vuoi?; **¿de ~ me hablas?** che mi stai dicendo?; **¿~ tal?** come va?; **¿y ~ más?** e poi?; **no sé ~ quiere hacer** non so cosa voglia fare; **¡y ~!** e allora?

quebrado, -a *adj* (*roto*) rotto(-a); (*línea*) spezzato(-a) ♦ *nm* (MAT) frazione *f*

quebrantar *vt* spezzare; (*ley, secreto, lugar*) violare; **quebrantarse** *vpr* (*persona*) violare; **has quebrantado tu palabra/promesa** non hai mantenuto la parola/promessa

quebrar *vt* rompere ♦ *vi* fallire; **quebrarse** *vpr* rompersi; (*línea, cordillera*) interrompersi; (MED: *herniarse*) farsi venire un'ernia

quedar *vi* rimanere; (*encontrarse*) darsi appuntamento; **quedarse** *vpr* tenersi; **~ en** decidere di; **~ en nada** non portare a nulla; **~ por hacer** rimanere da fare; **no te queda bien ese vestido** non ti sta bene questo vestito; **quedamos allí** ci vediamo lì; **quedamos a las seis** (en pasado) ci siamo visti alle sei; (en presente) ci vediamo alle sei; **eso queda muy lejos** è molto lontano; **quedan dos horas** rimangono due ore; **~se ciego/mudo** rimanere cieco/muto; **~se (con) algo** tenersi qc

quedo, -a adj (mar) calmo(-a); (voz) basso(-a); (pasos) silenzioso(-a) ♦ adv piano

quehacer nm occupazione f; **~es (domésticos)** lavori mpl di casa; **tengo muchos ~** se ho molto da fare

queja nf lamento; (disgusto) lamentela ▫ **quejarse** vpr lamentarsi; **quejarse de que ...** lamentarsi del fatto che ... ▫ **quejido** nm gemito

quemado, -a adj bruciato(-a) ♦ nm: **oler a ~** esserci puzza di bruciato; **estar ~** (fam: irritado) essere stufo; (: político, actor) essere finito

quemadura nf bruciatura, ustione f

quemar vt bruciare; (fig: malgastar) sperperare ♦ vi bruciare; **quemarse** vpr bruciarsi; (sentir calor) morire dal caldo

quemarropa: a ~ adv a bruciapelo

quepo etc vb ver **caber**

---

querer

vt

1 (desear) volere; **quiero más dinero** voglio più soldi; **quisiera** o **querría un té** vorrei un tè; **sin querer** senza volerlo

2 (+ vb dependiente): **quiero ayudar/que te vayas** voglio

aiutare/che tu vada via; **¿qué quieres decir?** che vuoi dire?

3 (para pedir algo): **¿quiere abrir la ventana?** aprirebbe la finestra?

4 (amar) amare, volere bene a; **te quiero** ti amo; **quiere mucho a sus hijos** vuole molto bene ai suoi figli

5 (requerir): **esta planta quiere más luz** questa pianta ha bisogno di più luce

querido, -a adj (mujer, hijo) amato(-a); (tierra, amigo, en carta) caro(-a) ♦ nm/f amante m/f; **¡sí, ~!** sì, caro!

queso nm formaggio

quicio nm cardine m; **sacar a algn de ~** far uscire qn dai gangheri

quiebra nf rottura; (COM) fallimento

quiebro vb ver **quebrar**

quien pron (rel: suj) chi; (: complemento) che; **la persona a ~ quiero** la persona che amo; **~ dice eso es tonto** chi dice questo è uno stupido; **hay ~ piensa que** qualcuno pensa che; **no hay ~ lo haga** non c'è nessuno che lo voglia fare

quién pron (interrogativo) chi; **¿~ es?** chi è?

quienquiera (pl **quienesquiera**) pron chiunque

quiera etc vb ver **querer**

quieto, -a adj (manos, cuerpo) fermo(-a) ▫ **quietud** nf quiete f

quilate nm carato

química nf chimica

químico, -a adj chimico(-a) ♦ nm/f chimico

quince adj inv, nm inv quindici (m) inv; ver tb **cinco** ▫ **quinceañero, -a** adj, nm/f

quindicenne *m/f* ❏ **quincena** *nf*
quindici giorni *mpl* ❏ **quincenal**
adj (pago, reunión) quindicinale
quiniela *nf (impreso)* schedina; **~s**
nfpl = totocalcio ▶ **quiniela hípica**
= totip *m inv*
quinientos, -as *adj* cinquecento
inv
quinto, -a *adj* quinto(-a)
quiosco *nm* chiosco
quirófano *nm* sala operatoria
quirúrgico, -a *adj* chirurgico(-a)
quise *etc ver* **querer**
quisquilloso, -a *adj (susceptible)*
permaloso(-a); *(meticuloso)*
pignolo(-a)
quiste *nm* cisti *f inv*
quitaesmalte *nm* acetone *m*
quitamanchas *nm inv*
smacchiatore *m*
quitanieves *nm inv* spazzaneve *m*
inv
quitar *vt* togliere; *(robar)* rubare ♦ *vi:*
¡**quita de ahí!** togliti di là!; **quitarse**
vpr togliersi; **quítalo de ahí** toglilo
da lì; **se quitó el sombrero** si è tolto
il cappello; **~se de** *(beber, fumar)*
smettere da
Quito *n* Quito
quizá(s) *adv* forse

Rr

rábano *nm* rapa; **me importa un ~**
non me ne importa un cavolo
rabia *nf* rabbia ❏ **rabiar** *vi*
arrabbiarsi; **rabiar por hacer algo**
fremere per fare qc
rabino *nm* rabbino
rabioso, a *adj (perro)* rabbioso(-a);
(dolor, deseo) forte

rabo *nm* coda
racha *nf (de viento)* raffica; **buena/
mala ~** momento fortunato/
difficile
racimo *nm* grappolo
ración *nf* porzione f; *(MIL)* razione f
racional *adj* razionale
racionar *vt* razionare
racismo *nm* razzismo ❏ **racista**
adj, nm/f razzista *m/f*
radar *nm* radar *m inv*
radiador *nm* radiatore *m*
radical *adj* radicale
radicar *vi:* **~ en** *(consistir)* stare in;
(estar situado) trovarsi; **radicarse** *vpr*
stabilirsi
radio *nf (ESP, CS) o m (LAm)* radio *f inv*
♦ *nm* raggio; **por ~** alla radio
❏ **radioactividad** *nf* radioattività *f
inv* ❏ **radioactivo, -a** *adj*
radioattivo(-a) ❏ **radiocasete** *nm*
radioregistratore *m* ❏ **radiografía** *nf*
radiografia ❏ **radioterapia** *nf*
radioterapia
ráfaga *nf* raffica; *(de luz)* lampo
raíz *(pl* **raíces)** *nf* radice f; **~
cuadrada** radice quadrata; **a ~ de**
(como consecuencia de) a causa di
raja *nf (de melón, limón)* fetta; *(en
muro, madera)* crepa ❏ **rajar** *vt*
tagliare; *(madera)* spaccare; *(fam:
herir)* tagliare; **rajarse** *vpr* spaccarsi;
(fam) tirarsi indietro
rajatabla: a ~ *adv* alla lettera
rallador *nm* grattugia
rallar *vt* grattugiare
rama *nf* ramo ❏ **ramaje** *nm* rami
mpl ❏ **ramal** *nm* diramazione f
rambla *nf* viale *m*
ramo *nm (de flores)* mazzo; *(de
industria)* ramo

rampa nf rampa ▸ **rampa de acceso** rampa di accesso

rana nf rana

ranchero (MÉX) nm (AGR) fattore m

rancho nm (MÉX: AGR) fattoria, allevamento; (LAm: choza) capanna

rancio, -a adj rancido(-a); (vino, fig) vecchio(-a)

rango nm rango

ranura nf scanalatura; (de teléfono) feritoia

rapar vt rapare

rapaz adj, nf (ave) rapace (m) ♦ nm ragazzino

rape nm (pez) rana pescatrice; **al ~** a zero

rapidez nf velocità f inv, rapidità f inv

rápido, -a adj veloce, rapido(-a) ♦ adv velocemente, rapidamente ♦ nm (FERRO) rapido; **~s** nmpl (de río) rapide fpl

rapiña nf saccheggio; **ave de ~** uccello rapace

raptar vt rapire ☐ **rapto** nm rapimento

raqueta nf racchetta

raquítico, -a adj rachitico(-a)

rareza nf rarità f inv; (hecho o dicho) stravaganza, stranezza

raro, -a adj raro(-a); (extraño) strano(-a)

ras nm: **a ~ de tierra** o **del suelo** raso terra

rascacielos nm inv grattacielo

rascar vt grattare; (raspar) raschiare; **rascarse** vpr grattarsi

rasgar vt stracciare

rasgo nm tratto; **~s** nmpl (de rostro) tratti mpl; **a grandes ~s** a grandi linee

rasguño nm graffio

raso, -a adj liscio(-a) ♦ nm raso; **cielo ~** cielo limpido

raspadura nf (marca) graffio, scalfittura; **~s** nfpl (restos) resti mpl

raspar vt raschiare; (arañar) graffiare

rastra nf: **a ~s** strisciando; (fig) controvoglia

rastrear vt essere sulle tracce di

rastrero, -a adj (BOT, fig) strisciante

rastro nm traccia; (mercado) mercato delle pulci

RASTRO

In alcune regioni della Spagna ogni settimana si tiene un **rastro**, a volte chiamato "mercadillo", un mercatino delle pulci dove si possono acquistare oggetti vecchi e nuovi di tutti i tipi.

---

rasurarse (MÉX) vpr rasarsi

rata nf ratto

ratero, -a nm/f borseggiatore(-trice); (de casas) ladro(-a)

rato nm momento, attimo; **a ~s** a tratti; **al poco ~** poco dopo; **hay para ~** ce n'è ancora per un bel po'; **pasar el ~** passare il tempo; **pasar un mal ~** passare un brutto momento

ratón nm topo ☐ **ratonera** nf trappola per topi

raudal nm fiumana; **a ~es** in abbondanza

raya nf riga; (en tela) piega; (TIP) lineetta; **a ~s** a righe; **pasarse de la ~** passare il limite; **tener a ~** tenere a bada ☐ **rayar** vt rigare ♦ vi: **rayar en** o **con** sfiorare, rasentare; **raya en**

la cincuentena rasenta la cinquantina

rayo nm raggio; (en una tormenta) fulmine m; **ser un ~** (fig) essere un fulmine ► **rayos X** raggi X

raza nf razza ► **raza humana** razza umana

razón nf ragione f; **a ~ de 10 cada día** 10 al giorno; **"~: aquí"** "rivolgersi qui"; **dar la ~ a algn** dare ragione a qn; **tener/no tener ~** avere/non avere ragione ❑ **razonable** adj ragionevole ❑ **razonamiento** nm ragionamento ❑ **razonar** vi ragionare

reacción nf reazione f; **avión a ~** aereo a reazione ❑ **reaccionar** vi reagire

reacio, -a adj restio(-a)

reactivar vt (economía, negociaciones) dare impulso a

reactor nm reattore m

real adj (verdadero) vero(-a), reale; (del rey, título) reale

realidad nf realtà f inv

realista adj, nm/f realista m/f

realización nf realizzazione f

realizador, -a nm/f (TV, CINE) regista m/f

realizar vt realizzare; (viaje, labor) compiere; **realizarse** vpr realizzarsi

realmente adv realmente; (con adjetivo) davvero, proprio; **es ~ apasionante** è davvero appassionante

realzar vt rialzare; (fig) mettere in risalto

reanimar vt rianimare; **reanimarse** vpr rincuorarsi

reanudar vt (historia, viaje) riprendere

reaparición nf ricomparsa

rearme nm riarmo

rebaja nf sconto; **~s** nfpl saldi mpl ❑ **rebajar** vt abbassare; (precio) ribassare

rebanada nf fetta

rebañar vt ripulire

rebaño nm gregge m

rebatir vt ribattere

rebeca nf cardigan m inv

rebelarse vpr ribellarsi

rebelde adj ribelle ♦ nm/f (POL) ribelle m/f; (JUR) contumace m/f ❑ **rebeldía** nf ribellione f; (JUR) contumacia

rebelión nf ribellione f

reblandecer vt ammorbidire

rebobinar vt riavvolgere

rebosante adj: **~ de** (fig) traboccante di

rebosar vi traboccare

rebotar vi rimbalzare ❑ **rebote** nm rimbalzo; **de rebote** (fig) di rimbalzo

rebozado, -a adj impanato(-a)

rebozar vt impanare

rebuscado, -a adj ricercato(-a)

rebuscar vt ricercare ♦ vi: **~ (en o por)** rovistare (in o tra)

recado nm commissione f; (mensaje) messaggio; **¿podría dejar un ~?** potrei lasciare un messaggio?

recaer vi avere una ricaduta; **~ en** (responsabilidad) ricadere su

recalcar vt (fig) sottolineare, rimarcare

recámara nf (habitación) guardaroba m inv; (de arma) serbatoio; (MÉX: dormitorio) camera da letto

recambio nm (de pieza) ricambio; (de pluma) cartuccia (di ricambio)

recapacitar vi riflettere

recapacitar vt sovraccaricare(-a)

recargado, -a adj sovraccarico(-a)

recargar vt sovraccaricare; (pago) maggiorare

recargo nm sovraccarico; (aumento) maggiorazione f

recatado, -a adj cauto(-a), prudente

recaudación nf incasso; (acción) riscossione f

recaudador, a nm/f (tb: ~ de impuestos) esattore(-trice)

recelar vt: ~ que (sospechar) sospettare che ♦ vi diffidare

recelo nm (desconfianza) diffidenza; (temor) timore m

recepción nf (fiesta) ricevimento; (de hotel) reception f inv; (TELEC) ricezione f ❏ **recepcionista** nm/f receptionist m

receptor, a nm/f ricevente m/f ♦ nm (TELEC, RADIO) ricevitore m

recesión nf recessione f

receta nf ricetta ❏ **recetar** vt prescrivere; ¿**podría recetarme un medicamento?** potrebbe farmi una ricetta medica?

rechazar vt respingere; (oferta, consejo) rifiutare

rechazo nm rifiuto; (MED) rigetto

rechinar vi cigolare, scricchiolare

rechistar vi: **sin ~** senza fiatare

rechoncho, -a (fam) adj pienotto(-a)

rechupete: de ~ adj da leccarsi i baffi

recibidor nm anticamera

recibimiento nm accoglienza

recibir vt, vi ricevere; **recibirse** vpr (LAm: UNIV) laurearsi

recibo nm ricevuta; ¿**podría darme un ~ por favor?** potrei avere una ricevuta per favore?

reciclaje nm riciclaggio

reciclar vt riciclare

recién adv appena; ~ **casado** sposo novello; **el ~ llegado** il nuovo arrivato; **el ~ nacido** il neonato ❏ **reciente** adj recente; (pan) fresco(-a)

recinto nm recinto

recio, -a adj robusto(-a), forte; (situación) difficile ♦ adv duramente

recipiente nm (objeto) recipiente m

recíproco, -a adj reciproco(-a)

recital nm recital m inv

recitar vt recitare

reclamación nf reclamo

reclamar vt, vi reclamare

reclamo nm richiamo ▸ **reclamo publicitario** reclame f inv

reclinar vt chinare; **reclinarse** vpr chinarsi

reclusión nf reclusione f

recluta nm/f recluta f ♦ nf reclutamento

reclutar vt reclutare

recobrar vt recuperare; **recobrarse** vpr: ~ **se (de)** riprendersi (da); ~ **el sentido** riprendere i sensi

recodo nm curva; (de río) ansa

recoger vt raccogliere; (pasar a buscar) passare a prendere; (dar asilo) accogliere; **recogerse** vpr ritirarsi; (pelo) raccogliersi

recogida nf (AGR, de basura) raccolta f; (de cartas) levata

recogido, -a adj raccolto(-a)

recolección nf (AGR, de datos, dinero) raccolta

recomendación nf raccomandazione f

recomendar vt raccomandare; **¿puede ~me un buen restaurante?** mi può consigliare un buon ristorante?

recompensa nf ricompensa
□ **recompensar** vt ricompensare

reconciliación nf riconciliazione f

reconciliar vt riconciliare; **reconciliarse** vpr riconciliarsi

recóndito, -a adj (lugar) recondito(-a)

reconocer vt riconoscere
□ **reconocido, -a** adj riconoscente □ **reconocimiento** nm riconoscimento; (gratitud) riconoscenza; (MIL) ricognizione f

reconquista nf riconquista

reconstituyente nm ricostituente m

reconstruir vt (tb suceso) ricostruire

reconversión nf riconversione f

recopilación nf (resumen) riassunto; (colección) raccolta

recopilar vt raccogliere

récord (pl records o ~s) adj inv, nm record (m) inv

recordar vt ricordare; **~ algo a algn** ricordare qc a qn

recorrer vt percorrere
□ **recorrido** nm percorso; **tren de largo recorrido** treno a lunga percorrenza

recortar vt (tb presupuesto, gasto) tagliare; (de periódico) ritagliare

recorte nm (acto) taglio; (trozo) ritaglio

recostar vt appoggiare; **recostarse** vpr sdraiarsi

recoveco nm (de camino, río) meandro; (en casa) angolo

recreación nf raffigurazione f; (recreo) ricreazione f

recrear vt ricreare; **recrearse** vpr divertirsi, ricrearsi
□ **recreativo, -a** adj ricreativo(-a); **sala recreativa** sala giochi

recreo nm ricreazione f

recriminar vt rinfacciare

recrudecer vi inasprirsi; **recrudecerse** vpr inasprirsi

recta nf retta

rectángulo, -a adj rettangolo(-a)
♦ nm rettangolo

rectificar vt correggere ♦ vi correggersi; (modificar la conducta) cambiare comportamento

rectitud nf rettitudine f

recto, -a adj retto(-a) ♦ nm (ANAT) retto

rector, a adj (principio) fondamentale ♦ nm/f rettore m

recuadro nm riquadro

recubrir vt: **~ (con)** ricoprire (con)

recuento nm conteggio; (de votos) scrutinio

recuerdo vb ver recordar ♦ nm ricordo; **¡~s a tu madre!** saluti a tua madre!

recuperación nf recupero; (ECON) ripresa; (ESCOL) esame m di riparazione

recuperar vt recuperare; **recuperarse** vpr ristabilirsi; **~ fuerzas** recuperare le forze

recurrir vi (JUR) presentare ricorso; **~ a algo/a algn** ricorrere a qc/qn

recurso nm risorsa; (JUR) ricorso

red nf rete f

redacción nf redazione f; (ESCOL) tema m

redactar vt redigere

redactor, a nm/f redattore(-trice)

redada nf (tb: ~ policial) retata (della polizia)

redoblar vt raddoppiare ♦ vi rullare

redonda nf (MÚS) semibreve f; **en 5 km a la ~** in un raggio di 5 km

redondear vt (negocio, velada) concludere; (cifra, objeto) arrotondare

redondel nm tondo

redondo, -a adj tondo(-a), rotondo(-a); (bien logrado) perfetto(-a); **en números ~s** in cifra tonda

reducción nf riduzione f

reducido, -a adj piccolo(-a)

reducir vt ridurre; **reducirse** vpr ridursi; **~se a** (fig) ridursi a

redundancia nf ridondanza f

reembolsar vt rimborsare

reembolso nm rimborso

reemplazar vt sostituire

reemplazo nm sostituzione f; **de ~** (MIL) di leva

reencuentro nm incontro

referencia nf riferimento; **~s** nfpl (de trabajo) referenze fpl; **con ~ a** in riferimento a

referéndum (pl **~s**) nm referendum m inv

referente adj: **~ a** relativo(-a) a

referir vt riferire; **referirse** vpr: **~se a** riferirsi a

refilón: de ~ adv di sbieco

refinado, -a adj raffinato(-a)

refinar vt raffinare □ **refinería** nf raffineria

reflejar vt riflettere

reflejo, -a adj riflesso(-a) ♦ nm riflesso

reflexión nf (tb FÍS) riflessione f; (advertencia) suggerimento □ **reflexionar** vi riflettere; **reflexionar sobre** riflettere su

reflexivo, -a adj (carácter, LING) riflessivo(-a)

reforma nf riforma; **~s** nfpl (obras) lavori mpl

reformar vt riformare; (ARQ) ristrutturare; **reformarse** vpr correggersi

reformatorio nm (tb: ~ de menores) riformatorio

reforzar vt rafforzare

refractario, -a adj refrattario(-a)

refrán nm proverbio

refregar vt strofinare

refrescante adj rinfrescante

refrescar vt, vi rinfrescare; **refrescarse** vpr rinfrescarsi

refresco nm bibita fresca

refriega vb ver **refregar** ♦ nf scontro

refrigeración nf refrigerazione f

refrigerador (LAm) nm frigorifero

refrigerio nm rinfresco

refuerce vb ver **reforzar**

refuerzo nm rinforzo; **~s** nmpl (MIL) rinforzi mpl

refugiado, -a nm/f rifugiato(-a)

refugiarse vpr rifugiarsi

refugio nm rifugio

refunfuñar vi brontolare

regadera nf annaffiatoio; (MÉX: ducha) doccia

regadío nm (sistema) irrigazione f; **tierras de ~** terreni irrigati

regalado, -a adj (gratis)
regalato(-a); (vida) agiato(-a)

regalar vt regalare; (mimar)
coccolare

regaliz nm liquirizia

regalo nm regalo; (gusto) piacere m;
(comodidad) agiatezza

regañadientes: a ~ adv di
malavoglia

regañar vt rimproverare ♦ vi
brontolare; (dos personas) litigare

regar vt annaffiare; (terreno) irrigare;
(fig) spargere

regatear vt contrattare; (esfuerzo)
risparmiare

regateo nm contrattazione f

regazo nm grembo

regenerar vt rigenerare

régimen (pl **regímenes**) nm regime
m; (alimenticio) dieta, regime; **estar/
ponerse a ~** essere/mettersi a dieta

regimiento nm reggimento

regio, -a adj regio(-a), regale; (CS:
fam) stupendo(-a)

región nf regione f

regir vt (dirigir) dirigere;
(reglamentar) regolare; (Estado,
LING) reggere ♦ vi (ley) essere in
vigore

registrar vt perquisire; (anotar)
registrare, annotare; **registrarse** vpr
(inscribirse) iscriversi; (ocurrir)
verificarsi

registro nm registro; (inspección)
perquisizione f; (de datos)
registrazione f ► **registro civil**
anagrafe f

regla nf regola; (utensilio) righello;
en ~ in regola

reglamentar vt regolamentare,
disciplinare ❑ **reglamentario, -a**
adj regolamentare

reglamento nm regolamento

regocijarse vpr: **~ de o por**
rallegrarsi per

regocijo nm allegria, gioia

regresar vi ritornare, tornare;
regresarse vpr (LAm) ritornare;
¿cuándo regresamos? quando
ritorniamo?

regreso nm ritorno

reguero nm rivolo

regulador, a adj, nm regolatore
(m)

regular adj regolare; (mediano)
medio(-a); (fam: no bueno) mediocre
♦ vt regolare; (normas, salarios)
adeguare; **por lo ~** in genere
❑ **regularidad** nf regolarità f inv
❑ **regularizar** vt regolarizzare

rehabilitación nf (de drogadicto)
recupero; (ARQ) restauro

rehacer vt rifare; **rehacerse** vpr
rimettersi

rehén nm ostaggio

rehuir vt evitare, fuggire

rehusar vt rifiutare

reina nf regina ❑ **reinado** nm
regno ❑ **reinar** vi regnare

reincidir vi (JUR) essere recidivo(-a);
~ (en) (recaer) ricadere (in)

reincorporarse vpr: **~ a** (al trabajo)
rientrare a; (MIL) reintegrarsi in

reino nm regno ► **reino animal/
vegetal** regno animale/vegetale
► **el Reino Unido** il Regno Unito

reintegrar vt reintegrare;
(devolver) restituire; **reintegrarse**
vpr: **~se a** reintegrarsi in; (volver)
ritornare

reír vi ridere; **reírse** vpr ridere; **~se de**
prendersi gioco di

reiterar vt reiterare

reivindicación nf rivendicazione f

reivindicar vt rivendicare

reja nf inferriata, grata

rejilla nf grata; (en hornillo, de ventilación) griglia; (para equipaje) reticella

rejuvenecer vt, vi ringiovanire

relación nf relazione f; (narración) relazione, resoconto; **con ~ a, en ~ con** in relazione a ► **relaciones públicas** pubbliche relazioni □ **relacionar** vt mettere in relazione; **relacionarse** vpr: **relacionarse con** frequentare

relajación nf rilassamento

relajar vt rilassare; **relajarse** vpr (distraerse) rilassarsi

relamerse vpr leccarsi i baffi

relámpago adj inv: **visita** ~ visita f lampo inv ♦ nm lampo

relatar vt raccontare

relativo, -a adj relativo(-a); **en lo** ~ **a** per quel che riguarda

relato nm racconto

relegar vt relegare; ~ **al olvido** mettere nel dimenticatoio

relevante adj rilevante

relevar vt sostituire; (eximir) esentare; ~ **a algn de su cargo** sollevare qn da un incarico

relevo nm cambio della guardia; **carrera de** ~ staffetta

relieve nm rilievo; **bajo** ~ bassorilievo; **poner de** ~ mettere in rilievo

religión nf religione f

religioso, -a adj, nm/f religioso(-a)

relinchar vi nitrire

reliquia nf reliquia

rellano nm (ARQ) pianerottolo

rellenar vt riempire; (CULIN) farcire

rellenito, -a adj pienotto(-a)

relleno, -a adj ripieno(-a); (impreso) compilato(-a) ♦ nm (CULIN) ripieno; (de cojín) imbottitura

reloj nm orologio ► **reloj de pulsera/digital** orologio da polso/digitale ► **reloj despertador** sveglia □ **relojero, -a** nm/f orologiaio(-a)

reluciente adj splendente, riluciente

relucir vi splendere; **sacar algo a** ~ tirare in ballo qc

remachar vt (tb fig) ribadire

remache nm ribattino

remangarse vpr rimboccarsi le maniche

remanso nm (de río) punto di ristagno

remar vi remare

rematar vt finire; (matar) dare il colpo di grazia a; (COM) svendere ♦ vi (en fútbol) concludere

remate nm (tb DEPORTE) conclusione f; (ARQ) coronamento; (COM) liquidazione f; **de** ~ (tonto) da legare; **para** ~ per di più, come se non bastasse

remediar vt rimediare a; (evitar) evitare

remedio nm rimedio; **poner** ~ **a** porre rimedio a; **no tener más** ~ **(que)** non avere altra scelta (che); **esto no tiene** ~ non c'è altro da fare; **¡qué** ~! non c'è rimedio!

remendar vt rammendare, rattoppare

remesa nf partita

remiendo vb ver **remendar** ♦ nm rammendo, rattoppo

remilgado, -a adj (melindroso) mellifluo(-a); (afectado) affettato(-a)

remite nm mittente m
□ **remitente** nm/f mittente m/f
□ **remitir** vt spedire ♦ vi (tempestad, fiebre) calmarsi; **remitirse** vpr: **remitirse a** attenersi a

remo nm remo

remojar vt bagnare

remojo nm: **dejar en ~** mettere a mollo

remolacha nf barbabietola

remolcador nm rimorchiatore m

remolcar vt rimorchiare

remolino nm vortice m, mulinello

remolque vb ver **remolcar** ♦ nm rimorchio; **llevar a ~** prendere a rimorchio

remontar vt risalire; **remontarse** vpr risalire; ~ **el vuelo** alzarsi in volo; **~se a** (COM) ammontare a

remorder vt rimordere; **me remuerde la conciencia** provo rimorso □ **remordimiento** nm rimorso

remoto, -a adj remoto(-a)

remover vt smuovere; (líquido) agitare

remuneración nf rimunerazione f, retribuzione f

remunerar vt retribuire

renacer vi rinascere
□ **renacimiento** nm rinascita; **el Renacimiento** il Rinascimento

renacuajo nm girino

renal adj renale

rencilla nf diverbio

rencor nm rancore m

rencoroso, -a adj astioso(-a)

rendición nf resa

rendido, -a adj sfinito(-a); **su ~ admirador** il suo devoto ammiratore

rendija nf spiraglio

rendimiento nm rendimento

rendir vt sconfiggere; (agotar) sfinire ♦ vi (COM) rendere; **rendirse** vpr arrendersi; ~ **homenaje/ cuentas a** rendere omaggio/conto a

renegar vi (quejarse) borbottare; (con imprecaciones) imprecare; ~ **de algn** rinnegare qn

RENFE, Renfe sigla f (= Red Nacional de Ferrocarriles Españoles) ferrovie spagnole

renglón nm riga; (COM) voce f; **a ~ seguido** subito dopo

renombre nm notorietà f, fama; **de ~** di fama

renovación nf (de contrato, documento) rinnovo; (ARQ) ristrutturazione f

renovar vt rinnovare; (ARQ) rimodernare, ristrutturare

renta nf rendita; (ingresos) reddito; (MÉX: alquiler) affitto ▶ **renta nacional (bruta)** reddito nazionale (lordo) □ **rentable** adj redditizio(-a)

renuncia nf rinuncia

renunciar vi rinunciare

reñido, -a adj accanito(-a); (partido, votación) combattuto(-a); **estar ~ con algn** aver litigato con qn

reñir vt rimproverare ♦ vi (pareja, amigos) litigare; (físicamente) picchiarsi

reo nm/f (JUR: acusado) imputato(-a); (condenado) condannato(-a); ~ **de muerte** condannato a morte

reojo: de ~ adv (mirar) di sbieco

reparación nf riparazione f

reparar vt riparare ♦ vi: ~ **en** (darse cuenta de) notare; (poner atención en) riflettere su

reparo nm scrupolo; **no tengas ~s en decírmelo** non farti scrupolo di dirmelo; **poner ~s** fare obiezioni

repartidor, a nm/f addetto(-a) alle consegne

repartir vt ripartire; (COM) consegnare

reparto nm (de dinero, poder) spartizione f; (CINE, CORREOS) distribuzione f

repasar vt ripassare; (examinar) riguardare

repaso nm ripasso

repelente adj repellente

repente nm scatto; **de ~** all'improvviso ► **repente de ira** scatto d'ira

repentino, -a adj (súbito) repentino(-a), improvviso(-a)

repercusión nf ripercussione f

repercutir vi risuonare; ~ **en** (fig) incidere su, influire su

repertorio nm repertorio

repetición nf ripetizione f

repetir vt ripetere; (plato) fare il bis di ♦ vi (ESCOL) ripetere l'anno; (sabor) tornare su; (en comida) fare il bis; **repetirse** vpr ripetersi; **¿puede ~lo por favor?** può ripetere per favore?

repicar vi (campanas) suonare

repique vb ver **repicar** ♦ nm (de campanas) rintocco □ **repiqueteo** nm (de campanas) scampanio

repisa nf mensola; (de ventana) davanzale m

repitiendo etc vb ver **repetir**

replantear vt riconsiderare

replegar vt ripiegare

repleto, -a adj strapieno(-a), gremito(-a)

réplica nf replica

replicar vt, vi replicare; **¡no repliques!** niente discussioni!

repliegue vb ver **replegar** ♦ nm (MIL) ritirata

repoblación nf ripopolamento ► **repoblación forestal** riforestazione f

repoblar vt ripopolare

repollo nm cavolo cappuccio

reponer vt (volver a poner) rimettere; (TEATRO) replicare; **reponerse** vpr rimettersi; ~ **que** rispondere che

reportaje nm reportage m inv

reportero, -a nm/f inviato(-a), reporter m/f

reposacabezas nm inv poggiatesta m inv

reposar vi riposare

reposición nf (de maquinaria) sostituzione f; (TEATRO) ripresa

reposo nm riposo

repostar vt rifornirsi di ♦ vi fare rifornimento

repostería nf pasticceria

represa nf chiusa

represalia nf rappresaglia

representación nf rappresentanza; (imagen, TEATRO) rappresentazione f; **en ~ de** in rappresentanza di

representante nm/f (POL, COM) rappresentante m/f

representar vt rappresentare; (edad) mostrare; **representarse** vpr immaginari □ **representativo, -a** adj rappresentativo(-a)

represión nf repressione f

reprimenda nf sgridata, rimprovero

reprimir vt reprimere

reprobar vt disapprovare, riprovare

reprochar vt rimproverare
❑ **reproche** nm rimprovero

reproducción nf riproduzione f

reproducir vt riprodurre; **reproducirse** vpr riprodursi

reproductor, a adj riproduttore(-trice)

reptil nm rettile m

república nf repubblica

republicano, -a adj, nm/f repubblicano(-a)

repudiar vt ripudiare

repuesto pp de **reponer** ♦ nm (pieza de recambio) ricambio; (abastecimiento) scorta; **rueda de ~** ruota di scorta

repugnancia nf ripugnanza
❑ **repugnante** adj ripugnante

repugnar vi ripugnare

repulsa nf ripulsa

repulsión nf ripulsione f

repulsivo, -a adj repulsivo(-a)

reputación nf reputazione f

requerir vt richiedere

requesón nm ricotta

requete... pref stra..., arci...

réquiem nm requiem m inv

requisito nm requisito

res nf capo (di bestiame)

resaca nf (en el mar) risacca; (de alcohol) postumi mpl della sbornia

resaltar vt evidenziare ♦ vi risaltare

resarcir vt (reparar) risarcire; **resarcirse** vpr rifarsi, rivalersi

resbaladizo, -a adj scivoloso(-a)

resbalar vi scivolare; (gotas) scorrere; **resbalarse** vpr scivolare
❑ **resbalón** nm scivolone m

rescatar vt riscattare; (del abandono) recuperare; (de peligro, daño) liberare

rescate nm riscatto; (liberación) liberazione f; **pagar un ~** pagare un riscatto

rescindir vt rescindere

rescisión nf rescissione f

resecar vt seccare; (MED) asportare; **resecarse** vpr seccarsi

reseco, -a adj secco(-a)

resentido, -a adj risentito(-a)

resentimiento nm risentimento

reseña nf resoconto; (crítica) recensione f

reseñar vt esporre; (LIT) recensire

reserva nf riserva; (de entradas) prenotazione f; **a ~ de que ...** (MÉX) a meno che non ...; **con ~** (con cautela) con riserbo; (con condiciones) con riserva; **confirmé la ~ por fax** ho confermato la prenotazione per fax

reservado, -a adj riservato(-a)
♦ nm sala privata

reservar vt riservare; (habitación, asiento) prenotare; **reservarse** vpr tenersi; **quisiera ~ una habitación doble** vorrei prenotare una camera doppia; **he reservado una mesa a nombre de ...** ho riservato un tavolo a nome ...

resfriado nm raffreddore m

resfriarse vpr prendere un raffreddore

resguardar vt proteggere; **resguardarse** vpr: **~se de** proteggersi da ❑ **resguardo** nm protezione f; (justificante, recibo) tagliando

residencia nf residenza
  ▸ **residencia de ancianos** casa di riposo □ **residencial** adj residenziale

residente adj, nm/f residente m/f

residir vi risiedere; ~ **en** (habitar en: ciudad) risiedere a; (: país) risiedere in

residuo nm residuo; ~**s industriales** rifiuti mpl industriali

resignación nf rassegnazione f

resignarse vpr: ~ **a** rassegnarsi a

resina nf resina

resistencia nf resistenza; **no ofrece** ~ non oppone resistenza □ **resistente** adj resistente

resistir vt resistere ♦ vi resistere; **resistirse** vpr fare resistenza; ~**se a** (decir, salir) rifiutarsi di; (cambio, ataque) opporre resistenza a

resolver vt risolvere; **resolverse** vpr risolversi

resonar vi risuonare

resoplar vi sbuffare □ **resoplido** nm sbuffo

resorte nm (TEC, fig) molla

respaldar vt appoggiare; **respaldarse** vpr (en asiento) appoggiarsi; ~**se en** (fig) basarsi su □ **respaldo** nm (de sillón) schienale m; (fig) appoggio

respectivo, -a adj rispettivo(-a); **en lo** ~ **a** per quanto riguarda

respecto nm: **al** ~ al riguardo; **con** ~ **a** riguardo a

respetable adj rispettabile

respetar vt rispettare □ **respeto** nm rispetto; **respetos** nmpl rispetti mpl

respetuoso, -a adj rispettoso(-a)

respingo nm: **dar** o **pegar un** ~ fare un sobbalzo

respiración nf respirazione f
  ▸ **respiración asistida** respirazione artificiale

respirar vt, vi respirare □ **respiratorio, -a** adj respiratorio(-a) □ **respiro** nm respiro

resplandecer vi risplendere □ **resplandeciente** adj splendente □ **resplandor** nm splendore m

responder vt, vi rispondere □ **respondón, -ona** adj insolente; **¡no seas respondón!** non rispondere sempre!

responsabilidad nf responsabilità f inv

responsabilizar vt ritenere responsabile; **responsabilizarse** vpr: ~**se de** (atentado) rivendicare; (crisis, accidente) assumersi la responsabilità di

responsable adj, nm/f responsabile m/f

respuesta nf risposta

resquebrajar vt screpolare; **resquebrajarse** vpr screpolarsi

resquicio nm spiraglio

resta nf sottrazione f

restablecer vt ristabilire; **restablecerse** vpr ristabilirsi

restante adj rimanente; **lo** ~ il resto

restar vt (MAT) sottrarre; (fig) togliere ♦ vi restare

restauración nf restaurazione f; (reparación) restauro; (en hostelería) ristorazione f

restaurante nm ristorante m; **¿puede recomendarme un buen** ~? mi può consigliare un buon ristorante?

restaurar vt restaurare

restituir vt restituire

resto nm resto; **~s** nmpl (CULIN) avanzi mpl; (de civilización etc) resti mpl; **echar el ~** mettercela tutta

restregar vt strofinare

restricción nf restrizione f

restringir vt limitare, restringere

resucitar vt, vi risuscitare

resuelto, -a pp de **resolver** ♦ adj risoluto(-a)

resultado nm risultato

resultar vi (ser) essere; (salir bien) avere successo; (ser consecuencia) risultare; **~ de** risultare da; **resulta que ...** risulta che ...; **no resultó** non è andata bene; **me resulta difícil hacerlo** mi riesce difficile farlo

resumen nm riassunto; **en ~** in poche parole

resumir vt riassumere

resurgir vi risorgere

resurrección nf resurrezione f

retablo nm pala d'altare

retaguardia nf retroguardia

retahíla nf sfilza

retal nm scampolo

retar vt sfidare

retazo nm spezzone m

retención nf ritenuta; (MED) ritenzione f ▶ **retención de tráfico** ingorgo (di traffico) ▶ **retención fiscal** ritenuta fiscale

retener vt trattenere; (tráfico) bloccare

retina nf retina

retintín nm squillo; **decir algo con ~** qc in tono ironico

retirada nf ritiro; (MIL) ritirata; **batirse en ~** battere in ritirata

retirado, -a adj (lugar) appartato(-a); (vida) ritirato(-a);

(jubilado) pensionato(-a) ♦ nm/f pensionato(-a)

retirar vt allontanare; (jubilar) mettere in pensione; **retirarse** vpr ritirarsi ☐ **retiro** nm ritiro

reto nm sfida

retocar vt ritoccare

retoño nm (BOT) germoglio; (fig) rampollo

retoque vb ver **retocar** ♦ nm ritocco

retorcer vt torcere; **retorcerse** vpr torcersi

retorcido, -a adj contorto(-a)

retórica nf retorica

retorno nm ritorno

retortijón nm (tb: **~ de tripas**) crampo allo stomaco

retozar vi saltellare; (suj: enamorados) scambiarsi tenerezze

retraer vt (antena) ritrarre; **retraerse** vpr: **~se (de)** ritrarsi (da)

retraído, -a adj ritroso(-a)

retraimiento nm (por timidez) ritrosia

retransmisión nf (RADIO, TV) trasmissione f

retransmitir vt (RADIO, TV) trasmettere

retrasado, -a adj ritardato(-a); (MED: tb: **~ mental**) ritardato(-a) mentale; **estar ~** (reloj) andare indietro

retrasar vt, vi ritardare; **retrasarse** vpr (persona, tren) essere in ritardo; (reloj) essere indietro

retraso nm ritardo; **~s** nmpl (COM) arretrati mpl; **llegar con ~** arrivare in ritardo; **perdón por el ~** scusi il ritardo; **el vuelo lleva dos horas de ~** il volo ha due ore di ritardo ▶ **retraso mental** ritardo mentale

retratar vt ritrarre; **retratarse** vpr farsi ritrarre; (fig) mostrarsi ❏ **retrato** nm ritratto; **ser el vivo retrato de** essere il ritratto di ❏ **retrato-robot** (pl **retratos-robot**) nm identikit m inv

retrete nm water m inv, WC m inv

retribuir vt retribuire

retroceder vi indietreggiare

retroceso nm (de arma de fuego) rinculo; (de enfermedad) recrudescenza

retrospectivo, -a adj retrospettivo(-a)

retrovisor nm (specchietto) retrovisore m

retumbar vi rimbombare

reuma, reúma nm reumatismo

reunión nf riunione f

reunir vt riunire; **reunirse** vpr riunirsi

revalidar vt confermare; (documento) convalidare

revancha nf vendetta; (en un juego) rivincita

revelación nf rivelazione f

revelado nm sviluppo

revelar vt rivelare; (FOTO) sviluppare; **¿puede ~ este carrete?** può sviluppare questo rullino?

reventa nf rivendita

reventar vi (globo) far scoppiare; (cansar) sfiancare ♦ vi scoppiare

reventón nm scoppio

reverenciar vt riverire

reverente adj riverente

reversible adj reversibile

reverso nm rovescio

revertir vi tornare

revés nm (tb fig, tenis) rovescio; **al ~** alla rovescia; **volver algo al** o **del ~** mettere qualcosa alla rovescia

revisar vt rivedere; (motor) revisionare ❏ **revisión** nf revisione f ▸ **revisión salarial** revisione salariale

revisor, a nm/f (FERRO) controllore m

revestir vt rivestire

revista vb ver **revestir** ♦ nf rivista; **pasar ~** passare in rassegna ▸ **revista literaria** rivista letteraria ▸ **revistas del corazón** rotocalchi mpl

revivir vt rievocare ♦ vi risuscitare

revolcarse vpr rotolarsi

revoltijo nm ammasso

revoltoso, -a adj ribelle

revolución nf rivoluzione f; (TEC) giro ❏ **revolucionar** vt rivoluzionare ❏ **revolucionario, -a** adj, nm/f rivoluzionario(-a)

revolver vt (casa, cajón) mettere sottosopra; (mezclar) mescolare; (estomago) rivoltare ♦ vi: **~ en** rovistare in; **~se contra** rivoltarsi contro

revólver nm revolver m inv

revuelo nm turbamento, scompiglio

revuelta nf (pelea) rivolta

revuelto, -a pp de **revolver** ♦ adj (desordenado) sottosopra inv

rey nm re m inv; **Día de R~es** vedi nota nel riquadro

DÍA DE REYES

Il 5 gennaio, alla vigilia dell'Epifania, ha luogo la "cabalgata de Reyes", una processione che si svolge nella maggior parte delle città spagnole. Celebra l'arrivo dei Re Magi con i loro doni per il bambin Gesù. La notte dell'Epifania i bambini spagnoli vanno a letto aspettando i doni dei Re Magi.

reyerta nf rissa

rezagado, -a adj: **quedar ~** rimanere indietro

rezar vi pregare; **~ con** (fam) riguardare □ **rezo** nm preghiera

rezumar vt, vi trasudare

ría nf ria, ≈ estuario

riada nf inondazione f

ribera nf riva; (área) sponda

ribete nm (de vestido) filetto; **~s** nmpl (atisbos) stoffa

ricino nm: **aceite de ~** olio di ricino

rico, -a adj ricco(-a); (comida) buono(-a); (niño) simpatico(-a) ♦ nm/f ricco(-a); **~ en** ricco di

ridiculez nf ridicolaggine f; (nimiedad) sciocchezza

ridiculizar vt ridicolizzare

ridículo, -a adj ridicolo(-a); **hacer el ~** fare una figura ridicola; **poner a algn en ~** mettere in ridicolo qn

riego vb ver **regar** ♦ nm irrigazione f ► **riego sanguíneo** afflusso di sangue

riel nm (FERRO) rotaia; (de cortina) asta

rienda nf briglia; **dar ~ suelta a** dare libero sfogo a

riesgo nm rischio; **correr el ~ de** correre il rischio di

rifa nf riffa, lotteria □ **rifar** vt sorteggiare

rifle nm carabina

rigidez nf rigidità f inv

rígido, -a adj rigido(-a)

rigor nm rigore m; **de ~** di rigore

rima nf rima; **~s** nfpl (composición) versi mpl

rimbombante adj (fig) roboante

rímel, rímmel nm rimmel m inv

rincón nm angolo

rinoceronte nm rinoceronte m

riña nf (disputa) lite f; (pelea) rissa

riñón nm (ANAT) rene m; (CULIN) rognone m

río vb ver **reír** ♦ nm (tb fig) fiume m; **~ abajo/arriba** a valle/a monte

Río de la Plata n Rio de la Plata

rioja nm vino della regione di La Rioja

rioplatense adj del Rio de la Plata

riqueza nf ricchezza

risa nf riso, risata; **¡qué ~!** che ridere!

risco nm rupe f

ristra nf sfilza; (de ajos, cebollas) resta

risueño, -a adj sorridente

ritmo nm ritmo ► **ritmo de vida** ritmo di vita

rito nm rito

ritual adj, nm rituale (m)

rival adj, nm/f rivale m/f □ **rivalidad** nf rivalità f inv □ **rivalizar** vi rivaleggiare

rizado, -a adj (pelo) riccio(-a) ♦ nm arricciatura

rizar vt arricciare; **rizarse** vpr (el pelo) arricciarsi; (agua, mar) incresparsi □ **rizo** nm riccio

RNE abr = **Radio Nacional de España**

robar vt rubare; **me han robado la cartera** mi hanno rubato il portafoglio

roble nm rovere m

robo nm furto; (con la violencia) rapina

robot (pl ~s) nm robot m inv
 ▶ **robot de cocina** robot da cucina

robustecer vt irrobustire

robusto, -a adj robusto(-a)

roca nf roccia

roce vb ver **rozar** ♦ nm sfregamento; (señal) graffio; (de hojas) fruscio; **tener un ~ con** avere un contrasto con

rociar vt spruzzare

rocín nm ronzino

rocío nm rugiada

rock adj, nm (MÚS) rock (m) inv

rocoso, -a adj roccioso(-a)

rodaja nf fetta (rotonda)

rodaje nm (CINE) riprese fpl; **en ~** (AUTO) in rodaggio

rodar vt (vehículo) rodare; (película) girare ♦ vi ruotare; (caer) rotolare

rodear vt circondare; **rodearse** vpr: **~se de amigos** circondarsi di amici

rodeo nm giro; (DEPORTE) rodeo; **decir algo sin ~s** dire qc senza giri di parole

rodilla nf ginocchio; **de ~s** in ginocchio

rodillo nm rullo; (CULIN) matterello

roedor, a adj roditore(-trice) ♦ nm roditore m

roer vt rodere

rogar vt, vi pregare; **se ruega no fumar** si prega di non fumare

rojizo, -a adj rossiccio(-a)

rojo, -a adj rosso(-a) ♦ nm rosso; **al ~ (vivo)** incandescente

rol nm ruolo

rollizo, -a adj paffuto(-a)

rollo nm rotolo; (fam: película) rullino; (libro) mattone m; **¡qué ~!** che noia!

Roma n Roma

romance nm (LING) lingua romanza; (relación) storia d'amore

romanticismo nm romanticismo

romántico, -a adj romantico(-a)

rombo nm rombo

romería nf (REL) pellegrinaggio; (fiesta) festa popolare

ROMERÍA

La **romería**, in origine un pellegrinaggio ad un sepolcro o ad una chiesa in onore della Vergine Maria o di un santo locale, è diventata anche una festa campestre. La gente porta cibo e bevande e trascorre la giornata celebrando il santo.

romero, -a nm/f pellegrino(-a) ♦ nm (BOT) rosmarino

romo, -a adj arrotondato(-a)

rompecabezas nm inv puzzle m inv; (fig) rompicapo m inv

rompeolas nm inv frangiflutti m inv

romper vt rompere ♦ vi (olas) infrangersi; (diente) spuntare; **romperse** vpr rompersi; **al ~ el día** sul far del giorno; **~ a llorar** rompere in pianto o lacrime; **~ con algn** rompere con qn; **la cerradura/televisión está rota/se ha roto** la serratura/la TV è rotta/si è rotta

ron nm rum m inv

roncar vi russare

ronco, -a adj rauco(-a)

ronda nf (de bebidas, negociaciones) giro; (patrulla) ronda; **hacer la ~** (MIL) fare la ronda □ **rondar** vt (vigilar) pattugliare ♦ vi fare la ronda; (andar de noche) vagabondare di notte; **la**

cifra ronda el millón la cifra sfiora il milione

ronquido nm russare m inv

ronronear vi fare le fusa

roña nf (VETERINARIA) rogna; (mugre) sporcizia; (óxido) ruggine f

roñoso, -a adj (mugriento) lurido(-a); (tacaño) taccagno(-a)

ropa nf panni mpl, vestiti mpl ▶ **ropa de cama** lenzuola fpl ▶ **ropa interior** o **íntima** biancheria intima ❑ **ropaje** nm abito

ropero nm guardaroba m inv

rosa adj inv rosa inv ♦ nf (BOT) rosa ♦ nm (color) rosa m inv ▶ **rosa de los vientos** rosa dei venti

rosado, -a adj rosato(-a) ♦ nm rosato

rosal nm rosaio

rosario nm rosario

rosca nf filettatura f; (pan) ciambella

rosetón nm (ARQ) rosone m

rosquilla nf ciambellina

rostro nm viso, volto; **tener mucho ~** (fam) avere la faccia tosta

rotativo nm giornale m

roto, -a pp de **romper** ♦ adj rotto(-a); (tela, papel) strappato(-a) ♦ nm (en vestido) strappo

rotonda nf rotonda

rótula nf rotula

rotulador nm pennarello

rótulo nm (título) titolo; (letrero) insegna

⚠ **rótulo** no se traduce nunca por la palabra italiana **rotolo**.

rotundamente adv categoricamente

rotundo, -a adj categorico(-a)

rotura nf rottura; (MED) frattura

rozadura nf (huella) graffio; (herida) sbucciatura

rozar vt (tocar ligeramente, fig) sfiorare; (estropear) consumare; (raspar) grattare; **rozarse** vpr (tocar ligeramente, fig) sfiorarsi; (estropear) consumarsi; **estos zapatos me rozan** queste scarpe mi fanno male

Rte. abr (= remite, remitente) Mitt.

RTVE sigla f = Radiotelevisión Española

rubí nm rubino

rubio, -a adj, nm/f biondo(-a); **tabaco ~** tabacco biondo

rubor nm rossore m

ruborizarse vpr arrossire

rúbrica nf (de firma) sigla ❑ **rubricar** vt (firmar) siglare; (confirmar) confermare

⚠ **rúbrica** no se traduce nunca por la palabra italiana **rubrica**.

rudimentario, -a adj rudimentale

rudo, -a adj (material) grezzo(-a); (modales, persona) rozzo(-a), rude

rueda nf ruota; (corro) cerchio; **tengo una ~ pinchada** ho una ruota a terra ▶ **rueda delantera/trasera** ruota anteriore/posteriore ▶ **rueda de prensa** conferenza stampa ▶ **rueda de recambio** o **de repuesto** ruota di scorta

ruedo vb ver **rodar** ♦ nm (TAUR) arena

ruego vb ver **rogar** ♦ nm supplica

rugby nm rugby m inv

rugido nm ruggito

rugir vi ruggire

rugoso, -a adj rugoso(-a)

ruido nm rumore m; (alboroto) chiasso; **no puedo dormir por el ~**

non riesco a dormire a causa del rumore

ruidoso, -a *adj* rumoroso(-a); *(fig)* clamoroso(-a)

ruin *adj (vil)* vile; *(tacaño)* tirchio(-a)

ruina *nf* rovina; **~s** *nfpl* ruderi *mpl*

ruinoso, -a *adj* rovinoso(-a); *(edificio)* in rovina

ruiseñor *nm* usignolo

ruleta *nf* roulette *f inv*

rulo *nm* bigodino

Rumanía *nf* Romania

rumba *nf* rumba

rumbo *nm (ruta)* rotta; *(fig)* direzione; **poner ~ a** fare rotta per; **sin ~ fijo** senza una meta precisa

rumiante *nm* ruminante *m*

rumiar *vt, vi* ruminare

rumor *nm (ruido sordo)* mormorio; *(chisme)* voce *f*

⚠️ **rumor** no se traduce nunca por la palabra italiana *rumore*.

rumorearse *vpr*: **se rumorea que** si vocifera che

rupestre *adj*: **pintura ~** pittura rupestre

ruptura *nf* rottura

rural *adj* rurale

Rusia *nf* Russia

ruso, -a *adj, nm/f* russo(-a) ♦ *nm (LING)* russo

rústico, -a *adj (del campo)* campagnolo(-a); *(rudo)* brusco(-a), ruvido(-a)

ruta *nf* percorso, itinerario

rutina *nf (tb INFORM)* routine *f inv*

Ss

S *abr (= sur)* S

S. *abr (= san)* S.

S.A. *abr (COM: Sociedad Anónima)* S.A.

sábado *nm* sabato; *ver tb* **martes**

sábana *nf* lenzuolo

sabañón *nm* gelone *m*

saber

PALABRA CLAVE

vt sapere; **no lo supe hasta ayer** l'ho saputo solo ieri; **¿sabes conducir/nadar?** sai guidare/nuotare?; **¿sabes francés?** sai il francese?; **no sé francés** non so il francese; **¿sabe dónde puedo ...?** sa dove posso ...?; **lo sé** lo so; **no lo sé** non lo so; **hacer saber** far sapere; **que yo sepa** che io sappia; **¡vete a saber!** va a sapere!; **¿sabes?** lo sai?; **a saber** cioè

♦ *vi*: **saber** sapere di; **saber de** avere notizie di; **sabe a fresa** sa di fragola; **saber mal/bien** *(comida, bebida)* ha un cattivo/buon sapore

♦ **saberse** *vpr*: **se lo sabe de memoria** lo sa a memoria; **se sabe que ...** si sa che ...; **le sabe mal que otro saque a bailar a su mujer** non gli va giù che qualcun altro inviti sua moglie a ballare; **no se sabe todavía** non si sa ancora

sabiduría *nf* saggezza; *(buen juicio)* buon senso

sabiendas: **a ~** *adv* di proposito

sabio, -a *adj, nm/f* saggio(-a)

sabor *nm* sapore *m*; **¿qué ~es tienen?** che gusti avete? ❑ **saborear** *vt* assaporare; *(dar sabor)* insaporire

sabotaje *nm* sabotaggio

sabotear *vt* sabotare

sabré *etc vb ver* **saber**

sabroso, -a *adj* saporito(-a); *(salado)* salato(-a)

sacacorchos nm inv cavatappi m inv

sacapuntas nm inv temperamatite m inv

sacar vt tirare fuori; (dinero) prelevare; (billete, entrada) comprare; (beneficios, ganancias, datos) ottenere; (premio) vincere; (conclusión) trarre; (LAm: ropa) allungare; ~ **adelante** (hijos) mantenere; (negocio) mandare avanti; ~ **una foto** fare una foto; ~ **la lengua** tirare fuori la lingua; ~ **buenas/malas notas** prendere voti buoni/cattivi

sacarina nf saccarina

sacerdote nm sacerdote m

saciar vt saziare; **saciarse** vpr saziarsi

saco nm sacco; (LAm: chaqueta) giacca ▶ **saco de dormir** sacco a pelo

sacramento nm sacramento

sacrificar vt sacrificare; **sacrificarse** vpr: ~**se por** sacrificarsi per ▢ **sacrificio** nm sacrificio

sacrilegio nm sacrilegio

sacristía nf sagrestia

sacudida nf scossa ▶ **sacudida eléctrica** scossa elettrica

sacudir vt scuotere

sádico, -a adj, nm/f sadico(-a)

sagaz adj sagace

Sagitario nm (ASTROL) Sagittario; **ser** = essere (del) Sagittario

sagrado, -a adj sacro(-a)

Sáhara nm: **el** = il Sahara

sal vb ver **salir** ♦ nf sale m; (encanto) grazia ▶ **sales de baño** sali mpl da bagno

sala nf sala; (sala de estar) salotto; (JUR) aula ▶ **sala de espera/de fiestas** sala d'attesa/da ballo

salado, -a adj salato(-a); (desenvuelto) spigliato(-a)

salar vt salare

salarial adj (aumento) salariale

salario nm salario

salchicha nf salsiccia ▢ **salchichón** nm salame m

saldo nm saldo

saldré etc vb ver **salir**

salero nm (CULIN) saliera

salga etc vb ver **salir**

salida nf uscita; (de tren, AER, DEPORTE) partenza; (de estudios) sbocco; **calle sin ~** via senza uscita; **a la ~ del teatro** all'uscita dal teatro; **¿dónde está la ~?** dov'è l'uscita? ▶ **salida de emergencia** uscita di sicurezza ▶ **salida de incendios** uscita di sicurezza

saliente nm sporgenza

---

salir

PALABRA CLAVE

vi

1 (ir afuera) uscire; (: tren, avión) partire; **salir de** uscire da; **Juan ha salido** Juan è uscito da; **salió de la cocina** è uscito dalla cucina; **¿a qué hora sale el tren/autobús?** a che ora parte il treno/l'autobus?

2 (aparecer: sol, flor, pelo, dientes) spuntare; (: disco, libro) uscire; **anoche salió el reportaje en la tele** ieri sera hanno trasmesso il reportage in TV; **su foto salió en todos los periódicos** la sua foto è apparsa su tutti i giornali

3 (resultar): **salir bien/mal** venire

bene/male; **la paella te ha salido exquisita** la paella ti è venuta benissimo; **sale muy caro** viene a costare molto

4 (*mancha, tapón*) togliersi

5: **le salió un trabajo** ha trovato un lavoro

6: **salir adelante** andare avanti; **no sé cómo haré para salir adelante** non so come farò ad andare avanti

♦ **salirse** *vpr* (*líquido, de la carretera*) uscire; (*animal*) scappare; (*persona: de asociación*) lasciare

⚠️ **salir** no se traduce nunca por la palabra italiana *salire*.

saliva *nf* saliva
salmo *nm* salmo
salmón *nm* salmone *m*
salmuera *nf* salamoia
salón *nm* salone *m* ▸ **salón de belleza** salone di bellezza
salpicadero *nm* (*AUTO*) cruscotto
salpicar *vt* schizzare
salsa *nf* (*CULIN, MÚS*) salsa
saltamontes *nm inv* cavalletta
saltar *vt* saltare ♦ *vi* saltare; (*quebrarse: cristal*) rompersi; (*explotar: persona*) saltare; **saltarse** *vpr* saltare; **~ por los aires** saltare in aria; **~se un semáforo** passare col rosso
salto *nm* salto ▸ **salto de agua** cascata ▸ **salto de altura/de longitud** salto in alto/in lungo ▸ **salto mortal** salto mortale
salud *nf* salute *f*; **¡(a su) ~!** (alla) salute! ; ♦ **saludable** *adj* salutare
saludar *vt* salutare; **salude de mi parte a X** saluti X da parte mia

☐ **saludo** *nm* saluto; **saludos** *nmpl* (*en carta*) cordiali saluti
salva *nf* (*MIL*) salva; **una ~ de aplausos** una scroscio di applausi
salvación *nf* salvezza
salvado *nm* (*AGR*) crusca
salvador *nm* salvatore *m*; **El S~** (*GEO*) El Salvador; **San S~** San Salvador
salvaje *adj, nm/f* selvaggio(-a)
salvamento *nm* salvataggio
salvar *vt* salvare; (*obstáculo*) superare; (*exceptuar*) lasciare da parte; **salvarse** *vpr*: **~se (de)** salvarsi (da)
salvavidas *adj inv*: **bote/chaleco ~** scialuppa/giubbotto di salvataggio
salvo, -a *adj*: **a ~** in salvo ♦ *adv* salvo; **~ que** a meno che ☐ **salvoconducto** *nm* salvacondotto
san *nm*: **S~ Isidro** vedi nota nel riquadro; **~ Juan** san Giovanni

SAN ISIDRO

San Isidro è il patrono della città di Madrid, e dà il nome ai festeggiamenti che si svolgono nella settimana attorno al 15 maggio. Originariamente, nel XVIII secolo, San Isidro era una fiera; oggi la festa si celebra con musica, danze, una famosa **romería**, spettacoli teatrali e corride.

sanar *vt, vi* guarire
sanatorio *nm* ospedale *m*
sanción *nf* sanzione *f*; (*aprobación*) approvazione *f* ☐ **sancionar** *vt* sanzionare; (*aprobar*) approvare
sandalia *nf* sandalo
sandía *nf* anguria, cocomero

Sanfermines nmpl vedi nota nel riquadro

sangrar vt salassare ♦ vi sanguinare ◻ **sangre** nf sangue m

sangría nf (MED) salasso; (CULIN) sangria

sangriento, -a adj sanguinoso(-a); (manchado) insanguinato(-a)

sanguíneo, -a adj sanguigno(-a)

sanidad nf (ADMIN) sanità f inv; (de ciudad, clima) salubrità f inv
▶ **sanidad pública** sanità pubblica

sanitario, -a adj sanitario(-a) ♦ nm:
~**s** sanitari mpl

sano, -a adj sano(-a); ~ **y salvo** sano e salvo

Santiago n: ~ **(de Chile)** Santiago (del Cile)

santiamén nm: **en un** ~ in un attimo

santidad nf santità f inv

santiguarse vpr farsi il segno della croce

santo, -a adj, nm/f santo(-a) ♦ nm figura

santuario nm santuario

sapo nm rospo

saque vb ver **sacar** ♦ nm (TENIS) servizio; (FÚTBOL) calcio d'inizio
▶ **saque de esquina** calcio d'angolo

saqueo nm saccheggio

sarampión nm morbillo

sarcasmo nm sarcasmo

sarcástico, -a adj sarcastico(-a)

sardina nf sardina

sargento nm (MIL) sergente m

sarmiento nm tralcio

sarna nf (MED) scabbia

sarpullido nm (MED) eruzione f cutanea

sarro nm tartaro

sartén nf (CULIN) padella

sastre nm sarto

Satanás nm Satana m inv

satélite nm satellite m

sátira nf satira

satisfacción nf soddisfazione f

satisfacer vt soddisfare;
satisfacerse vpr accontentarsi

satisfecho, -a pp de **satisfacer**
♦ adj soddisfatto(-a)

saturar vt saturare; **saturarse** vpr saturarsi

sauce nm salice m ▶ **sauce llorón** salice piangente

sauna nf sauna

savia nf linfa

saxofón nm sassofono

sazonar vt maturare; (CULIN) condire

se

PALABRA CLAVE

pron

1 (*reflexivo*) si; **se divierte** si diverte; **lavarse** lavarsi; **se compró un sombrero** si è comprato un cappello; **se rompió la pierna** si è rotto una gamba

2 (*con complemento directo*) gli; **se lo dije** (*a él, ellos, usted(es)*) gliel'ho detto

3 (*uso recíproco*) si; **se miraron (el uno al otro)** si sono guardati (l'un l'altro)

4 (*en oraciones pasivas*): **se han vendido muchos libros** sono stati venduti molti libri

5 (*impersonal*): **se dice que ...** si dice che ...; **allí se come muy bien** lì si mangia bene; **se ruega no fumar** si prega di non fumare

sé *vb ver* **saber**; **ser**

sea *etc vb ver* **ser**

secador *nm* (*tb:* ~ **de pelo**) asciugacapelli *m inv*

secadora *nf* asciugabiancheria *f inv*

secar *vt* asciugare; **secarse** *vpr* asciugarsi; (*adelgazar*) rinsecchirsi

sección *nf* sezione *f*

seco, -a *adj* asciutto(-a); (*lugar, tiempo, planta, piel*) secco(-a); **parar/frenar en** ~ fermarsi/frenare di colpo

secretaría *nf* segreteria

secretario, -a *nm/f* segretario(-a)

secreto, -a *adj* segreto(-a) ♦ *nm* segreto

secta *nf* setta

sector *nm* settore *m* ► **sector terciario** settore terziario

secuela *nf* conseguenza

secuencia *nf* sequenza

secuestrar *vt* sequestrare; (*avión*) dirottare ❑ **secuestro** *nm* (*de persona*) sequestro; (*de avión*) dirottamento

secundario, -a *adj* secondario(-a)

sed *nf* sete *f*; **tener** ~ avere sete

seda *nf* seta

sedal *nm* lenza

sedante *nm* sedativo

sede *nf* sede *f*; **Santa S~** Santa Sede

sedentario, -a *adj* sedentario(-a)

sediento, -a *adj* assetato(-a)

sedimento *nm* sedimento

seducción *nf* seduzione *f*

seducir *vt* sedurre

seductor, -a *adj* seducente ♦ *nm/f* seduttore(-trice)

seglar *adj* secolare

seguida *nf*: **en** ~ subito

seguido, -a *adj* continuo(-a) ♦ *adv* (*derecho*) dritto; (*LAm: a menudo*) spesso; **5 días** ~ **s** 5 giorni di seguito

seguir *vt* seguire ♦ *vi* (*venir después*) seguire; (*continuar*) continuare; **seguirse** *vpr*: ~**se (de)** dedurre (da); **sigo sin comprender** continuo a non capire; **sigue lloviendo** piove ancora

según *prep* secondo ♦ *adv* (*tal como*) (così) come; (*depende de*) a seconda di; (*a medida que*) man mano che; ~ **esté el tiempo** a seconda di com'è il tempo; **está** ~ **lo dejaste** è come lo hai lasciato

segundo, -a *adj, nm/f* secondo(-a) ♦ *nm* secondo; **segunda (clase)** (*FERRO*) seconda (classe); **segunda (marcha)** (*AUTO*) seconda; **con segundas (intenciones)** con un secondo fine; **de segunda mano** di seconda mano

seguramente *adv* probabilmente

seguridad *nf* sicurezza; (*certeza*) certezza ▸ **seguridad social** previdenza sociale

seguro, -a *adj* sicuro(-a) ♦ *adv* certo ♦ *nm* sicura; (COM) assicurazione f ▸ **seguro a todo riesgo** assicurazione kasko ▸ **seguro contra terceros** assicurazione terzi

seis *adj inv, nm inv* sei (m) *inv*; *ver tb* **cinco**

seiscientos, -as *adj* seicento *inv*; **~ veinticinco** seicentoventicinque

seísmo *nm* sisma m

selección *nf* selezione f
❑ **seleccionar** *vt* selezionare

selectividad *nf* (ESCOL) esame m di maturità

selecto, -a *adj* selezionato(-a)

sellar *vt* (*documento*) timbrare; (*cerrar*) sigillare

sello *nm* (*de correos*) francobollo; (*para estampar*) timbro; (*precinto*) sigillo

selva *nf* (*bosque*) foresta; (*jungla*) giungla

semáforo *nm* (AUTO) semaforo

semana *nf* settimana ▸ **Semana Santa** Settimana Santa
❑ **semanal** *adj* settimanale

tutto il paese si svolgono grandiose processioni, le più famose delle quali sono quelle di Siviglia.

sembrar *vt* seminare

⚠ **sembrar** no se traduce nunca por la palabra italiana **sembrare**.

semejante *adj, nm* simile m/f

semen *nm* sperma m *inv*

semestral *adj* semestrale

semicírculo *nm* semicerchio

semifinal *nf* semifinale f

semilla *nf* seme m

seminario *nm* seminario

sémola *nf* semola

senado *nm* senato

senador, a *nm/f* senatore(-trice)

sencillez *nf* semplicità f *inv*

sencillo, -a *adj* semplice

senda *nf* sentiero

sendero *nm* sentiero

senil *adj* senile

seno *nm* (*tb* MAT) seno

sensación *nf* sensazione f
❑ **sensacional** *adj* sensazionale

sensato, -a *adj* sensato(-a)

sensible *adj* sensibile

sensorial *adj* sensoriale

sensual *adj* sensuale

sentada *nf* (*protesta*) sit-in m *inv*

sentado, -a *adj*: **estar ~** essere seduto(-a); **dar por ~** dare per scontato

sentar *vt* mettere a sedere ♦ *vi* (*vestido, color*) andare; **sentarse** *vpr* sedersi; **~ las bases** gettare le basi; **~ bien** (*ropa*) stare bene; (*comida, vacaciones*) fare bene; **me ha sentado mal** mi ha fatto male

sentencia nf sentenza

sentido, -a adj (pérdida) sentito(-a)
♦ nm senso; **mi más ~ pésame** le mie più sentite condoglianze; **con doble ~** a doppio senso; **tener ~** avere senso▸ **sentido común/del humor** senso comune/dell'umorismo▸ **sentido único** (AUTO) senso unico

sentimental adj sentimentale

sentimiento nm sentimento

sentir nm opinione f ♦ vt sentire; (lamentar) dispiacersi; (LAm: percibir) percepire ♦ vi sentirsi; **lo siento (mucho)** mi dispiace (molto); **~se bien/mal** sentirsi bene/male

seña nf segno; **~s** nfpl (dirección) indirizzo sg

señal nf segnale m; (síntoma, marca) segno; (COM) caparra; **en ~ de** in segno di ▫ **señalar** vt segnare; (indicar) segnalare; (con el dedo) indicare; (fecha) fissare

señor, a adj (fam) signor(-a) ♦ nm signore m; **Muy ~ mío** Egregio signore

señora nf signora; **Nuestra S~** (REL) Nostra Signora

señorita nf signorina

señorito (pey) nm signorino

sepa etc vb ver **saber**

separación nf separazione f; (distancia) distanza

separar vt separare; (alejar) allontanare; **separarse** vpr separarsi; **~se de** (persona: de un lugar) abbandonare; (: de asociación) lasciare

sepia nf seppia

septiembre nm settembre m; ver tb **julio**

séptimo, -a adj, nm/f settimo(-a)

sepulcro nm sepolcro

sepultar vt seppellire; (suj: aguas, escombros) sommergere ▫ **sepultura** nf (entierro) sepoltura; (tumba) tomba

sequía nf siccità f inv

séquito nm (de rey) seguito

SER sigla f (RADIO: Sociedad Española de Radiodifusión) radio privata spagnola

ser

PALABRA CLAVE

vi

1 (descripción, identidad) essere; **es francés/muy alto** è francese/molto alto

2 (suceder): **¿qué ha sido eso?** che è stato?; **la fiesta es en casa** la festa è a casa

3 (ser + de: posesión): **es de Joaquín** è di Joaquín; (: origen): **ella es de Cuzco** lei è di Cuzco; (: sustancia): **es de piedra** è di pietra; **¿qué va a ser de nosotros?** che sarà di noi?

4 (horas, fechas, números): **es la una** è l'una; **son las seis y media** sono le sei e mezza; **es el 1 de junio** è il primo di giugno; **somos/son seis** siamo/sono in sei; **2 y 2 son 4** 2 più 2 fa 4

5 (valer): **¿cuánto es?** quant'è?

6 (ser + para): **es para pintar** serve a dipingere

7 (en oraciones pasivas): **ya ha sido descubierto** già è stato scoperto; **fue construido** è stato costruito

8 (ser + de + vb): **es de esperar que ...** c'è da aspettarsi che ...

9 (ser + que): **es que no puedo** è che non posso; **¿cómo es que no lo sabes?** come mai non lo sai?

10 11 (locuciones: con subjunctivo): **o sea** cioè; **sea él, sea su hermana** sia lui sia sua sorella

11 (con infinitivo): **a no ser que ... a menos que ...; a no ser que salga mañana** a meno che (non) parta domani; **de no ser así** se non è così

12: "**érase una vez ...**" "c'era una volta ..."

♦ nm (ente) essere m; **ser humano/vivo** essere umano/vivente

sereno, -a adj sereno(-a) ♦ nm guardiano notturno

serie nf serie f; **fuera de ~** fuoriserie; **fabricación en ~** fabbricazione in serie

seriedad nf serietà f inv

serio, -a adj serio(-a); **en ~** seriamente

sermón nm sermone m

seropositivo, -a adj sieropositivo(-a)

serpiente nf serpente m ▸ **serpiente de cascabel** serpente a sonagli

serranía nf regione f di montagna

serrar vt segare

serrín nm segatura

serrucho nm sega

servicio nm servizio; **~s** nmpl (wáter, ECON) servizi mpl; **¿dónde está el ~?** dov'è la toilette? ▸ **servicio incluido/militar** servizio compreso/militare

servil (pey) adj servile

servilleta nf tovagliolo

servir vt, vi servire; **servirse** vpr servirsi; **~ (para)** servire (a); **~se de**

algo servirsi di qc; **¡sírvete (tú mismo)!** ti serviti pure!

sesenta adj inv, nm inv sessanta (m) inv; ver tb **cinco**

sesión nf sessione f

seso nm cervello

seta nf fungo ▸ **seta venenosa** fungo velenoso

⚠ **seta** no se traduce nunca por la palabra italiana *seta*.

setecientos, -as adj settecento inv; ver tb **seiscientos**

setenta adj inv, nm inv settanta m inv; ver tb **cinco**

severo, -a adj severo(-a)

Sevilla n Siviglia

sevillano, -a adj, nm/f sivigliano(-a)

sexo nm sesso

sexto, -a adj, nm/f sesto(-a)

sexual adj sessuale

si conj se ♦ nm (MÚS) si m inv; **me pregunto si ...** mi domando se ...

sí adv sì ♦ nm (consentimiento) sì m inv ♦ pron se inv; **claro que sí** certo che sì; **creo que sí** credo di sì; **¡sí que lo es!** certo che lo è!; **¡eso sí que no!** questo proprio no!; **por sí solo/solos** solo per sé; **volver en sí** tornare in sé; **sí mismo/misma** se stesso/stessa; **se ríe de sí misma** ride de se stessa; **hablaban entre sí** parlavano tra loro; **de por sí** di per sé

siamés, -esa adj, nm/f siamese m/f

SIDA, sida sigla m (= síndrome de inmuno-deficiencia adquirida) AIDS m inv

siderúrgico, -a adj siderurgico(-a)

sidra nf sidro di mele

siembra vb ver **sembrar** ♦ nf (AGR) semina

siempre adv sempre ♦ conj: ~ **que** ... (cada vez que) ogni volta che ...; (a condición de que) sempre che ...; **como** ~ come sempre; **para** ~ per sempre; ~ **me voy mañana** (LAm) comunque me ne vado domani

sien nf tempia

siento vb ver **sentar**; **sentir**

sierra vb ver **serrar** ♦ nf (TEC) sega; (GEO) sierra ▸ **Sierra Leona** Sierra Leone

siervo, -a nm/f servo(-a)

siesta nf pisolino, siesta; **dormir la** o **echarse una** ~ fare un pisolino o un po' di siesta

siete adj inv, nm inv sette (m) inv; ver tb **cinco**

sifón nm sifone m

siga etc vb ver **seguir**

sigla nf sigla

siglo nm secolo

significado nm significato

significar vt significare

signo nm segno ▸ **signo de admiración/interrogación** punto esclamativo/interrogativo

siguiendo etc vb ver **seguir**

siguiente adj seguente; **¡el ~!** il prossimo!

sílaba nf sillaba

silbar vt, vi fischiare ❑ **silbato** nm fischietto ❑ **silbido, silbo** nm fischio

silenciador nm silenziatore m

silenciar vt (persona) mettere a tacere ❑ **silencio** nm silenzio

silencioso, -a adj silenzioso(-a)

silla nf sedia; (tb: ~ **de montar**) sella ▸ **silla de ruedas** sedia a rotelle

sillón nm poltrona

silueta nf profilo

silvestre adj (BOT) selvatico(-a)

simbólico, -a adj simbolico(-a)

simbolizar vt simboleggiare

símbolo nm simbolo

similar adj simile

simio nm scimmia

simpatía nf simpatia

simpático, -a adj (persona) simpatico(-a)

simpatizante nm/f simpatizzante m/f

simpatizar vi: ~ **con** simpatizzare con

simple adj semplice ♦ nm/f (pey) sempliciotto(-a) ❑ **simplificar** vt semplificare

simposio nm simposio

simular vt simulare

simultáneo, -a adj simultaneo(-a)

sin prep senza ♦ conj: ~ **que** (+ subjuntivo) senza che; **la ropa está** ~ **lavar** i panni sono da lavare; ~ **embargo** tuttavia

sinagoga nf sinagoga

sinceridad nf sincerità f inv

sincero, -a adj sincero(-a)

sincronizar vt sincronizzare

sindical adj sindacale ❑ **sindicalista** nm/f sindacalista m/f

sindicato nm sindacato

síndrome nm sindrome f ▸ **síndrome de abstinencia** sindrome di astinenza

sinfín nm: **un** ~ **de** un'infinità di

sinfonía nf sinfonia

singular adj singolare

siniestro, -a adj sinistro(-a); (desgraciado) disgraziato(-a) ♦ nm sinistro

sinnúmero nm = **sinfín**

sino nm destino ♦ conj ma; (excepto) tranne

sinónimo, -a adj sinonimo(-a) ♦ nm sinonimo

síntesis nf inv sintesi f inv

sintético, -a adj sintetico(-a)

sintiendo etc vb ver **sentir**

síntoma nm sintomo

sintonía nf (RADIO) sintonia; (melodía) sigla

sintonizar vt (RADIO) sintonizzare ♦ vi: ~ **con** essere in sintonia con

sinvergüenza adj, nm/f mascalzone(-a); (descarado) sfacciato(-a)

siquiera conj anche se ♦ adv almeno; **ni** ~ neanche; ~ **bebe algo** almeno bevi qualcosa

sirena nf sirena

Siria nf Siria

sirviendo etc vb ver **servir**

sirviente, -a nm/f servitore(-trice)

sistema nm sistema m

sistemático, -a adj sistematico(-a)

sitiar vt assediare

sitio nm posto; (espacio) spazio; (MIL) assedio

situación nf situazione f

situado, -a adj arrivato(-a)

situar vt collocare; (socioeconómicamente) sistemare; **situarse** vpr trovarsi; (socioeconómicamente) sistemarsi

slip (pl ~**s**) nm slip mpl

smoking (pl ~**s**) nm smoking m inv

snob nm = **esnob**

SO abr (= suroeste) SO

sobaco nm ascella

sobar vt palpare

soberanía nf sovranità f inv

soberano, -a adj, nm/f sovrano(-a)

soberbia nf superbia

soberbio, -a adj superbo(-a)

sobornar vt corrompere □ **soborno** nm (un soborno) bustarella; (el soborno) corruzione f

sobra nf eccesso; ~**s** nfpl (restos) avanzi mpl; **tengo de ~** ne ho a sufficienza □ **sobrante** adj in più, eccedente ♦ nm rimanenza

sobrar vi (quedar) avanzare

sobre prep su; (por encima de) sopra, su; (aproximadamente) verso ♦ nm busta; ~ **todo** soprattutto

sobredosis nf inv overdose f inv

sobreentender vt sottintendere; **sobreentenderse** vpr: **se sobreentiende (que)** si sottintende (che)

sobrehumano, -a adj sovrumano(-a)

sobrellevar vt sopportare

sobremesa nf: **de** ~ (ordenador) da tavolo; **en la** ~ dopopranzo

sobrenatural adj soprannaturale

sobrentender vt = **sobreentender**

sobrepasar vt superare

sobreponerse vpr: ~ **a algo** sovrapporsi a qc

sobresaliente adj eccellente ♦ nm (ESCOL: máxima calificación) ≈ dieci inv; (UNIV: máxima calificación) ≈ trenta

sobresalir vi (punta, cabeza) sporgere; (fig) eccellere

sobresaltar vt far sobbalzare;
sobresaltarse vpr sobbalzare

sobrevenir vi sopravvenire

sobrevolar vt sorvolare

sobriedad nf sobrietà f inv

sobrino, -a nm/f nipote m/f

sobrio, -a adj sobrio(-a)

socarrón, -ona adj
canzonatore(-trice)

socavón nm (en calle) avvallamento

sociable adj socievole

social adj sociale

socialdemócrata adj, nm/f
socialdemocratico(-a)

socialista adj, nm/f socialista m/f

sociedad nf società f inv
▸ **sociedad anónima** società
anonima

socio, -a nm/f socio(-a)

sociología nf sociologia

sociólogo, -a nm/f sociologo(-a)

socorrer vt soccorrere
❑ **socorrista** nm/f
soccorritore(-trice) ❑ **socorro** nm
soccorso; (MIL) soccorsi pl; **¡socorro!**
aiuto!

soda nf soda

sofá nm divano, sofà m inv
❑ **sofá-cama** nm divano m letto inv

sofocar vt soffocare; (incendio)
spegnere; **sofocarse** (por ansimare;
(fig) arrossire ❑ **sofoco** nm
soffocamento

soga nf corda

sois vb ver **ser**

soja nf soia

sol nm sole m; **hace ~** c'è il sole;
tomar el ~ prendere il sole

solamente adv solo, soltanto

solapa nf (tb de libro) risvolto

solar adj solare ♦ nm terreno
(edificabile)

soldado nm soldato ▸ **soldado
raso** soldato semplice

soldador, a nm/f saldatore(-trice)

soldar vt saldare

soleado, -a adj soleggiato(-a)

soledad nf solitudine f

solemne adj solenne

soler vi: ~ **hacer algo** essere
solito(-a) fare qc; **suele salir a las
ocho** è solito uscire alle otto;
solíamos ir todos los años ci
andavamo tutti gli anni

solicitar vt richiedere

solicitud nf domanda; (prontitud)
sollecitudine f

solidaridad nf solidarietà f inv

solidario, -a adj solidale

sólido, -a adj solido(-a)

soliloquio nm soliloquio

solista nm/f solista m/f

solitario, -a adj, nm/f solitario(-a)
♦ nm (NAIPES) solitario

sollozar vi singhiozzare

solo, -a adj solo(-a); (único)
hay una sola dificultad c'è
un'unica difficoltà; **a solas** da
solo(-a); (dos personas) da soli(-e)

sólo adv solo, soltanto

solomillo nm filetto

soltar vt (desatar) slegare; (preso)
liberare; (estornudo, carcajada) fare;
soltarse slegarsi; (adquirir
destreza) cavarsela

soltero, -a adj, nm/f celibe (nubile)

solterón, -ona nm/f scapolone
(zitella)

soltura nf (al hablar, escribir)
scioltezza

soluble adj solubile

solución nf soluzione f
□ **solucionar** vt risolvere

solventar vt (deudas) pagare; (conflicto) risolvere

solvente adj (COM) solvibile

sombra nf ombra

sombrero nm cappello

sombrilla nf parasole m; (mds grande) ombrellone m

sombrío, -a adj ombroso(-a)

someter vt sottoporre; (sojuzgar) sottomettere; **someterse** vpr sottomettersi; **~ algo/a algn a** sottoporre qc/qn a; **~se a** sottoporsi a

somnífero nm sonnifero

somos vb ver **ser**

son vb ver **ser** ♦ nm suono; **en ~ de guerra/de paz** con intenzioni bellicose/pacifiche

sonajero nm sonaglio

sonámbulo, -a nm/f sonnambulo(-a)

sonar vi suonare; **sonarse** vpr: **~se (la nariz)** soffiarsi il naso; **me suena ese nombre** questo nome non mi è nuovo; **la hache no suena** l'acca non si pronuncia

sonda nf sonda

sondear vt sondare □ **sondeo** nm sondaggio

sonido nm suono

sonoro, -a adj sonoro(-a)

sonreír vi sorridere; **sonreírse** vpr sorridere □ **sonriente** adj sorridente □ **sonrisa** nf sorriso

sonrojarse vpr arrossire

soñar vt, vi sognare; **~ con algn/ algo** sognare qn/qc

soñoliento, -a adj sonnolento(-a)

sopa nf zuppa

soplar vt (vidrio) soffiare; (vela) soffiare su; (globo) gonfiare ♦ vi soffiare □ **soplo** nm soffio

soporífero, -a adj soporifero(-a)

soportar vt sopportare □ **soporte** nm supporto

soprano nm/f soprano

sorber vt (sorseggiare: absorber) assorbire; (mocos) tirare su

sorbo nm sorso

sordera nf sordità f inv

sórdido, -a adj sordido(-a)

sordo, -a adj, nm/f sordo(-a)

sordomudo, -a adj, nm/f sordomuto(-a)

soroche (CAm) nm mal m di montagna

sorprendente adj sorprendente

sorprender vt sorprendere; **sorprenderse** vpr: **~se (de)** sorprendersi (di) □ **sorpresa** nf sorpresa

sortear vt sorteggiare; (dificultad) schivare □ **sorteo** nm sorteggio

sortija nf anello

sosegado, -a adj calmo(-a); (carácter) tranquillo(-a)

sosegar vt calmare; **sosegarse** vpr calmarsi □ **sosiego** nm calma

soslayo: de ~ adv (mirar) di sottecchi; (pasar) di sbieco

soso, -a adj insipido(-a)

sospecha nf sospetto
□ **sospechar** vt: **sospechar (que)** sospettare (che) ♦ vi: **sospechar de algn** sospettare di qn

sospechoso, -a adj, nm/f sospetto(-a)

⚠ **sospechoso** no se traduce nunca por la palabra italiana *sospettoso*.

sostén nm sostegno; (prenda) reggiseno

sostener vt sostenere; (alimentar) mantenere; **sostenerse** vpr (en pie) reggersi; (económicamente) mantenersi; (seguir) rimanere

sotana nf sottana

sótano nm seminterrato

soy vb ver **ser**

Sr. abr (= Señor) Sig.

Sra. abr (= Señora) Sig.ra

Sres. abr (= Señores) Sigg.

Srta. abr (= Señorita) Sig.na

Sta. abr (= Santa) S.

su adj (de él, ella, una cosa) suo(-a); (de ellos, ellas, de usted, ustedes) loro; **sus** (de él, ella, una cosa) suoi (sue); (de ellos, ellas, de usted, ustedes) loro

suave adj morbido(-a); (dulce, apacible) soave □ **suavidad** nf morbidezza □ **suavizar** vt ammorbidire; (clima, carácter) addolcire; **suavizarse** vpr ammorbidirsi; (suj: clima, carácter) addolcirsi

subasta nf asta; (de obras, servicios) appalto □ **subastar** vt vendere all'asta

subcampeón, -ona nm/f vicecampione(-essa)

subconsciente adj inconscio(-a) ♦ nm subconscio

subdesarrollo nm sottosviluppo

subdirector, a nm/f vicedirettore(-trice)

súbdito, -a nm/f suddito(-a)

subestimar vt sottovalutare

subida nf aumento

subir vt (tb precio, cabeza, volumen) alzare; (niño) far salire; (montaña, escalera) salire; (producto)

aumentare ♦ vi salire; (precio, temperatura, calidad) aumentare; **subirse** vpr: **~se a** salire su; **se subió al autobús/al árbol** è salito in autobus/sull'albero

⚠ **subir** no se traduce nunca por la palabra italiana **subire**.

súbito, -a adj repentino(-a)

subjetivo, -a adj soggettivo(-a)

sublevar vt far infuriare; **sublevarse** vpr sollevarsi

sublime adj sublime

submarinismo nm ≈ attività e sport subacquei

submarino, -a adj sottomarino(-a) ♦ nm sottomarino

subnormal adj, nm/f subnormale m/f

subordinado, -a adj, nm/f subordinato(-a)

subrayar vt sottolineare

subsanar vt (error) rimediare a

subsidio nm sussidio

subsistencia nf sussistenza

subsistir vi persistere

subterráneo, -a adj sotterraneo(-a) ♦ nm sotterraneo

subtítulo nm sottotitolo

suburbio nm periferia

subvención nf sovvenzione f

subvencionar vt sovvenzionare

sucedáneo nm surrogato

suceder vi succedere; **~ a** succedere a; **lo que sucede es que ...** il fatto è che ... □ **sucesión** nf successione f

sucesivamente adv: **y así ~** e così di seguito

sucesivo, -a adj successivo(-a); **en lo ~** d'ora i poi

suceso nm avvenimento, fatto

suciedad nf sporcizia

sucio, -a adj sporco(-a)

suculento, -a adj succulento(-a)

sucumbir vi soccombere

sucursal nf succursale f

Sudáfrica nf Sudafrica m

Sudamérica nf Sudamerica m

sudamericano, -a adj, nm/f sudamericano(-a)

sudar vi sudare

sudeste nm sudest m; (viento) scirocco

sudoeste nm sudovest m; (viento) libeccio

sudor nm sudore m

Suecia nf Svezia

sueco, -a adj, nm/f svedese m/f ♦ nm (LING) svedese m

suegro, -a nm/f suocero(-a)

suela nf suola

sueldo vb ver **soldar** ♦ nm stipendio

suelo vb ver **soler** ♦ nm suolo; (piso) pavimento; **caerse al ~** cadere a terra

suelto, -a vb ver **soltar** ♦ adj sciolto(-a); (calcetín) spaiato(-a) ♦ nm trafiletto; (dinero) spiccioli mpl; **lo siento, no tengo ~** mi dispiace, non ho spiccioli

sueño vb ver **soñar** ♦ nm sonno; (lo soñado, fig) sogno; **echarse un ~** farsi un pisolino; **tener ~** avere sonno

suero nm siero

suerte nf (fortuna) fortuna; (azar, destino) sorte f; **lo echaron a ~s** hanno estratto a sorte; **tener ~** avere fortuna; **tener mala ~** avere sfortuna

suficiente adj sufficiente; **es ~, gracias** basta così, grazie

sufragio nm suffragio

sufrimiento nm sofferenza

sufrir vt soffrire; (cambio, operación, consecuencias) subire ♦ vi soffrire

sugerencia nf suggerimento

sugerir vt suggerire

sugestión nf suggestione f
  ❑ **sugestionar** vt suggestionare; **sugestionarse** vpr suggestionarsi

sugestivo, -a adj suggestivo(-a)

suicida adj, nm/f suicida m/f
  ❑ **suicidarse** vpr suicidarsi
  ❑ **suicidio** nm suicidio

Suiza nf Svizzera

suizo, -a adj, nm/f svizzero(-a)

sujeción nf (sometimiento) sottomissione f

sujetador nm reggiseno

sujetar vt tenere; (asegurar) fissare; **sujetarse** vpr tenersi; (someterse) sottomettersi

sujeto, -a adj soggetto(-a) ♦ nm soggetto; **~ a cambios** passibile di cambiamenti

suma nf (tb operación) somma; **en ~** insomma

sumamente adv: **~ agradecido** immensamente grato; **~ necesario** assolutamente necessario

sumar vt aggiungere ♦ vi fare le addizioni; **sumarse** vpr: **~se (a)** unirsi (a); **2 y 2 suman 4** 2 più 2 fa 4

sumergir vt immergere; **sumergirse** vpr immergersi

suministrar vt fornire
  ❑ **suministro** nm fornitura; **suministros** nmpl (provisiones) provviste fpl

sumir vt sprofondare; **sumirse** vpr: ~**se en** sprofondare in

sumiso, -a adj sottomesso(-a)

sumo, -a adj sommo(-a); (cuidado) massimo(-a)

suntuoso, -a adj sontuoso(-a)

supe etc vb ver **saber**

súper adj inv super inv ♦ nf (gasolina) super f inv

superar vt superare; **superarse** vpr superare

superficial adj superficiale

superficie nf superficie f

superfluo, -a adj superfluo(-a)

superior adj, nm/f superiore m/f □ **superioridad** nf superiorità f inv

supermercado nm supermercato

superponer vt sovrapporre

superstición nf superstizione f

supervisar vt supervisionare

supervivencia nf sopravvivenza

superviviente adj, nm/f sopravvissuto(-a)

suplantar vt sostituirsi a

suplemento nm supplemento

suplente adj, nm/f supplente m/f

supletorio, -a adj aggiuntivo(-a) ♦ nm (tb: teléfono ~) telefono aggiuntivo

súplica nf supplica; (JUR) istanza

suplicar vt supplicare

suplicio nm supplizio

suplir vt supplire; (remediar) supplire a

supo etc vb ver **saber**

suponer vt supporre; (significar) presupporre □ **suposición** nf supposizione f

suprimir vt eliminare

supuesto, -a pp de **suponer** ♦ adj presunto(-a) ♦ nm ipotesi f inv; **¡por ~!** certo!

sur adj, nm sud (m) inv

surcar vt solcare □ **surco** nm solco

surgir vi sorgere

surtido, -a adj (galletas) assortito(-a) ♦ nm assortimento

surtir vt rifornire; (efecto) sortire

susceptible adj suscettibile; ~ **de** suscettibile di

suscitar vt suscitare

suscribir vt (firmar) sottoscrivere; (respaldar) approvare; **suscribirse** vpr: ~**se (a)** (a periódico etc) abbonarsi (a) □ **suscripción** nf (a periódico etc) abbonamento

susodicho, -a adj suddetto(-a)

suspender vt appendere; (interrumpir) sospendere; (ESCOL) bocciare ♦ vi (ESCOL) essere bocciato(-a) □ **suspensión** nf sospensione f

suspenso, -a adj (alumno) bocciato(-a) ♦ nm (ESCOL) bocciatura; **quedar** o **estar en** ~ rimanere in sospeso

suspicaz adj diffidente

suspirar vi sospirare □ **suspiro** nm sospiro

sustancia nf sostanza

sustento nm sostentamento

sustituir vt sostituire; ~ **A por B** sostituire A con B

susto nm spavento; **dar un** ~ mettere spavento

sustraer vt (tb MAT) sottrarre

susurrar vi sussurrare □ **susurro** nm sussurro

sutil adj sottile

suyo, -a adj (después del verbo ser: de él, ella) suo(-a); (: de ellos, ellas, de usted, ustedes) loro ♦ pron: **el ~/la suya** (de él, ella) il suo/la sua; (de ellos/as, de usted, ustedes) il loro/la loro

Tt

tabaco nm tabacco

taberna nf osteria, taverna

tabique nm tramezzo

tabla nf tavola; (de falda) piega; **~s** nfpl (TEATRO) scena sg

tablao nm (tb: **~ flamenco**) locale in cui si mettono in scena spettacoli di flamenco

tablero nm pannello; (de mesa) ripiano; (de ajedrez, damas) scacchiera ▸ **tablero de anuncios** bacheca ▸ **tablero de mandos** (AUTO, AER) quadro di comando

tableta nf (MED) pasticca; (de chocolate) tavoletta

tablón nm tavola ▸ **tablón de anuncios** bacheca

tabú nm tabù m inv

taburete nm sgabello

tacaño, -a adj taccagno(-a), tirchio(-a)

tacha nf pecca, difetto; (TEC) chiodo ❑ **tachar** vt cancellare; **le tachan de irresponsable** lo hanno tacciato di irresponsabilità

taco nm (tarugo) tassello; (libro de entradas) blocchetto; (CS: tacón) tacco; (tb: **~ de billar**) stecca da biliardo; (palabrota) parolaccia; (MÉX: CULIN) focaccia sottile di farina di mais o di frumento

tacón nm tacco; **de ~ alto** con tacco alto

táctica nf tattica

táctico, -a adj tattico(-a)

tacto nm (tb fig) tatto

tajada nf fetta

tajante adj categorico(-a)

tajo nm (corte) taglio

tal adj tale ♦ pron (persona) tale m/f; (cosa) una cosa simile ♦ adv: **~ como** (igual) così come ♦ conj: **con ~ (de) que** a patto che; **~ día a ~ hora** il tale giorno alla tale ora; **jamás vi ~ desvergüenza** non ho mai visto una sfacciataggine simile; **no esperaba ~ de ti** da te non mi aspettavo una cosa simile; **un ~ García** un certo García; **son ~ para cual** sono tali e quali; **hablábamos de que sí ~ que sí cual** parlavamo del più e del meno; **~ como lo dejé** così come l'ho lasciato; **¿qué ~?** come va?; **¿qué ~ has comido?** come hai mangiato?; **con ~ de llamar la atención** pur di attirare l'attenzione

taladrar vt trapanare ❑ **taladro** nm trapano; (hoyo) foro

talante nm umore m

talar vt abbattere

talco nm (tb: **polvos de ~**) talco

talento nm talento

Talgo sigla m (FERRO: tren articulado ligero Goicoechea-Oriol) treno rapido

talismán nm talismano

talla nf (taglia; (estatura, tb fig) statura; (ARTE) scultura

tallar vt intagliare; (medir) misurare

tallarines nmpl tagliatelle fpl

talle nm vita

taller nm laboratorio; (AUTO, industria) officina

tallo nm fusto

talón nm tallone m; (COM) tagliando

talonario nm blocchetto; ~ **de cheques** libretto di assegni

tamaño, -a adj simile ♦ nm dimensioni fpl; **de ~ natural** a grandezza naturale; **de ~ grande/ pequeño** di grandi/piccole dimensioni

tamarindo nm tamarindo

tambalearse vpr traballare

también adv anche; (además) inoltre

tambor nm tamburo; (de detergente) fustino

tamizar vt setacciare

tampoco adv nemmeno, neanche

tampón nm tampone m

tan adv così; ~ ... **como** (cosi) ... come; **¡qué cosa ~ rara!** che cosa strana!

tanda nf serie f; (turno) turno

tangente nf tangente f

tangible adj tangibile

tanque nm (MIL) carro armato; (depósito) serbatoio

tantear vt calcolare a occhio; (probar) saggiare; (DEPORTE: resultado) segnare ▫ **tanteo** nm (cálculo) calcolo approssimativo; (prueba) verifica; (DEPORTE) punteggio

tanto, -a adj (cantidad) tanto(-a), molto(-a); (en comparaciones) tanto(-a) ♦ adv tanto ♦ nm (suma) tanto; (punto) punto; (gol) rete f ♦ pron: **cada uno paga** ~ ognuno paga tanto; **tiene** ~**s amigos** ha molti amici; ~ **dinero como tú** tanti soldi quanti ne hai tu; **otro** ~ altrettanto; ~ **como él** tanto quanto lui; ~ **como eso** tanto così; ~ **es así que ...** tant'è vero che ...; ~ **mejor/**

peor tanto meglio/peggio; ~ **tú como yo** sia tu che io; **me he vuelto ronco de** o **con** ~ **hablar** ho parlato tanto che sono rauco; **gasta** ~ **que ...** spende tanto che ...; **ni** ~ **ni tan calvo** né troppo né troppo poco; **¡no es para** ~**!** non è la fine del mondo!; **¡y** ~**!** eccome!; **en** ~ **que** mentre; **entre** ~ frattanto; **por** ~, **por lo** ~ pertanto; ~ **por ciento** tanto per cento; **estar al** ~ essere al corrente; **uno de** ~**s** uno tra i tanti; **a** ~**s de agosto** in agosto; **cuarenta y** ~**s** quaranta e passa; **se quedó en el bar hasta las tantas** è rimasto al bar fino a notte fonda

tapa nf coperchio; (de libro) copertina; (comida) stuzzichino

tapadera nf coperchio

tapar vt (cerrar) chiudere; (ocultar, cubrir) coprire; **taparse** vpr coprirsi

tapete nm tovaglia

tapia nf muricciolo

tapicería nf tappezzeria

tapiz nm arazzo ▫ **tapizar** vt (muebles) tappezzare

tapón nm tappo

taquigrafía nf stenografia ▫ **taquígrafo, -a** nm/f stenografo/-a

taquilla nf botteghino; (suma recogida) incasso

tarántula nf tarantola

tararear vt canticchiare

tardar vi (tomar tiempo) impiegare; (llegar tarde) ritardare; **¿tarda mucho el tren?** manca tanto all'arrivo del treno?; **a más** ~ al più tardi; ~ **una hora en hacer algo** impiegare un'ora per fare qc; **no tardes en venir** non arrivare tardi; **vamos 10 minutos tarde** siamo in ritardo di 10 minuti; **es demasiado tarde** è troppo tardi

tarde adv tardi ♦ nf pomeriggio; **de ~ en ~** ogni tanto; **¡buenas ~s!** buonasera!; **a o por la ~** nel pomeriggio

tardío, -a adj tardivo(-a)

tarea nf lavoro, compito

tarifa nf tariffa

tarima nf pedana

tarjeta nf biglietto, (DEPORTE) cartellino; (INFORM) scheda ▶ **tarjeta de crédito** carta di credito ▶ **tarjeta de débito** bancomat m inv ▶ **tarjeta de embarque** carta d'imbarco ▶ **tarjeta postal** cartolina

tarro nm barattolo

tarta nf torta

tartamudear vi balbettare

tartamudo, -a adj, nm/f balbuziente m/f

tártaro, -a adj, nm/f tartaro(-a)

tasa nf (valoración) valutazione f; (índice) tasso ▶ **tasa de cambio/de interés** tasso di cambio/ d'interesse

tasar vt (fijar el precio) calmierare; (valorar) valutare

tasca (fam) nf taverna

⚠ **tasca** no se traduce nunca por la palabra italiana *tasca*.

tatarabuelo, -a nm/f trisavolo(-a)

tatuaje nm tatuaggio

tatuar vt tatuare

taurino, -a adj (mundo) dei tori; (espectáculo) di tori

Tauro nm (ASTROL) Toro; **ser ~** essere (del) Toro

tauromaquia nf tauromachia

taxi nm taxi m inv; **¿puede llamar a un ~ por favor?** può chiamarmi un taxi per favore?

taxista nm/f tassista m/f

taza nf tazza; (fam: de retrete) water m inv; **~ de té** (con té) tazza di the; (para el té) tazza da tè ▶ **tazón** nm ciotola

te pron ti; **¿te duele mucho el brazo?** ti fa molto male il braccio?; **te equivocas** ti sbagli; **¡cálmate!** calmati!

té nm tè m inv

teatral adj teatrale

teatro nm teatro

tebeo nm fumetto

techo nm soffitto; (tejado) tetto

tecla nf tasto □ **teclado** nm tastiera □ **teclear** vi (MÚS) strimpellare; (INFORM, TIP) battere a macchina

técnica nf tecnica

técnico, -a adj, nm/f tecnico(-a)

tecnología nf tecnologia

tecnológico, -a adj tecnologico(-a)

tedioso, -a adj tedioso(-a)

teja nf tegola □ **tejado** nm tetto

tejemaneje nm (intriga) intrallazzo

tejer vt tessere; (fig) tramare □ **tejido** nm tessuto

tel. abr (= teléfono) tel.

tela nf tela; **¿qué ~ es?** di che stoffa è? ▶ **tela de araña** ragnatela □ **telar** nm (máquina) telaio; **telares** nmpl (fábrica) stabilimento sg tessile

telaraña nf ragnatela

tele (fam) nf TV f inv

tele... pref tele... □ **telecomunicación** nf telecomunicazione f □ **telediario**

nm telegiornale *m*
❑ **teledirigido, -a** *adj* telecomandato(-a)

teleférico *nm* teleferica

telefonear *vt, vi* telefonare

telefónico, -a *adj* telefonico(-a)

telefonillo *nm* citofono

telefonista *nm/f* centralinista *m/f*

teléfono *nm* telefono; **está hablando por ~** sta parlando al telefono ▸ **teléfono inalámbrico** cordless *m inv* ▸ **teléfono fijo** telefono fisso ▸ **teléfono móvil** telefonino

telégrafo *nm* telegrafo

telegrama *nf* telegramma *m*

tele *nf* ❑ **telepatía** *nf* telepatia ❑ **telescopio** *nm* telescopio ❑ **telesilla** *nm* seggiovia ❑ **telespectador, a** *nm/f* telespettatore(-trice) ❑ **telesquí** *nm* sciovia ❑ **teletipo** *nm* telescrivente *f* ❑ **teletrabajador, a** *nm/f* telelavoratore(-trice) ❑ **teletrabajo** *nm* telelavoro ❑ **televidente** *nm/f* telespettatore(-trice)

televisar *vt* trasmettere

televisión *nf* televisione *f* ▸ **televisión en blanco y negro/ en color** televisione in bianco e nero/a colori

televisor *nm* televisore *m*

télex *nm* telex *m inv*

telón *nm* sipario ▸ **telón de acero** cortina di ferro ▸ **telón de fondo** sfondo

tema *nm* (*tb MÚS*) tema *m*

temático, -a *adj* tematico(-a)

temblar *vi* tremare ❑ **temblor** *nm* tremore *m* ▸ **temblor de tierra**

terremoto ❑ **tembloroso, -a** *adj* tremante

temer *vt, vi* temere; **~ por** temere per

temible *adj* temibile

temor *nm* timore *m*

témpano *nm* (*tb: ~ de hielo*) lastra di ghiaccio

temperamento *nm* temperamento

temperatura *nf* temperatura

tempestad *nf* tempesta

templado, -a *adj* temperato(-a); (*en el comer, beber*) moderato(-a); (*agua*) tiepido(-a); **nervios ~s** nervi saldi

templar *vt* mitigare; (*agua*) intiepidire; (*MÚS*) accordare; (*acero*) temprare ❑ **temple** *nm* (*serenidad, TEC*) tempra; (*MÚS*) accordatura; (*pintura*) tempera

templo *nm* tempio

temporada *nf* stagione *f*; **de ~** di stagione

temporal *adj* temporaneo(-a); (*REL*) temporale ♦ *nm* temporale *m*

temprano, -a *adj* precoce ♦ *adv* presto

ten *vb ver* **tener**

tenaz *adj* tenace

tenaza(s) *nf(pl)* tenaglie *fpl*

tendedero *nm* stenditoio

tendencia *nf* tendenza

tender *vt* tendere; (*ropa*) stendere; (*tumbar*) sdraiare ♦ *vi:* **~ a** tendere a; **tenderse** *vpr* stendersi, sdraiarsi; **~ la cama** (*LAm*) fare il letto; **~ la mesa** (*LAm*) apparecchiare la tavola

tenderete *nm* (*puesto*) bancarella

tendero, -a *nm/f* bottegaio(-a)

tendón *nm* tendine *m*

> ⚠ **tendón** no se traduce nunca por la palabra italiana *tendone*.

tendré *etc vb ver* **tener**

tenebroso, -a *adj* tenebroso(-a)

tenedor *a nm/f* titolare *m/f* ♦ *nm* forchetta; **restaurante de cuatro ~es** ristorante di quattro stelle

tenencia *nf* detenzione *f*

tener

PALABRA CLAVE

vt

1 avere; (*sostener*) tenere; **¿tienes un boli?** hai una penna?; **va a tener un niño** aspetta un bambino; **¡ten!, ¡aquí tienes!** tieni!, eccò!; **¡tenga!, ¡aquí tiene!** tenga!

2 (*edad*) avere; **tiene 7 años** ha 7 anni; *ver tb* **calor, hambre** *etc*

3 (*sentimiento, dolor*) provare; **tener admiración/cariño** provare ammirazione/affetto; **tener miedo** avere paura; **¿qué tienes, estás enfermo?** che hai, stai male?

4 (*considerar*): **lo tengo por brillante** lo considero brillante; **tener en mucho/poco a algn** tenere qn in grande stima; **tener en poco a algn** avere poca stima per qn

5 **tengo/tenemos que acabar este trabajo hoy** devo/dobbiamo finire questo lavoro entro oggi

6 (+ *pp* = *pretérito*): **tengo terminada ya la mitad del trabajo** ho già completato metà del lavoro

7 (+ *adj o gerundio*): **nos tiene muy contentos/hartos** siamo soddisfatti di lui/ne abbiamo

abbastanza; **me ha tenido tres horas esperando** mi ha fatto aspettare tre ore

8: **no las tengo todas conmigo** non mi sento tranquillo

♦ **tenerse** *vpr*

1: **tenerse en pie** tenersi in piedi

2: **tenerse por** credersi; **se tiene por muy listo** si crede molto furbo

tenga *etc vb ver* **tener**

tenia *nf* tenia

teniente *nm* tenente *m*

tenis *nm* tennis *m inv* ▸ **tenis de mesa** ping-pong *m* ❑ **tenista** *nm/f* tennista *m/f*

tenor *nm* (*MÚS*) tenore *m*

tensar *vt* tendere

tensión *nf* tensione *f*; **alta ~** (*ELEC*) alta tensione; **tener la ~ alta** avere la pressione alta ▸ **tensión arterial** pressione *f* arteriosa

tenso, -a *adj* teso(-a)

tentación *nf* tentazione *f*

tentáculo *nm* tentacolo

tentador, -a *adj* tentatore(-trice); (*idea, oferta*) allettante ♦ *nm/f* tentatore(-trice)

tentar *vt* tentare; (*palpar, MED*) tastare

tentempié (*fam*) *nm* spuntino

tenue *adj* tenue

teñir *vt* tingere; (*fig*) permeare; **~se el pelo** tingersi i capelli

teología *nf* teologia

teorema *nm* teorema *m*

teoría *nf* teoria; **en ~** in teoria ❑ **teórico, -a** *adj, nm/f* teorico(-a) ❑ **teorizar** *vi* teorizzare

tequila *nm* tequila

terapéutico, -a *adj* terapeutico(-a)

terapia nf terapia

tercer adj ver **tercero**

tercermundista adj terzomondista

tercero, -a (delante de nmsg **tercer**) adj, nm/f terzo(-a); ver tb **sexto**

terceto nm (MÚS) terzetto

terciar vt (bolsa etc) mettere e tracolla ♦ vi intervenire; **terciarse** vpr capitare; **si se tercia** se capita

terciario, -a adj (ECON, GEOLOGÍA) terziario(-a)

tercio nm terzo

terciopelo nm velluto

terco, -a adj testardo(-a)

tergiversar vt travisare

⚠   **tergiversar** no se traduce nunca por la palabra italiana **tergiversare**.

termal adj termale

termas nfpl terme fpl

terminal adj terminale ♦ nm (ELEC, INFORM) terminale m ♦ nf capolinea m inv; (AER) terminal m inv

terminante adj categorico(-a)

terminantemente adv categoricamente

terminar vt, vi finire, terminare; **terminarse** vpr finire; ~ **por hacer algo** finire per fare qc; **¿cuándo termina el espectáculo?** quando finisce lo spettacolo?

término nm termine m; (límite: de espacio) confine m; **como ~ medio** in media; **en ~s de** in termini di; **en primer ~** (CINE) in primo piano

termo® nm thermos m inv

termómetro nm termometro

termostato nm termostato

ternero, -a nm/f vitello(-a)

ternura nf tenerezza

terrado nm terrazza

terraplén nm terrapieno

terrateniente nm/f proprietario(-a) terriero(-a)

terraza nf terrazza; (bar, restaurante) locale m con i tavoli all'aperto

terremoto nm terremoto

terrenal adj terreno(-a)

terreno nm terreno

terrestre adj terrestre

terrible adj terribile

territorio nm territorio

terrón nm (de azúcar) zolletta; (de tierra) zolla

terror nm terrore m
❏ **terrorífico, -a** adj terrificante
❏ **terrorismo** nm terrorismo
❏ **terrorista** adj, nm/f terrorista m/f

terso, -a adj terso(-a)

tertulia nf circolo; (charla) conversazione f; (RADIO, TV) talk show m inv

tesis nf inv tesi f inv

tesón nm costanza

tesorero, -a nm/f tesoriere(-a)

tesoro nm tesoro

test nm test m inv

testamento nm testamento; **Nuevo/Antiguo T~** Nuovo/Antico testamento

testarudo, -a adj testardo(-a)

testículo nm testicolo

testificar vt dimostrare ♦ vi testimoniare

testigo nm/f testimone m/f
▶ **testigo ocular/de cargo/de descargo** testimone oculare/a carico/a discarico

testimonio nm testimonianza

teta (fam) nf tetta; **niño de ~** poppante m

tétanos nmsg tetano

tetera nf teiera

tétrico, -a adj tetro(-a)

textil adj tessile

texto nm testo □ **textual** adj testuale

textura nf (de tejido) armatura; (estructura) struttura

tez nf (cutis) pelle f; (color) carnagione f

ti pron te

tía nf zia; (fam) tipa

tibio, -a adj tiepido(-a)

tiburón nm squalo

tic nm tic m inv

ticket nm (recibo) scontrino; **¿podría darme un ~ por favor?** potrei avere lo scontrino per favore?

tictac nm ticchettio

tiempo nm tempo; **a ~** in tempo; **al mismo ~** nello stesso tempo; **¿qué ~ hace?** che tempo fa?; **hace buen/mal ~** è bel/brutto tempo; **hace ~** tempo fa; **hacer ~** ingannare il tempo; **motor de 2 ~s** motore a due tempi

tienda vb ver **tender** ♦ nf negozio ▸ **tienda de campaña** tenda da campeggio

tiene etc vb ver **tener**

tienta nf: **andar a ~s** camminare a tentoni

tiento vb ver **tentar** ♦ nm tatto; (precaución) cautela

tierno, -a adj tenero(-a)

tierra nf terra ▸ **tierra adentro** entroterra m inv/terraferma

tieso, -a adj (rígido) rigido(-a); (erguido) dritto(-a); (fam: orgulloso) sostenuto(-a); **dejar ~ a algn** (fam: matar) stendere qn; (: sorprender) lasciare qn di stucco

tiesto nm vaso di terracotta

tifón nm tifone m

tifus nm tifo

tigre nm tigre f; (LAm: jaguar) giaguaro

tijera nf (tb: ~s) forbici fpl; (: para plantas) cesoie fpl

tildar vt: **~ de** dare del

tilde nf (TIP) accento; (de la letra ñ) tilde f

tilín nm: **hacer ~** intrigare

timar vt (dinero) fregare

timbal nm (MÚS) timpano

timbre nm (MÚS) timbro; (de puerta) campanello; (sello) marca da bollo

timidez nf timidezza

tímido, -a adj timido(-a)

timo nm bidone m, fregatura

timón nm (NÁUT) timone m □ **timonel** nm (NÁUT) timoniere m

tímpano nm (tb MÚS, ARQ) timpano

tinaja nf orcio

tinieblas nfpl tenebre fpl; **estar en tinieblas sobre algo** (fig) essere all'oscuro di qc

tino nm (puntería) mira; (juicio) buon senso; (moderación) moderazione f; (tacto) tatto

tinta nf inchiostro; **sudar ~** sette camicie; **(re)cargar las ~s** calcare i toni

tinte nm tintura; (tintorería) tintoria

tintero nm calamaio

tinto nm (vino) rosso

tintorería nf tintoria

tío nm zio; (fam: individuo) tizio

tiovivo nm giostra

típico, -a adj tipico(-a); (traje) tradizionale

tipo nm tipo; (ANAT) fisico; (TIP) carattere m; **¿qué ~ de ...?** che tipo di ...? ▶ **tipo de cambio/de descuento/de interés** tasso di cambio/di sconto/d'interesse

tipografía nf tipografia

tira nf (cinta) striscia

tira y afloja nm tiremmolla m inv

tirabuzón nm (rizo) boccolo

tirachinas nm inv fionda

tirada nf tiro; (distancia) tratto; (TIP) tiratura; **de una ~** in una tirata

tirado, -a adj (fam: barato) regalato(-a); (: fácil) facilissimo(-a)

tirador, a nm/f tiratore(-trice) ♦ nm (mango) maniglia

tirano, -a nm/f tiranno(-a)

tirante adj teso(-a); **~s** nmpl bretelle fpl □ **tirantez** nf tensione f

tirar vt tirare, gettare; (derribar) buttare giù; (desechar, dinero) buttare via; (foto) scattare; (disparar) sparare ♦ vi tirare; (fig) attrarre; (fam: andar) andare; (tender) tendere; **tirarse** vpr (abalanzarse) lanciarsi; (tumbarse) gettarsi; **tira a su padre** somiglia al padre; **ir tirando** tirare a campare; **se tiró toda la mañana hablando** ha passato tutta la mattina a chiacchierare

tirita nf cerotto

tiritar vi tremare

tiro nm tiro; (disparo) colpo; (de chimenea) tiraggio; **caballo de ~** cavallo da tiro; **andar de ~s largos** essere in ghingheri

tirón nm strappo; (muscular) stiramento; **de un ~** tutto d'un fiato

tiroteo nm (disparos) sparatoria

tisis nf tisi f inv

títere nm burattino; (con hilos) marionetta

titubear vi (dudar) titubare; (moverse) vacillare □ **titubeo** nm titubanza

titulado, -a pp de **titular** ♦ nm/f diplomato(-a); **~ superior** laureato

titular adj titolare ♦ nm/f (de cargo) titolare m/f ♦ nm titolo ♦ vt intitolare; **titularse** vpr diplomarsi; (UNIV) laurearsi □ **título** nm titolo; **a título de** in qualità di

tiza nf gessetto

tiznar vt annerire

toalla nf asciugamano; **arrojar la ~** gettare la spugna

tobillo nm caviglia

tobogán nm (rampa) scivolo

tocadiscos nm inv giradischi m inv

tocado, -a adj (fruta) sciupato(-a) ♦ nm tocco(-a)

tocador nm (mueble) toilette f inv

tocar vt toccare; (MÚS, timbre) suonare ♦ vi (a la puerta) bussare; (ser de turno) toccare; (atañer) spettare; **tocarse** vpr toccarsi; (cubrirse la cabeza) coprirsi il capo; **por lo que a mí me toca** per quel che mi riguarda

tocayo, -a nm/f omonimo(-a)

tocino nm lardo, pancetta

todavía adv ancora; **~ más** ancora più; **~ no** non ancora

todo, -a

PALABRA CLAVE

adj tutto(-a); **todos/as** tutti/e; **toda la noche** tutta la notte; **todo el libro** tutto il libro; **todo lo**

contrario tutto il contrario; **está toda sucia** è tutta sporca; **a todo esto** (*mientras tanto*) nel frattempo; **todos vosotros** tutte voi; **todas las noches** tutte le notti; **todos los que quieran salir** tutti quelli che vogliono uscire

♦ *pron*

1 tutto(-a); **todos/as** tutti/e; **lo sabemos todo** sappiamo tutto; **todos quieran ir** volevano andare tutti; **nos marchamos todos** ce ne andiamo tutti; **no me agrada del todo** non mi soddisfa del tutto

2: **con todo: con todo, él me sigue gustando** malgrado tutto, mi piace ancora

♦ *adv* tutto; **vaya todo seguido** vada sempre dritto

♦ *nm*: **como un todo** come un tutto

todopoderoso, -a *adj* onnipotente

toga *nf* toga

toldo *nm* tendone *m*

tolerancia *nf* tolleranza

tolerar *vt* tollerare

toma *nf* presa

tomar *vt, vi* prendere; **tomarse** *vpr* prendersi; **~ el sol** prendere il sole; **tome la calle de la derecha** prenda la strada di destra; **~ en serio** prendere sul serio; **~ el pelo a algn** prendere in giro qn; **~la con algn** prendere di mira qn; **¿dónde se puede ~ el ferry para ...?** dove si prende il traghetto per ...?; **tomársela a bien** prenderla bene; **tomársela a mal** prendersela

tomate *nm* pomodoro

tomillo *nm* timo

tomo *nm* tomo

tonalidad *nf* tonalità *f inv*

tonel *nm* barile *m*

tonelada *nf* tonnellata

□ **tonelaje** *nm* tonnellaggio

tónica *nf* (*bebida*) acqua tonica; (*tendencia*) tono

tónico, -a *adj* tonico(-a) ♦ *nm* (MED) ricostituente *m*

tono *nm* tono; **fuera de ~** fuori luogo; **darse ~** darsi un tono

tontería *nf* stupidità *f inv*; (*hecho, dicho, cosa de poco valor*) stupidaggine *f*

tonto, -a *adj* stupido(-a), sciocco(-a) ♦ *nm/f* stupido(-a)

topar *vi*: **~ con** urtare contro; **toparse** *vpr*: **~se con** imbattersi in

tope *nm* limite *m*; (*obstáculo*) intoppo; (*de puerta*) fermo; (FERRO) respingente *m*

tópico, -a *adj* stereotipato(-a); (MED) topico(-a) ♦ *nm* (*pey*) luogo comune

topo *nm* talpa

⚠ **topo** no se traduce nunca por la palabra italiana **topo**.

topógrafo, -a *nm/f* geometra *m/f*

toque *vb ver* **tocar** ♦ *nm* tocco; (*sonido*) suono; **dar un ~ a** sondare; (*advertir*) avvertire ► **toque de queda** coprifuoco □ **toquetear** *vt* toccare

toquilla *nf* scialle *m*

tórax *nm* torace *m*

torbellino *nm* mulinello; (*fig*) turbine *m*; (: *persona*) ciclone *m*

torcedura *nf* (*de tobillo*) distorsione *f*

torcer *vt* torcere; (*doblar*) piegare; (*significado*) distorcere ♦ *vi* (*cambiar de dirección*) svoltare; **torcerse** *vpr* piegarsi; (*tobillo*) slogarsi; (*fracasar*) andare a monte; **~ la esquina** voltare l'angolo

torcido, -a adj storto(-a)

torear vt (toro) combattere; (evitar) schivare ♦ vi toreare ❑ **toreo** nm tauromachia ❑ **torero, -a** nm/f torero

tormenta nf temporale m

tormento nm tormento

tornado nm tornado

tornar vt (devolver) restituire; (transformar) rendere ♦ vi tornare; **tornarse** vpr (ponerse) diventare

torneo nm torneo

tornillo nm vite f

torniquete nm (MED) laccio emostatico

torno nm (TEC: grúa) argano; (: de carpintero, alfarero) tornio; **en ~ a** circa

toro nm toro; **los ~s** nmpl (fiesta) la corrida

torpe adj impacciato(-a); (desmañado) imbranato(-a); (necio) ottuso(-a)

torpedo nm siluro; (ZOOL) torpedine f

torpeza nf goffaggine f; (inoportunidad) mancanza di tatto

torre nf torre f; (ELEC) traliccio

torrefacto, -a adj: **café ~** caffè torrefatto

torrente nm torrente m

torrija nf fetta di pane bagnata in uovo e vino o latte, fritta, e ricoperta di zucchero o miele

torsión nf torsione f

torso nm torso

torta nf torta; (fam: bofetada) ceffone m; (: golpe) botta

tortícolis nf inv torcicollo

tortilla nf frittata; (de maíz) ≈ piadina ▶ **tortilla francesa** omelette f inv

tórtola nf tortora

tortuga nf tartaruga

tortuoso, -a adj tortuoso(-a)

tortura nf tortura ❑ **torturar** vt torturare; **torturarse** vpr torturarsi

tos nf tosse f; **tengo ~** ho la tosse ▶ **tos ferina** pertosse f

toser vi tossire

tostada nf pane m tostato

tostado, -a adj tostato(-a); (por el sol) abbronzato(-a)

tostador nm tostapane m inv

tostar vt tostare; **tostarse** vpr (al sol) abbronzarsi

total adj, nm totale (m) ♦ adv insomma; **en ~** in totale; **~, que nos hemos quedado sin coche** e così siamo rimasti senza macchina

totalitario, -a adj totalitario(-a)

totalmente adv completamente

tóxico, -a adj tossico(-a) ♦ nm sostanza tossica

toxicómano, -a nm/f tossicomane m/f

toxina nf tossina

tozudo, -a adj testardo(-a)

trabajador, a adj, nm/f lavoratore(-trice) ▶ **trabajador autónomo o por cuenta propia** lavoratore autonomo o in proprio

trabajar vi lavorare; **~ de** lavorare come; **¿en qué trabaja?** che lavoro fa? ❑ **trabajo** nm lavoro; (esfuerzo) sforzo; **tomarse el trabajo de** prendersi la briga di ▶ **trabajo a tiempo parcial** lavoro part-time ▶ **trabajos forzados** lavori forzati

trabalenguas nm inv scioglilingua m inv

tracción nf trazione f; **~ delantera/ trasera** trazione anteriore/posteriore

tractor nm trattore m

tradición nf tradizione f □ **tradicional** adj tradizionale

traducción nf traduzione f

traducir vt tradurre; **¿me lo puede ~?** me lo può tradurre? □ **traductor, a** nm/f traduttore(-trice)

traer vt portare; (causar) provocare; **traerse** vpr: **~se algo** combinare qc; **me trae loco** mi fa diventare pazzo

tráfico nm traffico

tragaluz nm lucernario

tragaperras nf inv slot-machine f inv

tragar vt inghiottire; (devorar) divorare; (suj: mar, tierra) inghiottire; **tragarse** vpr inghiottire; (devorar) divorare; (desprecio, insulto) ingoiare; (discurso, rollo) sorbirsi

tragedia nf tragedia

trágico, -a adj tragico(-a)

trago nm sorso; (fam: bebida) bicchierino; (desgracia) momentaccio

traición nf tradimento; **alta ~** alto tradimento; **a ~** a tradimento □ **traicionar** vt tradire

traidor, a adj, nm/f traditore(-trice)

traiga etc vb ver **traer**

traje vb ver **traer** ♦ nm (vestido: regional) costume m ▶ **traje de baño** costume da bagno ▶ **traje de chaqueta** tailleur m inv ▶ **traje de luces** abito da torero ▶ **traje de noche** abito da sera

trajera etc vb ver **traer**

trajín nm trasporto; (fam) andirivieni m inv □ **trajinar** vi trasportare

trama nf trama □ **tramar** vt tramare

tramitar vt fare le pratiche per

trámite nm (paso) passo; (proceso) pratica; (formalidad) formalità

tramo nm (de escalera) rampa; (de vía) tratto

trampa nf trappola; (fam: deuda) debito

trampolín nm trampolino

tramposo, -a adj, nm/f imbroglione(-a)

tranca nf spranga □ **trancar** vt sprangare

trance nm (crítico) momento critico; (estado hipnótico) trance f inv

tranquilidad nf tranquillità f inv

tranquilizar vt tranquillizzare

tranquilo, -a adj tranquillo(-a)

transacción nf transazione f

transbordador nm (barcaza) traghetto

transbordo nm trasbordo

transcurrir vi (tiempo) trascorrere; (hecho, reunión) svolgersi

transcurso nm corso; (de hecho) svolgimento; **el ~ del tiempo/de los meses** il passare del tempo/dei mesi

transeúnte nm/f passante m/f

transferencia nf trasferimento; (COM) bonifico

transferir vt trasferire

transformador nm trasformatore m

transformar vt trasformare

transfusión nf (tb: **~ de sangre**) trasfusione f di sangue

transgénico adj transgenico(-a)

transgredir vt trasgredire

transición nf transizione f

transigir vi transigere

transistor nm transistor m inv

transitar vi: ~ **(por)** transitare (per)
□ **tránsito** nm transito
□ **transitorio, -a** adj transitorio(-a)

transmisión nf trasmissione f
▸ **transmisión en directo** trasmissione in diretta

transmitir vt trasmettere

transparencia nf trasparenza; (foto) diapositiva

transparentar vt lasciar trasparire ♦ vi essere trasparente; **transparentarse** vpr trasparire
□ **transparente** adj trasparente

transpirar vi (sudar) sudare

transportar vt trasportare
□ **transporte** nm trasporto

tranvía nm tram m inv

trapecio nm trapezio
□ **trapecista** nm/f trapezista m/f

trapero, -a nm/f straccivendolo(-a)

trapicheos (fam) nmpl intrallazzi mpl

trapo nm straccio; (de cocina) strofinaccio

tráquea nf trachea

traqueteo nm trambusto

tras prep (detrás) dietro; (después) dopo; ~ **de** dietro di

trasatlántico, -a adj transatlantico(-a) ♦ nm transatlantico

trascendencia nf trascendenza

trascendental adj trascendentale

trasero, -a adj posteriore ♦ nm (ANAT) sedere m

trasfondo nm fondo

trashumancia nf transumanza

trasladar vt (tb cita etc) spostare; (transferir) trasferire; **trasladarse** vpr (mudarse) traslocare; (desplazarse) spostarsi □ **traslado** nm trasferimento; (mudanza) trasloco

traslucir vt rivelare; **traslucirse** vpr (cristal) essere trasparente; (fig) trasparire

trasluz nm: **al ~** in controluce

trasnochar vi fare tardi; (no dormir) passare la notte in bianco

traspapelar vt smarrire

traspasar vt trapassare; (trasladar) spostare; (propiedad, derechos, jugador) cedere; (límites) oltrepassare; (ley) violare
□ **traspaso** nm (de negocio, jugador) cessione f

traspié nm (fig) passo falso

trasplantar vt trapiantare

trasplante nm trapianto

traste nm (MÚS) tasto; **dar al ~ con algo** rovinare qc

trastero nm ripostiglio

trastienda nf retrobottega m inv

trasto nm (pey: cosa) cianfrusaglia; (: persona) buono(-a) a nulla

trastornado, -a adj (loco) squilibrato(-a)

trastornar vt sconvolgere; (: enamorar) far perdere la testa a; (: enloquecer) far impazzire; **trastornarse** vpr (plan) sconvolgersi; (persona) impazzire
□ **trastorno** nm disturbo; (molestia) seccatura; **trastorno climatológico** mutamento climatico

tratado nm trattato

tratamiento nm trattamento

tratar vt trattare; (tener contacto) frequentare ♦ vi: ~ **de** (hablar sobre) trattare di; (intentar) tentare di; **tratarse** vpr: ~**se de** trattarsi di; ~ **con** frequentare; ~ **en** (COM) commerciare in; **no me trates de tú** non mi dare del tu; **¿de qué se trata?** di che si tratta? ▢ **trato** nm trattamento; (relaciones) rapporti mpl; (COM, JUR) contratto, accordo

trauma nm trauma m

través nm: **al ~** di traverso; **a ~ de** attraverso

travesaño nm traversa

travesía nf (calle) traversa; (NÁUT) traversata; **¿cuánto dura la ~?** quanto dura la traversata?

travesura nf marachella

travieso, -a adj (niño) monello(-a)

trayecto nm tragitto

traza nf (aspecto) aria, aspetto

trazar vt tracciare ▢ **trazo** nm (línea) tratto

trébol nm trifoglio

trece adj inv, nm inv tredici (m) inv; ver tb **cinco**

trecho nm tratto; **de ~ en ~** ogni tanto

tregua nf tregua

treinta adj inv, nm inv trenta (m) inv; ver tb **cinco**

tremendo, -a adj tremendo(-a); (imponente) enorme

tren nm/h treno; **¿este ~ va a ...?** è questo il treno per ...? ▸ **tren de aterrizaje** carrello di atterraggio

TRENES

Il sistema ferroviario spagnolo è conosciuto come RENFE (Red Nacional de Ferrocarriles Españoles). I principali treni rapidi, l'AVE e il TALGO, sono treni ad alta velocità. Vi sono poi treni locali, più economici, che si fermano in tutte le stazioni, e hanno nomi diversi a seconda della regione che attraversano.

trenza nf treccia

trepador, a adj (planta) rampicante ♦ nm/f arrivista m/f ♦ nf (planta) rampicante m

trepar vi arrampicarsi

tres adj inv, nm inv tre (m) inv; ver tb **cinco**

trescientos, -as adj trecento inv; ver tb **seiscientos**

tresillo nm insieme di divano e due poltrone; (MÚS) terzina

treta nf astuzia

triángulo nm triangolo

tribal adj tribale

tribu nf tribù f inv

tribuna nf tribuna

tribunal nm (JUR) tribunale m; (de examen, oposiciones) commissione f

tributo nm tributo

trigal nm campo di grano

trigo nm grano, frumento

trigueño, -a adj (pelo) castano(-a) chiaro(-a); (piel) scuro(-a)

trillar vt trebbiare

trimestral adj trimestrale

trimestre nm trimestre m

trinar vi (ave) gorgheggiare

trinchar vt trinciare

trinchera nf (MIL) trincea

trineo nm slitta

trinidad nf: **la T~** la Santissima Trinità

tripa nf (ANAT: vientre) pancia; (: intestino) intestino; (CULIN, fig) trippa

triple adj triplo(-a) ♦ nm triplo

triplicado, -a adj: **por ~** in triplice copia

triplicación nf equipaggio

tripulante nm/f membro dell'equipaggio

tripular vt fare parte dell'equipaggio di

triste adj triste □ **tristeza** nf tristezza

triturar vt triturare

triunfar vi trionfare □ **triunfo** nm trionfo

trivial adj banale

triza nf pezzo; **hacer algo ~s** fare a pezzi qc

trocear vt tagliare a pezzi

trocha nf sentiero

troche: a ~ y moche adv alla carlona

trofeo nm trofeo

tromba nf tromba

trombón nm trombone m

trombosis nf inv trombosi f inv

trompa nf (MÚS) corno; (tb fam: de elefante, insecto) proboscide f; **cogerse una ~** (fam) prendersi una sbronza

trompazo nm botta; (puñetazo) pugno; **darse un ~** prendere una botta

trompeta nf tromba

trompetista nf trombettista m/f

trompicón: a trompicones adv (con dificultades) a fatica

trompo nm trottola; (AUTO) testacoda m inv

tronar vi tuonare

tronchar vt (árbol) spezzare; **troncharse** vpr spezzarsi

tronco nm tronco

trono nm trono

tropa nf truppa

tropezar vi inciampare; **~ con** (fig) imbattersi in □ **tropezón** nm urto; **dar un tropezón** inciampare

tropical adj tropicale

trópico nm tropico

tropiezo vb ver **tropezar** ♦ nm (error) sbaglio; (obstáculo) inciampo

trotamundos (fam) nm/f inv giramondo m/f inv

trotar vi trottare □ **trote** nm trotto; (fam) sfacchinata; **de mucho trote** resistente

trozo nm pezzo

trucha nf trota

truco nm trucco

trueno vb ver **tronar** ♦ nm tuono; (estampido) colpo

trueque nm (COM) baratto, scambio

trufa nf tartufo

truhán, -ana nm/f imbroglione(-a)

truncar vt troncare; (esperanzas) infrangere

tu adj tuo(-a); **tus hijos** i tuoi figli

tú pron tu

tubérculo nm tubero

tuberculosis nf tubercolosi f inv

tubería nf tubo; (sistema) tubatura

tubo nm tubo ► **tubo de ensayo** provetta ► **tubo de escape** tubo di scappamento

tuerca nf dado

tuerto, -a adj, nm/f guercio(-a)

tuerza etc vb ver **torcer**

tuétano nm midollo

tufo nm (pey) tanfo, puzza

tufo no se traduce nunca por la palabra italiana *tuffo*.

tul *nm* tulle *m inv*

tulipán *nm* tulipano

tullido, -a *adj* paralitico(-a)

tumba *nf* tomba

tumbar *vt (extender)* stendere; *(derribar)* abbattere; *(: en competición)* battere; **tumbarse** *vpr* stendersi

tumbo *nm* caduta; *(de vehículo)* scossone *m*

tumbona *nf* sedia a sdraio

tumor *nm* tumore *m*

tumulto *nm* tumulto

tuna *nf* piccola orchestra di studenti universitari che indossano costumi d'epoca

---

TUNA

Una **tuna** è un gruppo musicale formato da studenti universitari che si vestono con costumi della "Edad de Oro". Questi gruppi attraversano la città suonando chitarre, liuti e tamburelli, fanno le serenate alle ragazze sotto la casa dello studente e si presentano ai matrimoni e feste cantando canzoni popolari spagnole in cambio di qualche spicciolo.

---

tunante *adj* birbante ♦ *nm/f* monello(-a)

túnel *nm* galleria, tunnel *m inv*

Túnez *n* Tunisi *f*

tuno *nm* membro di una piccola orchestra di studenti universitari

tupido, -a *adj* fitto(-a)

turbar *vt* turbare; **turbarse** *vpr* turbarsi

turbina *nf* turbina

turbio, -a *adj* torbido(-a)

turbulencia *nf* turbolenza

turbulento, -a *adj* turbolento(-a)

turco, -a *adj, nm/f* turco(-a)

turismo *nm* turismo; *(coche)* automobile *f* □ **turista** *nm/f* turista *m/f* □ **turístico, -a** *adj* turistico(-a)

turnarse *vpr* fare i turni □ **turno** *nm* turno

turquesa *adj* turchese *inv* ♦ *nm (color)* turchese *m* ♦ *nf (piedra)* turchese *m*

Turquía *nf* Turchia

turrón *nm* ≈ torrone *m*

tutear *vt* dare del tu a; **tutearse** *vpr* darsi del tu

tutela *nf* tutela □ **tutelar** *adj* tutelare ♦ *vt* tutelare

tutor, a *nm/f* tutore(-trice); *(ESCOL)* tutor *m/f inv*

tuve *etc vb ver* **tener**

tuyo, -a *adj (= tuo)* ♦ *pron*: **el ~/la tuya** il tuo/la tua; **es ~** è tuo; **los ~s** *(fam)* i tuoi

TVE *sigla f (= Televisión Española)* Televisione pubblica spagnola

Uu

u *conj* o

ubicar *(LAm) vt (colocar)* collocare; **ubicarse** *vpr* essere ubicato(-a)

ubre *nf* mammella

Ud(s) *abr = usted(es); ver* **usted**

UE *sigla f (= Unión Europea)* UE *f*

ufano, -a *adj (arrogante)* borioso(-a); *(satisfecho)* soddisfatto(-a)

UGT *sigla f (= Unión General de Trabajadores)* sindacato spagnolo

úlcera nf ulcera

últimamente adv ultimamente

ultimar vt ultimare; (LAm: asesinar) finire

ultimátum (pl ~s) nm ultimatum m inv

último, -a adj ultimo(-a); **a la última** (en moda) all'ultima moda; (en conocimientos) all'avanguardia; **el ~** l'ultimo; **en las últimas** (enfermo) in fin di vita; (sin dinero, provisiones) agli sgoccioli; **por ~** per ultimo

ultra adj, nm/f (POL) estremista m/f

ultraje nm oltraggio

ultramar nm: **de ~** d'oltremare

ultranza: **a ~** adv a oltranza

ultrasónico, -a adj ultrasonico(-a)

ultratumba nf oltretomba

ultravioleta adj inv ultravioletto(-a)

umbral nm soglia

---

un, una

PALABRA CLAVE

art indef

1 (sg) un/una; **una naranja** un'arancia; **un árbol** un albero

2 (pl) alcuni(-e), qualche; **hay unos regalos para ti** ci sono alcuni regali per te; **hay unas cervezas en la nevera** ci sono delle birre in frigorifero; **unos pocos** qualcuno; **unos cien** un centinaio

3 (enfático): **¡hace un frío!** fa un freddo!

unanimidad nf unanimità f inv

undécimo, -a adj, nm/f undicesimo(-a); ver tb **sexto**

ungir vt ungere

ungüento nm unguento

único, -a adj unico(-a)

unidad nf unità f inv

unido, -a adj unito(-a)

unificar vt unificare

uniformar vt uniformare

uniforme adj uniforme ♦ nm uniforme f

unilateral adj unilaterale

unión nf unione f; **la U~ Soviética** l'Unione Sovietica

unir vt unire; **unirse** vpr (personas) unirsi; (empresas) fondersi; **~se a** unirsi a

unísono nm: **al ~** all'unisono

universal adj universale

universidad nf università f inv

universitario, -a adj, nm/f universitario(-a)

universo nm universo

---

uno, -a

PALABRA CLAVE

pron

1 uno(-a); **quiero uno solo** ne voglio uno solo; **uno de ellos** uno di loro; **de uno en uno** di uno in uno

2 (alguien) qualcuno(-a); **conozco a uno que se te parece** conosco qualcuno che ti somiglia; **unos querían quedarse** qualcuno voleva rimanere

3: **(los) unos ... (los) otros ...** gli uni ... gli altri; **se miraron el uno al otro** si guardarono l'un l'altro

4 (enfático): **¡se montó una ...!** sapessi che è successo!

♦ nf (hora): **es la una** è l'una

♦ nm (número) uno

untar vt (con aceite, pomada) ungere; (fig, fam) corrompere

uña nf (ANAT) unghia

uranio nm uranio

urbanización nf urbanizzazione f; (núcleo) quartiere m residenziale

urbanizar vt urbanizzare

urbano, -a adj urbano(-a)

urbe nf metropoli f inv

urdir vt ordire

urgencia nf urgenza; **~s** nfpl (MED) pronto soccorso sg ☐ **urgente** adj urgente

urgir vi: **me urge** mi occorre subito

urinario, -a adj urinario(-a) ♦ nm orinatoio

urna nf urna; (de cristal) vetrinetta

urraca nf gazza

Uruguay nm Uruguay m

uruguayo, -a adj, nm/f uruguaiano(-a)

usado, -a adj usato(-a); (ropa etc) usato, di seconda mano

usar vt usare; (derecho etc) avvalersi di; **usarse** vpr usarsi ☐ **uso** nm uso

usted pron (sg: formal) lei; **~es** (pl: formal) loro

usual adj usuale, solito(-a)

usuario, -a nm/f utente m/f

usura (pey) nf usura ☐ **usurero, -a** nm/f usuraio(-a)

usurpar vt usurpare

utensilio nm attrezzo; (de cocina) utensile m

útero nm utero

útil adj utile; **~es** nmpl attrezzi mpl ☐ **utilidad** nf utilità f inv; (COM) utile m ☐ **utilizar** vt utilizzare

utopía nf utopia ☐ **utópico, -a** adj utopico(-a)

uva nf uva; **las U~s** vedi nota nel riquadro

Vv

v. abr (ELEC: voltio) V

va vb ver **ir**

vaca nf mucca; (carne) manzo

vacaciones nfpl vacanze fpl; **estamos aquí de ~** siamo qui in vacanza

vacante adj vacante, libero(-a) ♦ nf posto libero

vaciar vt (recipiente) vuotare; (contenido) versare; (ARTE) colare; **vaciarse** vpr (suj: líquido) versarsi

vacilar vi vacillare; **¡deja de ~me!** smettila di scherzare!

vacío, -a adj vuoto(-a); (puesto) libero(-a) ♦ nm vuoto

vacuna nf vaccino ☐ **vacunar** vt vaccinare; **vacunarse** vpr vaccinarsi

vacuno, -a adj bovino(-a)

vadear vt guadare ☐ **vado** nm guado

vagabundo, -a adj vagabondo(-a); (perro) randagio(-a) ♦ nm/f vagabondo(-a)

vagancia nf pigrizia, svogliatezza

vagar vi vagare

vagina nf vagina

vago, -a adj vago(-a); (perezoso) pigro(-a) ♦ nm/f fannullone(-a)

vagón nm vagone m, carrozza

vaho nm vapore m

vaina nf (de espada) fodero; (de guisantes, judías) baccello

vainilla nf vaniglia

vais vb ver **ir**

vaivén nm ciondolio; **vaivenes** nmpl (fig: de la vida) vicissitudini fpl

vajilla nf stoviglie fpl

valdré etc vb ver **valer**

vale nm buono; (recibo) ricevuta; (pagaré) cambiale f

valedero, -a adj valido(-a)

valenciano, -a adj di Valencia ♦ nm/f abitante m/f di Valencia

valentía nf valore m

valer vt valere; (ocasionar) procurare ♦ vi valere; (servir) servire; **valerse** vpr: ~**se de** servirsi di; ~ **la pena** valere la pena; ~ (**para**) servire (a); **¡vale!** va bene!; **más vale (hacer/que)** meglio (fare/che)

valga etc vb ver **valer**

valía nf valore m

validez nf validità f inv

válido, -a adj valido(-a)

valiente adj (soldado) valoroso(-a); (decisión) coraggioso(-a)

valioso, -a adj prezioso(-a)

valla nf palizzata; (DEPORTE) ostacolo
▶ **valla publicitaria** cartellone m pubblicitario

valle nm valle f

valor nm (tb valentía) valore m; ~**es** nmpl (ECON, COM) titoli mpl; (morales) valori mpl □ **valorar** vt valutare; (apreciar) apprezzare; (revalorizar) valorizzare

vals nm valzer m inv

válvula nf valvola

vamos vb ver **ir**

vampiro nm vampiro

van vb ver **ir**

vandalismo nm vandalismo

vanguardia nf avanguardia

vanidad nf vanità f

vanidoso, -a adj vanitoso(-a)

vano, -a adj vano(-a) ♦ nm (ARQ) vano; **en** ~ invano

vapor nm vapore m; (tb: **barco de** ~) piroscafo; **al** ~ (CULIN) a vapore
▶ **vapor de agua** vapore acqueo

vaporoso, -a adj vaporoso(-a)

vaquero nm (CINE) cowboy m inv; (AGR) mandriano; ~**s** nmpl (pantalones) jeans mpl

vaquilla nf vitella

vara nf bastone m

variable adj, nf variabile (f)

variación nf variazione f

variar vt (cambiar) cambiare; (poner variedad) variare ♦ vi variare

varices nfpl varici fpl

variedad nf varietà f inv; ~**es** nfpl (espectáculo) varietà m inv

varilla nf bacchetta; (de paraguas, abanico) stecca

vario, -a adj vario(-a)

varita nf: ~ **mágica** bacchetta magica

varón nm maschio; **hijo** ~ figlio maschio □ **varonil** adj maschile; (viril) virile

Varsovia N Varsavia

vas vb ver **ir**

vasco, -a adj, nm/f basco(-a) ♦ nm (LING) basco

Vascongadas nfpl: **las** ~ le province basche

vaselina nf vaselina; (DEPORTE) pallonetto

vasija nf vasetto

vaso nm bicchiere m; (ANAT) vaso

vástago nm (BOT) germoglio; (TEC) asta; (de familia) rampollo

vasto, -a adj vasto(-a)

Vaticano nm Vaticano

vatio nm watt m inv

vaya vb ver **ir ♦** excl (fastidio, sorpresa) accidenti!; **¿qué tal? - ¡~!** come va? - si tira avanti!; **¡~ tontería!** che stupidaggine!; **¡~ mansión!** che palazzo!

Vd(s) abr = **usted(es)**; ver **usted**

ve vb ver **ir**; ver

vecindad nf vicinato

vecindario nm: **el ~ la** popolazione (di una zona)

vecino, -a adj vicino(-a) **♦** nm/f vicino(-a); (residente: de pueblo) abitante m/f

veda nf (de pesca, caza) divieto

vedar vt vietare

vegetación nf vegetazione f

vegetal adj vegetale (m)

vegetariano, -a adj, nm/f vegetariano(-a); **¿tienen platos ~s?** avete piatti vegetariani?

vehículo nm veicolo

veinte adj inv, nm inv venti (m) inv; ver tb **cinco**

vejez nf vecchiaia

vejiga nf vescica

vela nf candela; (NAUT) vela; **en ~ in** bianco; (velando) di veglia

velar vt vegliare; (cubrir) velare; (FOTO) bruciare **♦** vi vegliare; **velarse** vpr (FOTO) bruciarsi; **~ por** proteggere

velatorio nm veglia funebre; (lugar) camera ardente

velero nm (NAUT) veliero

veleta nm/f (pey) banderuola **♦** nf (para el viento) banderuola

vello nm peluria

velo nm velo

velocidad nf velocità f inv; (AUTO) marcia

velocímetro nm tachimetro

veloz adj veloce

ven vb ver **venir**

vena nf vena

venado nm cervo

vencedor, a adj, nm/f vincitore(-trice)

vencer vt vincere; (obstáculos) superare **♦** vi vincere; (plazo) scadere

vencido, -a adj vinto(-a); (COM: letra) scaduto(-a) **♦** adv: **pagar ~** pagare alla scadenza

venda nf benda ▫ **vendar** vt bendare

vendaval nm vento impetuoso

vendedor, a nm/f venditore(-trice)

vender vt vendere; **~ al por mayor/ al por menor** vendere all'ingrosso/ al dettaglio; **"se vende"** "vendesi"

vendimia nf vendemmia

vendré etc vb ver **venir**

veneno nm veleno

venenoso, -a adj velenoso(-a)

venerable adj venerabile ▫ **venerar** vt venerare

venéreo, -a adj venereo(-a)

venezolano, -a adj, nm/f venezuelano(-a)

Venezuela nf Venezuela m

venga etc vb ver **venir**

venganza nf vendetta ▫ **vengar** vt vendicare; **vengarse** vpr vendicarsi

vengativo, -a adj vendicativo(-a)

venia nf permesso

venial *adj* venial

venidero, -a *adj* prossimo(-a), venturo(-a)

venir *vi* venire; (*en periódico, texto*) esserci; **venirse** *vpr*: **~se abajo** crollare; **~ de** vedere ci; **bien/mal** andare bene/non andare bene; (*ropa*) stare bene/male; **el año que viene** l'anno prossimo

venta *nf* vendita; **estar a la/en ~** essere in vendita

ventaja *nf* vantaggio

ventajoso, -a *adj* vantaggioso(-a)

ventana *nf* finestra; **quisiera un asiento junto a la ~** vorrei un posto vicino al finestrino □ **ventanilla** *nf* sportello; (*de coche*) finestrino; **quisiera un asiento junto a la ventanilla** vorrei un posto vicino al finestrino

ventilación *nf* ventilazione *f* □ **ventilar** *vt* arieggiare; (*fig*) finire; (: *resolver*) risolvere; **ventilarse** *vpr* arieggiarsi

ventisca *nf* tormenta

ventrílocuo, -a *adj, nm/f* ventriloquo(-a)

ventura *nf* felicità *f inv*; (*suerte, destino*) fortuna; **a la buena ~** all'avventura

ver *vt* vedere; (*LAm: mirar*) guardare ♦ *vi* vedere; **verse** *vpr* vedersi; (*hallarse*) trovarsi; (*voy*) **a ~ que hay** vado a vedere che succede; **a ~** vediamo; **no tener que ~ con** non avere niente a che vedere con; **(ya) se ve que ...** si vede che ...

veranear *vi* villeggiare □ **veraneo** *nm*: **ir de veraneo** andare in villeggiatura

veraniego, -a *adj* estivo(-a)

verano *nm* estate *f*

veras *nfpl*: **de ~** davvero

verbal *adj* verbale

verbena *nf* sagra; (*BOT*) verbena

verbo *nm* verbo

verdad *nf* verità *f inv*; **¿~?** vero?; **de ~** davvero; **¡es ~!** è vero!; **la ~ es que ...** il fatto è che ...

verdadero, -a *adj* vero(-a)

verde *adj* (*tb POL*) verde; (*chiste*) spinto(-a) ♦ *nm* verde m; **viejo ~** vecchio maniaco □ **verdear, verdecer** *vi* verdeggiare □ **verdor** *nm* (*color*) verde m intenso

verdugo *nm* boia *m inv*; (*gorro*) passamontagna *m inv*

verdura(s) *nf(pl)* verdura

vereda *nf* sentiero; (*CS: acera*) marciapiede *m inv*

veredicto *nm* verdetto

vergonzoso, -a *adj* (*persona*) timido(-a); (*acto, comportamiento*) vergognoso(-a)

vergüenza *nf* vergogna; **me da ~ decírselo** mi vergogno a dirglielo; **¡qué ~!** che vergogna!

verídico, -a *adj* veritiero(-a)

verificar *vt* verificare; (*efectuar*) effettuare

verja *nf* inferriata

vermut (*pl* **~s**) *nm* vermut *m inv*; (*CS: CINE*) matinée *f inv*

verosímil *adj* verosimile

verruga *nf* (*MED*) verruca

versátil *adj* (*flexible*) versatile; (*inconstante*) volubile

versión *nf* versione *f*; **en ~ original** in versione originale

verso *nm* verso

vértebra *nf* vertebra

verter *vt* (*derramar*) versare; (*traducir*) tradurre

vertical adj verticale

vértice nm vertice m

vertiente nf versante m; (de techo) spiovente m

vértigo nm vertigine f; **tener ~** avere le vertigini

vesícula nf vescica

vestíbulo nm atrio

vestido nm (de mujer) abito

vestimenta nf vestiti mpl; (REL) paramenti mpl liturgici

vestir vt vestire; (cubrir) rivestire ♦ vi vestire; (ser elegante) essere elegante; **vestirse** vpr vestirsi; **ropa de ~** vestiti eleganti

vestuario nm vestiario m; (TEATRO, CINE) costumi mpl; (local: TEATRO) camerino; **~s** nmpl (DEPORTE) spogliatoi mpl

vetar vt opporre il veto a

veterinaria nf veterinaria

veterinario, -a nm/f veterinario(-a)

veto nm veto

vez nf volta; (turno) turno; **a la ~** contemporaneamente; **a su ~** a sua volta; **una ~** una volta; **de ~ en** invece di; **a veces/algunas veces** a volte; **otra ~** un'altra volta; **una y otra ~** a più riprese; **de ~ en cuando** di tanto in tanto; **hacer las veces de** fare le veci di; **tal ~** forse

vía nf via; **por ~ judicial** in via giudiziale; **por ~ oficial** in via ufficiale; **de ~ de** dal punto di; **Madrid-Berlín ~ París** Madrid-Berlino via Parigi; **¿desde qué ~ sale el tren a Roma?** da che binario parte il treno per Roma? ▸ **Vía Láctea** Via Lattea

viaducto nm viadotto

viajar vi viaggiare ◻ **viaje** nm viaggio; (itinerario) itinerario; **estar de viaje** essere in viaggio; **¿cómo fue el viaje?** com'è andato il viaggio?; **el viaje dura dos horas** ci sono due ore di viaggio ▸ **viaje de ida y vuelta** viaggio di andata e ritorno ▸ **viaje de novios** viaggio di nozze ◻ **viajero, -a** adj, nm/f viaggiatore(-trice)

víbora nf vipera

vibración nf vibrazione f

vibrar vi vibrare

vicepresidente nm/f vicepresidente m/f

viceversa adv: **y ~** e viceversa

vicio nm vizio

vicioso, -a adj, nm/f vizioso(-a)

víctima nf vittima

victoria nf vittoria

victorioso, -a adj vittorioso(-a)

vid nf vite f

vida nf vita; **de por ~** per tutta la vita; **en la ~ o mi** (o tu etc) **~** (nunca) in vita mia (o tua ecc); **estar con ~** essere in vita; **ganarse la ~** guadagnarsi da vivere; **a ~ o muerte** a rischio della vita

vídeo nm (aparato) videoregistratore m

videocámara nf videocamera

videocas(s)et(t)e nm videocassetta

videoclub nm videoteca

videojuego nm videogioco

vidrio nm vetro; **pagar los ~s rotos** prendersi la colpa

viejo, -a adj vecchio(-a); (tiempos) antico(-a) ♦ nm/f vecchio(-a); **hacerse** o **ponerse ~** farsi o diventare vecchio

Viena n Vienna

viene etc vb ver **venir**

vienés, -esa adj, nm/f viennese m/f

viento nm vento

vientre nm ventre m

viernes nm inv venerdì m inv ► **Viernes Santo** Venerdì Santo; ver tb **martes**

Vietnam nm Vietnam m ❏ **vietnamita** adj, nm/f vietnamita m/f

viga nf trave f

vigente adj (ley etc) vigente

vigésimo, -a adj, nm/f ventesimo(-a)

vigía nf vedetta

vigilancia nf vigilanza

vigilante adj vigile ♦ nm sorvegliante m/f

vigilar vt vigilare

vigilia nf veglia; (REL) vigilia

vigor nm vigore m; **en ~** in vigore; **entrar en ~** entrare in vigore

vigoroso, -a adj vigoroso(-a)

vil adj vile

villa nf villa; (población) città f inv

villancico nm canzone natalizia

vilo: en ~ adv (sostener, levantar) in aria; **estar en ~** (fig) stare sulle spine

vinagre nm aceto

vinagreta nf vinaigrette f inv

vínculo nm vincolo

vino vb ver **venir** ♦ nm vino ► **vino blanco/tinto** vino bianco/rosso

viña nf vigna ❏ **viñedo** nm vigneto

violación nf (de una persona) stupro; (de derecho, ley) violazione f

violar vt violentare; (norma) violare

violencia nf violenza ❏ **violentar** vt forzare; (persona) mettere in imbarazzo ❏ **violento, -a** adj violento(-a); (embarazoso) imbarazzante; (incómodo) a disagio

violeta adj viola inv ♦ nf (BOT) violetta ♦ nm (color) viola m inv

violín nm violino

virgen adj, nf vergine f; **la (Santísima) V~** la Vergine

Virgo nm (ASTROL) Vergine f; **ser ~** essere (della) Vergine

viril adj virile ❏ **virilidad** nf virilità f inv

virtud nf virtù f inv; **en ~ de** in virtù di

virtuoso, -a adj, sm/f virtuoso(-a)

viruela nf vaiolo

virulento, -a adj virulento(-a)

virus nm inv virus m inv

visa (LAm) nf visto

visado (ESP) nm visto

víscera nf viscere m; **~s** nfpl viscere fpl

visceral adj viscerale

visera nf visiera

visibilidad nf visibilità f inv ❏ **visible** adj visibile

visillo nm tendina

visión nf visione f

visita nf visita; **hacer una ~** fare una visita; **¿a qué hora empieza la ~ guiada?** a che ora comincia la visita guidata?

visitar vt (familia etc) fare visita a; (ciudad, museo) visitare

visón nm visone m

visor nm (FOTO) mirino

víspera nf vigilia; **la ~ de** il giorno prima di; **en ~s de** alla vigilia di; **está en ~s de marcharse** è in procinto di andarsene

vista nf vista; **a primera o simple ~** a prima vista; **hacer la ~ gorda** chiudere un occhio; **está o salta a la ~ que** salta agli occhi che; **conocer a algn de ~** conoscere qn di vista;

en ~ de ... in considerazione di ...; **~ de que ...** dal momento che ...; **¡hasta la ~!** ci vediamo!; **con ~s a** (al mar) con vista su; (al futuro, a mejorar) allo scopo di ☐ **vistazo** nm occhiata; **dar o echar un vistazo a** dare un'occhiata a

visto, -a vb ver vestir ♦ pp de ver ♦ adj: **estar muy ~** essere vecchio(-a) ♦ nm: **~ bueno** visto; **está ~ que** è chiaro che; **está mal ~ (que)** non sta bene (che); **~ que** visto che; **por lo ~** a quanto pare

vistoso, -a adj vistoso(-a)

visual adj visivo(-a)

vital adj vitale

vitalidad nf vitalità f inv

vitamina nf vitamina

viticultor, a nm/f viticoltore(-trice)

vitorear vt acclamare

vitrina nf vetrinetta

viudo, -a adj, nm/f vedovo(-a)

viva excl viva; **¡~ el rey!** viva il re!

vivaracho, -a adj vivace

vivaz adj vivace; (eficaz) efficace

víveres nmpl viveri mpl

vivero nm vivaio

vivienda nf abitazione f

viviente adj vivente

vivir vt, vi vivere; **¿dónde vive?** dove abita?

vivo, -a adj vivo(-a); **en ~** (TV, MÚS) dal vivo

vocablo nm vocabolo

vocabulario nm vocabolario

vocación nf vocazione f

vocacional (LAm) nf (ESCOL) istituto tecnico

vocal adj vocale ♦ nm/f consigliere m ♦ nf (LING) vocale f ☐ **vocalizar** vi scandire le parole

vocero, -a (LAm) nm/f portavoce m/f

voces pl de **voz**

vodka nf vodka

vol abr (= volumen) vol.

volandas: **en ~** adv (por el aire: a un niño) in aria; (: torero etc) in trionfo; (rápidamente) al volo

volante nm volante m; (MED) richiesta

volar vt far esplodere ♦ vi volare

volátil adj volatile

volcán nm vulcano

volcánico, -a adj vulcanico(-a)

volcar vt ribaltare; (derramar) versare ♦ vi ribaltarsi; **volcarse** vpr (recipiente) rovesciarsi; (esforzarse): **~se para hacer algo/con algn** farsi in quattro per fare qc/per qn

voleibol nm pallavolo f

volqué etc vb ver **volcar**

volquemos etc vb ver **volcar**

voltaje nm voltaggio

voltear vt capovolgere, ribaltare; (LAm: dar la vuelta) girare; **voltearse** vpr (LAm) girarsi; **~ a hacer algo** (LAm) ricominciare a fare qc

voltereta nf (rodada) piroetta

voltio nm volt m inv

voluble adj volubile

volumen nm volume m

voluminoso, -a adj voluminoso(-a)

voluntad nf volontà f inv

voluntario, -a adj, nm/f volontario(-a)

volver vt girare; (transformar en) far diventare ♦ vi tornare; (torcer) girare; **volverse** vpr (girar) girarsi; (convertirse en) diventare; **la espalda** girare le spalle; **~ a hacer algo** tornare a fare qc; **~ en sí** ritornare in sé; **vuelvo a casa** el

martes torno a casa martedì; **~se loco/insociable** diventare pazzo/ intrattabile

vomitar vt, vi vomitare ◻ **vómito** nm vomito

voraz adj vorace; **un hambre** ~ una fame da lupo

vos (LAm) pron tu

vosotros, -as pron voi; **entre** ~ tra di voi

votación nf votazione f

votar vt, vi votare ◻ **voto** nm (tb REL) voto

voy vb ver **ir**

voz nf (tb rumor) voce f; (grito) grido; **dar voces** gridare; (dar una voz a algn) dare una voce a qn; **llamar a algn/hablar a voces** chiamare qn/ parlare gridando; **a media** ~ a voce bassa; **de viva** ~ a viva voce; **en** ~ **alta/baja** a voce alta/bassa ▸ **voz de mando** ordine m militare

vuelco vb ver **volcar** ♦ nm capitombolo; (de coche) ribaltamento

vuelo vb ver **volar** ♦ nm volo; (de falda, vestido) ampiezza; **cazar o coger al** ~ cogliere al volo ▸ **vuelo charter** volo charter

vuelque etc vb ver **volcar**

vuelta nf giro; (regreso) ritorno; (de camino, río) svolta; (de papel, tela) rovescio; (de pantalón) risvolto; (dinero) resto; **a la** ~ (ESP) al ritorno; **a la** ~ **(de la esquina)** dietro l'angolo; **a** ~ **de correo** a stretto giro di posta; **dar la** ~ **a algo** capovolgere qc; (de atrás adelante) girare qc; **dar** ~**s (a algo)** girare (qc); **dar** ~**s a una idea** pensare e ripensare a un'idea; **dar una** ~ fare un giro; **quédese con la** ~ tenga pure il resto ▸ **vuelta ciclista** giro ciclistico

⚠ **vuelta** no se traduce nunca por la palabra italiana **volta**.

vuelto pp de **volver** ♦ nm (LAm) resto

vuelva etc vb ver **volver**

vuestro, -a adj vostro(-a); ♦ pron: **el** ~, **la vuestra** il vostro, la vostra; **los** ~**s, las vuestras** i vostri, le vostre; **un amigo** ~ un vostro amico; **¿son** ~**s?** sono vostri?

vulgar adj (pey) volgare; (no refinado) grossolano(-a); (común) dozzinale ◻ **vulgaridad** nf volgarità f inv; (ordinariez) banalità f inv

vulnerable adj vulnerabile; (punto, zona) sensibile

vulnerar vt ferire; (ley, acuerdo, intimidad) violare

Ww Xx Yy

wáter nm water m inv

web nm o f (página) pagina web; (red) Web m ▸ **web site** sito web

webcam nf webcam f inv

whisky nm whisky m inv

windsurf nm windsurf m inv

xenofobia nf xenofobia

xilófono nm xilofono

y conj e

ya adv già; (ahora) ora; (en seguida) subito; (jamás) più ♦ conj ora; **ya que** visto che; **ya no vamos** non andiamo più; **ya lo sé** già lo so; **ya veremos** vedremo; **¡ya voy!** vengo subito!; **¡ya mismo!** (LAm) subito!; **ya está bien** basta così; **ya por una cosa, ya por otra** ora per una cosa, ora per l'altra

yacer vi giacere; **aquí yace** qui giace

yacimiento nm giacimento

yanqui adj, nm/f yankee m/f

yate nm yacht m inv

yazca etc vb ver **yacer**

yedra nf edera

yegua nf giumenta

yema nf (del huevo) tuorlo; (BOT) gemma ► **yema del dedo** polpastrello

yerno nm genero

yeso nm (ARQ) gesso

yo pron pers io; **soy yo** sono io

yodo nm iodio

yoga nm yoga m inv

yogur(t) nm yogurt m inv

yudo nm judo m inv

Yugoslavia nf Iugoslavia

yugular adj, nf giugulare (f)

yunque nm (tb ANAT) incudine f

Zz

zafarse vpr: ~ **de** liberarsi di; ~ **de hacer algo** evitare di fare qc

zafiro nm zaffiro

zaga nf: **a la** ~ in coda

zaguán nm atrio

zalamero, -a adj affettuoso(-a)

zamarra nf pelliccia

zambullirse vpr tuffarsi

zampar vt strafogarsi

zanahoria nf carota

zancadilla nf sgambetto; **echar** o **poner la** ~ **a algn** fare lo sgambetto a qn

zanco nm trampolo

zángano, -a nm/f fannullone(-a) ♦ nm (ZOOL) fuco

zanja nf fosso ❑ **zanjar** vt scavare; (resolver) risolvere

zapata nf ganascia

zapatería nf (tienda) negozio di scarpe; (fábrica) calzaturificio

zapatero, -a nm/f calzolaio(-a)

zapatilla nf (para casa) pantofola; (para ballet) scarpetta ► **zapatilla de deporte** scarpa da ginnastica

zapato nm scarpa

zapping nm zapping m inv; **hacer ~** fare zapping

zarpa nf grinfia

zarpar vi salpare

zarza nf rovo

zarzamora nf (fruto) mora; (planta) rovo

zarzuela nf operetta della tradizione spagnola

zigzag nm zigzag m inv

zinc nm zinco

zócalo nm zoccolo

zodíaco nm zodiaco

zona nf zona

zoo nm zoo m inv

zoología nf zoologia

zoológico, -a adj zoologico(-a) ♦ nm (tb: **parque ~**) parco zoologico

zoólogo, -a nm/f zoologo(-a)

zoom nm zoom m inv

zopilote (CAm, MÉX) nm avvoltoio

zoquete (fam) adj, nm/f zuccone(-a)

zorro, -a adj furbo(-a) ♦ nm/f volpe f; **un** ~ una volpe maschio

zozobrar vi (barco) affondare; (fig: plan) andare a monte

zueco nm zoccolo

zumbar vi (abeja) ronzare; (motor) rombare ❑ **zumbido** nm (de abejas) ronzare; (de motor) rombo

zumo nm succo

zurcir vt (COSTURA) rammendare

zurdo, -a adj (persona) mancino(-a); (mano) sinistro(-a)

zurrar vt (fam: pegar) picchiare